Van Dale Pocketwoordenboek Engels-Nederlands

Van Dale Pocketwoordenboeken

Nederlands
Nederlands voor de basisschool
Nederlands als tweede taal (NT2)

Engels-Nederlands
Nederlands-Engels

Frans-Nederlands
Nederlands-Frans

Duits-Nederlands
Nederlands-Duits

Spaans-Nederlands
Nederlands-Spaans

Italiaans-Nederlands
Nederlands-Italiaans

Van Dale Woordenboeken voor vmbo

Van Dale Woordenboek Nederlands voor vmbo en mbo

Van Dale Pocketwoordenboek Engels-Nederlands voor vmbo
Van Dale Pocketwoordenboek Nederlands-Engels voor vmbo

Van Dale Pocketwoordenboek

Engels-Nederlands

Vierde editie

Onder redactie van J.P.M. Jansen

Utrecht – Antwerpen

Van Dale Pocketwoordenboek Engels-Nederlands
vierde editie
vierde oplage, 2012

ISBN 978 90 6648 847 2
NUR 627

De vorige editie van dit woordenboek werd geredigeerd door
R. Hempelman en N.E. Osselton

Omslagontwerp: LIFT marketing communicatie bv
Vormgeving binnenwerk: TEFF (www.teff.nl)
Zetwerk voorwerk: Julius de Goede
Zetwerk woordenboekgedeelte: Van Dale Uitgevers, TEFF

In dit woordenboek:

23.000 trefwoorden
38.000 betekenissen
16.000 voorbeelden
90.000 vertalingen

Van Dale is gebruikers erkentelijk die nuttige suggesties doen ter verdere verbetering van dit product.

Correspondentieadres:
Van Dale Uitgevers
Postbus 13288
3507 LG Utrecht

info@vandale.nl
www.vandale.nl / www.vandale.be

Slagen doe je met Van Dale

Dit woordenboek is heel geschikt als je een taal begint te leren, bijvoorbeeld in de onderbouw van het middelbaar onderwijs. Als je verder komt, wil je steeds meer woorden kunnen opzoeken en dan is een *Van Dale Middelgroot woordenboek* of een *Van Dale Groot woordenboek* een betere keuze.

In dit woordenboek zijn 38.000 woordbetekenissen opgenomen. Van die woordbetekenissen is zorgvuldig nagegaan hoe frequent en actueel ze zijn, of met andere woorden, hoe vaak ze voorkomen in (school)boeken, tijdschriften, op internet enzovoorts. Hierdoor is de kans groot dat je woorden die je wilt opzoeken ook vindt in dit woordenboek; vaker dan in vergelijkbare producten.

De vormgeving is er helemaal op gericht om het zoeken zo snel en makkelijk mogelijk te maken. De duimblokken helpen bijvoorbeeld om snel bij de goede letter in het alfabet te komen, en door de trefwoorden in kleur kun je makkelijk het woord vinden dat je zoekt. Door het handige formaat blijven de boeken ook mooi in je tas.

Als deze kenmerken je aanspreken, is dit *Van Dale Pocketwoordenboek Engels-Nederlands* de beste keuze.

Met *Van Dale Online basis* is zoeken helemaal makkelijk. Bijvoorbeeld thuis, op school of via mobiel internet, altijd en overal heb je toegang tot de nieuwste en beste Van Dale-woordenboeken met krachtige zoekfunctionaliteit. Ga naar www.vandale.nl of www.vandale.be en neem een (proef)abonnement.

Een woordenboek is nooit af. Ondanks alle aan het woordenboek bestede zorg blijft het voor verbetering vatbaar. Wij houden ons voor commentaar en suggesties dan ook van harte aanbevolen.

Tot slot hopen we dat je veel plezier mag hebben van het gebruik van dit woordenboek.

Utrecht – Antwerpen,
Ferdi Gildemacher, uitgever

Lijst van afkortingen

aanw	aanwijzend
aardr	aardrijkskunde
afk	afkorting
Am	Amerikaans, in de Verenigde Staten
anat	anatomie
astrol	astrologie
Austr	Australisch, in Australië
Belg	in België, Belgisch(e)
bep	bepaald
betr	betrekkelijk
biol	biologie
bn	bijvoeglijk naamwoord
bouwk	bouwkunde
bw	bijwoord
chem	chemie, scheikunde
comp	computer
cul	culinair
dierk	dierkunde
dw	deelwoord
econ	economie
elektr	elektriciteit, elektrisch
Eng	Engels, in Engeland
euf	eufemisme
ev	enkelvoud
fig	figuurlijk
form	formeel
foto	fotografie
geol	geologie
godsd	godsdienst(ig)
hist	historisch
hulpww	hulpwerkwoord
iem	iemand
Ier	Iers, in Ierland
inform	informeel
intr	intransitief (werkwoord)
iron	ironisch
jur	juridisch
koppelww	koppelwerkwoord
landb	landbouw
lett	letterlijk
luchtv	luchtvaart
lw	lidwoord
m ev	mannelijk enkelvoud
m mv	mannelijk meervoud
mbt	met betrekking tot
med	medisch
mil	militair
min	minachtend
mnl	mannelijk
muz	muziek
mv	meervoud
myth	mythologie
nat	natuurkunde
onbep	onbepaald
ond	onderwijs
ongev	ongeveer
oorspr	oorspronkelijk
ott	onvoltooid tegenwoordige tijd
overtr	overtreffend(e)
ovt	onvoltooid verleden tijd
pers	persoon, persoonlijk
plantk	plantkunde
pol	politiek
prot	protestants(e)
psych	psychologie

r-k	rooms-katholiek(e)
ruimtev	ruimtevaart
samentr	samentrekking
Sch	Schots, in Schotland
scheepv	scheepvaart
s.o.	someone
sth	something
taalk	taalkunde
techn	techniek
telw	telwoord
theat	theater
tr	transitief (werkwoord)
tw	tussenwerpsel
uitbr	uitbreiding
vd	van de
ve	van een
vergr	vergrotend(e)
verk	verkorting
vero	verouderd
vh	van het
vnl	voornamelijk
vnw	voornaamwoord
volt	voltooid(e)
vrl	vrouwelijk
vtt	voltooid tegenwoordige tijd
vvt	voltooid verleden tijd
vw	voegwoord
vz	voorzetsel
weerk	weerkunde
wisk	wiskunde
ww	werkwoord
zn	zelfstandig naamwoord

Gebruiksaanwijzing

De gebruikte afkortingen worden verklaard in de Lijst van afkortingen op de voorgaande pagina's.

De trefwoorden zijn in kleur gedrukt	**aunt** [a:nt] tante
Onder de klinker(s) van de beklemtoonde lettergreep staat een streepje	**absent-minded** verstrooid, afwezig
De uitspraak van Engelse trefwoorden is voor de meeste woorden gegeven tussen vierkante haken. Er wordt geen uitspraak gegeven als het trefwoord bestaat uit een samenstelling waarvan de delen elk afzonderlijk als trefwoord zijn opgenomen	**abolition** [ebbelisjen] afschaffing **aircraft** vliegtuig
Trefwoorden die gelijk geschreven worden, maar die tot verschillende woordsoorten behoren of verschillen qua uitspraak, zijn voor aan de regel genummerd met **1**, **2** enz.	**¹accent** [eksent] accent *(ook fig)*, klemtoon, uitspraak: *the ~ is on exotic flowers* de nadruk ligt op exotische bloemen **²accent** [eksent] accentueren *(ook fig)*, de klemtoon leggen op, (sterk) doen uitkomen
Vertalingen die zeer dicht bij elkaar liggen, worden gescheiden door een komma	**aboveboard** eerlijk, openlijk, rechtuit
Wordt het verschil wat groter, dan wordt tussen de vertalingen een puntkomma gezet; vaak wordt tussen haakjes een verklaring van dit kleine verschil in betekenis gegeven	**adulterate** [edultereet] vervalsen; versnijden **shrimp** [sjrimp] garnaal; *(inform)* klein opdondertje
Wanneer het trefwoord duidelijk verschillende vertalingen heeft, worden deze genummerd met **1**, **2** enz.	**abbreviate** [əbrie:vie·eet] **1** inkorten, verkorten **2** afkorten
Soms is bij de vertaling een toelichting nodig: een beperking van het gebruik van een woord, een vakgebied, een korte verklaring. Zo'n toelichting staat cursief tussen haakjes	**alderman** [o:ldemen] *(ongev)* wethouder, gedeputeerde, *(Belg)* schepen
De vertaling kan worden gevolgd door voorbeelden en uitdrukkingen. Deze staan cursief; het trefwoord wordt weergegeven door het teken ~. Voorbeelden en uitdrukkingen worden altijd gevolgd door een vertaling	**absolute** [ebseloe:t] **1** absoluut, geheel, totaal: *~ proof* onweerlegbaar bewijs **2** onvoorwaardelijk: *~ promise* onvoorwaardelijke belofte

Soms wordt een trefwoord niet vertaald, maar wordt het alleen gegeven in één of meer uitdrukkingen. De uitdrukking volgt dan direct na een dubbelepunt

amok [emok]: *run* ~ amok maken, als een bezetene tekeergaan

Uitdrukkingen die niet duidelijk aansluiten bij een van de verschillende vertalingen van een trefwoord, worden achteraan behandeld na het teken ||

breakage [breekidzj] breuk, het breken, barst || *£10 for* ~ £10 voor breukschade

Alternatieve vormen zijn tussen haakjes gezet en worden ingeleid met *of.* De uitdrukkingen *feel affinity for* en *feel affinity with* kunnen dus beide worden vertaald met *sympathie voelen voor*

affinity [efinnittie] **1** (aan)verwantschap **2** affiniteit, overeenkomst, sympathie: *feel* ~ *with* (of: *for)* sympathie voelen voor

Vaak wordt van een alternatieve vorm wel een aparte vertaling gegeven. Die vertaling wordt eveneens ingeleid met *of*; *an all-time high* wordt dus vertaald als *een absoluut hoogtepunt* en *an all-time low* als *een absoluut dieptepunt*

all-time van alle tijden: *an* ~ *record* een (langdurig) ongebroken record; *an* ~ *high* (of: *low)* een absoluut hoogtepunt (*of:* dieptepunt)

Sommige trefwoorden worden gebruikt in vaste verbindingen met een ander woord. Dat woord wordt ingeleid met het woordje *met*

accessible [ekse ssibel] *(met to)* toegankelijk (voor), bereikbaar (voor), *(fig)* begrijpelijk (voor)

Uitspraaktekens:

k̂	goal	[k̂ool]	
e	abolish	[ebbollisj]	
θ	thanks	[θengks]	
ð	their	[ðee]	
:	bore	[bo:]	verlengingsteken; verlengt de voorafgaande klinker
•	assume	[es•joe:m]	pauzeteken

a

[1]**a** [ee] *zn* **1** a, A **2** de eerste, de hoogste (rang, graad), eersteklas || *A-1* eersteklas, prima
[2]**a** [e, ee] *lw* **1** een **2** per: *five times a day* vijf keer per dag **3** dezelfde, hetzelfde: *all of an age* allemaal even oud
AA **1** *afk van Automobile Association (ongev)* ANWB **2** *(Am) afk van Alcoholics Anonymous* AA
AA-patrol [eeeepetrool] wegenwacht
[1]**abandon** [ebenden] *zn* ongedwongenheid, vrijheid: *with* ~ uitbundig
[2]**abandon** [ebenden] *tr* **1** in de steek laten, aan zijn lot overlaten: ~ *a baby* een baby te vondeling leggen; *the order to* ~ *ship* het bevel het schip te verlaten **2** opgeven, afstand doen van: ~ *all hope* alle hoop laten varen **3** *(sport)* afgelasten
abandoned [ebendend] **1** verlaten, opgegeven **2** verdorven, losbandig, schaamteloos **3** ongedwongen, ongeremd, uitbundig
abate [ebeet] verminderen, afnemen: *the wind* ~*d* de wind ging liggen
abattoir [ebetwa:] slachthuis, abattoir
abbey [ebie] **1** abdij **2** abdijkerk
abbot [ebet] abt
abbreviate [ebrie:vie·eet] **1** inkorten, verkorten **2** afkorten
abbreviation [ebrie:vie·eesjen] **1** inkorting, verkorting **2** afkorting
abdicate [ebdikkeet] aftreden: ~ *(from) the throne* troonsafstand doen
abdomen [ebdemen] buik
abduct [ebdukt] ontvoeren, wegvoeren
abduction [ebduksjen] ontvoering, kidnapping
aberrant [eberrent] afwijkend, abnormaal
abhor [ebho:] verafschuwen, walgen van
abide [ebajd] blijven || ~ *by: a)* zich neerleggen bij, zich houden aan; *b)* trouw blijven aan
ability [ebillittie] bekwaamheid, vermogen, bevoegdheid
abject [ebdzjekt] **1** rampzalig, ellendig, miserabel: ~ *poverty* troosteloze armoede **2** verachtelijk, laag
ablaze [ebleez] **1** in lichterlaaie: *set* ~ in vuur en vlam zetten **2** schitterend, stralend
able [eebl] **1** bekwaam, competent **2** in staat, de macht (mogelijkheid) hebbend: *be* ~ *to* kunnen
ably [eeblie] *zie* able
abnormal [ebno:mel] **1** abnormaal, afwijkend **2** uitzonderlijk
[1]**aboard** [ebo:d] *bw* aan boord: *all* ~*!* instappen!
[2]**aboard** [ebo:d] *vz* aan boord van
abolish [ebollisj] afschaffen, een eind maken aan: ~ *the death penalty* de doodstraf afschaffen
abolition [ebelisjen] afschaffing
abominable [ebomminnebl] afschuwelijk, walgelijk
abominate [ebomminneet] verfoeien, verafschuwen
aboriginal [eberidzjinl] inheems, autochtoon, oorspronkelijk
abort [ebo:t] *(comp)* afbreken
abortion [ebo:sjen] abortus, miskraam
abortive [ebo:tiv] vruchteloos, mislukt
abound [ebaund] overvloedig aanwezig zijn, in overvloed voorkomen, wemelen (van)
[1]**about** [ebaut] *bw* **1** ongeveer, bijna: *that's* ~ *it* dat moet het zo ongeveer zijn; ~ *twenty pence* ongeveer twintig pence **2** *(plaats- en richtingaanduidend)* rond(om), in het rond (de buurt): *there's a lot of flu* ~ er heerst griep **3** om(gekeerd) *(ook fig): the wrong way* ~ omgekeerd; ~ *turn!, (Am) about face!* rechtsomkeert!
[2]**about** [ebaut] *vz* **1** rond, om … heen **2** rondom; in (de buurt van) *(ook fig): there was an air of mystery* ~ *the boy* de jongen had iets geheimzinnigs over zich **3** door … heen, over: *travel* ~ *the country* in het land rondreizen **4** over, met betrekking tot: *be quick* ~ *it* schiet eens wat op **5** omstreeks, omtrent, ongeveer: ~ *midnight* rond middernacht || *while you are* ~ *it* als je (er) toch (mee) bezig bent; *what* ~ *it?* nou, en …?, so what?, wat wil je nu zeggen?; *what* (of: *how*) ~ *a cup of coffee?* zin in een kop koffie?
[1]**above** [ebuv] *bw* **1** boven, hoger: *from* ~ van boven, *(fig)* uit de hemel; *the* ~*: a)* het bovengenoemde; *b)* de bovengenoemde personen **2** *(plaats in rangorde)* hoger, meer: *twenty and* ~ twintig en meer; *imposed from* ~ van hogerhand opgelegd
[2]**above** [ebuv] *vz* **1** boven **2** hoger dan, meer dan: ~ *fifty* meer dan vijftig || ~ *all* vooral
aboveboard eerlijk, openlijk, rechtuit
[1]**abrasive** [ebreesiv] *zn* schuurmiddel
[2]**abrasive** [ebreesiv] *bn* **1** schurend, krassend **2** ruw, kwetsend: ~ *character* irritant karakter
abreast [ebrest] **1** zij aan zij, naast elkaar, op een rij: *two* ~ twee aan twee **2** in gelijke tred, gelijk, op dezelfde hoogte: *keep wages* ~ *of* de lonen gelijke tred doen houden met
abridge [ebridzj] verkorten, inkorten
abroad [ebro:d] in (naar) het buitenland: *(back) from* ~ (terug) uit het buitenland
abrupt [ebrupt] **1** abrupt, plots(eling) **2** kortaf
abscess [ebses] abces, ettergezwel
absence [ebsns] **1** afwezigheid, absentie: *he was condemned in his* ~ hij werd bij verstek veroordeeld **2** gebrek: *in the* ~ *of proof* bij gebrek aan bewijs

absent [ebsnt] afwezig, absent
absent-minded verstrooid, afwezig
absolute [ebseloe:t] **1** absoluut, geheel, totaal: ~ *proof* onweerlegbaar bewijs **2** onvoorwaardelijk: ~ *promise* onvoorwaardelijke belofte
absolution [ebseloe:sjen] absolutie, vergiffenis
absolve [ebzolv] **1** vergeven, de absolutie geven **2** ontheffen, kwijtschelden: ~ *s.o. from a promise* iem ontslaan van een belofte
absorb [ebzo:b] absorberen, (in zich) opnemen, opzuigen
abstain [ebsteen] *(met from)* zich onthouden (van)
abstinence [ebstinnens] onthouding
[1]**abstract** [ebstrekt] *zn* **1** samenvatting, uittreksel **2** abstract kunstwerk
[2]**abstract** [ebstrekt] *bn* abstract, theoretisch, algemeen
[3]**abstract** [ebstrekt] *ww* **1** onttrekken, ontvreemden **2** afleiden **3** samenvatten
absurd [ebse:d] absurd, dwaas, belachelijk
abundance [ebundens] overvloed, weelde, menigte
abundant [ebundent] **1** overvloedig **2** rijk: *a river ~ in fish* een rivier rijk aan vis
[1]**abuse** [ebjoe:s] *zn* **1** misbruik, verkeerd gebruik **2** scheldwoorden **3** mishandeling: *child* ~ kindermishandeling
[2]**abuse** [ebjoe:z] *tr* **1** misbruiken **2** mishandelen **3** (uit)schelden
abusive [ebjoe:siv] beledigend: *become* ~ beginnen te schelden
abyss [ebis] afgrond, peilloze diepte
AC *afk van alternating current* wisselstroom
[1]**academic** [ekedemmik] *zn* academicus, wetenschapper
[2]**academic** [ekedemmik] *bn* academisch; *(fig)* abstract; theoretisch
academy [ekedemie] academie, genootschap, school voor speciale opleiding
[1]**accelerate** [eksellereet] *intr* sneller gaan, het tempo opvoeren, optrekken
[2]**accelerate** [eksellereet] *tr* versnellen
accelerator [eksellereete] gaspedaal
[1]**accent** [eksnt] *zn* accent *(ook fig);* klemtoon, uitspraak: *the ~ is on exotic flowers* de nadruk ligt op exotische bloemen
[2]**accent** [eksent] *tr* accentueren *(ook fig);* de klemtoon leggen op, (sterk) doen uitkomen
accept [eksept] **1** aannemen, aanvaarden, accepteren: *an ~ed fact* een (algemeen) aanvaard feit; *be ~ed practice* algemeen gebruikelijk zijn **2** aanvaarden, tolereren, verdragen **3** goedvinden, goedkeuren, erkennen: *all members ~ed the proposal* alle leden namen het voorstel aan
acceptable [ekseptebl] **1** aanvaardbaar, aannemelijk **2** redelijk
acceptance [ekseptens] **1** aanvaarding, overneming **2** gunstige ontvangst, bijval **3** instemming, goedkeuring **4** *(handel)* accept(atie)
access [ekses] *(met to)* toegang (tot), toegangsrecht, toelating: *no (public)* ~ verboden toegang
accessibility [eksessebillittie] toegankelijkheid
accessible [eksessibl] *(met to)* toegankelijk (voor), bereikbaar (voor); *(fig)* begrijpelijk (voor)
accessory [eksesserie] **1** medeplichtige **2** accessoire
accident [eksiddent] **1** toeval, toevalligheid, toevallige omstandigheid: *by* ~ bij toeval, toevallig **2** ongeluk, ongeval: *by* ~ per ongeluk
accidental [eksiddentl] toevallig, onvoorzien, niet bedoeld: *~(ly) on purpose* per ongeluk expres
acclaim [ekleem] toejuiching, bijval, gejuich: *receive (critical)* ~ (door de critici) toegejuicht worden
acclimatize [eklajmetajz] acclimatiseren
accommodate [ekommedeet] **1** huisvesten, onderbrengen **2** plaats hebben voor **3** aanpassen; (met elkaar) in overeenstemming brengen *(plannen, ideeën): ~ oneself (to)* zich aanpassen (aan)
accommodating [ekommedeeting] inschikkelijk, meegaand, plooibaar
accommodations [ekommedeesjenz] *(Am)* **1** onderdak, (verblijf)plaats, logies **2** plaats, ruimte
accompany [ekumpenie] **1** begeleiden, vergezellen: *~ing letter* bijgaande brief **2** *(muz)* begeleiden
accomplice [ekumplis] medeplichtige
accomplish [ekumplisj] **1** volbrengen, voltooien **2** tot stand brengen, bereiken
accomplishment [ekumplisjment] **1** prestatie **2** bekwaamheid, vaardigheid **3** voltooiing, vervulling
accord [eko:d] akkoord, schikking, overeenkomst, verdrag: *of one's own* ~ uit eigen beweging
accordance [eko:dens]: *in ~ with* overeenkomstig, in overeenstemming met
according to [eko:ding toe] volgens, naar … beweert
account [ekaunt] **1** verslag, beschrijving, verklaring; uitleg *(van gedrag): by all ~s* naar alles wat men hoort; *annual* ~ jaarverslag; *give* (of: *render*) *an ~ of* verslag uitbrengen over **2** rekening; factuur *(ook fig): settle an ~ with s.o.* de rekening vereffenen met iem **3** rekenschap, verantwoording: *bring* (of: *call*) *s.o. to ~ for sth.* iem ter verantwoording roepen voor iets; *give* (of: *render*) *~ of* rekenschap afleggen over **4** beschouwing, aandacht: *take sth. into ~, take ~ of sth.* rekening houden met iets **5** belang, waarde, gewicht: *of no* ~ van geen belang **6** voordeel: *put* (of: *turn*) *sth. to (good)* ~ zijn voordeel met iets doen || *do* (of: *keep*) *(the) ~s* boekhouden; *on ~ of* wegens; *on no* ~ in geen geval
accountability [ekauntebillittie] verantwoordelijkheid, aansprakelijkheid
accountancy [ekauntensie] accountancy, boekhouding

accountant [ekauntent] accountant, (hoofd)boekhouder

account for 1 rekenschap geven van, verslag uitbrengen over **2** verklaren, uitleggen, veroorzaken: *his disease accounts for his strange behaviour* zijn ziekte verklaart zijn vreemde gedrag **3** vormen, uitmaken: *computer games accounted for two-thirds of his spending* computerspelletjes vormden twee derde van zijn uitgaven **4** bekend zijn: *the rest of the passengers still have to be accounted for* de overige passagiers worden nog steeds vermist

accumulate [ekjoe:mjoeleet] (zich) op(een)stapelen, (zich) op(een)hopen: ~ *a fortune* een fortuin vergaren

accumulation [ekjoe:mjoeleesjen] **1** op(een)stapeling, op(een)hoping, accumulatie **2** aangroei

accuracy [ekjeresie] nauwkeurigheid, correctheid, exactheid

accurate [ekjeret] nauwkeurig, correct

accusation [ekjoezeesjen] beschuldiging, aanklacht

accuse [ekjoe:z] beschuldigen, aanklagen

accused [ekjoe:zd] beschuldigd, aangeklaagd

accustom [ekustem] (ge)wennen, gewoon maken: *~ed to* gewend aan

ace [ees] **1** *(kaartspel)* aas, één; *(fig)* troef **2** *(sport, vnl. tennis)* ace **3** *(inform)* uitblinker: *an ~ at arithmetic* een hele piet in het rekenen

acerbity [ese:bittie] wrangheid, zuurheid, bitterheid

[1]**ache** [eek] *zn* (voortdurende) pijn: *~s and pains* pijntjes

[2]**ache** [eek] *intr* **1** (pijn) lijden *(ook fig)* **2** pijn doen, zeer doen **3** *(inform)* (hevig) verlangen, hunkeren: *be aching to do sth.* staan te popelen om iets te doen; ~ *for* hunkeren naar

achieve [etsjie:v] **1** volbrengen, voltooien, tot stand brengen **2** bereiken *(doel e.d.)*; presteren

achievement [etsjie:vment] **1** prestatie **2** voltooiing **3** het bereiken

[1]**acid** [esid] *zn* **1** zuur, zure stof (drank) **2** *(inform)* acid, lsd

[2]**acid** [esid] *bn* **1** zuur, zuurhoudend: ~ *rain* zure regen **2** bits, bijtend

acid test vuurproef *(fig)*

acknowledge [eknollidzj] **1** erkennen, accepteren **2** toegeven: ~ *sth. to s.o.* t.o.v. iem iets toegeven **3** ontvangst bevestigen van: *I herewith ~ (receipt of) your letter* hierbij bevestig ik de ontvangst van uw brief **4** een teken van herkenning geven aan *(d.m.v. knikje, groet)*

acknowledg(e)ment [eknollidzjment] **1** erkenning, acceptatie **2** (bewijs van) dank: *in ~ of* als dank voor **3** ontvangstbevestiging, kwitantie

acne [eknie] acne, jeugdpuistjes

acorn [eeko:n] eikel

acoustic [ekoe:stik] akoestisch

acquaint [ekweent] op de hoogte brengen, in kennis stellen, vertrouwd maken: ~ *s.o. of* (of: *with*) *the facts* iem op de hoogte stellen van de feiten

acquaintance [ekweentens] **1** kennis, bekende **2** kennissenkring **3** bekendheid, vertrouwdheid, kennis: *have a nodding ~ with s.o.* iem oppervlakkig kennen **4** kennismaking: *make s.o.'s ~* kennismaken met iem

acquiescence [ekwie·esns] instemming, berusting

acquire [ekwajje] **1** verwerven, verkrijgen, aanleren: *~d characteristics* aangeleerde eigenschappen; *it's an ~d taste* men moet het leren waarderen *(eten, drinken enz.)* **2** aanschaffen, (aan)kopen

acquisition [ekwizzisjen] aanwinst, verworven bezit, aankoop

acquisitive [ekwizzittiv] hebzuchtig, hebberig

acquit [ekwit] vrijspreken: *be ~ed (on a charge) of murder* vrijgesproken worden van moord; ~ *oneself ill: a)* zich slecht van zijn taak kwijten; *b)* het er slecht van afbrengen

acre [eeke] **1** acre *(landmaat, 4047 m²)* **2** *~s* landerijen, grondgebied, groot gebied

acrid [ekrid] bijtend *(ook fig)*; scherp, bitter

acrimonious [ekrimmoonies] bitter, scherp, venijnig

acrobat [ekrebet] acrobaat

acrobatic [ekrebetik] **1** acrobatisch **2** soepel, lenig

[1]**across** [ekros] *bw* **1** *(plaats)* overdwars, gekruist: *it measured fifty yards ~* het had een doorsnede van vijftig yards **2** *(plaats)* aan de overkant **3** *(richting; ook fig)* over, naar de overkant: *the actor came ~ well* de acteur kwam goed over (bij het publiek); *put a message ~* een boodschap overbrengen **4** *(in kruiswoordraadsel)* horizontaal

[2]**across** [ekros] *vz* (tegen)over *(ook fig)*; dwars, gekruist, aan (naar) de overkant van: *look ~ the hedge* kijk over de haag; *from ~ the sea* van overzee; *the people ~ the street: a)* de overburen; *b)* de mensen aan de overkant (van de straat)

acrylic [ekrillik] acryl

[1]**act** [ekt] *zn* **1** handeling, daad, werk **2** besluit, bepaling, wet: ~ *of Parliament* (Am: *Congress*) wet van het Parlement (*Am:* Congres) **3** akte, (proces)stuk **4** *(theat)* bedrijf, akte **5** *(circus)* nummer, act **6** *(inform; min)* komedie: *put on an ~* komedie spelen || *(godsd) Acts (of the Apostles)* Handelingen (van de Apostelen); ~ *of God* overmacht, force majeure *(mbt natuurgeweld)*; *catch* (of: *take*) *s.o. in the (very) ~* iem op heterdaad betrappen; *(inform) get in on the ~, get into the ~* meedoen (om zijn deel van de koek te hebben); *(inform) get one's ~ together* orde op zaken stellen, zijn zaakjes voor elkaar krijgen

[2]**act** [ekt] *intr* **1** zich voordoen, zich gedragen: *he ~s like a madman* hij gedraagt zich als een krankzinnige **2** handelen, optreden, iets doen **3** fungeren, optreden: ~ *as chairman* het voorzitterschap waarnemen **4** werken, functioneren **5** acteren, spe-

len **6** komedie spelen, zich aanstellen

[3]**act** [ekt] *tr* **1** uitbeelden, spelen, uitspelen: *~ out one's emotions* zijn gevoelens naar buiten brengen **2** *(theat)* spelen, opvoeren, acteren **3** spelen, zich voordoen als: *~ the fool* de idioot uithangen || *she doesn't ~ her age* zij gedraagt zich niet naar haar leeftijd

acting [ekting] waarnemend, plaatsvervangend, tijdelijk

action [eksjen] **1** actie, daad, handeling, activiteit: *a man of ~* een man van de daad; *take ~* maatregelen nemen, tot handelen overgaan; *~s speak louder than words* geen woorden maar daden **2** gevechtsactie, strijd: *be killed in ~* in de strijd sneuvelen **3** proces, klacht, eis || *the ~ of the novel takes place in London* de roman speelt zich af in Londen

activate [ektivveet] activeren, actief maken, in werking brengen

active [ektiv] **1** actief, werkend, in werking: *an ~ remedy* een werkzaam middel; *an ~ volcano* een werkende vulkaan **2** actief, bedrijvig: *lead an ~ life* een actief leven leiden **3** *(econ)* actief, productief || *be under ~ consideration* (ernstig) overwogen worden; *(handel) ~ securities* (of: *stocks*) actieve fondsen, druk verhandelde fondsen; *(mil) on ~ service* aan het front, *(Am)* in actieve (*of:* feitelijke) dienst

activity [ektivvittie] **1** activiteit, bedrijvigheid, drukte: *economic ~* conjunctuur, economische bedrijvigheid **2** werking, functie

act on 1 inwerken op, beïnvloeden **2** opvolgen, zich laten leiden door: *she acted on his advice* zij volgde zijn raad op

actor [ekte] acteur *(ook fig);* toneelspeler

actress [ektris] actrice *(ook fig);* toneelspeelster

actual [ektsjoeel] werkelijk, feitelijk, eigenlijk: *~ figures* reële cijfers; *~ size* ware grootte; *what were his ~ words?* wat zei hij nou precies?

actually [ektsjoeelie] **1** eigenlijk, feitelijk, werkelijk **2** zowaar, werkelijk, echt: *they've ~ paid me!* ze hebben me zowaar betaald! || *You've met John, haven't you? - Actually, I haven't* Je kent John, hè? - Nee, ik ken hem niet

acute [ekjoe:t] **1** acuut, ernstig, hevig **2** scherp(zinnig), fijn; gevoelig *(verstand, zintuigen)* || *an ~ angle* een scherpe hoek; *~ accent* accent aigu *(op letter: é)*

ad [ed] *verk van advertisement (inform)* advertentie

AD *afk van Anno Domini* n.Chr., na Christus || *AD 79* 79 n.Chr.

adamant [edement] vastbesloten, onbuigzaam

[1]**adapt** [edept] *intr* (met *to*) zich aanpassen (aan)

[2]**adapt** [edept] *tr* aanpassen, bewerken, geschikt maken: *~ a novel for TV* een roman voor de tv bewerken

adaptable [edeptebl] buigzaam, soepel, flexibel

adaptation [edepteesjen] **1** aanpassing(sproces) **2** bewerking: *an ~ of a novel by Minette Walters* een bewerking van een roman van Minette Walters

[1]**add** [ed] *intr* **1** bijdragen **2** (op)tellen, (een) optelling maken

[2]**add** [ed] *tr* **1** toevoegen, erbij doen: *value ~ed tax* belasting op de toegevoegde waarde, btw **2** optellen: *~ five to three* tel vijf bij drie op

adder [ede] adder

addict [edikt] verslaafde; *(fig)* fanaat; enthousiasteling

addicted [ediktid] verslaafd: *~ to alcohol* alcoholverslaafd; *~ to gambling* gokverslaafd

addiction [ediksjen] verslaving, verslaafdheid

addictive [ediktiv] verslavend

addition [edisjen] **1** toevoeging, aanwinst, bijvoegsel **2** optelling: *in ~* bovendien, daarbij; *in ~ to* behalve, naast

additional [edisjenel] bijkomend, aanvullend, extra

[1]**address** [edres] *zn* **1** adres *(ook comp)* **2** toespraak **3** aanspreekvorm, aanspreektitel

[2]**address** [edres] *tr* **1** richten, sturen: *~ complaints to our office* richt u met klachten tot ons bureau; *~ oneself to: a)* zich richten tot; *b)* zich bezighouden met, zich toeleggen op **2** adresseren **3** toespreken, een rede houden voor: *the teacher ~ed the pupils* de onderwijzer sprak tegen de leerlingen **4** aanspreken: *you have to ~ the judge as 'Your Honour'* je moet de rechter met 'Edelachtbare' aanspreken

addressee [edressie:] geadresseerde

[1]**add up** *intr (inform)* **1** steek houden, kloppen: *the evidence does not ~* het bewijsmateriaal deugt niet **2** (met *to*) als uitkomst geven; *(fig)* neerkomen (op); inhouden: *this so-called invention does not ~ to much* deze zogenaamde uitvinding stelt weinig voor

[2]**add up** *tr* optellen

[1]**adept** [edept] *zn* expert

[2]**adept** [edept] *bn* (met *at, in*) bedreven (in), deskundig, ingewijd

adequacy [edikwesie] geschiktheid, bekwaamheid

adequate [edikwet] **1** voldoende, net (goed) genoeg **2** geschikt, bekwaam

adhere [edhie] **1** kleven, aankleven, vastkleven, hechten **2** (met *to*) zich houden (aan), vasthouden (aan), blijven bij

adherent [edhierent] aanhanger, voorstander, volgeling

[1]**adhesive** [edhie:siv] *zn* kleefstof, plakmiddel, lijm

[2]**adhesive** [edhie:siv] *bn* klevend, plakkend: *~ plaster* hechtpleister; *~ tape* plakband

adjacent [edzjeesnt] **1** aangrenzend **2** nabijgelegen

adjective [edzjektiv] bijvoeglijk naamwoord

[1]**adjoin** [edzjojn] *intr* aaneengrenzen

[2]**adjoin** [edzjojn] *tr* grenzen aan

adjourn [edzje:n] **1** verdagen, uitstellen **2** schorsen, onderbreken
adjudicate [edzjoe:dikkeet] oordelen, arbitreren, jureren: ~ *(up)on a matter* over een zaak oordelen
adjunct [edzjungkt] **1** toevoegsel, aanhangsel **2** adjunct *(medewerker, ambtenaar)*
adjust [edzjust] **1** regelen, in orde brengen, rechtzetten **2** afstellen, instellen, bijstellen: *use button A to ~ the volume* gebruik knop A om de geluidssterkte in te stellen **3** taxeren; vaststellen *(schade)* **4** (zich) aanpassen, in overeenstemming brengen, harmoniseren: ~ *(oneself) to new circumstances* (zich) aan nieuwe omstandigheden aanpassen
adjustable [edzjustebl] regelbaar, verstelbaar
[1]**ad lib** [ed lib] *bn* onvoorbereid, geïmproviseerd
[2]**ad lib** [ed lib] *ww* improviseren
[3]**ad lib** [ed lib] *bw* **1** ad libitum, naar believen **2** onvoorbereid, geïmproviseerd
administer [edminniste] **1** beheren, besturen **2** toepassen, uitvoeren: ~ *justice* rechtspreken || ~ *to s.o.'s needs* in iemands behoeften voorzien
administration [edminnistreesjen] beheer, administratie, bestuur || ~ *of an oath* afneming van een eed
Administration [edminnistreesjen] *(Am)* regering, bestuur, ambtsperiode
administrative [edminnistretiv] administratief, beheers-, bestuurs-
administrator [edminnistreete] bestuurder, beheerder
admirable [edmrebl] **1** bewonderenswaard(ig) **2** voortreffelijk, uitstekend
admiral [edmrel] admiraal: *Admiral of the Fleet* opperadmiraal *(bij de Britse marine)*
admiration [edmirreesjen] bewondering, eerbied
admire [edmajje] bewonderen
admirer [edmajre] bewonderaar, aanbidder
admissible [edmissibl] **1** aannemelijk, aanvaardbaar, acceptabel **2** geoorloofd *(ook jur)*; toelaatbaar
admission [edmisjen] **1** erkenning, bekentenis, toegeving: *an ~ of guilt* een schuldbekentenis **2** toegang, toegangsprijs, entree
[1]**admit** [edmit] *intr* **1** toelaten, ruimte laten: *these facts ~ of one interpretation only* deze feiten zijn maar voor één interpretatie vatbaar **2** toegang geven **3** erkennen, toegeven, bekennen
[2]**admit** [edmit] *tr* **1** binnenlaten, toelaten: *he was ~ted to hospital* hij werd in het ziekenhuis opgenomen **2** toelaten, mogelijk maken: *his statement ~s more than one interpretation* zijn verklaring is voor meer dan één interpretatie vatbaar **3** erkennen, toegeven, bekennen: *he ~ted having lied* hij gaf toe dat hij gelogen had
admittance [edmittens] toegang: *no ~* geen toegang
admonish [edmonnisj] waarschuwen, berispen
admonition [edmenisjen] waarschuwing, berisping
adolescence [edelesns] puberteit, adolescentie
[1]**adolescent** [edelesnt] *zn* puber, tiener, adolescent
[2]**adolescent** [edelesnt] *bn* **1** opgroeiend **2** puberachtig, puberaal, jeugd-
adopt [edopt] **1** adopteren, aannemen, (uit)kiezen **2** overnemen, aannemen: ~ *an idea* een idee overnemen **3** aannemen, gebruiken, toepassen: ~ *modern techniques* nieuwe technieken in gebruik nemen **4** aannemen, aanvaarden, goedkeuren: ~ *a proposal* een voorstel aanvaarden
adoption [edopsjen] **1** adoptie, aanneming **2** aanneming, het aannemen **3** gebruik, toepassing **4** aanvaarding, goedkeuring, aanneming
adoptive [edoptiv] adoptief, aangenomen, pleeg-: *an ~ child* een geadopteerd kind; ~ *parents* pleegouders, adoptiefouders
adorable [edo:rebl] schattig, lief
adore [edo:] **1** aanbidden, bewonderen **2** *(godsd)* aanbidden, vereren **3** *(inform)* dol zijn op
adorn [edo:n] versieren, mooi maken
adrenalin(e) [edrennelin] adrenaline
adrift [edrift] **1** op drift **2** stuurloos; losgeslagen *(ook lett)*; hulpeloos, doelloos
adroit [edrojt] handig: *be ~ at* (of: *in*) *carpentering* goed kunnen timmeren
[1]**adult** [edult] *zn* volwassene *(ook dier)*
[2]**adult** [edult] *bn* **1** volwassen, volgroeid, rijp **2** voor volwassenen: ~ *education* volwassenenonderwijs; *(euf)* ~ *movie* pornofilm
adulterate [edultereet] vervalsen, versnijden
adulterer [edultre] overspelige (man)
adultery [edulterie] overspel
[1]**advance** [edva:ns] *zn* **1** voorschot, vooruitbetaling **2** avance, eerste stappen, toenadering **3** vooruitgang *(ook fig)*; vordering, ontwikkeling, verbetering: *in ~: a)* vooraf, van tevoren *(tijd)*; *b)* vooruit, voorop *(ruimte)*; *to be paid in ~* vooraf te voldoen
[2]**advance** [edva:ns] *bn* vooraf, van tevoren, bij voorbaat: ~ *booking* reservering (vooraf); ~ *notice* vooraankondiging
[3]**advance** [edva:ns] *intr* vooruitgaan, voortbewegen, vorderen, vooruitgang boeken: *the troops ~d against* (of: *on*) *the enemy* de troepen naderden de vijand
[4]**advance** [edva:ns] *tr* **1** vooruitbewegen, vooruitbrengen, -schuiven, -zetten **2** promoveren, bevorderen (in rang): ~ *s.o. to a higher position* iem bevorderen **3** bevorderen; steunen *(plan)* **4** naar voren brengen, ter sprake brengen: ~ *one's opinion* zijn mening naar voren brengen **5** voorschieten, vooruitbetalen
advanced [edva:nst] **1** (ver)gevorderd **2** geavanceerd, modern, vooruitstrevend: ~ *ideas* progressieve ideeën
advancement [edva:nsment] **1** vordering **2** bevor-

dering, verbetering, vooruitgang

advantage [edva:ntidzj] **1** voordeel, gunstige omstandigheid: *have the ~ of* (of: *over*) *s.o.* iets voorhebben op iem **2** voordeel, nut, profijt: *take (full) ~ of sth.* (gretig) gebruik (*of:* misbruik) maken van iets **3** overwicht: *get the ~* de bovenhand krijgen **4** *(tennis)* voordeel

advantageous [edventeedzjes] **1** voordelig, nuttig, gunstig **2** winstgevend

advent [edvent] aankomst, komst; nadering *(van belangrijk iets, iem)*

Advent [edvent] *(godsd)* advent

adventure [edventsje] avontuur, riskante onderneming

adventurer [edventsjere] avonturier, gelukzoeker, huurling, speculant

adventurous [edventsjres] **1** avontuurlijk, ondernemend **2** avontuurlijk, gewaagd, gedurfd

adverb [edve:b] bijwoord

adverbial [edve:biel] bijwoordelijke bepaling

adversary [edveserie] tegenstander, vijand

adverse [edve:s] **1** vijandig: *~ criticism* afbrekende kritiek **2** ongunstig, nadelig

adversity [edve:sittie] tegenslag, tegenspoed

advertise [edvetajz] **1** adverteren, reclame maken (voor), bekendmaken, aankondigen **2** (met *for*) een advertentie plaatsen (voor)

advertisement [edve:tisment] advertentie: *classified ~s* rubrieksadvertenties

advertising [edvetajzing] reclame

advice [edvajs] **1** raad, advies: *give s.o. a piece* (of: *bit*) *of ~* iem een advies geven; *act on* (of: *follow, take*) *s.o.'s ~* iemands advies opvolgen; *on the doctor's ~* op doktersadvies **2** *(handel)* verzendadvies, verzendbericht

advisability [edvajzebillittie] raadzaamheid, wenselijkheid

advisable [edvajzebl] raadzaam, wenselijk

[1]**advise** [edvajz] *tr* informeren, inlichten

[2]**advise** [edvajz] *tr, intr* adviseren, (aan)raden: *~ (s.o.) against sth.* (iem) iets afraden; *~ (s.o.) on sth.* (iem) advies geven omtrent iets || *be well ~d to ...* er verstandig aan doen om ...

adviser [edvajze] adviseur, raadsman

[1]**advocate** [edvekit] *zn* verdediger, voorstander

[2]**advocate** [edvekeet] *tr* bepleiten, verdedigen, voorstaan: *he ~s strong measures against truants* hij bepleit maatregelen tegen spijbelaars

[1]**aerial** [eeriel] *zn* antenne

[2]**aerial** [eeriel] *bn* lucht-, in de lucht, bovengronds

aerobatics [eerebetiks] stuntvliegen

aerodrome [eeredroom] vliegveld, (kleine) luchthaven

aeronautics [eereno:tiks] luchtvaart(kunde)

aeroplane [eerepleen] vliegtuig

aerosol (can) [eeressol] spuitbus

aesthetics [ie:sθettiks] esthetica, schoonheidsleer, esthetiek

afar [efa:] (van) ver(re), veraf, ver weg: *from ~* van verre

affair [efee] **1** zaak, aangelegenheid: *current ~s* lopende zaken, actualiteiten; *foreign ~s* buitenlandse zaken; *that is my ~* dat zijn mijn zaken, dat gaat je niets aan **2** *(inform)* affaire, kwestie, ding, zaak(je) **3** verhouding

affect [efekt] **1** voorwenden, doen alsof **2** zich voordoen als, spelen: *~ the grieving widow* de diepbedroefde weduwe uithangen **3** (ont)roeren, aangrijpen: *his death ~ed me deeply* ik was diep getroffen door zijn dood **4** beïnvloeden, treffen: *how will the new law ~ us?* welke invloed zal de nieuwe wet op ons hebben? **5** aantasten, aanvallen: *smoking ~s your health* roken is slecht voor de gezondheid

affected [efektid] **1** voorgewend, hypocriet: *~ politeness* niet gemeende beleefdheid **2** gemaakt **3** ontroerd, aangedaan **4** getroffen, betrokken: *the ~ area* het getroffen gebied **5** aangetast: *~ by acid rain* door zure regen aangetast

affection [efeksjen] genegenheid: *~ for* (of: *toward(s)*) genegenheid tot, liefde tot (*of:* voor)

affectionate [efeksjenet] hartelijk, warm, lief(hebbend): *~ly (yours)* veel liefs *(in brieven)*

affiliate [efillie·eet] (zich) aansluiten, opnemen, aannemen

affinity [efinnittie] **1** (aan)verwantschap **2** affiniteit, overeenkomst, sympathie: *feel ~ with* (of: *for*) sympathie voelen voor

affirm [efe:m] bevestigen, beamen, verzekeren

affirmation [efemeesjen] **1** bevestiging, verzekering **2** *(jur)* belofte

[1]**affix** [efiks] *zn* toevoegsel, aanhangsel

[2]**affix** [efiks] *tr* toevoegen, (aan)hechten, kleven; vastmaken *(ook fig)*: *~ one's name to a letter* een brief ondertekenen

afflict [eflikt] kwellen, treffen, teisteren: *be ~ed with leprosy* lijden aan lepra

affluent [efloeent] rijk, overvloedig, welvarend: *the ~ society* de welvaartsstaat

afford [efo:d] zich veroorloven, zich permitteren, riskeren: *I cannot ~ a holiday* ik kan me geen vakantie veroorloven

[1]**affront** [efrunt] *zn* belediging

[2]**affront** [efrunt] *tr* (openlijk) beledigen

afield [efie:ld] ver (van huis); ver weg *(ook fig)*

afloat [efloot] **1** vlot(tend), drijvend, varend **2** aan boord, op zee

afoot [efoet] *(vaak min)* op gang, in voorbereiding, in aantocht: *there is trouble ~* er zijn moeilijkheden op til

aforesaid bovengenoemd

afraid [efreed] bang, angstig, bezorgd: *she was ~ to wake her grandfather* ze durfde haar grootvader niet wakker te maken; *~ of sth.* bang voor iets; *don't be ~ of asking for help* vraag gerust om hulp; *I'm ~ I'm late* het spijt me, maar ik ben te laat; *I'm ~ not* helaas niet, ik ben bang van niet; *I'm ~ I can't help you* ik kan u helaas niet helpen

afresh [efresj] opnieuw, andermaal: *start ~* van

voren af aan beginnen
¹**African** [efrikken] *zn* Afrikaan(se) || ~ *violet* Kaaps viooltje
²**African** [efrikken] *bn* Afrikaans
¹**after** [a:fte] *bn* later, volgend
²**after** [a:fte] *bw* na, nadien, erachter: *five years* ~ vijf jaar later; *shortly* ~ spoedig daarna; *they lived happily ever* ~ zij leefden nog lang en gelukkig
³**after** [a:fte] *vz* **1** achter, na: *cloud* ~ *cloud* de ene wolk na de andere; *Jack ran* ~ *Jill* Jack liep Jill achterna; ~ *you* na u, ga je gang **2** *(tijd)* na: *day* ~ *day* dag in dag uit; *it's* ~ *two o'clock* het is over tweeën; *time* ~ *time* keer op keer **3** na, met uitzondering van: *the greatest (composer)* ~ *Beethoven* op Beethoven na de grootste (componist) **4** naar, volgens, in navolging van: *Jack takes* ~ *his father* Jack lijkt op zijn vader || ~ *all* toch, per slot (van rekening); *be* ~ *sth.* uit zijn op iets, iets najagen
⁴**after** [a:fte] *vw* nadat, als, toen, wanneer: *come back* ~ *finishing that job* kom terug als je met die klus klaar bent
aftermath [a:ftema:θ] nasleep, naspel
afternoon [a:ftenoe:n] middag; *(Belg)* namiddag *(ook fig): in* (of: *during*) *the* ~ 's middags
afters [a:ftez] toetje
afterthought **1** latere overweging **2** latere toevoeging, postscriptum
afterwards [a:ftewedz] later, naderhand
again [eken] **1** opnieuw, weer, nog eens: *time and (time)* ~ telkens opnieuw; *(the) same* ~*!* schenk nog eens in!, hetzelfde nog eens!; *be oneself* ~ hersteld zijn, er weer bovenop zijn; *back* (of: *home*) ~ weer terug (*of:* thuis); *never* ~ nooit meer; *once* ~ nog een keer, voor de zoveelste keer; *now and* ~ nu en dan; ~ *and* ~ telkens opnieuw **2** nogmaals || *what is his name* ~*?* hoe heet hij ook (al) weer?
against [ekenst] **1** *(plaats of richting; ook fig)* tegen, tegen … aan, in strijd met: *a race* ~ *the clock* een race tegen de klok; ~ *the current* tegen de stroom in; *evidence* ~ *John* bewijs(materiaal) tegen John; *vaccination* ~ *the measles* inenting tegen de mazelen **2** tegenover, in tegenstelling met: *18, as* ~ *the 30 sold last year* 18, tegenover de 30 die vorig jaar zijn verkocht
¹**age** [eedzj] *zn* **1** leeftijd, ouderdom: *be your* ~*!* doe niet zo kinderachtig!; *be* (of: *come*) *of* ~ meerderjarig zijn (*of:* worden); *look one's* ~ er zo oud uitzien als men is; *what is your* ~*?* hoe oud ben je?; *at the* ~ *of ten* op tienjarige leeftijd; *in his (old)* ~ op zijn oude dag; *ten years of* ~ tien jaar oud; *under* ~ minderjarig, te jong **2** mensenleven, levensduur **3** eeuw, tijdperk: *the Stone Age* het stenen tijdperk, de steentijd **4** ~*s (inform)* eeuwigheid: *wait for* ~*s* een eeuwigheid wachten; *you've been* ~*s* je bent vreselijk lang weggebleven
²**age** [eedzj] *intr* verouderen, ouder worden: *he has* ~*d a lot* hij is erg oud geworden
age bracket leeftijdsgroep
¹**aged** [eedzjd] *bn* oud: ~ *ten* tien jaar oud
²**aged** [eedzjid] *bn* oud, (hoog)bejaard || *the* ~ de bejaarden
ageism [eedzjizm] leeftijdsdiscriminatie
ageless [eedzjles] leeftijdloos, nooit verouderend, eeuwig (jong)
agency [eedzjensie] **1** bureau, instantie, instelling: *travel* ~ reisbureau **2** agentuur, agentschap, vertegenwoordiging **3** bemiddeling, tussenkomst, toedoen: *through* (of: *by*) *the* ~ *of friends* door toedoen van vrienden
agenda [edzjende] agenda: *the main point on the* ~ het belangrijkste punt op de agenda
agent [eedzjent] **1** agent, tussenpersoon, bemiddelaar, vertegenwoordiger: *secret* ~ geheim agent **2** middel: *cleansing* ~ reinigingsmiddel
agglomeration [eklommereesjen] opeenhoping, (chaotische) verzameling
aggravate [ekreveet] **1** verergeren: ~ *an illness* een ziekte verergeren **2** *(inform)* ergeren, irriteren
aggravation [ekreveesjen] **1** verergering **2** ergernis
aggregate [ekriket] totaal: *in (the)* ~ alles bij elkaar genomen, opgeteld
aggression [ekresjen] agressie
aggressive [ekressiv] **1** agressief, aanvallend: ~ *salesmen* opdringerige verkopers **2** ondernemend, ambitieus
aggressor [ekresse] aanvaller
aggrieved [ekrie:vd] gekrenkt, gekwetst: *feel (oneself)* ~ *at* (of: *by, over*) *sth.* zich gekrenkt voelen door iets
aghast [eka:st] *(met at)* ontzet (door), verbijsterd, verslagen
agile [edzjajl] lenig, beweeglijk, soepel
agility [edzjillittie] **1** behendigheid, vlugheid **2** alertheid
agitate [edzjitteet] optreden, strijden (voor of tegen): ~ *for* (of: *against*) actie voeren voor (*of:* tegen)
agitation [edzjitteesjen] **1** actie, strijd **2** opschudding, opgewondenheid, spanning
agitator [edzjitteete] oproerkraaier
ago [ekoo] geleden: *ten years* ~ tien jaar geleden; *not long* ~ kort geleden
agonize [ekenajz] vreselijk lijden; worstelen *(fig):* ~ *over* zich het hoofd breken over
agonizing [ekenajzing] kwellend, hartverscheurend: *an* ~ *decision* een moeilijke beslissing
agony [ekenie] (ondraaglijke) pijn, kwelling, foltering
agony column rubriek voor persoonlijke problemen
¹**agree** [ekrie:] *intr* **1** akkoord gaan, het eens zijn, het eens worden, afspreken: ~ *to do sth.* afspreken iets te zullen doen; ~ *on sth.* het ergens over eens zijn; ~ *to sth.* met iets instemmen, in iets toestemmen; ~ *with s.o. about sth.* het met iem over iets eens zijn; ~*d!* akkoord! **2** overeenstemmen, goed opschieten, passen: ~ *with* kloppen met

ag

[2]**agree** [eŕrie:] *tr* **1** bepalen, overeenkomen, afspreken: ~ *a price* een prijs afspreken **2** goedkeuren, aanvaarden: ~ *a plan* een plan goedkeuren
agreeable [eŕrie:ebl] prettig, aangenaam: *the terms are not ~ to us* de voorwaarden staan ons niet aan
agreement [eŕrie:ment] **1** overeenkomst, overeenstemming, afspraak, contract: *be in ~ about* (of: *on, with*) 't eens zijn over, akkoord gaan met **2** instemming, goedkeuring
agriculture [eŕrikkultsje] landbouw
aground [eŕraund] aan de grond, vast
ahead [ehed] **1** voorop: *(sport) be ~* leiden, voorstaan; *go ~* voorop gaan **2** vooruit, voorwaarts, van tevoren, op voorhand: *full speed ~!* met volle kracht vooruit!; *look* (of: *plan*) ~ vooruitzien; *straight ~* rechtdoor
ahead of voor: *the days ~ us* de komende dagen; *~ his time* zijn tijd vooruit; *straight ~ you* recht voor je
ahoy [ehoj] ahoi
[1]**aid** [eed] *zn* **1** hulp, bijstand, assistentie: *come* (of: *go*) *to s.o.'s ~* iem te hulp komen; *in ~ of* ten dienste van; *first ~* eerste hulp (bij ongelukken), EHBO **2** hulpmiddel, apparaat, toestel: *audio-visual ~s* audiovisuele hulpmiddelen **3** helper, assistent
[2]**aid** [eed] *ww* helpen, steunen, bijstaan
aide [eed] **1** aide de camp, adjudant **2** assistent, naaste medewerker, helper
AIDS [eedz] *afk van Acquired Immune Deficiency Syndrome* aids
[1]**ail** [eel] *intr* ziek(elijk) zijn, sukkelen; iets mankeren *(ook fig)*
[2]**ail** [eel] *tr* schelen, mankeren
ailment [eelment] kwaal, ziekte, aandoening
[1]**aim** [eem] *zn* **1** (streef)doel, bedoeling, plan **2** aanleg: *take ~ (at)* aanleggen (op), richten (op)
[2]**aim** [eem] *intr* proberen, willen: *~ to be an artist* kunstenaar willen worden; *~ at doing sth.* iets willen doen, van plan zijn iets te doen; *what are you ~ing at?* wat wil je nu eigenlijk?
[3]**aim** [eem] *tr, intr* richten, mikken, aanleggen: *~ high* hoog mikken, *(fig)* ambitieus zijn; *~ (a gun) at* (een vuurwapen) richten op
aimless [eemles] doelloos, zinloos
ain't [eent] *samentr van am not, is not, are not, has not, have not*
[1]**air** [ee] *zn* **1** lucht, atmosfeer, dampkring, luchtruim, hemel: *in the open ~* in de openlucht; *get some (fresh) ~* een frisse neus halen; *by ~* met het vliegtuig, per luchtpost **2** *(radio, tv)* ether: *be on the ~* in de ether zijn, uitzenden, uitgezonden worden **3** bries(je), lichte wind **4** voorkomen, sfeer, aanzicht: *have an ~ of superiority* (of: *loneliness*) een superieure (*of:* eenzame) indruk maken **5** houding, manier van doen, aanstellerij: *give oneself ~s, put on ~s* zich aanstellen, indruk proberen te maken || *rumours are in the ~* het gerucht doet de ronde; *my plans are still (up) in the ~* mijn plannen staan nog niet vast
[2]**air** [ee] *tr* **1** drogen, te drogen hangen **2** luchten, ventileren **3** bekendmaken, luchten, ventileren: *~ one's grievances* (of: *ideas*) uiting geven aan zijn klachten (*of:* ideeën)
airborne **1** in de lucht, door de lucht vervoerd **2** per vliegtuig getransporteerd: *~ troops* luchtlandingstroepen
aircraft vliegtuig
aircraft carrier vliegdekschip
airfield vliegveld, luchthaven
air force luchtmacht, luchtstrijdkrachten
air hostess stewardess
airlift luchtbrug
airline luchtvaartmaatschappij
airmail luchtpost: *by ~* per luchtpost
airplane [eepleen] *(Am)* vliegtuig
airport luchthaven, vliegveld
air quotes luchthaakjes
air raid luchtaanval
airship luchtschip, zeppelin
airspace luchtruim *(van land)*
airstrip landingsstrook
airtight luchtdicht; *(fig)* sluitend; onweerlegbaar: *his alibi is ~* hij heeft een waterdicht alibi
aisle [ajl] **1** zijbeuk *(van kerk)* **2** gang(pad); middenpad *(in kerk, trein, schouwburg enz.)* || *we had them rolling in the ~s* het publiek lag in een deuk
ajar [edzja:] op een kier
akimbo [ekimboo] (met de handen) in de zij
akin [ekin] *(met to)* verwant (aan), gelijk(soortig)
alabaster [eleba:ste] albast: *~ skin* albasten huid
alacrity [elekrittie] monterheid, bereidwilligheid, enthousiasme
[1]**alarm** [ela:m] *zn* **1** alarm, schrik, paniek: *take ~ at* opschrikken van, in paniek raken bij **2** alarm, waarschuwing, alarmsignaal: *raise* (of: *sound*) *the ~* alarm geven **3** wekker **4** alarmsysteem, alarminstallatie
[2]**alarm** [ela:m] *intr* alarm slaan
[3]**alarm** [ela:m] *tr* alarmeren, opschrikken, verontrusten
alarm clock wekker
alarming [ela:ming] alarmerend, onrustbarend, verontrustend
alas [eles] helaas
Albania [elbeenie] Albanië
Albanian [elbeenien] Albanees
albatross [elbetros] albatros || *an ~ around one's neck* een blok aan zijn been
albeit [o:lbie:it] zij het: *a small difference, ~ an important one* een klein verschil, zij het een belangrijk verschil
album [elbem] **1** album, fotoalbum, poëziealbum **2** grammofoonplaat, cd
alchemy [elkemie] alchemie
alcohol [elkehol] alcohol
[1]**alcoholic** [elkehollik] *zn* alcoholicus

[2]**alcoholic** [elkehollik] *bn* alcoholisch, alcoholhoudend
alder [o:lde] els, elzenboom
alderman [o:ldemen] *(ongev)* wethouder, gedeputeerde; *(Belg)* schepen
ale [eel] ale, (licht, sterk gehopt) bier
[1]**alert** [ele:t] *zn* alarm(signaal), luchtalarm: *on the ~ (for)* op zijn hoede (voor)
[2]**alert** [ele:t] *bn* **1** alert, waakzaam, op zijn hoede: *~ to danger* op gevaar bedacht **2** levendig, vlug
[3]**alert** [ele:t] *tr* alarmeren, waarschuwen, attent maken: *~ s.o. to the danger* iem wijzen op het gevaar
A level *afk van advanced level* Brits (examenvak op) eindexamenniveau
algebra [eldzjebre] algebra
algebraic [eldzjebreeik] algebraïsch
Algeria [eldzjierie] Algerije
[1]**Algerian** [eldzjierien] *zn* Algerijn
[2]**Algerian** [eldzjierien] *bn* Algerijns
algorithm [elĥeriðm] algoritme, handelingsvoorschrift
[1]**alias** [eelies] *zn* alias, bijnaam, schuilnaam
[2]**alias** [eelies] *bw* alias, anders genoemd
alibi [elibbaj] **1** alibi **2** *(inform)* excuus, uitvlucht
[1]**alien** [eelien] *zn* vreemdeling, buitenlander, buitenaards wezen
[2]**alien** [eelien] *bn* **1** vreemd, buitenlands **2** afwijkend: *~ to his nature* strijdig met zijn aard
alienate [eelieneet] vervreemden; doen bekoelen *(vriendschap)*
[1]**alight** [elajt] *bn* brandend, in brand: *set ~* aansteken
[2]**alight** [elajt] *intr (ook alit, alit)* afstappen, uitstappen, afstijgen: *~ from a horse* van een paard stijgen
align [elajn] **1** zich richten, op één lijn liggen **2** (met *with*) zich aansluiten (bij)
alignment [elajnment] het op één lijn brengen, het in één lijn liggen: *out of ~* ontzet, uit zijn verband
[1]**alike** [elajk] *bn* gelijk(soortig), gelijkend: *they are very much ~* ze lijken heel erg op elkaar
[2]**alike** [elajk] *bw* gelijk, op dezelfde manier: *treat all children ~* alle kinderen gelijk behandelen
alimony [elimmenie] alimentatie
alive [elajv] **1** levend, in leven **2** levendig, actief: *~ and kicking* springlevend || *~ to* bewust, op de hoogte van *(een feit enz.)*
[1]**all** [o:l] *zn* gehele bezit: *her jewels are her ~* haar juwelen zijn haar gehele bezit
[2]**all** [o:l] *vnw* **1** alle(n), allemaal, iedereen: *(tennis) thirty ~* dertig gelijk; *one and ~, ~ and sundry* alles en iedereen, jan en alleman; *they have ~ left, ~ of them have left* ze zijn allemaal weg **2** alles, al, allemaal: *when ~ is (said and) done* uiteindelijk; *it's ~ one* (of: *the same*) *to me* het kan me (allemaal) niet schelen; *above ~* bovenal, voor alles **3** de grootst mogelijke: *with ~ speed* zo snel mogelijk; *(inform) of ~ …!* nota bene!; *today of ~ days* uitgerekend vandaag **4** enig(e): *beyond ~ doubt* zonder enige twijfel **5** één en al; *(Am)* puur; zuiver: *he was ~ ears* hij was één en al oor; *(Am) it's ~ wool* het is zuivere wol **6** al(le), geheel: *~ (the) angles (taken together) are 180°* alle hoeken van een driehoek (samen) zijn 180°; *with ~ my heart* van ganser harte; *~ (the) morning* de hele morgen **7** al(le), ieder, elk: *~ (the) angles are 60°* alle hoeken zijn 60° || *once and for ~* voorgoed, voor eens en altijd; *after ~* per slot van rekening, toch, tenslotte; *he can't walk at ~* hij kan helemaal niet lopen; *if I could do it at ~* als ik het maar enigszins kon doen; *(na bedanking) not at ~* niets te danken, graag gedaan; *for ~ I know* voor zover ik weet; *in ~* in 't geheel, in totaal; *~ in ~* al met al
[3]**all** [o:l] *bw* helemaal, geheel, volledig; *(inform)* heel; erg: *~ right* in orde, oké; *if it's ~ the same to you* als het jou niets uitmaakt; *I've known it ~ along* ik heb het altijd al geweten; *~ at once* plotseling; *~ over again* van voren af aan; *(Am) books lay scattered ~ over (the place)* er lagen overal boeken; *~ round* overal, *(fig)* in alle opzichten; *~ too soon* (maar) al te gauw; *I'm ~ for it* ik ben er helemaal voor || *~ the same* toch, desondanks; *(inform) it's not ~ that difficult* zo (vreselijk) moeilijk is het nu ook weer niet; *~ out: a)* uit alle macht; *b)* op volle snelheid; *that's Jack ~ over: a) (inform)* dat is nou typisch Jack; *b)* hij lijkt precies op Jack
allay [elee] *(form)* **1** verminderen, verlichten, verkleinen **2** kalmeren, (tot) bedaren (brengen): *~ all fears* alle angst wegnemen
all but bijna, vrijwel: *he was ~ dead* hij was bijna dood; *~ impossible* vrijwel onmogelijk
allegation [eliĥeesjen] bewering, (onbewezen) beschuldiging
allege [eledzj] *(form)* beweren, aanvoeren: *the ~d thief* de vermeende dief
allegiance [elie:dzjens] trouw, loyaliteit
allegory [eliĥerie] symbolische voorstelling
alleluia [elilloe:je] halleluja
allergic [ele:dzjik] (met *to*) allergisch (voor); *(inform; fig)* afkerig
allergy [eledzjie] (met *to*) allergie (voor)
alleviate [elie:vie·eet] verlichten, verzachten
alleviation [elie:vie·eesjen] verlichting, verzachtend middel
alley [elie] **1** steeg(je), (door)gang **2** laan(tje), pad **3** kegelbaan || *blind ~* doodlopende steeg
alliance [elajjens] **1** verdrag, overeenkomst, verbintenis **2** bond, verbond, vereniging, (bond)genootschap
allied [elajd] verbonden *(ook fig)*; verenigd: *the Allied Forces* de geallieerden; *(closely) ~ to* (nauw) verwant met
alligator [eliĥeete] alligator
all-in *verk van all-inclusive (inform)* all-in, alles inbegrepen, inclusief
allocate [elekeet] toewijzen, toekennen

allot [elot] toewijzen, toebedelen

allotment [elotment] **1** toegewezen deel, aandeel **2** toewijzing, toekenning **3** perceel *(door overheid verhuurd);* volkstuintje

all-out *(inform)* volledig, intensief: *go ~* alles op alles zetten

allow [elau] **1** toestaan, (toe)laten, veroorloven: *no dogs ~ed* honden niet toegelaten; *~ oneself* zich veroorloven **2** voorzien in, mogelijk maken, zorgen voor: *the plan ~s one hour for lunch* het plan voorziet in één uur voor de lunch **3** toekennen, toestaan, toewijzen: *~ twenty per cent off (for)* twintig procent korting geven (op) **4** toegeven, erkennen: *we must ~ that he is clever* we moeten toegeven dat hij slim is

allowance [elauens] **1** toelage, uitkering, subsidie **2** deel, portie, rantsoen **3** vergoeding, toeslag **4** korting, aftrek || *make (an) ~ for, make ~(s) for* rekening houden met

alloy [eloj] legering, metaalmengsel

[1]**all right** *bn* **1** gezond, goed, veilig, ongedeerd **2** goed (genoeg), aanvaardbaar, in orde: *his work is ~* zijn werk is acceptabel; *it's ~ by me* van mij mag je; *if that's ~ with you* als jij dat goed vindt

[2]**all right** *bw* **1** in orde, voldoende: *he's doing ~* hij doet het aardig **2** inderdaad, zonder twijfel: *he's crazy ~* hij is inderdaad écht gek **3** begrepen, in orde, (dat is) afgesproken

all-round allround, veelzijdig

All Saints' Day Allerheiligen *(1 november)*

All Souls' Day Allerzielen *(2 november)*

all-time van alle tijden: *an ~ record* een (langdurig) ongebroken record; *an ~ high* (of: *low*) een absoluut hoogtepunt (*of:* dieptepunt)

allude to [eloe:d toe] zinspelen op, toespelingen maken op

allure [eljoee] aantrekkingskracht, charme

allusion [eloe:zjen] (met *to*) zinspeling (op), toespeling

[1]**ally** [elaj] *zn* bondgenoot, medestander, geallieerde: *the Allies* de geallieerden

[2]**ally** [elaj] *tr, intr* (zich) verenigen, (zich) verbinden: *~ oneself with* een verbond sluiten met

almanac [o:lmenek] almanak

almighty [o:lmajtie] **1** almachtig: *the Almighty* de Almachtige **2** *(inform)* allemachtig, geweldig: *an ~ din* een oorverdovend lawaai

almond [a:mend] amandel *(vrucht)*

almost [o:lmoost] bijna, praktisch, haast: *~ all of them* haast iedereen

alms [a:mz] aalmoes

almshouse [a:mzhaus] hofje, armenhuis

aloft [eloft] **1** omhoog; opwaarts *(ook fig): smoke kept rising ~* er bleef maar rook opstijgen **2** *(scheepv)* in de mast, in 't want

[1]**alone** [eloon] *bn* alleen, afzonderlijk, in zijn eentje

[2]**alone** [eloon] *bw* **1** slechts, enkel, alleen **2** alleen, in zijn eentje: *go it ~* het op zijn eentje opknappen; *leave* (of: *let*) *~* met rust laten, afblijven van; *he cannot walk, let ~ run* hij kan niet eens lopen, laat staan rennen

[1]**along** [elong] *bw* **1** door, verder, voort: *he brought his dog ~* hij had zijn hond bij zich; *come ~* kom mee; *go ~ (with)* meegaan (met); *I suspected it all ~* ik heb het altijd wel vermoed; *~ with* samen met **2** langs: *come ~ anytime* (je bent) altijd welkom

[2]**along** [elong] *vz* langs, door: *flowers ~ the path* bloemen langs het pad

alongside langszij

[1]**aloof** [eloe:f] *bn* afstandelijk, koel

[2]**aloof** [eloe:f] *bw* op een afstand, ver: *keep* (of: *hold, stand*) *~ (from)* zich afzijdig houden (van)

aloud [elaud] hardop, hoorbaar

alphabet [elfebet] alfabet; abc *(ook fig)*

alphabetic(al) [elfebettik(l)] alfabetisch

already [o:lreddie] reeds, al (eerder)

[1]**Alsatian** [elseesjen] *zn* **1** Elzasser **2** Duitse herder(shond)

[2]**Alsatian** [elseesjen] *bn* Elzassisch

also [o:lsoo] ook, bovendien, eveneens

altar [o:lte] altaar

alter [o:lte] **1** (zich) veranderen, (zich) wijzigen **2** *(Am; inform; euf)* helpen *(huisdier);* castreren, steriliseren

alteration [o:ltereesjen] **1** wijziging, verandering **2** *(Am; inform; euf)* castratie, sterilisatie

altercation [o:ltekeisjen] onenigheid, twist, ruzie, geruzie

[1]**alternate** [o:lte:net] *bn* afwisselend, beurtelings: *on ~ days* om de (andere) dag

[2]**alternate** [o:lteneet] *tr, intr* afwisselen, verwisselen: *alternating current* wisselstroom

alternation [o:lteneesjen] (af)wisseling

[1]**alternative** [o:lte:netiv] *zn* alternatief, keuze, optie

[2]**alternative** [o:lte:netiv] *bn* alternatief

although [o:lðoo] hoewel, ofschoon

altitude [eltitjoe:d] hoogte

alto [eltoo] **1** altpartij, altinstrument, altstem **2** alt, altzanger(es)

altogether [o:ltekeðe] **1** totaal, geheel, helemaal: *at 50 he stopped working ~* met 50 hield hij helemaal op met werken **2** in totaal, alles bij elkaar: *there were 30 people ~* er waren in totaal 30 mensen

aluminium [eljoeminniem] aluminium

always [o:lweez] **1** altijd, steeds, voorgoed: *he's ~ complaining* hij loopt voortdurend te klagen **2** in elk geval, altijd nog: *we can ~ sell the boat* we kunnen altijd nog de boot verkopen

am [em] *1e pers ott van* be

a.m. *afk van ante meridiem* vm., voor de middag: *at 5 ~* om vijf uur 's ochtends

Am *afk van America(n)*

amalgamate [emelkemeet] (doen) samensmelten, (zich) verbinden, annexeren, in zich opnemen

amass [emes] vergaren, opstapelen
[1]**amateur** [emete] *zn* amateur, liefhebber
[2]**amateur** [emete] *bn (vaak min)* amateur(s)-, amateuristisch
amaze [emeez] verbazen, verwonderen, versteld doen staan
amazement [emeezment] verbazing, verwondering
amazing [emeezing] verbazingwekkend, verbazend
ambassador [embesede] ambassadeur, vertegenwoordiger, (af)gezant
amber [embe] **1** amber(steen), barnsteen **2** amber(kleur); *(verkeerslicht)* geel, oranje
ambience [embiens] sfeer, stemming, ambiance
ambiguity [embiǩjoe:ittie] dubbelzinnigheid
ambiguous [embiǩjoees] dubbelzinnig, onduidelijk
ambition [embisjen] ambitie, eerzucht
ambitious [embisjes] ambitieus, eerzuchtig
ambivalent [embivvelent] ambivalent, tegenstrijdig
[1]**amble** [embl] *zn* **1** telgang; pasgang *(van paard)* **2** kuierpas, kalme gang
[2]**amble** [embl] *intr* **1** in de telgang lopen **2** kuieren, op zijn gemak wandelen
ambulance [embjoelens] ziekenwagen, ambulance
ambulant [embjoelent] ambulant, in beweging, rondtrekkend
ambush [emboesj] hinderlaag, val(strik): *lie* (of: *wait) in* ~ in een hinderlaag liggen
amen [a:men] amen, het zij zo: *(fig) say ~ to sth.* volledig met iets instemmen
amenable [emie:nebl] **1** handelbaar, plooibaar **2** ontvankelijk (voor): ~ *to reason* voor rede vatbaar
amend [emend] verbeteren *(een tekst, een wetsontwerp bijv.);* (bij amendement) wijzigen
amendment [emendment] **1** amendement **2** verbetering, rectificatie
amends [emendz] genoegdoening, schadeloosstelling, compensatie: *make ~ for sth. to s.o.* iets weer goedmaken bij iem, iem schadevergoeding betalen voor iets
amenity [emie:nittie] (sociale) voorziening, gemak: *this house has every ~* (of: *all the amenities*) dit huis is van alle gemakken voorzien
America [emerrikke] Amerika
[1]**American** [emerrikken] *zn* **1** Amerikaan(se): *Latin ~* iem uit Latijns-Amerika **2** Amerikaans(-Engels)
[2]**American** [emerrikken] *bn* Amerikaans: *~ Indian* (Amerikaanse) indiaan
amethyst [emiθist] **1** amethist **2** violet, violetkleur, purperviolet
amiable [eemiebl] beminnelijk, vriendelijk
amicable [emikkebl] amicaal, vriend(schapp)elijk: *come to an ~ agreement* een minnelijke schikking treffen
amid(st) [emid(st)] te midden van, tussen, onder
[1]**amiss** [emis] *bn* **1** verkeerd, gebrekkig: *there is nothing ~ with her* ze mankeert niets **2** misplaatst, ongelegen: *an apology would not be ~* een verontschuldiging zou niet misstaan
[2]**amiss** [emis] *bw* verkeerd, gebrekkig, fout(ief): *take sth. ~* iets kwalijk nemen
ammunition [emjoenisjen] (am)munitie
amnesia [emnie:zie] amnesie, geheugenverlies
amnesty [emnestie] amnestie, generaal pardon
amoeba [emie:be] amoebe
amok [emok]: *run ~* amok maken, als een bezetene tekeergaan
among(st) [emung(st)] onder, te midden van, tussen: *customs ~ the Indians* gebruiken bij de indianen; *~ themselves* onder elkaar; *we have ten copies ~ us* we hebben samen tien exemplaren
amoral [eemorrel] amoreel, immoreel
amorous [emeres] amoureus, verliefd
amount [emaunt] **1** hoeveelheid, grootte: *any ~ of money* een berg geld **2** totaal, som, waarde: *to the ~ of* ten bedrage van
amount to 1 bedragen, oplopen tot, bereiken: *it does not ~ much* het heeft niet veel te betekenen **2** neerkomen op, gelijk staan met: *his reply amounted to a refusal* zijn antwoord kwam neer op een weigering
ampersand [empesend] en-teken *(het teken &)*
ample [empl] **1** ruim, groot, uitgestrekt **2** rijk(elijk), overvloedig: *have ~ resources* bemiddeld zijn
amplifier [empliffajje] versterker
amplify [empliffaj] **1** vergroten, vermeerderen **2** *(elektr)* versterken
amputate [empjoeteet] amputeren, afzetten
amuse [emjoe:z] amuseren, vermaken, bezighouden: *be ~d at* (of: *by, with*) *sth.* iets amusant vinden
amusement [emjoe:zment] **1** amusement, vermaak **2** plezier, pret, genot: *watch in ~* geamuseerd toekijken
amusing [emjoe:zing] vermakelijk, amusant
an [en, en] *(variant v lw 'a', m.n. indien gevolgd door een woord dat begint met een klinker in de uitspraak) zie* a
anaemia [enie:mie] bloedarmoede
[1]**anaesthetic** [enisθettik] *zn* verdovingsmiddel
[2]**anaesthetic** [enisθettik] *bn* verdovend, narcotisch
anaesthetize [enie:sθetajz] verdoven, onder narcose brengen
anagram [eneǩrem] anagram
anal [eenel] anaal, aars-
analogous [eneleǩes] *(met to, with)* analoog (aan), overeenkomstig (met), parallel
analogy [eneledzjie] analogie, overeenkomst: *on the ~ of, by ~ with* naar analogie van
analyse [enelajz] analyseren, ontleden, ontbinden

analysis [enelissis] analyse *(ook wisk);* onderzoek, ontleding
analyst [enelist] analist(e), scheikundige
anarchy [enekie] anarchie
anatomy [enetemie] **1** (anatomische) bouw **2** anatomie, ontleding, analyse
ancestor [enseste] **1** voorouder, voorvader **2** oertype, voorloper, prototype
ancestral [ensestrel] voorouderlijk, voorvaderlijk
ancestry [ensestrie] **1** voorgeslacht, voorouders, voorvaderen **2** afkomst, afstamming
anchor [engke] anker: ~ *man* vaste presentator *(van nieuws- en actualiteitenprogramma's)*
anchorage [engkeridzj] **1** verankering **2** ankerplaats
anchovy [entsjevie] ansjovis
ancient [eensjent] antiek, klassiek, uit de oudheid: ~ *history* de oude geschiedenis
ancillary [ensillerie] **1** ondergeschikt, bijkomstig: ~ *industry* toeleveringsbedrijf **2** helpend, aanvullend
and [end] **1** en, (samen) met, en toen, dan: *children come ~ go* kinderen lopen in en uit; ~ *so forth, ~ so on* enzovoort(s); *~/or* en/of **2** *(intensiteit of herhaling)* en (nog), (en) maar: *thousands ~ thousands of people* duizenden en nog eens duizenden mensen **3** *(tussen twee ww)* te: *try ~ finish it* probeer het af te maken || *nice ~ quiet* lekker rustig
anecdote [enikdoot] anekdote
anemone [enemmenie] anemoon, zeeanemoon
anew [enjoe:] **1** opnieuw, nogmaals, weer **2** anders
angel [eendzjel] **1** engel, beschermengel, engelbewaarder **2** schat, lieverd
[1]**anger** [engke] *zn* woede, boosheid: *be filled with ~ at sth.* woedend zijn om iets
[2]**anger** [engke] *tr* boos maken
[1]**angle** [engkl] *zn* **1** hoek *(ook wisk);* kant, uitstekende punt: *at an ~ (with)* schuin (op) **2** gezichtshoek, perspectief; *(fig)* gezichtspunt; standpunt: *look at sth. from a different* (of: *another*) ~ iets van een andere kant bekijken
[2]**angle** [engkl] *intr* (met *for*) vissen (naar) *(ook fig);* hengelen (naar)
angler [engkle] visser, hengelaar
Anglican [engklikken] anglicaans
angling [engkling] hengelsport
[1]**Anglo-Saxon** *zn* **1** Oudengels **2** Angelsakser **3** (typische) Engelsman
[2]**Anglo-Saxon** *bn* **1** Angelsaksisch **2** *(Am)* Engels
[3]**Anglo-Saxon** *bw* Oudengels
angry [engkrie] boos, kwaad: *be ~ about* (of: *at*) *sth.* boos zijn over iets; *be ~ at* (of: *with*) *s.o.* boos zijn op iem
anguish [engkwisj] leed, pijn
angular [engkjoele] **1** hoekig, hoekvormig, hoek- **2** kantig, met scherpe kanten
[1]**animal** [enimmel] *zn* dier, beest
[2]**animal** [enimmel] *bn* **1** dierlijk: ~ *husbandry* veeteelt **2** vleselijk, zinnelijk: ~ *desires* vleselijke lusten
animal ambulance dierenambulance
[1]**animate** [enimmet] *bn* **1** levend, bezield **2** levendig, opgewekt
[2]**animate** [enimmeet] *tr* **1** leven geven, bezielen **2** verlevendigen, opwekken **3** animeren, aanmoedigen, inspireren
animated [enimmeetid] levend(ig), bezield, geanimeerd || ~ *cartoon* tekenfilm
animation [enimmeesjen] **1** animatiefilm, tekenfilm, poppenfilm **2** het maken van animatiefilms, animatie **3** levendigheid, opgewektheid, animo
animosity [enimmossittie] vijandigheid, haat, wrok
aniseed [enissie:d] anijszaad(je), anijs
ankle [engkl] enkel
anklet [engklit] **1** enkelring **2** *(Am)* enkelsok, halve sok
annals [enlz] annalen *(ook fig);* kronieken, jaarboeken
[1]**annex** [eneks] *zn* **1** aanhangsel, addendum, bijlage **2** aanbouw, bijgebouw, dependance
[2]**annex** [eneks] *tr* **1** aanhechten, (bij)voegen **2** annexeren, inlijven; *(inform, iron)* zich toe-eigenen
annexation [enekseesjen] **1** aanhechting **2** annexatie, inlijving
annihilate [enajjeleet] vernietigen; tenietdoen *(ook fig)*
annihilation [enajjeleesjen] vernietiging
anniversary [enivve:serie] **1** verjaardag, jaardag, gedenkdag **2** verjaarsfeest, jaarfeest
[1]**annotate** [eneteet] *intr* (met *(up)on*) aantekeningen maken (bij), commentaar schrijven (op)
[2]**annotate** [eneteet] *tr* annoteren
announce [enauns] **1** aankondigen, bekendmaken, melden **2** omroepen
announcement [enaunsment] aankondiging, bekendmaking, mededeling
annoy [enoj] **1** ergeren, kwellen, irriteren: *be ~ed at sth.* zich over iets ergeren; *be ~ed with s.o.* boos zijn op iem **2** lastigvallen, hinderen, plagen
annoyance [enojjens] **1** ergernis, kwelling **2** last, hinder, plaag
[1]**annual** [enjoeel] *zn* **1** eenjarige plant **2** jaarboek
[2]**annual** [enjoeel] *bn* **1** jaarlijks: *(boekhouden) ~ accounts* jaarrekening; ~ *income* jaarinkomen **2** eenjarig
annuity [enjoe:ittie] jaargeld, jaarrente
annul [enul] **1** vernietigen, tenietdoen, schrappen **2** ongeldig verklaren, herroepen, annuleren
annunciation [enunsie·eesjen] aankondiging, afkondiging
Annunciation [enunsie·eesjen] *(altijd met the)* Maria-Boodschap
anoint [enojnt] **1** *(godsd)* zalven **2** inwrijven, insmeren
anomaly [enommelie] anomalie, onregelmatigheid

anonymous [enonnimmes] anoniem
anorak [enerek] **1** anorak, parka **2** watje, nerd, studiebol, kluns
another [enuðe] **1** een ander(e), nog één **2** andere, verschillende: *that's ~ matter* dat is een heel andere zaak; *for one reason or ~* om een of andere reden; *in one way or ~* op een of andere wijze **3** nog een, een tweede, een andere: *have ~ biscuit* neem nog een koekje
[1]**answer** [a:nse] *zn* antwoord, reactie, oplossing, resultaat: *he gave* (of: *made*) *no ~* hij gaf geen antwoord; *no ~* er wordt niet opgenomen, ik krijg geen gehoor; *my only ~ to that* mijn enige reactie daarop
[2]**answer** [a:nse] *intr* **1** antwoorden, een antwoord geven **2** voldoende zijn, aan het doel beantwoorden: *one word would ~* één woord zou volstaan
[3]**answer** [a:nse] *tr* **1** antwoorden (op), beantwoorden, een antwoord geven op: *~ your father!* geef je vader antwoord! **2** reageren op: *~ the telephone* de telefoon opnemen; *~ the door* de deur opendoen (als er gebeld wordt) **3** beantwoorden aan, voldoen aan: *~ the description* aan het signalement beantwoorden
answerable [a:nsrebl] **1** verantwoordelijk, aansprakelijk: *be ~ to s.o. for sth.* bij iem voor iets verantwoording moeten afleggen **2** beantwoordbaar
[1]**answer back** *intr* zich verdedigen
[2]**answer back** *tr, intr* brutaal antwoorden, (schaamteloos) wat terugzeggen, tegenspreken
answer for verantwoorden, verantwoordelijk zijn voor: *I can't ~ the consequences* ik kan niet voor de gevolgen instaan
answerphone antwoordapparaat
ant [ent] mier
antagonistic [entekenistik] vijandig
antagonize [entekenajz] tegen zich in het harnas jagen
[1]**Antarctic** [enta:ktik] *zn* **1** Antarctica, zuidpool(gebied) **2** Zuidelijke IJszee
[2]**Antarctic** [enta:ktik] *bn* antarctisch, zuidpool-: *~ Circle* zuidpoolcirkel
antecedent [entissie:dent] iets voorafgaands, voorafgaand feit: *~s* antecedenten
antelope [entilloop] antilope
antenatal [entieneetl] prenataal: *~ care* zwangerschapszorg
antenna [entenne] **1** *(Am)* antenne **2** voelhoorn, (voel)spriet, antenne
anterior [entierie] **1** voorste, eerste, voor- **2** voorafgaand: *~ to* vroeger dan, voorafgaand aan
anthem [enθem] lofzang: *national ~* volkslied
anthology [enθolledzjie] anthologie, bloemlezing
anthracite [enθresajt] antraciet
anthropology [enθrepolledzjie] antropologie, studie van de mens
anti [entie] tegen, anti, tegenstander van, strijdig met
[1]**antibiotic** [entiebajjottik] *zn* antibioticum *(geneesmiddel tegen infectieziekten)*
[2]**antibiotic** [entiebajjottik] *bn* antibiotisch
antic [entik] capriool, gekke streek
anticipate [entissippeet] **1** vóór zijn, voorkomen, ondervangen, de wind uit de zeilen nemen **2** verwachten, tegemoet zien, hopen op: *trouble is ~d* men rekent op moeilijkheden **3** een voorgevoel hebben van **4** anticiperen, vooruitlopen (op): *I won't ~* ik wil niet op mijn verhaal vooruitlopen
anticlimax [entieklajmeks] anticlimax
anticlockwise [entieklokwajz] linksomdraaiend, tegen de wijzers vd klok (in)
antidote [entiddoot] tegengif
antifreeze [entifrie:z] antivries(middel)
antipathy [entippeθie] antipathie, vooringenomenheid, afkeer
[1]**antiquarian** [entikweerien] *zn* **1** oudheidkundige, oudheidkenner **2** antiquair **3** antiquaar, handelaar in oude boeken, prenten, enz.
[2]**antiquarian** [entikweerien] *bn* **1** oudheidkundig **2** antiquarisch
antiquated [entikweetid] ouderwets, verouderd, achterhaald
antique [entie:k] **1** antiek, oud **2** ouderwets
antiquities [entikwittiez] antiquiteiten, overblijfselen, oudheden
antiquity [entikwittie] **1** ouderdom **2** oudheid
anti-Semitism [entiesemmittizm] antisemitisme
antiseptic [entieseptik] antiseptisch, ontsmettend
antisocial [entiesoosjl] **1** asociaal **2** ongezellig
antithesis [entiθesis] antithese, tegenstelling, tegenstrijdigheid, tegengestelde
antithetic(al) [entiθetik(l)] tegengesteld, tegenstrijdig
antitoxin [entittoksin] tegengif
antler [entle] geweitak: *~s* gewei
anus [eenes] anus, aars
anvil [envil] aambeeld
anxiety [eng(k)zajjetie] bezorgdheid, ongerustheid, vrees
anxious [eng(k)sjes] **1** bezorgd, ongerust: *you needn't be ~ about me* je hoeft je over mij geen zorgen te maken **2** verontrustend, zorgwekkend, beangstigend **3** *(inform)* verlangend: *he was ~ to leave* hij stond te popelen om te mogen vertrekken
[1]**any** [ennie] *vnw* **1** *(aantal of hoeveelheid)* enig(e), enkele, wat: *I cannot see ~ houses* ik zie geen huizen; *have you got ~ paper?* heb je papier?; *~ child can tell you that* elk kind kan je dat vertellen; *I didn't get ~* ik heb er geen enkele gehad; *few, if ~* weinig of geen, zogoed als geen **2** iemand, iets, om het even wie (wat), wie (wat) ook: *~ will do* geef me er maar een, het geeft niet welke
[2]**any** [ennie] *bw (in negatieve en vragende zinsdelen)* enigszins, in enig opzicht: *are you ~ happier here?* ben je hier gelukkiger?; *I cannot stand it ~*

longer ik kan er niet meer tegen

anybody [ennieboddie] om het even wie, wie dan ook, iemand, iedereen: *she 's not just* ~ ze is niet de eerste de beste

anyhow [enniehau] **1** toch (maar) *(aan het einde vd zin): it's probably not worth it but let me see it* ~ het heeft waarschijnlijk geen zin, maar laat me het toch maar zien **2** hoe dan ook *(aan het begin vd zin, na een pauze):* ~*, I have to go now, sorry* hoe dan ook, ik moet nu gaan, het spijt me **3** ongeordend, slordig, kriskras: *he threw his clothes down just* ~ hij gooide zijn kleren zomaar ergens neer

anymore [enniemo:] nog, meer, opnieuw, langer: *it's not hurting* ~ het doet geen pijn meer

anyone [enniewun] *zie* anybody

[1]**anything** [ennieθing] *zn* alles, wat dan ook, wat het ook zij

[2]**anything** [ennieθing] *vnw* om het even wat, wat dan ook, iets, (van) alles: *she didn't eat* ~ ze at niets; ~ *but safe* allesbehalve veilig; *if* ~ *this food is even worse* dit eten is zo mogelijk nog slechter

[3]**anything** [ennieθing] *bw* enigszins, in enige mate; *(met ontkenning)* bijlange na (niet): *it isn't* ~ *much* het heeft niet veel om het lijf

anytime [ennietajm] *(inform)* wanneer (dan) ook, om het even wanneer: *he can come* ~ *now* hij kan nu elk ogenblik komen; *come* ~ *you like* kom wanneer je maar wilt

anyway [enniewee] **1** toch (maar): *he had no time but helped us* ~ hij had geen tijd maar toch hielp hij ons **2** hoe dan ook, in ieder geval: ~*, I must be off now* in ieder geval, ik moet er nu vandoor **3** eigenlijk: *why did he come* ~*?* waarom kwam hij eigenlijk?

[1]**anywhere** [enniewee] *bw* **1** overal, ergens, om het even waar **2** in enigerlei mate, ergens: *she isn't* ~ *near as tall as me* ze is lang niet zo groot als ik

[2]**anywhere** [enniewee] *vw* waar ... maar ...: *go* ~ *you like* ga waar je maar naartoe wilt

apart [epa:t] **1** los, onafhankelijk, op zichzelf **2** van elkaar (verwijderd), op ... afstand, met ... verschil: *five miles* ~ op vijf mijlen (afstand) van elkaar **3** uit elkaar, aan stukken, kapot: *take* ~ uit elkaar halen, demonteren

apartment [epa:tment] **1** kamer, vertrek **2** *vaak* ~*s* appartement, appartementen, reeks kamers **3** *(Am)* flat, etage

apathy [epeθie] apathie, lusteloosheid, onverschilligheid

[1]**ape** [eep] *zn* (mens)aap; *(fig)* na-aper

[2]**ape** [eep] *tr* na-apen

aperture [epetsje] **1** opening, spleet **2** lensopening

apex [eepeks] top, tip, hoogste punt; *(fig)* toppunt; hoogtepunt

apiarist [eepierist] imker, bijenhouder

apiculture [eepikkultsje] bijenteelt

apiece [epie:s] elk, per stuk: *she gave us £10* ~ ze gaf ons elk £10

aplomb [eplom] aplomb, zelfverzekerdheid

apogee [epedzjie:] hoogste punt, toppunt

apologetic [epolledzjettik] verontschuldigend, schuldbewust

apologize [epolledzjajz] zich verontschuldigen, zijn excuses aanbieden

apology [epolledzjie] verontschuldiging: ~ *for absence* bericht van verhindering; *offer an* ~ *to s.o. for sth.* zich bij iem voor iets verontschuldigen

apoplexy [epepleksie] beroerte

apostle [eposl] apostel

apostrophe [epostrefie] apostrof, weglatingsteken

appal [epo:l] met schrik vervullen: *they were* ~*led at* (of: *by*) *it* ze waren er ontsteld over

appalling [epo:ling] verschrikkelijk

apparatus [epereetes] apparaat, toestel, machine || *the men set up their* ~ de mannen stelden hun apparatuur op

apparent [eperent] duidelijk, blijkbaar, kennelijk: ~*ly he never got your letter* blijkbaar heeft hij je brief nooit ontvangen

apparition [eperisjen] verschijning, spook, geest

[1]**appeal** [epie:l] *zn* **1** verzoek, smeekbede **2** *(jur)* appel, (recht van) beroep: *lodge an* ~ beroep aantekenen **3** aantrekkingskracht

[2]**appeal** [epie:l] *intr* **1** verzoeken, smeken **2** aantrekkelijk zijn voor, aanspreken, aantrekken **3** in beroep gaan, appelleren: ~ *against that decision* tegen die beslissing beroep aantekenen

appealing [epie:ling] **1** smekend, meelijwekkend **2** aantrekkelijk, aanlokkelijk

appeal to een beroep doen op; appelleren aan *(gevoelens, gezond verstand): may we* ~ *your generosity?* mogen wij een beroep doen op uw vrijgevigheid?

[1]**appear** [epie] *intr* **1** verschijnen, voorkomen: *he had to* ~ *before court* hij moest voorkomen **2** opdagen **3** optreden

[2]**appear** [epie] *koppelww* **1** schijnen, lijken: *so it* ~*s* 't schijnt zo te zijn **2** blijken: *he* ~*ed to be honest* hij bleek eerlijk te zijn

appearance [epierens] **1** verschijning, optreden: *he put in* (of: *made*) *an* ~ *at the party* hij liet zich even zien op het feest **2** uiterlijk, voorkomen: ~*s* schijn; ~*s are deceptive* schijn bedriegt; *keep up* ~*s* de schijn ophouden

appease [epie:z] kalmeren, bedaren, sussen, verzoenen

appendicitis [ependissajtis] blindedarmontsteking

appetite [epittajt] **1** eetlust, honger, trek: *lack of* ~ gebrek aan eetlust **2** begeerte, zin: *whet s.o.'s* ~ iem lekker maken

appetizer [epittajze] **1** aperitief **2** voorgerecht(je), hapje vooraf

[1]**applaud** [eplo:d] *intr* applaudisseren

[2]**applaud** [eplo:d] *tr* toejuichen *(ook fig);* prijzen, loven

applause [eplo:z] applaus, toejuiching

apple [epl] appel || ~ *of the* (of: *one's*) *eye* oogappel *(ook fig)*
appliance [eplajjens] **1** middel, hulpmiddel **2** toestel, gereedschap, apparaat
applicable [eplikkebl] **1** toepasselijk, van toepassing, bruikbaar: *not* ~ niet van toepassing **2** geschikt, passend, doelmatig
applicant [eplikkent] sollicitant, aanvrager
application [eplikkeesjen] **1** sollicitatie: *letter of* ~ sollicitatiebrief **2** aanvraag(formulier) **3** toepassing, gebruik: *for external ~ only* alleen voor uitwendig gebruik **4** het aanbrengen *(bijv. zalf op wond)* **5** aanvraag, verzoek: *on* ~ op aanvraag **6** ijver, vlijt, toewijding
[1]**apply** [eplaj] *intr* **1** van toepassing zijn, betrekking hebben (op), gelden: *these rules don't ~ to you* dit reglement geldt niet voor u **2** zich richten, zich wenden: ~ *within* (of: *next-door*) hier (*of:* hiernaast) te bevragen **3** (met *for*) solliciteren (naar), inschrijven (voor), aanvragen
[2]**apply** [eplaj] *tr* **1** aanbrengen, (op)leggen, toedienen **2** toepassen, aanwenden, gebruiken: ~ *the brakes* remmen || ~ *oneself (to)* zich inspannen (voor), zich toeleggen (op)
appoint [epojnt] **1** vaststellen, bepalen, vastleggen: *at the ~ed time* op de vastgestelde tijd **2** benoemen, aanstellen
appointment [epojntment] **1** afspraak: *by* ~ volgens afspraak **2** aanstelling, benoeming
appraisal [epreezl] schatting, waardering, evaluatie
appraise [epreez] schatten, waarderen, evalueren
[1]**appreciate** [eprie:sjie·eet] *intr* stijgen *(in prijs, waarde)*
[2]**appreciate** [eprie:sjie·eet] *tr* **1** waarderen, (naar waarde) schatten **2** zich bewust zijn van, zich realiseren, erkennen: *you should ~ the risks* je moet je bewust zijn van de risico's **3** dankbaar zijn voor, dankbaarheid tonen voor
appreciation [eprie:sjie·eesjen] **1** waardering, beoordeling **2** waardering, erkenning
apprehend [eprihhend] aanhouden, in hechtenis nemen
apprehension [eprihhensjen] **1** vrees, bezorgdheid **2** aanhouding, arrestatie
apprehensive [eprihhensiv] ongerust, bezorgd
apprentice [eprentis] leerjongen, leerling
[1]**approach** [eprootsj] *zn* **1** toegang(sweg), oprit; aanvliegroute *(van vliegtuig)* **2** aanpak, (wijze van) benadering **3** contact, toenadering: *make ~es to s.o.* bij iem avances maken, met iem contact zoeken **4** benadering: *it's the nearest ~ to …* het is bijna …, het lijkt het meeste op …
[2]**approach** [eprootsj] *intr* naderen, (naderbij) komen
[3]**approach** [eprootsj] *tr* **1** naderen, komen bij **2** contact opnemen met, aanspreken, benaderen **3** aanpakken *(probleem e.d.)*
approbation [eprebeesjen] officiële goedkeuring
[1]**appropriate** [eproopriet] *bn* geschikt, passend, toepasselijk: *where* ~ waar nodig (*of:* van toepassing), in voorkomende gevallen; ~ *for,* ~ *to* geschikt voor
[2]**appropriate** [eproopriе·eet] *tr* **1** bestemmen, toewijzen **2** (zich) toe-eigenen: *he had ~d large sums to himself* hij had zich grote bedragen toegeëigend
approval [eproe:vl] goedkeuring, toestemming: *on* ~ op zicht
[1]**approve** [eproe:v] *intr* akkoord gaan, zijn goedkeuring geven
[2]**approve** [eproe:v] *tr* goedkeuren, toestemmen in, akkoord gaan met: *an ~d contractor* een erkend aannemer
approximate [eproksimmet] bij benadering (aangegeven), naar schatting: *~ly three hours* ongeveer drie uur
apricot [eeprikkot] abrikoos
April [eeprel] april: ~ *Fools' Day* één april
a priori [ee prajjo:raj] van tevoren, vooraf
apron [eepren] **1** schort, voorschoot **2** platform *(op luchthaven)*
apt [ept] **1** geschikt, passend **2** geneigd **3** begaafd: ~ *at* goed in
aptitude [eptitjoe:d] **1** geschiktheid **2** neiging **3** aanleg, talent, begaafdheid
aquarium [ekweeriem] aquarium
Aquarius [ekweeries] (de) Waterman
aquascooter waterscooter
aquatic [ekwetik] water-
aqueduct [ekwedukt] aquaduct
[1]**Arab** [ereb] *zn* **1** Arabier **2** Arabische volbloed
[2]**Arab** [ereb] *bn* Arabisch
Arabia [ereebie] Arabië
Arabian [ereebien] Arabisch
Arabic [erebik] Arabisch: ~ *numerals* Arabische cijfers
[1]**arable** [erebl] *zn* bouwland, landbouwgrond, akkerland
[2]**arable** [erebl] *bn* bebouwbaar, akker-
arbiter [a:bitte] **1** leidende figuur, toonaangevend iem **2** scheidsrechter
arbitrary [a:bitrerie] **1** willekeurig, grillig **2** eigenmachtig **3** scheidsrechterlijk
[1]**arbitrate** [a:bitreet] *intr* arbitreren, als bemiddelaar optreden
[2]**arbitrate** [a:bitreet] *tr* aan arbitrage onderwerpen, scheidsrechterlijk (laten) regelen
arbour [a:be] prieel
arc [a:k] **1** (cirkel)boog **2** *(elektr)* lichtboog, vlamboog
arcade [a:keed] **1** arcade, zuilengang **2** winkelgalerij
[1]**arch** [a:tsj] *zn* **1** boog, gewelf, arcade: *triumphal* ~ triomfboog **2** voetholte
[2]**arch** [a:tsj] *bn* ondeugend, schalks, guitig: *an ~ glance* (of: *smile*) een schalkse blik (*of:* guitig lachje)

[3]arch [a:tsj] *intr (*met *across, over)* (zich) welven (over), zich uitspannen
[4]arch [a:tsj] *tr* **1** (over)welven, overspannen **2** krommen, buigen: *the cat ~ed its back* de kat zette een hoge rug op
archaeologist [a:kie·olledzjist] archeoloog, oudheidkundige
archaeology [a:kie·olledzjie] archeologie, oudheidkunde
archaic [a:keeik] verouderd, ouderwets
archangel [a:keendzjl] aartsengel
archbishop [a:tsjbisjep] aartsbisschop
archer [a:tsje] boogschutter
archipelago [a:kippelleǩoo] *(mv: ook -es)* archipel, eilandengroep
architect [a:kittekt] **1** architect **2** ontwerper **3** *(fig)* maker, schepper, grondlegger
architecture [a:kittektsje] architectuur, bouwkunst, bouwstijl
archives [a:kajvz] **1** archief *(bewaarplaats)* **2** archieven *(opgeslagen geschriften)*
archivist [a:kivvist] archivaris
arctic [a:ktik] **1** (noord)pool-: *Arctic Circle* noordpoolcirkel **2** ijskoud
Arctic [a:ktik] noordpoolgebied, Arctica
ardent [a:dent] vurig, hevig, hartstochtelijk
ardour [a:de] vurigheid, hartstocht
arduous [a:djoees] moeilijk, zwaar, lastig
are [a:] *mv en 2e pers ev ott van* be
area [eerie] **1** oppervlakte: *a farm of 60 square kilometres in ~* een boerderij met een oppervlakte van 60 vierkante kilometer **2** gebied *(ook fig);* streek, domein **3** ruimte, plaats
arena [erie:ne] arena; strijdperk *(ook fig)*
Argentina [a:dzjntie:ne] Argentinië
[1]Argentinian [a:dzjntinnien] *zn* Argentijn
[2]Argentinian [a:dzjntinnien] *bn* Argentijns
arguable [a:ǩjoeebl] **1** betwistbaar, aanvechtbaar **2** aantoonbaar, aanwijsbaar
[1]argue [a:ǩjoe:] *intr* **1** argumenteren, pleiten: *they were ~ing against* (of: *for*) zij pleitten tegen (*of:* voor) **2** (met *about, over*) redetwisten (over), debatteren **3** twisten, ruziën, kibbelen: *don't ~ with me!* spreek me niet tegen!
[2]argue [a:ǩjoe:] *tr* **1** doorpraten, bespreken **2** stellen, aanvoeren, bepleiten **3** overreden, overhalen: *I managed to ~ him into coming* ik kon hem overreden om te komen
argument [a:ǩjoement] **1** argument, bewijs, bewijsgrond: *a strong ~ for* (of: *against*) een sterk argument voor (*of:* tegen) **2** ruzie, onenigheid, woordenwisseling **3** hoofdinhoud; korte inhoud *(van boek)* **4** bewijsvoering, betoog, redenering: *let us, for the sake of ~, suppose ...* stel nu eens (het hypothetische geval) dat ... **5** discussie, gedachtewisseling
argumentation [a:ǩjoementeesjen] argumentatie, bewijsvoering
arid [erid] dor, droog, schraal, onvruchtbaar
Aries [eerie:z] (de) Ram
arise [erajz] *(arose, arisen)* **1** zich voordoen, gebeuren, optreden: *difficulties have ~n* er zijn moeilijkheden ontstaan **2** voortkomen, ontstaan: *~ from* voortkomen uit, het gevolg zijn van
arisen [erizn] *volt dw van* arise
aristocracy [eristokresie] *(ook fig)* **1** aristocratie **2** aristocraten, aristocratie, adel
aristocrat [eristekret] aristocraat
arithmetic [eriθmmetik] **1** rekenkunde **2** berekening
ark [a:k] ark: *Noah's ~* ark van Noach
[1]arm [a:m] *zn* **1** arm *(van mens, dier; ook fig): ~ in ~* arm in arm, gearmd; *at ~'s length* op een afstand, op gepaste afstand; *within ~'s reach* binnen handbereik; *a list as long as your ~* een ellenlange lijst; *twist s.o.'s ~* iemands arm omdraaien, *(fig)* forceren, het mes op de keel zetten **2** mouw **3** armleuning **4** afdeling, tak **5** *~s* wapenen, (oorlogs)wapens, bewapening: *lay down (one's) ~s* de wapens neerleggen; *present ~s* het geweer presenteren **6** *~s* oorlogvoering, strijd **7** *~s* wapen, familiewapen || *be up in ~s about* (of: *over, against*) *sth.* verontwaardigd zijn over iets
[2]arm [a:m] *intr* zich (be)wapenen *(ook fig)*
[3]arm [a:m] *tr* (be)wapenen *(ook fig);* uitrusten: *~ed with a lot of information* voorzien van een boel informatie
armada [a:ma:de] armada, oorlogsvloot: *the (Spanish) Armada* de (Spaanse) Armada *(van 1588)*
armament [a:mement] **1** wapentuig *(van tank, schip, vliegtuig)* **2** bewapening
armchair leunstoel: *~ critics* stuurlui aan wal; *~ shopping* thuiswinkelen
armistice [a:mistis] wapenstilstand, bestand
armour [a:me] **1** wapenrusting, harnas **2** pantser, pantsering, pantserbekleding **3** beschutting, dekking, schuilplaats
armoured [a:med] **1** gepantserd: *~ car* pantserwagen **2** gewapend *(glas, beton enz.)* **3** geharnast
armoury [a:merie] **1** wapenkamer, wapenmagazijn **2** wapens, wapensysteem **3** arsenaal *(ook fig)*
armpit oksel
armrest (stoel)leuning
army [a:mie] leger *(ook fig);* massa, menigte
aroma [eroome] aroma, geur
aromatic [eremetik] aromatisch, geurig
arose [erooz] *ovt van* arise
[1]around [eraund] *bw* **1** rond *(ook fig);* in de vorm van een cirkel: *the other way ~* andersom; *a way ~* een omweg; *bring ~* tot een andere mening brengen, overreden; *people gathered ~ to see* mensen verzamelden zich om te kijken; *pass it ~* geef het rond; *turn ~* (zich) omdraaien **2** in het rond, aan alle kanten, verspreid: *news gets ~ fast* nieuws verspreidt zich snel **3** *(nabijheid)* in de buurt: *for miles ~* kilometers in de omtrek; *stay ~* blijf in de buurt **4** *(benadering)* ongeveer, omstreeks: *he's ~*

sixty hij is rond de zestig; ~ *fifty people* om en nabij de vijftig mensen
[2]**around** [eraund] *vz* **1** rond, rondom, om ... heen: ~ *the corner* om de hoek; *a chain* ~ *his neck* een ketting om zijn hals **2** *(nabijheid)* in het rond, rondom, om ... heen: *only those* ~ *him* alleen zijn naaste medewerkers **3** *(in alle richtingen)* door, rond, her en der in: *all* ~ *the country* door het hele land
arousal [erauzl] **1** opwinding, prikkeling, ophitsing **2** het (op)wekken, uitlokking
arouse [erauz] **1** wekken *(ook fig);* uitlokken, doen ontstaan: ~ *suspicion* wantrouwen wekken **2** opwekken, prikkelen, ophitsen
[1]**arrange** [ereendzj] *intr* **1** maatregelen nemen, in orde brengen: ~ *for sth.* iets regelen, ergens voor zorgen **2** overeenkomen, het eens zijn: ~ *with s.o. about sth.* iets overeenkomen met iem
[2]**arrange** [ereendzj] *tr* **1** (rang)schikken, ordenen, opstellen **2** bijleggen, rechtzetten, rechttrekken **3** regelen, organiseren, arrangeren, zorgen voor: ~ *a meeting* een vergadering beleggen **4** *(muz)* arrangeren
arrangement [ereendzjment] **1** ordening, (rang)schikking, opstelling **2** afspraak, regeling, overeenkomst **3** maatregel, voorzorg **4** *(muz)* arrangement, bewerking **5** plan
[1]**array** [eree] *zn* **1** serie, collectie, reeks **2** gelid, marsorde, slagorde
[2]**array** [eree] *tr* (in slagorde) opstellen, verzamelen, (in het gelid) schikken
arrears [eriez] **1** achterstand: *in* ~ *with one's work* (of: *rent*) achter met zijn werk (*of:* huur) **2** (geld)schuld: *be in* ~ achter(op) zijn *(met betaling)*
[1]**arrest** [erest] *zn* **1** stilstand *(van groei, beweging): (med) cardiac* ~ hartstilstand **2** bedwinging; beteugeling *(van ziekte, verval enz.)* **3** arrestatie, aanhouding, (voorlopige) hechtenis: *place* (of: *put*) *under* ~ in arrest nemen; *under* ~ in arrest
[2]**arrest** [erest] *tr* **1** tegenhouden, bedwingen **2** arresteren, aanhouden **3** boeien, fascineren
arresting [eresting] boeiend, fascinerend
arrival [erajvl] **1** (aan)komst: *on* ~ bij aankomst **2** binnengevaren schip, binnengekomen trein (vliegtuig): *(fig) new* ~ pasgeborene **3** nieuwkomer, nieuweling
arrive [erajv] **1** arriveren; aankomen *(van personen, zaken)* **2** arriveren, het (waar) maken **3** aanbreken; komen *(van tijdstip)*
arrive at bereiken *(ook fig);* komen tot: ~ *a conclusion* tot een besluit komen, een conclusie trekken
arrogant [erekent] arrogant, verwaand
arrow [eroo] pijl
arse [a:s] *(plat)* **1** reet **2** klootzak, lul
arsenal [a:snel] *(mil)* arsenaal, (wapen)arsenaal
arsenic [a:snik] **1** arsenicum, arseen **2** rattenkruit
arson [a:sn] brandstichting
arsonist [a:snist] brandstichter, pyromaan
art [a:t] **1** kunst, bekwaamheid, vaardigheid: ~*s and crafts* kunst en ambacht; *work of* ~ kunstwerk; *the black* ~ zwarte kunst **2** kunst(greep), truc, list **3** kunst(richting): *the fine* ~*s* de schone kunsten
artefact [a:tifekt] kunstvoorwerp
artery [a:terie] slagader; *(fig)* verkeersader; handelsader
artful [a:tfoel] listig, spitsvondig
arthritis [a:θrajtis] artritis, jicht, gewrichtsontsteking
artichoke [a:titsjook] artisjok
article [a:tikl] **1** artikel, stuk, tekstfragment: *a newspaper* ~ een krantenartikel **2** *(jur)* (wets)artikel, bepaling **3** *(handel)* artikel, koopwaar, handelswaar: ~ *of clothing* kledingstuk **4** *(taalk)* lidwoord: *definite* (of: *indefinite*) ~ bepaald (*of:* onbepaald) lidwoord **5** ~*s* contract, statuten, akten
[1]**articulate** [a:tikjoelet] *bn* **1** zich duidelijk uitdrukkend *(persoon)* **2** duidelijk; helder (uitgedrukt, verwoord) *(gedachte e.d.)*
[2]**articulate** [a:tikjoeleet] *intr* duidelijk spreken, articuleren
[3]**articulate** [a:tikjoeleet] *tr* **1** articuleren, duidelijk uitspreken **2** (helder) verwoorden, onder woorden brengen
articulated [a:tikjoeleetid] geleed: ~ *bus* gelede bus, harmonicabus; ~ *lorry* vrachtwagen met aanhanger
artifice [a:tiffis] **1** truc, kunstgreep, list **2** handigheid **3** listigheid
artificial [a:tiffisjl] **1** kunstmatig: ~ *intelligence* kunstmatige intelligentie **2** kunst-, namaak-: ~ *flowers* kunstbloemen **3** gekunsteld, gemaakt: *an* ~ *smile* een gemaakte glimlach
artillery [a:tillerie] *(mil)* **1** artillerie, geschut **2** artillerie *(onderdeel vh leger)*
artisan [a:tizen] handwerksman, vakman, ambachtsman
artist [a:tist] artiest, (beeldend) kunstenaar (kunstenares)
artiste [a:tie:st] (variété)artiest(e)
artistic [a:tistik] artistiek
artless [a:tles] argeloos, onschuldig
Arts [a:tz] *(altijd met the)* letteren
arty [a:tie] *(vaak min)* **1** kitscherig **2** artistiekerig
[1]**as** [ez] *betr vnw* die, dat: *the same as he had seen* dezelfde die hij gezien had
[2]**as** [ez] *bw* even, zo: *as fast as John* zo snel als John || *as well as* zowel ... als, niet alleen ... maar ook; *as from now* van nu af
[3]**as** [ez] *vz* **1** *(aard, rol, functie enz.)* als, in de rol van, in de hoedanigheid van: *Mary starring as Juliet* Mary in de rol van Julia **2** *(vergelijking)* als, gelijk: *as light as a feather* vederlicht || *as such* als zodanig
[4]**as** [ez] *vw* **1** *(overeenstemming of vergelijking)* (zo)als, naarmate, naargelang: *he lived as a hermit (would)* hij leefde als een kluizenaar; *cheap as cars*

go goedkoop voor een wagen; *it's bad enough as it is* het is zo al erg genoeg; *as he later realized* zoals hij later besefte; *as it were* als het ware, om zo te zeggen; *such as* zoals; *he was so kind as to tell me all about it* hij was zo vriendelijk om mij alles daarover te vertellen **2** terwijl, toen: *Jim sang as he scrubbed* Jim zong onder het schrobben **3** aangezien, daar, omdat: *as he was poor* daar hij arm was || *as for, as to* wat betreft; *as from* (Am: *of*) *today* vanaf vandaag, met ingang van heden

asap *afk van as soon as possible* z.s.m., zo spoedig mogelijk

asbestos [ezbestos] asbest

[1]**ascend** [esend] *intr* **1** (op)stijgen, omhooggaan **2** oplopen *(van glooiing, terrein)*

[2]**ascend** [esend] *tr* **1** opgaan, naar boven gaan, beklimmen **2** bestijgen *(troon)*

ascendancy [esendensie] overwicht, overhand: *have* (of: *gain*) *(the)* ~ *over* (het) overwicht hebben (*of:* behalen) op

Ascension [esensjen] Hemelvaart: ~ *Day* Hemelvaartsdag

ascent [esent] bestijging, opstijging, (be)klimming), het omhooggaan

ascertain [eseteen] vaststellen, bepalen, te weten komen, ontdekken

[1]**ascetic** [esettik] *zn* asceet, iemand die zich onthoudt van weelde en genoegens

[2]**ascetic** [esettik] *bn* ascetisch, zich onthoudend van weelde en genoegens

ASCII [eskie] *afk van American Standard Code for Information Interchange* ASCII

ascribe [eskrajb] (met *to*) toeschrijven (aan)

ash [esj] **1** es, essenhout **2** *~es* as *(na verbranding lijk e.d., symbool van rouw en boete)*

ashamed [esjeemd] beschaamd: *feel* ~ zich schamen; *be* ~ *of* zich schamen over

ashore [esjo:] **1** kustwaarts, landwaarts **2** aan land, aan wal, op het strand

ashtray asbak

Ash Wednesday Aswoensdag

Asia [eesje] Azië: ~ *Minor* Klein-Azië

Asian [eesjen] Aziatisch

[1]**aside** [esajd] *zn* terloopse opmerking

[2]**aside** [esajd] *bw* terzijde, opzij, zijwaarts: *(fig) brush ~ protests* protesten naast zich neerleggen; *set ~: a)* opzijzetten; *b)* sparen *(geld)* || *(Am)* ~ *from* afgezien van, behalve

[1]**ask** [a:sk] *intr* vragen, informeren, navraag doen: *~ for advice* om raad vragen; *(inform) ~ for it* erom vragen, het uitlokken

[2]**ask** [a:sk] *tr* **1** vragen, verzoeken: *~ s.o. a question* iem een vraag stellen; *~ a favour of s.o.* iem om een gunst vragen **2** eisen, verlangen: *that's too much to ~* dat is te veel gevraagd **3** vragen, uitnodigen || *(inform) if you ~ me* volgens mij, als je het mij vraagt

askance [eska:ns] achterdochtig, wantrouwend: *look ~ at s.o. (sth.)* iem (iets) wantrouwend aankijken (bekijken)

askew [eskjoe:] scheef, schuin

asleep [eslie:p] in slaap, slapend

asparagus [esperekes] asperge

aspect [espekt] **1** gezichtspunt, oogpunt **2** zijde, kant, facet

aspen [espen] esp(enboom), ratelpopulier

asperity [esperrittie] ruwheid, scherpheid

[1]**asphalt** [esfelt] *zn* asfalt

[2]**asphalt** [esfelt] *ww* asfalteren

asphyxia [esfiksie] verstikking(sdood)

aspirant [espajjerent] kandidaat

aspirate [espirreet] **1** opzuigen, door zuigen verwijderen **2** *(taalk)* aspireren

aspiration [espirreesjen] **1** aspiratie, streven, ambitie **2** inademing **3** aspiratie, op-, weg-, afzuiging **4** *(taalk)* aspiratie

aspire [espajje] sterk verlangen, streven: *~ after, ~ to sth.* naar iets streven

aspirin [esprin] aspirine, aspirientje

ass [es] ezel *(ook fig)*; domoor: *make an ~ of oneself* zichzelf belachelijk maken

assail [eseel] *(form)* aanvallen *(ook fig)*; overvallen

assassin [esesin] moordenaar, sluipmoordenaar, huurmoordenaar

assassinate [esesinneet] **1** vermoorden **2** vernietigen *(reputatie)*

assassination [esesinneesjen] (sluip)moord

[1]**assault** [eso:lt] *zn* **1** aanval *(ook fig)* **2** *(mil)* bestorming **3** daadwerkelijke bedreiging: *~ and battery* mishandeling, geweldpleging

[2]**assault** [eso:lt] *tr* **1** aanvallen *(ook fig)* **2** *(mil)* bestormen

assay [esee] analyseren; keuren *(metaal, erts)*

[1]**assemble** [esembl] *intr* zich verzamelen, samenkomen

[2]**assemble** [esembl] *tr* **1** assembleren, samenbrengen, verenigen; *(techn)* in elkaar zetten; monteren **2** ordenen

assembly [esemblie] **1** samenkomst, vergadering, verzameling **2** assemblage, samenvoeging, montage **3** assemblee

[1]**assent** [esent] *zn* toestemming, aanvaarding

[2]**assent** [esent] *intr* toestemmen, aanvaarden: *~ to sth.* met iets instemmen

assert [ese:t] **1** beweren, verklaren **2** handhaven, laten gelden; opkomen voor *(rechten)*: *~ oneself* op zijn recht staan, zich laten gelden

assertive [ese:tiv] **1** stellig, uitdrukkelijk, beslist **2** zelfbewust, zelfverzekerd, assertief

assess [eses] **1** bepalen; vaststellen *(waarde, bedrag, schade)* **2** belasten; aanslaan *(persoon, goed)* **3** taxeren, schatten, ramen, beoordelen: *~ the situation* de situatie beoordelen

assessment [esesment] **1** belasting, aanslag **2** schatting, taxatie, raming **3** vaststelling, bepaling **4** beoordeling

assessor [esesse] taxateur, schade-expert

asset [eset] **1** goed, bezit; *(fig ook)* waardevolle ei-

genschap; pluspunt, aanwinst: *health is the greatest ~* gezondheid is het grootste goed **2** *(econ)* creditpost **3** *~s* activa, baten, bedrijfsmiddelen: *~s and liabilities* activa en passiva, baten en lasten
assiduous [esidjoees] volhardend, vlijtig
assign [esajn] **1** toewijzen, toekennen, aanwijzen: *~ s.o. a task* iem een taak toebedelen **2** bepalen; vaststellen *(dag, datum);* opgeven, aanwijzen **3** aanwijzen, aanstellen, benoemen: *~ s.o. to a post in Berlin* iem voor een functie in Berlijn aanwijzen
assignment [esajnment] **1** taak, opdracht; *(Am; ond)* huiswerk **2** toewijzing, toekenning, bestemming
assimilate [esimmilleet] zich assimileren, opgenomen worden, gelijk worden: *~ into, ~ with sth.* opgenomen worden in iets
assist [esist] helpen, bijstaan, assisteren
assistance [esistens] hulp, bijstand, assistentie
[1]**assistant** [esistent] *zn* **1** helper, assistent, adjunct **2** bediende, hulp
[2]**assistant** [esistent] *bn* assistent-, hulp-, ondergeschikt
[1]**associate** [esoosjiet] *zn* **1** partner, compagnon **2** (met)gezel, kameraad, makker
[2]**associate** [esoosjiet] *bn* toegevoegd, bijgevoegd, mede-: *~ member* buitengewoon lid
[3]**associate** [esoosjie·eet] *intr* **1** zich verenigen, zich associëren **2** (met *with*) omgaan (met)
[4]**associate** [esoosjie·eet] *tr* verenigen, verbinden; *(ook fig)* associëren; in verband brengen: *closely ~d with* nauw betrokken bij
association [esoosjie·eesjen] **1** vereniging, genootschap, gezelschap, bond **2** associatie, verband, verbinding **3** samenwerking, connectie: *in ~ with* samen met, in samenwerking met **4** omgang, vriendschap
assort [eso:t] sorteren, ordenen, classificeren
assortment [eso:tment] **1** assortiment, collectie, ruime keuze **2** sortering, ordening
assuage [esweedzj] **1** kalmeren, verzachten, verlichten, (tot) bedaren (brengen) **2** bevredigen; stillen *(honger, verlangen);* lessen *(dorst)*
assume [es·joe:m] **1** aannemen, vermoeden, veronderstellen **2** overnemen, nemen, grijpen **3** op zich nemen: *he ~d the role of benefactor* hij speelde de weldoener **4** voorwenden: *~d name* aangenomen naam, schuilnaam
assuming [es·joe:ming] ervan uitgaande dat
assumption [esumpsjen] vermoeden, veronderstelling
assurance [esjoeerens] **1** zekerheid, vertrouwen **2** zelfvertrouwen **3** verzekering, levensverzekering **4** verzekering, belofte, garantie
assure [esjoee] verzekeren: *~ s.o. of one's support* iem van zijn steun verzekeren
asterisk [esterisk] asterisk, sterretje
asteroid [esterojd] asteroïde, kleine planeet
asthma [esme] astma
astonish [estonnisj] verbazen, versteld doen staan: *be ~ed at sth.* zich over iets verbazen, stomverbaasd zijn over iets
astonishment [estonnisjment] verbazing
astound [estaund] ontzetten, verbazen, schokken
astray [estree] verdwaald: *go ~* verdwalen, de verkeerde weg op gaan; *lead s.o. ~* iem op een dwaalspoor brengen
astride [estrajd] schrijlings, wijdbeens, dwars || *she sat ~ her horse* ze zat schrijlings op haar paard
astrology [estrolledzjie] astrologie
astronaut [estreno:t] astronaut, ruimtevaarder
astronomer [estronneme] astronoom, sterrenkundige
astronomical [estrenommikl] astronomisch *(ook fig);* sterrenkundig
astronomy [estronnemie] astronomie, sterrenkunde
astute [estjoe:t] scherpzinnig, slim, sluw
asylum [esajlem] **1** asiel, toevlucht(soord) **2** (krankzinnigen)inrichting
at [et] **1** *(plaats, tijd, punt op een schaal)* aan, te, in, op, bij: *at my aunt's* bij mijn tante; *at Christmas* met Kerstmis; *at the corner* op de hoek; *cheap at 10p* goedkoop voor 10 pence; *at that time* toen, in die tijd; *we'll leave it at that* we zullen het daarbij laten **2** *(activiteit of beroep)* bezig met: *at work* aan het werk; *they're at it again* ze zijn weer bezig **3** *(vaardigheid)* op het gebied van: *my mother is an expert at wallpapering* mijn moeder kan geweldig goed behangen **4** door, naar aanleiding van, als gevolg van, door middel van, via: *at my command* op mijn bevel; *at a glance* in één oogopslag
ate [et, eet] *ovt van* eat
atheism [eeθie·izm] atheïsme, godloochening
atheist [eeθie·ist] atheïst, godloochenaar
athlete [eθlie:t] atleet
athletics [eθlettiks] atletiek
Atlantic [etlentik] Atlantische Oceaan
atlas [etles] atlas
atmosphere [etmesfie] **1** dampkring; atmosfeer *(ook eenheid van druk)* **2** (atmo)sfeer, stemming
atmospheric [etmesferrik] atmosferisch, lucht-, dampkrings-
atoll [etol] atol, ringvormig koraaleiland
atom [etem] **1** *(nat)* atoom **2** zeer kleine hoeveelheid, greintje
atomize [etemajz] verstuiven, vernevelen
atomizer [etemajze] verstuiver
atone for [etoon] goedmaken
atonement [etoonment] vergoeding, boetedoening: *make ~ for* goedmaken
atop [etop] boven op
atrocious [etroosjes] **1** wreed, monsterachtig **2** afschuwelijk slecht
atrocity [etrossittie] **1** wreedheid **2** afschuwelijkheid
at-sign [etsajn] *(comp)* apenstaartje

attach [etetsj] (aan)hechten, vastmaken, verbinden: ~ *too much importance to sth.* ergens te zwaar aan tillen
attaché [etesjee] attaché
attaché case diplomatenkoffertje
attachment [etetsjment] **1** hulpstuk: ~*s* toebehoren, accessoires **2** aanhechting, verbinding **3** gehechtheid, genegenheid, trouw **4** *(comp)* attachment, bijlage
[1]**attack** [etek] *zn* **1** aanval, (scherpe) kritiek: *be under* ~ aangevallen worden **2** aanpak
[2]**attack** [etek] *tr* **1** aantasten, aanvreten **2** aanpakken *(bijv. een probleem)*
[3]**attack** [etek] *tr, intr* aanvallen *(ook fig);* overvallen
attain [eteen] bereiken, verkrijgen: ~ *old age* een hoge leeftijd bereiken
attainment [eteenment] **1** verworvenheid, kundigheid **2** het bereiken, verwerving
[1]**attempt** [etempt] *zn* **1** (met *to*) poging (tot): ~ *at conciliation* toenaderingspoging **2** aanval, aanslag: ~ *on s.o.'s life* aanslag op iemands leven
[2]**attempt** [etempt] *tr* proberen, wagen
[1]**attend** [etend] *intr* **1** aanwezig zijn: ~ *at church* de dienst bijwonen **2** opletten, (aandachtig) luisteren
[2]**attend** [etend] *tr* **1** bijwonen, aanwezig zijn bij: *will you be ~ing his lecture?* ga je naar zijn lezing? **2** zorgen voor, verplegen **3** letten op, bedienen **4** begeleiden, vergezellen; *(fig)* gepaard gaan met
attendance [etendens] **1** opkomst, aantal aanwezigen **2** aanwezigheid: *compulsory* ~ verschijningsplicht, verplichte aanwezigheid **3** dienst, toezicht: *doctor in* ~ dienstdoende arts
attendant [etendent] **1** bediende, knecht **2** begeleider, volgeling: ~*s* gevolg **3** bewaker, suppoost
attend to 1 aandacht schenken aan, luisteren naar **2** zich inzetten voor, zorgen voor, bedienen: ~ *s.o.'s interests* iemands belangen behartigen; *are you being attended to?* wordt u al geholpen?
attention [etensjen] **1** aandacht, zorg: *this plant needs a lot of* ~ deze plant vraagt veel zorg; *pay* ~ opletten; *for the* ~ *of* ter attentie van **2** belangstelling, erkenning **3** attentie, hoffelijkheid || *be* (of: *stand) at* ~ in de houding staan
attentive [etentiv] **1** aandachtig, oplettend **2** attent, hoffelijk
attenuate [etenjoe·eet] **1** verdunnen, dunner worden, versmallen **2** verzwakken, verminderen; dempen *(geluid): with old age memories* ~ met de oude dag vervagen de herinneringen
[1]**attest** [etest] *intr (*met *to)* getuigen (van), getuigenis afleggen (van)
[2]**attest** [etest] *tr* **1** plechtig verklaren, officieel bevestigen **2** getuigen van, betuigen
attic [etik] vliering, zolder(kamer)
attire [etajje] gewaad, kledij
attitude [etitjoe:d] **1** houding, stand, attitude **2** houding, gedrag: ~ *of mind* instelling **3** standpunt, opvatting

attorney [ete:nie] **1** procureur, gevolmachtigde: *power of* ~ volmacht **2** *(Am)* advocaat
Attorney General 1 procureur-generaal **2** *(Am)* minister van Justitie
attract [etrekt] aantrekken *(ook fig);* lokken, boeien
attraction [etreksjen] **1** aantrekkelijkheid, aantrekking(skracht) **2** attractie, bezienswaardigheid
attractive [etrektiv] aantrekkelijk, attractief
[1]**attribute** [etribjoe:t] *zn* **1** eigenschap, (essentieel) kenmerk **2** attribuut, symbool
[2]**attribute** [etribjoe:t] *tr* toeschrijven, toekennen
attune [etjoe:n] doen overeenstemmen, afstemmen
aubergine [oobezjie:n] aubergine
[1]**auction** [o:ksjen] *zn* veiling, verkoop bij opbod
[2]**auction** [o:ksjen] *tr* veilen, verkopen bij opbod
audacious [o:deesjes] **1** dapper, moedig **2** roekeloos **3** brutaal
audacity [o:desittie] **1** dappere daad, waagstuk **2** dapperheid **3** roekeloosheid **4** brutaliteit, onbeschoftheid
audible [o:dibl] hoorbaar, verstaanbaar
audience [o:diens] **1** publiek, toehoorders, toeschouwers **2** (met *with*) audiëntie (bij)
[1]**audit** [o:dit] *zn* **1** accountantsonderzoek, -controle **2** accountantsverslag **3** balans, afrekening
[2]**audit** [o:dit] *tr, intr* (de boeken, rekeningen) controleren
audition [o:disjen] auditie, proefoptreden
auditor [o:ditte] **1** toehoorder, luisteraar **2** (register)accountant; *(Belg)* bedrijfsrevisor
auditorium [o:ditto:riem] gehoorzaal, auditorium, aula
augment [o:ĝment] vergroten, (doen) toenemen, vermeerderen
augury [o:ĝjerie] voorspelling, voorteken: *a hopeful* ~ een gunstig voorteken
august [o:ĝust] verheven, groots
August [o:ĝest] augustus
aunt [a:nt] tante
aura [o:re] aura, sfeer, waas: *he has an* ~ *of respectability* hij heeft iets waardigs over zich
auspices [o:spissiz] auspiciën, bescherming: *under the* ~ *of Her Majesty* onder de bescherming van Hare Majesteit
auspicious [o:spisjes] **1** gunstig, voorspoedig **2** veelbelovend
austere [o:stie] **1** streng, onvriendelijk, ernstig **2** matig, sober, eenvoudig
austerity [osterrittie] **1** soberheid, matiging **2** (strenge) eenvoud, soberheid **3** beperking, bezuiniging(smaatregel), inlevering: ~ *drive* bezuinigingscampagne
[1]**Australasian** [ostreleezjn] *zn* bewoner van Austraal-Azië *(Oceanië)*
[2]**Australasian** [ostreleezjn] *bn* Austraal-Aziatisch
Australia [ostreelie] Australië
[1]**Australian** [ostreelien] *zn* Australiër

²Australian [ostreelien] *bn* Australisch
Austria [ostrie] Oostenrijk
¹Austrian [ostrien] *zn* Oostenrijker
²Austrian [ostrien] *bn* Oostenrijks
authentic [o:θentik] authentiek, onvervalst, origineel
authenticate [o:θentikkeet] (voor) echt verklaren: ~ *a will* een testament bekrachtigen
author [o:θe] auteur, schrijver, maker, schepper
¹authoritarian [o:θorritteerien] *zn* autoritair iemand, eigenmachtig individu
²authoritarian [o:θorritteerien] *bn* autoritair, eigenmachtig
authority [o:θorrittie] **1** autoriteit, overheidsinstantie, -persoon: *the competent authorities* de bevoegde overheden, het bevoegd gezag **2** recht, toestemming **3** autoriteit, deskundige: *an ~ on the subject* een autoriteit op dit gebied **4** autoriteit, gezag, wettige macht: *abuse of ~* machtsmisbruik **5** autoriteit, (moreel) gezag, invloed: *you cannot deny his ~* je kunt niet ontkennen dat hij iemand van aanzien is **6** volmacht, machtiging
authorization [o:θerajzeesjen] **1** autorisatie, machtiging, volmacht **2** vergunning, goedkeuring
authorize [o:θerajz] **1** machtigen, recht geven tot, volmacht verlenen: *~d agent* gevolmachtigd vertegenwoordiger, gevolmachtigde **2** goedkeuren, inwilligen, toelaten
autism [o:tizm] autisme
auto [o:too] *(Am; inform)* auto
autobiography [o:toobajjokrefie] autobiografie
autograph [o:tekra:f] handschrift; handtekening *(van beroemd persoon)*
automate [o:temeet] automatiseren
¹automatic [o:temetik] *zn* automatisch wapen
²automatic [o:temetik] *bn* automatisch, zelfwerkend, zonder na te denken: *he ~ally thought of her* hij dacht onwillekeurig aan haar
automobile [o:temebie:l] *(Am)* auto
autonomous [o:tonnemes] autonoom, met zelfbestuur
autonomy [o:tonnemie] autonomie, zelfbestuur, onafhankelijkheid
autopsy [o:topsie] *(med)* autopsie, lijkschouwing, sectie
autumn [o:tem] *(ook fig)* herfst, najaar, nadagen
¹auxiliary [o:kzillierie] *zn* **1** helper, hulpkracht, assistent **2** hulpmiddel **3** hulpwerkwoord
²auxiliary [o:kzillierie] *bn* **1** hulp-, behulpzaam, helpend: ~ *troops* hulptroepen; ~ *verb* hulpwerkwoord **2** aanvullend, supplementair, reserve-
¹avail [eveel] *zn* nut, voordeel, baat: *to no ~* nutteloos, vergeefs
²avail [eveel] *ww* baten, helpen, van nut zijn || *Joe ~ed himself of the opportunity* Joe maakte van de gelegenheid gebruik
availability [eveelebillittie] beschikbaarheid, verkrijgbaarheid, leverbaarheid, aanwezigheid
available [eveelebl] beschikbaar, verkrijgbaar, leverbaar, ten dienste staand: *Mr Jones was not ~ for comment* meneer Jones was niet beschikbaar voor commentaar
avalanche [evela:ntsj] lawine; *(fig)* vloed(golf); stortvloed
avarice [everis] gierigheid, hebzucht
avaricious [everrisjes] hebzuchtig, gierig
Ave *afk van avenue* ln, laan
avenge [evendzj] wreken, wraak nemen (voor)
avenue [evenjoe:] **1** avenue *(in straatnamen Avenue)*; (brede) laan **2** oprijlaan *(naar kasteel, landgoed)* **3** weg *(alleen fig)*; toegang, middel: *explore every ~* alle middelen proberen
¹average [evridzj] *zn* gemiddelde, middelmaat; *(ook fig)* doorsnee: *eight is the ~ of ten and six* acht is het gemiddelde van tien en zes; *above (the) ~* boven het gemiddelde; *below (the) ~* onder het gemiddelde || *on (the) ~* gemiddeld, door de bank genomen
²average [evridzj] *bn* gemiddeld, midden-, doorsnee-: ~ *man* de gewone man
³average [evridzj] *ww* het gemiddelde berekenen
¹average out *intr (inform)* gemiddeld op hetzelfde neerkomen: *the profits averaged out at fifty pounds a day* de winst kwam gemiddeld neer op vijftig pond per dag
²average out *tr (inform)* een gemiddelde berekenen van
averse [eve:s] *(met to)* afkerig (van), tegen, afwijzend
aversion [eve:sjen] **1** (met *to*) afkeer (van): *take an ~ to* een afkeer krijgen van **2** persoon (iets) waar men een hekel aan heeft
avert [eve:t] **1** (met *from*) afwenden (van) *(ogen)*; afkeren **2** voorkomen, vermijden, afwenden
aviary [eevierie] vogelhuis, vogelverblijf
aviation [eevie·eesjen] **1** luchtvaart, vliegkunst **2** vliegtuigbouw
avid [evid] **1** gretig, enthousiast: *an ~ reader* een grage lezer **2** verlangend
avoid [evojd] (ver)mijden, ontwijken: *they couldn't ~ doing it* zij moesten (het) wel (doen)
avoidance [evojdens] vermijding, het vermijden
avow [eva·oe] **1** toegeven, erkennen **2** (openlijk) bekennen; belijden *(geloof e.d.)*: *they are ~ed enemies* het zijn gezworen vijanden
avuncular [evungkjoele] als een (vriendelijke) oom, vaderlijk
await [eweet] opwachten, verwachten, tegemoet zien || *a warm welcome ~s them* er wacht hen een warm welkom
¹awake [eweek] *bn* **1** wakker: *wide ~* klaarwakker *(ook fig)* **2** waakzaam, alert: ~ *to* zich bewust van
²awake [eweek] *intr (awoke, awoken)* **1** ontwaken *(ook fig)*; wakker worden **2** (met *to*) zich bewust worden (van), gaan beseffen
³awake [eweek] *tr (awoke, awoken)* **1** wekken, wakker maken **2** bewust maken
¹award [ewo:d] *zn* **1** beloning, prijs **2** toekenning

(van beloning, prijs, schadevergoeding)

[2]**award** [ewo:d] *tr* **1** toekennen *(prijs);* toewijzen **2** belonen

aware [ewee] zich bewust, gewaar: *politically ~* politiek bewust; *be ~ of* zich bewust zijn van

[1]**away** [ewee] *bn* uit-: *~ match* uitwedstrijd

[2]**away** [ewee] *bw* **1** weg *(ook fig);* afwezig, op (een) afstand, uit: *give ~* weggeven **2** voortdurend, onophoudelijk: *she was knitting ~* ze zat aan één stuk door te breien || *I'll do it right ~* ik zal het meteen doen

awe [o:] ontzag, eerbied: *hold* (of: *keep*) *s.o. in ~* ontzag hebben voor iem; *stand in ~ of* groot ontzag hebben voor

awe-inspiring ontzagwekkend

awesome [o:sem] ontzagwekkend, ontzag inboezemend

awful [o:foel] *(inform)* afschuwelijk, enorm: *an ~ lot* ontzettend veel

awfully [o:flie] *(inform)* erg, vreselijk, ontzettend: *thanks ~* reuze bedankt; *~ nice* vreselijk aardig

awhile [ewajl] korte tijd, een tijdje

awkward [o:kwed] **1** onhandig, onbeholpen **2** onpraktisch **3** ongelegen; ongunstig *(datum, tijdstip)* **4** gênant: *~ situation* pijnlijke situatie **5** opgelaten, niet op zijn gemak

awning [o:ning] luifel, kap, markies, zonnescherm

awoke [ewook] *ovt van* awake

awoken [ewooken] *volt dw van* awake

awry [eraj] scheef *(ook fig);* schuin, fout: *go ~* mislukken

[1]**axe** [eks] *zn* bijl: *(fig) have an ~ to grind* ergens zelf een bijbedoeling mee hebben

[2]**axe** [eks] *tr* **1** ontslaan, aan de dijk zetten **2** afschaffen, wegbezuinigen

axes [eksie:z] *mv van* axis

axis [eksis] *(mv: axes)* as(lijn), spil

axle [eksl] *(techn)* (draag)as, spil

azure [ezje, ezjjoee] hemelsblauw, azuurblauw; *(fig)* wolkeloos

b

b *afk van born* geb., geboren

BA *afk van Bachelor of Arts* Bachelor of Arts *(eerste universitaire graad)*

[1]**babble** [bebl] *zn* gebabbel, gewauwel, geklets

[2]**babble** [bebl] *intr* babbelen

babe [beeb] **1** kindje, baby **2** *(Am; inform)* popje, liefje

baboon [beboe:n] baviaan *(ook fig; min)*; lomperd

baby [beebie] **1** baby, zuigeling, kleuter **2** jongste, benjamin **3** *(fig)* klein kind, kinderachtig persoon **4** jong *(van dier)* **5** schatje **6** *(inform)* persoon, zaak: *that's your ~* dat is jouw zaak || *(fig) be left carrying* (of: *holding*) *the ~* met de gebakken peren blijven zitten

baby grand *(muz)* kleine vleugel

baby minder babysitter, oppas

baby sit babysitten

babysitter babysitter, oppas

bachelor [betsjele] **1** vrijgezel **2** bachelor *(laagste academische graad): Bachelor of Arts* bachelor in de letteren; *Bachelor of Science* bachelor in de exacte wetenschappen

[1]**back** [bek] *zn* **1** rug, achterkant: *behind s.o.'s ~* achter iemands rug *(ook fig)* **2** achter(hoede)speler, verdediger, back **3** achterkant, -zijde, keerzijde, rug: *~ to ~: a)* ruggelings, rug tegen rug; *b)* achtereenvolgens **4** (rug)leuning **5** achterste deel: *(fig) at the ~ of one's mind* in zijn achterhoofd; *at the ~* achterin **6** *(sport)* achter || *know like the ~ of one's hand* als zijn broekzak kennen; *(fig) with one's ~ to the wall* met zijn rug tegen de muur; *(inform) get* (of: *put*) *s.o.'s ~ up* iem irriteren; *(inform) get off s.o.'s ~* iem met rust laten; *pat oneself on the ~* tevreden zijn over zichzelf; *put one's ~ into sth.* ergens de schouders onder zetten; *glad to see the ~ of s.o.* iem liever zien gaan dan komen; *stab s.o. in the ~* iem een dolk in de rug steken, iem verraden; *turn one's ~ on* de rug toekeren

[2]**back** [bek] *bn* **1** achter(-): *~ room: a)* achterkamer(tje); *b) (ook fig)* ergens achteraf; *~ seat: a)* achterbank *(van auto)*; *b) (fig)* tweede plaats **2** terug- **3** ver (weg), (achter)afgelegen **4** achterstallig **5** oud *(van uitgave): ~ issue* (of: *number*) oud nummer *(van tijdschrift)*

[3]**back** [bek] *intr* krimpen *(van wind)*

[4]**back** [bek] *tr* **1** (onder)steunen *(ook financieel)*; schragen, bijstaan **2** *(inform)* wedden (op), gokken op: *(fig) ~ the wrong horse* op het verkeerde paard wedden

[5]**back** [bek] *tr, intr* achteruit bewegen, achteruitrijden, (doen) achteruitgaan: *~ out* achteruit wegrijden

[6]**back** [bek] *bw* **1** achter(op), aan de achterkant: *(Am) ~ of* achter **2** achteruit, terug **3** terug *(ook fig)*; weer thuis **4** *(inform)* in het verleden, geleden, terug: *~ in 1975* al in 1975 **5** op (enige) afstand: *a few miles ~* een paar mijl terug **6** achterom || *~ and forward* (of: *forth*) heen en weer

backache rugpijn

back away (ook met *from*) achteruit weglopen (van), zich terugtrekken

backbencher gewoon Lagerhuislid

backbite kwaadspreken (over), roddelen (over)

backbone ruggengraat *(ook fig)*; wervelkolom, wilskracht, pit

backbreaking slopend, zwaar

back down terugkrabbelen, toegeven

backfire **1** terugslaan *(van motor)*; naontsteking hebben **2** mislopen, verkeerd aflopen

background achtergrond *(ook fig)*

backing [beking] **1** (ruggen)steun, ondersteuning **2** achterban, medestanders

backlash tegenstroom, verzet, reactie

back off terugdeinzen, achteruitwijken

back out *(met of)* zich terugtrekken (uit), afzien (van)

backpack rugzak

backroom politics achterkamertjespolitiek

backside **1** *(inform)* achterwerk, zitvlak **2** achtereinde

backslide **1** terugvallen *(in fout)*; vervallen **2** afvallig worden

backstage achter het podium, achter de schermen, in het geheim

backstair(s) **1** privé-, heimelijk: *~ gossip* achterklap **2** achterbaks, onderhands

back street achterbuurt(en)

backstroke rugslag

backtrack **1** terugkeren **2** terugkrabbelen

[1]**back up** *intr* **1** *(Am)* een file vormen **2** *(Am)* achteruitrijden *(van auto)*

[2]**back up** *tr* **1** (onder)steunen, staan achter, bijstaan **2** bevestigen *(verhaal)*

back-up **1** (ruggen)steun, ondersteuning **2** reserve, voorraad **3** reservekopie (van computerbestand) **4** *(Am)* file

backward [bekwed] **1** achter(lijk); achtergebleven *(in ontwikkeling)*; traag, niet bij **2** achteruit(-), ruggelings: *a ~ glance* een blik achterom

backwards [bekwedz] **1** achteruit *(ook fig)*; achterwaarts, ruggelings: *~ and forward(s)* heen en weer **2** naar het verleden, terug

backwater **1** (stil) binnenwater; *(fig)* gat; afgelegen stadje; *(fig)* impasse; (geestelijke) stagnatie **2** achterwater

backyard 1 plaatsje, achterplaats; *(fig)* achtertuin: *in one's own ~* in zijn eigen achtertuin 2 *(Am)* achtertuin

bacon [beeken] bacon, spek || *(inform) bring home the ~* de kost verdienen; *(inform) save one's ~* zijn hachje redden, er zonder kleerscheuren afkomen

bacterium [bektieriem] *(mv: bacteria)* bacterie

¹bad [bed] *zn* 1 het slechte, het kwade: *go to the ~* de verkeerde kant opgaan 2 debet, schuld: *be £ 500 to the ~* voor 500 pond in het krijt staan

²bad [bed] *bn* 1 slecht, minderwaardig, verkeerd: *a ~ conscience* een slecht geweten; *(inform) make the best of a ~ job* het beste er van (zien te) maken; *go ~* bederven; *bad-mannered* ongemanierd; *not half, not so ~* niet zo gek 2 kwaad, kwaadaardig, stout: *in ~ faith* te kwader trouw; *from ~ to worse* van kwaad tot erger 3 ziek, naar, pijnlijk 4 erg, ernstig, lelijk: *~ debt* oninbare schuld; *be in a ~ way* er slecht aan toe zijn 5 ongunstig: *make the best of a ~ bargain* er het beste van maken; *that looks ~* dat voorspelt niet veel goeds 6 schadelijk: *~ for your liver* slecht voor je lever 7 vol spijt: *I feel ~ about that* dat spijt me

bade [beed] *ovt van* bid

badge [bedzj] badge, insigne, politiepenning

¹badger [bedzje] *zn* das *(dier)*

²badger [bedzje] *tr* pesten, lastigvallen

badly [bedlie] 1 slecht: *do ~* een slecht resultaat behalen, het er slecht van afbrengen 2 erg, zeer, hard: *I need it ~* ik heb het hard nodig; *~ wounded* zwaar gewond

baffle [befl] verbijsteren, van zijn stuk brengen: *a problem that has ~d biologists for years* een probleem dat biologen al jaren voor raadsels stelt

bafflement [beflment] verbijstering

¹bag [bek] *zn* 1 zak, baal: *~s under the eyes* wallen onder de ogen 2 zak, tas, koffer 3 zak vol; *(fig)* grote hoeveelheid: *the whole ~ of tricks* de hele santenkraam; *(inform) ~s of money* hopen geld 4 vangst *(mbt wild)* || *a mixed ~* een allegaartje; *(inform) it's in the ~* het is in kannen en kruiken

²bag [bek] *tr* vangen; schieten *(wild, gevogelte)*

baggage [bekidzj] bagage

baggy [bekie] zakachtig, flodderig: *~ cheeks* hangwangen

bagpipes doedelzak

¹bail [beel] *zn* borg(stelling), borgtocht, borgsom: *out on ~* vrijgelaten op borgtocht

²bail [beel] *intr* hozen

³bail [beel] *tr* 1 vrijlaten tegen borgstelling 2 leeghozen

bailiff [beelif] 1 *(jur)* deurwaarder 2 *(Am; jur)* gerechtsdienaar

¹bail out *intr* hozen

²bail out *tr* 1 door borgtocht in vrijheid stellen, vrijkopen 2 *(inform)* uit de penarie helpen 3 leeghozen

¹bait [beet] *zn* aas, lokaas; *(fig)* verleiding

²bait [beet] *tr* 1 van lokaas voorzien 2 ophitsen *(dier, vnl. honden)* 3 treiteren, boos maken

bake [beek] bakken (in een oven)

baked beans witte bonen in tomatensaus

baker [beeke] bakker: *(fig) ~'s dozen* dertien

bakery [beekerie] 1 bakkerij 2 bakkerswinkel

balaclava [beleklа:ve] bivakmuts

¹balance [belens] *zn* 1 balans, weegschaal: *(fig) his fate is* (of: *hangs) in the ~* zijn lot is onbeslist 2 *(handel)* balans: *~ of payments* betalingsbalans; *strike a ~ (fig)* een compromis (*of:* het juiste evenwicht) vinden 3 *(fin, handel)* saldo, tegoed, overschot: *~ in hand* kasvoorraad; *~ due* debetsaldo 4 evenwicht, balans: *~ of power* machtsevenwicht; *redress the ~* het evenwicht herstellen || *on ~* alles in aanmerking genomen

²balance [belens] *intr* 1 schommelen, balanceren, slingeren 2 *(handel)* sluiten *(van balans);* gelijk uitkomen, kloppen: *the books ~* de boeken kloppen, de administratie klopt

³balance [belens] *tr* 1 wegen; *(fig)* overwegen; tegen elkaar afwegen 2 in evenwicht brengen, balanceren 3 *(handel)* opmaken, laten kloppen; sluitend maken *(balans): ~ the books* het boekjaar afsluiten

balanced [belenst] evenwichtig, harmonisch: *~ diet* uitgebalanceerd dieet

balcony [belkenie] balkon, galerij

bald [bo:ld] 1 kaal; *(fig ook)* sober; saai: *~ as a coot* kaal als een biljartbal; *~ tyre* gladde band 2 naakt, bloot

baldly [bo:ldlie] gewoonweg, zonder omwegen, regelrecht

bale [beel] baal

baleful [beelfoel] 1 noodlottig 2 onheilspellend *(bijv. blik)*

¹bale out *intr* 1 hozen 2 het vliegtuig uitspringen *(met valscherm)*

²bale out *tr* uithozen, leeghozen

¹balk [bo:k] *zn* balk

²balk [bo:k] *intr* 1 weigeren, stokken, blijven steken: *the horse ~ed at the fence* het paard weigerde de hindernis 2 (met *at*) terugschrikken (van, voor), bezwaar maken (tegen)

³balk [bo:k] *tr* verhinderen: *~ s.o.'s plans* iemands plannen in de weg staan

Balkans [bo:lkenz] Balkan

ball [bo:l] 1 bal; *(alleen sport)* worp; schop, slag: *the ~ is in your court* nu is het jouw beurt *(ook fig); set* (of: *start) the ~ rolling* de zaak aan het rollen brengen 2 bol, bolvormig voorwerp, bal 3 prop, kluwen, bol 4 rond lichaamsdeel; bal *(van voet);* muis *(van hand);* oogbol, oogappel 5 kogel 6 bal, dansfeest 7 *(inform)* plezier, leut, lol 8 balspel; *(Am)* honkbal: *play ~* met de bal spelen, *(Am)* honkbal spelen, *(fig)* meewerken

ballad [beled] ballade

ballast [belest] ballast; *(fig)* bagage

ballet [belee] 1 ballet, balletkunst 2 stuk balletmuziek

balloon [beloe:n] **1** (lucht)ballon **2** ballon(netje) *(in stripverhaal)*
ballot [belet] **1** stem, stembiljet, stembriefje: ~ *box* stembus; *cast one's* ~ zijn stem uitbrengen **2** stemming, stemronde: *let's take* (of: *have*) *a* ~ laten we erover stemmen
ball pit ballenbak
ballroom balzaal, danszaal
balm [ba:m] balsem *(ook fig);* troost
Baltic [bo:ltik] Baltisch: ~ *Sea* Oostzee
balustrade [belestreed] balustrade
bamboo [bemboe:] bamboe
bamboozle [bemboe:zl] *(inform)* **1** bedriegen, beetnemen: ~ *s.o. out of his money* iem zijn geld afhandig maken **2** in de war brengen
ban [ben] **1** verbieden, verbannen, uitsluiten: *he was ~ned from driving* hij mocht geen auto meer rijden **2** verwerpen, afwijzen: ~ *the bomb* weg met de atoombom
banal [bena:l] *(vaak min)* banaal, gewoon, alledaags
banana [bena:ne] banaan
bananas [bena:nez] *(inform)* knettergek: *go* ~ stapelgek worden
[1]**band** [bend] *zn* **1** band *(ook fig);* riem, ring; (dwars)streep *(op beest);* reep, rand, boord: *a rubber* ~ een elastiekje **2** bende, groep, troep **3** band, orkest, (dans)orkestje, fanfare, popgroep
[2]**band** [bend] *intr* zich verenigen: ~ *together against* zich als één man verzetten tegen
[1]**bandage** [bendidzj] *zn* verband
[2]**bandage** [bendidzj] *tr* verbinden
b and b *afk van bed and breakfast* logies met ontbijt
bandit [bendit] bandiet
bandsman [bendzmen] muzikant
bandstand muziektent
bandwagon **1** muziekwagen **2** *(fig)* iets dat algemene bijval vindt: *climb* (of: *jump*) *on the ~: a)* met de massa meedoen; *b)* aan de kant van de winnaar gaan staan
bandy [bendie] heen en weer doen bewegen || ~ *words with s.o.* ruzie maken met iem; ~ *about: a)* te pas en te onpas noemen; *b)* verspreiden, rondbazuinen; *have one's name bandied about* voortdurend genoemd worden
bandy-legged met O-benen
bane [been] **1** last, pest, kruis: *the* ~ *of my existence* (of: *life*) een nagel aan mijn doodskist **2** vloek, verderf
[1]**bang** [beng] *zn* **1** klap, dreun, slag **2** knal, ontploffing, schot **3** plotselinge inspanning: *start off with a* ~ hard aan het werk gaan, hard van stapel lopen || *(inform) go off with a* ~ een reuzesucces oogsten
[2]**bang** [beng] *intr* **1** knallen, dreunen **2** (met *on*) bonzen (op), kloppen, slaan || ~ *about* lawaai maken
[3]**bang** [beng] *tr* **1** stoten, bonzen, botsen **2** dichtgooien, dichtsmijten **3** smijten, (neer)smakken
[4]**bang** [beng] *bw* **1** precies, pats, vlak: ~ *in the face* precies in zijn gezicht; *(inform)* ~ *on* precies goed, raak; ~ *on time* precies op tijd **2** plof, boem, paf: *go* ~ uiteenbarsten, in elkaar klappen
[5]**bang** [beng] *tw* boem!, pats!, pang!
bang away **1** *(inform)* hard werken, ploeteren **2** ratelen; er op los knallen *(vuurwapens)*
banger [benge] **1** worstje **2** stuk (knal)vuurwerk
bangle [bengkl] armband
banish [benisj] verbannen, uitwijzen, toegang ontzeggen, verwijderen: ~ *those thoughts from your mind* zet die gedachten maar uit je hoofd
banishment [benisjment] ballingschap, verbanning
banister [beniste] **1** (trap)spijl **2** (trap)leuning
[1]**bank** [bengk] *zn* **1** bank, mistbank, wolkenbank, sneeuwbank, zandbank, ophoging, aardwal **2** oever, glooiing **3** bank *(mbt geld ook in spelen): break the* ~ de bank doen springen
[2]**bank** [bengk] *intr* **1** (ook met *up*) zich opstapelen, een bank vormen: ~ *up* zich ophopen **2** (over)hellen *(in een bocht)* **3** een bankrekening hebben: *who(m) do you* ~ *with?* welke bank heb jij? || *(inform)* ~ *on* vertrouwen op
[3]**bank** [bengk] *tr* **1** opstapelen, ophopen **2** doen hellen *(bijv. een vliegtuig, weg);* doen glooien **3** (met *up*) opbanken, afdekken; inrekenen *(vuur)*
banker [bengke] bankier
banking [bengking] bankwezen
banknote bankbiljet
bankrupt [bengkrupt] failliet
banner [bene] banier *(ook fig);* vaandel
banquet [bengkwit] banket, feestmaal, smulpartij
[1]**banter** [bente] *zn* geplaag, scherts
[2]**banter** [bente] *intr* schertsen
[3]**banter** [bente] *tr* plagen, pesten
baptism [beptizm] doop: ~ *of fire* vuurdoop
Baptist [beptist] **1** doper: *John the* ~ Johannes de Doper **2** doopsgezinde
baptize [beptajz] dopen
[1]**bar** [ba:] *zn* **1** langwerpig stuk *(van hard materiaal);* staaf, stang, baar, reep; *(sport)* lat: ~ *of chocolate* reep chocola; ~ *of gold* baar goud; ~ *of soap* stuk zeep **2** afgrendelend iets, tralie, grendel, slagboom, afsluitboom; *(fig)* obstakel; hindernis: *put behind ~s* achter (de) tralies zetten **3** streep; balk *(op wapen, onderscheidingsteken)* **4** bar *(ook als drinklokaal);* buffet **5** balie *(van rechtbank);* gerecht, rechtbank: *be tried at (the)* ~ in openbare terechtzitting berecht worden
[2]**bar** [ba:] *tr* **1** vergrendelen, afsluiten, opsluiten, insluiten: ~ *oneself in* (of: *out*) zichzelf binnensluiten (*of:* buitensluiten) **2** versperren *(ook fig);* verhinderen **3** verbieden: ~ *s.o. from participation* iem verbieden deel te nemen
[3]**bar** [ba:] *vz* behalve, uitgezonderd
Bar [ba:] *(altijd met the)* advocatuur, balie, advocatenstand; *(Am)* orde der juristen: *read* (of:

study) for the ~ voor advocaat studeren
barb [ba:b] **1** weerhaak, prikkel **2** steek *(fig)*; hatelijkheid

[1]**barbarian** [ba:beerien] *zn* **1** barbaar *(ook hist)*; onbeschaafd iem, primitieveling **2** woesteling
[2]**barbarian** [ba:beerien] *bn* barbaars
barbaric [ba:berik] barbaars, ruw, onbeschaafd, wreed
barbarous [ba:beres] barbaars, onbeschaafd, wreed
barbecue [ba:bikjoe:] barbecue, barbecuefeest
barbed [ba:bd] **1** met weerhaken **2** *(fig)* scherp; bijtend *(opmerkingen, woorden)* || ~ *wire* prikkeldraad
barber [ba:be] herenkapper
bar-code streepjescode, barcode
bard [ba:d] bard, dichter
[1]**bare** [bee] *bn* **1** naakt: *in his* ~ *skin* in zijn blootje; *lay* ~ blootleggen **2** kaal, leeg: *the* ~ *facts* de naakte feiten **3** enkel, zonder meer: *the* ~ *necessities (of life)* het strikt noodzakelijke
[2]**bare** [bee] *tr* **1** ontbloten: ~ *one's teeth* zijn tanden laten zien **2** blootleggen, onthullen: ~ *one's soul* zijn gevoelens luchten
barefaced onbeschaamd, brutaal
barefoot blootsvoets: *walk* ~ op blote voeten lopen
barely [beelie] nauwelijks, amper: ~ *enough to eat* nauwelijks genoeg te eten
[1]**bargain** [ba:ĝin] *zn* **1** afspraak, akkoord, transactie: *make* (of: *strike*) *a* ~ tot een akkoord komen **2** koopje || *into the* ~ op de koop toe
[2]**bargain** [ba:ĝin] *intr* onderhandelen, dingen || *more than he* ~*ed for* meer dan waar hij op rekende
[1]**barge** [ba:dzj] *zn* schuit, aak, sloep
[2]**barge** [ba:dzj] *intr (inform)* stommelen: ~ *into* (of: *against*) *sth.* ergens tegenaan botsen || ~ *in: a)* binnenvallen; *b)* zich bemoeien
[1]**bark** [ba:k] *zn* **1** blaffend geluid, geblaf, ruw stemgeluid: *his* ~ *is worse than his bite* (het is bij hem) veel geschreeuw en weinig wol **2** schors, bast
[2]**bark** [ba:k] *intr* (met *at*) blaffen (tegen): *(fig)* ~ *at s.o.* iem afblaffen
[3]**bark** [ba:k] *tr* (uit)brullen, aanblaffen, luid aanprijzen: ~ *(out) an order* een bevel schreeuwen
barley [ba:lie] gerst
barman [ba:men] barman
barn [ba:n] **1** schuur **2** *(Am)* stal, loods
barnyard [ba:nja:d] boerenerf, hof
barometer [beroomitte] barometer *(ook fig)*; maatstaf
baron [beren] **1** baron **2** *(Am)* magnaat
baronet [berenit] baronet *(Eng adellijke titel)*
baroque [berok] barok
barrack [berek] **1** barak, keet **2** ~*s* kazerne
barrage [bera:zj] **1** stuwdam **2** versperring **3** spervuur *(ook fig)*; barrage
barrel [berel] ton, vat || *scrape the* ~ zijn laatste duiten bijeenschrapen, de laatste reserves gebruiken; *over a* ~ hulpeloos
barrelorgan draaiorgel
barren [beren] **1** onvruchtbaar, steriel; *(ook fig)* nutteloos **2** dor, bar, kaal
[1]**barricade** [berikkeed] *zn* barricade, versperring
[2]**barricade** [berikkeed] *tr* barricaderen, versperren, afzetten: ~ *oneself in one's room* zich opsluiten in zijn kamer
barrier [berie] barrière, hek, slagboom, hindernis
barring [ba:ring] behalve, uitgezonderd: ~ *very bad weather* tenzij het zeer slecht weer is; *he's the greatest singer,* ~ *none* hij is de allerbeste zanger, niemand uitgezonderd
barrister [beriste] **1** advocaat *(pleiter bij hogere rechtbanken)* **2** *(Am)* jurist
barrow [beroo] **1** kruiwagen **2** draagbaar **3** handkar
bartender *(Am)* barman
[1]**barter** [ba:te] *zn* ruilhandel
[2]**barter** [ba:te] *intr* **1** ruilhandel drijven **2** loven en bieden
[3]**barter** [ba:te] *tr* **1** (met *for*) ruilen (voor, tegen) **2** opgeven *(in ruil voor iets)*: ~ *away one's freedom* zijn vrijheid prijsgeven
[1]**base** [bees] *zn* **1** basis, voetstuk, grondlijn, grondvlak: *the* ~ *of the mountain* de voet van de berg **2** grondslag, fundament; *(fig)* uitgangspunt **3** hoofdbestanddeel **4** basiskamp, basis, hoofdkwartier **5** *(sport)* honk: *catch s.o. off* ~ iem onverwacht treffen
[2]**base** [bees] *bn* **1** laag, minderwaardig: *a* ~ *action* een laffe daad **2** onedel *(metaal)*; onecht *(munt)*
[3]**base** [bees] *tr* **1** (met *(up)on*) baseren (op); gronden (op) *(ook fig)*: ~ *oneself on* uitgaan van; ~*d (up)on mere gossip* slechts op roddel berustend **2** vestigen
baseball honkbal
baseless [beesles] ongegrond, ongefundeerd
basement [beesment] souterrain, kelder
bases [beesie:z] *mv van* basis
[1]**bash** [besj] *zn* **1** dreun, stoot, mep **2** *(inform)* fuif || *(inform) have a* ~ *(at sth.)* iets eens proberen
[2]**bash** [besj] *intr* botsen, bonken
[3]**bash** [besj] *tr* slaan, beuken: ~ *the door down* de deur inbeuken
bashful [besjfoel] verlegen
basic [beesik] basis-, fundamenteel, minimum-: ~ *data* hoofdgegevens; ~ *pay* (of: *salary*) basisloon
basically [beesiklie] eigenlijk, voornamelijk
basics [beesiks] *(vaak inform)* grondbeginselen, basiskennis
basin [beesn] **1** kom, schaal, schotel **2** waterbekken, bak **3** bekken, stroomgebied **4** wasbak, waskom, fonteintje **5** bassin, (haven)dok
basis [beesis] *(mv: bases)* basis, fundament; *(fig)* grondslag; hoofdbestanddeel: *on the* ~ *of* op grond van

bask [ba:sk] *(ook fig)* zich koesteren
basket [ba:skit] mand, korf, schuitje, gondel; *(basketbal)* basket
basketball basketbal
Basque [besk] Bask(isch)
[1]**bass** [bes] *zn* baars, zeebaars
[2]**bass** [bees] *zn* bas || ~ *guitar* basgitaar
bass clef bassleutel, f-sleutel
bassoon [besoe:n] fagot, basson
bastard [ba:sted, bested] **1** bastaard, onecht kind **2** *(inform; min)* smeerlap, schoft **3** *(inform)* vent: *you lucky ~!* geluksvogel die je bent!
baste [beest] bedruipen *(met vet)*
bastion [bestien] bastion *(ook fig);* bolwerk
[1]**bat** [bet] *zn* **1** vleermuis **2** knuppel; *(cricket, tafeltennis)* bat; *(slagbal)* slaghout; racket || *(inform) have ~s in the belfry* een klap van de molen gehad hebben; *(inform) off one's own ~* uit eigen beweging, op eigen houtje; *(Am; inform) (right) off the ~* direct
[2]**bat** [bet] *intr* **1** batten **2** knipp(er)en *(ogen): without ~ting an eye(lid)* zonder een spier te vertrekken
batch [betsj] partij, groep, troep: *a ~ of letters* een stapel brieven
[1]**bath** [ba:θ] *zn* **1** bad: *have* (of: *take*) *a ~* een bad nemen **2** zwembad **3** *~s* badhuis, kuuroord
[2]**bath** [ba:θ] *tr, intr* een bad nemen
[1]**bathe** [beeð] *zn* bad, zwempartij
[2]**bathe** [beeð] *intr* **1** zich baden, zwemmen **2** *(Am)* een bad nemen, zich wassen **3** (met *in*) baden (in) *(fig);* opgaan
[3]**bathe** [beeð] *tr* **1** baden, onderdompelen: *~d in sunshine* met zon overgoten **2** betten *(wond, bijv.)*
bathroom 1 badkamer **2** *(euf)* toilet, wc
bathtub badkuip
baton [beton] stok, wapenstok, gummistok, dirigeerstok; *(sport)* estafettestokje
battalion [betelien] bataljon
[1]**batten** [betn] *zn* lat, plank
[2]**batten** [betn] *intr* **1** (met *(up)on*) zich vetmesten (met) **2** (met *(up)on*) parasiteren (op)
[1]**batter** [bete] *zn* beslag
[2]**batter** [bete] *intr* beuken, timmeren: *~ (away) at* inbeuken op
[3]**batter** [bete] *tr* slaan, timmeren op, havenen
battery [beterie] **1** batterij *(ook mil);* reeks: *a ~ of questions* een spervuur van vragen **2** (elektrische) batterij, accu(mulator) **3** *(jur)* aanranding
[1]**battle** [betl] *zn* **1** (veld)slag, gevecht, competitie: *fight a losing ~* een hopeloze strijd voeren **2** overwinning: *youth is half the ~* als je maar jong bent
[2]**battle** [betl] *intr* slag leveren *(ook fig);* strijden: *~ through the crowd* zich een weg banen door de menigte
battlefield slagveld *(ook fig)*
battleground gevechtsterrein *(ook fig);* slagveld
battleship slagschip
batty [betie] *(inform)* getikt
bauble [bo:bl] snuisterij, prul
bauxite [bo:ksajt] bauxiet
Bavaria [beveerie] Beieren
[1]**bawdy** [bo:die] *zn* schuine praat, schuine grap
[2]**bawdy** [bo:die] *bn* schuin, vies
bawl [bo:l] schreeuwen: *~ at s.o.* iem toebrullen || *~ out* uitfoeteren
[1]**bay** [bee] *zn* **1** baai, zeearm, golf **2** (muur)vak **3** nis, erker **4** afdeling, vleugel; ruimte *(in gebouw enz.)* **5** laurier(boom): *~ leaf* laurierblad **6** luid geblaf || *hold* (of: *keep*) *at ~* op een afstand houden
[2]**bay** [bee] *bn* voskleurig *(paard)*
[3]**bay** [bee] *intr* (aan)blaffen, huilen
bayonet [beeenit] bajonet, bajonetsluiting
bazaar [beza:] bazaar
BBC *afk van British Broadcasting Corporation* BBC
BC *afk van before Christ* v.Chr., voor Christus
[1]**be** [bie:] *intr (was, were, been)* **1** zijn, bestaan, voorkomen, plaatshebben **2** geweest (gekomen) zijn: *has the postman been?* is de postbode al geweest?
[2]**be** [bie:] *hulpww (was, were, been)* **1** aan het … zijn: *they were reading* ze waren aan het lezen, ze lazen **2** worden, zijn: *he has been murdered* hij is vermoord **3** mocht, zou: *if this were to happen, were this to happen* als dit zou gebeuren
[3]**be** [bie:] *koppelww (was, were, been)* **1** zijn: *she is a teacher* zij is lerares; *the bride-to-be* de aanstaande bruid; *be that as it may* hoe het ook zij **2** *(met aanduiding van maat)* (waard, groot, oud) zijn, kosten, meten, duren: *it's three pounds* het kost drie pond; *it is three minutes* het duurt drie minuten **3** zijn, zich bevinden; plaatshebben *(ook fig): it was in 1953* het gebeurde in 1953; *what's behind this?* wat steekt hier achter? **4** zijn, betekenen: *what's it to you?* wat gaat jou dat aan? **5** bedoeld zijn, dienen: *an axe is to fell trees with* een bijl dient om bomen om te hakken || *(inform) be nowhere* ver achterliggen; *as is* zoals hij is
be about 1 rondhangen, rondslingeren **2** er zijn, beschikbaar zijn: *there is a lot of flu about* er is heel wat griep onder de mensen **3** op het punt staan: *he was about to leave* hij ging net vertrekken
beach [bie:tsj] strand, oever
beachcomber strandjutter
beachhead bruggenhoofd *(op strand)*
beacon [bie:ken] **1** (vuur)baken, vuurtoren, lichtbaken **2** bakenzender, radiobaken
bead [bie:d] **1** kraal **2** *~s* kralen halssnoer **3** druppel, kraal
beadle [bie:dl] bode, ceremoniemeester; pedel *(op universiteit)*
beagle [bie:ɡl] brak, kleine jachthond
beak [bie:k] snavel, bek, snuit, mondstuk
beaker [bie:ke] beker(glas)
[1]**beam** [bie:m] *zn* **1** balk **2** boom, disselboom, ploegboom **3** straal, stralenbundel **4** geleide straal, bakenstraal **5** stralende blik (glimlach)

be

[2]**beam** [bie:m] *intr* stralen, schijnen
bean [bie:n] **1** boon **2** *(Am; inform)* knikker, kop, hersens || *(inform) spill the ~s* zijn mond voorbijpraten
bean sprouts taugé
[1]**bear** [bee] *zn* **1** beer **2** ongelikte beer, bullebak
[2]**bear** [bee] *intr (bore, borne)* **1** houden *(van ijs)* **2** dragen *(van muur)* **3** vruchten voortbrengen, vruchtbaar zijn **4** (aan)houden *(van richting);* (voort)gaan, lopen: *~ (to the) left* links afslaan **5** druk uitoefenen, duwen, leunen: *~ hard* (of: *heavily, severely) (up)on* zwaar drukken op *(fig)* **6** (met *(up)on*) invloed hebben (op), van invloed zijn (op), betrekking hebben (op)
[3]**bear** [bee] *tr (bore, borne)* **1** dragen: *~ fruit* vruchten voortbrengen, *(fig)* vruchten afwerpen; *~ away a prize, ~ off a price* een prijs in de wacht slepen **2** (over)brengen **3** vertonen, hebben: *~ signs* (of: *traces) of* tekenen (*of:* sporen) vertonen van **4** hebben (voelen) voor, toedragen, koesteren **5** verdragen, uitstaan: *his words won't ~ repeating* zijn woorden zijn niet voor herhaling vatbaar **6** voortbrengen, baren: *borne by* geboren uit
bearable [beerebl] draaglijk, te dragen
beard [bied] **1** baard **2** weerhaak
bear down persen, druk uitoefenen || *~ (up)on* zwaar drukken op
bearer [beere] **1** drager: *the ~ of a passport* de houder van een paspoort **2** bode, boodschapper: *the ~ of this letter* de brenger dezes **3** toonder *(van cheque enz.): pay to ~* betaal aan toonder
bear-hug *(inform)* houdgreep, onstuimige omhelzing
bearing [beering] **1** verband, betrekking: *have no ~ on* los staan van **2** betekenis, strekking **3** *~s* positie, ligging, plaats: *get* (of: *take) one's ~s* zich oriënteren, poolshoogte nemen **4** het dragen **5** houding, voorkomen, gedrag, optreden
be around even aanlopen, bezoeken
bear out (onder)steunen, bekrachtigen, staven: *bear s.o. out* iemands verklaring bevestigen
bear up zich (goed) houden, zich redden: *~ against sth.* ergens tegen opgewassen zijn
bear with geduld hebben met
beast [bie:st] **1** beest *(ook fig)* **2** rund
beastly [bie:stlie] beestachtig: *~ stench* walgelijke stank; *~ drunk* stomdronken
[1]**beat** [bie:t] *zn* **1** slag **2** (vaste) ronde, (vaste) route: *be on one's ~* zijn ronde doen **3** *(muz)* ritme, beat
[2]**beat** [bie:t] *intr (eat, beaten)* **1** slaan, bonzen, beuken, woeden; kloppen *(van hart, bloed);* fladderen *(van vleugel)* **2** een klopjacht houden **3** zich (moeizaam) een weg banen
[3]**beat** [bie:t] *tr (eat, beaten)* **1** slaan (op), klutsen; kloppen *(mat);* fladderen met *(vleugel): (inform) ~ s.o.'s brains out* iem de hersens inslaan; *the recipe to ~ all recipes* het recept dat alles slaat; *~ back* terugslaan, terugdrijven **2** (uit)smeden, pletten **3** banen *(pad)* **4** verslaan, eronder krijgen; breken *(record): (inform) can you ~ that?* heb je ooit zoiets gehoord? **5** uitputten: *he was dead ~* hij was (dood)op **6** afzoeken **7** *(Am; inform)* ontlopen *(straf)* || *(inform) ~ it!* smeer 'm!
[1]**beat down** *intr* branden *(van zon)*
[2]**beat down** *tr* **1** neerslaan **2** intrappen *(deur)* **3** naar beneden brengen; drukken *(prijs)* **4** afdingen (bij, op)
[1]**beaten** [bie:tn] *bn* **1** veel betreden; gebaand *(van weg; ook fig): be off the ~ track* verafgelegen zijn **2** gesmeed, geplet: *~ gold* bladgoud **3** verslagen
[2]**beaten** [bie:tn] *volt dw van* beat
beating [bie:ting] afstraffing *(ook fig): take some* (of: *a lot of) ~* moeilijk te overtreffen zijn
beatitude [bie·etitjoe:d] **1** zaligverklaring **2** (geluk)zaligheid
beat off afslaan, terugdrijven, afweren
beat up **1** *(inform)* in elkaar slaan **2** (op)kloppen, klutsen **3** *(inform)* optrommelen, werven
beautician [bjoe:tisjen] schoonheidsspecialist(e)
beautiful [bjoe:tiffoel] **1** mooi, fraai, prachtig **2** heerlijk; verrukkelijk *(van weer)*
beautify [bjoe:tiffaj] verfraaien, (ver)sieren, mooi maken
beauty [bjoe:tie] **1** schoonheid: *that is the ~ of it* dat is het mooie ervan **2** *(inform)* pracht(exemplaar), juweeltje
beauty parlour schoonheidssalon
beaver [bie:ve] bever
beaver away *(inform)* zwoegen, ploeteren
became [bikkeem] *ovt van* become
because [bikkoz] **1** omdat, want **2** (het feit) dat
because of wegens, vanwege
beck [bek] teken, knik, gebaar: *be at s.o.'s ~ and call* iem op zijn wenken bedienen
beckon [bekken] wenken, gebaren, een teken geven
[1]**become** [bikkum] *intr (became, become)* (met *of)* gebeuren (met), worden (van), aflopen (met)
[2]**become** [bikkum] *tr (became, become)* **1** passen: *it ill ~s you* het siert je niet **2** eer aandoen **3** (goed) staan *(van kleding)*
[3]**become** [bikkum] *koppelww (became, become)* worden, (ge)raken: *~ mayor* burgemeester worden
becoming [bikkumming] gepast, behoorlijk: *as is ~* zoals het hoort
[1]**bed** [bed] *zn* **1** bed, slaapplaats, huwelijk; leger *(van dier);* bloembed, tuinbed: *~ and board* kost en inwoning; *~ and breakfast* logies met ontbijt; *double* (of: *single) ~* tweepersoonsbed, eenpersoonsbed; *spare ~* logeerbed; *wet one's ~* bedwateren **2** (rivier)bedding **3** bed(ding), grondslag, onderlaag, (bodem)laag
[2]**bed** [bed] *tr* **1** *(inform)* naar bed gaan met **2** planten: *~ out* uitplanten
bedding [bedding] **1** beddengoed **2** onderlaag, grondslag, bedding **3** gelaagdheid
bedevil [biddevl] treiteren, dwarszitten, achter-

volgen, (ernstig) bemoeilijken
bedfellow bedgenoot, bedgenote
bedlam [bedləm] gekkenhuis *(ook fig);* gesticht; *(inform)* heksenketel
Bed(o)uin [beddoein] bedoeïen
be down **1** beneden zijn; minder, gezakt zijn *(lett en fig)* **2** uitgeteld zijn; *(fig)* somber zijn: *(inform) ~ with the flu* geveld zijn door griep **3** buiten bedrijf zijn; plat liggen *(van computer)* || *(inform) ~ on s.o.* iem aanpakken, iem fel bekritiseren; *he is down to his last pound* hij heeft nog maar één pond over
bedpan (onder)steek
bedraggled [bidreĸld] **1** doorweekt **2** verfomfaaid, toegetakeld, sjofel
bedridden [bedridn] bedlegerig
bedroom [bedroe:m] slaapkamer
bedstead ledikant
bee [bie:] **1** bij **2** *(inform)* gril || *(inform) have a ~ in one's bonnet (about sth.): a)* door iets geobsedeerd worden; *b)* niet helemaal normaal zijn (op een bepaald punt)
beech [bie:tsj] beuk, beukenhout
[1]**beef** [bie:f] *zn* **1** rundvlees: *corned ~* cornedbeef **2** *(inform)* kracht, spierballen
[2]**beef** [bie:f] *intr (inform)* kankeren, mopperen, zeuren
beefeater **1** koninklijke lijfwacht **2** hellebaardier vd Tower **3** *(Am; inform)* Engelsman
beefsteak biefstuk, runderlap(je)
beef up *(inform)* versterken, opvoeren
beehive **1** bijenkorf *(ook fig)* **2** suikerbrood *(haar)*
beekeeper bijenhouder, imker
been [bie:n] *volt dw van* be
[1]**beep** [bie:p] *zn* **1** getoeter, toet **2** fluittoon, pieptoon; piep(je) *(als tijdsein)*
[2]**beep** [bie:p] *intr* **1** toeteren **2** piepen
beeper [bie:pə] pieper, portofoon, semafoon
beer [biə] bier, glas bier
beeswax (bijen)was
beet [bie:t] **1** biet **2** *(Am)* (bieten)kroot, rode biet
beetle [bie:tl] kever, tor
beetroot **1** (bieten)kroot, rode biet **2** beetwortel, suikerbiet
befall [biffo:l] *(befell, befallen) (form)* overkomen, gebeuren (met)
befallen [biffo:lən] *volt dw van* befall
befell [biffel] *volt dw van* befall
befit [biffit] *(form)* passen
be for zijn voor, voorstander zijn van || *you're for it!* er zwaait wat voor je!
[1]**before** [biffo:] *bw* **1** voorop, vooraan, ervoor **2** vroeger, eerder, vooraf: *three weeks ~* drie weken geleden
[2]**before** [biffo:] *vz* **1** *(tijd)* vóór, vroeger dan, alvorens: *~ Christmas* voor Kerstmis; *~ long* binnenkort **2** *(plaats)* voor, voor ... uit, tegenover: *put a bill ~ parliament* een wetsontwerp bij het parlement indienen || *put friendship ~ love* vriendschap hoger achten dan liefde; *~ all else* bovenal
[3]**before** [biffo:] *vw* alvorens, voor
beforehand [biffo:hend] vooraf, van tevoren, vooruit
befriend [bifrend] een vriend zijn voor, bijstaan
[1]**beg** [beĸ] *intr* **1** opzitten *(van hond)* **2** de vrijheid nemen, zo vrij zijn: *I ~ to differ* ik ben zo vrij daar anders over te denken
[2]**beg** [beĸ] *tr, intr* **1** bedelen: *~ for* bedelen om, smeken om **2** (dringend, met klem) verzoeken, smeken, (nederig) vragen
began [biĸen] *ovt van* begin
[1]**beggar** [beĸə] *zn* bedelaar(ster), schooier || *~s can't be choosers (ongev)* lieverkoekjes worden niet gebakken
[2]**beggar** [beĸə] *tr* te boven gaan: *~ (all) description* alle beschrijving tarten
begin [biĸin] *(began, begun)* beginnen, aanvangen, starten: *life ~s at sixty* met zestig begint het echte leven || *to ~ with* om te beginnen, in de eerste plaats
beginning [biĸinning] **1** begin, aanvang: *from ~ to end* van begin tot einde; *in the ~* aanvankelijk **2** *~s* (prille) begin
begrudge [biĸrudzj] misgunnen, benijden, niet gunnen
beguile [biĸajl] **1** bedriegen, verleiden: *~ into* ertoe verleiden (te) **2** korten, verdrijven: *we ~d the time by playing cards* we kortten de tijd met kaartspelen **3** charmeren, betoveren
beguiling [biĸajling] verleidelijk
begun [biĸun] *volt dw van* begin
behalf [bihha:f]: *on ~ of my father* namens mijn vader; *in my ~* voor mij
behave [bihheev] zich gedragen, zich goed gedragen
behaviour [bihheeviə] gedrag, houding, optreden: *be on one's best ~* zichzelf van zijn beste kant laten zien
behead [bihhed] onthoofden
beheld [bihheld] *ovt en volt dw van* behold
[1]**behind** [bihhajnd] *zn (inform, euf)* achterste
[2]**behind** [bihhajnd] *bw* **1** *(beweging, plaats of ruimte)* erachter, achteraan, achterop, achterin, achterom, voorbij **2** *(vertraging of achterstand)* achterop, achter, achterstallig: *they fell ~* ze raakten achter *(ook fig)*
[3]**behind** [bihhajnd] *vz* **1** *(plaats, richting of tijd; ook fig)* achter, voorbij, verder dan, om: *the house ~ the church* het huis achter de kerk; *put one's problems ~ one* zijn problemen van zich afzetten **2** *(vertraging of achterstand)* achter op, later dan, onder: *the bus is ~ schedule* de bus heeft vertraging **3** achter, aan de oorsprong van: *the real reasons ~ the quarrel* de echte redenen voor de ruzie **4** achter, ter ondersteuning van: *we are* (of: *stand*) *~ you* wij staan achter je, steunen je
behindhand [bihhajndhend] **1** achter(stallig) **2** achter, achterop: *be ~ with one's work* achter zijn met zijn werk

behold [bihhoold] *(beheld, beheld) (form)* aanschouwen
beige [beezj] beige

be in **1** binnen zijn, er zijn, aanwezig zijn: *the new fabrics aren't in yet* de nieuwe stoffen zijn nog niet binnen **2** geaccepteerd zijn, erbij, aanvaard, opgenomen zijn; in de mode zijn, in zijn *(van dingen)*: *~ on* meedoen aan || *(inform) we're in for a nasty surprise* er staat ons een onaangename verrassing te wachten
being [bie:ing] **1** wezen, schepsel, bestaan, zijn, existentie: *bring* (of: *call*) *into ~* creëren, doen ontstaan; *come into ~* ontstaan **2** wezen, essentie, aard, het wezenlijke
belated [billeetid] laat
[1]belch [beltsj] *zn* boer, oprisping
[2]belch [beltsj] *tr, intr* **1** boeren **2** (uit)braken, uitbarsten: *the volcano ~ed out rocks* de vulkaan spuwde stenen (uit)
beleaguer [billie:ĝe] belegeren
[1]Belgian [beldzjen] *zn* Belg
[2]Belgian [beldzjen] *bn* Belgisch
Belgium [beldzjem] België
belie [billaj] **1** een valse indruk geven van, tegenspreken **2** logenstraffen: *the attack ~d our hopes for peace* de aanval logenstrafte onze hoop op vrede **3** niet nakomen
belief [billie:f] **1** (geloofs)overtuiging **2** geloof, vertrouwen: *beyond ~* ongelofelijk, niet te geloven **3** geloof, mening: *to the best of my ~* naar mijn beste weten
believe [billie:v] **1** geloven, gelovig zijn **2** (met *in*) geloven (in), vertrouwen hebben (in) **3** geloven, menen, veronderstellen **4** geloven, voor waar aannemen: *I'll ~ anything of James* James acht ik tot alles in staat
belittle [billitl] onbelangrijk(er) doen lijken, kleineren
bell [bel] klok, bel, belsignaal || *that rings a ~* dat komt me ergens bekend voor
bellicose [bellikkoos] strijdlustig, oorlogszuchtig, agressief
belligerent [billidzjerent] **1** oorlogvoerend **2** strijdlustig, uitdagend, agressief
[1]bellow [belloo] *zn* gebrul, geloei
[2]bellow [belloo] *tr, intr* loeien, brullen
bellows [bellooz] blaasbalg: *a (pair of) ~* een blaasbalg
bell pepper paprika
belly [bellie] **1** *(inform)* buik, maag, schoot **2** ronding *(als ve buik)*; uitstulping, onderkant: *the ~ of an aeroplane* de buik van een vliegtuig
bellyache buikpijn
belly button navel
belong [billong] **1** passen, (thuis)horen: *it doesn't ~ here* dat hoort hier niet (thuis) **2** *(inform)* thuishoren, zich thuis voelen, op z'n plaats zijn: *a sense of ~ing* het gevoel erbij te horen
belongings [billongingz] persoonlijke eigendommen, bagage
belong to **1** toebehoren aan, (eigendom) zijn van **2** horen bij, lid zijn van: *which group do you ~?* bij welke groep zit jij?
beloved [billuvvid] bemind, geliefd
[1]below [billoo] *bw* beneden, eronder, onderaan: *she lives in the flat ~* ze woont in de flat hieronder; *see ~* zie verder
[2]below [billoo] *vz* **1** onder, beneden, lager (gelegen) dan; *(fig)* (verscholen, verborgen) achter: *the flat ~ ours* de flat onder de onze **2** ondergeschikt, lager dan, minder dan: *~ average* minderwaardig, slecht; *~ the average* onder het gemiddelde
[1]belt [belt] *zn* **1** gordel, (broek)riem, ceintuur **2** drijfriem: *fan ~* ventilatorriem **3** (transport)band, lopende band **4** *(vooral als 2e lid ve samenstelling)* zone, klimaatstreek, klimaatgebied: *a ~ of low pressure* een lagedrukgebied || *hit below the ~* onder de gordel slaan; *tighten one's ~, (Am ook) pull one's belt in* de buikriem aanhalen; *under one's ~* in zijn bezit, binnen
[2]belt [belt] *tr* **1** omgorden **2** een pak slaag geven (met een riem) || *~ out* brullen, bulken
belt up zijn veiligheidsgordel aandoen
bemoan [bimmoon] *(form)* beklagen
bemused [bimjoe:zd] **1** verbijsterd, verdwaasd **2** verstrooid
bench [bentsj] **1** bank, zitbank **2** (parlements)zetel; bank *(in het Lagerhuis)* **3** rechterstoel **4** werkbank **5** *(sport)* reservebank, strafbank(je) **6** rechtbank, de rechters **7** *(sport)* de reservebank, de reservespelers
bench-mark standaard, maatstaf
[1]bend [bend] *zn* **1** buiging, kromming, knik **2** bocht, draai: *a sharp ~ in the road* een scherpe bocht in de weg || *(go) (a)round the ~* knettergek (worden)
[2]bend [bend] *intr (bent, bent)* buigen, zwenken: *~ down* zich bukken, vooroverbuigen || *~ over backwards* zich vreselijk uitsloven
[3]bend [bend] *tr (bent, bent)* **1** buigen, krommen, verbuigen: *(fig) ~ the rules* de regels naar zijn hand zetten; *~ down* (of: *up*) naar beneden (*of:* boven) buigen **2** onderwerpen, (doen) buigen, plooien: *~ s.o. to one's will* iem naar zijn hand zetten
[1]beneath [binnie:θ] *bw* eronder, daaronder, onderaan
[2]beneath [binnie:θ] *vz* **1** onder, beneden, lager dan **2** achter, verborgen achter **3** onder, onder de invloed van: *bent ~ his burden* onder zijn last gebukt **4** beneden, onder, beneden de waardigheid van: *he thinks manual labour is ~ him* hij vindt zichzelf te goed voor handenarbeid
benediction [benniddiksjen] *(godsd)* zegening
benefactor [bennifekte] weldoener
beneficent [binneffisnt] weldadig
beneficial [benniffisjl] voordelig, nuttig, heilzaam
beneficiary [benniffisjerie] begunstigde
[1]benefit [benniffit] *zn* **1** voordeel, profijt, hulp:

give s.o. the ~ of the doubt iem het voordeel van de twijfel geven **2** uitkering, steun, steungeld **3** benefiet, liefdadigheidsvoorstelling, benefiet-

²**benefit** [benniffit] *intr* voordeel halen, baat vinden

³**benefit** [benniffit] *tr* ten goede komen aan, goed doen voor

benevolent [binnevvelent] **1** welwillend, goedgunstig **2** liefdadig, vrijgevig

benign [binnajn] **1** vriendelijk **2** zacht, gunstig, heilzaam: *a ~ climate* een zacht klimaat **3** goedaardig: *a ~ tumour* een goedaardig gezwel

benignant [binniknent] **1** beminnelijk, welwillend **2** goedaardig

¹**bent** [bent] *zn* neiging, aanleg, voorliefde, zwak

²**bent** [bent] *bn* **1** afwijkend, krom, illegaal **2** *(inform)* omkoopbaar **3** *(plat)* homoseksueel **4** vastbesloten: *~ on* uit op

³**bent** [bent] *ovt en volt dw van* bend

be off 1 *(inform)* ervandoor gaan *(ook fig)*; vertrekken, weg zijn, wegwezen; *(sport)* starten; weg zijn; beginnen *(te praten)*: *~ to a bad start* slecht van start gaan **2** verwijderd zijn *(ook fig)*: *Easter was two weeks off* het was nog twee weken vóór Pasen **3** afgelast zijn, niet doorgaan **4** *(inform)* bedorven zijn *(van voedsel)* **5** afgesloten zijn *(van water, gas, elektriciteit)* || *(inform) be badly off* er slecht voorstaan

¹**be on** *ww met vz (inform)* op kosten zijn van; betaald worden door *(bij het geven ve rondje)*: *the drinks are on John* John trakteert

²**be on** *intr* **1** aan (de gang) zijn; aan staan *(ook van licht, radio e.d.)*: *the match is on* de wedstrijd is bezig **2** gevorderd zijn: *it was well on into the night* het was al diep in de nacht **3** doorgaan, gehandhaafd worden: *the party is on* het feest gaat door **4** *(inform)* toegestaan zijn: *that's not on!* dat doe je niet! **5** op het toneel staan; spelen *(van acteur)* **6** op het programma staan *(radio, tv, toneel)* || *(inform) ~ about sth.* het hebben over iets, *(min)* altijd maar zeuren over iets; *(inform) ~ to sth.* iets in de gaten hebben

be out 1 (er)uit zijn, (er)buiten zijn, weg zijn, er niet (meer) zijn **2** *(inform)* uit zijn, voorbij zijn: *before the year is out* voor het jaar voorbij is **3** uit- (gedoofd) zijn **4** openbaar (gemaakt) zijn, gepubliceerd zijn: *the results are out* de resultaten zijn bekend **5** *(inform)* onmogelijk zijn, niet mogen: *rough games are out!* geen ruwe spelletjes! **6** ernaast zitten: *his forecast was well out* zijn voorspelling was er helemaal naast **7** in staking zijn **8** laag zijn *(van getijde)*: *the tide is out* het is laagtij **9** *(cricket, honkbal)* uit zijn || *(inform) ~ to do sth.* van plan zijn iets te doen; *~ for oneself* zijn eigen belangen dienen

be out of 1 uit zijn, buiten zijn: *~ it* er niet bij horen **2** zonder zitten: *he is out of a job* hij zit zonder werk; *we're out of sugar* we hebben geen suiker meer || *(inform) be well out of it* er mooi van af (gekomen) zijn

¹**be over** *ww met vz (met 'all'; inform)* **1** overal bekend zijn in: *it's all over the office* het hele kantoor weet ervan **2** niet kunnen afblijven van, (overdreven) enthousiast begroeten

²**be over** *intr* **1** voorbij, over zijn: *(inform) that's over and done with* dat is voor eens en altijd voorbij **2** overschieten, overblijven: *there's a bit of fabric over* er schiet een beetje stof over **3** op bezoek zijn *(op grote afstand)*: *Henk is over from Australia* Henk is over uit Australië

bequeath [bikwie:ð] *(form)* vermaken, nalaten

bereavement [birrie:vment] **1** sterfgeval, overlijden **2** verlies: *we sympathize with you in your ~* wij betuigen onze oprechte deelneming met uw verlies

beret [berree] baret

berry [berrie] bes

berserk [beze:k] woest, razend: *go ~* razend worden

¹**berth** [be:θ] *zn* **1** kooi, hut **2** ligplaats, ankerplaats, aanlegplaats

²**berth** [be:θ] *ww* aanleggen, ankeren

beseech [bissie:tsj] *(beseeched, besought)* smeken, dringend verzoeken

beset [bisset] *(beset, beset)* **1** *(vnl. pass.)* belegeren *(ook fig)*; overvallen, omsingelen: *young people, ~ by doubts* door twijfel overvallen jongeren **2** insluiten, versperren, bezetten

beside [bissajd] naast, bij, langs, dichtbij, vergeleken bij: *it's ~ the point* het doet hier niet ter zake || *be ~ oneself with joy* buiten zichzelf van vreugde zijn

¹**besides** [bissajdz] *bw* **1** bovendien, daarenboven: *Tina bought a new suit and a blouse ~* Tina kocht een nieuw pak en ook nog een bloes **2** anders, daarnaast, behalve dat **3** trouwens

²**besides** [bissajdz] *vz* behalve, buiten, naast: *I can do nothing ~ wait* ik kan alleen maar wachten

besiege [bissie:dzj] **1** belegeren **2** bestormen: *~ s.o. with questions about* iem bestormen met vragen over

besought [bisso:t] *volt dw van* beseech

bespatter [bispete] **1** bespatten **2** bekladden *(ook fig)*; belasteren, uitschelden

¹**best** [best] *zn* (de, het) beste: *with the ~ of intentions* met de beste bedoelingen; *to the ~ of my knowledge (and belief)* voor zover ik weet; *at ~* op z'n best (genomen), hoogstens; *at the ~ of times* onder de gunstigste omstandigheden || *get* (of: *have*) *the ~ of it* de overhand krijgen (*of:* hebben); *it is (all) for the ~* het komt allemaal wel goed

²**best** [best] *bn* best(e) || *~ man* getuige *(van bruidegom)*, bruidsjonker; *the ~ part of* het merendeel van

³**best** [best] *bw* **1** (het) best: *~ before 10 February* ten minste houdbaar tot 10 februari **2** meest: *those ~ able to pay* zij die het gemakkelijkste kunnen betalen

best-before date houdbaarheidsdatum

be

bestial [bestiel] *(ook fig)* beestachtig, dierlijk
bestow [bistoo] verlenen, schenken
best seller **1** bestseller, succesartikel, -product **2** successchrijver
[1]**bet** [bet] *zn* **1** weddenschap: *lay* (of: *make, place*) *a ~ (on sth.)* wedden (op iets) **2** inzet **3** iets waarop men wedt, kans, keuze: *your best ~ is* je maakt de meeste kans met
[2]**bet** [bet] *ww (ook bet, bet)* **1** wedden, verwedden: *~ on sth.* op iets wedden **2** *(inform)* wedden, zeker (kunnen) zijn van
be through **1** klaar zijn, er doorheen zijn: *I'm through with my work* ik ben klaar met mijn werk **2** *(inform)* erdoor zitten, er de brui aan geven; afgedaan hebben *(van dingen)*: *~ with sth.* iets beu zijn; *I'm through with you* ik trek m'n handen van je af **3** verbonden zijn, verbinding hebben
be to **1** moeten: *what am I to do* wat moet ik doen? **2** *(met ontkenning)* mogen: *visitors are not to feed the animals* bezoekers mogen de dieren niet voeren **3** gaan, zullen: *we are to be married next year* we gaan volgend jaar trouwen **4** zijn te: *Molly is nowhere to be found* Molly is nergens te vinden
betray [bitree] **1** verraden, in de steek laten **2** verraden, uitbrengen, verklappen: *his eyes ~ed his thoughts* zijn ogen verraadden zijn gedachten
betrayal [bitreeel] (daad van) verraad
betrothal [bitrooðl] verloving
betrothed [bitrooðd] **1** verloofde, aanstaande (bruid, bruidegom) **2** verloofden, aanstaande bruid en bruidegom
[1]**better** [bette] *zn* **1** *~s* beteren, meerderen, superieuren **2** iets beters **3** verbetering: *change for the ~* ten goede veranderen || *his emotions got the ~ of him* hij werd door zijn emoties overmand
[2]**better** [bette] *bn* **1** beter: *~ luck next time!* volgende keer beter!; *he is little ~ than a thief* hij is nauwelijks beter dan een dief **2** groter; grootste *(gedeelte)*: *the ~ part of the day* het grootste gedeelte van de dag **3** hersteld, genezen || *I'm none the ~ for it* ik ben er niet beter van geworden
[3]**better** [bette] *bw* **1** beter **2** meer: *I like prunes ~ than figs* ik hou meer van pruimen dan van vijgen
[1]**between** [bitwi:n] *bw* ertussen, tussendoor: *two gardens with a fence ~* twee tuinen met een schutting ertussen
[2]**between** [bitwi:n] *vz* tussen *(twee)*; onder: *~ school, her music and her friends she led a busy life* met de school, haar muziek en haar vrienden, had ze alles bij elkaar een druk leven; *they wrote the book ~ them* ze schreven het boek samen; *~ you and me, ~ ourselves* onder ons (gezegd); *I was sitting ~ my two sisters* ik zat tussen mijn twee zussen in
betwixt [bitwikst] (er)tussen
be up **1** in een hoge(re) positie zijn *(ook fig)*: *petrol's up again* de benzine is weer duurder geworden **2** op zijn, opstaan, wakker zijn **3** op zijn, over zijn: *(inform) it's all up with him* het is met hem gedaan **4** ter discussie staan, in aanmerking komen: *~ for discussion* ter discussie staan **5** zijn, wonen, studeren **6** aan de gang zijn, gaande zijn: *what's up with you?* wat is er met jou aan de hand? || *~ against a problem* op een probleem gestoten zijn; *(inform) ~ against it* in de puree zitten; *be well up in sth.* goed op de hoogte zijn van iets
be up to **1** komen tot: *I'm up to my ears in work* ik zit tot over m'n oren in het werk **2** in z'n schild voeren, uit zijn op: *what are you up to now?* wat voer je nu weer in je schild? **3** *(vnl. met ontkenning)* voldoen aan, beantwoorden aan: *it wasn't up to our expectations* het beantwoordde niet aan onze verwachtingen **4** *(met ontkenning of vragend)* aankunnen, berekend zijn op, aandurven: *he isn't up to this job* hij kan deze klus niet aan || *it's up to you* het is jouw zaak
beverage [bevveridzj] drank: *alcoholic ~s* alcoholhoudende dranken
bewail [biwweel] betreuren
beware [biwwee] oppassen, op zijn hoede zijn, voorzichtig zijn: *~ of the dog* pas op voor de hond
bewilder [biwwilde] verbijsteren, van zijn stuk brengen
bewitch [biwwitsj] beheksen, betoveren, bekoren
be with *(inform)* **1** (kunnen) volgen, (nog) snappen: *are you still with me?* volg je me nog? **2** aan de kant staan van, op de hand zijn van, partij kiezen voor **3** horen bij: *we are with the coach party* wij horen bij het busgezelschap
[1]**beyond** [bijjond] *zn* het onbekende, het hiernamaals: *the great ~* het grote onbekende
[2]**beyond** [bijjond] *bw* **1** verder, daarachter, aan de overzijde, daarna **2** daarenboven, meer, daarbuiten
[3]**beyond** [bijjond] *vz* **1** voorbij, achter, verder dan: *the hills ~ the city* de heuvels achter de stad **2** naast, buiten, behalve, meer dan || *~ hope* er is geen hoop meer; *it is ~ me* dat gaat mijn verstand te boven
[1]**bias** [bajjes] *zn* **1** neiging, tendens, vooroordeel, vooringenomenheid: *without ~* onbevooroordeeld **2** *(bowls)* eenzijdige verzwaring *(van bal)*; afwijking *(in vorm of loop vd bal)*; effect
[2]**bias** [bajjes] *tr* bevooroordeeld maken, beïnvloeden: *he was ~ed against foreigners* hij zat vol vooroordelen tegen buitenlanders
biased [bajjest] **1** vooringenomen, bevooroordeeld **2** tendentieus, in een bepaalde richting sturend
bib [bib] slab, slabbetje
Bible [bajbl] **1** Bijbel **2** *(fig)* bijbel *(gezaghebbend boek)*
biblical [biblikl] Bijbels
bibliographer [biblie·okrefe] bibliograaf
bibliography [biblie·okrefie] bibliografie, literatuurlijst
bicarbonate [bajka:benet] bicarbonaat, zuive-

ringszout: ~ *of soda* natriumbicarbonaat, zuiveringszout

bicker [bikke] ruziën

[1]**bicycle** [bajsikl] *zn* fiets

[2]**bicycle** [bajsikl] *intr* fietsen

[1]**bid** [bid] *zn* **1** bod **2** prijsopgave, offerte **3** *(kaartspel)* bod, beurt (om te bieden) **4** poging *(om iets te verkrijgen)*; gooi: *a ~ for the presidency* een gooi naar het presidentschap

[2]**bid** [bid] *tr (bid, bade; bid, bidden)* **1** bevelen, gelasten **2** heten, zeggen: ~ *s.o. farewell* iem vaarwel zeggen **3** (uit)nodigen

[3]**bid** [bid] *tr, intr (bid, bid)* **1** bieden, een bod doen (van) **2** een prijsopgave indienen **3** dingen: ~ *for the public's favour* naar de gunst van het publiek dingen

bidden [bidn] *volt dw van* bid

bidder [bidde] bieder: *the highest ~* de meestbiedende

bidding [bidding] **1** het bieden **2** gebod, bevel: *do s.o.'s ~* iemands bevelen uitvoeren, *(min)* naar iemands pijpen dansen

bide [bajd]: ~ *one's time* zijn tijd afwachten

biennial [bajjenniel] tweejarig

bifocals [bajfooklz] dubbelfocusbril

[1]**big** [bik] *bn* **1** groot, omvangrijk, dik, zwaar: ~ *game* grof wild; ~ *money* grof geld, het grote geld; ~ *with child* (hoog)zwanger **2** belangrijk, invloedrijk, voornaam; *(inform)* langverwacht: ~ *business* het groot kapitaal, de grote zakenwereld **3** groot, ouder, volwassen: *my ~ sister* mijn grote zus **4** *(inform)* groot(s), hoogdravend, ambitieus: *(inform) have ~ ideas* ambitieus zijn, het hoog in de bol hebben || *be too ~ for one's boots* het hoog in de bol hebben; *(iron) ~ deal!* reusachtig!, nou, geweldig!; *what's the ~ hurry?* vanwaar die haast?; *what's the ~ idea?* wat is hier aan de hand?

[2]**big** [bik] *bw (inform)* veel, duur, ruim: *pay ~ for sth.* veel voor iets betalen

bigamy [bikemie] bigamie, met twee personen gelijktijdig gehuwd zijn

bigheaded *(inform)* verwaand

bigot [biket] dweper, fanaticus

bigoted [biketid] onverdraagzaam

bigotry [biketrie] onverdraagzaamheid

big-time top-, eersteklas(-)

bigwig *(inform; vaak iron)* hoge ome, hoge piet, bobo

bike [bajk] *(inform)* **1** fiets **2** *(Am)* motorfiets

bilateral [bajleterel] **1** tweezijdig, tweevoudig **2** bilateraal, wederzijds (bindend), tussen twee landen (partijen)

bilberry [bilberie] bosbes

bile [bajl] **1** gal **2** galstoornis **3** *(fig)* zwartgalligheid, humeurigheid

bilingual [bajlingkwel] tweetalig

bilious [billies] **1** gal-, galachtig, gallig **2** zwartgallig, humeurig

[1]**bill** [bil] *zn* **1** rekening, factuur, nota: *foot the ~ (for)* de hele rekening betalen (voor) **2** lijst, aanplakbiljet, (strooi)biljet, programma: ~ *of fare* menu; *stick no ~s* verboden aan te plakken **3** certificaat, bewijs, brief, rapport **4** bek, snavel, neus **5** *(Am)* (bank)biljet **6** *(fin)* wissel, schuldbekentenis **7** wetsvoorstel, wetsontwerp || *fill* (of: *fit*) *the ~* geschikt zijn, aan iemands wensen tegemoetkomen

[2]**bill** [bil] *tr* **1** aankondigen, aanplakken **2** op de rekening zetten, de rekening sturen

billboard [bilbo:d] *(Am)* aanplakbord, reclamebord

[1]**billet** [billit] *zn* **1** kwartier, bestemming, verblijfplaats **2** inkwartieringsbevel

[2]**billet** [billit] *tr* inkwartieren, onderbrengen: *the troops were ~ed at our school* de troepen werden ondergebracht in onze school

billiards [billiedz] (Engels) biljart, het biljartspel

billion [billien] miljard, duizend miljoen; *(fig)* talloos

[1]**billow** [billoo] *zn* **1** (zware) golf, hoge deining **2** *(fig)* golf, vloedgolf, zee

[2]**billow** [billoo] *intr* deinen, golven, bol staan: *the ~ing sea* de golvende zee

billy goat (geiten)bok

bimonthly [bajmunθlie] tweemaandelijks

bin [bin] vergaarbak, bak, mand, trommel, vuilnisbak, broodtrommel

binary [bajnerie] binair, tweevoudig, dubbel(-)

[1]**bind** [bajnd] *intr (bound, bound)* (aaneen)plakken, zich (ver)binden, vast worden

[2]**bind** [bajnd] *tr (bound, bound)* **1** (vast)binden, bijeenbinden, boeien **2** bedwingen, aan banden leggen, hinderen: *be snow-bound* vastzitten in de sneeuw **3** verplichten, verbinden, dwingen: *she is bound to come* ze moet komen, ze zal zeker komen; ~ *s.o. to secrecy* iem tot geheimhouding verplichten **4** (in)binden *(boek)*; van een band voorzien || ~ *(up) a wound* een wond verbinden; *I'll be bound* ik ben er absoluut zeker van; *he is bound up in his job* hij gaat helemaal op in zijn werk

binder [bajnde] **1** binder *(ook landb; ook machine)*; boekbinder **2** band, snoer, touw, windsel **3** map, omslag, ringband **4** bindmiddel

bindery [bajnderie] (boek)binderij

[1]**binding** [bajnding] *zn* band, boekband, verband

[2]**binding** [bajnding] *bn* bindend

binge [bindzj] *(inform)* feest, braspartij: ~ *eating* feesten, gaan stappen; *go on the ~* feesten, gaan stappen

bin liner vuilniszak

binoculars [binnokjoelez] (verre)kijker, veldkijker, toneelkijker

biochemistry [bajjookemmistrie] biochemie

biodegradable [bajjoodikreedebl] (biologisch) afbreekbaar

biographer [bajjokrefe] biograaf, biografe

biography [bajjokrefie] biografie, levensbeschrijving

biological [bajjelodzjikl] biologisch
biologist [bajjolledzjist] bioloog
biology [bajjolledzjie] biologie
bionic [bajjonnik] **1** bionisch **2** *(inform)* supervlug, supersterk
biosphere [bajjesfie] biosfeer
bipartite [bajpa:tajt] tweedelig, tweeledig, tweezijdig: *a ~ contract* een tweezijdig contract
biplane [bajpleen] tweedekker
birch [be:tsj] **1** berk(enboom) **2** berkenhout
bird [be:d] **1** vogel: *~ of passage* trekvogel, *(fig)* passant, doortrekkend reiziger; *~ of prey* roofvogel **2** *(inform)* vogel, kerel **3** *(inform)* stuk, meisje || *they are ~s of a feather* ze hebben veel gemeen; *kill two ~s with one stone* twee vliegen in één klap slaan; *the ~ is* (of: *has) flown* de vogel is gevlogen; *(inform) give s.o. the ~* iem uitfluiten; *a ~ in the hand (is worth two in the bush)* beter één vogel in de hand dan tien in de lucht; *~s of a feather flock together* soort zoekt soort
bird flu vogelgriep
bird's-eye panoramisch, in vogelvlucht: *a ~ view of the town* een panoramisch gezicht op de stad
biro [bajroo] balpen
birth [be:θ] **1** geboorte; *(fig)* ontstaan; begin, oorsprong: *give ~ to* het leven schenken aan **2** afkomst, afstamming: *of noble ~* van adellijke afkomst; *he is French by ~* hij is Fransman van geboorte
birthmark moedervlek
biscuit [biskit] **1** biscuit, cracker **2** *(Am)* zacht rond koekje
bisect [bajsekt] in tweeën delen, splitsen, halveren
bishop [bisjep] **1** bisschop **2** *(schaakspel)* loper
[1]**bit** [bit] *zn* **1** beetje, stukje, kleinigheid: *~s and pieces, ~s and bobs* stukken en brokken; *(inform) do one's ~* zijn steen(tje) bijdragen; *(inform) ~ by ~* bij beetjes, stukje voor stukje; *not a ~ better* geen haar beter; *not a ~ (of it)* helemaal niet(s), geen zier **2** ogenblikje, momentje: *wait a ~!* wacht even! **3** (ge)bit *(mondstuk voor paard): take the ~ between its teeth: a)* op hol slaan *(van paard); b)* (te) hard van stapel lopen **4** boorijzer **5** schaafijzer, schaafbeitel, schaafmes **6** bit *(kleinste eenheid van informatie)*
[2]**bit** [bit] *ovt van* bite
bitch [bitsj] **1** teef; wijfje *(van hond, vos)* **2** *(min)* teef, kreng (ve wijf), trut
[1]**bite** [bajt] *zn* **1** beet, hap **2** hap(je); beetje *(eten): have a ~ to eat* iets eten **3** beet *(bij het vissen)* **4** vinnigheid, bits(ig)heid, scherpte: *there was a ~ in the air* er hing een vinnige kou in de lucht
[2]**bite** [bajt] *tr, intr (bit, bitten)* **1** bijten, toebijten; (toe)happen *(ook fig);* zich (gemakkelijk) laten beetnemen, steken; prikken *(van insecten): (fig) ~ one's lip(s)* zich verbijten **2** bijten; inwerken *(van zuren; ook fig)* **3** voelbaar worden; effect hebben *(vnl. mbt iets negatiefs)* || *~ off more than one can chew* te veel hooi op zijn vork nemen; *once bitten, twice shy (ongev)* door schade en schande wordt men wijs
bitten [bitn] *volt dw van* bite
[1]**bitter** [bitte] *zn* **1** bitter (bier) **2** bitterheid, het bittere || *take the ~ with the sweet* het nemen zoals het valt
[2]**bitter** [bitte] *bn* bitter *(ook fig);* bijtend, scherp, venijnig, verbitterd
bivouac [bivvoe·ek] bivak
biweekly [bajwie:klie] veertiendaags, tweewekelijks, om de veertien dagen
bizarre [bizza:] bizar, zonderling
[1]**blab** [bleb] *intr* zijn mond voorbij praten, loslippig zijn
[2]**blab** [bleb] *tr* (er)uit flappen
blabbermouth *(min)* kletskous
[1]**black** [blek] *zn* **1** zwart: *~ and white* zwart-wit *(film; ook fig)* **2** (roet)zwart, zwarte kleurstof **3** zwarte, neger(in) **4** zwart schaakstuk, zwarte damsteen
[2]**black** [blek] *bn* **1** zwart, (zeer) donker; *(fig ook)* duister: *be in s.o.'s ~ book(s)* bij iem slecht aangeschreven staan; *Black Death* de Zwarte Dood *(pestepidemie); ~ eye* donker oog, blauw oog *(na slag); ~ market* zwarte markt; *~ sheep* zwart schaap *(fig); ~ spot* zwarte plek, rampenplek *(waar veel ongevallen gebeuren); ~ tie: a)* zwart strikje; *b)* smoking **2** zwart, vuil, besmeurd **3** zwart, (zeer) slecht, somber, onvriendelijk: *give s.o. a ~ look* iem onvriendelijk aankijken || *~ ice* ijzel; *~ and blue* bont en blauw *(geslagen)*
[3]**black** [blek] *tr* **1** zwart maken; poetsen *((zwarte) schoenen)* **2** bevuilen **3** besmet verklaren *(lading van schip, door stakers)* || *~ s.o.'s eye* iem een blauw oog slaan
blackberry [blekberie] **1** braam(struik) **2** braam(bes)
blackbird merel
blackboard (school)bord
blackcurrant *(plantk)* zwarte bes
blacken [bleken] **1** zwart maken, bekladden **2** *(fig)* zwartmaken: *~ s.o.'s reputation* iem zwart maken
blackguard [blega:d] schurk, bandiet
blackhead mee-eter, vetpuistje
[1]**blacklist** *zn* zwarte lijst
[2]**blacklist** *ww* op de zwarte lijst plaatsen
[1]**blackmail** *zn* afpersing, chantage
[2]**blackmail** *tr* chanteren, (geld) afpersen van, afdwingen (onder dreiging): *~ s.o. into sth.* iem iets afdwingen
blackout **1** verduistering **2** black-out, tijdelijke bewusteloosheid, tijdelijk geheugenverlies, tijdelijke blindheid
blacksmith smid, hoefsmid
bladder [blede] blaas
blade [bleed] **1** lemmet *(van mes);* blad *(van bijl, zaag);* kling *(van zwaard);* (scheer)mesje, dunne snijplaat; ijzer *(van schaats)* **2** blaadje *(bijv. van gras);* halm

[1]**blame** [bleem] *zn* schuld, blaam; verantwoording *(voor iets slechts): bear* (of: *take) the ~* de schuld op zich nemen
[2]**blame** [bleem] *tr* **1** de schuld geven aan, verwijten, iets kwalijk nemen: *I don't ~ Jane* ik geef Jane geen ongelijk; *he is to ~* het is zijn schuld **2** afkeuren, veroordelen
blameless [bleemles] onberispelijk, vlekkeloos, onschuldig
bland [blend] **1** (zacht)aardig, vriendelijk **2** mild, niet te gekruid, zacht **3** neutraal, nietszeggend **4** flauw, saai **5** nuchter, koel
[1]**blank** [blengk] *zn* **1** leegte, leemte: *his memory is a ~* hij weet zich niets meer te herinneren **2** blanco formulier **3** losse patroon *(van geweer);* losse flodder **4** niet, niet in de prijzen vallend lot: *draw a ~* niet in de prijzen vallen, *(fig)* bot vangen
[2]**blank** [blengk] *bn* **1** leeg, blanco, onbeschreven: *a ~ cartridge* een losse patroon; *a ~ cheque* een blanco cheque **2** uitdrukkingsloos, onbegrijpend, ongeïnteresseerd: *a ~ look* een wezenloze blik || *a ~ refusal* een botte weigering
[1]**blanket** [blengkit] *zn* (wollen) deken, bedekking; *(fig)* (dikke) laag
[2]**blanket** [blengkit] *bn* allesomvattend, algemeen geldig: *a ~ insurance* een pakketverzekering; *a ~ rule* een algemene regel
blare [blee] schallen, lawaai maken, luid klinken
blasphemy [blesfemie] (gods)lastering, blasfemie
[1]**blast** [bla:st] *zn* **1** (wind)vlaag, rukwind **2** sterke luchtstroom *(bijv. bij ontploffing)* **3** explosie *(ook fig);* uitbarsting **4** stoot *(bijv. op trompet);* (claxon)signaal || *he was working at full ~* hij werkte op volle toeren
[2]**blast** [bla:st] *tr* **1** opblazen, doen exploderen, bombarderen **2** vernietigen, verijdelen, ruïneren **3** *(euf)* verwensen, vervloeken: *~ him!* laat hem naar de maan lopen!
blasted [bla:stid] *(inform)* **1** getroffen *(door bliksem e.d.)* **2** verschrompeld, verdwenen
blast furnace hoogoven
blast-off lancering *(van raket)*
blatant [bleetent] **1** schaamteloos, onbeschaamd **2** overduidelijk, opvallend: *a ~ lie* een regelrechte leugen **3** hinderlijk, ergerlijk
[1]**blather** [bleðe] *zn* geklets, onzin, nonsens
[2]**blather** [bleðe] *intr* dom kletsen
[1]**blaze** [bleez] *zn* **1** vlammen(zee), (verwoestend) vuur, brand **2** uitbarsting, plotselinge uitval: *a ~ of anger* een uitbarsting van woede **3** felle gloed *(van licht, kleur);* vol licht, schittering
[2]**blaze** [bleez] *intr* **1** (fel) branden, gloeien, in lichterlaaie staan; *(ook fig)* in vuur en vlam staan *(van woede, opwinding): the quarrel ~d up* de ruzie laaide op **2** (fel) schijnen, verlicht zijn, schitteren
[3]**blaze** [bleez] *tr (ook fig)* banen *(weg, pad);* aangeven, merken: *~ a trail* een pad banen, een nieuwe weg inslaan
blaze away **1** oplaaien *(van vuur);* oplichten, opvlammen **2** erop los schieten
[1]**bleach** [blie:tsj] *zn* bleekmiddel
[2]**bleach** [blie:tsj] *ww* bleken, bleek worden (maken), (doen) verbleken
bleak [blie:k] **1** guur *(bijv. van weer);* troosteloos, grauw **2** ontmoedigend, deprimerend, somber: *~ prospects* sombere vooruitzichten **3** onbeschut, aan weer en wind blootgesteld, kaal
[1]**bleat** [blie:t] *zn* blatend geluid, geblaat; *(fig)* gezanik
[2]**bleat** [blie:t] *intr* blaten, blèren, mekkeren; *(fig)* zeuren; zaniken
bled [bled] *ovt en volt dw van* bleed
[1]**bleed** [blie:d] *intr (bled, bled)* **1** bloeden, bloed verliezen: *(fig) her heart ~s for the poor* ze heeft diep medelijden met de armen **2** uitlopen; doorlopen *(van kleurstof)* **3** (vloeistof) afgeven, bloeden; afscheiden *(bijv. van plant)* **4** uitgezogen worden, bloeden, afgezet worden
[2]**bleed** [blie:d] *tr (bled, bled)* **1** doen bloeden, bloed afnemen van, aderlaten **2** uitzuigen, laten bloeden **3** onttrekken *(bijv. vloeistof)*
[1]**bleep** [blie:p] *zn* piep, hoge pieptoon
[2]**bleep** [blie:p] *tr, intr* (op)piepen, oproepen met piepsignaal
bleeper [blie:pe] pieper *(van oproepsysteem)*
blemish [blemmisj] vlek *(ook fig);* smet, onvolkomenheid
[1]**blend** [blend] *zn (als ww ook: blent, blent)* mengsel *(bijv. van thee, koffie, whisky);* melange, mengeling
[2]**blend** [blend] *intr (als ww ook: blent, blent)* zich vermengen, bij elkaar passen
[3]**blend** [blend] *tr (als ww ook: blent, blent)* mengen, combineren
blender [blende] mengbeker, mixer
blent [blent] *ovt en volt dw van* blend
bless [bles] **1** zegenen, (in)wijden: *~ oneself* een kruis slaan, *(fig)* zich gelukkig prijzen **2** Gods zegen vragen voor **3** begunstigen, zegenen **4** vereren *(bijv. God);* aanbidden, loven
blessed [blessid] **1** heilig, (door God) gezegend **2** gelukkig, (geluk)zalig, gezegend: *the whole ~ day* de godganse dag; *every ~ thing* alles, maar dan ook alles
blessing [blessing] **1** zegen(ing): *a ~ in disguise* een geluk bij een ongeluk; *count your ~!* wees blij met wat je hebt! **2** goedkeuring, aanmoediging, zegen
blew [bloe:] *ovt van* blow
[1]**blight** [blajt] *zn* **1** plantenziekte, meeldauw; soort bladluis **2** afzichtelijkheid, afschuwelijkheid **3** vloek
[2]**blight** [blajt] *tr* **1** aantasten *(met plantenziekte);* doen verdorren **2** een vernietigende uitwerking hebben op, zwaar schaden, verwoesten: *a life ~ed by worries* een leven dat vergald werd door de zorgen

bl

blimey [blajmie] *(plat)* verdikkeme
[1]**blind** [blajnd] *zn* **1** scherm, jaloezie, zonnescherm, rolgordijn **2** voorwendsel, uitvlucht, dekmantel
[2]**blind** [blajnd] *bn* **1** blind; *(fig)* ondoordacht; roekeloos: *~ fury* blinde woede; *as ~ as a bat* zo blind als een mol, stekeblind; *the ~* de blinden **2** blind, zonder begrip, ongevoelig: *be ~ to s.o.'s faults* geen oog hebben voor de fouten van iem **3** doodlopend; *(fig)* zonder vooruitzichten || *turn a ~ eye to sth.* iets door de vingers zien, een oogje dichtknijpen voor iets
[3]**blind** [blajnd] *tr* **1** verblinden, blind maken, misleiden **2** verduisteren, overschaduwen **3** blinddoeken
[4]**blind** [blajnd] *bw* blind(elings), roekeloos || *~ drunk* stomdronken
[1]**blindfold** *bn* geblinddoekt
[2]**blindfold** *tr* blinddoeken; *(fig)* misleiden
blindman's buff blindemannetje
[1]**blink** [blingk] *zn* **1** knipoog, (oog)wenk **2** glimp, oogopslag **3** flikkering, schijnsel || *(inform) on the ~* niet in orde, defect
[2]**blink** [blingk] *intr* **1** met half toegeknepen ogen kijken, knipogen **2** knipperen, flikkeren, schitteren
[3]**blink** [blingk] *tr* knippe(re)n met
blink at een oogje dichtdoen voor: *~ illegal practices* illegale praktijken door de vingers zien
blinkers [blingkez] oogkleppen; *(fig)* kortzichtigheid
blip [blip] **1** piep, bliep **2** *(radar)* echo
bliss [blis] (geluk)zaligheid, het einde, puur genot
[1]**blister** [bliste] *zn* **1** (brand)blaar **2** bladder, blaas
[2]**blister** [bliste] *intr* **1** blaren krijgen **2** (af)bladderen, blazen vormen
[3]**blister** [bliste] *tr* doen bladderen, verschroeien, blaren veroorzaken op
blistering [blistering] **1** verschroeiend, verzengend: *the ~ sun* de gloeiendhete zon **2** vernietigend
blithe [blajð] *(form)* **1** vreugdevol, blij **2** zorgeloos, onbezorgd
blithering [bliðering] stom, getikt: *you ~ idiot!* stomme idioot die je bent!
blizzard [blizzed] (hevige) sneeuwstorm
bloated [blootid] opgezwollen, opgezet, opgeblazen
blob [blob] klodder, druppel, spat
bloc [blok] *(pol)* blok, groep, coalitie
[1]**block** [blok] *zn* **1** blok *(ook pol)*; stronk, (hak)blok, kapblok, steenblok, beulsblok **2** blok *(van gebouwen)*; huizenblok; (groot) gebouw: *~ of flats* flatgebouw; *walk around the ~* een straatje omlopen **3** versperring, stremming; *(psych, sport)* blokkering; obstructie
[2]**block** [blok] *intr (sport)* blokkeren, blokken, obstructie plegen
[3]**block** [blok] *tr* **1** versperren, blokkeren: *~ off* afsluiten, blokkeren **2** belemmeren, verhinderen, tegenhouden: *he ~ed my plans* hij reed mij in de wielen **3** *(sport; psych)* blokkeren, obstructie plegen tegen || *~ in* (of: *out*) ontwerpen, schetsen
[1]**blockade** [blokkeed] *zn* blokkade, afsluiting, versperring
[2]**blockade** [blokkeed] *tr* blokkeren, afsluiten, belemmeren, verhinderen
blockage [blokkidzj] **1** verstopping, opstopping, obstakel **2** stagnatie, stremming
blockbuster kassucces
blockhead domkop, stommerik
blog [blok̂] blog
blogger [blok̂e] blogger
bloke [blook] kerel, gozer, vent
[1]**blond** [blond] *zn* **1** blond iem; *(vrouw)* blondje; blondine **2** iem met een lichte huidkleur **3** blond
[2]**blond** [blond] *bn* **1** blond **2** met een lichte huidkleur
blood [blud] **1** bloed: *in cold ~* in koelen bloede; *it makes your ~ boil* het maakt je razend; *let ~* aderlaten **2** temperament, aard, hartstocht **3** bloedverwantschap, afstamming, afkomst: *blue ~* blauw bloed; *bring in fresh ~* vers bloed inbrengen; *be* (of: *run) in one's ~* in het bloed zitten; *~ is thicker than water* het hemd is nader dan de rok
bloodcurdling [bludke:dling] ijzingwekkend, huiveringwekkend, bloedstollend
bloodhound bloedhond; *(fig)* speurder; detective
bloodless [bludles] **1** bloedeloos **2** bleek, kleurloos **3** saai, duf
blood relation bloedverwant(e)
blood revenge eerwraak
bloodshed bloedvergieten
bloodshot bloeddoorlopen
bloodthirsty bloeddorstig, moorddadig
blood vessel bloedvat, ader
[1]**bloody** [bluddie] *bn* **1** bloed-, bloedrood, bebloed: *~ nose* bloedneus **2** bloed(er)ig **3** bloeddorstig, wreed **4** verdraaid: *he's a ~ fool* hij is een domme idioot
[2]**bloody** [bluddie] *bw (inform)* erg: *you're ~ well right* je hebt nog gelijk ook
bloody-minded *(inform)* dwars, koppig
[1]**bloom** [bloe:m] *zn* **1** bloem *(vooral van gekweekte planten)*; bloesem **2** bloei(tijd), kracht, hoogste ontwikkeling: *in the ~ of one's youth* in de kracht van zijn jeugd **3** waas, dauw **4** blos, gloed
[2]**bloom** [bloe:m] *intr* **1** bloeien, in bloei zijn **2** in volle bloei komen *(ook fig)*; tot volle ontplooiing komen **3** floreren, gedijen **4** blozen; stralen *(vnl. van vrouw)* **5** zich ontwikkelen, (op)bloeien, uitgroeien
bloomer [bloe:me] *(inform)* blunder, flater, miskleun
[1]**blossom** [blossem] *zn (ook fig)* bloesem, bloei: *be in ~* in bloesem staan
[2]**blossom** [blossem] *intr* **1** ontbloeien; tot bloei ko-

men *(van vruchtbomen)* **2** zich ontwikkelen, opbloeien, zich ontpoppen
[1]**blot** [blot] *zn* vlek *(ook fig): the building was a ~ on the landscape* het gebouw ontsierde het landschap
[2]**blot** [blot] *intr* vlekken maken, knoeien, kliederen, vlekken (krijgen); vloeien *(van papier)*
[3]**blot** [blot] *tr* **1** bevlekken, bekladden **2** ontsieren **3** (af)vloeien, drogen met vloeipapier
blotch [blotsj] vlek, puist, smet
blot out **1** (weg)schrappen, doorhalen **2** verbergen, aan het gezicht onttrekken, bedekken: *clouds ~ the sun* wolken schuiven voor de zon **3** vernietigen, uitroeien
blotting paper [blotting peepe] vloei(papier)
blouse [blauz] bloes *(gedragen door vrouwen);* blauwe (werk)kiel
[1]**blow** [bloo] *zn* **1** wind(vlaag), rukwind, storm, stevige bries **2** slag, klap, mep: *come to* (of: *exchange*) *~s* slaags raken; *~ by ~ account* gedetailleerd verslag; *without (striking) a ~* zonder slag of stoot, zonder geweld **3** (tegen)slag, ramp, schok
[2]**blow** [bloo] *intr (blew, blown)* **1** (uit)blazen, fluiten, weerklinken, (uit)waaien, wapperen: *~ down* neergeblazen worden, omwaaien; *(inform) ~ in: a)* (komen) binnenvallen, (komen) aanwaaien; *b)* inwaaien; *the scandal will ~ over* het schandaal zal wel overwaaien **2** hijgen, blazen, puffen **3** stormen, hard waaien **4** *(elektr)* doorsmelten, doorbranden; doorslaan *(van stop)* || *(inform) ~ hot and cold (about)* veranderen als het weer
[3]**blow** [bloo] *tr (blew, blown)* **1** blazen (op, door), aanblazen, afblazen, opblazen, rondblazen, uitblazen, wegblazen; snuiten *(neus);* doen wapperen, doen dwarrelen: *the door was ~n open* de deur waaide open; *the wind blew her hair* de wind waaide door haar haar; *~ away* wegblazen, wegjagen; *the wind blew the trees down* de wind blies de bomen om(ver); *~ in: a)* doen binnenwaaien; *b)* doen springen *(ruit); ~ off: a)* wegblazen, doen wegwaaien; *b)* laten ontsnappen *(stoom); ~ over* om(ver)blazen, doen omwaaien; *~ skyhigh* in de lucht laten vliegen, *(fig)* geen spaan heel laten van **2** doen doorslaan, doen doorbranden **3** bespelen, blazen op, spelen op **4** *(inform)* verprutsen, verknoeien **5** *(plat)* pijpen, afzuigen
blow-dryer föhn, haardroger
blower [blooe] **1** aanjager, blower, ventilator **2** *(inform)* telefoon
blown [bloon] *volt dw van* blow
blowout **1** klapband, lekke band **2** lek **3** uitbarsting *(in olie-, gasbron);* eruptie **4** *(inform)* eetfestijn, vreetpartij
[1]**blow out** *intr* **1** uitwaaien, uitgaan **2** springen, klappen, barsten **3** ophouden te werken *(van elektrische apparatuur);* uitvallen, doorbranden
[2]**blow out** *tr* **1** uitblazen, uitdoen **2** doen springen, doen klappen **3** buiten bedrijf stellen *(elektrische apparatuur)*
[1]**blow up** *intr* **1** ontploffen, exploderen, springen **2** *(inform)* in rook opgaan, verijdeld worden **3** opzwellen, opgeblazen worden **4** (in woede) uitbarsten, ontploffen **5** sterker worden *(van wind, storm);* komen opzetten; *(fig)* uitbreken; losbarsten
[2]**blow up** *tr* **1** opblazen, laten ontploffen; vullen *(met lucht)* **2** opblazen, overdrijven **3** aanblazen *(vuur);* aanwakkeren, (op)stoken **4** doen opwaaien, opjagen, opdwarrelen **5** *(foto)* (uit)vergroten
blow-up **1** explosie, ontploffing **2** uitbarsting, ruzie, herrie **3** *(foto)* (uit)vergroting
blowy [blooie] winderig
[1]**blubber** [blubbe] *zn* **1** blubber **2** *(inform)* gejank, gegrien
[2]**blubber** [blubbe] *tr, intr* grienen, snotteren, janken
bludgeon [bludzjn] (gummi)knuppel, knots
[1]**blue** [bloe:] *zn* **1** blauw **2** blauwsel *(om linnengoed te blauwen)* **3** *(the)* blauwe lucht: *out of the ~* plotseling, als een donderslag bij heldere hemel **4** blauwtje *(vlinder)* **5** lid (kleur) ve conservatieve politieke partij; tory; conservatief
[2]**blue** [bloe:] *bn* **1** blauw, azuur: *~ blooded* van adellijke afkomst; *~ with cold* blauw van de kou **2** gedeprimeerd, triest, somber **3** conservatief; tory **4** *(inform)* obsceen, porno-, gewaagd: *~ film* (of: *movie*) pornofilm, seksfilm || *wait till one is ~ in the face* wachten tot je een ons weegt; *once in a ~ moon* (hoogst) zelden, zelden of nooit; *cry* (of: *scream, shout*) *~ murder* moord en brand schreeuwen
bluebottle aasvlieg, bromvlieg
blue-collar hand-; fabrieks- *(arbeider(s))*
blueprint blauwdruk, ontwerp, schets
blue ribbon hoogste onderscheiding, eerste prijs
bluestocking *(vaak min)* geleerde vrouw
blue-tit pimpelmees
[1]**bluff** [bluf] *zn* **1** hoge, steile oever, steile rotswand, klif **2** bluf: *call one's ~: a)* iem uitdagen; *b)* iemands uitdaging aannemen
[2]**bluff** [bluf] *bn* kortaf maar oprecht, plompverloren maar eerlijk
[3]**bluff** [bluf] *intr* **1** bluffen *(ook van poker);* brutaal optreden **2** doen alsof, voorwenden
[4]**bluff** [bluf] *tr* **1** overbluffen, overdonderen **2** misleiden, bedriegen, doen alsof: *~ one's way out of a situation* zich uit een situatie redden
[1]**blunder** [blunde] *zn* blunder, miskleun
[2]**blunder** [blunde] *tr, intr* **1** blunderen, een stomme fout maken, een flater slaan **2** strompelen, (voort)sukkelen, zich onhandig voortbewegen
blunt [blunt] **1** bot, stomp **2** afgestompt, ongevoelig, koud **3** (p)lomp, ongezouten, onomwonden: *tell s.o. sth. ~ly* iem iets botweg vertellen
[1]**blur** [ble:] *zn* onduidelijke plek, wazig beeld, verflauwde indruk
[2]**blur** [ble:] *intr* **1** vervagen, vaag worden **2** vlekken
[3]**blur** [ble:] *tr* **1** bevlekken, besmeren; *(fig)* beklad-

den **2** onscherp maken, troebel maken: *~red photographs* onscherpe foto's
[1]**blush** [blusj] *zn* (schaamte)blos, (rode) kleur, schaamrood
[2]**blush** [blusj] *intr* blozen, een kleur krijgen, rood worden
[1]**bluster** [bluste] *zn* **1** tumult, drukte, geloei; gebulder *(van storm);* geraas; getier *(van boze stemmen)* **2** gebral, opschepperij
[2]**bluster** [bluste] *intr* **1** razen, bulderen, tieren **2** bulderen, loeien; huilen *(van wind)* **3** brallen, opscheppen
boar [bo:] **1** beer *(mannetjesvarken)* **2** wild zwijn, everzwijn
[1]**board** [bo:d] *zn* **1** plank, (vloer)deel **2** (aanplak)-bord, scorebord, schild, plaat; bord *(basket- en korfbal);* (schaak)bord, (speel)bord **3** *(scheepv)* boord: *go by the ~: a)* overboord slaan; *b)* volledig mislukken *(van plannen e.d.); on ~* aan boord van **4** kost, kostgeld, onderhoud, pension: *~ and lodging* kost en inwoning; *full ~* vol pension **5** raad, bestuur(slichaam): *~ of directors* raad van bestuur; *editorial ~* redactie; *be on the ~* in het bestuur zitten, bestuurslid zijn || *sweep the ~* grote winst(en) boeken, zegevieren; *(inform) take on ~* begrijpen, accepteren, aannemen *(nieuwe ideeën e.d.); above ~* open, eerlijk; *across the ~* over de hele linie, iedereen, niemand uitgezonderd
[2]**board** [bo:d] *intr* in de kost zijn
[3]**board** [bo:d] *tr* **1** beplanken, beschieten, betimmeren, bevloeren **2** in de kost hebben **3** uit huis doen, in de kost doen **4** aan boord gaan van; instappen *(vliegtuig);* opstappen *(motor): ~ a ship* zich inschepen **5** *(scheepv)* enteren
boarder [bo:de] pensiongast, kostganger, kostleerling, intern
boarding [bo:ding] beplanking, betimmering, schutting
boarding card instapkaart
boarding-house kosthuis, pension
boarding school kostschool, internaat
boardroom bestuurskamer, directiekamer
boardsailing *(sport)* het plankzeilen, het (wind)-surfen
[1]**boast** [boost] *zn* **1** *(min)* bluf, grootspraak **2** trots, roem, glorie
[2]**boast** [boost] *intr* opscheppen, overdrijven, sterke verhalen vertellen: *~ about, ~ of* opscheppen over, zich laten voorstaan op
[3]**boast** [boost] *tr* **1** in het (trotse) bezit zijn van, (kunnen) bogen op (het bezit van) **2** *(min)* opscheppen
boaster [booste] opschepper, praatjesmaker
boat [boot] **1** (open) boot, vaartuig, (dek)schuit, sloep: *(fig) be (all) in the same ~* (allen) in hetzelfde schuitje zitten **2** *(Am)* (zeewaardig) schip; (stoom)boot *(vnl. door niet-zeelui gebruikt)* **3** (jus)kom, sauskom || *burn one's ~s* z'n schepen achter zich verbranden; *miss the ~* de boot missen, zijn kans voorbij laten gaan; *(inform) push the ~ out* de bloemetjes buiten zetten; *(inform) rock the ~* de boel in het honderd sturen, spelbreker zijn
boatswain [boosn] bootsman, boots
[1]**bob** [bob] *zn* **1** hangend voorwerp, (slinger)gewicht; lens *(van uurwerk);* gewicht; strik *(aan vlieger);* lood *(van dieplood);* dobber, waker **2** bob-(slee) **3** gecoupeerde staart **4** plotselinge (korte) beweging, sprong, (knie)buiging, knicks **5** bob(bed kapsel), kortgeknipte kop, jongenskop || *(inform) Bob's your uncle* klaar is Kees, voor mekaar
[2]**bob** [bob] *intr* **1** bobben, rodelen, bobsleeën **2** (zich) op en neer (heen en weer) bewegen, (op)-springen, dobberen: *~ up* (plotseling) tevoorschijn komen, komen boven drijven, opduiken **3** buigen, een (knie)buiging maken
[3]**bob** [bob] *tr* **1** (kort) knippen *(haar)* **2** couperen, kortstaarten **3** heen en weer (op en neer) bewegen, doen dansen, laten dobberen, knikken
bobbin [bobbin] spoel, klos, bobine
bobby [bobbie] *(inform)* bobby, oom agent, politieman
[1]**bobsleigh** [bobslee] *zn* bob(slee)
[2]**bobsleigh** [bobslee] *ww* bobsleeën, bobben
[1]**bodily** [boddillie] *bn* lichamelijk: *~ harm* lichamelijk letsel
[2]**bodily** [boddillie] *bw* **1** met geweld **2** lichamelijk, in levende lijve **3** in z'n geheel, met huid en haar
body [boddie] **1** lichaam, romp, lijk: *just enough to keep ~ and soul together* net genoeg om je te redden **2** persoon; *(jur)* rechtspersoon; *(inform)* mens; ziel **3** grote hoeveelheid, massa **4** voornaamste deel, grootste (centrale) deel, kern, meerderheid; schip *(van kerk);* casco; carrosserie *(van auto);* romp *(van vliegtuig);* klankkast *(van instrument): the ~ of a letter* de kern van een brief **5** lichaam, groep, korps: *the Governing Body is* (of: *are) meeting today* het bestuur vergadert vandaag; *they left in a ~* ze vertrokken als één man **6** voorwerp, object, lichaam: *heavenly bodies* hemellichamen **7** bodystocking
bodyguard lijfwacht
bog [boǩ] **1** (veen)moeras **2** *(inform)* plee, wc
bog down **1** gehinderd worden, vastlopen **2** vast komen te zitten (in de modder) || *get bogged down in details* in details verzanden
bogey [booǩie] **1** boeman, (kwel)duivel, kwade geest **2** spookbeeld, schrikbeeld **3** *(golf)* bogey, score van 1 slag boven par voor een hole **4** snotje
boggle [boǩl] **1** terugschrikken, terugdeinzen **2** duizelen: *the mind ~s* het duizelt me
boggy [boǩie] moerassig, drassig
bogus [booǩes] vals, onecht, nep-, vervalst
[1]**boil** [bojl] *zn* **1** steenpuist **2** kookpunt, kook
[2]**boil** [bojl] *intr* **1** (staan te) koken, het kookpunt bereiken, gekookt worden: *~ing hot* kokend heet; *~ down* inkoken; *~ over: a)* overkoken; *b)* *(fig)* uit-

barsten (in woede), tot uitbarsting komen **2** (inwendig) koken: *~ing with anger* ziedend van woede || *(inform) ~ down to* neerkomen op (in het kort, in grote lijnen)

[3]**boil** [bojl] *tr* koken, aan de kook brengen || *(inform) ~ down* kort samenvatten, de hoofdlijnen aangeven

boiler [bojle] boiler, stoomketel

boisterous [bojstres] **1** onstuimig, luid(ruchtig) **2** ruw, heftig; stormachtig *(van wind, weer e.d.)*

bold [boold] **1** (stout)moedig, doortastend **2** *(vaak min)* brutaal: *as ~ as brass* (honds)brutaal **3** krachtig, goed uitkomend **4** vet (gedrukt) || *put a ~ face on the matter* zich goedhouden

bold-faced **1** brutaal, schaamteloos **2** vet gedrukt

bollard [bolla:d] korte paal, bolder; meerpaal *(scheepv)*; verkeerszuiltje, -paaltje

boloney [beloonie] *(inform)* onzin, (flauwe)-kul, gelul

bolster [boolste] **1** (onder)kussen, hoofdmatras **2** steun, ondersteuning, stut

bolster up **1** met kussen(s) (onder)steunen **2** schragen, ondersteunen; opkrikken *(ook fig)*: *~ s.o.'s morale* iem moed inspreken

[1]**bolt** [boolt] *zn* **1** bout **2** grendel, schuif **3** bliksemstraal, -flits **4** sprong, duik: *make a ~ for it* er vandoor gaan || *a ~ from the blue* een complete verrassing

[2]**bolt** [boolt] *intr* **1** *(inform)* op de loop gaan, de benen nemen; op hol slaan *(van paard)* **2** (plotseling, verschrikt) op(zij)-, wegspringen **3** doorschieten, (vroegtijdig, te vroeg) in het zaad schieten **4** met bouten bevestigd zitten **5** sluiten, een grendel hebben

[3]**bolt** [boolt] *tr* **1** (snel) verorberen: *~ down food* eten opschrokken **2** vergrendelen, op slot doen **3** met bout(en) bevestigen

[4]**bolt** [boolt] *bw* recht: *~ upright* kaarsrecht

[1]**bomb** [bom] *zn* **1** bom **2** *(inform)* bom geld: *cost a ~* kapitalen kosten **3** *(inform)* hit, klapper, daverend succes: *go like a ~: a)* als een trein lopen; *b)* scheuren *(van auto)*

[2]**bomb** [bom] *intr* **1** bommen werpen **2** razen, racen

[3]**bomb** [bom] *tr* bombarderen

bombard [bomba:d] bombarderen, met bommen, granaten bestoken; *(fig)* bestoken; lastigvallen: *~ s.o. with questions* vragen afvuren op iem

bombardment [bomba:dment] bombardement, bomaanval

bombastic [bombestik] hoogdravend, gezwollen

bomber [bomme] **1** bommenwerper **2** bommengooier *(persoon)*

bomb scare bommelding

bombshell granaat, bom; *(inform; fig)* donderslag; (onaangename) verrassing

bona fide [boonefajdie] te goeder trouw, bonafide, betrouwbaar

bonanza [benenze] **1** rijke (erts)vindplaats *(vnl. van goud, zilver, olie)*; rijke oliebron, mijn; *(fig)* goudmijn **2** grote (winst)opbrengst

bond [bond] **1** band, verbond, verbondenheid, binding **2** verbintenis, contract, verplichting **3** obligatie, schuldbekentenis **4** verbinding, hechting; *(chem)* verbinding **5** *~s* boeien, ketenen, gevangenschap

bondage [bondidzj] **1** slavernij **2** onderworpenheid, het gebonden zijn, gebondenheid

bonded [bondid] **1** in douaneopslag (geplaatst) **2** aan elkaar gelijmd, gelaagd

[1]**bone** [boon] *zn* **1** bot, been, graat: *I can feel it* (of: *it is*) *in my ~s* ik weet het zeker, ik voel het aankomen **2** kluif, stuk been, bot || *~ of contention* twistappel; *make no ~s about* niet aarzelen om; *have a ~ to pick with s.o.* met iem een appeltje te schillen hebben

[2]**bone** [boon] *bn* benen, van been, ivoren

[3]**bone** [boon] *tr, intr* uitbenen, ontgraten

[4]**bone** [boon] *bw* extreem, uitermate: *~ dry* kurkdroog; *~ idle* (of: *lazy*) aartslui

boneheaded stom, achterlijk, idioot

bonfire [bonfajje] vuur in de openlucht, vreugdevuur, vuur om dode bladeren (afval) te verbranden

bonkers [bongkez] gek, maf, getikt

bonnet [bonnit] **1** bonnet, hoed **2** beschermkap, schoorsteenkap; motorkap

bonus [boones] **1** bonus, premie, gratificatie **2** bijslag, toelage **3** *(inform)* meevaller, extraatje

bony [boonie] benig, met veel botten (graten), mager

[1]**boo** [boe:] *zn* boe, kreet van afkeuring, gejouw, boegeroep || *wouldn't* (of: *couldn't*) *say ~ to a goose: a)* dodelijk verlegen zijn; *b)* zo bang als een wezel zijn

[2]**boo** [boe:] *tr, intr* boe roepen, (weg)joelen, (uit)-jouwen

boob [boe:b] *(inform)* **1** flater, blunder **2** *(inform)* tiet

booby [boe:bie] *(inform)* stommerd, domkop, idioot

booby prize poedelprijs

[1]**booby trap** *zn* boobytrap, valstrikbom

[2]**booby trap** *ww* een boobytrap plaatsen bij

boodle [boe:dl] **1** omkoopgeld, smeergeld **2** (smak) geld

[1]**book** [boek] *zn* **1** boek, boekdeel, -werk; *(inform)* telefoonboek **2** boek *(hoofdstuk van Bijbel, gedicht e.d.)* **3** tekstboekje; libretto *(van opera e.d.)*; manuscript; script *(van toneelstuk)* **4** (schrijf)-boek, schrift, blocnote **5** boekje *(kaartjes, lucifers, postzegels)* **6** register, lijst, boek; lijst van aangegane weddenschappen *(bij wedrennen)*: *make* (of: *keep*) *(a) ~* wedmakelen, bookmaker zijn **7** *~s* boeken, kasboek, kantoorboek, journaal **8** *~s* boek, register, (leden)lijst || *bring s.o. to ~ for sth.* iem voor iets rekenschap laten afleggen, iem zijn gerechte straf doen ondergaan; *read s.o. like a ~* iem

volkomen door hebben; *(inform) throw the ~ (of rules) at s.o.: a)* iem maximum straf toebedelen; *b)* iem de les lezen; *by the ~* volgens het boekje; *in my ~* volgens mij, mijns inziens

[2]**book** [boek] *intr* een plaats bespreken, een kaartje nemen, reserveren || *~ in: a)* zich laten inschrijven *(in hotelregister); b)* inchecken *(op vliegveld)*

[3]**book** [boek] *tr* **1** boeken, reserveren, bestellen: *~ a passage* passage boeken; *~ed up* volgeboekt, uitverkocht, *(van persoon)* bezet **2** inschrijven, registreren, noteren **3** bekeuren, een proces-verbaal opmaken tegen: *I was ~ed for speeding* ik werd wegens te hard rijden op de bon geslingerd **4** *(sport)* een gele kaart geven

Book [boek] *(altijd met the)* het Boek (der Boeken), de Heilige Schrift, de Bijbel

book end boekensteun

booking [boeking] **1** bespreking, reservering, boeking **2** verbalisering **3** *(sport)* gele kaart

booking office bespreekbureau, plaats(kaarten)-bureau, loket

bookish [boekisj] **1** leesgraag, verslaafd aan boeken **2** boekachtig, stijf, onnatuurlijk **3** theoretisch, schools, saai

bookkeeper boekhouder

bookkeeping boekhouding, het boekhouden

bookmaker *(paardensport)* bookmaker

bookmark boekenlegger

bookshop boekwinkel, boekhandel

book token boekenbon

book up een plaats bespreken, reserveren

bookworm boekenwurm

[1]**boom** [boe:m] *zn* **1** (dof, hol) gedreun, gebulder, gedaver **2** hausse, (periode van) economische vooruitgang **3** (hoge) vlucht, grote stijging, bloei, opkomst **4** *(scheepv)* giek, spriet **5** *(scheepv)* (laad)boom **6** galg; statief *(van microfoon e.d.)* **7** (haven)boom; versperring *(van havenmond)*

[2]**boom** [boe:m] *intr* **1** een dof geluid maken, dreunen, bulderen; rollen *(van donder)* **2** een (hoge) vlucht nemen, zich snel ontwikkelen, bloeien; sterk stijgen *(van prijs): business is ~ing* het gaat ons voor de wind **3** (snel) in aanzien stijgen

[3]**boom** [boe:m] *tr* (ook met *out)* bulderend uiten

[1]**boomerang** [boe:mereng] *zn* boemerang *(ook fig)*

[2]**boomerang** [boe:mereng] *ww* als een boemerang terugkeren, 'n boemerangeffect hebben

boon [boe:n] **1** zegen, weldaad, gemak **2** gunst, wens

boorish [boeerisj] lomp, boers, onbehouwen

[1]**boost** [boe:st] *zn* **1** duw (omhoog), zetje, (onder)-steun(ing) **2** verhoging, (prijs)opdrijving **3** stimulans, aanmoediging, versterking: *a ~ to one's spirits* een opkikker(tje)

[2]**boost** [boe:st] *tr* **1** (omhoog)duwen, een zetje geven, ondersteunen: *~ s.o. up* iem een duwtje (omhoog) geven **2** verhogen, opdrijven; opvoeren *(prijs, productie e.d.)* **3** *(Am)* aanprijzen, reclame maken voor **4** stimuleren, aanmoedigen, bevorderen: *~ one's spirits* iem opvrolijken **5** verhogen *(druk, spanning);* versterken *(radiosignaal)*

booster [boe:ste] **1** hulpkrachtbron, hulpversterker, aanjager, aanjaagpomp, startmotor **2** verbetering, opkikker

[1]**boot** [boe:t] *zn* **1** laars; hoge schoen **2** schop, trap **3** ontslag **4** kofferbak, bagageruimte || *put the ~ in* in elkaar trappen, erop inhakken

[2]**boot** [boe:t] *tr* **1** schoppen, trappen **2** (ook met *up*) *(comp)* opstarten, booten

bootee [boe:tie:] kort laarsje, gebreid babysokje

booth [boe:ð] **1** kraam, marktkraam, stalletje, (feest)tent **2** hokje, stemhokje, telefooncel; (luister)cabine *(in platenwinkel enz.): polling ~* stemhokje

bootlace **1** veter voor laars **2** schoenveter

[1]**bootleg** *zn* illegale kopie *(van plaat, cd)*

[2]**bootleg** *bn* illegaal (geproduceerd) *(drank, platen, cd's)*

[3]**bootleg** *ww* smokkelen, clandestien (drank) stoken (verkopen)

bootlegger (drank)smokkelaar, illegale drankstoker (drankverkoper)

booty [boe:tie] **1** buit, roof **2** winst, prijs, beloning

[1]**booze** [boe:z] *zn* **1** sterkedrank: *on the ~* aan de drank **2** zuippartij

[2]**booze** [boe:z] *ww* zuipen

boozer [boe:ze] **1** kroeg **2** zuiplap, dronkaard

[1]**border** [bo:de] *zn* **1** grens, grenslijn, afscheiding **2** rand, band, bies, lijst

[2]**border** [bo:de] *ww* begrenzen, omzomen, omranden

[1]**borderline** *zn* grens(lijn), scheidingslijn

[2]**borderline** *bn* **1** grens-, twijfelachtig: *~ case* grensgeval **2** net (niet) acceptabel, op het kantje

border (up)on grenzen aan, liggen naast, belenden

[1]**bore** [bo:] *zn* **1** vervelend persoon **2** vervelend iets **3** boorgat **4** kaliber, diameter; boring *(ve cilinder, vuurwapen)* **5** boor

[2]**bore** [bo:] *tr* vervelen: *I'm ~d stiff* ik verveel mij kapot

[3]**bore** [bo:] *tr, intr* **1** (een gat) boren, drillen, een put slaan **2** boren, doorboren, uitboren; kalibreren *(wapens);* een gat boren in **3** doordringen, zich (een weg) banen, moeizaam vooruitkomen

[4]**bore** [bo:] *ovt van* bear

boredom [bo:dem] verveling

boring [bo:ring] vervelend, saai, langdradig

born [bo:n] **1** geboren, van geboorte: *~ and bred* geboren en getogen; *~ again* herboren; *not ~ yesterday* niet op z'n achterhoofd gevallen **2** geboren, voorbestemd: *~ to be a leader* voor het leiderschap in de wieg gelegd **3** geboren, van nature: *he is a ~ actor* hij is een rastoneelspeler **4** geboren, ontstaan, voortgekomen

borne [bo:n] *volt dw van* bear

borough [burre] **1** stad, (stedelijke) gemeente:

municipal ~ (stedelijke) gemeente **2** kiesdistrict
borrow [borroo] **1** lenen, ontlenen **2** pikken
bosom [boezem] **1** borst, boezem **2** borststuk *(van kledingstuk)* **3** ruimte tussen borst en kleding, boezem
[1]**boss** [bos] *zn* baas, chef, voorman
[2]**boss** [bos] *ww* commanderen, de baas spelen (over)
botanic(al) [betenik(l)] **1** botanisch, plantkundig **2** plantaardig, uit planten verkregen
botany [bottenie] plantkunde, botanica
[1]**botch** [botsj] *zn* knoeiwerk, knoeiboel, puinhoop
[2]**botch** [botsj] *ww* **1** verknoeien: ~ *it up* het verknallen **2** oplappen, slecht repareren
[1]**both** [booθ] *telw* beide(n), allebei, alle twee: *I saw them* ~ ik heb ze allebei gezien; ~ *of them* alle twee
[2]**both** [booθ] *vw (met 'and')* zowel, beide: ~ *Jack and Jill got hurt* Jack en Jill raakten allebei gewond; *he was* ~ *tall and fat* hij was lang én dik
[1]**bother** [boðe] *zn* **1** last, lastpost: *I hope I'm not being a* ~ *to you* ik hoop dat ik u niet tot last ben **2** moeite, probleem, moeilijkheid: *we had a lot of* ~ *finding the house* het heeft ons veel moeite gekost om het huis te vinden
[2]**bother** [boðe] *ww* **1** de moeite nemen, zich de moeite geven: *don't* ~ *about that* maak je daar nu maar niet druk om; *don't* ~ doe maar geen moeite **2** lastigvallen, dwarszitten, irriteren: *his leg* ~*s him a lot* hij heeft veel last van zijn been; *I can't be* ~*ed* dat is me te veel moeite; *that doesn't* ~ *me* daar zit ik niet mee
bothersome [boðesem] vervelend, lastig
[1]**bottle** [botl] *zn* fles; *(fig)* drank: *a* ~ *of rum* een fles rum; *our baby is brought up on the* ~ onze baby wordt met de fles grootgebracht
[2]**bottle** [botl] *ww* **1** bottelen, in flessen doen **2** inmaken
bottle bank glasbak
bottleneck flessenhals *(ook fig)*; knelpunt
bottle up opkroppen
[1]**bottom** [bottem] *zn* **1** bodem, grond, het diepst: *from the* ~ *of my heart* uit de grond van mijn hart **2** onderste deel, voet, basis: *from the* ~ *up* van bij het begin, helemaal (opnieuw) **3** het laagste punt: *the* ~ *of the garden* achterin de tuin **4** achterste, gat **5** kiel; *(fig)* schip; bodem || *I'll get to the* ~ *of this* ik ga dit helemaal uitzoeken
[2]**bottom** [bottem] *bn* onderste, laatste, laagste
bough [bau] tak
bought [bo:t] *ovt en volt dw van* buy
boulder [boolde] kei, zwerfkei, rotsblok
[1]**bounce** [bauns] *zn* **1** vermogen tot stuit(er)en **2** stuit; terugsprong *(van bal)* **3** levendigheid, beweeglijkheid **4** opschepperij
[2]**bounce** [bauns] *intr* **1** stuit(er)en, terugkaatsen: ~ *back after a setback* er na een tegenslag weer bovenop komen **2** (op)springen, wippen **3** ongedekt zijn; geweigerd worden *(van cheque)*
[3]**bounce** [bauns] *tr* **1** laten stuit(er)en, kaatsen, stuit(er)en **2** *(inform)* eruit gooien, ontslaan
bouncer [baunse] **1** uitsmijter **2** iem die (iets dat) stuit
bouncing [baunsing] gezond, levendig, flink
bouncy [baunsie] **1** levendig, levenslustig **2** die kan stuiten: *a* ~ *mattress* een goed verende matras
bouncy castle springkussen, springkasteel
[1]**bound** [baund] *zn* **1** ~*s* grens; *(wisk)* limiet: *out of* ~*s* verboden terrein, taboe *(ook fig)* **2** sprong **3** stuit; terugsprong *(van bal)* || *keep within the* ~*s of reason* redelijk blijven
[2]**bound** [baund] *bn* **1** zeker: *he is* ~ *to pass his exam* hij haalt zijn examen beslist **2** op weg, onderweg: *this train is* ~ *for Poland* deze trein gaat naar Polen **3** gebonden, vast: *she is completely* ~ *up in her research* ze gaat helemaal op in haar onderzoek
[3]**bound** [baund] *intr* **1** springen **2** stuit(er)en, terugkaatsen
[4]**bound** [baund] *tr* begrenzen, beperken
[5]**bound** [baund] *ovt en volt dw van* bind
-bound [baund] **1** *(ongev)* gehinderd door, vastzittend aan: *be snowbound* vastzitten in de sneeuw **2** gebonden in: *leather-bound books* in leer gebonden boeken
boundary [baunderie] grens, grenslijn
bountiful [bauntiefoel] **1** vrijgevig, gul, royaal **2** overvloedig, rijk
bounty [bauntie] **1** gulheid, vrijgevigheid **2** (gulle) gift, donatie **3** premie, bonus
bouquet [bookee] **1** boeket, bos bloemen, ruiker **2** bouquet; geur en smaak *(van wijn)*
bout [baut] **1** vlaag, tijdje, periode; aanval *(van ziekte)*: ~*s of activity* vlagen van activiteit; ~*s of migraine* migraineaanvallen **2** wedstrijd *(van boksen, worstelen)*
boutique [boe:tie:k] boetiek
bovine [boovajn] runderachtig, runder-
[1]**bow** [bau] *zn* **1** buiging: *take a* ~ applaus in ontvangst nemen **2** boeg *(voorste deel van schip)*
[2]**bow** [boo] *zn* **1** boog, kromming **2** boog, handboog **3** strijkstok **4** strik
[3]**bow** [bau] *ww* **1** buigen, een buiging maken **2** buigen, zich gewonnen geven: *he* ~*ed to the inevitable* hij legde zich bij het onvermijdelijke neer
[4]**bow** [boo] *ww* **1** buigen, krommen **2** strijken *(van violist)*
bowel [bauel] **1** darm: ~*s* ingewanden **2** binnenste: *deep in the* ~*s of the earth* in de diepste diepten van de aarde
bower [baue] tuinhuisje, prieel(tje)
[1]**bowl** [bool] *zn* **1** kom, schaal, bekken **2** *(Am; aardr)* kom, komvormig gebied, bekken **3** kop *(van pijp)* **4** *(Am)* amfitheater, stadion **5** *(sport)* bowl
[2]**bowl** [bool] *ww* **1** *(cricket)* bowlen **2** voortrollen, rollen || *the batsman was* ~*ed (out)* de slagman werd uitgegooid
bowl along **1** vlot rijden; rollen *(van auto)* **2** vlot-

ten; lekker gaan *(van werk)*
bowlegged [boolekd] met O-benen
bowler (hat) bolhoed
bowling alley kegelbaan, bowlingbaan, -centrum
bow out [bau aut] officieel afscheid nemen; zich terugtrekken *(uit hoge positie)*
bow tie [boo taj] strikje, vlinderdas
[1]**box** [boks] *zn* **1** doos, kist, bak, trommel, bus **2** loge, hokje; cel e.d. *(in theater)*: *telephone ~, (Am) call box* telefooncel; *witness ~* getuigenbank **3** beschermhoes **4** kader, omlijning, omlijnd gebied **5** mep, draai om de oren, oorveeg: *give s.o. a ~ on the ears* iem een draai om de oren geven **6** buis, tv, televisie
[2]**box** [boks] *ww* **1** boksen (tegen, met) **2** in dozen doen **3** een draai om de oren geven: *~ s.o.'s ears* iem een draai om z'n oren geven
boxer [bokse] **1** bokser **2** boxer *(hond)*
box in opsluiten, insluiten: *feel boxed in* zich gekooid voelen
boxing [boksing] het boksen, bokssport
Boxing Day tweede kerstdag
box number (antwoord)nummer
box office bespreekbureau, loket; kassa *(van bioscoop)*
[1]**boy** [boj] *zn* **1** jongen, knul, zoon(tje): *that's my ~* grote jongen, bravo knul; *~s will be ~s* zo zijn jongens nu eenmaal **2** *(Am)* man, jongen, vent: *come on, old ~* vooruit, ouwe jongen || *jobs for the ~s* vriendjespolitiek
[2]**boy** [boj] *tw (Am)* (t)jonge jonge
[1]**boycott** [bojkot] *zn* boycot
[2]**boycott** [bojkot] *ww* boycotten
boyfriend vriend(je), vrijer
boyhood [bojhoed] jongenstijd, jongensjaren
boy scout padvinder
bra [bra:] *verk van brassière* beha
[1]**brace** [brees] *zn* **1** klamp, (draag)beugel, (muur)anker **2** steun, stut **3** booromslag: *~ and bit* boor **4** band, riem **5** *(tandheelkunde)* beugel **6** *~s* bretels **7** koppel, paar, stel: *three ~ of partridge* drie koppel patrijzen
[2]**brace** [brees] *ww* **1** vastbinden, aantrekken, aanhalen **2** versterken, verstevigen, ondersteunen **3** schrap zetten: *~ oneself for a shock* zich op een schok voorbereiden
bracelet [breeslit] armband
bracing [breesing] verkwikkend, opwekkend, versterkend
[1]**bracket** [brekit] *zn* **1** steun, plankdrager **2** haakje, accolade: *in ~s, between ~s* tussen haakjes **3** klasse, groep: *the lower income ~* de lagere inkomensgroep
[2]**bracket** [brekit] *ww* **1** tussen haakjes zetten **2** (ook met *together*) koppelen, in een adem noemen, in dezelfde categorie plaatsen **3** (onder)steunen *(met klamp)*
brag [brek] *(met about, of)* opscheppen (over)
braggart [breket] opschepper
braid [breed] **1** vlecht **2** galon, boordsel, tres
braille [breel] braille, blindenschrift
[1]**brain** [breen] *zn* **1** hersenen, hersens; brein *(als orgaan)* **2** *(inform)* knappe kop, brein, genie **3** brein, intelligentie, hoofd: *she has (a lot of) ~s* ze heeft (een goed stel) hersens; *pick s.o.'s ~(s)* iemands ideeën stelen
[2]**brain** [breen] *ww* de hersens inslaan
brain drain uittocht vh intellect
brainwash hersenspoelen
brainwave ingeving, (goede) inval, goed idee
brainy [breenie] slim, knap, intelligent
[1]**brake** [breek] *zn* **1** rem: *apply* (of: *put on*) *the ~s* remmen, *(fig)* matigen, temperen **2** stationcar, combi
[2]**brake** [breek] *ww* (af)remmen
bramble [brembl] **1** braamstruik **2** doornstruik **3** braam
[1]**branch** [bra:ntsj] *zn* **1** tak, loot **2** vertakking; arm *(van rivier, weg enz.)* **3** tak, filiaal, bijkantoor, plaatselijke afdeling
[2]**branch** [bra:ntsj] *ww* zich vertakken, zich splitsen: *~ off* zich splitsen, afbuigen
branch out zijn zaken uitbreiden, zich ontwikkelen
[1]**brand** [brend] *zn* **1** merk, merknaam, soort, type **2** brandmerk
[2]**brand** [brend] *ww* **1** (brand)merken, markeren: *~ed goods* merkartikelen **2** brandmerken
brandish [brendisj] zwaaien met: *~ a sword* (dreigend) zwaaien met een zwaard
brandy [brendie] **1** cognac **2** brandewijn
[1]**brass** [bra:s] *zn* **1** messing, geelkoper **2** koper, koperen instrumenten **3** *(inform)* duiten, centen
[2]**brass** [bra:s] *bn* koperen || *(inform) get down to ~ tacks* spijkers met koppen slaan
brassy [bra:sie] **1** (geel)koperen, koperkleurig **2** brutaal **3** blikkerig *(geluid)*; schel
brat [bret] snotaap, rotkind
[1]**brave** [breev] *bn* dapper, moedig: *put a ~ face on* zich sterk houden
[2]**brave** [breev] *ww* trotseren, weerstaan
bravery [breeverie] moed, dapperheid
[1]**brawl** [bro:l] *zn* vechtpartij, knokpartij
[2]**brawl** [bro:l] *ww* knokken, op de vuist gaan
brawn [bro:n] spierkracht, spieren
[1]**bray** [bree] *zn* schreeuw *(van ezel)*; gebalk
[2]**bray** [bree] *ww* balken *(van ezel)*
brazen brutaal
Brazil [brezil] Brazilië
[1]**Brazilian** [breziljen] *zn* Braziliaan(se)
[2]**Brazilian** [breziljen] *bn* Braziliaans
[1]**breach** [brie:tsj] *zn* **1** breuk, bres, gat **2** breuk, schending: *~ of contract* contractbreuk; *~ of the peace* ordeverstoring
[2]**breach** [brie:tsj] *ww* **1** doorbreken, een gat maken in **2** verbreken, inbreuk maken op
bread [bred] **1** brood: *~ and butter* boterham-

(men), *(fig)* dagelijkse levensbehoeften, levensonderhoud; *a loaf of ~* een brood; *slice of ~* boterham **2** brood, kost, levensonderhoud: *daily ~* dagelijks brood, dagelijkse levensbehoeften

breadth [bredθ] **1** breedte *(van afmetingen)* **2** breedte, strook; baan *(van stof, behang enz.)* **3** ruimte, uitgestrektheid

[1]**break** [breek] *zn* **1** onderbreking, verandering, breuk, stroomstoring: *a ~ for lunch* een lunchpauze; *there was a ~ in the weather* het weer sloeg om **2** uitbraak, ontsnapping; *(wielrennen)* demarrage: *make a ~ for it* proberen te ontsnappen **3** *(tennis)* servicedoorbraak **4** *(inform)* kans, geluk: *lucky ~* geluk, meevaller; *give s.o. a ~* iem een kans geven, iem een plezier doen **5** begin; het aanbreken *(van dag): ~ of day* dageraad

[2]**break** [breek] *intr (broke, broken)* **1** breken, kapot gaan, het begeven: *his voice broke* hij kreeg de baard in zijn keel; *~ with* breken met *(traditie, familie bijv.)* **2** ontsnappen, uitbreken; *(wielrennen)* demarreren: *~ free* (of: *loose*) ontsnappen, losbreken **3** ophouden, tot een einde komen; omslaan *(van weer)* **4** plotseling beginnen; aanbreken *(van dag)*; losbreken; losbarsten *(van storm)* **5** bekendgemaakt worden *(van nieuws)* **6** plotseling dalen, kelderen; ineenstorten *(van prijzen op beurs)* || *(inform; ook handel) ~ even* quitte spelen

[3]**break** [breek] *tr (broke, broken)* **1** breken *(ook fig)*; kapot maken, (financieel) ruïneren; laten springen *(bank): ~ cover* uit de schuilplaats komen; *~ the law* de wet overtreden; *~ a record* een record verbeteren **2** onderbreken *(reis bijv.)* **3** temmen; dresseren *(paard)* **4** (voorzichtig) vertellen *((slecht) nieuws)*; tactvol vertellen **5** schaven; bezeren *(huid)* **6** ontcijferen; breken *(code)* **7** *(tennis)* doorbreken *(service)*

breakable [breekebl] breekbaar

breakage [breekidzj] breuk, het breken, barst || *£10 for ~* £10 voor breukschade

[1]**breakaway** *zn* **1** afgescheiden groep **2** uitval, demarrage aanval

[2]**breakaway** *bn* afgescheiden

break away (met *from*) wegrennen (van), ontsnappen (aan); *(fig)* zich losmaken (van)

breakdown **1** defect, mankement **2** instorting, zenuwinstorting **3** uitsplitsing, specificatie: *~ of costs* kostenverdeling, uitsplitsing van de kosten

[1]**break down** *intr* **1** kapot gaan; defect raken *(van machine)*; verbroken raken *(van verbindingen)* **2** mislukken *(van besprekingen, huwelijk e.d.)* **3** instorten *(van mens)* **4** zich laten uitsplitsen; *(met 'into')* uiteenvallen (in); verdeeld worden: *the procedure can be broken down into five easy steps* de werkwijze kan onderverdeeld worden in vijf eenvoudige stappen

[2]**break down** *tr* **1** afbreken *(muur; ook fig)*; vernietigen, slopen; inslaan, intrappen *(deur)* **2** uitsplitsen, analyseren; *(chem)* afbreken

breaker [breeke] **1** sloper **2** breker, brandingsgolf

break-even break-even, evenwichts-: *~ point* (punt van) evenwicht tussen inkomsten en uitgaven

[1]**breakfast** [brekfest] *zn* ontbijt

[2]**breakfast** [brekfest] *ww* ontbijten

[1]**break in** *intr* **1** interrumperen: *~ on* interrumperen, verstoren **2** inbreken

[2]**break in** *tr* **1** africhten, dresseren **2** inlopen *(schoenen)*

break-in inbraak

breakneck halsbrekend: *at (a) ~ speed* in razende vaart

[1]**break off** *intr* **1** afbreken *(bijv. van tak)* **2** pauzeren **3** ophouden met praten, zijn mond houden

[2]**break off** *tr* **1** afbreken *(bijv. tak; ook fig: onderhandelingen e.d.)* **2** verbreken *(relatie met iem)*; ophouden met

breakout uitbraak, ontsnapping

break out **1** uitbreken **2** (ook met *of*) ontsnappen (uit), uitbreken, ontkomen (aan) || *~ in* bedekt raken met, onder komen te zitten *(vlekjes bijv.)*

breakthrough doorbraak

[1]**break through** *ww* doorbreken; *(fig)* een doorbraak maken

[2]**break through** *ww met vz* doorbreken *(ook fig)*

[1]**break up** *intr* **1** uit elkaar vallen, in stukken breken; *(fig)* ten einde komen; ontbonden worden *(van vergadering): their marriage broke up* hun huwelijk ging kapot **2** uit elkaar gaan *(van (huwelijks)partners, groep mensen e.d.)*

[2]**break up** *tr* **1** uit elkaar doen vallen, in stukken breken; *(fig)* onderbreken, doorbreken *(routine, stuk tekst)* **2** kapot maken *(huwelijk)* **3** verspreiden; uiteenjagen *(groep mensen)* **4** beëindigen; een eind maken aan *(ruzie, gevecht, vergadering): break it up!* hou ermee op! **5** doen instorten, in elkaar doen klappen

break-up **1** opheffing; beëindiging *(bedrijf)* **2** scheiding *(van minnaars)*

breakwater golfbreker

breast [brest] **1** borst, voorzijde, borststuk **2** hart, boezem

breast stroke schoolslag

breath [breθ] **1** adem(haling), lucht, het ademen: *get one's ~ (back) (again)* weer op adem komen; *out of ~* buiten adem **2** zuchtje (wind), licht briesje **3** vleugje: *not a ~ of suspicion* geen greintje argwaan || *take one's ~ away* perplex doen staan

breathalyser [breθelajze] blaaspijpje

[1]**breathe** [brie:ð] *intr* **1** ademen, ademhalen; *(form)* leven: *~ in* inademen; *~ out* uitademen **2** op adem komen, uitblazen, bijkomen

[2]**breathe** [brie:ð] *tr* **1** inademen **2** uitblazen, uitademen **3** inblazen, ingeven: *~ new life into* nieuw leven inblazen

breather [brie:ðe] **1** pauze, adempauze **2** beetje beweging, wandeling

breathless [breθlles] **1** buiten adem, hijgend, ademloos **2** ademloos, gespannen

br

bred [bred] *ovt en volt dw van* breed

breeches [brie:tsjes] *(mv)* kniebroek; *(inform)* lange broek

[1]**breed** [brie:d] *zn* ras, aard, soort

[2]**breed** [brie:d] *intr (bred, bred)* zich voortplanten, jongen

[3]**breed** [brie:d] *tr (bred, bred)* **1** kweken, telen, fokken; *(fig)* voortbrengen **2** kweken, opvoeden, opleiden: *well bred* goed opgevoed, welgemanierd

breeding [brie:ding] **1** het fokken, het kweken, fokkerij, kwekerij **2** voortplanting, het jongen **3** opvoeding, goede manieren

[1]**breeze** [brie:z] *zn* bries, wind

[2]**breeze** [brie:z] *intr (inform)* (zich) vlot bewegen: *~ in* (vrolijk) binnen komen waaien

breezy [brie:zie] **1** winderig, tochtig **2** opgewekt, levendig, vrolijk

brevity [brevvittie] **1** kortheid **2** beknoptheid, bondigheid

[1]**brew** [broe:] *zn* brouwsel, bier

[2]**brew** [broe:] *intr* **1** bierbrouwen **2** trekken *(van thee)* **3** broeien, dreigen, op komst zijn || *~ up* thee zetten

[3]**brew** [broe:] *tr* **1** brouwen *(bier);* zetten *(thee)* **2** brouwen, uitbroeden

brewery [broe:erie] brouwerij

[1]**bribe** [brajb] *zn* **1** steekpenning, smeergeld **2** lokmiddel

[2]**bribe** [brajb] *ww* (om)kopen, steekpenningen geven, smeergeld betalen

[1]**brick** [brik] *zn* **1** baksteen **2** blok *(speelgoed)* || *drop a ~* iets verkeerds zeggen, een blunder begaan

[2]**brick** [brik] *tr* metselen: *~ up, ~ in* dichtmetselen, inmetselen

bricklayer metselaar

brickwork metselwerk

bridal [brajdl] bruids-, huwelijks-, bruilofts-

bride [brajd] bruid

bridegroom bruidegom

bridesmaid [brajdzmeed] bruidsmeisje

[1]**bridge** [bridzj] *zn* **1** brug **2** neusrug **3** brug *(van brilmontuur)* **4** kam *(op snaarinstrument)* **5** bridge *(kaartspel)*

[2]**bridge** [bridzj] *tr* overbruggen, een brug slaan over

bridgehead bruggenhoofd *(ook fig)*

[1]**bridle** [brajdl] *zn* hoofdstel; *(fig)* breidel; toom

[2]**bridle** [brajdl] *intr* (verontwaardigd) het hoofd in de nek gooien

[3]**bridle** [brajdl] *tr* **1** (een paard) het hoofdstel aandoen **2** breidelen, in toom houden

[1]**brief** [brie:f] *zn* **1** stukken, bescheiden, dossier **2** *~s* (dames)slip, herenslip

[2]**brief** [brie:f] *bn* kort, beknopt, vluchtig: *a ~ look at the newspaper* een vluchtige blik in de krant; *~ and to the point* kort en krachtig; *in ~* om kort te gaan, kortom

[3]**brief** [brie:f] *tr* instrueren, aanwijzingen geven

briefcase aktetas, diplomatenkoffertje

briefing [brie:fing] (laatste) instructies, briefing, instruering

brigade [brikeed] brigade, korps

brigadier [brikedie] brigadegeneraal *(in het Britse leger);* brigadecommandant

brigand [brikend] (struik)rover, bandiet

bright [brajt] **1** hel(der) *(ook fig);* licht, stralend: *always look on the ~ side of things* de dingen altijd van de zonnige kant bekijken; *~ red* helderrood **2** opgewekt, vrolijk **3** slim, pienter: *a ~ idea* een slim idee

brighten [brajtn] **1** (doen) opklaren; ophelderen *(ook fig): the sky is ~ing up* de lucht klaart op **2** oppoetsen, opvrolijken: *she has ~ed up his whole life* dankzij haar is hij helemaal opgeleefd

brill [bril] *(inform)* fantastisch

brilliant [brillient] **1** stralend, fonkelend, glinsterend: *~ stars* fonkelende sterren; *~ red* hoogrood **2** briljant, geniaal **3** geweldig, fantastisch, gaaf

[1]**brim** [brim] *zn* **1** (boven)rand, boord: *full to the ~* tot de rand toe vol, boordevol *(ve glas)* **2** rand *(ve hoed)*

[2]**brim** [brim] *intr* boordevol zijn, tot barstens toe gevuld zijn: *her eyes ~med with tears* haar ogen schoten vol tranen

brine [brajn] **1** pekel(nat) **2** het zilte nat

bring [bring] *(brought, brought)* **1** (mee)brengen, (mee)nemen, aandragen: *his cries brought his neighbours running* op zijn kreten kwamen zijn buren aangesneld; *~ a case before the court* een zaak aan de rechter voorleggen **2** opleveren, opbrengen: *~ a good price* een goede prijs opbrengen **3** teweegbrengen, leiden tot, voortbrengen: *I can't ~ myself to kill an animal* ik kan me(zelf) er niet toe brengen een dier te doden; *you've brought this problem (up)on yourself* je hebt je dit probleem zelf op de hals gehaald || *~ home to* duidelijk maken, aan het verstand brengen

bring about veroorzaken, teweegbrengen, aanrichten: *~ changes* veranderingen teweegbrengen

bring along **1** meenemen, meebrengen **2** opkweken, in de ontwikkeling stimuleren **3** doen gedijen

bring (a)round overhalen, ompraten, overreden

bring back **1** terugbrengen, retourneren, mee terugbrengen **2** in de herinnering terugbrengen, doen herleven, oproepen: *this song brings back memories* dit liedje brengt (goede) herinneringen boven **3** herinvoeren, herintroduceren: *~ capital punishment* de doodstraf weer invoeren

bring down **1** neerhalen; neerschieten *(vliegtuig, vogel)* **2** aan de grond zetten **3** *(sport)* neerleggen, onderuithalen; ten val brengen *(tegenspeler)* **4** ten val brengen; omverwerpen *(regering)* **5** drukken, verlagen; terugschroeven *(kosten)*

bring forth *(form)* voortbrengen; *(fig)* veroorzaken; oproepen *(protesten, kritiek)*

bring in **1** binnenhalen *(oogst)* **2** opleveren, afwerpen, inbrengen **3** bijhalen, opnemen in, aanwerven: ~ *experts to advise* deskundigen in de arm nemen **4** inrekenen *(arrestant)* **5** komen aanzetten met; introduceren *(nieuwe mode);* indienen *(wetsontwerp)*

bring off **1** in veiligheid brengen, redden uit **2** *(inform)* voor elkaar krijgen, fiksen: *we've brought it off* we hebben het voor elkaar gekregen

bring on veroorzaken, teweegbrengen

bring out **1** naar buiten brengen, voor de dag komen met; *(fig ook)* uitbrengen **2** op de markt brengen; uitbrengen *(product)* **3** duidelijk doen uitkomen: *this photo brings out all the details* op deze foto zijn alle details goed te zien

bring round bij bewustzijn brengen, bijbrengen || ~ *to* (het gesprek) in de richting sturen van

bring up **1** naar boven brengen **2** grootbrengen, opvoeden **3** ter sprake brengen, naar voren brengen **4** *(inform)* uitbraken, overgeven, uitkotsen

brink [bringk] (steile) rand, (steile) oever: *on* (of: *to*) *the ~ of war* op de rand van oorlog

brisk [brisk] **1** kwiek, vlot: ~ *trade* levendige handel **2** verkwikkend; fris *(van wind)*

[1]**bristle** [brisl] *zn* stoppel(haar)

[2]**bristle** [brisl] *intr* recht overeind staan *(van haar):* ~ *(up)* zijn stekels opzetten, nijdig worden; ~ *with anger* opvliegen van woede; ~ *with* wemelen van

Brit [brit] *verk van Briton* Brit(se)

Britain [britn] Groot-Brittannië *(Engeland, Wales en Schotland)*

British [brittisj] Brits, Engels: *the ~ Empire* het Britse Rijk; *the ~* de Britten

Briton [britn] Brit(se)

Brittany [brittenie] Bretagne

brittle [britl] broos, breekbaar, onbestendig, wankel

broach [brootsj] **1** aanspreken; openmaken *(fles enz.)* **2** aansnijden, ter sprake brengen; beginnen over *(onderwerp)*

[1]**broad** [bro:d] *zn* **1** brede (ge)deel(te) **2** *(Am; inform)* wijf, mokkel || *the Norfolk Broads* de Norfolkse plassen

[2]**broad** [bro:d] *bn* **1** breed, uitgestrekt, in de breedte: ~ *bean* tuinboon; ~ *shoulders* brede schouders; *~ly speaking* in zijn algemeenheid **2** ruim(denkend) **3** gedurfd, onbekrompen, royaal **4** duidelijk, direct: *a ~ hint* een overduidelijke wenk **5** grof, plat, lomp: ~ *Scots* met een sterk Schots accent **6** ruim, globaal, ruw **7** helder, duidelijk: *in ~ daylight* op klaarlichte dag

broadband (internet access) breedbandinternet

[1]**broadcast** [bro:dka:st] *zn* (radio-)uitzending, tv-uitzending

[2]**broadcast** [bro:dka:st] *intr (broadcast, broadcast)* **1** uitzenden, in de lucht zijn **2** voor de radio (op de televisie) zijn

[3]**broadcast** [bro:dka:st] *tr (broadcast, broadcast)* **1** breedwerpig zaaien; *(fig)* rondbazuinen; rondstrooien **2** uitzenden

broaden [bro:dn] (zich) verbreden, breder worden (maken): *reading ~s the mind* lezen verruimt de blik

broad-minded ruimdenkend, tolerant

broadsheet serieuze krant (op groot formaat)

broccoli [brokkelie] broccoli

brochure [broosje] brochure, folder, prospectus: *advertising ~s* reclamefolders

[1]**broil** [brojl] *intr* (liggen) bakken

[2]**broil** [brojl] *tr (vooral Am)* **1** grillen, roosteren **2** stoven: *~ing hot* smoorheet, bloedheet

broiler [brojle] **1** grill, braadrooster **2** braadkuiken, slachtkuiken

[1]**broke** [brook] *bn (inform)* platzak, blut, aan de grond, bankroet

[2]**broke** [brook] *ovt van* break

[1]**broken** [brooken] *bn* **1** gebroken, kapot, stuk: ~ *colours* gebroken kleuren; ~ *English* gebrekkig Engels; ~ *home* ontwricht gezin; *a ~ marriage* een stukgelopen huwelijk **2** oneffen *(van terrein);* ruw, geaccidenteerd **3** onderbroken, verbrokkeld: *a ~ journey* een reis met veel onderbrekingen

[2]**broken** [brooken] *volt dw van* break

broken-down versleten, vervallen

[1]**broker** [brooke] *zn* (effecten)makelaar

[2]**broker** [brooke] *intr* als makelaar optreden

[3]**broker** [brooke] *tr* (als makelaar) regelen

bronchitis [brongka·ittis] bronchitis

[1]**bronze** [bronz] *zn* **1** bronzen (kunst)voorwerp **2** bronzen medaille, brons, derde plaats **3** brons, bronskleur

[2]**bronze** [bronz] *intr* bronsachtig worden, bruinen

[3]**bronze** [bronz] *tr* bronzen, bruinen

Bronze Age bronstijd, bronsperiode

brooch [brootsj] broche

[1]**brood** [broe:d] *zn* gebroed, broed(sel); kroost *(ook fig)*

[2]**brood** [broe:d] *intr* **1** broeden **2** tobben, piekeren, peinzen: *she just sits there ~ing* ze zit daar maar te piekeren; ~ *about* (of: *on, over*) tobben over, piekeren over; ~ *over one's future* inzitten over zijn toekomst

broody [broe:die] **1** broeds **2** bedrukt, somber

brook [broek] beek, stroompje

broom [broe:m] **1** bezem, schrobber **2** *(plantk)* brem

Bros *afk van Brothers* Gebr. *(Gebroeders): Jones ~* Gebr. Jones

broth [broθ] bouillon, vleesnat, soep

brothel [broθl] bordeel

brother [bruðe] **1** broer: *he has been like a ~ to me* hij is als een broer voor me geweest **2** broeder, kloosterbroeder

brotherhood [bruðehoed] broederschap

brother-in-law zwager

brought [bro:t] *ovt en volt dw van* bring

brow [brau] **1** wenkbrauw: *knit one's ~s* (de wenkbrauwen) fronsen **2** voorhoofd **3** bovenrand, (overhangende) rotsrand, top, kruin
browbeat overdonderen, intimideren
brown [braun] bruin: *~ bread* bruinbrood, volkorenbrood; *~ paper* pakpapier
brownie [braunie] goede fee, nachtelfje
Brownie [braunie] padvindster; kabouter *(van 7 tot 11 jaar)*
[1]**browse** [brauz] *zn* **1** *(vnl. ev)* het grasduinen, het neuzen: *have a good ~ through* flink grasduinen in **2** (jonge) scheuten *(als voedsel voor dieren)*
[2]**browse** [brauz] *tr, intr* **1** grasduinen, (in boeken) snuffelen, (rond)neuzen **2** weiden, (af)grazen
[1]**bruise** [broe:z] *zn* kneuzing *(ook van fruit);* blauwe plek
[2]**bruise** [broe:z] *intr* blauwe plek(ken) vertonen, gekneusd zijn
[3]**bruise** [broe:z] *tr* kneuzen, bezeren
bruiser [broe:ze] krachtpatser, rouwdouwer
brunt [brunt] eerste stoot, zwaartepunt, toppunt: *she bore the (full) ~ of his anger* zij kreeg de volle laag
[1]**brush** [brusj] *zn* **1** borstel, kwast; penseel *(van (kunst)schilder);* brushes: *(fig) tarred with the same ~* uit hetzelfde (slechte) hout gesneden **2** (af)borsteling **3** lichte aanraking, beroering **4** schermutseling, kort treffen **5** kreupelhout, onderhout **6** kreupelbos, met dicht struikgewas begroeid gebied
[2]**brush** [brusj] *ww* **1** (af-, op-, uit)borstelen, (af-, weg-, uit)vegen **2** strijken (langs, over), rakelings gaan (langs): *the cat's whiskers ~ed my cheek* de snorharen van de kat streken langs mijn wang
brush aside **1** opzij-, wegschuiven *(weerstand, oppositie e.d.);* uit de weg ruimen **2** terzijde schuiven, naast zich neerleggen: *brush complaints aside* klachten wegwuiven
[1]**brush off** *intr* zich laten wegborstelen, (door borstelen) loslaten
[2]**brush off** *tr* **1** wegborstelen, afborstelen **2** (zich van) iem afhouden, afschepen: *I won't be brushed off* ik laat me niet afschepen
brush-off *(inform)* afscheping, afpoeiering, de bons: *give s.o. the ~: a)* iem met een kluitje in het riet sturen; *b)* iem de bons geven
brush up opfrissen, ophalen, bijspijkeren: *~ (on) your English* je Engels ophalen
brushwood onderhout, kreupelhout, sprokkelhout
brusque [broesk] bruusk, abrupt, kort aangebonden
Brussels (sprouts) spruitjes
brutal [broe:tl] bruut, beestachtig, meedogenloos: *~ frankness* genadeloze openhartigheid
brutality [broe:teletie] bruutheid, wreedheid, onmenselijkheid
[1]**brute** [broe:t] *zn* **1** beest, dier **2** bruut, woesteling
[2]**brute** [broe:t] *bn* bruut, grof: *~ force* grof geweld
B Sc *afk van Bachelor of Science (ongev)* Bachelor (of Science)
BSI *afk van British Standards Institution (ongev)* NNI; Nederlands Normalisatie-instituut
BST *afk van British Summer Time*
[1]**bubble** [bubl] *zn* **1** (lucht)bel(letje): *blow ~s* bellen blazen **2** glaskoepel **3** *(fig)* zeepbel, ballonnetje
[2]**bubble** [bubl] *intr* **1** borrelen, bruisen, pruttelen **2** glimmen, stralen: *~ over with enthusiasm* overlopen van enthousiasme
bubble gum klapkauwgom
[1]**bubbly** [bublie] *zn* champagne
[2]**bubbly** [bublie] *bn* **1** bruisend, sprankelend **2** jolig
buccaneer [bukkenie] boekanier, zeerover, vrijbuiter
[1]**buck** [buk] *zn* **1** mannetjesdier; bok *(van hert);* ram(melaar) *(van konijn, haas)* **2** dollar || *(inform) pass the ~ (to s.o.)* de verantwoordelijkheid afschuiven (op iem), (iem) de zwartepiet toespelen
[2]**buck** [buk] *intr* bokken *(van paard);* bokkensprongen maken
[3]**buck** [buk] *tr* **1** afwerpen *(ruiter);* afgooien **2** *(Am; inform)* tegenwerken: *you can't go on ~ing the system* je kunt je niet blijven verzetten tegen het systeem
[1]**bucket** [bukkit] *zn* emmer: *(inform; fig) it came down in ~s* het regende dat het goot || *(inform) kick the ~* het hoekje omgaan, de pijp uitgaan
[2]**bucket** [bukkit] *intr (inform)* gieten, plenzen; bij bakken neervallen *(van regen ook)*
[1]**buckle** [bukl] *zn* gesp
[2]**buckle** [bukl] *intr* **1** met een gesp sluiten, aangegespt (kunnen) worden **2** kromtrekken, ontzetten, ontwricht raken **3** wankelen, wijken, bezwijken
[3]**buckle** [bukl] *tr* (vast)gespen: *~ up a belt* een riem omdoen
[1]**buck up** *intr (inform)* opschieten
[2]**buck up** *tr, intr (inform)* opvrolijken
[1]**bud** [bud] *zn* knop, kiem: *nip in the ~* in de kiem smoren; *(fig) in the ~* in de dop
[2]**bud** [bud] *intr* knoppen, uitlopen
Buddha [boede] **1** Boeddha **2** Boeddhabeeld, boeddha
Buddhism [boedizm] boeddhisme
budding [budding] ontluikend, aankomend, in de dop
buddy [buddie] *(inform)* **1** maat, vriend, kameraad **2** *(als aanspreekvorm; Am)* maatje, makker
[1]**budge** [budzj] *intr* **1** zich (ver)roeren, (zich) bewegen, zich verplaatsen: *the screw won't ~* ik krijg geen beweging in die schroef **2** veranderen: *not ~ from one's opinion* aan zijn mening vasthouden
[2]**budge** [budzj] *tr* (een klein stukje) verplaatsen, verschuiven, verschikken: *not ~ one inch* geen duimbreed wijken
budgerigar [budzjerika:] (gras)parkiet

¹budget [budzjit] *zn* begroting, budget
²budget [budzjit] *bn* voordelig, goedkoop: ~ *prices* speciale aanbiedingen
³budget [budzjit] *intr* **1** budgetteren, de begroting opstellen **2** huishouden
⁴budget [budzjit] *tr* in een begroting opnemen, reserveren, ramen
¹buff [buf] *zn* **1** *(inform)* enthousiast, liefhebber, fanaat **2** rundleer, buffelleer **3** vaalgeel, bruingeel, buff: ~ *yellow* vaalgeel **4** *(inform)* nakie, blootje: *in the* ~ naakt
²buff [buf] *tr* polijsten, opwrijven
buffalo [buffeloo] buffel, karbouw, bizon
¹buffer [buffe] *zn* buffer, stootkussen, -blok
²buffer [buffe] *tr* als buffer optreden voor, beschermen, behoeden
¹buffet [buffit] *zn* slag *(ook fig)*; klap, dreun
²buffet [boefee] *zn* **1** dressoir, buffet **2** buffet, schenktafel **3** niet-uitgeserveerde maaltijd: *cold* ~ koud buffet
³buffet [buffit] *tr* **1** meppen, slaan, beuken **2** teisteren, kwellen, treffen: ~*ed by misfortunes* geteisterd door tegenslag
buffoon [befoe:n] hansworst, potsenmaker, clown
¹bug [buk̂] *zn* **1** halfvleugelig insect, wants, bedwants **2** *(Am)* insect, beestje, ongedierte **3** *(inform)* virus *(ook fig)*; bacil, bacterie **4** *(inform)* obsessie **5** *(inform)* mankement, storing, defect **6** *(inform)* afluisterapparaatje, verborgen microfoontje
²bug [buk̂] *tr (inform)* **1** afluisterapparatuur plaatsen in **2** *(Am)* irriteren, ergeren, lastigvallen: *what is* ~*ging him?* wat zit hem dwars?
bugger [buk̂e] **1** *(plat)* lul(hannes), zak(kenwasser) **2** *(plat)* pedo(fiel), homo(fiel) **3** (arme) drommel, (arme) donder, kerel || ~ *him!* hij kan de tering krijgen
bugger off ophoepelen
bugger up verpesten, verzieken
buggy [buk̂ie] **1** licht rijtuigje, open autootje **2** *(Am)* kinderwagen **3** wandelwagen
bugle [bjoe:k̂l] bugel *(voor militaire signalen)*; signaalhoorn
¹build [bild] *zn* (lichaams)bouw, gestalte, vorm
²build [bild] *intr (built, built)* **1** bouwen **2** (in kracht) toenemen, aanwakkeren, verhevigen, groeien, aanzwellen: *tension built within her* de spanning in haar nam toe
³build [bild] *tr (built, built)* **1** (op)bouwen, maken: ~ *a fire* een vuur maken **2** vormen, ontwikkelen, ontplooien **3** samenstellen, vormen, opbouwen **4** (met *on*) baseren (op), grondvesten, onderbouwen: ~ *one's hopes on* zijn hoop vestigen op **5** inbouwen *(ook fig)*; opnemen: *this clause was not built into my contract* deze clausule was niet in mijn contract opgenomen
builder [bilde] aannemer, bouwer
building [bilding] **1** gebouw, bouwwerk, pand **2** bouw, het bouwen, bouwkunst
¹build up *intr* **1** aangroeien, toenemen, zich opstapelen: *tension was building up* de spanning nam toe **2** (geleidelijk) toewerken (naar)
²build up *tr* **1** opbouwen, ontwikkelen, tot bloei brengen: ~ *a firm from scratch* een bedrijf van de grond af opbouwen **2** ophemelen, loven, prijzen
build-up **1** opstopping, opeenhoping, opeenstapeling: *a* ~ *of traffic* een verkeersopstopping **2** ontwikkeling, opbouw, vorming **3** (troepen)concentratie
built [bilt] *ovt en volt dw van* build
built-in ingebouwd *(ook fig)*; aangeboren
built-up **1** samengesteld, geconstrueerd **2** bebouwd, volgebouwd
bulb [bulb] **1** bol(letje), bloembol; *(bij uitbr)* bolgewas: ~ *fields* bollenvelden **2** (gloei)lamp
Bulgaria [bulk̂eerie] Bulgarije
¹Bulgarian [bulk̂eerien] *zn* **1** Bulgaars *(taal)* **2** Bulgaar
²Bulgarian [bulk̂eerien] *bn* Bulgaars
¹bulge [buldzj] *zn* bobbel
²bulge [buldzj] *intr* **1** (op)zwellen, uitdijen **2** bol staan, opbollen, uitpuilen: ~ *out* uitpuilen
bulk [bulk] **1** (grote) massa, omvang, volume: ~ *buying* in het groot inkopen; *in* ~*: a)* onverpakt, los; *b)* in het groot **2** (scheeps)lading, vracht **3** grootste deel, merendeel, gros: *the* ~ *of the books have already been sold* het merendeel van de boeken is al verkocht **4** kolos, gevaarte, massa **5** (scheeps)ruim
bulkhead (waterdicht) schot, scheidingswand, afscheiding
bulky [bulkie] lijvig, log, dik, omvangrijk
bull [boel] **1** stier, bul; mannetje *(van walvis, olifant e.d.)*: *like a* ~ *in a china shop* als een olifant in een porseleinkast; *take the* ~ *by the horns* de koe bij de hoorns vatten **2** (pauselijke) bul **3** *(plat)* kletspraat, geklets, gezeik
bulldog buldog
bulldoze [boeldooz] **1** met een bulldozer bewerken **2** *(inform)* (plat)walsen, doordrukken, zijn zin doordrijven
bulldozer [boeldooze] bulldozer
bullet [boelit] (geweer)kogel, patroon || *bite (on) the* ~ door de zure appel heen bijten
bulletin [boeletin] (nieuws)bulletin, dienstmededeling
bulletin board *(Am)* mededelingenbord, prikbord
bull market stijgende markt *(op effectenbeurs)*
bullock [boelek] **1** os **2** jonge stier, stiertje
bullring arena *(voor stierengevechten)*
bull's-eye **1** roos *(doelwit)* **2** schot in de roos *(ook fig)*; rake opmerking **3** *(soort)* toverbal *(snoepje van pepermunt)*
bullshit *(plat)* geklets, kletspraat, gezeik
bull terrier bulterriër
¹bully [boelie] *zn* **1** bullebak, beul, kwelgeest **2** *(hockey)* afslag

[2]**bully** [boelie] *bn (vaak iron)* prima: *~ for you* bravo!, wat geweldig van jou!
[3]**bully** [boelie] *tr* koeioneren, intimideren: *~ s.o. into doing sth.* iem met bedreigingen dwingen tot iets
bullyboy *(inform)* (gehuurde) zware jongen, vechtersbaas
bully off *(hockey)* de afslag verrichten
bulrush [boelrusj] **1** bies, mattenbies, stoelbies **2** lisdodde **3** *(godsd)* papyrus(plant)
bulwark [boelwek] **1** (verdedigings)muur, wal, schans **2** bolwerk *(ook fig)*; bastion **3** *(scheepv)* verschansing
[1]**bum** [bum] *zn (plat)* **1** kont, gat, achterste **2** *(Am en Austr; min)* zwerver, schooier, landloper, bedelaar **3** (kloot)zak, mislukkeling, nietsnut
[2]**bum** [bum] *bn (plat)* waardeloos, rottig
bum along *(inform)* toeren, rustig rijden
bum around *(inform)* lanterfanten, lummelen, rondhangen
bumble [bumbl] **1** mompelen, brabbelen, bazelen: *to keep bumbling on about sth.* blijven doorzeuren over iets **2** stuntelen, klungelen
bumblebee hommel
bumf [bumf] *(inform) (min)* papierrommel, papiertroep, papierwinkel
[1]**bump** [bump] *zn* **1** bons, schok, stoot **2** buil, bult; hobbel *(in weg, terrein)*
[2]**bump** [bump] *intr* **1** bonzen, stoten, botsen **2** hobbelen, schokken: *we ~ed along in our old car* we denderden voort in onze oude auto
[3]**bump** [bump] *tr* stoten tegen, botsen tegen, rammen: *don't ~ your head* stoot je hoofd niet
[4]**bump** [bump] *bw* pats-boem, pardoes
bumper [bumpe] **1** (auto)bumper, stootkussen, -rand; *(Am)* buffer; stootb(l)ok **2** iets vols, iets groots, overvloed: *~ crop* (of: *harvest*) recordoogst
bumph [bumf] *zie* bumf
bump into *(inform)* tegen het lijf lopen, toevallig tegenkomen
bumptious [bumpsjes] opdringerig, verwaand
bump up *(inform)* opkrikken, opschroeven
bumpy [bumpie] hobbelig, bobbelig
bun [bun] **1** (krenten)bolletje, broodje **2** (haar)knot(je)
[1]**bunch** [buntsj] *zn* **1** bos(je), bundel, tros: *a ~ of grapes* een tros(je) druiven; *a ~ of keys* een sleutelbos **2** *(inform)* troep(je), groep(je), stel(letje): *the best of the ~* de beste van het stel
[2]**bunch** [buntsj] *intr* samendringen, samendrommen
[1]**bundle** [bundl] *zn* bundel, bos, pak(ket), zenuw-, spier-, vezelbundel: *he is a ~ of nerves* hij is één bonk zenuwen
[2]**bundle** [bundl] *tr* **1** bundelen, samenbinden, samenpakken, samenvouwen: *~ up old newspapers* een touwtje om oude kranten doen **2** proppen, (weg)stouwen, (weg)stoppen, induwen, inproppen
[1]**bung** [bung] *zn* stop, kurk, afsluiter
[2]**bung** [bung] *tr* keilen, gooien, smijten
bungalow [bungkeloo] bungalow
bungee jumping [bundzjie] bungeejumping
bungle [bungkl] (ver)knoeien, (ver)prutsen
bung up *(inform)* verstoppen, dichtstoppen: *my nose is bunged up* mijn neus zit verstopt
bunk [bungk] (stapel)bed, kooi || *(inform) do a ~* ertussenuit knijpen, 'm smeren
bunk-bed stapelbed
bunk-up duwtje
bunny [bunnie] *(kindertaal)* (ko)nijntje
bunting [bunting] **1** *(dierk)* gors, vink **2** dundoek, vlaggetjes
[1]**buoy** [boj] *zn* **1** boei, ton(boei) **2** redding(s)boei
[2]**buoy** [boj] *tr* **1** drijvend houden: *~ed (up) by the sea* drijvend op de zee **2** schragen, ondersteunen, dragen
buoyant [bojjent] **1** drijvend **2** opgewekt, vrolijk, luchthartig
buoy up opvrolijken, opbeuren
bur [be:] klis, klit
burble [be:bl] **1** kabbelen **2** leuteren, ratelen, kwekken
[1]**burden** [be:dn] *zn* **1** last, vracht, verplichting: *beast of ~* lastdier, pakdier, pakezel, pakpaard; *~ of proof* bewijslast; *be a ~ to s.o.* iem tot last zijn **2** leidmotief, grondthema, hoofdthema, kern
[2]**burden** [be:dn] *tr* belasten, beladen, overladen, (zwaar) drukken op
burdensome [be:dnsem] (lood)zwaar, bezwarend, drukkend
bureau [bjoeeroo] **1** schrijftafel **2** *(Am)* ladekast **3** dienst, bureau, kantoor, departement, ministerie
bureaucracy [bjoerokresi] bureaucratie
bureaucrat [bjoeerekret] *(vaak min)* bureaucraat
burgh [burre] **1** stad, (stedelijke) gemeente **2** kiesdistrict
burglar [be:kle] inbreker
burglary [be:klerie] inbraak
burgle [be:kl] inbreken (in), inbraak plegen (bij), stelen (bij)
Burgundy [be:kendie] **1** Bourgondië **2** bourgogne(wijn), Bourgondische wijn **3** bordeauxrood
burial [berriel] begrafenis
burlesque [be:lesk] koddig, kluchtig
burly [be:lie] potig, zwaar, flink
Burma [be:me] Birma
Burmese [be:mie:z] Birmaans
[1]**burn** [be:n] *zn* brandwond, brandgaatje
[2]**burn** [be:n] *intr (ook burnt, burnt)* **1** branden, gloeien: *~ low* uitgaan, uitdoven; *~ing for an ideal* in vuur en vlam voor een ideaal; *~ with anger* koken van woede **2** branden, af-, ver-, ontbranden, in brand staan (steken): *the soup ~t my mouth* ik heb mijn mond aan de soep gebrand; *~ away* opbranden, wegbranden, *(fig)* verteren; *~ off* weg-, afbranden, schoon-, leegbranden; *~ to death*

door verbranding om het leven brengen

³**burn** [be:n] *tr (ook burnt, burnt)* **1** verteren **2** werken op, gebruiken als brandstof **3** in brand steken

burn down (tot de grond toe) afbranden, platbranden

burner [be:ne] brander; pit *(van kooktoestel enz.)*

burning [be:ning] brandend, gloeiend, dringend: *a ~ issue* een brandend vraagstuk

burnish [be:nisj] (op)glanzen, gaan glanzen, polijsten

¹**burn out** *intr* **1** uitbranden; opbranden *(ook fig)* **2** doorbranden *(van elektrisch apparaat e.d.)*; doorslaan

²**burn out** *tr* **1** uitbranden: *the shed was completely burnt out* de schuur was volledig uitgebrand **2** door brand verdrijven uit, door brand dakloos maken **3** *(inform)* overwerken, over de kop werken: *burn oneself out* zich over de kop werken **4** doen doorbranden

¹**burnt** [be:nt] *bn* gebrand, geschroeid, gebakken: *~ offering* (of: *sacrifice*) brandoffer

²**burnt** [be:nt] *ovt en volt dw van* burn

burnt-out **1** opgebrand, uitgeblust, versleten **2** uitgebrand **3** dakloos *(door brand)* **4** *(inform)* doodmoe, uitgeput, afgepeigerd

¹**burn up** *intr* **1** oplaaien, feller gaan branden **2** *(inform)* scheuren, jakkeren, hard rijden **3** *(Am; inform)* laaiend (van woede) zijn

²**burn up** *tr* verstoken, opbranden

¹**burp** [be:p] *zn (inform)* boer(tje), oprisping

²**burp** [be:p] *tr, intr (inform)* (laten) boeren; een boertje laten doen *(zuigeling)*

burqua [be:rka] boerka

¹**burrow** [burroo] *zn* leger *(van konijn enz.)*; hol(letje), tunnel(tje)

²**burrow** [burroo] *intr* **1** een leger graven; *(fig)* zich nestelen; beschutting zoeken **2** wroeten, graven, zich (een weg) banen: *(fig) ~ into somebody's secrets* in iemands geheimen wroeten

bursar [be:se] thesaurier, penningmeester

¹**burst** [be:st] *zn* uitbarsting, ontploffing; demarrage: *~ of anger* woede-uitbarsting; *~ of laughter* lachsalvo

²**burst** [be:st] *intr (burst, burst)* **1** (los-, uit)barsten, doorbreken, uit elkaar springen: *~ forth, ~ out* uitroepen, uitbarsten; *~ out crying* in huilen uitbarsten; *~ into tears* in tranen uitbarsten **2** op barsten, springen staan, barstensvol zitten: *be ~ing to come* staan te popelen om te komen

³**burst** [be:st] *tr (burst, burst)* door-, open-, verbreken, forceren, inslaan, intrappen: *the river will ~ its banks* de rivier zal buiten haar oevers treden; *(fig) ~ one's sides (with) laughing* schudden van het lachen

burst in komen binnenvallen, binnenstormen, (ruw) onderbreken

bury [berrie] **1** begraven **2** verbergen, verstoppen: *~ one's hands in one's pockets* zijn handen (diep) in zijn zakken steken **3** verzinken *(ook fig)*: *buried in thoughts* in gedachten verzonken; *~ oneself in one's books* (of: *studies*) zich in zijn boeken (*of:* studie) verdiepen

¹**bus** [bus] *zn (mv: Am ook ~ses)* **1** (auto)bus: *(fig) miss the ~* de boot missen; *go by ~* de bus nemen **2** *(inform)* bak, kar **3** *(inform)* kist, vliegtuig

²**bus** [bus] *tr, intr* met de bus gaan (vervoeren), de bus nemen, per bus reizen, op de bus zetten

busby [buzbie] kolbak, berenmuts

bush [boesj] **1** struik, bosje **2** struikgewas, kreupelhout **3** rimboe, woestenij, wildernis || *beat about the ~* ergens omheen draaien, niet ter zake komen

bushed [boesjt] *(inform)* bekaf, doodop, uitgeput

business [biznis] **1** handel, zaken: *get down to ~* ter zake komen, spijkers met koppen slaan; *mean ~* het serieus menen; *be in ~* (bezig met) handel drijven, *(fig)* startklaar staan; *on ~* voor zaken **2** iets afdoends, ruwe behandeling, standje **3** (ver)plicht(ing), taak, verantwoordelijkheid, werk: *(inform) my affairs are no ~ of yours* (of: *none of your ~*) mijn zaken gaan jou niets aan; *have no ~ to do sth.* ergens niet het recht toe hebben; *I will make it my ~ to see that …* ik zal het op me nemen ervoor te zorgen dat …; *(inform) mind your own ~* bemoei je met je eigen (zaken) **4** agenda, programma: *(inform) like nobody's ~* als geen ander; *(op agenda van vergadering) any other ~* rondvraag, wat verder ter tafel komt **5** aangelegenheid, affaire, zaak, kwestie: *I'm sick and tired of this whole ~* ik ben dit hele gedoe meer dan zat **6** moeilijke taak, hele kluif **7** zaak, winkel, bedrijf

business card adreskaartje, kaartje, visitekaartje

businessman [biznismen] zakenman

busker [buske] (bedelend) straatmuzikant

bus stop bushalte

¹**bust** [bust] *zn* **1** buste, borstbeeld **2** boezem, buste, borsten

²**bust** [bust] *bn (inform)* kapot, stuk, naar de knoppen: *go ~* op de fles gaan

³**bust** [bust] *intr (inform)* **1** barsten, breken, kapotgaan **2** op de fles gaan, bankroet gaan

⁴**bust** [bust] *tr (inform)* **1** breken, mollen, kapotmaken **2** laten springen, doorbreken, verbreken, bankroet laten gaan, platzak maken **3** arresteren, aanhouden **4** een inval doen in; huiszoeking doen bij *(vd politie)*

¹**bustle** [busl] *zn* drukte, bedrijvigheid

²**bustle** [busl] *intr* druk in de weer zijn, jachten, zich haasten: *~ with* bruisen van

bust-up *(inform)* **1** stennis, herrie **2** *(Am)* mislukking *(ve huwelijk)*; het stuklopen

¹**busy** [bizzie] *bn* **1** bezig, druk bezet, bedrijvig: *she is ~ at* (of: *with*) *her work* ze is druk aan het werk **2** *(Am)* bezet; in gesprek *(van telefoon)*

²**busy** [bizzie] *tr* bezighouden, zoet houden: *~ oneself with collecting stamps* postzegels verzamelen om iets omhanden te hebben

busybody bemoeial

bu

[1]**but** [but] *bw* **1** slechts, enkel, alleen, maar, pas: *I could ~ feel sorry for her* ik kon enkel medelijden hebben met haar; *I know ~ one* ik ken er maar één **2** (en) toch, echter, anderzijds

[2]**but** [but] *vz* behalve, buiten, uitgezonderd: *he wanted nothing ~ peace* hij wilde slechts rust; *the last ~ one* op één na de laatste

[3]**but** [but] *vw* **1** *(uitzondering)* behalve, buiten, uitgezonderd: *what could I do ~ surrender?* wat kon ik doen behalve me overgeven? **2** *(tegenstelling)* maar (toch), niettemin, desondanks: *not a man ~ an animal* geen mens maar een dier; *~ then (again)* (maar) anderzijds, maar ja; *~ yet* niettemin

butch [boetsj] *(inform)* **1** manwijf, pot **2** ruwe klant, vechtersbaas

[1]**butcher** [boetsje] *zn* slager, slachter

[2]**butcher** [boetsje] *tr* **1** slachten **2** afslachten, uitmoorden

but for [but fo:] ware het niet voor, als niet

[1]**butt** [but] *zn* **1** mikpunt *(van spot)* **2** doelwit, roos **3** (dik) uiteinde, kolf, handvat, restant, eindje, peuk; *(inform)* achterste; krent; *(Am)* romp; tors **4** *(Am)* sigaret, peuk **5** (bier)vat, wijnvat, (regen)ton **6** ram, kopstoot; stoot *(met hoofd of hoorns)*

[2]**butt** [but] *tr, intr* rammen *(met hoofd of hoorns)*; stoten, een kopstoot geven

butter [butte] boter || *(he looks as if) ~ wouldn't melt in his mouth* hij lijkt van de prins geen kwaad te weten

buttercup boterbloem

butterfly [butteflaj] vlinder

buttermilk karnemelk, botermelk

butter up *(inform)* vleien, stroop om de mond smeren, slijmen

butt in *(inform)* tussenbeide komen, onderbreken

buttock [buttek] **1** bil **2** *~s* achterste, achterwerk

button [butn] **1** knoop(je) **2** (druk)knop, knopje **3** *(Am)* button, rond insigne || *(Am; inform) on the ~: a)* precies, de spijker op z'n kop; *b)* in de roos

button bar knoppenbalk

[1]**buttonhole** *zn* knoopsgat

[2]**buttonhole** *tr* in zijn kraag grijpen, staande houden

[1]**button up** *intr (inform)* zijn kop houden

[2]**button up** *tr* dichtknopen, dichtdoen: *(Am; inform) ~ your lip* hou je kop || *that job is buttoned up* dat is voor elkaar

[1]**buttress** [butris] *zn* steunbeer; *(fig)* steunpilaar

[2]**buttress** [butris] *tr* (ook met *up*) versterken met steun(beer); *(fig)* (onder)steunen

[1]**buy** [baj] *zn* **1** aankoop, aanschaf, koop **2** koopje, voordeeltje

[2]**buy** [baj] *tr (bought, bought) (inform)* geloven, accepteren, (voor waar) aannemen: *don't ~ that nonsense* laat je niks wijsmaken

[3]**buy** [baj] *tr, intr (bought, bought)* (aan-, in-, op)kopen, aanschaffen: *peace was dearly bought* de vrede werd duur betaald; *~ time* tijd winnen; *~ back* terugkopen; *~ up* opkopen, overnemen || *(inform) ~ it* gedood worden

buyer [bajje] **1** koper, klant **2** inkoper *(ve warenhuis enz.)*

[1]**buzz** [buz] *zn* **1** brom-, gons-, zoemgeluid, geroezemoes **2** *(inform)* belletje, telefoontje: *give mother a ~* bel moeder even

[2]**buzz** [buz] *intr* **1** zoemen, brommen, gonzen; roezemoezen **2** druk in de weer zijn **3** op een zoemer drukken, (aan)bellen || *(Am; inform) ~ along* opstappen *(na visite)*

buzzard [buzzed] buizerd

[1]**by** [baj] *bw* langs, voorbij: *in years gone by* in vervlogen jaren || *by and by* straks; *by and large* over 't algemeen

[2]**by** [baj] *vz* **1** *(nabijheid)* bij, dichtbij, vlakbij, naast; *(op kompasroos)* ten: *sit by my side* kom naast mij zitten; *by oneself* alleen **2** *(weg, medium enz.)* door, langs, via, voorbij: *travel by air* vliegen; *taught by radio* via de radio geleerd **3** *(tijd)* tegen, vóór, niet later dan; *(bij uitbr)* op; om *(bepaald tijdstip)*; in *(bep jaar)*: *finished by Sunday* klaar tegen zondag; *by now* nu (al) **4** *(instrument, middel enz.)* door, door middel van, per, als gevolg van: *by accident* per ongeluk; *he missed by an inch* hij miste op een paar centimeter; *I did it all by myself* ik heb het helemaal alleen gedaan **5** ten opzichte van, wat ... betreft: *paid by the hour* per uur betaald; *play by the rules* volgens de regels spelen; *that is fine by me* ik vind het best, wat mij betreft is het goed **6** *(tijd of omstandigheid)* bij, tijdens: *by day* overdag **7** *(opeenvolging)* na, per: *he got worse by the hour* hij ging van uur tot uur achteruit || *swear by the Bible* (of: *Koran*) op de Bijbel (*of:* Koran) zweren

bye [baj] *(inform)* tot ziens, dag

bygone [bajĝon] voorbij, vroeger

bygones [bajĝonz]: *let ~ be ~* het verleden laten rusten, men moet geen oude koeien uit de sloot halen

by-law **1** (plaatselijke) verordening, gemeenteverordening **2** *(Am)* (bedrijfs)voorschrift, (huis)regel: *~s* huishoudelijk reglement

[1]**bypass** *zn* **1** *(verkeer)* rondweg, ringweg **2** *(techn)* omloopkanaal, omloopleiding, omloopverbinding

[2]**bypass** *tr* om ... heen gaan, mijden

bystander [bajstende] omstander, toeschouwer

byte [bajt] byte

byway zijweg || *(fig) the ~s of literature* de minder bekende paden van de letterkunde

byword **1** spreekwoord, gezegde, zegswijze **2** belichaming, synoniem, prototype: *Joe is a ~ for laziness* Joe is het prototype van de luilak

C

C 1 *afk van Celsius* 2 *afk van cent* 3 *afk van centigrade* 4 *afk van circa* ca.
cab [keb] 1 *(Am)* taxi 2 *(inform; verkeer)* cabine, bok, cockpit
cabbage [kebidzj] 1 kool 2 *(inform)* slome duikelaar, druiloor
cabby [kebie] *(inform)* taxichauffeur
cabin [kebin] 1 (houten) optrek, huisje, hut, kleedhokje, badhokje; *(spoorwegen)* seinhuis 2 cabine; (slaap)hut *(in schip)*; laadruimte; bagageruim *(in vliegtuig)*
cabin cruiser motorjacht
cabinet [kebinnet] 1 kast, porseleinkast, televisiemeubel, dossierkast 2 kabinet, ministerraad 3 kabinetsberaad, kabinetsvergadering
[1]**cable** [keebl] *zn* 1 kabel, sleepkabel, trekkabel 2 (elektriciteits)kabel, televisiekabel 3 kabel, kabelvormig ornament; *(breien)* kabelsteek
[2]**cable** [keebl] *ww* telegraferen
cable car kabelwagen, gondel, cabine ve kabelbaan
cable television kabeltelevisie
cableway kabelbaan
caboodle [keboe:dl] *(inform)* troep, zwik, bups: *the whole ~* de hele bups
cab rank taxistandplaats
cache [kesj] 1 (geheime) bergplaats 2 (geheime, verborgen) voorraad
[1]**cackle** [kekl] *zn* 1 kakelgeluid 2 giechel(lachje), gekraai: *~s of excitement* opgewonden gilletjes 3 gekakel; *(fig)* gekwebbel; geklets: *(inform) cut the ~* genoeg gekletst
[2]**cackle** [kekl] *tr, intr* 1 kakelen; *(fig)* kwebbelen; kletsen 2 giechelen, kraaien
cactus [kektes] cactus
cad [ked] *(min)* schoft
cadaverous [kedeveres] lijkachtig, lijkkleurig
caddie [kedie] *(golf)* caddie
caddish [kedisj] schofterig, ploerterig
caddy [kedie] theeblikje, -busje
cadence [keedens] 1 stembuiging, toonval, intonatie 2 *(muz)* cadens 3 cadans, vloeiend ritme
cadet [kedet] cadet
[1]**cadge** [kedzj] *intr (inform; min)* klaplopen, schooien
[2]**cadge** [kedzj] *tr (inform; min)* bietsen, aftroggelen
C(a)esarean (section) [sizzeerien] keizersnede
café [kefee] 1 eethuisje, café-restaurant, snackbar 2 theesalon, tearoom 3 koffiehuis
cafeteria [kefittierie] kantine, zelfbedieningsrestaurant
caff [kef] *(inform) zie* café
[1]**cage** [keedzj] *zn* 1 kooi(constructie) 2 liftkooi, liftbak 3 gevangenis, (krijgs)gevangenkamp 4 *(ijshockey)* kooi, doel
[2]**cage** [keedzj] *tr* kooien, in een kooi opsluiten
cag(e)y [keedzjie] *(inform)* 1 gesloten, behoedzaam, teruggetrokken 2 argwanend, achterdochtig
cajole [kedzjool] (door vleierij) bepraten, ompraten, overhalen: *~ s.o. into giving money* iem geld aftroggelen
cake [keek] 1 cake, taart, (pannen)koek, gebak: *go* (of: *sell*) *like hot ~s* verkopen als warme broodjes, lopen als een trein 2 blok *(van compact materiaal)*; koek || *(inform) you can't have your ~ and eat it* je kunt niet alles willen
calamity [kelemittie] onheil, calamiteit, ramp(spoed)
calcium [kelsiem] calcium
[1]**calculate** [kelkjoeleet] *intr* 1 rekenen, een berekening maken 2 schatten, een schatting maken
[2]**calculate** [kelkjoeleet] *tr* 1 (wiskundig) berekenen, (vooraf) uitrekenen 2 beramen, bewust plannen: *~d to attract the attention* bedoeld om de aandacht te trekken 3 incalculeren: *~d risk* ingecalculeerd risico
calculation [kelkjoeleesjen] 1 berekening *(ook fig)* 2 voorspelling, schatting 3 bedachtzaamheid
calculator [kelkjoeleete] rekenmachine, calculator
calendar [kelinde] 1 kalender 2 *(Am)* agenda
calf [ka:f] *(mv: calves)* 1 kalf 2 *(anat)* kuit
calibre [kelibbe] kaliber, gehalte, niveau, klasse
[1]**call** [ko:l] *zn* 1 kreet, roep van dier, roep van vogel: *we heard a ~ for help* we hoorden hulpgeroep; *within ~* binnen gehoorsafstand 2 (kort, formeel, zakelijk) bezoek: *pay a ~* een visite afleggen, *(inform; euf)* naar een zekere plaats (*of:* nummer 100) gaan 3 beroep, aanspraak, claim 4 oproep(ing), roep(ing), appel, voorlezing van presentielijst; *(fin)* oproep tot aflossing ve schuld; aanmaning: *the actors received a ~ for eight o'clock* de acteurs moesten om acht uur op; *at ~, on ~* (onmiddellijk) beschikbaar, op afroep; *the doctor was on ~* de dokter had bereikbaarheidsdienst 5 reden, aanleiding, noodzaak, behoefte: *there's no ~ for you to worry* je hoeft je niet ongerust te maken 6 telefoontje, (telefoon)gesprek || *~ to the bar* toelating als advocaat; *(euf) ~ of nature* aandrang *(om naar het toilet te gaan)*, natuurlijke behoefte
[2]**call** [ko:l] *intr* (even) langsgaan (langskomen), (kort) op bezoek gaan; stoppen *(op station)*: *the ship ~s at numerous ports* het schip doet talrijke havens aan

[3]**call** [ko:l] *tr* **1** afroepen, oplezen, opsommen: *~ out numbers* nummers afroepen **2** (op)roepen, aanroepen; terugroepen *(acteur);* tot het priesterschap roepen: *~ a witness* een getuige oproepen **3** afkondigen, bijeenroepen, proclameren: *~ a meeting* een vergadering bijeenroepen **4** wakker maken, wekken, roepen **5** (be)noemen, aanduiden als: *~ s.o. a liar* iem uitmaken voor leugenaar; *(inform) what-d'you-call-it* hoe-heet-het-ook-weer?, dinges; *Peter is ~ed after his grandfather* Peter is vernoemd naar zijn grootvader **6** vinden, beschouwen als: *I ~ it nonsense* ik vind het onzin **7** het houden op, zeggen, (een bedrag) afmaken op: *let's ~ it ten euros* laten we het op tien euro houden **8** *(kaartspel)* bieden || *~ into being* in het leven roepen; *~ away* wegroepen; *~ forth* oproepen, (naar) boven brengen

[4]**call** [ko:l] *tr, intr* **1** (uit)roepen: *~ for help* om hulp roepen **2** (op)bellen **3** *(kaartspel)* bieden

call-box telefooncel

call charges voorrijkosten

caller [ko:le] **1** bezoeker **2** beller, iem die belt

caller ID [ko:leajdi] *(techn)* nummermelding

call for **1** komen om, (komen) afhalen **2** wensen, verlangen, vragen: *~ the bill* de rekening vragen **3** vereisen: *this situation calls for immediate action* in deze toestand is onmiddellijk handelen geboden

call-girl callgirl

call in **1** laten komen, de hulp inroepen van, consulteren: *~ a specialist* er een specialist bij halen **2** terugroepen, terugvorderen, uit de circulatie nemen: *some cars had to be called in* een aantal auto's moest terug naar de fabriek

call off afzeggen, afgelasten: *~ one's engagement* het afmaken

callous [keles] **1** vereelt, verhard **2** ongevoelig, gevoelloos

[1]**call out** *intr* **1** uitroepen, een gil geven **2** roepen, hardop praten

[2]**call out** *tr* **1** afroepen, opnoemen **2** te hulp roepen *(brandweer e.d.)*

callow [keloo] **1** kaal *(van vogels);* zonder veren **2** groen, jong, onervaren

call up **1** opbellen **2** in het geheugen roepen, zich (weer) voor de geest halen **3** *(mil)* oproepen, te hulp roepen, inschakelen: *~ reserves* reserves inzetten

call (up)on **1** (even) langsgaan bij, (kort) bezoeken: *we'll ~ you tomorrow* we komen morgen bij u langs **2** een beroep doen op, aanspreken

[1]**calm** [ka:m] *zn* **1** (wind)stilte *(ook fig);* kalmte **2** windstilte *(windkracht 0)*

[2]**calm** [ka:m] *bn* kalm, (wind)stil, vredig, rustig

[3]**calm** [ka:m] *intr* kalmeren

calorie [kelerie] calorie

calumny [kelemnie] laster(praat), roddel, geroddel

calves [ka:vz] *mv van* calf

came [keem] *ovt van* come

camel [keml] kameel, dromedaris

camera [kemere] fototoestel, (film)camera || *(jur) in ~* achter gesloten deuren

camisole [kemissool] (mouwloos) hemdje

camomile [kememajl] kamille

[1]**camouflage** [kemefla:zj] *zn* camouflage

[2]**camouflage** [kemefla:zj] *tr* camoufleren, wegmoffelen

[1]**camp** [kemp] *zn* **1** kamp, legerplaats; *(fig)* aanhang van partij: *break* (of: *strike*) *~, break up ~* (zijn tenten) opbreken **2** kitsch

[2]**camp** [kemp] *bn* **1** verwijfd **2** homoseksueel **3** overdreven, theatraal, bizar **4** kitscherig

[3]**camp** [kemp] *intr* kamperen, zijn kamp opslaan

campaign [kempeen] campagne, manoeuvre: *advertising ~* reclamecampagne

camphor [kemfe] kamfer

campsite kampeerterrein, camping

campus [kempes] campus *(universiteits-, schoolterrein)*

[1]**can** [ken] *zn* **1** houder *(gewoonlijk van metaal);* kroes, kan **2** blik, conservenblikje, filmblik: *in the ~* gereed **3** *(Am; plat)* plee **4** *(inform)* bak, bajes, lik || *(Am; inform) ~ of worms* een moeilijke kwestie; *(inform) carry* (of: *take*) *the ~ (back)* ergens voor opdraaien

[2]**can** [ken] *tr* inblikken, conserveren, inmaken || *(Am; plat) ~ it!* hou op!

[3]**can** [ken] *hulpww (could)* **1** kunnen, in staat zijn te: *I ~ readily understand that* ik kan dat best begrijpen **2** kunnen, zou kunnen: *~ this be true?* zou dit waar kunnen zijn?; *I could go to the baker's if you like* ik zou naar de bakker kunnen gaan als je wilt **3** mogen, kunnen, bevoegd zijn te: *you ~ go now* je mag nu gaan

Canada [kenede] Canada

[1]**Canadian** [keneedien] *zn* Canadees

[2]**Canadian** [keneedien] *bn* Canadees, van Canada

canal [kenel] kanaal, vaart, gracht, (water)leiding

canalization [kenelajzeesjen] kanalisatie, het in banen leiden

canary [keneerie] kanarie(piet)

[1]**cancel** [kensl] *intr* tegen elkaar wegvallen, elkaar compenseren, tegen elkaar opwegen: *the arguments ~ (each other)* de argumenten wegen tegen elkaar op

[2]**cancel** [kensl] *tr* **1** doorstrepen, doorhalen, (door)schrappen **2** opheffen, ongedaan maken, vernietigen **3** annuleren, afzeggen, opzeggen; intrekken *(order);* herroepen, afgelasten **4** ongeldig maken; afstempelen *(postzegel)*

[1]**cancel out** *intr* elkaar compenseren, tegen elkaar opwegen

[2]**cancel out** *tr* compenseren, goedmaken, neutraliseren: *the pros and cons cancel each other out* de voor- en nadelen heffen elkaar op

cancer [kense] kanker, kwaadaardige tumor; *(fig)* (verderfelijk, woekerend) kwaad

Cancer [kense] *(astrol)* (de) Kreeft: *tropic of ~* Kreeftskeerkring
candid [kendid] open(hartig), rechtuit, eerlijk
candidate [kendiddit] kandidaat, gegadigde
candidature [kendetsje] kandidatuur, kandidaatschap
candle [kendl] kaars || *burn the ~ at both ends* te veel hooi op zijn vork nemen; *he can't hold a ~ to her* hij doet voor haar onder
candlestick kandelaar, kaarsenstandaard
candlewick kaarsenpit
candour [kende] open(hartig)heid, eerlijkheid, oprechtheid
candy [kendie] **1** (stukje) kandij, suikergoed **2** *(Am)* snoepje, snoepjes, zuurtje, zuurtjes, chocola(atje)
[1]cane [keen] *zn* **1** dikke stengel, rietstengel, bamboestengel, rotan(stok) **2** rotting, wandelstok, plantensteun **3** *(plantk)* stam, stengel, scheut **4** riet, rotan, bamboe, suikerriet
[2]cane [keen] *tr* **1** met het rietje geven, afranselen **2** matten *(van meubels)*
canine [keenajn] hondachtig, honds-
canister [keniste] bus, trommel, blik
cannabis [kenebis] (Indische) hennep, cannabis, marihuana, wiet
cannabis coffee shop koffieshop
canned [kend] ingeblikt, in blik || *~ music* ingeblikte muziek, muzak
cannibal [kenibl] kannibaal, menseneter
[1]cannon [kenen] *zn* **1** kanon, (stuk) geschut, boordkanon **2** *(biljart)* carambole
[2]cannon [kenen] *tr, intr* (op)botsen: *she ~ed into me* ze vloog tegen me op
cannonade [keneneed] kanonnade, bombardement
cannot [kenot] *samentr van can not*
canny [kenie] **1** slim, uitgekookt **2** zuinig, spaarzaam
[1]canoe [kenoe:] *zn* kano
[2]canoe [kenoe:] *intr* kanoën, kanovaren
canon [kenen] **1** kerkelijke leerstelling; (algemene) regel *(ook fig): the Shakespeare ~* (lijst van) aan Shakespeare toegeschreven werken **2** kanunnik
canonize [kenenajz] heilig verklaren
canoodle [kenoe:dl] *(inform)* knuffelen, scharrelen
can opener blikopener
canopy [kenepie] baldakijn; *(fig)* gewelf; kap, dak
cant [kent] **1** jargon, boeventaal **2** schijnheilige praat
can't [ka:nt] *samentr van can not*
cantankerous [kentengkeres] ruzieachtig
canteen [kentie:n] kantine
[1]canter [kente] *zn* handgalop, rit(je) in handgalop
[2]canter [kente] *ww* in handgalop gaan (brengen)
canvas [kenves] **1** canvas, zeildoek, tentdoek **2** schilderslinnen **3** borduurgaas **4** *(scheepv)* zeilvoering: *under ~* onder vol zeil **5** doek, stuk schilderslinnen, (olieverf)schilderij
canvass [kenves] **1** diepgaand (be)discussiëren, grondig onderzoek doen **2** stemmen werven (in) **3** klanten werven, colporteren: *~ for a magazine* colporteren voor een weekblad **4** opiniepeiling houden (over)
canyon [kenjen] cañon, ravijn
[1]cap [kep] *zn* **1** hoofddeksel; kapje *(van verpleegster, dienstbode e.d.);* muts, pet, baret; *(sport)* cap *(als teken van selectie; ook fig);* selectie als international: *take the ~ round* met de pet rondgaan **2** kapvormig voorwerp; hoed *(ve paddenstoel);* kniekap, (flessen-, vulpen-, afsluit)dop, beschermkapje **3** slaghoedje **4** klappertje || *~ in hand* onderdanig, nederig; *if the ~ fits, wear it* wie de schoen past, trekke hem aan
[2]cap [kep] *tr* **1** een cap opzetten; *(sport; fig)* in de nationale ploeg opstellen **2** verbeteren, overtroeven: *to ~ it all* als klap op de vuurpijl, tot overmaat van ramp
capability [keepebillittie] **1** vermogen, capaciteit, bekwaamheid **2** vatbaarheid, ontvankelijkheid **3** *-ies* talenten, capaciteiten
capable [keepebl] **1** in staat: *he is ~ of anything* hij is tot alles in staat **2** vatbaar: *~ of improvement* voor verbetering vatbaar **3** capabel, bekwaam
capacious [kepeesjes] ruim: *a ~ memory* een goed geheugen
capacity [kepesittie] **1** hoedanigheid: *in my ~ of chairman* als voorzitter **2** vermogen, capaciteit, aanleg **3** capaciteit, inhoud, volume: *seating ~* aantal zitplaatsen; *filled to ~* tot de laatste plaats bezet
cape [keep] **1** cape **2** kaap, voorgebergte
[1]caper [keepe] *zn* **1** *(fig)* bokkensprong, capriool **2** *(inform)* (ondeugende) streek, kwajongensstreek **3** *(inform)* karwei, klus
[2]caper [keepe] *intr* (rond)dartelen, capriolen maken
[1]capital [kepitl] *zn* **1** kapitaal: *(fig) make ~ (out) of* munt slaan uit **2** *(bouwk)* kapiteel **3** hoofdletter, kapitaal **4** hoofdstad
[2]capital [kepitl] *bn* **1** kapitaal, hoofd-: *~ city* (of: *town*) hoofdstad; *~ letters* hoofdletters **2** dood-, dodelijk: *~ punishment* doodstraf
capital gain vermogensaanwas: *~s tax* vermogens(aanwas)belasting
capitalism [kepittelizm] kapitalisme
[1]capitalist [kepittelist] *zn* kapitalist
[2]capitalist [kepittelist] *bn* kapitalistisch
capitalize [kepitlajz] kapitaliseren: *(fig) ~ (up)on* uitbuiten, munt slaan uit
capitulate [kepitsjoeleet] capituleren, zich overgeven
capitulation [kepitsjoeleesjen] overgave
caprice [keprie:s] gril, kuur, wispelturigheid
Capricorn [keprikko:n] *(astrol)* (de) Steenbok
capsize [kepsajz] (doen) kapseizen, (doen) omslaan

ca

capsule [keps·joe:l] **1** capsule **2** neuskegel *(van raket);* cabine *(van ruimtevaartuig)*
captain [keptin] **1** kapitein *(ook mil);* bevelhebber, (scheeps)gezagvoerder; *(mil)* kapitein-ter-zee: ~ *of industry* grootindustrieel **2** *(luchtv)* gezagvoerder **3** *(Am)* (korps-, districts)commandant *(bij politie)* **4** voorman, ploegbaas **5** *(sport)* aanvoerder, captain
caption [kepsjen] **1** titel, kop, hoofd **2** onderschrift; bijschrift *(van illustratie);* ondertitel(ing) *(film, tv)*
captivate [keptivveet] boeien, fascineren: *he was ~d by Geraldine* hij was helemaal weg van Geraldine
[1]**captive** [keptiv] *zn* gevangene *(ook fig);* krijgsgevangene
[2]**captive** [keptiv] *bn* **1** (krijgs)gevangen (genomen); *(fig)* geketend: ~ *audience* een aan hun stoelen gekluisterd publiek; *be taken* ~ gevangengenomen worden **2** geboeid, gecharmeerd
captivity [keptivvittie] gevangenschap *(ook fig);* krijgsgevangenschap
[1]**capture** [keptsje] *zn* **1** gevangene, vangst, buit, prijs **2** vangst, gevangenneming
[2]**capture** [keptsje] *tr* **1** vangen, gevangennemen, gevangen houden; *(fig)* boeien; fascineren: ~ *the imagination* tot de verbeelding spreken **2** buitmaken, bemachtigen, veroveren **3** *(schaken, dammen enz.)* slaan *(stuk, steen e.d.)*
car [ka:] **1** auto(mobiel), motorrijtuig, wagen: *by* ~ met de auto **2** rijtuig; *(Am)* (spoorweg)wagon; tram(wagen) **3** gondel *(van luchtschip, kabelbaan)*
carafe [keref] karaf
caramel [keremel] karamel
carat [keret] karaat
caravan [kereven] **1** karavaan **2** woonwagen, kermiswagen **3** caravan, kampeerwagen
carbohydrate [ka:behajdreet] koolhydraat
carbon [ka:ben] **1** koolstof **2** carbon(papier)
carbonated [ka:beneetid] koolzuurhoudend: ~ *water* sodawater, spuitwater
carbon copy **1** doorslag **2** duplicaat, getrouwe kopie
carbon monoxide koolmonoxide, kolendamp
carburettor [ka:bjoerette] carburator
carcass [ka:kes] **1** karkas; romp *(van geslacht dier)* **2** geraamte, skelet
card [ka:d] **1** kaart: *house of ~s* kaartenhuis; *keep* (of: *play*) *one's ~s close to one's chest* zich niet in de kaart laten kijken, terughoudend zijn **2** *~s* kaartspel: *play ~s* kaarten **3** programma *(van sportwedstrijd)* **4** scorestaat, -kaart *(bijv. van cricket, golf)* || *have a ~ up one's sleeve* (nog) iets achter de hand hebben; *he played his ~s right* (of: *well*) hij heeft zijn kansen goed benut; *put (all) one's ~s on the table* open kaart spelen; *(inform) it is on the ~s* het zit er in
[1]**cardboard** *zn* karton, bordpapier
[2]**cardboard** *bn* **1** kartonnen, bordpapieren **2** onecht, clichématig: ~ *characters* stereotiepe figuren
cardiac [ka:die·ek] hart-
cardigan [ka:diken] gebreid vestje
[1]**cardinal** [ka:dinnel] *zn* **1** hoofdtelwoord **2** *(r-k)* kardinaal
[2]**cardinal** [ka:dinnel] *bn* kardinaal, fundamenteel, vitaal: ~ *idea* centrale gedachte; ~ *number* hoofdtelwoord
[1]**care** [kee] *zn* **1** zorg, ongerustheid: *free from ~(s)* zonder zorgen **2** zorg(vuldigheid), voorzichtigheid: *take* ~ opletten; *handle with* ~ (pas op,) breekbaar! **3** verantwoordelijkheid, zorg, toezicht: *take ~ of* zorgen voor, onder zijn hoede nemen; *take ~ to* ervoor zorgen dat; ~ *of* per adres; *under doctor's* ~ onder doktersbehandeling **4** kinderzorg, kleuterzorg: *take into* ~ opnemen in een kindertehuis
[2]**care** [kee] *intr* **1** erom geven, zich erom bekommeren: *well, who ~s?* nou, en?, wat zou het?; *for all I* ~ wat mij betreft **2** bezwaar hebben: *I don't ~ if you do* mij best
[3]**care** [kee] *tr* **1** (graag) willen, zin hebben (in), bereid zijn te: *if only they would ~ to listen* als ze maar eens de moeite namen om te luisteren **2** zich bekommeren om, geven om, zich aantrekken van: *I couldn't ~ less* het zal me een zorg zijn; *Paul doesn't seem to ~ very much* zo te zien kan het Paul weinig schelen
[1]**career** [kerie] *zn* **1** carrière, (succesvolle) loopbaan **2** (levens)loop, geschiedenis **3** beroep: *~s master* (of: *mistress*) schooldecaan **4** (grote) vaart, (hoge) snelheid: *at* (of: *in*) *full* ~ in volle vaart
[2]**career** [kerie] *intr* voortdaveren: ~ *about* rondrazen
care for **1** verzorgen, letten op, passen op, onderhouden **2** zin hebben in, (graag) willen: *would you ~ a cup of coffee?* heb je zin in een kopje koffie? **3** houden van, belangstelling hebben voor: *more than I* ~ meer dan me lief is
carefree **1** onbekommerd, zonder zorgen **2** *(min)* onverantwoordelijk, zorgeloos
careful [keefl] **1** zorgzaam, met veel zorg **2** angstvallig **3** voorzichtig, omzichtig, oplettend: *be ~ (about) what you say* let op je woorden **4** zorgvuldig, nauwkeurig: ~ *examination* zorgvuldig onderzoek **5** nauwgezet
careless [keeles] **1** onverschillig, onvoorzichtig **2** onoplettend **3** onzorgvuldig, slordig, nonchalant
carer [keere] thuisverzorger, verzorger, verzorgende
[1]**caress** [keres] *zn* teder gebaar, streling
[2]**caress** [keres] *tr* liefkozen, kussen, aanhalen
caretaker [keeteeke] **1** conciërge, huismeester **2** huisbewaarder **3** toezichthouder, zaakwaarnemer
careworn afgetobd, (door zorgen) getekend
car ferry autoveer, autoveerboot, autoveerdienst, ferry(boot)

cargo [ka:koo] *(mv: ook -es)* lading, vracht, cargo
[1]**Caribbean** [keribbien] *zn* Caribisch gebied, Caribische zee
[2]**Caribbean** [keribbien] *bn* Caribisch
caricature [kerikketsjoee] karikatuur, spotprent
[1]**caring** [keering] *zn* **1** zorg, verzorging **2** hartelijkheid, warmte
[2]**caring** [keering] *bn* **1** zorgzaam, vol zorg, meelevend, attent: *a ~ society* een zorgzame maatschappij **2** verzorgend: *a ~ job* een verzorgend beroep
car kit carkit
carnage [ka:nidzj] slachting *(onder mensen);* bloedbad
carnal [ka:nl] *(vaak min)* vleselijk, lichamelijk
carnation [ka:neesjen] anjer, anjelier
carnival [ka:nivl] **1** carnaval, carnavalstijd, -viering **2** *(Am)* circus, kermis **3** festival, beurs, jaarmarkt
carnivorous [ka:nivveres] vleesetend
carol [kerel] lofzang, kerstlied
[1]**carp** [ka:p] *zn* karper(achtige)
[2]**carp** [ka:p] *intr (vaak min)* zeuren, vitten
carpenter [ka:pinte] timmerman
carpentry [ka:pintrie] timmerwerk, timmerkunst
[1]**carpet** [ka:pit] *zn* (vloer)tapijt, (vloer)kleed, karpet, (trap)loper: *~ of flowers* bloemenkleed; *fitted ~* vast tapijt || *sweep under the ~* in de doofpot stoppen
[2]**carpet** [ka:pit] *tr* **1** tapijt leggen, bekleden: *~ the stairs* een loper op de trap leggen **2** *(inform)* een uitbrander geven
carpetbag reistas, valies
carping [ka:ping] **1** muggenzifterig, vitterig: *~ criticism* kinderachtige kritiek **2** klagerig, zeurderig
carpool carpool, autopool
carport carport
carriage [keridzj] **1** rijtuig, koets; *(spoorwegen)* (personen)wagon **2** slee; onderstel *(van wagen)* **3** (lichaams)houding, gang **4** vervoer, transport, verzending **5** vracht(prijs), vervoerskosten, verzendkosten
carriageway verkeersweg, rijweg, rijbaan
carrier [kerie] **1** vervoerder van goederen of reizigers, expediteur, transporteur, vrachtvaarder, expeditie-, transport-, vervoerbedrijf, luchtvaart-, spoorwegmaatschappij, rederij **2** *(med, nat, chem)* drager **3** bagagedrager **4** *(mil)* vervoermiddel voor mensen en materieel, vliegdekschip **5** (boodschappen)tas
carrion [kerien] aas *(rottend vlees);* kadaver
carrot [keret] **1** peen, wortel(tje) **2** *(fig; inform)* lokmiddel: *hold out* (of: *offer*) *a ~ to s.o.* iem een worst voorhouden
[1]**carry** [kerie] *intr* **1** dragen; reiken *(bijv. van stem)* **2** in verwachting zijn, drachtig zijn **3** aangenomen worden *(van wet bijv.);* erdoor komen
[2]**carry** [kerie] *tr* **1** vervoeren, transporteren, (mee)dragen, steunen, (met zich) (mee)voeren, bij zich hebben, afvoeren; *(nat)* (ge)leiden; (binnen)halen *(oogst e.d.);* drijven: *such a crime carries a severe punishment* op zo'n misdaad staat een strenge straf; *diseases carried by insects* ziekten door insecten overgebracht; *~ to excess* te ver doordrijven; *the loan carries an interest* de lening is rentedragend; *write 3 and ~ 2* 3 opschrijven, 2 onthouden; *Joan carries herself like a model* Joan beweegt zich als een mannequin; *~ into effect* ten uitvoer brengen **2** in verwachting zijn van **3** veroveren, in de wacht slepen: *~ one's motion* (of: *bill*) zijn motie (*of:* wetsontwerp) erdoor krijgen **4** met zich meebrengen, impliceren **5** uitzenden, publiceren || *~ all* (of: *everything*) *before one* in ieder opzicht slagen; *~ too far* overdrijven
carryall [kerie·o:l] *(Am)* weekendtas, reistas
carry along stimuleren, aansporen, (voort)drijven
carry away 1 meesleuren, meeslepen, opzwepen **2** wegdragen
carrycot reiswieg
carry forward 1 *(boekhouden)* transporteren **2** vorderen met *(werk bijv.);* voortzetten **3** in mindering brengen, overbrengen naar volgend boekjaar
carryings-on [kerie·ingz on] *(inform)* **1** (dolle) streken, handel en wandel **2** geflirt
carry off 1 winnen, veroveren, in de wacht slepen **2** wegvoeren, ontvoeren, er vandoor gaan met **3** trotseren, tarten || *I managed to carry it off* ik heb me eruit weten te redden
[1]**carry on** *intr* **1** doorgaan, zijn gang gaan, doorzetten **2** *(inform)* tekeergaan, stennis maken, zich aanstellen: *it is a shame how he carried on in there* het is een schande zoals hij daarbinnen tekeer ging **3** *(inform; vaak min)* scharrelen, het houden met (elkaar)
[2]**carry on** *tr* **1** voortzetten, volhouden: *~ the good work!* hou vol!, ga zo door! **2** (uit)voeren, drijven, gaande houden **3** voeren *(oorlog, proces e.d.)*
carry out uitvoeren, vervullen, volbrengen
[1]**carry through** *intr* voortbestaan, voortduren
[2]**carry through** *tr* erdoor helpen: *his faith carried him through* zijn geloof hield hem op de been
[1]**cart** [ka:t] *zn* kar || *put* (of: *set*) *the ~ before the horse* het paard achter de wagen spannen
[2]**cart** [ka:t] *tr* vervoeren in een kar: *~ off a prisoner* een gevangene (hardhandig) afvoeren
cartilage [ka:tillidzj] kraakbeen
carton [ka:tn] kartonnen doos: *a ~ of cigarettes* een slof sigaretten; *a ~ of milk* een pak melk
cartoon [ka:toe:n] **1** (politieke) spotprent, cartoon **2** strip(verhaal): *animated ~* tekenfilm, animatiefilm **3** tekenfilm, animatiefilm
cartridge [ka:tridzj] **1** patroon(huls) **2** (kant-en-klare) vulling, cassette, inktpatroon, gasvulling
cartwheel 1 karrenwiel *(ook fig);* wagenwiel **2** radslag: *do ~s, turn ~s* radslagen maken

¹carve [ka:v] *intr* beeldhouwen
²carve [ka:v] *tr* kerven, houwen, beitelen, graveren in: ~ *wood into a figure* uit hout een figuur snijden
³carve [ka:v] *tr, intr* voorsnijden *(vlees, gevogelte e.d.)*
carve out **1** uitsnijden, afsnijden, (uit)houwen **2** bevechten, zich veroveren: *she has carved out a successful career for herself* zij heeft een succesvolle carrière voor zichzelf opgebouwd
carve up **1** *(inform)* opdelen, aan stukken snijden **2** *(plat)* een jaap bezorgen
carving [ka:ving] sculptuur, beeld(houwwerk), houtsnede, gravure, reliëf
car-wash autowasserette, carwash
¹cascade [keskeed] *zn* kleine waterval
²cascade [keskeed] *tr, intr* (doen) vallen (als) in een waterval
¹case [kees] *zn* **1** geval, kwestie, zaak, stand van zaken, voorbeeld, patiënt, ziektegeval: *former Yugoslavia is a ~ in point* het voormalige Joegoslavië is goed voorbeeld (hiervan); *in ~* voor het geval dat, *(Am)* indien; *(just) in ~* voor het geval dat; *in ~ of* in geval van, voor het geval dat; *in the ~ of* met betrekking tot; *in any* (of: *no*) ~ in elk (*of:* geen) geval **2** argumenten, bewijs(materiaal), pleidooi: *have a strong ~* er sterk voor staan; *make (out) one's ~* aantonen dat men gelijk heeft **3** *(jur)* (rechts)zaak, geding, proces **4** doos, kist, koffer, zak, tas(je), schede, koker, huls, mantel, sloop, overtrek, cassette, etui, omslag, band, uitstalkast, vitrine; kast *(van horloge, piano; voor boeken enz.)* **5** kozijn, raamwerk, deurlijst **6** *(taalk)* naamval
²case [kees] *tr* voorzien ve omhulsel, insluiten, vatten
¹cash [kesj] *zn* contant geld, contanten, cash; *(inform)* geld; centen: ~ *on delivery* (onder) rembours, betaling bij levering; *hard ~* munten, *(inform)* contant geld; *ready ~* baar geld, klinkende munt; *(be) short of ~* krap (bij kas) (zitten); *pay in ~* contant betalen; ~ *down* (à) contant
²cash [kesj] *tr* omwisselen in contanten *(cheques e.d.);* verzilveren, innen
cashcard betaalpas, pinpas
cash desk kassa
cash dispenser geldautomaat, flappentap
cashew [kesjoe:] cashewnoot
cashier [kesjie] **1** kassier **2** caissière, kassabediende
cash in **1** het loodje leggen **2** zijn slag slaan: ~ *on* profiteren van
cash machine geldautomaat, pinautomaat
cashmere [kesjmie] **1** kasjmieren sjaal **2** kasjmier *(wol)*
cashpoint [kesjpojnt] geldautomaat, flappentap
cash register kasregister, kassa
casing [keesing] **1** omhulsel, doos **2** kozijn, raamwerk, deurlijst
casino [kesie:noo] casino, gokpaleis
cask [ka:sk] vat, fust
casket [ka:skit] **1** (juwelen)kistje, cassette, doosje **2** *(Am)* dood(s)kist
casserole [keserool] braadschotel, ovenschotel, stoofschotel, eenpansgerecht
cassette [keset] cassette
¹cast [ka:st] *zn* **1** worp, gooi **2** iets wat geworpen wordt; lijn *(met kunstvlieg als aas)* **3** gietvorm, model, afdruk **4** gips(verband) **5** hoedanigheid, kwaliteit, aard, uitdrukking; uiterlijk *(van gezicht): ~ of mind* geestesgesteldheid **6** bezetting *(van film, toneelstuk e.d.);* cast, rolverdeling
²cast [ka:st] *intr (cast, cast)* **1** zijn hengel uitwerpen **2** de doorslag geven, beslissend zijn: *~ing vote* beslissende stem *(van voorzitter, bij staking van stemmen)*
³cast [ka:st] *tr (cast, cast)* **1** werpen, (van zich) afwerpen, uitgooien, laten vallen: *(scheepv) ~ adrift* losgooien; ~ *ashore* op de kust werpen **2** kiezen *(acteurs);* (de) rol(len) toedelen aan, casten **3** gieten *(metalen; ook fig);* een afgietsel maken van
⁴cast [ka:st] *tr, intr (cast, cast)* (be)rekenen, uitrekenen, (be)cijferen, calculeren, optellen; trekken *(horoscoop): ~ (up) accounts* rekeningen optellen
cast about (koortsachtig) zoeken: ~ *for an excuse* koortsachtig naar een excuus zoeken
castanet [kestenet] castagnet
cast aside afdanken, aan de kant schuiven, laten vallen
castaway [ka:stewee] **1** schipbreukeling **2** aan land gezette schepeling
cast away **1** verwerpen, afwijzen **2** weggooien: ~ *one's life* zijn leven vergooien
cast down **1** terneerslaan, droevig stemmen: *(volt dw) ~* terneergeslagen **2** neerslaan *(ogen)* **3** buigen *(hoofd)*
caste [ka:st] kaste
castellated [kestilleetid] kasteelachtig
castigate [kestikeet] *(form)* **1** kastijden, tuchtigen **2** hekelen **3** corrigeren; herzien *(tekst)*
casting [ka:sting] gietstuk, gietsel
cast iron gietijzer
¹castle [ka:sl] *zn* **1** kasteel, slot; burcht *(ook fig)* **2** *(schaakspel)* toren, kasteel || *build ~s in the air* luchtkastelen bouwen, dagdromen
²castle [ka:sl] *ww (schaakspel): ~ (the king)* rokeren, de rokade uitvoeren
¹cast off *tr* **1** van zich werpen; weggooien *(kleren)* **2** afdanken, aan de kant zetten
²cast off *tr, intr* **1** *(scheepv)* (de trossen) losgooien **2** *(breien)* minderen, afhechten
cast-off afgedankt, weggegooid: ~ *clothes* afdankertjes, oude kleren
castor [ka:ste] **1** strooier, strooibus: *a set of ~s* peper-en-zoutstelletje, olie-en-azijnstelletje **2** zwenkwieltje; rolletje *(van meubilair)*
cast out verstoten, verjagen, uitdrijven
castrate [kestreet] **1** castreren **2** ontzielen, bero-

ven van energie **3** kuisen, zuiveren
cast up **1** doen aanspoelen, aan land werpen **2** optellen, berekenen
¹casual [kezjoeel] *zn* **1** *~s* gemakkelijk zittende kleding **2** tijdelijke (arbeids)kracht
²casual [kezjoeel] *bn* **1** toevallig **2** ongeregeld, onsystematisch: *~ labour* tijdelijk werk; *~ labourer* los werkman **3** terloops, onwillekeurig: *a ~ glance* een vluchtige blik **4** nonchalant, ongeïnteresseerd **5** informeel: *~ clothes* (of: *wear*) vrijetijdskleding, gemakkelijke kleren **6** oppervlakkig: *a ~ acquaintance* een oppervlakkige kennis
casualty [kezjoeeltie] **1** (dodelijk) ongeval, ongeluk, ramp: *~ ward* (afdeling) eerste hulp *(ve ziekenhuis)* **2** slachtoffer, gesneuvelde, gewonde: *suffer heavy casualties* zware verliezen lijden
cat [ket] kat || *let the ~ out of the bag* uit de school klappen *(vnl. onbedoeld); it is raining ~s and dogs* het regent bakstenen; *play ~ and mouse (with s.o.)* kat en muis (met iem) spelen; *(put) a ~ among the pigeons* een knuppel in het hoenderhok (werpen); *like sth. the ~ brought in* verfomfaaid; *when the ~'s away (the mice will play)* als de kat van huis is, dansen de muizen op tafel
catacomb [ketekoe:m] catacombe, (graf)kelder
¹catalogue [ketelok] *zn* **1** catalogus **2** (was)lijst, rits, opsomming: *a whole ~ of crimes* een hele rits misdaden
²catalogue [ketelok] *ww* catalogiseren
catalyst [ketelist] katalysator *(ook fig)*
catamaran [ketemeren] catamaran
¹catapult [ketepult] *zn* katapult
²catapult [ketepult] *tr* met een katapult (be)schieten || *the driver was ~ed through the window* de chauffeur werd door de ruit geslingerd
cataract [keterekt] **1** waterval **2** sterke stroomversnelling *(in rivier)* **3** grauwe staar, cataract
catastrophe [ketestrefie] catastrofe, ramp
¹catcall *zn* fluitconcert, (afkeurend) gejoel
²catcall *intr* een fluitconcert aanheffen
³catcall *tr* uitfluiten
¹catch [ketsj] *zn* **1** het vangen, vangst, buit, aanwinst, visvangst **2** houvast, greep **3** het overgooien *(balspel)* **4** hapering *(van stem, adem, machine e.d.);* het stokken **5** *(inform)* addertje onder het gras, luchtje, valstrik **6** vergrendeling, pal, klink
²catch [ketsj] *intr (caught, caught)* **1** vlam vatten, ontbranden **2** pakken, aanslaan: *the engine failed to ~* de motor sloeg niet aan **3** besmettelijk zijn; zich verspreiden *(van ziekte)* **4** *(honkbal)* achtervangen, achtervanger zijn **5** klem komen te zitten, blijven haken || *~ at any opportunity* iedere gelegenheid aangrijpen
³catch [ketsj] *tr (caught, caught)* **1** (op)vangen, pakken, grijpen: *~ fish* (of: *thieves*) vis (*of:* dieven) vangen; *I caught my thumb in the car door* ik ben met mijn duim tussen het portier gekomen **2** (plotseling) stuiten op, tegen het lijf lopen **3** betrappen, verrassen: *caught in the act* op heterdaad betrapt; *(iron) ~ me!* ik kijk wel uit! **4** inhalen **5** halen *(bijv. trein, bus);* (nog) op tijd zijn voor **6** oplopen, krijgen; opdoen *(ziekte): ~ (a) cold* kouvatten **7** trekken *(aandacht e.d.);* wekken, vangen: *~ s.o.'s attention* (of: *interest*) iemands aandacht trekken (*of:* belangstelling wekken) **8** opvangen: *~ a glimpse of* een glimp opvangen van **9** stuiten, (plotseling) inhouden: *he caught his breath from fear* van angst stokte zijn adem **10** bevangen, overweldigen: *(inform) ~ it* de wind van voren krijgen **11** verstaan, (kunnen) volgen: *I didn't quite ~ what you said* ik verstond je niet goed
catching [ketsjing] **1** besmettelijk **2** boeiend
catch on *(inform)* **1** aanslaan, het doen, ingang vinden **2** doorhebben; snappen *(idee, grap)*
catch out **1** betrappen **2** vangen, erin laten lopen
¹catch up *intr* **1** *(inform)* een achterstand wegwerken: *John had to ~ on* (of: *in*) *geography* John moest zijn aardrijkskunde ophalen **2** (weer) bij raken, (weer) op de hoogte raken
²catch up *tr* **1** oppakken, opnemen **2** ophouden, opsteken, omhoog houden
³catch up *tr, intr* inhalen, bijkomen, gelijk komen: *~ to s.o., ~ with s.o.* iem inhalen || *be caught up in* verwikkeld zijn in
catchword kreet, slogan
catchy [ketsjie] **1** pakkend, boeiend **2** gemakkelijk te onthouden; goed in het gehoor liggend *(van muziek e.d.)*
catechism [ketikkizm] **1** catechismus **2** (godsdienst)onderwijs *(in de vorm van vraag en antwoord);* catechese
categorical [ketikorrikl] categorisch, onvoorwaardelijk, absoluut
category [ketikerie] categorie, groep
cater [keete] maaltijden verzorgen (bij), cateren
caterer [keetere] **1** cateringbedrijf **2** restaurateur, cateraar, hoteleigenaar, restauranteigenaar
cater for **1** maaltijden verzorgen, cateren: *weddings and parties catered for* wij verzorgen bruiloften en partijen *(van diners e.d.)* **2** in aanmerking nemen, overwegen, rekening houden met **3** zich richten op, bedienen, inspelen op: *a play centre catering for children* een speeltuin die vertier biedt aan kinderen
catering [keetering] catering, receptieverzorging, dinerverzorging
caterpillar [ketepille] **1** rups **2** rupsband **3** rupsbaan *(kermisattractie)*
cater to *(min)* zich richten op, bedienen, inspelen op, tegemoetkomen aan: *politicians often ~ the whims of the voters* politici volgen vaak de grillen van de kiezers
cat flap kattenluik
cathedral [keθie:drel] kathedraal
catholic [keθlik] universeel, algemeen: *a man of ~ tastes* een man met een brede belangstelling
Catholic [keθlik] katholiek
Catholicism [keθollissizm] katholicisme

ca

cat's-eye kat(ten)oog *(reflector)*
cat suit jumpsuit, bodystocking
cattle [ketl] *(ww steeds mv)* (rund)vee
catwalk **1** richel, smal looppad; *(scheepv)* loopbrug **2** lang; smal podium *(voor modeshows enz.)*; lichtbrug *(in theater)*
[1]**Caucasian** [ko:keezjn] *zn* **1** Kaukasiër **2** blanke, lid vh Indo-Europese ras
[2]**Caucasian** [ko:keezjn] *bn* **1** Kaukasisch **2** blank, vh Indo-Europese ras
caught [ko:t] *ovt en volt dw van* catch
cauldron [ko:ldren] ketel, kookpot
cauliflower [kolliflaue] bloemkool
causal [ko:zl] oorzakelijk
[1]**cause** [ko:z] *zn* **1** oorzaak, reden: *give ~ for* reden geven tot; *there is no ~ for alarm* er is geen reden voor ongerustheid **2** zaak, doel: *make common ~ with s.o.* gemene zaak maken met iem *(in politiek enz.)*; *work for a good ~* voor een goed doel werken
[2]**cause** [ko:z] *tr* veroorzaken, ertoe brengen
caustic [ko:stik] **1** brandend **2** bijtend *(ook fig)*; sarcastisch
[1]**caution** [ko:sjen] *zn* **1** waarschuwing **2** berisping **3** voorzichtigheid || *throw* (of: *fling*) *~ to the winds* alle voorzichtigheid laten varen; *~!* voorzichtig!, *(verkeer)* let op!
[2]**caution** [ko:sjen] *tr* waarschuwen, tot voorzichtigheid manen
cautionary [ko:sjenerie] waarschuwend
cautious [ko:sjes] voorzichtig, op zijn hoede
cavalier [kevelie] **1** nonchalant, onnadenkend **2** hooghartig
cavalry [kevlrie] **1** cavalerie; *(oorspr)* ruiterij **2** *(Am)* bereden strijdkrachten, lichte pantsers
[1]**cave** [keev] *zn* hol, grot, spelonk
[2]**cave** [keev] *intr* een holte vormen, instorten, inzakken
[3]**cave** [keev] *tr* uithollen, uithakken, indeuken
cave-dweller holbewoner
cave in **1** instorten, invallen, inzakken **2** *(inform)* zwichten, (onder druk) toegeven
caveman holbewoner
cavern [keven] spelonk, diepe grot, hol
cavity [kevittie] **1** holte, gat **2** gaatje: *dental ~* gaatje in tand
cavity wall spouwmuur
cc *afk van cubic centimetre(s)* cc, kubieke centimeter
CD **1** *afk van Corps Diplomatique* CD **2** *afk van compact disc* cd
CD-ROM [sie:die:rom] *afk van compact disc read-only memory* cd-rom
[1]**cease** [sie:s] *zn*: *without ~* onophoudelijk
[2]**cease** [sie:s] *intr* ophouden, tot een eind komen, stoppen
[3]**cease** [sie:s] *tr* beëindigen, uitscheiden met: *~ fire!* staakt het vuren!; *~ to exist* ophouden te bestaan
cease-fire **1** order om het vuren te staken **2** wapenstilstand
cedar [sie:de] ceder *(boom en hout)*
ceiling [sie:ling] **1** plafond **2** bovengrens *(van lonen, prijzen e.d.)*; plafond: *~ price* maximum prijs **3** *(luchtv)* hoogtegrens *(van vliegtuig)*; plafond
celebrate [sellibreet] **1** vieren **2** opdragen: *~ mass* de mis opdragen
celebration [sellibreesjen] viering, festiviteit
celebrity [sillebrittie] **1** beroemdheid, beroemd persoon **2** roem, faam
celery [sellerie] selderie, bleekselderij
celestial [sillestiel] **1** goddelijk, hemels mooi **2** hemels: *~ body* hemellichaam
celibate [sellibbet] ongehuwd
cell [sel] cel, batterijcel || *solar ~* zonnecel
cellar [selle] **1** kelder **2** wijnkelder
cellophane [sellefeen] cellofaan
cellphone [selfoon] draagbare telefoon
cellular [seljoele] **1** cellulair, cellig, met cellen: *~ tissue* celweefsel **2** celvormig **3** poreus
celluloid [seljoelojd] celluloid
Celt [kelt] Kelt *(inwoner van Ierland, Wales, Cornwall, Schotland, Bretagne)*
[1]**Celtic** [keltik] *zn* Keltisch *(taal)*
[2]**Celtic** [keltik] *bn* Keltisch
[1]**cement** [simment] *zn* cement; mortel *(ook fig)*; band, bindende kracht
[2]**cement** [simment] *tr* cement(er)en, met cement bestrijken || *~ a union* een verbond versterken
cemetery [semmitrie] begraafplaats, kerkhof
[1]**censor** [sense] *zn* **1** censor **2** zedenmeester
[2]**censor** [sense] *tr* **1** censureren **2** schrappen
[1]**censure** [sensje] *zn* afkeuring, terechtwijzing: *a vote of ~* een motie van wantrouwen
[2]**censure** [sensje] *tr* afkeuren, bekritiseren
census [senses] **1** volkstelling **2** (officiële) telling
centenarian [sentinneerien] honderdjarig
[1]**centenary** [sentie:nerie] *zn* **1** eeuwfeest **2** periode van honderd jaar
[2]**centenary** [sentie:nerie] *bn* honderdjarig
[1]**centennial** [sentenniel] *zn (Am)* eeuwfeest
[2]**centennial** [sentenniel] *bn* **1** honderdste, honderdjarig: *~ anniversary* eeuwfeest **2** honderd jaar durend
center [sente] *(Am) zie* centre
centigrade [sentikreed] Celsius
centipede [sentippie:d] duizendpoot
central [sentrel] **1** centraal, midden-: *~ government* centrale regering **2** belangrijkst, voornaamst: *the ~ issue* de hoofdzaak
[1]**centralize** [sentrelajz] *intr* zich concentreren, samenkomen
[2]**centralize** [sentrelajz] *tr* centraliseren, in één punt samenbrengen
[1]**centre** [sente] *zn* **1** midden, centrum; middelpunt *(ook fig)*; spil, as; *(pol)* centrumpartij; (zenuw)centrum; haard *(van storm, rebellie)*: *~ of attraction* zwaartepunt, *(fig)* middelpunt van de belangstel-

ling; ~ *of gravity* zwaartepunt **2** centrum, instelling, bureau

[2]**centre** [sente] *bn* middel-, centraal

[3]**centre** [sente] *intr* zich concentreren, zich richten: ~ *(a)round* als middelpunt hebben

[4]**centre** [sente] *tr* **1** in het midden plaatsen **2** concentreren, (in het midden) samenbrengen **3** *(techn)* centreren

centrefold (meisje op) uitklapplaat *(in een tijdschrift)*

centrifugal [sentrifjoe:kl] centrifugaal, middelpuntvliedend

century [sentsjerie] **1** eeuw **2** honderdtal

ceramic [siremik] keramisch

ceramics [siremiks] keramiek, pottenbakkerskunst

cereal [sieriel] **1** graan(gewas) *(eetbaar)* **2** graanproduct *(bij ontbijt);* cornflakes

cerebral [serribrel] hersen-

[1]**ceremonial** [serrimmooniel] *zn* **1** plechtigheid **2** ritueel **3** ceremonieel, het geheel der ceremoniën

[2]**ceremonial** [serrimmooniel] *bn* ceremonieel, plechtig

ceremony [serrimmenie] **1** ceremonie; *(godsd)* rite: *master of ceremonies* ceremoniemeester **2** formaliteit, vorm: *stand (up)on* ~ hechten aan de vormen; *without* ~ informeel

certain [se:tn] **1** zeker, overtuigd: *are you ~?* weet je het zeker?; *make ~ (that)* zich ervan vergewissen (dat) **2** zeker, vaststaand: *he is ~ to come* hij komt beslist; *for* ~ (vast en) zeker **3** zeker, bepaald, een of ander: *a ~ Mr Jones* ene meneer Jones **4** enig, zeker **5** sommige(n): ~ *of his friends* enkele van zijn vrienden

certainly [se:tnlie] zeker, ongetwijfeld, beslist || ~ *not!* nee!, onder geen beding!

certainty [se:tntie] zekerheid, (vaststaand) feit, vaste overtuiging: *I can't say with any ~ if it will work* ik weet (absoluut) niet zeker of het werkt

certificate [setiffikket] certificaat *(jur);* getuigschrift, legitimatiebewijs: ~ *of birth* geboorteakte; *Certificate of Secondary Education (CSE)* middelbareschooldiploma, *(ongev)* mavodiploma; *General Certificate of Education (GCE)* middelbareschooldiploma, *(ongev)* havodiploma, vwo-diploma; *(sinds 1987) General Certificate of Secondary Education (GCSE)* middelbareschooldiploma *(ongev samenvoeging van havo- en mavodiploma);* ~ *of marriage* (afschrift van) huwelijksakte, *(ongev)* trouwboekje

certificated [setiffikkeetid] gediplomeerd, bevoegd

[1]**certify** [se:tiffaj] *intr* **1** (met *to*) getuigen (over, betreffende) **2** *(Am)* een diploma uitreiken

[2]**certify** [se:tiffaj] *tr* **1** (officieel) verklaren: *the bank certified the accounts (as) correct* de bank heeft de rekening gefiatteerd **2** *(Am)* een certificaat verlenen aan, diplomeren **3** *(inform)* officieel krankzinnig verklaren: *John should be certified* ze zouden John moeten opbergen

certitude [se:titjoe:d] zekerheid, (vaste) overtuiging

cervical [se:vikl] **1** hals-, nek- **2** baarmoederhals-: ~ *smear* uitstrijkje

cervix [se:viks] **1** hals **2** baarmoederhals

cf *afk van confer* vergl., vergelijk

ch *afk van chapter* hfst., hoofdstuk

chador [tsjedo:] gezichtssluier

[1]**chafe** [tsjeef] *intr* **1** schuren **2** zich ergeren, ongeduldig zijn: ~ *at,* ~ *under* zich opwinden over **3** tekeergaan

[2]**chafe** [tsjeef] *tr* **1** warm wrijven **2** schuren, (open)schaven: *his collar ~d his neck* zijn boord schuurde om zijn nek **3** ergeren, irriteren

[1]**chaff** [tsja:f] *zn* **1** kaf *(ook fig)* **2** namaak, nep, prullaria **3** (goedmoedige) plagerij

[2]**chaff** [tsja:f] *intr* schertsen, gekheid maken

chaffinch [tsjefintsj] vink

chagrin [sjekrin] verdriet, boosheid, ergernis

[1]**chain** [tsjeen] *zn* **1** ketting; keten *(ook chem): a ~ of office* een ambtsketen **2** reeks, serie: *a ~ of coincidences* een reeks van toevalligheden **3** groep, maatschappij, keten: *a ~ of hotels* (of: *shops*) een hotelketen (*of:* winkelketen) **4** bergketen **5** kordon **6** *~s* boeien, ketenen: *in ~s* geketend *(ook fig)*

[2]**chain** [tsjeen] *tr* ketenen, in de boeien slaan

chain lock kettingslot

[1]**chair** [tsjee] *zn* **1** stoel, zetel, zitplaats; *(fig)* positie; functie: *take a* ~ ga zitten **2** voorzittersstoel, voorzitter(schap): *be in* (of: *take*) *the* ~ voorzitten **3** leerstoel **4** *(inform)* elektrische stoel

[2]**chair** [tsjee] *tr* voorzitten, voorzitter zijn van: ~ *a meeting* een vergadering voorzitten

chairman [tsjeemen] voorzitter

chairperson voorzitter, voorzitster

chalice [tsjelis] kelk

[1]**chalk** [tsjo:k] *zn* **1** krijt(je), kleurkrijt(je): *a piece of ~, a stick of* ~ een krijtje; *(inform) they are as different as ~ and cheese* ze verschillen als dag en nacht **2** krijtstreep **3** krijttekening, crayon

[2]**chalk** [tsjo:k] *tr* krijten, met krijt schrijven

chalk up **1** opschrijven *(op een bord, lei)* **2** optellen (bij de score), noteren: ~ *success* (of: *many points*) een overwinning (*of:* veel punten) boeken **3** op iemands rekening schrijven: *chalk it up, please!* wilt u het op mijn rekening zetten?

[1]**challenge** [tsjelindzj] *zn* uitdaging, moeilijke taak, test: *rise to the* ~ de uitdaging aandurven

[2]**challenge** [tsjelindzj] *tr* **1** uitdagen, tarten, op de proef stellen: ~ *s.o. to a duel* iem uitdagen tot een duel **2** uitlokken, opwekken: ~ *the imagination* de verbeelding prikkelen; ~ *thought* tot nadenken stemmen **3** aanroepen, aanhouden: ~ *a stranger* een vreemde staande houden **4** betwisten, in twijfel trekken **5** opeisen, vragen: ~ *attention* de aandacht opeisen

challenged *(euf)* gehandicapt

ch

challenger [tsjelindzje] **1** uitdager; *(vnl. boksen ook)* challenger **2** betwister, bestrijder **3** eiser, vrager **4** mededinger *(bijv. voor ambt)*
chamber [tsjeembe] **1** *(vero)* kamer, vertrek, slaapkamer: *~ of horrors* gruwelkamer **2** raad, college, groep: *Chamber of Deputies* huis van afgevaardigden; *~ of commerce* kamer van koophandel **3** afdeling ve rechtbank, kamer **4** *~s* ambtsvertrekken, kantoor, kabinet
chamberlain [tsjeembelin] **1** kamerheer **2** penningmeester
chameleon [kemie:lien] kameleon *(ook fig)*
[1]**chamois** [sjemwa:] *zn* gems
[2]**chamois** [sjemie] *zn* zeemlerenlap
champ [tsjemp] *verk van champion (inform)* kampioen
champagne [sjempeen] champagne
[1]**champion** [tsjempien] *zn* **1** kampioen, winnaar **2** voorvechter
[2]**champion** [tsjempien] *tr* verdedigen, pleiten voor, voorstander zijn van
championship [tsjempiensjip] kampioenschap, kampioenswedstrijd
[1]**chance** [tsja:ns] *zn* **1** kans, mogelijkheid, waarschijnlijkheid: *fat ~!* weinig kans!; *stand a fair ~* een redelijke kans maken; *are you Mr Buckett by (any) ~?* bent u toevallig de heer Buckett?; *(the) ~s are that* het is waarschijnlijk dat **2** toevallige gebeurtenis **3** kans, gelegenheid: *a ~ in a million* een kans van één op duizend **4** risico: *take ~s, take a ~* risico's nemen **5** het lot, de fortuin: *a game of ~* een kansspel; *leave to ~* aan het toeval overlaten
[2]**chance** [tsja:ns] *bn* toevallig: *a ~ meeting* een toevallige ontmoeting
[3]**chance** [tsja:ns] *intr* (toevallig) gebeuren: *I ~d to be on the same boat* ik zat toevallig op dezelfde boot || *~ (up)on* (toevallig) vinden
chancellor [tsja:nsele] **1** kanselier, hoofd ve kanselarij; hoofd ve universiteit *(in Eng als eretitel)* **2** *(Am; jur)* president; voorzitter *(van sommige rechtbanken)* **3** minister van financiën || *Chancellor of the Exchequer* minister van financiën
chancy [tsja:nsie] *(inform)* gewaagd, riskant, onzeker
chandelier [sjendelie] kroonluchter
[1]**change** [tsjeendzj] *zn* **1** verandering, afwisseling, variatie: *a ~ for the better* (of: *worse*) een verandering ten goede (*of:* kwade); *she has had a ~ of heart* ze is van gedachten veranderd; *for a ~* voor de afwisseling **2** verversing: *a ~ of oil* nieuwe olie **3** *(verkeer)* het overstappen **4** wisselgeld: *keep the ~!* laat maar zitten! **5** kleingeld: *give ~ for a banknote* een briefje wisselen || *~ of life* overgang(sjaren); *(inform) get no ~ out of s.o.* geen cent wijzer worden van iem
[2]**change** [tsjeendzj] *intr* **1** veranderen, anders worden, wisselen **2** zich verkleden, andere kleren aantrekken **3** overstappen: *you have to ~ at Boxtel* u moet in Boxtel overstappen **4** *(techn)* schakelen: *~ down* terugschakelen; *~ into second gear* in zijn twee zetten
[3]**change** [tsjeendzj] *tr* **1** veranderen, anders maken **2** (ver)ruilen, omruilen, (ver)wisselen: *~ one's clothes* zich omkleden; *~ gear* (over)schakelen; *~ oil* olie verversen **3** *(fin)* (om)wisselen **4** verschonen: *~ a baby* een baby een schone luier aandoen
changeover **1** omschakeling, overschakeling, overgang **2** *(sport)* het wisselen
change over **1** veranderen, overgaan, omschakelen **2** ruilen (van plaats) **3** omzwaaien: *he changed over from gas to electricity* hij is overgestapt van gas naar elektriciteit
changing room kleedkamer
[1]**channel** [tsjenl] *zn* **1** kanaal, zee-engte: *the Channel* het Kanaal **2** (vaar)geul, bedding **3** kanaal, buis, pijp, goot **4** *(radio, tv)* kanaal; *(fig)* net; programma
[2]**channel** [tsjenl] *tr* **1** kanaliseren, voorzien van kanalen **2** leiden, sturen, in bepaalde banen leiden
Channel Islands Kanaaleilanden
[1]**chant** [tsja:nt] *zn* **1** lied, (eenvoudige) melodie, psalm **2** zangerige intonatie
[2]**chant** [tsja:nt] *ww* **1** zingen, op één toon zingen **2** roepen, herhalen
chaos [keeos] chaos, verwarring, wanorde
chaotic [keeottik] chaotisch, verward, ongeordend
[1]**chap** [tsjep] *zn* **1** *(inform)* vent, kerel, knul **2** kloof(je); barst(je) *(in lip of huid);* scheur *(in grond)*
[2]**chap** [tsjep] *ww* splijten, (doen) barsten, kloven
chapel [tsjepl] kapel
chaplain [tsjeplin] **1** kapelaan, huisgeestelijke **2** veldprediker, aalmoezenier
chapter [tsjepte] **1** hoofdstuk: *give ~ and verse (inform; fig)* alle details geven, tekst en uitleg geven **2** episode, periode: *a whole ~ of accidents* een hele reeks tegenslagen **3** *(godsd)* kapittel, kapittelvergadering
[1]**char** [tsja:] *zn* **1** *verk van charlady, charwoman* werkster **2** klus(je), taak, (huishoudelijk) karwei(tje)
[2]**char** [tsja:] *intr* werkster zijn
[3]**char** [tsja:] *tr, intr* verbranden, verkolen, schroeien
character [kerikte] **1** (ken)teken, merkteken, kenmerk, (karakter)trek **2** teken, symbool, letter, cijfer **3** persoon, type; individu *(ook min): a suspicious ~* een louche figuur; *he is quite a ~* hij is me d'r eentje **4** personage, rol, figuur **5** *(inform)* excentriek figuur **6** karakter, aard, natuur: *out of ~: a)* niet typisch; *b)* ongepast **7** schrift, handschrift, (druk)letters **8** moed
[1]**characteristic** [kerikteristik] *zn* kenmerk, (kenmerkende) eigenschap
[2]**characteristic** [kerikteristik] *bn* kenmerkend, tekenend
characterize [kerikterajz] kenmerken, typeren
charcoal [tsja:kool] **1** houtskool **2** donkergrijs, an-

traciet, antracietkleur

¹**charge** [tsja:dzj] *zn* **1** lading *(ook elektrische);* belasting **2** lading springstof, bom **3** prijs, kost(en), schuld **4** pupil, beschermeling **5** instructie, opdracht; *(mil)* (bevel tot de) aanval **6** *(jur)* telastlegging, beschuldiging, aanklacht: *face a ~ of theft* terechtstaan wegens diefstal **7** zorg, hoede, leiding: *officer in ~* dienstdoend officier; *take ~ of* de leiding nemen over, zich belasten met; *in ~ of* verantwoordelijk voor

²**charge** [tsja:dzj] *tr* **1** (aan)rekenen, in rekening brengen: *he ~d me five pounds* hij rekende mij vijf pond **2** beschuldigen, aanklagen: *~ s.o. with theft* iem van diefstal beschuldigen **3** bevelen, opdragen

³**charge** [tsja:dzj] *tr, intr* **1** aanvallen, losstormen op **2** opladen, laden, vullen

charged [tsja:dzjd] **1** emotioneel, sterk voelend **2** geladen, omstreden: *a ~ atmosphere* een geladen atmosfeer

chariot [tsjeriet] triomfwagen, (strijd)wagen

charismatic [kerizmetik] charismatisch, inspirerend

charitable [tsjeritteblᅟ] **1** menslievend, welwillend **2** liefdadig, vrijgevig **3** van een liefdadig doel: *~ institutions* liefdadige instellingen **4** mild in zijn oordeel, vergevensgezind

charity [tsjerittie] liefdadigheidsinstelling, liefdadigheid, (naasten)liefde || *~ begins at home (ongev)* het hemd is nader dan de rok

charlatan [sja:leten] charlatan, kwakzalver

¹**charm** [tsja:m] *zn* **1** charme, bekoorlijke eigenschap, aantrekkelijkheid **2** tovermiddel, toverspreuk: *(inform) it works like a ~* het werkt perfect **3** amulet **4** bedeltje *(aan armband)*

²**charm** [tsja:m] *tr* **1** betoveren, charmeren **2** bezweren: *~ snakes* slangen bezweren

charming [tsja:ming] charmant, aantrekkelijk

¹**chart** [tsja:t] *zn* **1** kaart, zeekaart, weerkaart **2** grafiek, curve, tabel **3** *~s* hitparade

²**chart** [tsja:t] *tr* in kaart brengen, een kaart maken van: *~ a course* een koers uitzetten

¹**charter** [tsja:te] *zn* **1** oorkonde, (voor)recht **2** handvest: *the ~ of the United Nations* het handvest van de Verenigde Naties **3** (firma)contract, statuten **4** het charteren, huur

²**charter** [tsja:te] *tr* **1** een octrooi verlenen aan: *~ed accountant* (beëdigd) accountant **2** charteren, (af)huren

charwoman werkster

chary [tsjeerie] **1** voorzichtig **2** verlegen **3** zuinig, karig, spaarzaam **4** kieskeurig

¹**chase** [tsjees] *zn* **1** achtervolging; jacht *(ook sport): give ~ (to)* achternazitten **2** park, jachtveld **3** (nagejaagde) prooi **4** steeplechase, wedren met hindernissen

²**chase** [tsjees] *intr* jagen, zich haasten

³**chase** [tsjees] *tr* **1** achtervolgen, achternazitten; *(fig)* najagen: *~ up* opsporen **2** verjagen, verdrijven: *~ away* (of: *out, off*) wegjagen

chasm [kezm] kloof, afgrond; *(fig ook)* verschil; tegenstelling

chassis [sjesie] chassis, onderstel, landingsgestel

chaste [tsjeest] kuis

chasten [tsjeesn] **1** kuisen, zuiveren **2** matigen

chastise [tsjestajz] kastijden, (streng) straffen

¹**chat** [tsjet] *zn* **1** babbeltje, praatje **2** geklets, gebabbel

²**chat** [tsjet] *intr* babbelen, kletsen, praten: *~ away* erop los kletsen

chatline babbellijn

chatshow talkshow, praatprogramma

¹**chatter** [tsjete] *zn* **1** geklets **2** geklapper *(van tanden)*

²**chatter** [tsjete] *intr* **1** kwebbelen, (druk) praten: *~ away* (erop los) praten **2** klapperen *(van tanden)*

chatterbox kletskous

¹**cheap** [tsjie:p] *bn* **1** goedkoop, voordelig: *on the ~* voor een prikje **2** gemakkelijk **3** ordinair, grof: *a ~ kind of humour* flauwe grappen **4** onoprecht, oppervlakkig

²**cheap** [tsjie:p] *bw* **1** goedkoop, voordelig **2** vulgair, ordinair

¹**cheapen** [tsjie:pen] *intr* goedkoop worden, in prijs dalen

²**cheapen** [tsjie:pen] *tr* **1** goedkoop *(of:* goedkoper) maken, in waarde doen dalen, verlagen; *(fig)* afbreuk doen aan **2** afdingen op

¹**cheat** [tsjie:t] *zn* **1** bedrog, afzetterij **2** bedrieger, valsspeler

²**cheat** [tsjie:t] *intr* **1** bedrog plegen, vals spelen **2** *(inform)* ontrouw zijn

³**cheat** [tsjie:t] *tr* **1** bedriegen, oplichten, afzetten: *~ at exams* spieken; *~ s.o. out of sth.* iem iets afhandig maken **2** ontglippen (aan), ontsnappen aan

cheater [tsjie:te] bedrieger, oplichter, afzetter

¹**check** [tsjek] *zn* **1** belemmering, oponthoud: *keep a ~ on s.o., (Am) have one's checks upon s.o.* iem in de gaten houden **2** proef, test, controle **3** *(Am)* rekening *(in restaurant)* **4** kaartje, reçu, bonnetje **5** ruit(je), ruitpatroon, geruite stof **6** controle, bedwang: *without ~* ongehinderd **7** schaak: *~!* schaak!

²**check** [tsjek] *tr, intr* **1** controleren, testen: *~ (up) on sth.* iets controleren **2** (doen) stoppen, tegenhouden, afremmen **3** schaak zetten, bedreigen **4** *(Am)* afgeven *(ter bewaring)* **5** kloppen, punt voor punt overeenstemmen || *~ into a hotel* zich inschrijven in een hotel

³**check** [tsjek] *(Am) zie* cheque

checked [tsjekt] geruit, geblokt

checkers [tsjekkez] *(Am)* damspel, dammen

¹**check in** *intr* zich inschrijven

²**check in** *tr (Am)* **1** registreren, inschrijven **2** terugbrengen

checklist checklist, controlelijst

¹**checkmate** *zn* schaakmat

²**checkmate** *ww* schaakmat zetten

ch

ch

checkout kassa *(in supermarkt e.d.)*
check out vertrekken, zich uitschrijven: ~ *of a hotel* vertrekken uit een hotel
checkroom *(Am)* **1** bagagedepot **2** garderobe *(in hotel, schouwburg enz.)*
check-up (algemeen medisch) onderzoek
cheddar [tsjedde] kaas
cheek [tsjie:k] **1** wang: *turn the other* ~ de andere wang toekeren; ~ *by jowl (with): a)* dicht bijeen; *b)* (als) twee handen op een buik **2** brutaliteit, lef
cheekbone jukbeen
cheeky [tsjie:kie] brutaal
cheep [tsjie:p] gefluit; getjilp *(van vogels)*
[1]**cheer** [tsjie] *zn* **1** (juich)kreet, schreeuw: ~*s* hoerageroep, gejuich **2** aanmoediging **3** stemming, humeur: *of* (of: *with*) *good* ~ welgemoed, vrolijk **4** vrolijkheid
[2]**cheer** [tsjie] *intr* juichen, schreeuwen, roepen || ~ *up!* kop op!
[3]**cheer** [tsjie] *tr* **1** toejuichen, aanmoedigen: ~ *on* aanmoedigen **2** bemoedigen: ~ *up* opvrolijken
cheerful [tsjiefl] vrolijk, blij, opgewekt
cheerio [tsjierie·oo] *(inform)* **1** dag!, tot ziens! **2** proost!
cheerleader *(Am)* cheerleader *(aanvoerster van toejuichers bij sportwedstrijd)*
cheers [tsjiez] **1** proost! **2** *(inform)* dag!, tot ziens! **3** *(inform)* bedankt!
cheese [tsjie:z] kaas
cheeseburger hamburger met kaas
chef [sjef] chef-kok
[1]**chemical** [kemmikl] *zn* chemisch product
[2]**chemical** [kemmikl] *bn* chemisch, scheikundig
chemist [kemmist] **1** chemicus, scheikundige **2** apotheker **3** drogist
chemistry [kemmistrie] **1** scheikunde **2** scheikundige eigenschappen; *(fig)* geheimzinnige werking: *the* ~ *of love* de mysterieuze werking van de liefde
cheque [tsjek] cheque
cheque card betaalpas(je), bankkaart
chequer [tsjekke] schakeren, afwisseling brengen in; *(fig)* kenmerken door wisselend succes: *a* ~*ed life* een leven met voor- en tegenspoed
cherish [tsjerrisj] koesteren, liefhebben: ~ *hopes* hoop koesteren
cherry [tsjerrie] **1** kers **2** kersenboom **3** kersenhout **4** kersrood
chess [tsjes] schaak, schaakspel
chessman [tsjesmen] schaakstuk
chest [tsjest] **1** borst(kas): *get sth. off one's* ~ over iets zijn hart luchten **2** kist, kast, bak, doos: ~ *of drawers* ladekast
chestnut [tsjesnut] **1** kastanje, kastanjeboom **2** vos(paard) **3** *(inform)* ouwe mop, bekend verhaal **4** kastanjebruin: ~ *mare* kastanjebruine merrie
[1]**chew** [tsjoe:] *zn* (tabaks)pruim: *a* ~ *of tobacco* een tabakspruim
[2]**chew** [tsjoe:] *ww* **1** kauwen, pruimen **2** *(inform; ook fig)* herkauwen, (over)denken, bepraten: ~ *sth. over* ergens over nadenken; ~ *over sth.* iets bespreken; ~ *over* (of: *on*) *sth.* nadenken over iets
chewing gum kauwgom
[1]**chic** [sjie:k] *zn* chic, verfijning, stijl
[2]**chic** [sjie:k] *bn* chic, stijlvol, elegant
chick [tsjik] **1** kuiken, (jong) vogeltje **2** *(inform)* meisje, grietje, stuk **3** kind
[1]**chicken** [tsjikkin] *zn* **1** kuiken, (jong) vogeltje **2** kip **3** kind: *Mary is no* ~ Mary is niet meer zo piep **4** *(inform; min)* lafaard, bangerik **5** *(inform)* lekker stuk, grietje || *count one's* ~*s before they are hatched* de huid verkopen voordat men de beer geschoten heeft
[2]**chicken** [tsjikkin] *bn (inform)* laf, bang
chicken out *(inform)* ertussenuit knijpen, bang worden
chickenpox waterpokken
chicory [tsjikkerie] *(plantk)* **1** Brussels lof, witlof **2** *(Am)* andijvie
[1]**chief** [tsjie:f] *zn* leider, aanvoerder, opperhoofd
[2]**chief** [tsjie:f] *bn* belangrijkst, voornaamst, hoofd-: ~ *accountant* hoofdaccountant; ~ *constable* hoofd van politie in graafschap
chiefly [tsjie:flie] voornamelijk, hoofdzakelijk, vooral
chieftain [tsjie:ften] **1** hoofdman *(van stam enz.)* **2** bendeleider
chilblain [tsjilbleen] winterhanden, wintervoeten
child [tsjajld] *(mv: ~ren)* **1** kind *(ook fig)* **2** nakomeling **3** volgeling, aanhanger **4** (geestes)kind, product, resultaat
childhood [tsjajldhoed] jeugd, kinderjaren
childminding kinderoppas, kinderopvang
children [tsjildren] *mv van* child
Chile [tsjillie] Chili
[1]**chill** [tsjil] *zn* **1** verkoudheid, koude rilling **2** kilte, koelte, frisheid; *(fig)* onhartelijkheid: *cast a* ~ *over sth.* een domper zetten op iets
[2]**chill** [tsjil] *intr* **1** afkoelen, koud worden **2** chillen || ~*ed meat* gekoeld vlees
chilly [tsjillie] **1** koel, kil, koud **2** huiverig **3** onvriendelijk, ongevoelig
[1]**chime** [tsjajm] *zn* **1** klok, klokkenspel: *a* ~ *of bells* een klokkenspel; *ring the* ~*s* de klokken luiden **2** klokgelui **3** harmonie, overeenstemming
[2]**chime** [tsjajm] *intr* **1** luiden, slaan: ~ *with* in overeenstemming zijn met **2** in harmonie zijn, overeenstemmen
chime in **1** overeenstemmen, instemmen: ~ *with* overeenstemmen met **2** opmerken; invallen *(met opmerking)*; bijvallen: ~ *with* invallen met *(opmerking)*
chimney [tsjimnie] schoorsteen, rookkanaal
chimney-piece schoorsteenmantel
chimney sweep(er) schoorsteenveger
chimpanzee [tsjimpenzie:] chimpansee
chin [tsjin] kin || *(inform) (keep your)* ~ *up!* kop op!

China [tsjajne] **1** China **2** *(china)* porselein
Chinese [tsjajnie:z] Chinees, uit China || ~ *lantern* lampion, papieren lantaarn; ~ *wall* Chinese Muur, *(fig)* onoverkomelijke hindernis
[1]**chink** [tsjingk] *zn* **1** spleet, opening, gat: *(fig) that is the ~ in his armour* dat is zijn zwakke plek **2** lichtstraal *(als door een spleet);* straaltje licht: *a ~ of light* een lichtstraal **3** kling, het rinkelen
[2]**chink** [tsjingk] *intr* rinkelen *((als) van metaal, glas)*
[3]**chink** [tsjingk] *tr* **1** doen rinkelen *((als) metaal, glas)* **2** dichten, (op)vullen
[1]**chip** [tsjip] *zn* **1** splintertje, scherf **2** fiche: *(inform) when the ~s are down* als het erop aankomt, als het menens wordt **3** friet, patat **4** *~s (Am, Austr)* chips **5** *(techn)* chip || *have a ~ on one's shoulder* prikkelbaar zijn, lichtgeraakt zijn
[2]**chip** [tsjip] *intr* afbrokkelen: *~ away at a piece of wood* hout vorm geven
[3]**chip** [tsjip] *tr* **1** (af)kappen, afsnijden, onderbreken, in de rede vallen: *~ off* afbikken, afbreken **2** beitelen, beeldhouwen
chip and PIN betalen met chipkaart of pinpas, chippen en pinnen
chip in **1** (zijn steentje) bijdragen, lappen **2** opperen, onderbreken
chipping [tsjipping] **1** scherfje, stukje **2** bik, losse stukjes steen
chirp [tsje:p] tjirpen, tjilpen, piepen
chirpy [tsje:pie] vrolijk; levendig *(inform);* spraakzaam
chisel [tsjizl] beitel
chit [tsjit] **1** jong kind, hummel **2** *(vaak min; voor vrouw)* jong ding **3** briefje, memo **4** rekening, bon(netje), cheque
chivalrous [sjivlres] ridderlijk, galant
chivalry [sjivlrie] ridderschap, ridderlijkheid
chiv(v)y [tsjivvie] achterna zitten, (op)jagen
chlorine [klo:rie:n] chloor
chlorophyl(l) [klorrefil] bladgroen
[1]**chocolate** [tsjokkelet] *zn* **1** chocolaatje, bonbon, praline **2** chocolade
[2]**chocolate** [tsjokkelet] *bn* **1** chocoladekleurig **2** chocolade, naar chocolade smakend
[1]**choice** [tsjojs] *zn* **1** keus, keuze, alternatief, voorkeur: *the colour of your ~* de kleur van uw keuze; *John has no ~ but to come* John moet wel komen; *by ~, for ~* bij voorkeur; *from ~* graag, gewillig **2** keuzemogelijkheid, optie
[2]**choice** [tsjojs] *bn* **1** uitgelezen: *~ meat* kwaliteitsvlees **2** zorgvuldig gekozen *(van woorden)*
choir [kwajje] koor
[1]**choke** [tsjook] *zn* choke, gasklep
[2]**choke** [tsjook] *intr* (ver)stikken, naar adem snakken, zich verslikken
[3]**choke** [tsjook] *tr* **1** verstikken, doen stikken: *~ a fire* een vuur doven **2** verstoppen **3** onderdrukken, inslikken, bedwingen
cholera [kollere] cholera
choleric [kollerik] zwartgallig
cholesterol [kelesterol] cholesterol
choose [tsjoe:z] *(chose, chosen)* **1** (uit)kiezen, selecteren: *a lot to ~ from* veel om uit te kiezen **2** beslissen, besluiten: *George chose not to come* George besloot niet te komen, kwam liever niet **3** (ver)kiezen, willen, wensen
choos(e)y [tsjoe:zie] kieskeurig
[1]**chop** [tsjop] *zn* **1** houw, hak, slag **2** karbonade, kotelet **3** (karate)slag **4** *~s* kaken; lippen *(van dieren)* **5** ontslag: *get the ~* ontslagen worden
[2]**chop** [tsjop] *intr* **1** hakken, kappen, houwen **2** voortdurend veranderen *(ook fig): ~ and change* erg veranderlijk zijn, vaak van mening veranderen
[3]**chop** [tsjop] *tr* **1** hakken, kappen, houwen: *~ down trees* bomen omhakken **2** fijnhakken, fijnsnijden: *~ped liver* (fijn)gehakte lever
chopper [tsjoppe] **1** hakker, houwer **2** hakmes, kapmes **3** bijl **4** *(inform)* helikopter
chopstick (eet)stokje
chop suey [tsjop soe:ie] tjaptjoi *(Chinees gerecht)*
choral [ko:rel] **1** koor- **2** gezongen
chord [ko:d] **1** snaar *(ook fig): (fig) that strikes a ~* dat herinnert me aan iets **2** *(muz)* akkoord
chore [tsjo:] karwei(tje): *do the ~s* het huishouden doen
chorister [korriste] koorknaap
chortle [tsjo:tl] luidruchtig gegrinnik
chose [tsjooz] *ovt van* choose
chosen [tsjoozn] *volt dw van* choose
chow [tsjau] **1** chowchow *(hond)* **2** *(inform)* eten, voer
chow-chow chowchow *(hond)*
Christ [krajst] Christus
christen [krisn] **1** dopen **2** als (doop)naam geven, noemen, dopen
Christendom [krisndem] christenheid
christening [krisning] doop
[1]**Christian** [kristsjen] *zn* christen, christenmens
[2]**Christian** [kristsjen] *bn* christelijk
Christianity [kristie·enittie] **1** christendom **2** christelijkheid
Christian name doopnaam, voornaam
Christmas [krismes] Kerstmis, kerst(tijd): *the ~ season* het kerstseizoen
Christmas Eve kerstavond, avond (dag) voor Kerstmis
chromium [kroomiem] chromium, chroom
chromosome [kroomesoom] chromosoom
chronic [kronnik] **1** chronisch, slepend, langdurend; *(van ziekte ook)* ongeneeslijk **2** *(plat)* erg, slecht, vreselijk
chronicle [kronnikl] kroniek
chronology [krenolledzjie] chronologie
chrysanth(emum) [krisenθimmem] chrysant
chubby [tsjubbie] *(inform)* mollig; gevuld *(van gezicht)*

ch

ch

[1]**chuck** [tsjuk] *zn* **1** aaitje *(onder de kin);* tikje, klopje **2** klem *(aan een draaibank)*
[2]**chuck** [tsjuk] *tr* **1** *(inform)* gooien **2** *(inform)* de bons geven, laten zitten **3** *(inform)* ophouden met, laten, opgeven: ~ *it (in)* er de brui aan geven, ermee ophouden
[1]**chuckle** [tsjukl] *zn* lachje, gegrinnik, binnenpretje
[2]**chuckle** [tsjukl] *intr* **1** grinniken, een binnenpretje hebben **2** leedvermaak hebben
chuffed [tsjuft] blij, tevreden
[1]**chug** [tsjuk] *zn* puf, geronk
[2]**chug** [tsjuk] *intr* (ook met *along*) (voort)puffen
chum [tsjum] **1** makker, gabber; maat *(vnl. onder jongens)* **2** *(Am)* kamergenoot
chump [tsjump] *(inform)* sukkel || *go off one's* ~ stapelgek worden
chunk [tsjungk] brok, stuk; homp *(ook fig): a* ~ *of cheese* (of: *bread*) een brok kaas, een homp brood
church [tsje:tsj] **1** kerk(gebouw): *established* ~ staatskerk **2** kerk(genootschap): *the Church of England* de anglicaanse kerk **3** kerk(dienst)
churchyard kerkhof, begraafplaats
churlish [tsje:lisj] boers, lomp
[1]**churn** [tsje:n] *zn* **1** karn(ton) **2** melkbus
[2]**churn** [tsje:n] *tr* **1** roeren *(melk of room)* **2** karnen **3** omroeren, laten schuimen || *(inform)* ~ *out* (in grote hoeveelheden tegelijk) produceren, afdraaien *(van tekst)*
chute [sjoe:t] **1** helling, stortkoker **2** stroomversnelling **3** *(inform)* parachute
chutney [tsjutnie] chutney
chutzpah [choetspe] gotspe, schaamteloze brutaliteit
CIA *(Am) afk van Central Intelligence Agency* CIA
cider [sajde] cider, appelwijn
cigar [sika:] sigaar
cigarette [sikeret] sigaret
C-in-C *afk van Commander-in-chief* opperbevelhebber
cinch [sintsj] *(Am) (inform)* makkie, kinderspel || *it's a* ~ dat is een makkie
cinder [sinde] sintel: ~*s* as
Cinderella [sinderelle] **1** Assepoester **2** stiefkind, assepoester
cinema [sinnimme] bioscoop, cinema
cinnamon [sinnemen] kaneel
cipher [sajfe] **1** nul **2** cijfer **3** sleutel *(van code)* **4** code, geheimschrift: *the message was in* ~ de boodschap was in geheimschrift
circa [se:ke] circa, omstreeks
[1]**circle** [se:kl] *zn* **1** cirkel **2** kring, ring; *(archeologie)* kring stenen; rotonde, ringlijn, rondweg; balkon *(in theater); (hockey)* slagcirkel: *run round in* ~*s* nodeloos druk in de weer zijn **3** groep, clubje, kring || *vicious* ~ vicieuze cirkel
[2]**circle** [se:kl] *intr* rondcirkelen, ronddraaien, rondgaan
[3]**circle** [se:kl] *tr* omcirkelen
circuit [se:kit] **1** kring, omtrek, ronde **2** (race)baan, circuit **3** stroomkring, schakeling **4** *(sport)* circuit || *closed* ~ gesloten circuit
[1]**circular** [se:kjele] *zn* **1** rondschrijven, circulaire **2** rondweg
[2]**circular** [se:kjele] *bn* **1** rond, cirkelvormig: ~ *saw* cirkelzaag **2** rondlopend, rondgaand, (k)ring-: ~ *road* rondweg **3** ontwijkend, indirect || ~ *letter* circulaire, rondschrijven
circulate [se:kjeleet] (laten) circuleren, (zich) verspreiden
circulation [se:kjeleesjen] **1** oplage **2** omloop, circulatie, distributie: *in* (of: *out of*) ~ in (*of:* uit) de roulatie **3** bloedsomloop
circumcision [se:kemsizjen] besnijdenis
circumference [sekumfrens] cirkelomtrek
circumflex [se:kemfleks] accent circonflexe, dakje, kapje
circumspect [se:kemspekt] omzichtig, op zijn hoede, voorzichtig
circumstance [se:kemstens] **1** omstandigheid, (materiële) positie, (financiële) situatie: *straitened* (of: *reduced*) ~*s* behoeftige omstandigheden; *in* (of: *under*) *the* ~*s* onder de gegeven omstandigheden **2** feit, geval, gebeurtenis **3** praal, drukte, omhaal: *pomp and* ~ pracht en praal
circumstantial [se:kemstensjl] **1** (afhankelijk) van de omstandigheden: ~ *evidence* indirect bewijs **2** bijkomstig, niet essentieel **3** uitvoerig, omstandig
circumvent [se:kemvent] ontwijken, omzeilen
circus [se:kes] **1** circus **2** (rond) plein
CIS *afk van Commonwealth of Independent States* GOS, Gemenebest van Onafhankelijke Staten
citadel [sittedel] fort, citadel, bolwerk
citation [sajteesjen] aanhaling, citaat
cite [sajt] aanhalen, citeren: ~ *examples* voorbeelden aanhalen
citizen [sittizzen] **1** burger, stedeling, inwoner **2** staatsburger, onderdaan: *Jeffrey is a British* ~ Jeffrey is Brits onderdaan **3** *(Am)* niet-militair, burger
citizenship [sittiznsjip] (staats)burgerschap
citizenship course inburgeringscursus
citrus [sitres] citrus-
city [sittie] (grote) stad; *(fig)* financieel centrum: *the City* de oude binnenstad van Londen
city council gemeenteraad
city hall *(Am)* **1** gemeentehuis, stadhuis **2** stadsbestuur
civic [sivvik] **1** burger-, burgerlijk **2** stedelijk, gemeente-: ~ *centre* bestuurscentrum, openbaar centrum
civics [sivviks] leer van burgerrechten en -plichten; *(ond, ongev)* maatschappijleer
civil [sivl] **1** burger-, burgerlijk, civiel: ~ *disobedience* burgerlijke ongehoorzaamheid; ~ *law* Romeins recht; ~ *marriage* burgerlijk huwelijk; ~ *war* burgeroorlog **2** beschaafd, beleefd **3** niet-mili-

tair, burger-: ~ *service* civiele dienst, ambtenarij || ~ *engineering* weg- en waterbouwkunde
[1]**civilian** [sivvillien] *zn* burger, niet-militair
[2]**civilian** [sivvillien] *bn* burger-, civiel, burgerlijk
civility [sivvillittie] beleefde opmerking, beleefdheid
civilization [sivvelajzeesjen] **1** beschaving, cultuur, ontwikkeling **2** de beschaafde wereld
civilize [sivvelajz] **1** beschaven, ontwikkelen, civiliseren **2** opvoeden
[1]**claim** [kleem] *zn* **1** aanspraak, recht, claim, eis: *lay ~ to, make a ~ to* aanspraak maken op **2** vordering, claim **3** bewering, stelling
[2]**claim** [kleem] *intr* een vordering indienen, een eis instellen, schadevergoeding eisen
[3]**claim** [kleem] *tr* **1** opeisen, aanspraak maken op: ~ *damages* schadevergoeding eisen **2** beweren, verkondigen, stellen
[1]**clairvoyant** [kleevojjent] *zn* helderziende
[2]**clairvoyant** [kleevojjent] *bn* helderziend
clamber [klembe] opklimmen tegen, beklimmen
clammy [klemie] klam, vochtig
clamorous [klemeres] lawaaierig, luidruchtig
[1]**clamour** [kleme] *zn* **1** geschreeuw, getier **2** herrie, lawaai
[2]**clamour** [kleme] *ww* **1** schreeuwen, lawaai maken **2** protesteren, zijn stem verheffen, aandringen: ~ *for* aandringen op
[1]**clamp** [klemp] *zn* **1** klem, klamp, (klem)beugel **2** kram, (muur)anker
[2]**clamp** [klemp] *ww* klampen, vastklemmen
clamp down *(met on)* een eind maken (aan), de kop indrukken: *we're clamping down on overspending* we willen een eind maken aan de te hoge uitgaven
clam up dichtslaan, dichtklappen, weigeren iets te zeggen
clan [klen] geslacht, stam, familie, clan
clandestine [klendestin] clandestien, geheim
[1]**clang** [kleng] *zn* metalige klank, galm; luiden *(klok, bel);* gekletter, gerinkel
[2]**clang** [kleng] *ww* (metalig) (doen) klinken, luiden, rinkelen, (doen) galmen
clanger [klenge] miskleun, blunder, flater: *to drop a ~* een flater slaan, een blunder begaan
[1]**clap** [klep] *zn* klap, slag, tik, applaus: ~ *of thunder* donderslag
[2]**clap** [klep] *intr* **1** klappen, slaan, kloppen **2** applaudisseren
[3]**clap** [klep] *tr* **1** (stevig) plaatsen, zetten, planten, poten: ~ *s.o. in jail* iem achter de tralies zetten **2** slaan: ~ *s.o. on the back* iem op de rug slaan **3** klappen in, slaan in: ~ *one's hands* in de handen klappen
clapped-out **1** uitgeteld, afgedraaid **2** gammel, wrakkig
clapper [klepe] **1** klepel **2** ratel
claptrap **1** holle frasen, goedkope trucs **2** onzin
clarification [kleriffikkeesjen] **1** zuivering; filtrering *(vloeistof, lucht)* **2** opheldering, verklaring, uitleg
[1]**clarify** [kleriffaj] *intr* helder worden *(vloeistof, vet, lucht); (fig)* verhelderen; duidelijk worden
[2]**clarify** [kleriffaj] *tr* **1** zuiveren, klaren, doen bezinken **2** ophelderen, duidelijk maken, toelichten
clarinet [klerinnet] klarinet
clarion [klerien] **1** klaroen, signaalhoorn **2** (klaroen)geschal
clarity [klerittie] helderheid, duidelijkheid
[1]**clash** [klesj] *zn* **1** gevecht, botsing, conflict **2** (wapen)gekletter
[2]**clash** [klesj] *ww* **1** slaags raken, botsen **2** tegenstrijdig zijn, botsen, in conflict zijn (raken) || *the party ~es with my exam* het feest valt samen met mijn examen
[1]**clasp** [kla:sp] *zn* gesp, haak, knip
[2]**clasp** [kla:sp] *ww* **1** vastmaken, dichthaken, vastgespen **2** vastgrijpen, vasthouden: ~ *hands* elkaars hand grijpen **3** omvatten, omhelzen
clasp knife zakmes, knipmes
[1]**class** [kla:s] *zn* **1** stand, (maatschappelijke) klasse **2** rang, klas(se), soort, kwaliteit **3** klas, klasgenoten **4** les, lesuur, college, cursus **5** categorie, groep, verzameling; *(ook wisk; biol)* klasse: *in a ~ of its* (of: *his*) *own* een klasse apart **6** stijl, distinctie
[2]**class** [kla:s] *ww* plaatsen, indelen, classificeren: ~ *as* beschouwen als
[1]**classic** [klesik] *zn* **1** een van de klassieken: *that film is a real ~* die film is een echte klassieker **2** ~*s* klassieke talen
[2]**classic** [klesik] *bn* **1** klassiek, tijdloos, traditioneel **2** kenmerkend, typisch, klassiek: *a ~ example* een schoolvoorbeeld
classical [klesikl] **1** klassiek, traditioneel **2** antiek, uit de klassieke oudheid
classification [klesiffikkeesjen] **1** categorie, classificatie, klasse **2** rangschikking, indeling
classify [klesiffaj] **1** indelen, rubriceren, classificeren **2** geheim verklaren, als geheim aanmerken
classmate [kla:smeet] klasgenoot, klasgenote
classroom klas(lokaal)
classy [kla:sie] sjiek, deftig, elegant
[1]**clatter** [klete] *zn* gekletter, gerammel, geklepper
[2]**clatter** [klete] *ww* kletteren, klepperen
clause [klo:z] clausule, bepaling, beding
[1]**claw** [klo:] *zn* **1** klauw **2** poot **3** schaar *(van krab, e.d.)*
[2]**claw** [klo:] *ww* klauwen, grissen, graaien
clay [klee] klei, leem, aarde, modder
[1]**clean** [klie:n] *zn* schoonmaakbeurt: *give the room a ~* de kamer een (goede) beurt geven
[2]**clean** [klie:n] *bn* **1** schoon, helder; zuiver *(lucht)* **2** sierlijk, regelmatig, duidelijk; helder *(stijl)* **3** compleet, helemaal: *a ~ break* een radicale breuk **4** oprecht, eerlijk, sportief: *come ~* voor de draad komen (met), eerlijk bekennen **5** onschuldig, netjes, fatsoenlijk, kuis || *make a ~ breast of*

sth. iets bekennen, ergens schoon schip mee maken; *wipe the slate* ~ met een schone lei beginnen

[3]**clean** [klie:n] *intr* schoon(gemaakt) worden, zich laten reinigen

[4]**clean** [klie:n] *tr* schoonmaken, reinigen, zuiveren: *have a coat ~ed* een jas laten stomen; ~ *down* schoonborstelen, schoonwassen

[5]**clean** [klie:n] *bw* **1** volkomen, helemaal, compleet: ~ *forgotten* glad vergeten **2** eerlijk, fair

clean-cut duidelijk, helder: *a ~ decision* een ondubbelzinnige beslissing

cleaner [klie:ne] **1** schoonmaker, schoonmaakster, werkster **2** schoonmaakmiddel, reinigingsmiddel **3** ~*'s* stomerij || *(fig) take s.o. to the ~'s: a)* iem uitkleden; *b)* de vloer met iem aanvegen

cleaning lady schoonmaakster, hulp in de huishouding

cleanly [klenlie] proper, zindelijk, netjes

clean out **1** schoonvegen, uitvegen, uitmesten **2** *(inform)* kaal plukken, uitschudden; opkopen *(voorraad);* afhandig maken *(geld)*

cleanse [klenz] reinigen, zuiveren; desinfecteren *(wond)*

[1]**clean up** *intr* de boel opruimen, schoonmaken

[2]**clean up** *tr* **1** opruimen **2** (goed) schoonmaken, opknappen: *clean oneself up* zich opknappen **3** zuiveren; *(fig)* uitmesten; saneren: ~ *the town* de stad (van misdaad) zuiveren

clean-up schoonmaakbeurt *(ook fig);* sanering

[1]**clear** [klie] *zn: be in the* ~ buiten gevaar zijn, vrijuit gaan

[2]**clear** [klie] *bn* **1** helder, schoon, doorzichtig, klaar **2** duidelijk, ondubbelzinnig, uitgesproken: *make oneself* ~ duidelijk maken wat je bedoelt; *do I make myself ~?* is dat duidelijk begrepen? **3** netto; schoon *(loon, winst e.d.)* **4** compleet, volkomen, absoluut: *a ~ majority* een duidelijke meerderheid **5** vrij, open, op een afstand, veilig, onbelemmerd: *the coast is* ~ de kust is veilig || ~ *conscience* zuiver geweten

[3]**clear** [klie] *intr* **1** helder worden; opklaren *(van lucht)* **2** weggaan, wegtrekken; optrekken *(van mist): ~ away* optrekken

[4]**clear** [klie] *tr* **1** helder maken, schoonmaken, verhelderen **2** vrijmaken; ontruimen *(gebouw, straat): ~ the table* de tafel afruimen **3** verwijderen, opruimen **4** zuiveren, onschuldig verklaren: ~ *s.o. of suspicion* iem van verdenking zuiveren **5** (ruim) passeren; springen over *(hek);* erlangs kunnen **6** (laten) passeren *(de douane);* inklaren, klaren, uitklaren **7** verrekenen; vereffenen *(schuld);* clearen *(cheque)*

[5]**clear** [klie] *bw* **1** duidelijk, helder: *his voice came through loud and* ~ zijn stem kwam luid en helder door **2** op voldoende afstand, een eindje, vrij: *keep* (of: *stay, steer*) ~ *of* uit de weg gaan, (proberen te) vermijden

clearance [klierens] **1** opheldering, verheldering, verduidelijking **2** ontruiming, opruiming, uitverkoop **3** vergunning, toestemming; (akte van) inklaring *(schepen); (luchtv)* toestemming tot landen (opstijgen) **4** speling, vrije ruimte, tussenruimte: *there was only 2 ft ~ between the two ships* er zat maar twee voet speling tussen de twee schepen

clear-cut scherp omlijnd *(ook fig);* duidelijk, uitgesproken

clear-headed helder denkend, scherpzinnig

clearing [kliering] **1** open(gekapte) plek *(in bos)* **2** verrekening, vereffening

clearly [klielie] **1** duidelijk: *understand sth.* ~ iets goed begrijpen **2** ongetwijfeld

[1]**clear off** *intr (inform)* de benen nemen, 'm smeren, afdruipen: *~!* opgehoepeld!

[2]**clear off** *tr* **1** afmaken, een eind maken aan; uit de weg ruimen *(achterstallig werk)* **2** aflossen, afbetalen

[1]**clear out** *intr (inform)* de benen nemen, ophoepelen

[2]**clear out** *tr* **1** uitruimen, leeghalen; uithalen *(kast, afvoer);* opruimen *(kamer)* **2** *(inform)* uitputten; leeghalen *(voorraden)*

clear-sighted **1** met scherpe blik *(vaak fig);* scherpzinnig **2** vooruitziend

[1]**clear up** *intr* **1** opklaren *(het weer)* **2** ophouden; bijtrekken *(moeilijkheden)* **3** (rommel) opruimen

[2]**clear up** *tr* **1** opruimen; uit de weg ruimen *(rommel);* afmaken *(werk)* **2** verklaren, uitleggen, ophelderen

clearway autoweg *(waar je niet mag stoppen)*

cleavage [klie:vidzj] **1** scheiding, kloof; breuk *(ook fig)* **2** gleuf; gootje *(tussen borsten);* decolleté, inkijk

cleave [klie:v] *(ook cleft, clove; ook cleft, cloven)* kloven, splijten, hakken, (door)klieven

clef [klef] *(muz)* sleutel

[1]**cleft** [kleft] *zn* **1** spleet, barst, scheur; kloof *(ook fig)* **2** gleuf; kuiltje *(in kin)*

[2]**cleft** [kleft] *bn* gespleten; gekloofd *(van hoef): ~ palate* gespleten gehemelte

[3]**cleft** [kleft] *ovt en volt dw van* cleave

clematis [klemmetis] clematis, bosrank

clement [klemment] **1** mild, weldadig, zacht **2** genadig, welwillend

clench [klentsj] **1** dichtklemmen; op elkaar klemmen *(kaken, tanden);* dichtknijpen: *with ~ed fists* met gebalde vuisten **2** vastklemmen, vastgrijpen

clergy [kle:dzjie] geestelijkheid, geestelijken

clergyman [kle:dzjiemen] geestelijke, predikant, priester

cleric [klerrik] geestelijke

clerical [klerrikl] **1** geestelijk, kerkelijk **2** administratief, schrijf-: *a ~ job* een kantoorbaan

clerk [kla:k] **1** (kantoor)beambte, kantoorbediende, klerk **2** secretaris, griffier, (hoofd)administrateur **3** *(Am)* (winkel)bediende **4** *(Am)* receptionist

clever [klevve] **1** knap, slim, intelligent, vernuftig:

~ *at sth.* goed in iets **2** handig

¹click [klik] *zn* klik, tik, klak

²click [klik] *intr* **1** klikken, tikken, ratelen: *(comp)* ~ *on* aanklikken, doorklikken **2** *(inform)* het (samen) kunnen vinden, bij elkaar passen **3** *(inform)* op z'n plaats vallen; plotseling duidelijk worden *(grapje, opmerking)*

³click [klik] *tr* klikken met, laten klikken

client [klajjent] **1** cliënt **2** klant, afnemer, opdrachtgever

clientele [klie:entel] **1** klantenkring **2** praktijk *(van advocaat)* **3** vaste bezoekers *(van theater, restaurant enz.)*

cliff [klif] steile rots, klip, klif

cliff-hanger spannende wedstrijd, spannend verhaal

climate [klajmet] **1** klimaat **2** (lucht)streek **3** sfeer, stemming, klimaat: *the present economic* ~ het huidige economische klimaat

climax [klajmeks] **1** hoogtepunt, climax, toppunt **2** orgasme

¹climb [klajm] *zn* **1** klim, beklimming **2** helling, klim, weg omhoog

²climb [klajm] *intr* **1** omhoog gaan, klimmen, stijgen, toenemen **2** oplopen; omhooggaan *(van weg)* **3** zich opwerken; opklimmen *(in rang, stand)*

³climb [klajm] *tr* klimmen in (op), beklimmen, bestijgen

climber [klajme] **1** klimmer, klauteraar, bergbeklimmer **2** klimplant

¹clinch [klintsj] *zn* **1** vaste greep, omklemming **2** *(boksen)* clinch **3** omarming, omhelzing

²clinch [klintsj] *intr* **1** *(boksen)* (met elkaar) in de clinch gaan, lijf aan lijf staan **2** *(inform)* elkaar omhelzen

³clinch [klintsj] *tr* beklinken, sluiten; afmaken *(overeenkomst, transactie): that ~ed the matter* dat gaf de doorslag

cling [kling] *(clung, clung)* **1** kleven, zich vasthouden, zich vastklemmen **2** dicht blijven bij, hangen, hechten **3** zich vastklampen aan, vasthouden

clinging [klinging] **1** aanhankelijk, plakkerig **2** nauwsluitend *(kleding enz.)*

clinic [klinnik] **1** kliniek; privékliniek **2** adviesbureau, consultatiebureau **3** groepspraktijk **4** spreekuur

clinical [klinnikl] klinisch, onbewogen; zakelijk *(houding)*

¹clink [klingk] *zn* gerinkel, geklink

²clink [klingk] *intr* klinken, rinkelen, rammelen

³clink [klingk] *tr* laten rinkelen; klinken met *(bijv. glazen)*

¹clip [klip] *zn* **1** knippende beweging, scheerbeurt, trimbeurt **2** klem, knijper, clip **3** fragment, stuk; gedeelte *(uit film);* (video)clip

²clip [klip] *intr* knippen, snoeien

³clip [klip] *tr* **1** (vast)klemmen, vastzetten: ~ *together* samenklemmen **2** (bij)knippen, afknippen, kort knippen, trimmen; scheren *(schapen);* uitknippen *(uit krant, film)* **3** afbijten *(woorden);* inslikken *(letter(greep))*

clip out uitknippen

clipper [klippe] **1** knipper, scheerder, (be)snoeier **2** klipper(schip) **3** ~*s* kniptang *(van conducteur)* **4** ~*s* nagelkniptang **5** ~*s* tondeuse

clipping [klipping] krantenknipsel

clique [klie:k] kliek, club(je)

clitoris [klittetris] clitoris

¹cloak [klook] *zn* **1** cape, mantel **2** bedekking, laag **3** dekmantel, verhulling

²cloak [klook] *ww* verhullen, verbergen, vermommen

cloakroom **1** garderobe **2** *(euf)* toilet

¹clobber [klobbe] *zn* **1** boeltje, spullen **2** plunje, kloffie

²clobber [klobbe] *ww* **1** aftuigen, een pak rammel geven **2** in de pan hakken

¹clock [klok] *zn* **1** klok, uurwerk **2** *(inform)* meter, teller, taximeter, prikklok, snelheidsmeter, kilometerteller: *the car had 100,000 miles on the* ~ de auto had 160.000 kilometer op de teller

²clock [klok] *ww* klokken *(met prikklok):* ~ *in,* ~ *on* inklokken; *we have to ~ at 8 o'clock* wij moeten om 8 uur inklokken; ~ *off,* ~ *out* uitklokken

clockwise [klokwajz] met de (wijzers van de) klok mee

clockwork uurwerk, opwindmechaniek: *like* ~ op rolletjes, gesmeerd

clockwork orange gerobotiseerde mens, robot

clod [klod] kluit (aarde), klomp (klei), klont

¹clog [klok] *zn* klomp

²clog [klok] *intr* **1** verstopt raken, dicht gaan zitten: ~ *up: a)* verstopt raken *(afvoerpijp); b)* vastlopen *(machinerie)* **2** stollen, samenklonteren

³clog [klok] *tr* (doen) verstoppen: ~ *up* doen verstoppen, vast laten draaien *(machines); ~ged with dirt* totaal vervuild

¹clone [kloon] *zn* kloon, kopie

²clone [kloon] *ww* klonen

¹close [klooz] *zn* **1** einde, slot, besluit: *bring to a* ~ tot een eind brengen, afsluiten **2** binnenplaats, hof(je) **3** terrein *(rond kerkgebouw, school enz.)*

²close [kloos] *bn* **1** dicht, gesloten, nauw; benauwd *(ruimte);* drukkend *(weer, lucht)* **2** bedekt, verborgen, geheim, zwijgzaam **3** beperkt, select; besloten *(vennootschap)* **4** nabij; naast *(familie);* intiem; dik *(vriend(schap));* onmiddellijk; direct *(nabijheid);* getrouw; letterlijk *(kopie, vertaling);* gelijk opgaand *((wed)strijd);* kort *(haar, gras):* ~ *at hand* (vlak) bij de hand, dicht in de buurt; *at ~ range* van dichtbij **5** grondig; diepgaand *(aandacht): keep a ~ watch on s.o.* iem scherp in de gaten houden || *a ~ shave* (of: *thing, call*) op het nippertje

³close [klooz] *intr* aflopen, eindigen; besluiten *(van spreker)*

⁴close [klooz] *tr* **1** dichtmaken, (af)sluiten; hechten *(wond);* dichten *(gat)* **2** besluiten, beëindigen; (af)-

cl

sluiten *(betoog)* **3** dichter bij elkaar brengen, aaneensluiten **4** afmaken, rond maken; sluiten *(overeenkomst, zaak)*

[5]**close** [kloos] *bw* **1** dicht, stevig **2** dicht(bij), vlak, tegen: ~ *on sixty years* bijna zestig jaar

cl

closed [kloozd] **1** dicht, gesloten **2** besloten, select, exclusief

closed-circuit [kloozdse:kit] via een gesloten circuit: ~ *television, CCTV* videobewaking, bewaking d.m.v. camera's

closed-door politics achterkamertjespolitiek

close down [klooz daun] **1** sluiten, opheffen; dichtgaan, dichtdoen *(van zaak)* **2** sluiten *(van radio- en tv-programma's)*

close in [klooz in] **1** korter worden; korten *(van dagen)* **2** naderen, dichterbij komen: ~ *(up)on* omsingelen, insluiten **3** (in)vallen *(van duisternis)*

close-knit [kloosnit] hecht

[1]**closet** [klozzit] *zn* **1** (ingebouwde) kast, bergruimte **2** privévertrek

[2]**closet** [klozzit] *tr* in een privévertrek opsluiten: *(fig) he was ~ed with the headmaster* hij had een privéonderhoud met het schoolhoofd

[1]**close up** [klooz up] *intr* dichtgaan *(van bloemen)*

[2]**close up** [klooz up] *tr* afsluiten, blokkeren, sluiten

close-up [kloosup] close-up; *(fig)* indringende beschrijving

closure [kloozje] **1** het sluiten, sluiting **2** slot, einde, besluit

[1]**clot** [klot] *zn* **1** klonter, klont **2** *(inform)* stommeling, idioot, ezel

[2]**clot** [klot] *tr, intr* (doen) klonteren, (doen) stollen

cloth [kloθ] **1** stuk stof, doek, lap **2** tafellaken **3** stof, materiaal, geweven stof **4** beroepskledij *(van geestelijken); (fig)* de geestelijkheid

clothe [klooð] kleden, aankleden, van kleren voorzien

clothes [kloo(ð)z] kleding, kleren, (was)goed

clothing [klooðing] kleding, kledij

[1]**cloud** [klaud] *zn* **1** wolk; *(fig)* schaduw; probleem: *under a ~* uit de gratie **2** massa, menigte; zwerm *(van insecten)* || *every ~ has a silver lining* achter de wolken schijnt de zon

[2]**cloud** [klaud] *intr* bewolken, verduisteren; betrekken *(ook fig): the sky ~ed over* (of: *up*) het werd bewolkt

[3]**cloud** [klaud] *tr* (zoals) met wolken bedekken, verduisteren; vertroebelen *(ook fig): ~ the issue* de zaak vertroebelen

cloudburst wolkbreuk

cloudy [klaudie] bewolkt, betrokken, duister; troebel *(van vloeistof)*; beslagen; dof *(van glas)*; onduidelijk; verward *(van geheugen)*

[1]**clout** [klaut] *zn* **1** *(inform)* mep, klap **2** (politieke) invloed, (politieke) macht

[2]**clout** [klaut] *tr* een klap geven

[1]**clove** [kloov] *zn* **1** teen(tje): *a ~ of garlic* een teentje knoflook **2** kruidnagel

[2]**clove** [kloov] *ovt van* cleave

cloven [kloovn] *volt dw van* cleave

clover [kloove] klaver || *be* (of: *live*) *in ~* leven als God in Frankrijk

cloverleaf klaverblad; *(ook fig)* verkeersknooppunt

clown [klaun] clown, grappenmaker, moppentapper

cloy [kloj] tegenstaan: *cream ~s if you have too much of it* room gaat tegenstaan als je er te veel van eet

[1]**club** [klub] *zn* **1** knuppel, knots **2** golfstok **3** klaveren *(één kaart)* **4** clubgebouw, clubhuis **5** club, sociëteit, vereniging: *(inform) 'I've lost my money.' 'Join the ~!'* 'Ik heb mijn geld verloren.' 'Jij ook al!'

[2]**club** [klub] *intr* een bijdrage leveren || *his friends ~bed together to buy a present* zijn vrienden hebben een potje gemaakt om een cadeautje te kopen

[3]**club** [klub] *tr* knuppelen

clubbing [klubbing] uitgaan (naar nachtclubs): *she goes ~ every Friday* ze gaat vrijdags altijd uit

club sandwich *(Am)* clubsandwich *(drie sneetjes brood met vleeswaren, ei en salade)*

clue [kloe:] aanwijzing, spoor, hint: *(inform) I haven't (got) a ~* ik heb geen idee

clueless [kloe:les] stom, dom, idioot

[1]**clump** [klump] *zn* **1** groep; bosje *(van bomen of planten)* **2** klont, brok: *a ~ of mud* een modderkluit

[2]**clump** [klump] *intr* stommelen, zwaar lopen

clumsy [klumzie] **1** onhandig, lomp, log **2** tactloos, lomp

clung [klung] *ovt en volt dw van* cling

[1]**cluster** [kluste] *zn* bos(je), groep(je)

[2]**cluster** [kluste] *intr* **1** zich groeperen **2** in bosjes groeien, in een groep groeien

[3]**cluster** [kluste] *tr* bundelen, groeperen

[1]**clutch** [klutsj] *zn* **1** greep, klauw; *(fig ook)* macht; controle, bezit: *be in the ~es of a blackmailer* in de greep van een chanteur zijn **2** nest (eieren, kuikens); *(fig)* stel; groep, reeks **3** *(techn)* koppeling(spedaal): *let the ~ in* koppelen

[2]**clutch** [klutsj] *tr, intr* grijpen, beetgrijpen, vastgrijpen, stevig vasthouden

[1]**clutter** [klutte] *zn* rommel, warboel

[2]**clutter** [klutte] *tr* **1** rommelig maken, onoverzichtelijk maken, in wanorde brengen **2** (op)vullen, volstoppen: *a sink ~ed (up) with dishes* een aanrecht bedolven onder de borden

c/o *afk van care of* p/a, per adres

Co **1** *afk van company* **2** *afk van county*

CO *afk van commanding officer* bevelvoerend officier

[1]**coach** [kootsj] *zn* **1** koets, staatsiekoets **2** diligence **3** spoorrijtuig, spoorwagon **4** bus, reisbus: *go* (of: *travel*) *by ~* met de bus reizen **5** trainer, coach

[2]**coach** [kootsj] *tr* **1** in een koets vervoeren **2** trainen, coachen

coachwork koetswerk, carrosserie
coal [kool] **1** steenkool **2** houtskool || *carry* (of: *take*) *~s to Newcastle* water naar de zee dragen; *haul s.o. over the ~s* iem de les lezen
coalescence [kooelesns] samensmelting, samenvoeging
coalition [kooelisjen] *(pol)* coalitie, unie, verbond
coalmine kolenmijn
coal pit kolenmijn
coarse [ko:s] grof, ruw, ordinair, plat
[1]**coast** [koost] *zn* kust
[2]**coast** [koost] *intr* **1** freewheelen, met de motor in de vrijloop rijden **2** *(fig)* zonder inspanning vooruitkomen, zich (doelloos) laten voortdrijven, zich niet inspannen: *~ to victory* op zijn sloffen winnen
coastal [koostl] kust-
coaster [kooste] **1** kustbewoner **2** kustvaarder, coaster **3** onderzetter, bierviltje
coastguard 1 kustwachter **2** kustwacht
[1]**coat** [koot] *zn* **1** (over)jas, mantel, jasje **2** vacht, beharing, verenkleed **3** schil, dop, rok **4** laag, deklaag: *~ of paint* (of: *dust*) verflaag, stoflaag || *~ of arms* wapenschild, familiewapen; *~ of mail* maliënkolder
[2]**coat** [koot] *tr* een laag geven, met een laag bedekken
coating [kooting] laag, deklaag
co-author [kooo:θe] medeauteur
coax [kooks] vleien, overreden, overhalen
cob [kob] **1** mannetjeszwaan **2** maiskolf *(zonder maiskorrels)*
cobalt [koobo:lt] **1** kobalt **2** kobaltblauw, ultramarijn
[1]**cobble** [kobl] *zn* kei, kinderkopje, kassei
[2]**cobble** [kobl] *tr* bestraten (met keien), plaveien || *~ together* in elkaar flansen
cobbler [koble] schoenmaker
cobra [koobre] cobra, brilslang
cobweb [kobweb] **1** spinnenweb; web *(ook fig)* **2** spinrag **3** ragfijn weefsel *(ook fig)* || *blow the ~s away* de dufheid verdrijven
cochineal [kotsjinnie:l] cochenille *(rode verfstof)*
[1]**cock** [kok] *zn* **1** haan; *(fig)* kemphaan **2** mannetje *(van vogels)*; mannetjes- **3** *(inform)* makker, maat, ouwe jongen **4** kraan, tap **5** *(plat)* lul, pik **6** haan *(van vuurwapens)*: *go off at half ~*: *a)* voortijdig beginnen; *b)* mislukken (door overijld handelen)
[2]**cock** [kok] *tr, intr* **1** overeind (doen) staan: *~ the ears* de oren spitsen **2** spannen *(haan van vuurwapen)* **3** scheef (op)zetten
cock-a-doodle-doo [kokkedoe:dldoe:] kukeleku
cock-and-bull story sterk verhaal, kletsverhaal
Cockney [koknie] inwoner van Londen, vnl. East End
cockpit 1 cockpit, stuurhut **2** vechtplaats voor hanen; *(fig)* slagveld **3** *(scheepv)* kuip
cockroach [kokrootsj] kakkerlak
cocktail [kokteel] cocktail
cock up 1 oprichten, spitsen: *~ one's ears* de oren spitsen **2** *(plat)* in de war sturen, in het honderd laten lopen
cock-up *(plat)* puinhoop, klerezooi
cocky [kokkie] brutaal en verwaand
cocoa [kookoo] **1** warme chocola **2** cacao(poeder)
coconut [kookenut] **1** kokosnoot **2** kokos(vlees)
cocoon [kekoe:n] **1** cocon, pop **2** overtrek, (beschermend) omhulsel
cod [kod] kabeljauw
coddle [kodl] **1** zacht koken **2** vertroetelen, verwennen
code [kood] **1** code **2** gedragslijn: *~ of honour* erecode **3** wetboek
codify [koodiffaj] codificeren, schriftelijk vastleggen
coed [kooed] *(Am, inform)* studente
coeducation [kooedzjoekeesjen] gemengd onderwijs
coerce [kooe:s] **1** dwingen: *~ s.o. into doing sth.* iem dwingen iets te doen **2** afdwingen **3** onderdrukken
coercion [kooe:sjen] dwang
coexistence [kooikzistens] co-existentie, het (vreedzaam) naast elkaar bestaan
C of E *afk van Church of England* anglicaanse kerk
coffee [koffie] koffie
coffee shop [koffiesjop] coffeeshop: *Dutch ~* coffeeshop
coffer [koffe] **1** koffer, (geld)kist, brandkast **2** *~s* schatkist; *(inform)* fondsen
coffin [koffin] (dood)kist
cog [kok] tand(je) *(van rad)* || *(fig; inform) a ~ in the machine* (of: *wheel*) een klein radertje in een grote onderneming
cogent [koodzjent] overtuigend
cognac [konjek] cognac
cognizance [koknizzens] **1** kennis(neming), nota **2** gerechtelijk onderzoek
cogwheel tandrad
cohabit [koohebit] samenwonen
coherence [koohierens] samenhang
coherent [koohierent] samenhangend, begrijpelijk
cohesion [koohie:zjen] (onderlinge) samenhang
[1]**coil** [kojl] *zn* **1** tros *(van touw, kabel)* **2** winding, wikkeling **3** vlecht **4** *(elektr)* spoel **5** *(med)* spiraaltje
[2]**coil** [kojl] *ww* (zich) kronkelen, (op)rollen
[1]**coin** [kojn] *zn* **1** munt(stuk), geldstuk: *toss* (of: *flip*) *a ~* kruis of munt gooien, tossen **2** gemunt geld
[2]**coin** [kojn] *tr* **1** munten; slaan *(geld)* **2** verzinnen, uitvinden: *~ a word* een woord verzinnen
coincide [kooinsajd] **1** (met *with*) samenvallen (met) **2** (met *with*) overeenstemmen (met), identiek zijn

co

CO

coincidence [kooinsiddens] **1** het samenvallen, samenloop (van omstandigheden): *a mere* ~ puur toeval **2** overeenstemming
coke [kook] **1** cokes **2** coca-cola **3** *(inform)* cocaïne
Col *afk van Colonel* kol., kolonel
colander [kullende] vergiet
[1]**cold** [koold] *zn* **1** verkoudheid: *catch (a)* ~ kouvatten **2** kou || *she was left out in the* ~ ze was aan haar lot overgelaten
[2]**cold** [koold] *bn* koud, koel; *(fig)* onvriendelijk: *a* ~ *fish* een kouwe kikker; *(inform)* ~ *sweat* het angstzweet; *it leaves me* ~ het laat me koud || ~ *comfort* schrale troost; *get* (of: *have*) ~ *feet* bang worden (*of:* zijn); *(fig) put sth. in(to)* ~ *storage* iets in de ijskast zetten; *make s.o.'s blood run* ~ iem het bloed in de aderen doen stollen
[3]**cold** [koold] *bw* **1** in koude toestand **2** *(inform)* volledig, compleet: ~ *sober* broodnuchter; *be turned down* ~ zonder meer afgewezen worden
cold sore koortslip
coleslaw [koolslo:] koolsalade
colic [kollik] koliek
collaborate [kelebereet] **1** samenwerken, medewerken **2** collaboreren; heulen *(met de vijand)*
collaboration [keleberreesjen] **1** samenwerking **2** collaboratie *(met de bezetter)*
[1]**collapse** [keleps] *zn* **1** in(een)storting, in(een)zakking **2** val, ondergang **3** inzinking, verval van krachten **4** mislukking, fiasco
[2]**collapse** [keleps] *intr* **1** in(een)storten, in(een)vallen, in elkaar zakken **2** opvouwbaar zijn **3** bezwijken **4** mislukken
[3]**collapse** [keleps] *tr* **1** in(een) doen storten, in(een) doen vallen, in elkaar doen zakken **2** opvouwen, samenvouwen
collapsible [kelepsibl] opvouwbaar, inschuifbaar, inklapbaar, opklapbaar
[1]**collar** [kolle] *zn* **1** kraag, halskraag **2** boord(je), halsboord **3** halsband, halsring **4** halsketting, halssnoer **5** gareel; haam *(van paard)*
[2]**collar** [kolle] *tr (inform)* in de kraag grijpen, inrekenen
collarbone sleutelbeen
colleague [kollie:k̂] collega
[1]**collect** [kelekt] *bn (Am)* te betalen door opgeroepene *(telefoon): a* ~ *call* een telefoongesprek voor rekening van de opgeroepene; *call me* ~ bel me maar op mijn kosten
[2]**collect** [kelekt] *intr* **1** zich verzamelen **2** *(inform)* geld ontvangen
[3]**collect** [kelekt] *tr* **1** verzamelen **2** innen, incasseren, collecteren **3** (weer) onder controle krijgen: ~ *one's thoughts* (of: *ideas*) zijn gedachten bijeenrapen; ~ *oneself* zijn zelfbeheersing terugkrijgen **4** afhalen, ophalen
collectable [kelektebl] verzamelobject
collected [kelektid] kalm, bedaard, beheerst
collection [keleksjen] **1** verzameling, collectie **2** collecte, inzameling **3** buslichting **4** het verzamelen, het inzamelen, de incassering **5** incasso, inning
[1]**collective** [kelektiv] *zn* **1** groep, gemeenschap, collectief **2** gemeenschappelijke onderneming, collectief landbouwbedrijf
[2]**collective** [kelektiv] *bn* gezamenlijk, gemeenschappelijk, collectief
collector [kelekte] **1** verzamelaar **2** collecteur *(van staatsgelden);* ontvanger (der belasting), inzamelaar **3** collectant
college [kollidzj] **1** hogere beroepsschool, academie; instituut *(soms met universiteit verbonden)* **2** college *(onafhankelijke afdeling ve universiteit met internaat en eigen bestuur)* **3** *(Am)* (kleine) universiteit **4** grote kostschool **5** universiteitsgebouw, universiteitsgebouwen, schoolgebouw, schoolgebouwen **6** raad
collegiate [kelie:dzjiet] **1** behorend tot een college, universiteit **2** bestaande uit verschillende autonome afdelingen *(van universiteit)*
collide [kelajd] botsen, aanrijden, aanvaren; *(fig)* in botsing komen
collision [kelizjen] botsing, aanrijding, aanvaring; *(fig ook)* conflict
colloquial [kelookwiel] tot de spreektaal behorend, informeel
colloquialism [kelookwielizm] **1** alledaagse uitdrukking **2** informele stijl
Cologne [keloon] Keulen
colon [koolen] **1** dubbelepunt **2** karteldarm
colonel [ke:nl] kolonel
[1]**colonial** [kelooniel] *zn* koloniaal
[2]**colonial** [kelooniel] *bn* koloniaal, vd koloniën
colonialism [kelooniel izm] kolonialisme, koloniaal stelsel
[1]**colonize** [kollenajz] *intr* een kolonie vormen
[2]**colonize** [kollenajz] *tr* koloniseren
colony [kollenie] kolonie *(ook biol)*
colossal [kelosl] **1** kolossaal, reusachtig, enorm **2** *(inform)* geweldig, prachtig, groots
[1]**colour** [kulle] *zn* **1** kleur; *(fig)* schilderachtigheid; levendigheid, bloemrijke stijl: *(fig) paint in glowing* ~*s* zeer enthousiast beschrijven **2** verf(stof), kleurstof, pigment **3** kleurtje, gelaatskleur: *have little* ~ er bleekjes uitzien **4** donkere huidkleur **5** schijn (van werkelijkheid), uiterlijk: *give* (of: *lend*) ~ *to* geloofwaardiger maken **6** soort, aard, slag **7** ~*s* nationale vlag, vaandel **8** clubkleuren, insigne, lint **9** gevoelens, positie, opvatting: *(inform) show one's (true)* ~*s* zijn ware gedaante tonen || *with flying* ~*s* met vlag en wimpel; *feel* (of: *look*) *off* ~ zich niet lekker voelen
[2]**colour** [kulle] *intr* **1** kleur krijgen, kleuren **2** blozen, rood worden: ~ *up* blozen
[3]**colour** [kulle] *tr* **1** kleuren, verven **2** vermommen **3** verkeerd voorstellen, verdraaien **4** beïnvloeden
colour-blind kleurenblind
coloured [kulled] **1** gekleurd **2** niet-blank, zwart
colouring [kullering] **1** verf(stof), kleur(stof)

2 kleuring 3 (gezonde) gelaatskleur
colt [koolt] 1 veulen, jonge hengst 2 *(inform; sport)* beginneling, jonge speler
column [kollem] 1 zuil, pilaar, pijler: *~ of smoke* rookzuil 2 kolom: *the advertising ~s* de advertentiekolommen 3 *(mil)* colonne
columnist [kollemnist] columnist(e)
¹comb [koom] *zn* 1 kam *(ook van haan e.d.)* 2 honingraat
²comb [koom] *tr* 1 kammen 2 *(inform)* doorzoeken, uitkammen
¹combat [kombet] *zn* strijd, gevecht
²combat [kombet] *tr, intr* vechten (tegen), (be)strijden
combination [kombinneesjen] 1 combinatie, vereniging, verbinding: *in ~ with* samen met, in combinatie met 2 (geheime letter)combinatie 3 samenstelling
¹combine [kombajn] *zn* maaidorser, combine
²combine [kembajn] *intr* 1 zich verenigen, zich verbinden 2 samenwerken 3 *(chem)* zich verbinden
³combine [kembajn] *tr* 1 combineren, verenigen, verbinden, samenvoegen: *~d operations* (of: *exercises*) legeroefeningen waarbij land-, lucht- en zeemacht samenwerken 2 in zich verenigen
comb out *(inform)* 1 uitkammen, doorzoeken 2 zuiveren, schiften 3 verwijderen; afvoeren *(overbodig personeel)*
¹combustible [kembustibl] *zn* brandstof, brandbare stof
²combustible [kembustibl] *bn* 1 (ver)brandbaar, ontvlambaar 2 opvliegend, lichtgeraakt
combustion [kembustsjen] verbranding
come [kum] *(came, come)* 1 komen, naderen: *in the years to ~* in de komende jaren; *she came running* ze kwam aanrennen; *~ and go* heen en weer lopen, *(fig)* komen en gaan 2 aankomen, arriveren: *the goods have ~* de goederen zijn aangekomen; *the train is coming* de trein komt eraan; *I'm coming!* ik kom eraan!; *first ~, first served* die eerst komt, eerst maalt 3 beschikbaar zijn, verkrijgbaar zijn, aangeboden worden: *this suit ~s in two sizes* dit pak is verkrijgbaar in twee maten 4 verschijnen: *that news came as a surprise* dat nieuws kwam als een verrassing 5 meegaan: *are you coming?* kom je mee? 6 gebeuren: *~ what may* wat er ook moge gebeuren; *(now that I) ~ to think of it* nu ik eraan denk; *(inform) how ~?* hoe komt dat?, waarom? 7 staan, komen, gaan: *my job ~s before everything else* mijn baan gaat vóór alles 8 zijn: *it ~s cheaper by the dozen* het is goedkoper per dozijn 9 beginnen, gaan, worden: *the buttons came unfastened* de knopen raakten los; *~ to believe* tot de overtuiging komen; *~ to know s.o. better* iem beter leren kennen 10 (een bepaalde) vorm aannemen || *the life to ~* het leven in het hiernamaals; *(inform) he'll be eighteen ~ September* hij wordt achttien in september; *she doesn't know whether she is coming or going* ze is de kluts kwijt; *~ now!* komkom!, zachtjes aan!
come about gebeuren: *how did the accident ~?* hoe is het ongeluk gebeurd?
¹come across *intr* 1 overkomen *(van bedoeling, grap e.d.)*; begrepen worden: *his speech didn't ~ very well* zijn toespraak sloeg niet erg aan 2 *(inform)* lijken te zijn, overkomen (als): *he comes across to me as quite a nice fellow* hij lijkt me wel een aardige kerel
²come across *tr* aantreffen, vinden, stoten op: *I came across an old friend* ik liep een oude vriend tegen het lijf
come after 1 volgen, komen na, later komen 2 *(inform)* (achter iem) aanzitten
come again 1 terugkomen, teruggaan 2 *(inform)* iets herhalen, iets nog eens zeggen: *~?* zeg 't nog eens
come along 1 meekomen, meegaan 2 opschieten, vooruitkomen: *how is your work coming along?* schiet je op met je werk?; *~!* vooruit! schiet op! 3 zich voordoen, gebeuren: *take every opportunity that comes along* elke kans grijpen die zich voordoet 4 *(geb w)* zijn best doen: *~!* komaan!
come apart uit elkaar vallen, losgaan, uit elkaar gaan
come at 1 komen bij, er bij kunnen, te pakken krijgen 2 bereiken, toegang krijgen tot: *the truth is often difficult to ~* het is vaak moeilijk de waarheid te achterhalen 3 er op losgaan, aanvallen: *he came at me with a knife* hij viel me aan met een mes
come away 1 losgaan, loslaten 2 heengaan, weggaan, ervandaan komen
comeback comeback, terugkeer: *stage/make* (of: *try, attempt*) *a ~* een comeback (proberen te) maken
come back 1 terugkomen, terugkeren, een comeback maken 2 weer in de mode komen, weer populair worden 3 weer te binnen schieten: *it'll ~ to me in a minute* het schiet me zo wel weer te binnen
come between tussenbeide komen, zich bemoeien met
come by 1 krijgen, komen aan: *jobs are hard to ~* werk is moeilijk te vinden 2 oplopen *(ziekte, wond e.d.)*; vinden, tegen het lijf lopen 3 voorbijkomen, passeren
comedian [kemie:dien] 1 (blijspel)acteur; komediant *(ook fig)* 2 blijspelauteur 3 komiek
comedown *(inform)* 1 val, vernedering, achteruitgang 2 tegenvaller
come down 1 neerkomen, naar beneden komen: *(fig) ~ in the world* aan lagerwal raken 2 overgeleverd worden *(van traditie e.d.)* 3 dalen *(ook van vliegtuig)*; zakken; lager worden *(van prijs)* 4 overkomen
come down on 1 neerkomen op, toespringen (op), overvallen 2 straffen 3 *(inform)* krachtig eisen 4 *(inform)* berispen, uitschelden, uitvaren tegen: *he came down on me like a ton of bricks* hij verpletterde me onder zijn kritiek

come down to *(inform; fig)* neerkomen op: *the problem comes down to this* het probleem komt hierop neer

comedy [kommedie] **1** blijspel, komedie **2** humor

come from 1 komen uit, afstammen van **2** het resultaat zijn van: *that's what comes from lying to people* dat komt ervan als je liegt tegen mensen

come in 1 binnenkomen **2** aankomen: *he came in second* hij kwam als tweede binnen **3** in de mode komen, de mode worden **4** deelnemen, een plaats vinden: *this is where you ~* hier kom jij aan de beurt, hier begint jouw rol **5** voordeel hebben: *where do I ~?* wat levert het voor mij op? **6** beginnen, aan de beurt komen: *this is where we ~* hier begint voor ons het verhaal **7** opkomen; rijzen *(van getijde)* **8** binnenkomen, in ontvangst genomen worden; verkregen worden *(van geld)* **9** dienen, nut hebben: *~ handy* (of: *useful*) goed van pas komen

come in for 1 krijgen, ontvangen: *~ a fortune* een fortuin krijgen **2** het voorwerp zijn van, uitlokken: *~ a great deal of criticism* heel wat kritiek uitlokken

come into 1 (ver)krijgen, verwerven, in het bezit komen van: *~ a fortune* een fortuin erven; *~ s.o.'s possession* in iemands bezit komen **2** komen in: *~ blossom* (of: *flower*) beginnen te bloeien; *~ fashion* in de mode komen **3** binnenkomen

comely [kumlie] aantrekkelijk, knap

come of 1 komen uit, afstammen van: *he comes of noble ancestors* hij stamt uit een nobel geslacht **2** het resultaat zijn van: *that's what comes of being late* dat komt ervan als je te laat bent; *nothing came of it* er kwam niets van terecht, het is nooit iets geworden

come off 1 loslaten *(bijv. van behang vd muur);* losgaan **2** er afkomen, (het) er afbrengen: *~ badly* het er slecht van afbrengen **3** lukken, goed aflopen **4** plaatshebben: *Henry's birthday party didn't ~* Henry's verjaardagsfeestje ging niet door **5** afkomen van, loslaten, verlaten: *has this button ~ your coat?* komt deze knoop van jouw jas? **6** afgaan *(vd prijs): that'll ~ your paycheck* dat zal van jouw salaris worden afgetrokken || *(inform) oh, ~ it!* schei uit!

come on 1 naderbij komen, oprukken, (blijven) komen: *I'll ~ later* ik kom je wel achterna **2** opschieten, vooruitkomen **3** beginnen; opkomen *(van onweer);* vallen *(van nacht);* aangaan *(van licht);* beginnen (te ontstaan) *(van ziekte e.d.): I've got a cold coming on* ik heb een opkomende verkoudheid **4** op de tv komen **5** opkomen *(van toneelspeler)* **6** beter worden, herstellen; opknappen *(van ziekte)* **7** *(Am)* een grote indruk maken; overkomen *(op tv, radio)* **8** aantreffen, stoten op **9** treffen *(van iets ongewensts);* overvallen: *the disease came on her suddenly* de ziekte trof haar plotseling

come-on *(inform)* **1** lokmiddel, verlokking **2** *(Am; inform)* uitnodiging, invitatie

come out 1 uitkomen, naar buiten komen: *Lucy came out in the top three* Lucy eindigde bij de eerste drie **2** staken, in staking gaan **3** verschijnen, tevoorschijn komen; gepubliceerd worden *(van boek);* uitlopen, bloeien *(van planten, bomen);* doorkomen *(van zon): ~ with the truth* met de waarheid voor de dag komen **4** ontdekt worden **5** duidelijk worden, goed uitkomen; er goed op staan *(foto)* **6** verdwijnen, verschieten; verbleken *(van kleur);* uitvallen *(van haar, tanden)* **7** zich voor (tegen) iets verklaren: *the Government came out strong(ly) against the invasion* de regering protesteerde krachtig tegen de invasie **8** verwijderd worden; er uitgaan *(van vlek)* **9** uitkomen, kloppen; juist zijn *(van rekening)* **10** openlijk uitkomen voor *(seksuele geaardheid)* || *~ badly* (of: *well*) het er slecht (*of:* goed) afbrengen; *~ right* (of: *wrong*) goed (*of:* slecht) aflopen; *~ for s.o. (sth.)* iem (iets) zijn steun toezeggen

come over 1 overkomen, komen over, oversteken **2** (naar een andere partij) overlopen **3** langskomen, bezoeken **4** inslaan, overkomen, aanslaan **5** worden, zich voelen: *~ dizzy* zich duizelig voelen **6** overkomen, bekruipen: *a strange feeling came over her* een vreemd gevoel bekroop haar; *what has ~ you?* wat bezielt je?

come round *(Am)* **1** aanlopen, langskomen, bezoeken **2** bijkomen, weer bij zijn positieven komen **3** overgaan, bijdraaien: *Jim has ~* Jim heeft het geaccepteerd **4** terugkomen, (regelmatig) terugkeren **5** een geschil bijleggen **6** een omweg maken **7** bijtrekken *(na boze bui): Sue'll soon ~* Sue komt vast gauw in een beter humeur

comestible [kemestibl] eetbaar

comet [kommit] komeet

come through 1 doorkomen, overkomen: *the message isn't coming through clearly* het bericht komt niet goed door **2** overleven, te boven komen; doorstaan *(ziekte e.d.)* **3** *(Am)* slagen, lukken, de bestemming bereiken **4** *(inform)* doen als verwacht, over de brug komen

come to 1 bijkomen, weer bij zijn positieven komen **2** betreffen, aankomen op: *when it comes to speaking clearly* wat duidelijk spreken betreft **3** komen tot (aan), komen bij: *~ an agreement* het eens worden; *~ s.o.'s aid* iem te hulp komen **4** bedragen, (neer)komen op: *~ the same thing* op hetzelfde neerkomen **5** te binnen schieten, komen op **6** toekomen, ten deel vallen, gegeven worden: *it comes naturally to him, (inform) it comes natural to him* het gaat hem makkelijk af **7** overkomen: *I hope no harm will ~ you* ik hoop dat je niets kwaads overkomt || *he'll never ~ anything* er zal nooit iets van hem worden; *he had it coming to him* hij kreeg zijn verdiende loon; *~ nothing* op niets uitdraaien; *we never thought things would ~ this!* we hadden nooit gedacht dat het zo ver zou komen!

come up 1 uitkomen, kiemen 2 aan de orde komen, ter sprake komen 3 gebeuren, voorkomen, zich voordoen 4 vooruitkomen: ~ *in the world* vooruitkomen in de wereld 5 *(inform)* uitkomen, getrokken worden: *I hope my number will ~ this time* ik hoop dat mijn lotnummer deze keer wint || ~ *against* in conflict komen met; *our holiday didn't ~ to our expectations* onze vakantie viel tegen; *(inform) you'll have to ~ with something better* je zult met iets beters moeten komen

come upon 1 overvallen, overrompelen, komen over 2 aantreffen, stoten op, tegen het lijf lopen

[1]**comfort** [kumfet] *zn* 1 troost, steun, bemoediging: *derive* (of: *take*) *~ from sth.* troost putten uit iets 2 comfort, gemak 3 welstand, welgesteldheid: *live in ~* welgesteld zijn

[2]**comfort** [kumfet] *tr* troosten, bemoedigen

comfortable [kumfetibl] 1 aangenaam, gemakkelijk: *feel ~* zich goed voelen 2 royaal, vorstelijk 3 rustig, zonder pijn: *have a ~ night* een rustige nacht hebben 4 welgesteld: *live in ~ circumstances* in goeden doen zijn

comforter [kumfete] 1 trooster, steun 2 fopspeen

[1]**comic** [kommik] *zn* 1 komiek, grappenmaker 2 *~s* stripboek, strippagina

[2]**comic** [kommik] *bn* 1 grappig, komisch: *~ relief* vrolijke noot 2 blijspel-

comical [kommikl] *(inform)* 1 grappig, komisch 2 blijspel-

comic strip strip(verhaal)

[1]**coming** [kumming] *zn* komst: *the ~s and goings* het komen en gaan

[2]**coming** [kumming] *bn* 1 toekomstig, komend, aanstaand: *the ~ week* volgende week 2 *(inform)* veelbelovend, in opkomst

comma [komme] 1 komma 2 cesuur || *inverted ~s* aanhalingstekens

[1]**command** [kema:nd] *zn* 1 commando, leiding, militair gezag: *be in ~ of the situation* de zaak onder controle hebben 2 bevel, order, gebod, opdracht 3 legeronderdeel, commando, legerdistrict 4 beheersing, controle, meesterschap: *have (a) good ~ of a language* een taal goed beheersen

[2]**command** [kema:nd] *intr* 1 bevelen geven 2 het bevel voeren

[3]**command** [kema:nd] *tr* 1 bevelen, commanderen 2 het bevel voeren over 3 beheersen: *~ oneself* zich beheersen 4 bestrijken, overzien: *this hill ~s a fine view* vanaf deze heuvel heeft men een prachtig uitzicht 5 afdwingen: *~ respect* eerbied afdwingen

commandant [kommendent] commandant, bevelvoerend officier

commander [kema:nde] 1 bevelhebber, commandant; *(scheepv)* gezagvoerder: *~ in chief* opperbevelhebber 2 *(scheepv)* kapitein-luitenant-ter-zee 3 commandeur *(van ridderorde)*

commanding [kema:nding] 1 bevelvoerend, bevelend 2 indrukwekkend, imponerend

commandment [kema:n(d)ment] 1 bevel, order, gebod 2 bevelschrift 3 *(godsd)* gebod: *the Ten Commandments* de Tien Geboden

commando [kema:ndoo] *(mv: ook ~es) (mil)* commando, stoottroep, stoottroeper

commemorate [kememmereet] herdenken, gedenken, vieren

commence [kemens] beginnen

commencement [kemensment] begin, aanvang

commend [kemend] 1 toevertrouwen, opdragen: *~ sth. to s.o.'s care* iets aan iemands zorg toevertrouwen 2 prijzen: *highly ~ed* met eervolle vermelding 3 aanbevelen

commendation [kommendeesjen] 1 prijs, eerbewijs, eervolle vermelding 2 lof, bijval 3 aanbeveling

[1]**comment** [komment] *zn* 1 (verklarende, kritische) aantekening, commentaar, toelichting: *(inform) no ~* geen commentaar 2 bemerking, opmerking 3 gepraat, praatjes

[2]**comment** [komment] *intr* 1 (met *(up)on*) commentaar leveren (op) 2 opmerkingen maken, kritiek leveren

commentary [kommenterie] 1 commentaar, opmerking 2 uitleg, verklaring 3 reportage: *a running ~* een doorlopende reportage

commentator [kommenteete] 1 commentator 2 verslaggever

commerce [komme:s] handel, (handels)verkeer

[1]**commercial** [keme:sjl] *zn* reclame, spot

[2]**commercial** [keme:sjl] *bn* commercieel *(ook min)*: *~ traveller* vertegenwoordiger, handelsreiziger

commiserate [kemizzereet] (met *with*) medelijden hebben (met), medeleven betuigen

[1]**commission** [kemisjen] *zn* 1 opdracht 2 benoeming; aanstelling *(van officier)*; benoemingsbrief 3 commissie, comité 4 commissie; verlening *(van macht, ambt enz.)*; machtiging, instructie 5 provisie, commissieloon 6 het begaan *(van misdaad, zonde)*

[2]**commission** [kemisjen] *tr* 1 opdragen 2 bestellen

commissioner [kemisjene] 1 commissaris 2 (hoofd)commissaris *(van politie)* 3 (hoofd)-ambtenaar

commit [kemit] 1 toevertrouwen: *~ to memory* uit het hoofd leren 2 in (voorlopige) hechtenis nemen, opsluiten: *~ to prison* in hechtenis nemen 3 plegen, begaan, bedrijven: *~ murder* (of: *an offence*) een moord (*of:* misdrijf) plegen 4 beschikbaar stellen, toewijzen: *~ money to a new project* geld uittrekken voor een nieuw project || *~ oneself: a)* zich verplichten; *b)* zich uitspreken

commitment [kemitment] 1 verplichting, belofte 2 overtuiging 3 inzet, betrokkenheid 4 (bevel tot) inhechtenisneming, aanhouding

committal [kemitl] 1 inhechtenisneming, opsluiting, opname 2 toezegging, belofte 3 verwijzing, toewijzing

committed [kemittid] 1 toegewijd, overtuigd 2 betrokken

committee [kemittie] commissie, bestuur, comité: ~ *of inquiry* onderzoekscommissie
commode [kemood] **1** ladekast, commode **2** toilet
commodity [kemoddittie] **1** (handels)artikel, product, nuttig voorwerp **2** basisproduct; *(ongev)* grondstof
[1]**common** [kommen] *zn* **1** gemeenschapsgrond **2** het gewone: *out of the ~* ongewoon, ongebruikelijk **3** *~s* burgerstand, (gewone) burgerij || *in ~* gemeenschappelijk, gezamenlijk; *in ~ with* evenals, op dezelfde manier als
[2]**common** [kommen] *bn* **1** gemeenschappelijk, gemeen: *by ~ consent* met algemene instemming; *it is very ~* het komt heel vaak voor **2** openbaar, publiek: *for the ~ good* in het algemeen belang **3** gewoon, algemeen, gebruikelijk, gangbaar: *the ~ man* de gewone man, Jan met de pet **4** ordinair: *as ~ as muck* (of: *dirt*) vreselijk ordinair || *make ~ cause with* onder één hoedje spelen met; *~ law* gewoonterecht, ongeschreven recht; *~ sense* gezond verstand
commoner [kommene] burger, gewone man
common-law (volgens het) gewoonterecht: *they are ~ husband and wife* ze zijn zonder boterbriefje getrouwd
[1]**commonplace** [kommenplees] *zn* **1** cliché **2** alledaags iets
[2]**commonplace** [kommenplees] *bn* **1** afgezaagd, clichématig **2** alledaags, gewoon, doorsnee
common-room **1** docentenkamer **2** studentenvertrek, leerlingenkamer
Commons [kommenz] *(altijd met the)* (leden vh) Lagerhuis
Commonwealth [kommenwelθ] Britse Gemenebest
commotion [kemoosjen] **1** beroering, onrust, opschudding **2** rumoer, lawaai, herrie
communal [komjoenl] gemeenschappelijk: *~ life* gemeenschapsleven
commune [kemjoe:n] in nauw contact staan, gevoelens uitwisselen, zich één voelen: *~ with friends* een intiem gesprek met vrienden hebben; *~ with nature* zich één voelen met de natuur
communicable [kemjoe:nikkebl] **1** besmettelijk **2** overdraagbaar *(van ideeën)*
[1]**communicate** [kemjoe:nikkeet] *intr* **1** communiceren, contact hebben **2** in verbinding staan: *our living room ~s with the kitchen* onze woonkamer staat in verbinding met de keuken
[2]**communicate** [kemjoe:nikkeet] *tr* overbrengen, bekendmaken, doorgeven
communication [kemjoe:nikkeesjen] **1** mededeling, boodschap, bericht **2** verbinding, contact, communicatie **3** het overbrengen *(van ideeën, ziektes)* **4** *~s* verbindingen, communicatiemiddelen
communion [kemjoe:nien] **1** kerkgenootschap, gemeente, gemeenschap **2** gemeenschappelijkheid
Communion [kemjoe:nien] *(r-k)* communie; *(prot)* avondmaal
communiqué [kemjoe:nikkee] bekendmaking, bericht, communiqué
communism [komjoenizm] communisme
[1]**communist** [komjoenist] *zn* communist
[2]**communist** [komjoenist] *bn* communistisch
community [kemjoe:nittie] **1** gemeenschap, bevolkingsgroep **2** overeenkomst(igheid), gemeenschappelijkheid: *a ~ of interests* gemeenschappelijke belangen **3** *(r-k)* congregatie, broederschap **4** bevolking, publiek, gemeenschap
community centre buurtcentrum, wijkcentrum
community service taakstraf
commutation [komjoeteesjen] **1** omzetting *(van straf)*; vermindering **2** afkoopsom, het afkopen **3** het pendelen
[1]**commute** [kemjoe:t] *intr* pendelen
[2]**commute** [kemjoe:t] *tr* **1** verlichten, verminderen, omzetten: *~ a sentence from death to life imprisonment* een vonnis van doodstraf in levenslang omzetten **2** veranderen, omzetten, afkopen: *~ an insurance policy into* (of: *for*) *a lump sum* een verzekeringspolis afkopen voor een uitkering ineens
commuter [kemjoe:te] forens, pendelaar
[1]**compact** [kompekt] *zn* **1** overeenkomst, verbond, verdrag **2** poederdoos **3** *(Am)* middelgrote auto, compact car
[2]**compact** [kempekt] *bn* **1** compact, samengeperst **2** compact, bondig, beknopt
[3]**compact** [kempekt] *intr* een overeenkomst aangaan
[4]**compact** [kempekt] *tr* samenpakken, samenpersen
companion [kempenien] **1** metgezel, kameraad **2** vennoot, partner **3** handboek, gids, wegwijzer **4** één van twee bij elkaar horende exemplaren
company [kumpenie] **1** gezelschap: *in ~ with* samen met; *request the ~ of* uitnodigen; *keep ~ with* omgaan met, verkering hebben met **2** bezoek, gasten: *have* (of: *expect*) *~* bezoek hebben (*of:* krijgen) **3** compagnonschap, compagnon(s) **4** gezelschap: *theatre ~* toneelgezelschap **5** onderneming, firma, bedrijf: *(econ) limited ~* naamloze vennootschap **6** gilde, genootschap **7** *(mil)* compagnie **8** *(scheepv)* (gehele) bemanning
[1]**comparative** [kemperetiv] *zn* vergrotende trap
[2]**comparative** [kemperetiv] *bn* betrekkelijk, relatief
[1]**compare** [kempee] *zn (form): beyond* (of: *past, without*) *~* onvergelijkbaar, weergaloos
[2]**compare** [kempee] *intr* vergelijkbaar zijn, de vergelijking kunnen doorstaan: *our results ~ poorly with theirs* onze resultaten steken mager bij de hunne af
[3]**compare** [kempee] *tr* vergelijken: *I'm tall ~d to him* bij hem vergeleken ben ik (nog) lang
comparison [kemperisn] vergelijking: *bear* (of:

stand) ~ *with* de vergelijking kunnen doorstaan met; *by* (of: *in*) ~ *with* in vergelijking met
compartment [kempa:tment] compartiment, vakje, (trein)coupé, (gescheiden) ruimte
compass [kumpes] **1** kompas: *the points of the ~* de kompasrichtingen, de windstreken **2** *~es* passer: *a pair of ~es* een passer
compassion [kempesjen] medelijden
compassionate [kempesjenet] medelevend, medelijdend: *~ leave* verlof wegens familieomstandigheden
compatible [kempetibl] verenigbaar, bij elkaar passend, aansluitbaar; bruikbaar in combinatie *(van technische apparaten)*: *~ systems* onderling verenigbare systemen; *~ with* aangepast aan; *drinking is not ~ with driving* drinken en autorijden verdragen elkaar niet
compatriot [kempetriet] landgenoot, landgenote
compel [kempel] (af)dwingen, verplichten, noodzaken
compelling [kempelling] fascinerend, onweerstaanbaar, meeslepend
[1]**compensate** [kompenseet] *intr* **1** (met *for*) dienen als tegenwicht (voor), opwegen (tegen) **2** compenseren, goedmaken
[2]**compensate** [kompenseet] *tr, intr* vergoeden, vereffenen, goedmaken
compensation [kompenseesjen] compensatie, (onkosten)vergoeding, schadevergoeding, schadeloosstelling
compere [kompee] conferencier, ceremoniemeester, presentator
compete [kempie:t] concurreren
competence [kompetens] (vak)bekwaamheid, vaardigheid, (des)kundigheid
competent [kompetent] **1** competent, (vak)bekwaam, (des)kundig **2** voldoende, toereikend, adequaat
competition [kompetisjen] **1** wedstrijd, toernooi, concours, competitie **2** rivaliteit, concurrentie
competitive [kempettittiv] concurrerend: *~ examination* vergelijkend examen
competitor [kempettitte] concurrent, (wedstrijd)deelnemer, rivaal
compilation [kompilleesjen] samenstelling, bundel(ing), verzameling
compile [kempajl] samenstellen, bijeenbrengen, bijeengaren, verzamelen
complacent [kempleesnt] *(vaak min)* zelfvoldaan, zelfingenomen
complain [kempleen] klagen, zich beklagen, een klacht indienen
complaint [kempleent] **1** klacht *(ook jur)*; grief, kwaal: *lodge a ~ against s.o.* een aanklacht tegen iem indienen **2** beklag, het klagen: *no cause* (of: *ground*) *for ~* geen reden tot klagen
[1]**complement** [komplimment] *zn* **1** aanvulling **2** vereiste hoeveelheid, voltallige bemanning
[2]**complement** [komplimment] *tr* aanvullen, afronden
complementary [komplimmenterie] aanvullend
[1]**complete** [kemplie:t] *bn* **1** compleet, volkomen, totaal **2** klaar, voltooid
[2]**complete** [kemplie:t] *tr* vervolledigen, afmaken; invullen *(formulier)*
completion [kemplie:sjen] voltooiing, afwerking, afronding
[1]**complex** [kompleks] *zn* **1** complex *(bijv. sportcomplex)*; samengesteld geheel **2** *(psych)* complex; *(inform; fig)* obsessie
[2]**complex** [kompleks] *bn* gecompliceerd, samengesteld, ingewikkeld
complexion [kempleksjen] **1** huidskleur, uiterlijk **2** aanzien, voorkomen, aard: *that changed the ~ of the matter* dat gaf de kwestie een heel ander aanzien
complexity [kempleksittie] **1** complicatie, moeilijkheid, probleem **2** gecompliceerdheid, complexiteit
compliance [kemplajjens] **1** volgzaamheid, meegaandheid: *in ~ with your wish* overeenkomstig uw wens; *~ with the law* naleving van de wet **2** onderdanigheid, onderworpenheid
compliant [kemplajjent] volgzaam, onderdanig
complicate [komplikkeet] **1** ingewikkeld(er) worden (maken) **2** verergeren
complication [komplikkeesjen] complicatie, (extra, onvoorziene) moeilijkheid
complicity [kemplissittie] medeplichtigheid: *~ in* medeplichtigheid aan
[1]**compliment** [komplimment] *zn* compliment: *the ~s of the season* prettige feestdagen *(met kerst, nieuwjaar)*; *pay s.o. a ~, pay a ~ to s.o. (on sth.)* iem een complimentje (over iets) maken; *my ~s to your wife* de groeten aan uw vrouw
[2]**compliment** [komplimment] *tr* (met *on*) complimenteren (met, over), een compliment maken, gelukwensen
complimentary [komplimmenterie] **1** vleiend **2** gratis, bij wijze van geste gegeven: *~ copy* presentexemplaar; *~ tickets* vrijkaartjes
comply [kemplaj] zich schikken, gehoorzamen: *refuse to ~* weigeren mee te werken; *~ with: a)* zich neerleggen bij, gehoor geven aan; *b)* naleven *(wet)*
[1]**component** [kempoonent] *zn* component, onderdeel, element
[2]**component** [kempoonent] *bn* samenstellend
compose [kempooz] **1** schrijven *(literair of muzikaal werk)*; componeren **2** zetten *(drukwerk)* **3** samenstellen, vormen, in elkaar zetten: *~d of* bestaande uit **4** tot bedaren brengen, bedaren, kalmeren: *~ yourself* kalm nou maar **5** bijleggen *(meningsverschil)*
composed [kempoozd] kalm, rustig, beheerst
composer [kempooze] **1** componist **2** auteur; schrijver *(van brief, gedicht)*
[1]**composite** [kompezit] *zn* samengesteld geheel, samenstelling

co

co

[2]**composite** [kompezit] *bn* samengesteld: ~ *photograph* montagefoto, compositiefoto
composition [kompezisjen] **1** samenstelling, compositie, opbouw: *a piece of his own* ~ een stuk van eigen hand **2** het componeren, het (op)stellen **3** kunstwerk, muziekstuk, compositie, dichtwerk, tekst **4** opstel, verhandeling **5** mengsel, samengesteld materiaal, kunststof: *chemical ~s* chemische mengsels **6** het letterzetten
compost [kompost] compost
composure [kempoozje] (zelf)beheersing
[1]**compound** [kompaund] *zn* **1** samenstel, mengsel, (chemische) verbinding **2** omheinde groep gebouwen, (krijgs)gevangenkamp; omheind gebied *(voor vee)*
[2]**compound** [kompaund] *bn* samengesteld, gemengd, vermengd, gecombineerd: ~ *fracture* gecompliceerde breuk; ~ *interest* samengestelde interest, rente op rente
[3]**compound** [kempaund] *tr* **1** dooreenmengen, vermengen, samenstellen, opbouwen: ~ *a recipe* een recept klaarmaken **2** vergroten, verergeren: *the situation was ~ed by his absence* door zijn afwezigheid werd de zaak bemoeilijkt
comprehend [komprihhend] **1** (be)vatten, begrijpen, doorgronden **2** omvatten
comprehension [komprihhensjen] **1** begrip, bevattingsvermogen **2** *(ond)* begripstest, leestoets, luistertoets, tekstbegrip **3** (toepassings)bereik
[1]**comprehensive** [komprihhensiv] *zn* scholengemeenschap
[2]**comprehensive** [komprihhensiv] *bn* allesomvattend, veelomvattend, uitvoerig, uitgebreid: ~ *insurance* allriskverzekering; ~ *school* middenschool
[1]**compress** [kompres] *zn* kompres, drukverband
[2]**compress** [kempres] *tr* samendrukken, samenpersen: *~ed air* perslucht
compression [kempresjen] **1** samenpersing **2** dichtheid, compactheid
compressor [kempresse] compressor, perspomp
comprise [kemprajz] bestaan uit, bevatten: *the house ~s five rooms* het huis telt vijf kamers
[1]**compromise** [kompremajz] *zn* compromis, tussenoplossing, middenweg, tussenweg
[2]**compromise** [kompremajz] *intr* een compromis sluiten
[3]**compromise** [kompremajz] *tr* **1** door een compromis regelen **2** in opspraak brengen, de goede naam aantasten van: *you ~d yourself by accepting that money* door dat geld aan te nemen heb je je gecompromitteerd **3** in gevaar brengen
compulsion [kempulsjen] dwang, verplichting, druk
compulsive [kempulsiv] dwingend, gedwongen, verplicht: *a ~ smoker* een verslaafd roker
compulsory [kempulserie] **1** verplicht: ~ *military service* dienstplicht; *(ond)* ~ *subject* verplicht vak **2** noodzakelijk
compunction [kempungksjen] schuldgevoel, (gewetens)bezwaar, wroeging
compute [kempjoe:t] berekenen, uitrekenen
computer [kempjoe:te] computer
computer dummy digibeet
computer game computerspel: *play a ~* gamen
[1]**computerize** [kempjoe:terajz] *tr* verwerken met een computer *(informatie)*; opslaan in een computer
[2]**computerize** [kempjoe:terajz] *tr, intr* computeriseren, overschakelen op computers
computer-literate vaardig in het gebruik van de computer, goed overweg kunnend met computers
computer moron digibeet
computing [kempjoe:ting] computerisering, het werken met computers, computerwerk
comrade [komreed] kameraad, vriend, makker: *~s in arms* wapenbroeders
comradeship [komreedsjip] kameraadschap(pelijkheid), vriendschap
[1]**con** [kon] *zn* **1** *verk van contra* tegenargument, nadeel, bezwaar: *the pros and ~s of this proposal* de voors en tegens van dit voorstel **2** tegenstem(mer) **3** *(inform)* oplichterij **4** *verk van convict (inform)* veroordeelde, (oud-)gevangene
[2]**con** [kon] *tr* **1** *(inform)* oplichten, afzetten, bezwendelen: ~ *s.o. out of his money* iem zijn geld afhandig maken **2** *(inform)* ompraten, bewerken, overhalen: *he ~ned me into signing* hij heeft me mijn handtekening weten te ontfutselen
concave [konkeev] hol(rond)
conceal [kensie:l] verbergen, verstoppen, achterhouden, geheimhouden: *~ed turning* let op, bocht *(als verkeersteken)*
concealment [kensie:lment] geheimhouding, verzwijging
[1]**concede** [kensie:d] *intr* zich gewonnen geven, opgeven
[2]**concede** [kensie:d] *tr* **1** toegeven: ~ *defeat* zijn nederlaag erkennen **2** opgeven, prijsgeven
conceit [kensie:t] verwaandheid, ijdelheid, verbeelding
conceited [kensie:tid] verwaand, ijdel, zelfingenomen
conceivable [kensie:vebl] voorstelbaar, denkbaar, mogelijk
[1]**conceive** [kensie:v] *tr* **1** bedenken, ontwerpen: *she ~d a dislike for me* ze kreeg een hekel aan mij **2** opvatten, begrijpen
[2]**conceive** [kensie:v] *tr, intr* ontvangen *(kind)*; zwanger worden (van)
conceive of zich voorstellen, zich indenken
[1]**concentrate** [konsntreet] *intr* (met *(up)on)* zich concentreren (op), zich toeleggen
[2]**concentrate** [konsntreet] *tr* concentreren: ~ *one's attention on* zijn aandacht richten op
concentrated [konsntreetid] **1** geconcentreerd, van sterk gehalte **2** krachtig, intens

concentration [konsntreesjen] concentratie: *power of ~* concentratievermogen
concept [konsept] idee, voorstelling, denkbeeld
conception [kensepsjen] **1** ontstaan *(van idee e.d.)*; ontwerp, vinding **2** voorstelling, opvatting, begrip: *I have no ~ of what he meant* ik heb er geen idee van wat hij bedoelde **3** bevruchting *(ook fig)*
[1]**concern** [kense:n] *zn* **1** aangelegenheid, belang, interesse: *your drinking habits are no ~ of mine* uw drinkgewoonten zijn mijn zaak niet **2** (be)zorg(dheid), begaanheid, (gevoel van) betrokkenheid: *no cause for ~* geen reden tot ongerustheid **3** bedrijf, onderneming, firma: *going ~* bloeiende onderneming **4** (aan)deel, belang
[2]**concern** [kense:n] *tr* **1** aangaan, van belang zijn voor: *where money is ~ed* als het om geld gaat; *to whom it may ~* aan wie dit leest *(aanhef ve open brief)*; *as far as I'm ~ed* wat mij betreft, voor mijn part **2** betreffen, gaan over **3** zich aantrekken, zich interesseren: *~ oneself about* (of: *with*) *sth.* zich ergens voor inzetten, zorgen om maken
concerned [kense:nd] **1** bezorgd, ongerust **2** geïnteresseerd, betrokken: *all the people ~* alle (erbij) betrokkenen, alle geïnteresseerden; *~ in* betrokken bij || *be ~ with* betreffen, gaan over
concerning [kense:ning] betreffende, in verband met, over
concert [konset] concert, muziekuitvoering || *in ~* in onderlinge samenwerking, in harmonie
concerted [kense:tid] gecombineerd, gezamenlijk
concession [kensesjen] **1** concessie(verlening), vergunning, tegemoetkoming **2** korting; (prijs)reductie *(met kortingskaart)*
conciliate [kensillie·eet] **1** tot bedaren brengen, kalmeren **2** verzoenen, in overeenstemming brengen
concise [kensajs] beknopt, kort maar krachtig
[1]**conclude** [kenkloe:d] *intr* **1** eindigen, aflopen **2** tot een conclusie (besluit, akkoord) komen
[2]**conclude** [kenkloe:d] *tr* **1** beëindigen, (af)sluiten, afronden **2** (af)sluiten, tot stand brengen: *~ an agreement* een overeenkomst sluiten **3** concluderen, vaststellen
conclusion [kenkloe:zjen] **1** besluit, beëindiging, slot: *in ~* samenvattend, tot besluit **2** conclusie, gevolgtrekking: *come to* (of: *draw, reach*) *~s* conclusies trekken; *a foregone ~* een bij voorbaat uitgemaakte zaak; *jump to ~s* (of: *to a ~*) te snel conclusies trekken
conclusive [kenkloe:siv] afdoend, overtuigend, beslissend: *~ evidence* overtuigend bewijs
concoct [kenkokt] **1** samenstellen, bereiden, brouwen **2** *(min)* verzinnen, bedenken, bekokstoven: *~ an excuse* een smoes verzinnen
concord [kongko:d] **1** verdrag, overeenkomst, akkoord **2** harmonie, eendracht, overeenstemming **3** *(taalk)* congruentie, overeenkomst
concourse [kongko:s] **1** menigte **2** samenkomst, samenloop, bijeenkomst: *a fortunate ~ of circumstances* een gelukkige samenloop van omstandigheden **3** plein, promenade, (stations)hal
[1]**concrete** [kongkrie:t] *zn* beton
[2]**concrete** [kongkrie:t] *bn* **1** concreet, echt, tastbaar **2** betonnen, beton-
concubine [kongkjoebajn] concubine, bijzit
concur [kenke:] samenvallen, overeenstemmen || *~ with s.o.* (of: *in sth.*) het eens zijn met iem (iets)
concussion [kenkusjen] **1** schok, stoot, klap **2** hersenschudding
condemn [kendem] **1** veroordelen, schuldig verklaren: *~ed to spend one's life in poverty* gedoemd zijn leven lang armoede te lijden **2** afkeuren, verwerpen
condemnation [kondemneesjen] veroordeling, afkeuring, verwerping
condensation [kondenseesjen] condensatie, condens, condenswater
condense [kendens] condenseren *(ook fig)*; indampen, be-, in-, verkorten: *~d milk* gecondenseerde melk
condescend [kondissend] **1** zich verlagen, zich verwaardigen **2** neerbuigend doen, neerkijken
condiment [kondimment] kruiderij, specerij
[1]**condition** [kendisjen] *zn* **1** (lichamelijke) toestand, staat, conditie: *she is in no ~ to work* ze is niet in staat om te werken; *in* (of: *out of*) *~* in (*of:* niet in) conditie **2** voorwaarde, conditie, beding: *on ~ that* op voorwaarde dat **3** omstandigheid: *favourable ~s* gunstige omstandigheden **4** *(med)* afwijking, aandoening, kwaal
[2]**condition** [kendisjen] *tr* bepalen, vaststellen, afhangen (van): *a nation's expenditure is ~ed by its income* de bestedingsmogelijkheden van een land worden bepaald door het nationale inkomen
conditional [kendisjenel] voorwaardelijk, conditioneel
conditioner [kendisjene] crèmespoeling
condolence [kendoolens] **1** deelneming, sympathie, medeleven **2** *~s* condoleantie, rouwbeklag: *please accept my ~s on ...* mag ik mijn deelneming betuigen met ...
condom [kondem] condoom, kapotje
condone [kendoon] vergeven
[1]**conduct** [kondukt] *zn* gedrag, houding, handelwijze
[2]**conduct** [kendukt] *tr, intr* **1** leiden, rondleiden, begeleiden: *~ed tour* verzorgde reis, rondleiding **2** *(muz)* dirigeren, dirigent zijn (van) **3** (zich) gedragen: *~ oneself* zich gedragen **4** *(nat, elektr)* geleiden
conduction [kenduksjen] *(nat)* geleiding, conductie
conductor [kendukte] **1** conducteur **2** *(muz)* dirigent, orkestleider **3** *(nat, elektr)* geleider
cone [koon] **1** kegel **2** (ijs)hoorntje **3** dennenappel
confectionery [kenfeksjenerie] **1** banketbakke-

rij, banketbakkerswinkel **2** gebak, zoetigheid, suikergoed
confederation [kenfeddereesjen] (con)federatie, bond, verbond
[1]**confer** [kenfe:] *intr* confereren, beraadslagen
[2]**confer** [kenfe:] *tr* verlenen, uitreiken, schenken: ~ *a knighthood on s.o.* iem een ridderorde verlenen
conference [konferens] conferentie, congres
confess [kenfes] **1** bekennen, erkennen, toegeven **2** *(godsd)* (op)biechten, belijden
confession [kenfesjen] **1** bekentenis, erkenning, toegeving: *on his own* ~ naar hij zelf toegeeft **2** *(godsd)* biecht **3** *(godsd)* (geloofs)belijdenis
confessor [kenfesse] *(godsd)* **1** biechtvader **2** belijder
confetti [kenfettie] confetti
confidant [konfident] vertrouweling, vertrouwensman
confide [kenfajd] toevertrouwen, in vertrouwen mededelen
confide in vertrouwen, in vertrouwen nemen
confidence [konfiddens] **1** (zelf)vertrouwen, geloof: *in* ~ in vertrouwen, vertrouwelijk **2** vertrouwelijke mededeling, geheim
confident [konfiddent] (tref)zeker, zelfverzekerd, overtuigd
confidential [konfiddensjl] **1** vertrouwelijk **2** vertrouwens-, privé-, vertrouwd
confine [kenfajn] **1** beperken **2** opsluiten, insluiten: *be ~d to bed* het bed moeten houden
confinement [kenfajnment] opsluiting: *solitary* ~ eenzame opsluiting
confirm [kenfe:m] **1** bevestigen, bekrachtigen: ~ *by letter* (of: *in writing*) schriftelijk bevestigen **2** bevestigen, goedkeuren: *he hasn't been ~ed in office yet* zijn benoeming moet nog bevestigd worden **3** *(prot)* confirmeren, (als lidmaat) aannemen **4** *(r-k)* vormen, het vormsel toedienen
confirmation [konfemeesjen] **1** bevestiging, bekrachtiging, goedkeuring: *evidence in ~ of your statement* bewijzen die uw bewering staven **2** *(prot)* confirmatie, bevestiging als lidmaat **3** *(r-k)* (heilig) vormsel
confiscate [konfiskeet] in beslag nemen, verbeurd verklaren, afnemen
conflagration [konfleȓreesjen] grote brand *(van bossen, gebouwen);* vuurzee
[1]**conflict** [konflikt] *zn* strijd, conflict(situatie), onenigheid
[2]**conflict** [kenflikt] *intr* **1** onverenigbaar zijn, in tegenspraak zijn, botsen: *~ing interests* (tegen)strijdige belangen **2** strijden, botsen, in conflict komen
confluence [konfloeens] **1** toeloop, menigte **2** samenvloeiing
conform [kenfo:m] zich conformeren, zich aanpassen
conformity [kenfo:mittie] **1** overeenkomst, gelijkvormigheid: *in ~ with* in overeenstemming met, overeenkomstig **2** aanpassing, naleving
confound [kenfaund] **1** verbazen, in verwarring brengen, versteld doen staan **2** verwarren, door elkaar halen
confront [kenfrunt] confronteren, tegenover elkaar plaatsen; *(fig)* het hoofd bieden aan
confrontation [konfrunteesjen] **1** confrontatie **2** het tegenover (elkaar) stellen
confuse [kenfjoe:z] in de war brengen, door elkaar halen, verwarren
confused [kenfjoe:zd] verward, wanordelijk, rommelig
confusion [kenfjoe:zjen] verwarring, wanorde
congeal [kendzjie:l] (doen) stollen
congenial [kendzjie:niel] **1** (geest)verwant, gelijkgestemd, sympathiek **2** passend, geschikt, aangenaam
congestion [kendzjestsjen] op(een)hoping, opstopping, verstopping
conglomeration [kenȓlommereesjen] bundeling, verzameling
congratulate [kenȓretjoeleet] gelukwensen, feliciteren: ~ *oneself on* zichzelf gelukkig prijzen met
congratulation [kenȓretjoeleesjen] gelukwens, felicitatie: *~s!* gefeliciteerd!
congregation [kongȓriȓeesjen] **1** bijeenkomst, verzameling **2** verzamelde groep mensen, menigte, groep **3** *(godsd)* gemeente, congregatie
congress [kongȓres] congres, vergadering, bijeenkomst
Congress [kongȓres] *(Am)* het Congres *(Senaat en Huis van Afgevaardigden)*
congruity [kenȓroe:ittie] gepastheid, overeenstemming, overeenkomst
conic(al) [konnik(l)] mbt een kegel, kegelvormig, conisch
conifer [konniffe] naaldboom, conifeer
conjecture [kendzjektsje] **1** gis(sing), (vage) schatting, vermoeden **2** giswerk, speculatie, gokwerk
conjugation [kondzjoeȓeesjen] **1** *(taalk)* vervoeging **2** vereniging, verbinding, koppeling
conjuncture [kendzjungktsje] (kritieke) toestand, samenloop van omstandigheden, (crisis)situatie
[1]**conjure** [kundzje] *intr* toveren, goochelen, manipuleren
[2]**conjure** [kundzje] *tr* (te voorschijn) toveren, oproepen, voor de geest roepen
conjurer [kundzjere] goochelaar, illusionist
conk [kongk] *(inform)* een oplawaai geven
conker [kongke] (wilde) kastanje, paardekastanje
[1]**connect** [kenekt] *intr* **1** in verbinding komen, in verband staan: ~ *up* in verbinding komen **2** aansluiten, aansluiting hebben
[2]**connect** [kenekt] *tr* **1** verbinden, aaneensluiten, aaneenschakelen; doorverbinden *(telefoon): the islands are ~ed by a bridge* de eilanden staan via een brug met elkaar in verbinding; ~ *up* verbinden **2** (met *with*) in verband brengen (met), een

verbinding leggen tussen
connection [keneksjen] **1** verbinding, verband, aansluiting: *miss one's ~* zijn aansluiting missen *(van bus, trein); in ~ with* in verband met **2** samenhang, coherentie **3** connectie, betrekking, relatie **4** verwant, familielid **5** verbindingsstuk **6** *(elektr)* lichtpunt, stopcontact, (wand)contactdoos
connive [kenajv] **1** oogluikend toelaten, (even) de andere kant opkijken: *~ at* oogluikend toelaten, door de vingers zien **2** samenspannen, samenzweren
connotation [konneteesjen] (bij)betekenis, connotatie
[1]**conquer** [kongke] *intr* overwinnen, de (over)winnaar zijn
[2]**conquer** [kongke] *tr* **1** veroveren, innemen; bemachtigen *(ook fig)* **2** verslaan, overwinnen, bedwingen: *~ mountains* bergen bedwingen
conqueror [kongkere] veroveraar, overwinnaar: *William the Conqueror* Willem de Veroveraar
conquest [kongkwest] verovering, overwinning; het bedwingen *(ve berg)*
conscience [konsjens] geweten
conscientious [konsjie·ensjes] plichtsgetrouw, zorgvuldig: *~ objector* gewetensbezwaarde, principiële dienstweigeraar
conscious [konsjes] **1** bewust, denkend **2** welbewust, opzettelijk **3** (zich) bewust **4** bewust, bij kennis
consciousness [konsjesnes] **1** bewustzijn: *lose ~* het bewustzijn verliezen **2** gevoel, besef
conscript [konskript] dienstplichtige
conscription [kenskripsjen] dienstplicht
consecutive [kensekjoetiv] opeenvolgend: *on two ~ days* twee dagen achter elkaar
consensus [kensenses] algemene opvatting, overeenstemming
[1]**consent** [kensent] *zn* toestemming, instemming, goedkeuring: *by common* (of: *general*) *~* met algemene stemmen
[2]**consent** [kensent] *intr* toestemmen, zijn goedkeuring geven, zich bereid verklaren: *~ to sth.* iets toestaan
consequence [konsikwens] **1** consequentie, gevolg, gevolgtrekking, resultaat **2** belang, gewicht: *of no ~* van geen belang
conservation [konseveesjen] **1** behoud, instandhouding: *~ of energy* behoud van energie **2** milieubeheer, milieubescherming, natuurbescherming, monumentenzorg
conservationist [konseveesjenist] milieubeschermer, natuurbeschermer
conservatism [kense:vetizm] conservatisme, behoudzucht
[1]**conservative** [kense:vetiv] *zn* conservatief, behoudend persoon; *(pol)* lid vd Conservatieve Partij
[2]**conservative** [kense:vetiv] *bn* **1** conservatief, behoudend, traditioneel (ingesteld) **2** voorzichtig, gematigd, bescheiden: *a ~ estimate* een voorzichtige schatting
conservatory [kense:veterie] **1** serre, (planten)kas, broeikas **2** conservatorium, muziekacademie, toneelschool
[1]**conserve** [kense:v] *zn* jam, ingemaakte vruchten
[2]**conserve** [kense:v] *ww* **1** behouden, bewaren, goed houden **2** inmaken
consider [kensidde] **1** overwegen, nadenken over **2** beschouwen, zien: *we ~ him (to be) a man of genius* we beschouwen hem als een genie **3** in aanmerking nemen, rekening houden met, letten op
considerable [kensidderebl] aanzienlijk, behoorlijk: *a ~ time* geruime tijd
considerate [kensidderet] attent, voorkomend, vriendelijk
consideration [kensiddereesjen] **1** overweging, aandacht: *take sth. into ~* ergens rekening mee houden **2** (punt van) overweging, (beweeg)reden **3** voorkomendheid, attentheid, begrip
[1]**considering** [kensiddering] *bw (aan het einde vd zin)* alles bij elkaar (genomen): *she has been very successful, ~* eigenlijk heeft ze het ver gebracht
[2]**considering** [kensiddering] *vz* gezien, rekening houdend met
consign [kensajn] **1** *(handel)* verzenden, versturen, leveren **2** overdragen, toevertrouwen, in handen stellen: *~ one's child to s.o.'s care* zijn kind aan iemands zorg toevertrouwen
consignment [kensajnment] (ver)zending
consistency [kensistensie] **1** consequentheid, samenhang **2** dikte, stroperigheid
consistent [kensistent] **1** consequent, samenhangend **2** overeenkomend, kloppend, verenigbaar: *be ~ with* kloppen met
consist in [kensist in] bestaan in, gevormd worden door: *my duties mainly ~ word processing and filing* mijn werkzaamheden bestaan voornamelijk in tekstverwerken en archiveren
consist of bestaan uit, opgebouwd zijn uit: *the convoy consisted of sixteen ships* het konvooi bestond uit zestien schepen
consolation [konseleesjen] troost, troostrijke gedachte
[1]**console** [konsool] *zn* **1** steunstuk, draagsteen **2** toetsenbord, (bedienings)paneel, controle-, schakelbord; *(comp)* console **3** radio-, televisie-, grammofoonmeubel
[2]**console** [kensool] *ww* troosten, bemoedigen(d toespreken), opbeuren
[1]**consolidate** [kensolliddeet] *intr* **1** hechter, steviger worden **2** zich aaneensluiten, samengaan, fuseren
[2]**consolidate** [kensolliddeet] *tr* **1** verstevigen, stabiliseren **2** (tot een geheel) verenigen
consonant [konsenent] medeklinker
[1]**consort** [konso:t] *zn* gade, gemaal, gemalin
[2]**consort** [kenso:t] *ww* omgaan, optrekken: *~ with criminals* omgaan met misdadigers

co

conspicuous [kenspikjoees] opvallend, in het oog lopend, opmerkelijk: *be ~ by one's absence* schitteren door afwezigheid
conspiracy [kenspirresie] samenzwering, complot; *(jur)* samenspanning
conspirator [kenspirrete] samenzweerder
constable [kunstebl] **1** agent, politieman **2** *(Am)* (ongeüniformeerde) politiefunctionaris onder sheriff; *(ongev)* vrederechter
constabulary [kenstebjoelerie] politie(korps), politiemacht
constancy [konstensie] **1** standvastigheid, onveranderlijkheid **2** trouw
constant [konstent] **1** constant, voortdurend, onveranderlijk **2** trouw, loyaal
constellation [konstilleesjen] sterrenbeeld; constellatie *(ook fig)*
consternation [konsteneesjen] opschudding
constipation [konstippeesjen] constipatie, verstopping
constituency [kenstitsjoeensie] **1** kiesdistrict **2** achterban, kiezers
constituent [kenstitsjoeent] **1** kiezer, ingezetene ve kiesdistrict **2** onderdeel, bestanddeel
constitute [konstitjoe:t] vormen, (samen) uitmaken, vertegenwoordigen
constitution [konstitjoe:sjen] **1** grondwet **2** conditie, gesteldheid
constitutional [konstitjoe:sjenel] grondwettig, grondwettelijk
constrain [kenstreen] (af)dwingen, verplichten, noodzaken: *feel ~ed to do sth.* zich ergens toe verplicht voelen
constraint [kenstreent] **1** beperking, restrictie **2** dwang, verplichting **3** gedwongenheid, geforceerde stemming, geremdheid
constrict [kenstrikt] vernauwen, versmallen, beperken
construct [kenstrukt] construeren, in elkaar zetten, bouwen
construction [kenstruksjen] **1** interpretatie, voorstelling van zaken, uitleg **2** constructie, aanbouw, aanleg, (huizen)bouw, bouwwerk: *under ~* in aanbouw
constructive [kenstruktiv] constructief, opbouwend, positief
construe [kenstroe:] interpreteren, opvatten, verklaren: *giving in now will be ~d as a weakness* nu toegeven zal als zwakheid worden uitgelegd
consul [konsl] consul
consular [kons·joele] consulair
consulate [kons·joelet] consulaat
[1]**consult** [kensult] *intr* overleggen, beraadslagen: *~ about* (of: *upon*) beraadslagen over
[2]**consult** [kensult] *tr* raadplegen
consultancy [kensultensie] **1** baan als consulterend geneesheer **2** baan als (bedrijfs)adviseur
consultant [kensultent] **1** consulterend geneesheer **2** consulent, (bedrijfs)adviseur, deskundige
consultation [konslteesjen] **1** vergadering, bespreking **2** overleg, raadpleging, consult: *in ~ with* in overleg met
consume [kens·joe:m] **1** consumeren, verorberen **2** verbruiken, gebruiken **3** verteren, wegvreten, verwoesten: *~d by* (of: *with*) *hate* verteerd door haat
consumer [kens·joe:me] consument, verbruiker, koper
consumer goods consumptiegoederen
consummation [konsemeesjen] **1** (eind)doel **2** voltooiing, bekroning **3** huwelijksgemeenschap
consumption [kensumpsjen] **1** consumptie, verbruik, (ver)tering: *these oranges are unfit for ~* deze sinaasappelen zijn niet geschikt voor consumptie **2** verwoesting, aantasting
[1]**contact** [kontekt] *zn* **1** contact, contactpersoon **2** contact *(ook elektr)*; aanraking
[2]**contact** [kontekt] *ww* **1** in contact brengen, een contact leggen tussen **2** contact opnemen met
contagious [kenteedzjes] besmet(telijk); *(fig)* aanstekelijk
contain [kenteen] **1** bevatten, tellen, inhouden **2** beheersen, onder controle houden, bedwingen
container [kenteene] **1** houder, vat, bak, doosje, bus, verpakking **2** container
contamination [kenteminneesjen] vervuiling, besmetting
[1]**contemplate** [kontempleet] *intr* nadenken, peinzen, in gedachten verzonken zijn
[2]**contemplate** [kontempleet] *tr* **1** beschouwen **2** nadenken over, overdenken, zich verdiepen in **3** overwegen, zich bezinnen op
contemplation [kontempleesjen] overpeinzing, bezinning, overdenking: *lost in ~* in gepeins verzonken
contemplative [kontempleetiv] bedachtzaam, beschouwend
contemporaneous [kentempereenies] gelijktijdig, in de tijd samenvallend
[1]**contemporary** [kentempererie] *zn* **1** tijdgenoot **2** leeftijdgenoot, jaargenoot
[2]**contemporary** [kentempererie] *bn* **1** gelijktijdig, uit dezelfde tijd **2** even oud **3** eigentijds, hedendaags
contempt [kentempt] minachting, verachting: *beneath ~* beneden alle peil
contemptuous [kentemptjoees] minachtend, verachtend
[1]**contend** [kentend] *intr* wedijveren, strijden: *~ with difficulties* met problemen (te) kampen (hebben)
[2]**contend** [kentend] *tr* betogen, (met klem) beweren
[1]**content** [kontent] *zn* **1** capaciteit, volume, omvang, inhoud(smaat) **2** inhoud, onderwerp **3** gehalte: *sugar ~* suikergehalte, hoeveelheid suiker; *nutritional ~* voedingswaarde **4** *~s* inhoud *(van fles, tas)* **5** *~s* inhoud(sopgave) *(van boek)*: *table of ~s* inhoudsopgave

[2]**content** [kentent] *bn* tevreden, blij, content
contented [kententid] tevreden, blij
contention [kentensjen] **1** standpunt, stellingname, opvatting **2** geschil, conflict
contentment [kententment] tevredenheid, voldoening
[1]**contest** [kontest] *zn* **1** krachtmeting, strijd, (kracht)proef **2** (wed)strijd, prijsvraag, concours
[2]**contest** [kentest] *intr* twisten, strijden: ~ *against* (of: *with*) strijden met
[3]**contest** [kentest] *tr* betwisten, aanvechten
contestant [kentestent] **1** kandidaat, deelnemer (aan wedstrijd), strijdende partij **2** betwister, aanvechter
context [kontekst] context *(ook fig)*; verband, samenhang
contiguity [kontikjoe:ittie] **1** aangrenzing, naburigheid **2** opeenvolging, aan(een)sluiting
continence [kontinnens] zelfbeheersing, matigheid
continent [kontinnent] continent, werelddeel
Continent [kontinnent] *(altijd met the)* vasteland (van Europa) *(tegenover Groot-Brittannië)*
[1]**continental** [kontinnentl] *zn* vastelander, bewoner vh Europese vasteland; *(Am ook)* Europeaan
[2]**continental** [kontinnentl] *bn* continentaal, het vasteland van Europa betreffende: ~ *breakfast* ontbijt met koffie en croissants enz.
contingency [kentindzjensie] eventualiteit, onvoorziene gebeurtenis (uitgave)
contingency plan rampenplan
[1]**contingent** [kentindzjent] *zn* **1** afvaardiging, vertegenwoordiging **2** *(mil)* (troepen)contingent
[2]**contingent** [kentindzjent] *bn* **1** toevallig, onvoorzien **2** mogelijk, eventueel **3** bijkomend, incidenteel **4** voorwaardelijk, afhankelijk: *our success is ~ (up)on his cooperation* ons slagen hangt van zijn medewerking af
continual [kentinjoeel] *(min)* aanhoudend, voortdurend, onophoudelijk
continuation [kentinjoe·eesjen] voortzetting, vervolg, continuering
[1]**continue** [kentinjoe:] *intr* **1** doorgaan, voortgaan, verder gaan, volhouden, zich voortzetten **2** (in stand) blijven, voortduren, continueren: *the weather ~s fine* het mooie weer houdt aan **3** vervolgen, verder gaan: *~d on page 106* lees verder op blz. 106
[2]**continue** [kentinjoe:] *tr* **1** voortzetten, (weer) door-, voortgaan, verder gaan met, volhouden, vervolgen: *to be ~d* wordt vervolgd **2** handhaven, aanhouden, continueren **3** verlengen
continuity [kontinjoe:ittie] **1** tijdsmatig verloop, samenhang **2** *(film)* draaiboek **3** *(radio, tv)* tekstboek, draaiboek, verbindende teksten
continuous [kentinjoees] ononderbroken, continu: ~ *performance* doorlopende voorstelling
contort [kento:t] verwringen
contortion [kento:sjen] **1** kronkeling, bocht **2** verwringing, ontwrichting
contour [kontoee] contour *(ook fig)*; omtrek(lijn), vorm
contraband [kontrebend] **1** smokkelwaar, smokkelgoed **2** smokkel(handel)
contraception [kontresepsjen] anticonceptie
contraceptive [kontreseptiv] voorbehoed(s)middel
[1]**contract** [kontrekt] *zn* contract, (bindende) overeenkomst, verdrag
[2]**contract** [kentrekt] *intr* een overeenkomst, verdrag sluiten, een verbintenis aangaan, contracteren: *~ing parties* contracterende partijen; ~ *out* zich terugtrekken
[3]**contract** [kentrekt] *tr* bij contract regelen, contracteren, aangaan: ~ *out* uitbesteden
[4]**contract** [kentrekt] *tr, intr* samentrekken, inkrimpen, slinken
contraction [kentreksjen] samentrekking, inkorting, verkorting, (barens)wee
contractor [kentrekte] **1** aannemer, aannemersbedrijf, handelaar in bouwmaterialen **2** contractant, iemand die een contract aangaat
contradict [kontredikt] tegenspreken, in tegenspraak zijn met, ontkennen
contradiction [kontrediksjen] **1** tegenspraak, tegenstrijdigheid **2** weerlegging
contradictory [kontredikterie] **1** tegenstrijdig, in tegenspraak: ~ *to* strijdig met **2** ontkennend
contraflow tweerichtingsverkeer op één rijbaan
contralto [kentreltoo] alt
contraption [kentrepsjen] geval, toestand, ding, apparaat
[1]**contrary** [kontrerie] *zn* tegendeel, tegen(over)gestelde: *on the ~* integendeel, juist niet; *if I don't hear anything to the ~ ...* zonder tegenbericht ...
[2]**contrary** [kontrerie] *bn* **1** tegen(over)gesteld, strijdig: ~ *to* tegen ... in, ondanks **2** ongunstig, tegenwerkend, averechts: ~ *winds* tegenwind
[3]**contrary** [kentreerie] *bn* tegendraads, weerbarstig, eigenwijs
[1]**contrast** [kontra:st] *zn* contrast, contrastwerking; *(fig ook)* tegenbeeld; verschil: *in ~ to* (of: *with*) in tegenstelling tot
[2]**contrast** [kentra:st] *intr* contrasteren, (tegen elkaar) afsteken, (een) verschil(len) vertonen: ~ *with* afsteken bij
[3]**contrast** [kentra:st] *tr* tegenover elkaar stellen, vergelijken
contribute [kentribjoe:t] een bijdrage leveren, bevorderen: ~ *to* bijdragen tot, medewerken aan
contribution [kontribjoe:sjen] bijdrage, inbreng, contributie
contrite [kentrajt] berouwvol, schuldbewust
contrivance [kentrajvens] **1** apparaat, toestel, (handig) ding **2** *~s* list, truc, slimmigheid(je) **3** vernuft, vernuftigheid, vindingrijkheid
contrive [kentrajv] **1** voor elkaar boksen, kans zien om te: *he had ~d to meet her* hij had het zo ge-

co

pland dat hij haar zou ontmoeten **2** bedenken, uitvinden, ontwerpen **3** beramen, smeden

contrived [kentrajvd] geforceerd, onnatuurlijk, gemaakt

[1]**control** [kentrool] *zn* **1** *~s* bedieningspaneel, controlepaneel **2** *~s* controlemiddel, beheersingsmechanisme **3** beheersing, controle, zeggenschap: *keep under ~* bedwingen, in toom houden; *get* (of: *go*) *out of ~* uit de hand lopen **4** bestuur, opzicht, toezicht, leiding: *be in ~* de leiding hebben, het voor het zeggen hebben

[2]**control** [kentrool] *ww* **1** controleren, leiden, toezicht uitoefenen op, beheren **2** besturen, aan het roer zitten **3** in toom houden, beheersen, onder controle houden

controller [kentroole] **1** controleur, controlemechanisme **2** afdelingschef, afdelingshoofd

controversial [kontreve:sjl] **1** controversieel, aanvechtbaar, omstreden **2** tegendraads

controversy [kontreve:sie] **1** strijdpunt **2** onenigheid, verdeeldheid

convalesce [konveles] herstellen; herstellende zijn *(ve ziekte);* genezen

convalescence [konvelesns] herstel(periode), genezing(speriode)

convalescent [konvelesnt] herstellend, genezend, herstellings-: *~ hospital* (of: *nursing home*) herstellingsoord

convector [kenvekte] warmtewisselaar, kachel

[1]**convene** [kenvie:n] *intr* bijeenkomen, samenkomen, (zich) vergaderen

[2]**convene** [kenvie:n] *tr* **1** bijeenroepen, samenroepen **2** (voor het gerecht) dagen, dagvaarden

convenience [kenvie:niens] **1** (openbaar) toilet, wc, urinoir: *public ~s* openbare toiletten **2** gemak, comfort: *his house has all the modern ~s* zijn huis is van alle moderne gemakken voorzien; *at your earliest ~* zodra het u gelegen komt

convenience food gemaksvoedsel, kant-en-klaarmaaltijd

convenience store buurtwinkel

convenient [kenvie:nient] **1** geschikt, handig: *they were ~ly forgotten* zij werden gemakshalve vergeten **2** gunstig gelegen, gemakkelijk bereikbaar

convent [konvent] (nonnen)klooster, kloostergebouw, kloostergemeenschap

convention [kenvensjen] **1** overeenkomst, verdrag **2** bijeenkomst, congres, conferentie **3** gewoonte, gebruik

conventional [kenvensjenel] gebruikelijk, traditioneel: *~ wisdom* algemene opinie

[1]**converge** [kenve:dzj] *intr* samenkomen, samenlopen, samenvallen

[2]**converge** [kenve:dzj] *tr* naar één punt leiden, doen samenkomen

conversation [konveseesjen] gesprek, conversatie, praatje

[1]**converse** [konve:s] *zn* tegendeel, omgekeerde

[2]**converse** [konve:s] *bn* tegenovergesteld, omgekeerd

[3]**converse** [kenve:s] *ww* spreken, converseren

conversion [kenve:sjen] **1** omzetting, overschakeling, omschakeling, omrekening, verbouwing **2** *(godsd)* bekering **3** *(rugby, American football)* conversie

[1]**convert** [konve:t] *zn* bekeerling

[2]**convert** [kenve:t] *intr* (een) verandering(en) ondergaan, veranderen, overgaan

[3]**convert** [kenve:t] *tr* **1** bekeren *(ook fig);* overhalen **2** om-, overschakelen, omzetten, veranderen, om-, verbouwen, om-, inwisselen, omrekenen: *~ a loan* een lening converteren

[1]**convertible** [kenve:tibl] *zn* cabriolet

[2]**convertible** [kenve:tibl] *bn* **1** inwisselbaar, omwisselbaar **2** met vouwdak, met open dak

convex [konveks] convex, bol(rond)

convey [kenvee] **1** (ver)voeren, transporteren, (ge)leiden **2** meedelen, duidelijk maken, uitdrukken: *his tone ~ed his real intention* uit zijn toon bleek zijn werkelijke bedoeling

conveyor [kenveee] vervoerder, transporteur: *~ belt* transportband, lopende band

[1]**convict** [konvikt] *zn* **1** veroordeelde **2** gedetineerde, gevangene

[2]**convict** [kenvikt] *ww* veroordelen, schuldig bevinden: *~ed of murder* wegens moord veroordeeld

conviction [kenviksjen] **1** veroordeling **2** (innerlijke) overtuiging, overtuigdheid, (vaste) mening

convince [kenvins] overtuigen, overreden, overhalen

convivial [kenvivviel] **1** (levens)lustig, joviaal, uitgelaten **2** vrolijk

convocation [konvekeesjen] **1** vergadering **2** bijeenroeping

convoy [konvoj] **1** konvooi, geleide, escorte **2** escortering

convulsion [kenvulsjen] **1** *~s* stuip(trekking), convulsie **2** uitbarsting, verstoring **3** lachsalvo, onbedaarlijk gelach

[1]**coo** [koe:] *zn* roekoe(geluid), gekoer

[2]**coo** [koe:] *ww* koeren, kirren, lispelen

[1]**cook** [koek] *zn* kok(kin)

[2]**cook** [koek] *intr* op het vuur staan, (af)koken, sudderen

[3]**cook** [koek] *tr (inform)* knoeien met, vervalsen || *~ up* verzinnen

[4]**cook** [koek] *tr, intr* koken, (eten) bereiden

cooker [koeke] kooktoestel, kookplaat, kookstel

cooky [koekie] **1** *(Am)* koekje, biscuitje **2** *(Am; inform)* figuur, type, persoon

[1]**cool** [koe:l] *zn* **1** koelte, koelheid **2** kalmte, zelfbeheersing, onverstoorbaarheid: *keep your ~* hou je in

[2]**cool** [koe:l] *bn* **1** koel, fris **2** koel, luchtig; licht *(van kleren)* **3** kalm, rustig, beheerst: *(as) ~ as a cucumber* ijskoud, doodbedaard **4** kil, koel, afstandelijk **5** *(inform)* koel, ongeëmotioneerd: *a ~ card*

(of: *customer, hand*) een gehaaid figuur, sluwe vos
³**cool** [koe:l] *ww* (af)koelen *(ook fig);* verkoelen || ~ *it* rustig maar, kalm aan
cooler [koe:le] koeler, koelcel, koeltas; *(Am)* ijskast
¹**coop** [koe:p] *zn* kippenren, kippenhok
²**coop** [koe:p] *ww* opsluiten (in een hok); kooien *(van kippen):* ~ *up* (of: *in*) opsluiten, kooien
co-op [kooop] *verk van co-operative* coöperatieve onderneming
co-operate [koooppereet] samenwerken, meewerken
co-operation [koooppereesjen] **1** coöperatie, samenwerkingsverband **2** medewerking, samenwerking, hulp
¹**co-operative** [kooopperetiv] *zn* coöperatie, collectief, coöperatief bedrijf
²**co-operative** [kooopperetiv] *bn* **1** behulpzaam, meewerkend, bereidwillig **2** coöperatief, op coöperatieve grondslag
¹**co-ordinate** [kooo:dinnet] *zn* **1** stand-, klasse-, soortgenoot, gelijke **2** *(wisk)* coördinaat, waarde, grootheid
²**co-ordinate** [kooo:dinnet] *bn* gelijkwaardig, gelijk in rang
³**co-ordinate** [kooo:dinneet] *intr* (harmonieus) samenwerken
⁴**co-ordinate** [kooo:dinneet] *tr* coördineren, rangschikken (in onderling verband), ordenen
¹**cop** [kop] *zn* **1** *(inform)* smeris **2** *(inform)* arrestatie, vangst
²**cop** [kop] *tr (inform)* **1** betrappen, grijpen, vangen **2** raken, treffen || ~ *it* last krijgen
cope [koop] het aankunnen, zich weten te redden: ~ *with* het hoofd bieden (aan), bestrijden
copier [koppiee] kopieerapparaat
copious [koopies] **1** overvloedig **2** productief; vruchtbaar *(auteur e.d.)*
copper [koppe] **1** (rood) koper **2** koperkleur **3** koperen muntje, koper(geld) **4** *(inform)* smeris
copulation [kopjoeleesjen] geslachtsgemeenschap
¹**copy** [koppie] *zn* **1** kopie, reproductie, imitatie, fotokopie **2** exemplaar, nummer **3** kopij, (reclame)tekst
²**copy** [koppie] *intr* een kopie maken, overschrijven
³**copy** [koppie] *tr* **1** kopiëren, een afdruk maken van, overschrijven **2** navolgen, imiteren, overnemen
¹**copybook** *zn* voorbeeldenboek, schrijfboek || *(inform) blot one's* ~ zijn reputatie verspelen, een slechte beurt maken
²**copybook** *bn* perfect, (helemaal) volgens het boekje
copycat *(inform)* **1** na-aper, navolger **2** afkijker, spieker
copyright [koppierajt] auteursrecht
coral [korrel] **1** koraal, kraal(tje) **2** koraalrood, koraalkleur
cord [ko:d] **1** *(anat)* streng, band: *umbilical* ~ navelstreng **2** koord, streng, touw, snaar **3** (elektrisch) snoer, kabel, draad **4** ribfluweel, corduroy
cordial [ko:diel] hartelijk
cordiality [ko:die·elittie] hartelijkheid, vriendelijkheid
cordon [ko:dn] kordon, ring
corduroy [ko:djeroj] (fijn) ribfluweel
core [ko:] binnenste, kern, klokhuis; *(kernenergie)* reactorkern; *(fig)* wezen; essentie, hart: *rotten to the* ~ door en door rot
cork [ko:k] kurk; drijver *(aan visnet, vislijn);* flessenkurk, (rubber) stop
corkscrew kurkentrekker
corm [ko:m] (stengel)knol
cormorant [ko:merent] aalscholver
corn [ko:n] **1** likdoorn, eksteroog **2** korrel, graan-, mais-, tarwekorrel, zaadje, graantje **3** graan, koren, tarwe; *(Am)* mais: ~ *on the cob* maiskolf, mais aan de kolf *(als gekookt voedsel)* **4** *(inform)* sentimenteel gedoe
¹**corner** [ko:ne] *zn* **1** hoek, bocht, hoekje: *in a remote* ~ *of the country* in een uithoek van het land; *cut ~s: a)* bochten afsnijden; *b)* het niet zo nauw (meer) nemen **2** *(sport)* hoekschop || *cut ~s: a)* de uitgaven besnoeien; *b)* formaliteiten omzeilen
²**corner** [ko:ne] *intr* een bocht nemen, door de bocht gaan, de hoek omgaan
³**corner** [ko:ne] *tr* in het nauw drijven, insluiten, klemzetten
cornet [ko:nit] **1** *(muz)* kornet **2** (ijs)hoorn, cornetto
cornflour maizena, maismeel
corn flower korenbloem
corny [ko:nie] *(inform)* afgezaagd, clichématig, flauw
¹**coronary** [korrenerie] *zn* hartinfarct, hartaanval
²**coronary** [korrenerie] *bn* mbt de krans(slag)ader: ~ *arteries* krans(slag)aderen
coronation [korreneesjen] kroning
coroner [korrene] **1** lijkschouwer **2** rechter van instructie
coronet [korrenit] **1** (adellijk) kroontje, prinsenkroon, prinsessenkroon **2** diadeem, (haar)-kransje
¹**corporal** [ko:perel] *zn* korporaal
²**corporal** [ko:perel] *bn* lichamelijk, lijfelijk, lichaams-: ~ *punishment* lijfstraf
corporate [ko:peret] **1** gezamenlijk, collectief, verenigd: ~ *body, body* ~ lichaam, rechtspersoon **2** mbt een gemeentebestuur, gemeente-, gemeentelijk **3** mbt een naamloze vennootschap, bedrijfs-, ondernemings-: ~ *identity* bedrijfsidentiteit, huisstijl; ~ *lawyer* bedrijfsjurist
corporation [ko:pereesjen] **1** gemeenteraad, gemeentebestuur **2** rechtspersoon, lichaam; *(Am)* naamloze vennootschap; onderneming: ~ *tax* vennootschapsbelasting
corps [ko:] **1** *(mil)* (leger)korps, wapen, staf **2** korps, staf

co

corpse [ko:ps] lijk
corral [kera:l] *(Am)* (vee)kraal, omheining voor paarden
[1]**correct** [kerekt] *bn* **1** correct, juist: *politically ~* politiek correct **2** onberispelijk, beleefd
[2]**correct** [kerekt] *tr* **1** verbeteren, corrigeren, nakijken **2** terechtwijzen **3** rechtzetten, rectificeren **4** verhelpen, repareren, tegengaan
correction [kereksjen] correctie, verbetering, rectificatie: *~ fluid* correctievloeistof, blunderlak
correlation [korrilleesjen] correlatie *(ook statistiek);* wisselwerking, wederzijdse betrekking
correspond [korrispond] **1** (met *to, with*) overeenkomen, overeenstemmen (met), kloppen, corresponderen **2** corresponderen, een briefwisseling voeren, schrijven
correspondence [korrispondens] **1** overeenkomst, overeenstemming, gelijkenis **2** correspondentie, briefwisseling: *commercial ~* handelscorrespondentie
corridor [korriddo:] **1** gang *(ook pol);* corridor, galerij **2** luchtweg, corridor, luchtvaartroute, vliegtuigroute
corroboration [kerobbereesjen] bevestiging, bekrachtiging
[1]**corrode** [kerood] *intr* vergaan, verteren, verroesten, (weg)roesten
[2]**corrode** [kerood] *tr* aantasten, aanvreten, wegvreten
corrosion [keroozjen] verroesting, aantasting, roest
corrugate [korrekeet] plooien, golven: *~d (card)board* golfkarton; *sheets of ~d iron* golfplaten
[1]**corrupt** [kerupt] *bn* **1** verdorven, immoreel **2** corrupt, omkoopbaar **3** verbasterd, onbetrouwbaar: *a ~ form of Latin* verbasterd Latijn
[2]**corrupt** [kerupt] *intr* slecht worden, (zeden)bederf veroorzaken
[3]**corrupt** [kerupt] *tr* **1** omkopen, corrupt maken **2** verbasteren, vervalsen, verknoeien
corruption [kerupsjen] **1** corruptie, omkoperij **2** verbastering **3** bederf, verderf
corset [ko:sit] korset, keurslijfje, rijglijfje
[1]**cosh** [kosj] *zn* (gummi)knuppel, ploertendoder
[2]**cosh** [kosj] *ww* slaan met een gummiknuppel, aftuigen, neerknuppelen
cosine [koosajn] cosinus
[1]**cosmetic** [kozmettik] *zn* cosmetisch middel, schoonheidsmiddel: *~s* cosmetica
[2]**cosmetic** [kozmettik] *bn* **1** cosmetisch, schoonheids-: *~ surgery* cosmetische chirurgie **2** *(min)* verfraaiend, voor de schone schijn, oppervlakkig
cosmic [kozmik] kosmisch, van het heelal
cosmonaut [kozmeno:t] kosmonaut
cosmopolitan [kozmepollitten] kosmopolitisch
cosset [kossit] vertroetelen, verwennen
[1]**cost** [kost] *zn* kost(en), prijs, uitgave: *the ~ of living* de kosten van (het) levensonderhoud; *at all ~s, at any ~* koste wat het kost, tot elke prijs; *at the ~ of* ten koste van; *charged at ~* in rekening gebracht || *count the ~* de nadelen overwegen *(alvorens te handelen)*
[2]**cost** [kost] *intr (cost, cost)* kostbaar zijn, in de papieren lopen
[3]**cost** [kost] *tr (cost, cost)* kosten, komen (te staan) op, vergen
costly [kostlie] kostbaar, duur
costume [kostjoe:m] kostuum, pak, (kleder)dracht
[1]**cosy** [koozie] *zn* **1** theemuts **2** eierwarmer
[2]**cosy** [koozie] *bn* knus, behaaglijk, gezellig
cosy up *(Am)* dicht(er) aankruipen *(tegen iem);* *(fig)* in de gunst proberen te komen *(bij iem)*
cot [kot] **1** ledikantje, kinderbed(je), wieg **2** *(Am)* veldbed, stretcher
cot death wiegendood
cottage [kottidzj] **1** (plattelands)huisje **2** vakantiehuisje, zomerhuisje
cottage cheese *(ongev)* kwark; *(Belg)* plattekaas
cotton [kotn] **1** katoen, katoenplant, katoendraad, katoenvezel **2** katoenen stof, katoenweefsel
[1]**couch** [kautsj] *zn* (rust)bank, sofa, divan
[2]**couch** [kautsj] *tr* **1** inkleden, formuleren, verwoorden: *the instructions were ~ed in simple language* de instructies waren in eenvoudige bewoordingen gesteld **2** vellen *(speer, lans)*
cougar [koe:ke] poema
[1]**cough** [kof] *zn* **1** hoest: *have a bad ~* erg hoesten **2** kuch(je), hoestbui, hoestaanval
[2]**cough** [kof] *intr* **1** hoesten, kuchen **2** sputteren; blaffen *(van vuurwapen): the engine ~s and misfires* de motor sputtert en hapert
cough up **1** opbiechten, bekennen **2** dokken; ophoesten *(geld)*
could [koed] *ovt van* can
council [kaunsl] **1** raad, (advies)college, bestuur: *municipal ~* gemeenteraad **2** kerkvergadering
council estate woningwetwijk, woningwetbuurt
councillor [kaunsele] raadslid
[1]**counsel** [kaunsl] *zn* **1** raad, (deskundig) advies **2** overleg **3** *(ww steeds mv)* raadslieden, advocaat, verdediging
[2]**counsel** [kaunsl] *tr, intr* advies geven, adviseren, aanraden
counselling [kaunseling] het adviseren, adviseurschap
counsellor [kaunsele] **1** adviseur, consulent(e); *(Am)* (studenten)decaan; beroepskeuzeadviseur **2** *(Am)* raadsman, raadsvrouw, advocaat
[1]**count** [kaunt] *zn* **1** het uittellen *(ve bokser): be out for the ~* uitgeteld zijn *(ook fig)* **2** (niet-Engelse) graaf **3** telling, tel, getal: *keep ~* de tel(ling) bijhouden, (mee)tellen; *lose ~* de tel kwijtraken
[2]**count** [kaunt] *intr* tellen, meetellen, gelden: *~ for little* (of: *nothing*) weinig (*of:* niets) voorstellen || *~ against* pleiten tegen

[3]**count** [kaunt] *tr* **1** meetellen, meerekenen: *there were 80 victims, not ~ing (in) the crew* er waren 80 slachtoffers, de bemanning niet meegerekend **2** rekenen tot, beschouwen (als), achten: *~ oneself lucky* zich gelukkig prijzen || *they'll ~ it against you ...* ze zullen het je kwalijk nemen ...
[4]**count** [kaunt] *tr, intr* tellen, optellen, tellen tot: *~ down* aftellen
countdown het aftellen *(voor de lancering ve projectiel)*
[1]**countenance** [kauntenens] *zn* **1** gelaat, gelaatstrekken, gelaatsuitdrukking **2** aanzicht, aanzien **3** welwillende blik **4** kalmte, gemoedsrust, zelfbeheersing: *lose ~* van zijn stuk raken **5** (morele) steun, instemming, goedkeuring: *we won't give* (of: *lend*) *~ to such plans* we zullen dergelijke plannen niet steunen
[2]**countenance** [kauntenens] *tr* goedkeuren, (stilzwijgend) toestaan, oogluikend toestaan, dulden
[1]**counter** [kaunte] *zn* **1** toonbank, balie, bar, loket, kassa **2** fiche **3** tegenzet, tegenmaatregel, tegenwicht || *over the ~* zonder recept (verkrijgbaar) *(van medicijnen); under the ~* onder de toonbank
[2]**counter** [kaunte] *bn* **1** tegen(over)gesteld, tegenwerkend, contra- **2** duplicaat-, dubbel
[3]**counter** [kaunte] *intr* een tegenzet doen, zich verweren, terugvechten; *(boksen)* counteren
[4]**counter** [kaunte] *tr* **1** zich verzetten tegen, tegenwerken, (ver)hinderen **2** beantwoorden, reageren op **3** tenietdoen, weerleggen
[5]**counter** [kaunte] *bw* **1** in tegenovergestelde richting **2** op tegengestelde wijze: *act* (of: *go*) *~ to* niet opvolgen, ingaan tegen
counteract tegengaan, neutraliseren, tenietdoen
[1]**counter-attack** *zn* tegenaanval
[2]**counter-attack** *intr* in de tegenaanval gaan
[3]**counter-attack** *tr* een tegenaanval uitvoeren op
counterbalance tegenwicht
counter-clockwise [kaunteklokwajz] *(Am)* linksdraaiend, tegen de wijzers vd klok in (draaiend)
[1]**counterfeit** [kauntefit] *zn* vervalsing, falsificatie
[2]**counterfeit** [kauntefit] *bn* **1** vals, vervalst, onecht **2** voorgewend, niet gemeend
[3]**counterfeit** [kauntefit] *tr* **1** vervalsen, namaken **2** doen alsof
counterfeiter [kauntefitte] vervalser, valsemunter
counterfoil controlestrookje, kwitantiestrook
counterpart tegenhanger
[1]**counterpoise** *zn* **1** tegenwicht, tegendruk **2** evenwicht
[2]**counterpoise** *tr* in evenwicht brengen, opwegen tegen, compenseren
countersign medeondertekenen
counterweight tegen(ge)wicht, contragewicht
countess [kauntis] gravin, echtgenote ve graaf
countless [kauntles] talloos, ontelbaar
count out *(inform)* **1** niet meetellen, afschrijven, terzijde schuiven: *if it rains tonight you can count me out* als het vanavond regent moet je niet op me rekenen **2** *(sport)* uittellen *(bokser)* **3** neertellen
country [kuntrie] **1** land, geboorteland, vaderland **2** volk, natie: *the ~ doesn't support this decision* het land staat niet achter deze beslissing **3** (land)streek, terrein **4** platteland, provincie: *go for a day in the ~* een dagje naar buiten gaan
countryfolk plattelanders, buitenlui
country house landhuis, buitenverblijf
countryman [kuntriemen] **1** landgenoot **2** plattelander
countryside platteland
count (up)on rekenen (vertrouwen) op
county [kauntie] graafschap, provincie
county council graafschapsbestuur, provinciaal bestuur; *(ongev)* Provinciale Staten
county court districtsrechtbank; *(ongev)* kantongerecht
county hall provinciehuis
coup [koe:] **1** slimme zet, prestatie, succes: *make* (of: *pull off*) *a ~* zijn slag slaan **2** staatsgreep, coup
[1]**couple** [kupl] *zn* **1** koppel, paar, span: *a ~ of: a)* twee; *b) (inform)* een paar, een stuk of twee *(niet meer dan drie)* **2** (echt)paar, stel: *a married ~* een getrouwd stel, een echtpaar
[2]**couple** [kupl] *intr* **1** paren vormen **2** paren, geslachtsgemeenschap hebben
[3]**couple** [kupl] *tr* **1** (aaneen)koppelen, verbinden, aanhaken: *~ up* aan elkaar koppelen **2** (met elkaar) in verband brengen, gepaard laten gaan
coupling [kupling] koppeling, verbinding, koppelstuk
coupon [koe:pon] **1** bon, kaartje, zegel, kortingsbon **2** (toto)formulier
courage [kurridzj] moed, dapperheid, durf: *muster up* (of: *pluck up, summon up*) *~* moed vatten
courageous [kereedzjes] moedig, dapper, onverschrokken
courgette [koeezjet] courgette
courier [koerie] **1** koerier, bode **2** reisgids, reisleider
course [ko:s] **1** loop, (voort)gang, duur: *the ~ of events* de loop der gebeurtenissen; *run* (of: *take*) *its ~* zijn beloop hebben, (natuurlijk) verlopen **2** koers, richting, route: *stay the ~* tot het eind toe volhouden; *on ~* op koers **3** manier, weg, (gedrags)lijn **4** cursus, curriculum: *an English ~* een cursus Engels **5** cyclus, reeks, serie: *~ of lectures* lezingencyclus **6** *(sport)* baan **7** *(cul)* gang: *a three-course dinner* een diner van drie gangen; *the main ~* het hoofdgerecht || *of ~* natuurlijk, vanzelfsprekend
[1]**court** [ko:t] *zn* **1** rechtbank, gerechtsgebouw, gerechtszaal, (gerechts)hof: *Court of Appeal(s)* hof van beroep; *Court of Claims* bestuursrechtelijk hof *(Am); ~ of inquiry* gerechtelijke commissie van onderzoek; *go to ~* naar de rechter stappen; *settle out of ~* buiten de rechter om schikken **2** hof, koninklijk paleis, hofhouding **3** *(sport)* (ten-

nis)baan **4** omsloten ruimte, (licht)hal, binnenhof, binnenplaats || *laugh s.o. (sth.) out of ~* iem (iets) weghonen; *rule* (of: *put*) *out of ~: a)* uitsluiten *(getuige, bewijsmateriaal; ook fig); b)* (iets, iem) totaal geen kans geven

²court [ko:t] *intr* verkering hebben

³court [ko:t] *tr* **1** vleien, in de gunst trachten te komen bij **2** flirten met, het hof maken, dingen naar de hand van, vragen om, uitlokken: *~ disaster* om moeilijkheden vragen **3** (trachten te) winnen, streven naar

courteous [ke:ties] beleefd, welgemanierd

courtesy [ke:tesie] beleefdheid, welgemanierdheid, beleefdheidsbetuiging: *(by) ~ of* welwillend ter beschikking gesteld door, met toestemming van

court-house gerechtsgebouw

courtly [ko:tlie] **1** hoofs, verfijnd, elegant **2** welgemanierd, beleefd, hoffelijk

¹court martial [ko:tma:sjl] *zn* krijgsraad, (hoog) militair gerechtshof

²court martial [ko:tma:sjl] *ww* voor een krijgsraad brengen

courtship [ko:tsjip] **1** verkering(stijd) **2** het hof maken **3** *(dierk)* balts

courtyard binnenhof, binnenplaats, plein

cousin [kuzn] neef, nicht, dochter of zoon van tante of oom

cove [koov] **1** inham, kleine baai, kreek **2** beschutte plek, (beschutte) inham

covenant [kuvvenent] **1** overeenkomst **2** *(godsd)* verbond

¹cover [kuvve] *zn* **1** bedekking, hoes: *~s* dekens, dekbed **2** deksel, klep **3** omslag, stofomslag, boekband: *read a book from ~ to ~* een boek van begin tot eind lezen **4** enveloppe **5** mes en vork **6** invaller, vervanger **7** dekmantel, voorwendsel: *under ~ of friendship* onder het mom van vriendschap **8** dekking *(ook sport);* beschutting, schuilplaats: *take ~* dekking zoeken, (gaan) schuilen; *under ~* heimelijk, in het geheim, verborgen **9** dekking *(verzekeringen)*

²cover [kuvve] *intr (inform)* (met *for*) invallen (voor), vervangen

³cover [kuvve] *tr* **1** bedekken, overtrekken: *he was ~ed in* (of: *with*) *blood* hij zat onder het bloed; *~ over* bedekken **2** beslaan, omvatten, bestrijken **3** afleggen *(afstand)* **4** bewaken *(bijv. toegangswegen)* **5** verslaan, verslag uitbrengen over **6** dekken, verzekeren: *we aren't ~ed against fire* we zijn niet tegen brand verzekerd **7** onder schot houden, in bedwang houden **8** beheersen, controleren, bestrijken **9** *(sport)* dekken, bewaken || *a ~ing letter* (of: *note*) een begeleidend schrijven

coverage [kuvveridzj] **1** dekking *(ook verzekeringen);* verzekerd bedrag (risico) **2** berichtgeving, verslag, verslaggeving, publiciteit **3** bereik

covering [kuvvering] bedekking, dekzeil

¹covert [kuvvet] *zn* **1** beschutte plaats, schuilplaats **2** kreupelhout

²covert [kuvvet] *bn* bedekt, heimelijk, illegaal

¹cover up *intr* dekking geven, een alibi verstrekken

²cover up *tr* **1** verdoezelen, wegmoffelen, verhullen: *~ one's tracks* zijn sporen uitwissen **2** toedekken, inwikkelen

cover-up **1** doofpotaffaire **2** dekmantel, alibi

covet [kuvvit] begeren

cow [kau] koe, wijfje: *(fig) sacred ~* heilige koe || *till the ~s come home* tot je een ons weegt, eindeloos

coward [kaued] lafaard

cowardice [kauedis] lafheid

cowboy **1** *(Am)* cowboy, veedrijver **2** beunhaas, knoeier **3** *(inform)* gewetenloos zakenman: *~ employers* gewetenloze werkgevers

cower [kaue] in elkaar duiken, ineenkrimpen

cowl [kaul] **1** monnikskap, kap **2** monnikspij **3** schoorsteenkap

co-worker collega, medewerker

cowslip **1** sleutelbloem **2** *(Am)* dotterbloem

cox [koks] stuurman; stuur *(van roeiboot)*

coxcomb [kokskoom] ijdeltuit

cozy [koozie] *zie* cosy

¹crab [kreb] *zn* **1** krab **2** *(inform)* schaamluis

²crab [kreb] *intr* **1** krabben vangen **2** *(inform)* kankeren, mopperen

crabbed [krebid] **1** chagrijnig, prikkelbaar **2** kriebelig, gekrabbeld; onduidelijk *(van handschrift)* **3** ingewikkeld

¹crack [krek] *zn* **1** barst(je), breuk, scheur(tje) **2** kier, spleet **3** knal(geluid), knak, kraak **4** klap, pets **5** *(inform)* gooi, poging: *have a ~ at* een gooi doen naar, proberen **6** grap(je), geintje **7** *(inform)* kraan, kei, uitblinker **8** *(inform)* (zuivere vorm van) cocaïne || *at the ~ of dawn* bij het krieken van de dag

²crack [krek] *bn (inform)* prima, keur-, uitgelezen: *a ~ shot* (of: *marksman*) een eersteklas schutter

³crack [krek] *intr* **1** in(een)storten, het begeven, knakken **2** knallen, kraken **3** barsten, splijten, scheuren **4** breken, schor worden; overslaan *(vd stem)*

⁴crack [krek] *tr* **1** laten knallen, laten kraken: *~ a whip* klappen met een zweep **2** doen barsten, splijten, scheuren **3** meppen, slaan **4** de oplossing vinden van: *~ a code* een code ontcijferen **5** *(inform)* vertellen: *~ a joke* een mop vertellen

⁵crack [krek] *tr, intr* **1** (open)breken, stukbreken, knappen: *~ a safe* een kluis openbreken **2** *(chem)* kraken

crack-brained onzinnig, getikt, dwaas

crackdown (straf)campagne, (politie)optreden, actie

cracker [kreke] cracker(tje), knäckebröd

crackers [krekez] *(inform)* gek

cracking [kreking] *(inform)* **1** schitterend, uitstekend **2** snel: *~ pace* stevige vaart || *get ~* aan de slag gaan

[1]**crackle** [krekl] *zn* geknetter, geknap(per), geknisper
[2]**crackle** [krekl] *intr* knapp(er)en, knetteren, knisperen; kraken *(van telefoon)*
[1]**crack up** *intr (inform)* bezwijken, instorten, eronderdoor gaan
[2]**crack up** *tr (inform)* **1** ophemelen, roemen, prijzen: *he isn't everything he's cracked up to be* hij is niet zo goed als iedereen zegt **2** in de lach schieten, in een deuk liggen
crack-up *(inform)* in(een)storting, inzinking
[1]**cradle** [kreedl] *zn* **1** wieg *(ook fig)*; bakermat: *from the ~ to the grave* van de wieg tot het graf **2** stellage; *(scheepv)* (constructie)bok; haak *(van telefoon)*
[2]**cradle** [kreedl] *tr* **1** wiegen, vasthouden **2** in een wieg leggen **3** op de haak leggen *(telefoon)*
[1]**craft** [kra:ft] *zn* **1** vak, ambacht **2** (kunst)vaardigheid, kunstnijverheid **3** bedrijfstak, branche, (ambachts)gilde
[2]**craft** [kra:ft] *zn (mv: ~)* **1** boot(je), vaartuig **2** vliegtuig **3** ruimtevaartuig
craftsman [kra:ftsmen] handwerksman; vakman *(ook fig)*
crafty [kra:ftie] geslepen, doortrapt, geraffineerd
crag [krek] steile rots
[1]**cram** [krem] *intr* **1** zich volproppen, schrokken **2** blokken, stampen
[2]**cram** [krem] *tr* **1** (vol)proppen, aanstampen, (vol)stouwen **2** klaarstomen *(leerling)* **3** erin stampen *(leerstof)*
cramp [kremp] kramp(scheut): *~s* maagkramp, buikkramp
cramped [krempt] **1** benauwd, krap, kleinbehuisd **2** kriebelig *(van handschrift)* **3** gewrongen
[1]**crane** [kreen] *zn* **1** kraanvogel **2** kraan, hijskraan
[2]**crane** [kreen] *intr* de hals uitstrekken, reikhalzen
[3]**crane** [kreen] *tr* (reikhalzend) uitstrekken, vooruitsteken
[1]**crank** [krengk] *zn* **1** krukas, autoslinger; crank *(van fiets)* **2** *(inform)* zonderling, excentriekeling **3** *(Am; inform)* mopperkont
[2]**crank** [krengk] *tr* aanzwengelen, aanslingeren: *~ up a car* een auto aanslingeren
crankshaft krukas, trapas
cranky [krengkie] **1** *(inform)* zonderling, bizar **2** *(Am; inform)* chagrijnig
[1]**crap** [krep] *zn (plat)* **1** stront: *have a ~* een drol leggen **2** kletspraat, geklets: *a load of ~* een hoop gezever **3** *(plat)* troep, rotzooi
[2]**crap** [krep] *intr (plat)* schijten, kakken
[1]**crash** [kresj] *zn* **1** klap, dreun **2** botsing, neerstorting, ongeluk **3** krach, ineenstorting
[2]**crash** [kresj] *bn* spoed-: *~ course* stoomcursus, spoedcursus
[3]**crash** [kresj] *intr* **1** te pletter slaan, verongelukken, botsen, (neer)storten: *the plates ~ed to the floor* de borden kletterden op de grond **2** stormen **3** dreunen, knallen **4** ineenstorten, failliet gaan; *(comp)* crashen; down gaan **5** *(inform)* (blijven) pitten, de nacht doorbrengen
[4]**crash** [kresj] *tr* te pletter laten vallen
crash landing buiklanding, noodlanding
crass [kres] bot, onbehouwen, lomp: *~ stupidity* peilloze domheid
crate [kreet] **1** krat, kist **2** *(inform)* brik, bak **3** *(inform)* kist, wrakkig vliegtuig
crater [kreete] krater
crave [kreev] hunkeren (naar), smachten (naar)
[1]**crawl** [kro:l] *zn* **1** slakkengang **2** crawl(slag)
[2]**crawl** [kro:l] *intr* **1** kruipen, sluipen, moeizaam vooruitkomen **2** krioelen, wemelen: *the place was ~ing with vermin* het krioelde er van ongedierte **3** kruipen, kruiperig doen, slijmen: *~ to one's boss* de hielen likken van zijn baas
craze [kreez] rage, manie, gril
crazy [kreezie] **1** gek, krankzinnig, dol, waanzinnig: *go ~* gek worden; *(inform) ~ about fishing* gek van vissen **2** *(inform)* te gek, fantastisch
creak [krie:k] geknars, gekraak
[1]**cream** [krie:m] *zn* **1** (slag)room **2** crème *(voor op de huid)* **3** crème(kleurig)
[2]**cream** [krie:m] *tr* **1** room toevoegen aan, in room e.d. bereiden: *~ed potatoes* aardappelpuree **2** inwrijven; insmeren *(huid)*
[3]**cream** [krie:m] *tr, intr* romen; afromen *(ook fig)*: *~ off* afromen
[1]**crease** [krie:s] *zn* vouw, plooi, kreukel: *~ resistant* kreukvrij
[2]**crease** [krie:s] *tr* persen, een vouw maken in
[3]**crease** [krie:s] *tr, intr* kreuke(le)n, vouwen, plooien
[1]**create** [krie·eet] *intr (inform)* tekeergaan, leven maken
[2]**create** [krie·eet] *tr* **1** scheppen, creëren, ontwerpen **2** veroorzaken, teweegbrengen
creation [krie·eesjen] **1** schepping, instelling, oprichting: *the Creation* de schepping **2** creatie, (mode)ontwerp
creative [krie·eetiv] creatief, scheppend, vindingrijk
creativity [krie:etivvittie] creativiteit, scheppingsdrang, scheppingsvermogen
creator [krie·eete] schepper
creature [krie:tsje] **1** schepsel, schepping, voortbrengsel: *~ of habit* gewoontedier, gewoontemens **2** dier, beest **3** (levend) wezen **4** stakker, mens(je), creatuur
crèche [kreesj] **1** crèche, kinderdagverblijf **2** *(Am)* kerststal, krib
credence [krie:dens] geloof: *attach/give no ~ to* geen geloof hechten aan
credentials [kriddensjelz] introductiebrieven, geloofsbrieven, legitimatiebewijs
credibility [kreddibbillittie] geloofwaardigheid
credible [kreddibl] **1** geloofwaardig, betrouwbaar **2** overtuigend
[1]**credit** [kreddit] *zn* **1** krediet: *buy on ~* op krediet

cr

kopen; ~ *on a prepaid phone card* beltegoed **2** credit, creditzijde, creditpost **3** tegoed, spaarbanktegoed, positief saldo **4** geloof, vertrouwen: *lend ~ to* bevestigen, geloofwaardig maken **5** krediet, kredietwaardigheid, goede naam **6** krediet, kredietermijn **7** eer, lof, verdienste: *it does you ~, it is to your ~, it reflects ~ on you* het siert je, het strekt je tot eer **8** *(Am)* studiepunt, examenbriefje, tentamenbriefje **9** sieraad: *she's a ~ to our family* ze is een sieraad voor onze familie **10** *~s* titelrol, aftiteling

[2]**credit** [kreddit] *tr* **1** geloven, geloof hechten aan **2** crediteren, op iemands tegoed bijschrijven **3** toedenken, toeschrijven: *he is ~ed with the invention* de uitvinding staat op zijn naam

creditable [kredditt(e)bl] **1** loffelijk, eervol, prijzenswaardig **2** te geloven

credit card credit card; *(ongev)* betaalkaart

creditor [kreditte] crediteur, schuldeiser

credulity [kridjoe:littie] lichtgelovigheid, goedgelovigheid

creed [krie:d] **1** geloofsbelijdenis; credo *(ook fig)* **2** (geloofs)overtuiging, gezindte

creek [krie:k] kreek; inham; bocht, kleine rivier || *(inform) up the ~* in een lastig parket, in de penarie

[1]**creep** [krie:p] *zn* **1** *(inform)* gluiperd, griezel, engerd, slijmerd **2** *the ~s* kriebels, kippenvel, koude rillingen

[2]**creep** [krie:p] *intr (crept, crept)* kruipen, sluipen: *~ in* binnensluipen; *~ up on* bekruipen, besluipen

creeper [krie:pe] **1** kruiper **2** kruipend gewas, klimplant **3** *~s (Am)* kruippak **4** *~s* bordeelsluipers, schoenen met crêpe zolen

creepy [krie:pie] griezelig, eng, huiveringwekkend

creepy-crawly *(inform)* beestje, (kruipend) insect (ongedierte)

cremate [krimmeet] cremeren, verassen

cremation [krimmeesjen] crematie

crematorium [kremmeto:riem] crematorium(gebouw)

crept [krept] *ovt en volt dw van* creep

crescent [kresnt] **1** halvemaan, afnemende maan **2** halvemaanvormig iets, halvemaantje

cress [kres] kers, gewone kers, tuinkers, sterrenkers

[1]**crest** [krest] *zn* **1** kam, pluim, kuif **2** helmbos, helmpluim, vederbos **3** top, berg-, heuveltop, golfkam: *(fig) he is riding the ~ (of the waves)* hij is op het hoogtepunt van zijn carrière, succes

[2]**crest** [krest] *tr* de top bereiken van; bedwingen *(berg)*

crestfallen terneergeslagen, teleurgesteld

[1]**crew** [kroe:] *zn* **1** bemanning **2** personeel **3** ploeg, roeibootbemanning, roeiploeg

[2]**crew** [kroe:] *ovt van* crow

[1]**crib** [krib] *zn* **1** *(Am)* ledikantje, bedje, wieg **2** krib, voederbak, ruif **3** kerststal **4** *(inform)* afgekeken antwoord, spiekwerk, plagiaat **5** *(inform)* spiekbriefje

[2]**crib** [krib] *ww (inform)* **1** spieken, afkijken, overschrijven **2** jatten, pikken

[1]**crick** [krik] *zn* stijfheid, spit: *a ~ in the neck* een stijve nek

[2]**crick** [krik] *tr* verrekken, verdraaien, ontwrichten

cricket [krikkit] **1** cricket: *that's not ~* dat is onsportief, zoiets doe je niet **2** krekel

crime [krajm] **1** misdaad, misdrijf **2** criminaliteit, (de) misdaad **3** schandaal, schande: *it's a ~ the way he treats us* het is schandalig zoals hij ons behandelt

[1]**criminal** [krimminl] *zn* misdadiger

[2]**criminal** [krimminl] *bn* **1** misdadig, crimineel: *~ act* misdrijf, strafbare handeling **2** *(inform)* schandalig **3** strafrechtelijk, crimineel: *~ libel* smaad

crimson [krimzn] karmozijn(rood)

cringe [krindzj] **1** ineenkrimpen, terugdeinzen, terugschrikken **2** (met *to*) kruipen (voor), door het stof gaan (voor), zich vernederen **3** *(inform)* de kriebel(s) krijgen: *his foolish talk makes me ~* zijn gezwets hangt me mijlenver de keel uit

[1]**crinkle** [kringkl] *zn* kreuk, (valse, ongewenste) vouw

[2]**crinkle** [kringkl] *tr* (doen) kreuke(le)n, (doen) rimpelen, verfrommelen

[1]**cripple** [kripl] *zn* invalide, (gedeeltelijk) verlamde, kreupele

[2]**cripple** [kripl] *tr* verlammen, invalide maken; *(fig)* (ernstig) beschadigen: *~d with gout* krom van de jicht

crisis [krajsis] *(mv: crises)* crisis, kritiek stadium, keerpunt

[1]**crisp** [krisp] *zn* (aardappel)chip

[2]**crisp** [krisp] *bn* **1** knapperig, krokant: *a ~ pound note* een kraaknieuw biljet van een pond **2** stevig; vers *(groente e.d.)* **3** fris, helder, verfrissend: *the ~ autumn wind* de frisse herfstwind **4** helder, ter zake, kernachtig

crispbread knäckebröd

crisper [krispe] groentelade, groentevak *(in koelkast)*

crispy [krispie] knapperig, krokant

[1]**criss-cross** [kriskros] *bn* kruiselings, kruis-

[2]**criss-cross** [kriskros] *tr* **1** (kriskras) (door)kruisen **2** doorsnijden: *train tracks ~ the country* spoorlijnen doorsnijden het land **3** krassen maken op, bekrassen

[3]**criss-cross** [kriskros] *bw* kriskras, door elkaar

criterion [krajtierien] criterium

critic [krittik] criticus, recensent

criticism [krittissizm] **1** kritiek, recensie, bespreking **2** afkeuring, afwijzing

criticize [krittissajz] **1** kritiek hebben (op) **2** (be)kritiseren, beoordelen, recenseren **3** afkeuren

croak [krook] **1** kwaken *(van kikvorsen);* krassen *(van raven en kraaien);* hees zijn, (ontevreden) grommen, brommen **2** *(plat)* het loodje leggen

crochet [kroosjee] haakwerk
crock [krok] **1** aardewerk(en) pot, kruik **2** potscherf **3** *(inform)* (oud) wrak, kneusje, ouwe knol
crockery [krokkerie] aardewerk, vaatwerk, serviesgoed
crock up *(inform)* in elkaar klappen, instorten
crocodile [krokkedajl] **1** krokodil: ~ *tears* krokodillentranen **2** rij (kinderen, 2 aan 2)
crocus [krookes] krokus
crony [kroonie] makker, maat(je), gabber
crook [kroek] **1** herdersstaf **2** bisschopsstaf, kromstaf **3** bocht, kronkel, buiging **4** haak, hoek, luik **5** *(inform)* oplichter, zwendelaar, flessentrekker
crooked [kroekid] **1** bochtig, slingerend, kronkelig **2** misvormd; krom(gegroeid) *(ook van ouderdom);* gebocheld **3** oneerlijk, onbetrouwbaar, achterbaks
crop [krop] **1** krop *(van vogel)* **2** rijzweep(je), karwats, rijstokje **3** gewas, landbouwproduct, landbouwproducten **4** oogst *(ook fig);* graanoogst, lading, lichting: *a whole new ~ of students* een hele nieuwe lichting studenten || *a fine ~ of hair* een mooie bos haar
cropper [kroppe] *(inform)* smak: *come a ~* een (dood)smak maken, *(fig)* op z'n bek vallen, afgaan
crop up *(inform)* opduiken, de kop opsteken, plotseling ter sprake komen: *her name keeps cropping up in the papers* haar naam duikt voortdurend op in de krant
[1]**cross** [kros] *zn* **1** kruis(je), crucifix, kruisteken: *make the sign of the ~* een kruisje slaan (*of:* maken) **2** kruis, beproeving, lijden **3** kruising, bastaard **4** *(voetbal)* voorzet
[2]**cross** [kros] *bn* boos, kwaad, uit zijn humeur: *be ~ with s.o.* kwaad op iem zijn
[3]**cross** [kros] *intr* (elkaar) kruisen
[4]**cross** [kros] *tr* **1** kruisen, over elkaar slaan: *~ one's arms* (of: *legs*) zijn armen (*of:* benen) over elkaar slaan **2** een kruisteken maken boven: *~ oneself* een kruis slaan **3** (door)strepen, een streep trekken door: *~ out* (of: *off*) doorstrepen, doorhalen, schrappen *(ook fig)* **4** dwarsbomen; doorkruisen *(plan)* **5** *(biol)* kruisen
[5]**cross** [kros] *tr, intr* **1** oversteken, overtrekken, doortrekken **2** kruisen, (elkaar) passeren
Cross [kros] *(altijd met the)* (Heilige) Kruis; kruisiging *(van Christus);* christendom
crossbreed **1** kruising, bastaard **2** gekruist ras, bastaardras
[1]**cross-country** *zn* cross(country), terreinwedstrijd; *(atletiek)* veldloop; *(wielrennen)* veldrit
[2]**cross-country** *bn* **1** terrein- **2** over het hele land, van kust tot kust: *~ concert tour* landelijke concerttournee
cross-examine aan een kruisverhoor onderwerpen *(ook fig);* scherp ondervragen
cross-eyed scheel(ogig): *he is slightly ~* hij loenst een beetje
crossing [krossing] **1** oversteek, overtocht, overvaart **2** kruising, snijpunt, kruispunt **3** oversteekplaats, zebra, overweg
cross-reference verwijzing, referentie
crossroads wegkruising, twee-, drie-, viersprong, kruispunt; *(fig)* tweesprong; beslissend moment, keerpunt
cross section dwarsdoorsnede *(ook fig);* kenmerkende steekproef
crossword kruiswoord(raadsel)
crotch [krotsj] **1** vertakking, vork **2** kruis *(van mens of kledingstuk)*
crotchet [krotsjit] *(muz)* kwart, kwartnoot
crouch [krautsj] zich (laag) bukken, ineenduiken, zich buigen: *~ down* ineengehurkt zitten
[1]**crow** [kroo] *zn (ook crew)* **1** kraai, roek **2** gekraai *(van haan)* **3** kreetje, geluidje; gekraai *(van baby)* || *as the ~ flies* hemelsbreed
[2]**crow** [kroo] *intr* **1** kraaien *(van haan, kind): the baby ~ed with pleasure* het kindje kraaide van plezier **2** *(inform)* opscheppen, snoeven || *~ over* (triomfantelijk) juichen over, uitbundig leedvermaak hebben over
crowbar koevoet, breekijzer
[1]**crowd** [kraud] *zn* **1** (mensen)menigte, massa **2** *(inform)* volkje, kliek(je) || *follow* (of: *move with, go with*) *the ~* in de pas lopen, zich conformeren aan de massa
[2]**crowd** [kraud] *intr* elkaar verdringen: *people ~ed round* mensen dromden samen
[3]**crowd** [kraud] *tr* **1** (over)bevolken, (meer dan) volledig vullen: *shoppers ~ed the stores* de winkels waren vol winkelende mensen **2** proppen, persen, (dicht) op elkaar drukken || *~ out* buitensluiten, verdringen
crowded [kraudid] vol, druk
[1]**crown** [kraun] *zn* **1** krans **2** kroon; *(fig)* vorstelijke macht; regering; *(jur)* openbare aanklager: *minister of the Crown* zittend minister *(in Engeland)* **3** hoogste punt, bovenste gedeelte, (hoofd)kruin, boomkruin; kroon *(van tand, kies)* **4** *(sport)* kampioen(schap)stitel
[2]**crown** [kraun] *tr* **1** kronen: *~ed heads* gekroonde hoofden, regerende vorsten **2** bekronen, belonen, eren **3** kronen, de top vormen van, sieren **4** voltooien, (met succes) bekronen, de kroon op het werk vormen: *to ~ (it) all* als klap op de vuurpijl, *(iron)* tot overmaat van ramp
crow's-foot kraaienpootje *(rimpel in de ooghoek)*
crucial [kroe:sjl] **1** cruciaal, (alles)beslissend; *(inform)* zeer belangrijk: *~ point* keerpunt **2** kritiek
crucifix [kroe:siffiks] kruisbeeld
crucify [kroe:siffaj] **1** kruisigen **2** tuchtigen
crude [kroe:d] **1** ruw, onbewerkt, ongezuiverd, primitief: *~ oil* ruwe olie, aardolie; *a ~ log cabin* een primitieve blokhut **2** rauw, bot, onbehouwen: *~ behaviour* lomp gedrag
cruel [kroe:el] wreed, hard(vochtig), gemeen; *(fig)* guur; bar

cruise [kroe:z] 1 een cruise maken 2 kruisen *(van vliegtuig, auto e.d.)*; zich met kruissnelheid voortbewegen, (langzaam) rondrijden, patrouilleren, surveilleren
crumb [krum] 1 kruimel, kruim(pje) 2 klein beetje, fractie, zweem(pje)
crumble [krumbl] ten onder gaan, vergaan, vervallen, afbrokkelen: *crumbling walls* bouwvallige muren || *~ away: a)* afbrokkelen; *b)* verschrompelen
[1]**crumple** [krumpl] *intr* (ook met *up*) verschrompelen, ineenstorten, ineenklappen
[2]**crumple** [krumpl] *tr, intr* (ook met *up*) kreuk(el)en, rimpelen, verfrommelen
[1]**crunch** [kruntsj] *zn* 1 knerpend geluid, geknars 2 beslissend moment, beslissende confrontatie: *if* (of: *when*) *it comes to the ~* als puntje bij paaltje komt
[2]**crunch** [kruntsj] *tr, intr* 1 (doen) knarsen 2 knauwen (op), (luidruchtig) kluiven, knagen (aan)
crusade [kroe:seed] kruistocht, felle campagne
[1]**crush** [krusj] *zn* 1 drom, (samengepakte) mensenmenigte 2 *(steeds ev)* gedrang: *avoid the ~* de drukte vermijden 3 *(inform)* overmatig drukke bijeenkomst 4 *(inform)* (hevige) verliefdheid: *have a ~ on* smoorverliefd zijn op
[2]**crush** [krusj] *tr* 1 in elkaar drukken, indeuken: *be ~ed to death in a crowd* doodgedrukt worden in een mensenmenigte 2 vernietigen, de kop indrukken
[3]**crush** [krusj] *tr, intr* dringen, (zich) persen
crushing [krusjing] vernietigend, verpletterend
[1]**crust** [krust] *zn* 1 korst, broodkorst, kapje, korstdeeg, bladerdeeg: *the earth's ~* de aardkorst 2 aardkorst 3 (wond)korst 4 *(inform)* lef, brutaliteit || *(inform) off one's ~* getikt
[2]**crust** [krust] *intr* met een korst bedekt worden
crutch [krutsj] kruk *(voor invalide)*
crux [kruks] essentie, kern(punt)
[1]**cry** [kraj] *zn* 1 kreet, (uit)roep, geschreeuw, schreeuw, strijdkreet 2 huilpartij, gehuil 3 diergeluid, schreeuw, (vogel)roep 4 roep, smeekbede, appel
[2]**cry** [kraj] *intr* 1 schreeuwen, jammeren: *he cried (out) with pain* hij schreeuwde het uit van de pijn 2 een geluid geven *(van dieren, vnl. vogels)*; roepen
[3]**cry** [kraj] *tr, intr* 1 huilen, janken: *~ for sth.* om iets jengelen, om iets huilen; *~ for joy* huilen van blijdschap 2 roepen, schreeuwen: *the fields are ~ing out for rain* het land schreeuwt om regen || *~ sth. down* iets kleineren, iets afbreken; *~ off* terugkrabbelen, er(gens) van afzien
crybaby huilebalk
crying [krajjing] hemeltergend, schreeuwend: *a ~ shame* een grof schandaal
crypt [kript] crypt(e), grafkelder, ondergrondse kapel
cryptic [kriptik] cryptisch, verborgen, geheimzinnig: *~ crossword* cryptogram
[1]**crystal** [kristl] *zn* 1 kristal 2 *(Am)* horlogeglas
[2]**crystal** [kristl] *bn* 1 kristal(len): *~ ball* kristallen bol *(van waarzegster)* 2 (kristal)helder
ct *afk van cent* c
cub [kub] welp, jong, vossenjong
[1]**cube** [kjoe:b] *zn* 1 kubus, klontje, blokje: *(Am) a ~ of sugar* een suikerklontje 2 derde macht: *~ root* derdemachtswortel
[2]**cube** [kjoe:b] *tr* tot de derde macht verheffen: *two ~d is eight* twee tot de derde is acht
cubic [kjoe:bik] 1 kubiek, driedimensionaal: *~ metre* kubieke meter 2 kubusvormig, rechthoekig 3 kubisch, derdemachts-
cubicle [kjoe:bikl] 1 kleedhokje 2 slaapho(e)kje
[1]**cuckoo** [koekoe:] *zn* 1 koekoek 2 koekoeksroep 3 *(fig)* uilskuiken, sul || *~ in the nest* ongewenste indringer
[2]**cuckoo** [koekoe:] *bn (inform)* achterlijk, idioot
cucumber [kjoe:kumbe] komkommer
cud [kud] herkauwmassa *(uit de pens)*: *chew the ~* herkauwen, *(fig)* prakkeseren, tobben
[1]**cuddle** [kudl] *intr* dicht tegen elkaar aan (genesteld) liggen: *~ up* dicht tegen elkaar aankruipen; *~ up to s.o.* zich bij iem nestelen
[2]**cuddle** [kudl] *tr* knuffelen, liefkozen
cuddly [kudlie] snoezig, aanhalig: *a ~ toy* een knuffelbeest
cue [kjoe:] 1 aansporing, wenk, hint 2 richtsnoer, voorbeeld, leidraad: *take one's ~ from* een voorbeeld nemen aan 3 (biljart)keu
[1]**cuff** [kuf] *zn* 1 manchet 2 *(Am)* (broek)omslag 3 klap *(met de vlakke hand)*; draai om de oren, pets || *(inform) off the ~* voor de vuist (weg)
[2]**cuff** [kuf] *tr* een draai om de oren geven
cuff link manchetknoop
cul-de-sac [kul de sek] 1 doodlopende straat 2 dood punt
[1]**cull** [kul] *zn* selectie
[2]**cull** [kul] *tr* 1 plukken *(bloemen e.d.)* 2 verzamelen, vergaren 3 selecteren, uitkammen, uitziften: *~ from* selecteren uit
culminate [kulminneet] culmineren, zijn hoogtepunt bereiken
culpable [kulpebl] 1 afkeurenswaardig, verwerpelijk 2 verwijtbaar: *~ homicide* dood door schuld 3 aansprakelijk, schuldig
culprit [kulprit] 1 beklaagde, verdachte, beschuldigde 2 schuldige, dader, boosdoener
cult [kult] 1 cultus, eredienst; *(min)* ziekelijke verering; rage 2 sekte, kliek
cultivate [kultivveet] 1 cultiveren, aanbouwen, bebouwen, ontginnen 2 kweken *(bijv. bacteriën)* 3 voor zich proberen te winnen, vleien
cultivation [kultivveesjen] 1 *(landb)* cultuur, ontginning, verbouw: *under ~* in cultuur 2 beschaafdheid, welgemanierdheid
cultural [kultsjerel] cultureel, cultuur-
culture [kultsje] 1 cultuur, beschaving(stoe-

stand), ontwikkeling(sniveau) **2** (bacterie)kweek **3** algemene ontwikkeling **4** kweek, cultuur, teelt

cum [kum] met, plus, inclusief, annex, zowel als, tevens: *bed-cum-sitting room* zit-slaapkamer

cumbersome [kumbesem] **1** onhandelbaar, log, (p)lomp **2** hinderlijk, lastig, zwaar

cumulus [kjoe:mjoeles] stapelwolk

[1]**cunning** [kunning] *zn* sluwheid, listigheid, slimheid

[2]**cunning** [kunning] *bn* sluw, listig, slim

cunt [kunt] *(plat)* kut

cup [kup] **1** kop(je), mok, beker **2** *(sport)* (wissel)beker, cup, bokaal || *between ~ and lip* op de valreep; *my ~ of tea* (echt) iets voor mij

cupboard [kubbed] kast

cup final *(sport)* bekerfinale

cup-tie *(sport)* bekerwedstrijd

curable [kjoeerebl] geneesbaar

curate [kjoeeret] hulppredikant; *(r-k)* kapelaan

curator [kjoereete] beheerder, curator, conservator

[1]**curb** [ke:b] *zn* rem, beteugeling

[2]**curb** [ke:b] *tr* intomen *(ook fig)*; beteugelen, in bedwang houden

curdle [ke:dl] stremmen, (doen) stollen: *her blood ~d at the spectacle* het schouwspel deed haar bloed stollen

[1]**cure** [kjoee] *zn* **1** (medische) behandeling, kuur **2** (genees)middel, medicament; remedie *(ook fig)* **3** genezing, herstel

[2]**cure** [kjoee] *intr* **1** kuren, een kuur doen **2** een heilzame werking hebben **3** verduurzaamd worden, roken, drogen

[3]**cure** [kjoee] *tr* verduurzamen, conserveren; zouten, roken *(vis, vlees)*; drogen *(tabak)*

[4]**cure** [kjoee] *tr, intr* genezen, beter maken, (doen) herstellen: *~ oneself of bad habits* zijn slechte gewoonten afleren

curfew [ke:fjoe:] **1** avondklok, uitgaansverbod **2** spertijd

curiosity [kjoeerie·ossittie] **1** curiositeit, rariteit **2** nieuwsgierigheid, benieuwdheid **3** leergierigheid

curious [kjoeeries] **1** nieuwsgierig, benieuwd **2** leergierig **3** curieus, merkwaardig: *~ly (enough)* merkwaardigerwijs, vreemd genoeg

[1]**curl** [ke:l] *zn* **1** (haar)krul, pijpenkrul **2** krul, spiraal **3** (het) krul(len), krulling

[2]**curl** [ke:l] *intr* **1** spiralen; zich winden *(van plant)* **2** (om)krullen

[3]**curl** [ke:l] *tr* **1** met krullen versieren **2** doen (om)krullen **3** kronkelen om, winden om

[4]**curl** [ke:l] *tr, intr* krullen *(van haar)*; in de krul zetten, kroezen

curler [ke:le] krulspeld, roller, kruller

curl up **1** *(inform)* (doen) ineenkrimpen *(van afschuw, schaamte, pret e.d.)* **2** omkrullen **3** *(inform)* neergaan, neerhalen, in elkaar (doen) klappen, tegen de vlakte (doen) gaan **4** zich (behaaglijk) oprollen, in elkaar kruipen

currant [kurrent] **1** krent **2** aalbes: *red* (of: *white*) *~* rode (*of:* witte) bes

currency [kurrensie] **1** valuta, munt, (papier)geld: *foreign currencies* vreemde valuta's **2** munt-, geldstelsel **3** (geld)circulatie, (geld)omloop **4** gangbaarheid: *gain ~* ingang vinden, zich verspreiden

[1]**current** [kurrent] *zn* **1** stroom; stroming *(in gas, vloeistof)* **2** loop, gang, tendens **3** (elektrische) stroom: *alternate ~* wisselstroom; *direct ~* gelijkstroom

[2]**current** [kurrent] *bn* **1** huidig, actueel **2** gangbaar, geldend, heersend **3** *(fin)* in omloop

current account rekening-courant, (bank)girorekening, lopende rekening

current affairs actualiteiten, nieuws

currently momenteel, tegenwoordig

curriculum [kerikjoelem] onderwijsprogramma, leerplan

curry [kurrie] kerrie(poeder)

[1]**curse** [ke:s] *zn* **1** vloek(woord), verwensing, doem: *lay s.o. under a ~* een vloek op iem leggen **2** bezoeking, ramp, plaag

[2]**curse** [ke:s] *tr* **1** vervloeken, verwensen, een vloek uitspreken over: *(inform) ~ it!* (of: *you!*) verdraaid! **2** *(vnl. pass.)* straffen, bezoeken, kwellen: *be ~d with* gebukt gaan onder

[3]**curse** [ke:s] *tr, intr* (uit)vloeken, vloeken (op), (uit)schelden

cursive [ke:siv] aaneengeschreven

cursory [ke:serie] vluchtig, oppervlakkig

curt [ke:t] kortaf, kortaangebonden: *a ~ manner* een botte manier van doen

curtail [ke:teel] **1** inkorten, bekorten, verkorten **2** verkleinen, verminderen, beperken

[1]**curtain** [ke:ten] *zn* **1** gordijn, voorhang(sel); *(fig)* barrière: *~ of smoke* rookgordijn **2** *(theater)* doek, (toneel)gordijn, scherm

[2]**curtain** [ke:ten] *tr* voorzien van gordijnen: *~ off* afschermen *(d.m.v. een gordijn)*

curts(e)y [ke:tsie] reverence, korte buiging

[1]**curve** [ke:v] *zn* **1** gebogen lijn, kromme, curve, boog **2** bocht *(in weg)* **3** ronding; welving *(van vrouw)*

[2]**curve** [ke:v] *tr, intr* buigen, een bocht (doen) maken, (zich) krommen

[1]**cushion** [koesjen] *zn* **1** kussen, (lucht)kussen **2** stootkussen, buffer, schokdemper **3** *(biljart)* band

[2]**cushion** [koesjen] *tr* **1** voorzien van kussen(s) **2** dempen, verzachten; opvangen *(klap, schok, uitwerking)* **3** in de watten leggen, beschermen: *a ~ed life* een beschermd leventje

cushy [koesjie] *(inform)* makkelijk, comfortabel: *a ~ job* een luizenbaantje, een makkie

custodian [kustoodien] **1** beheerder, conservator, bewaarder **2** voogd **3** *(Am)* conciërge, beheerder

custody [kustedie] **1** voogdij, zorg **2** beheer, hoede, bewaring **3** hechtenis, voorarrest, verzekerde bewaring: *take s.o. into ~* iem aanhouden

custom [kustem] **1** gewoonte, gebruik **2** klandizie **3** *~s* douaneheffing, invoerrechten **4** *~s* douane(dienst)

customary [kustemerie] **1** gebruikelijk, gewoonlijk, normaal **2** gewoonte-, gebruik(s)-

custom-built op bestelling gebouwd, gebouwd (gemaakt) volgens de wensen vd koper

customer [kusteme] **1** klant, (regelmatige) afnemer **2** *(inform)* klant, gast: *awkward ~* rare snijboon, vreemde vogel; *he is a tough ~* het is een taaie

¹cut [kut] *zn* **1** slag (snee) met scherp voorwerp, (mes)sne(d)e, snijwond, houw, (zweep)slag **2** afgesneden, afgehakt, afgeknipt stuk, lap; bout *(vlees)* **3** (haar)knipbeurt **4** vermindering, verlaging **5** coupure, weglating, verkorting **6** snit, coupe **7** doorsnijding, geul, kloof, kanaal, doorgraving, kortere weg: *take a short ~* een kortere weg nemen **8** *(inform)* (aan)deel, provisie, commissie **9** *(film)* scherpe overgang || *~ and thrust* (woorden)steekspel, vinnig debat; *(inform) be a ~ above* beter zijn dan

²cut [kut] *intr (cut, cut)* **1** (zich laten) snijden, knippen: *the butter ~s easily* de boter snijdt gemakkelijk **2** een inkeping (scheiding) maken, snijden, knippen, hakken, kappen, kerven, maaien || *~ and run* de benen nemen, 'm smeren; *~ both ways: a)* tweesnijdend zijn; *b)* voor- en nadelen hebben

³cut [kut] *tr (cut, cut)* **1** snijden in, verwonden, stuksnijden: *~ one's finger* zich in zijn vinger snijden **2** (af-, door-, los-, weg)snijden, (af)knippen, (om)hakken, (om)kappen, (om)zagen: *~ open* openhalen; *~ away* wegsnijden, weghakken, wegknippen, snoeien; *~ in half* doormidden snijden, knippen **3** maken met scherp voorwerp, kerven, slijpen, bijsnijden, bijknippen, bijhakken, boren, graveren, opnemen; maken *(cd, plaat)*: *~ one's initials into sth.* zijn initialen ergens in kerven **4** maaien, oogsten; binnenhalen *(gewas)* **5** inkorten; snijden (in) *(boek, film e.d.)*; afsnijden *(route, hoek)*; besnoeien (op), inkrimpen, bezuinigen: *~ the travelling time by a third* de reistijd met een derde terugbrengen **6** stopzetten, ophouden met, afsluiten; afsnijden *(water, energie)*; uitschakelen, afzetten **7** krijgen *(tand)*: *I'm ~ting my wisdom tooth* mijn verstandskies komt door **8** (diep) raken; pijn doen *(van opmerking e.d.)* **9** negeren, veronachtzamen, links laten liggen: *~ s.o. dead* (of: *cold*) iem niet zien staan, iem straal negeren

⁴cut [kut] *tr, intr (cut, cut)* **1** snijden, kruisen **2** *(kaartspel)* couperen, afnemen **3** *(inform)* verzuimen, spijbelen, overslaan

cut across **1** afsnijden, doorsteken, een kortere weg nemen **2** strijdig zijn met, ingaan tegen **3** doorbreken, uitstijgen boven: *~ traditional party loyalties* de aloude partijbindingen doorbreken

¹cut back *tr* snoeien *(gewassen)*

²cut back *tr, intr* inkrimpen, besnoeien, bezuinigen

¹cut down *intr* minderen: *you work too much, try to ~ a bit* je werkt te veel, probeer wat te minderen

²cut down *tr* **1** kappen, omhakken, omhouwen, vellen **2** inperken, beperken, verminderen: *~ one's expenses* zijn bestedingen beperken **3** inkorten, korter maken: *~ an article* een artikel inkorten

cut down on minderen met, het verbruik beperken van: *~ smoking* minder gaan roken

cute [kjoe:t] schattig, snoezig, leuk

cuticle [kjoe:tikl] **1** opperhuid **2** nagelriem

cutie [kjoe:tie] leuk iemand, mooie meid (jongen)

cut in **1** er(gens) tussen komen, in de rede vallen, onderbreken **2** gevaarlijk invoegen *(met voertuig)*; snijden

cut into **1** aansnijden: *~ a cake* een taart aansnijden **2** onderbreken, tussenbeide komen, in de rede vallen: *~ a conversation* zich (plotseling) mengen in een gesprek **3** storend werken op, een aanslag doen op: *this job cuts into my evenings off* deze baan kost me een groot deel van mijn vrije avonden

cutlery [kutlerie] bestek, eetgerei, couvert

cutlet [kutlit] *(cul)* lapje vlees, (lams)koteletje, kalfskoteletje

cut off **1** afsnijden, afhakken, afknippen **2** afsluiten, stopzetten, blokkeren **3** (van de buitenwereld) afsluiten, isoleren: *villages ~ by floods* door overstromingen geïsoleerde dorpen **4** onderbreken; verbreken *(telefoonverbinding)*

cut-off scheiding, grens, afsluiting: *~ date* sluitingsdatum

¹cut out *intr* **1** uitvallen, defect raken, het begeven: *the engine ~* de motor sloeg af **2** afslaan: *the boiler cuts out at 90 degrees* de boiler slaat af bij 90 graden

²cut out *tr* **1** uitsnijden, uitknippen, uithakken, modelleren, vormen **2** knippen *(jurk, patroon)*: *cut it out!* hou ermee op! **3** *(inform)* weglaten, verwijderen, schrappen **4** uitschakelen, elimineren; *(inform)* het nakijken geven **5** uitschakelen, afzetten || *(inform) be ~ for* geknipt zijn voor

cut-out **1** uitgeknipte, uitgesneden, uitgehakte figuur, knipsel **2** *(techn)* afslag, (stroom)onderbreker: *automatic ~* automatische afslag, thermostaat

cutter [kutte] **1** iem die snijdt; goedkoper, gebruiker van scherp voorwerp, knipper, snijder, hakker, houwer, slijper **2** snijwerktuig, snijmachine, schaar, tang, mes; *(in slagerij)* cutter **3** sloep (van oorlogsschip) **4** (motor)barkas *(voor vervoer tussen schip en kust)* **5** kotter **6** kustwachter, kustbewakingsschip **7** *(film)* filmmonteerder

cut through zich worstelen door, doorbreken, zich heen werken door

[1]cutting [kutting] *zn* **1** (afgesneden, afgeknipt, uitgeknipt) stuk(je) **2** stek *(van plant)* **3** (kranten)-knipsel

[2]cutting [kutting] *bn* **1** scherp, bijtend: ~ *remark* grievende opmerking **2** bijtend, snijdend; guur *(van wind)*

[1]cut up *intr* zich (in stukken) laten snijden, knippen || *(inform)* ~ *rough* tekeergaan

[2]cut up *tr* **1** (in stukken) snijden, knippen **2** in de pan hakken, (vernietigend) verslaan **3** *(inform)* niets heel laten van, afkraken **4** *(inform)* (ernstig) aangrijpen: *be ~ about sth.* zich iets vreselijk aantrekken, ergens ondersteboven van zijn

cybercafé [sajbəkefee] internetcafé

cyclamen [sikləmən] cyclaam

[1]cycle [sajkl] *zn* **1** cyclus **2** kringloop; *(fig ook)* spiraal **3** *(elektr)* trilling, trilling per seconde, hertz **4** *verk van bicycle* fiets

[2]cycle [sajkl] *intr* **1** cirkelen, ronddraaien, kringen beschrijven **2** fietsen

cyclist [sajklist] fietser, wielrenner

cyclone [sajkloon] cycloon, wervelstorm, tyfoon, tornado

cyder [sajdə] *zie* cider

cygnet [siĝnit] jonge zwaan

cylinder [sillində] **1** cilinder **2** magazijn *(van revolver);* rol, wals, trommel, buis, pijp, (gas)fles

cynical [sinnikl] cynisch

cynicism [sinnissizm] cynisme, cynische uitlating

czar [za:] tsaar; *(Am; inform)* koning

CZ

d

d *afk van died* gest., gestorven
¹dab [deb] *zn* **1** tik(je), klopje **2** lik(je), kwast(je), hoopje: *a ~ of paint* (of: *butter*) een likje verf (*of:* boter) **3** veegje: *a ~ with a sponge* (even) een sponsje eroverheen **4** kei, kraan: *he is a ~ (hand) at squash* hij kan ontzettend goed squashen **5** *~s* vingerafdrukken
²dab [deb] *tr* opbrengen *(verf): ~ on* (zachtjes) aanbrengen
³dab [deb] *tr, intr* **1** (aan)tikken, (be)kloppen **2** betten, deppen
dabble [debl] **1** plassen, ploeteren **2** liefhebberen: *~ at* (of: *in*) *arts* (wat) rommelen in de kunst **3** (in water) rondscharrelen *(over de bodem)*
dabbler [deble] liefhebber, amateur
dachshund [deksend] teckel, taks, dashond
daddy [dedie] papa, pappie
daddy longlegs [dedie longlekz] langpoot(mug); *(Am)* hooiwagen(achtige); langbeen
daffodil [defedil] (gele) narcis
daft [da:ft] **1** halfgaar, niet goed snik **2** idioot, belachelijk, maf
dagger [deke] dolk || *at ~s drawn with s.o.* op voet van oorlog met iem
¹daily [deelie] *zn* **1** dagblad, krant **2** werkster, schoonmaakster
²daily [deelie] *bn* **1** dagelijks: *~ newspaper* dagblad **2** geregeld, vaak, constant || *the ~ grind* de dagelijkse sleur
³daily [deelie] *bw* dagelijks, per dag
dainty [deentie] **1** sierlijk, verfijnd **2** teer, gevoelig **3** kostelijk, verrukkelijk **4** kieskeurig, veeleisend
dairy [deerie] **1** zuivelbedrijf, zuivelproducent **2** melkboer, melkman **3** melkvee(stapel)
dais [deeis] podium, verhoging
daisy [deezie] **1** madelief(je) **2** margriet, grote madelief || *be pushing up the daisies* onder de groene zoden liggen
dally [delie] **1** lanterfanten, (rond)lummelen, klungelen **2** treuzelen || *~ with: a)* flirten met; *b)* spelen (*of:* stoeien) met *(een idee)*
¹dam [dem] *zn* **1** (stuw)dam **2** barrière, belemmering, hinderpaal **3** moederdier *(viervoeter)*
²dam [dem] *ww* **1** van een dam voorzien, afdammen **2** indammen, beteugelen
¹damage [demidzj] *zn* **1** schade, beschadiging, averij **2** *~s* schadevergoeding, schadeloosstelling: *we will claim ~ from them* we zullen schadevergoeding van hen eisen
²damage [demidzj] *ww* beschadigen, schade toebrengen, aantasten
¹damn [dem] *zn (plat)* zak, (malle)moer: *not be worth a (tuppenny) ~* geen ene moer waard zijn; *not give a ~* het geen (ene) moer kunnen schelen
²damn [dem] *bn* godvergeten: *a ~ fool* een stomme idioot
³damn [dem] *ww* **1** *(inform)* vervloeken, verwensen: *I'll be ~ed if I go* ik vertik het (mooi) om te gaan **2** te gronde richten, ruïneren **3** (af)kraken, afbreken: *the play was ~ed by the critics* het stuk werd door de recensenten de grond in geboord **4** vloeken (tegen), uitvloeken
damning [deming] belastend, (ernstig) bezwarend, vernietigend
¹damp [demp] *zn* **1** vocht, vochtigheid **2** nevel, damp
²damp [demp] *bn* vochtig, nattig, klam || *~ squib* sof, fiasco
³damp [demp] *tr* **1** bevochtigen **2** smoren, doven, temperen: *~ down* afdekken **3** temperen, doen bekoelen: *~ down s.o.'s enthusiasm* iemands enthousiasme temperen
dampen [dempen] **1** bevochtigen **2** temperen, ontmoedigen
damper [dempe] **1** sleutel *(van kachel);* regelschuif, demper **2** schokdemper, schokbreker **3** (trillings)demper **4** domper, teleurstelling
¹dance [da:ns] *zn* **1** dans, dansnummer **2** dansfeest, bal, dansavond || *lead s.o. a pretty ~* iem het leven zuur maken
²dance [da:ns] *ww* (doen, laten) dansen, springen, (staan te) trappelen: *the leaves were dancing in the wind* de blaren dwarrelden in de wind; *her eyes ~d for* (of: *with*) *joy* haar ogen tintelden van vreugde; *~ a baby on one's knee* een kindje op zijn knie laten rijden
dancer [da:nse] danser(es), ballerina
dandelion [dendillajjen] paardenbloem
dandle [dendl] wiege(le)n *(kind);* laten dansen: *~ a baby on one's knee* een kindje op zijn knie laten rijden
dandruff [dendruf] (hoofd)roos
¹dandy [dendie] *zn* **1** fat, dandy, modegek **2** juweel(tje), prachtstuk, prachtfiguur
²dandy [dendie] *bn* **1** fatterig, dandyachtig **2** *(Am)* tiptop, puik, prima
Dane [deen] Deen
danger [deendzje] gevaar, risico: *be in ~ of* het gevaar lopen te; *out of ~* buiten (levens)gevaar
dangerous [deendzjeres] gevaarlijk, riskant
¹dangle [dengkl] *intr* bengelen, bungelen, slingeren
²dangle [dengkl] *tr* laten bengelen, slingeren: *(fig) ~ sth. before* (of: *in front of*) *s.o.* iem met iets trachten te paaien

¹Danish [deenisj] *zn* Deens
²Danish [deenisj] *bn* Deens
dank [dengk] klam
Danube [denjoe:b] Donau
dapper [depe] **1** keurig, netjes, goed verzorgd **2** zwierig
dapple [depl] (be)spikkelen, met vlekken bedekken
¹dare [dee] *zn* **1** uitdaging: *do sth. for a ~* iets doen omdat men wordt uitgedaagd **2** gedurfde handeling, moedige daad
²dare [dee] *tr* uitdagen, tarten: *she ~d Bill to hit her* ze daagde Bill uit haar te slaan
³dare [dee] *hulpww* (aan)durven, het wagen, het lef hebben te: *he does not ~ to answer back, he ~ not answer back* hij durft niet tegen te spreken; *how ~ (you say such things)?* hoe durf je zoiets te zeggen? || *I ~ say* ik veronderstel, ik neem aan, misschien
daredevil waaghals, durfal
¹daring [deering] *zn* **1** moed, durf, lef **2** gedurfdheid
²daring [deering] *bn* **1** brutaal, moedig, gedurfd **2** gewaagd
¹dark [da:k] *zn* **1** donkere kleur **2** donkere plaats **3** duister, duisternis: *in the ~* in het donker, *(fig)* in het geniep **4** vallen vd avond: *after* (of: *before*) *~* na (*of:* voor) het donker || *keep s.o. in the ~ about sth.* iem ergens niets over laten weten; *be in the ~ (about sth.)* in het duister tasten (omtrent iets)
²dark [da:k] *bn* **1** donker, duister, onverlicht: *~ brown* donkerbruin **2** somber: *the ~ side of things* de schaduwzijde der dingen **3** verborgen, geheimzinnig **4** donker; laag en vol *(van stem)* || *~ horse: a)* outsider *(in race); b)* onbekende mededinger *(bij verkiezingen)*
darkness [da:knes] duisternis, verdorvenheid: *powers of ~* kwade machten
¹darling [da:ling] *zn* schat(je), lieveling
²darling [da:ling] *bn* geliefd, (aller)lief(st)
¹darn [da:n] *zn* stop, gestopt gat, stopsel
²darn [da:n] *ww* stoppen, mazen
³darn [da:n] *tr* (ver)vloeken, verwensen
darned [da:nd] *(inform)* verdraaid, vervloekt
¹dart [da:t] *zn* **1** pijl(tje) **2** (plotselinge, scherpe) uitval *(ook fig)*; steek, sprong: *make a ~ for the door* naar de deur springen
²dart [da:t] *intr* (toe-, weg)snellen, (toe-, weg)-schieten, (toe-, weg)stuiven
darts [da:ts] darts, vogelpik
¹dash [desj] *zn* **1** ietsje, tik(kelt)je, scheutje: *~ of brandy* scheutje cognac **2** (snelle, krachtige) slag, dreun **3** spurt, sprint, uitval **4** streep *(in morsealfabet)*: *dots and ~es* punten en strepen **5** kastlijn, gedachtestreep(je)
²dash [desj] *intr* **1** (vooruit)stormen, (zich) storten, denderen: *I'm afraid I must ~ now* en nu moet ik er als de bliksem vandoor; *~ away* wegstormen; *~ off* er (als de gesmeerde bliksem) vandoor gaan **2** (rond)banjeren, (met veel vertoon) rondspringen: *~ about* rondbanjeren
³dash [desj] *tr* **1** verbrijzelen, verpletteren; *(fig)* verijdelen: *all my expectations were ~ed* al mijn verwachtingen werden de bodem ingeslagen **2** snel doen: *~ sth. down* (of: *off*) iets nog even gauw opschrijven **3** vervloeken, verwensen: *(inform) ~ it (all)!* verdraaid! **4** doorspekken, larderen
⁴dash [desj] *tr, intr* (met grote kracht) slaan, smijten, beuken: *~ down* neersmijten; *the waves ~ed against the rocks* de golven beukten tegen de rotsen
dashboard dashboard
dashed [desjt] verdraaid, verduiveld
dashing [desjing] **1** levendig, wilskrachtig, vlot **2** opzichtig
data [deete] **1** feit, gegeven **2** gegevens, data, informatie: *insufficient ~* onvoldoende gegevens; *the ~ is* (of: *are*) *being prepared for processing* de informatie wordt gereedgemaakt voor verwerking
database database
¹date [deet] *zn* **1** dadel **2** datum, dagtekening **3** afspraak(je) **4** *(Am)* vriend(innet)je, partner, 'afspraakje', date **5** tijd(perk), periode: *of early ~, of an early ~* uit een vroege periode || *out of ~* verouderd, ouderwets; *to ~* tot op heden; *up to ~: a)* bij (de tijd), modern, geavanceerd; *b)* volledig bijgewerkt; *bring up to ~* bijwerken, moderniseren
²date [deet] *intr* **1** verouderen, uit de tijd raken **2** dateren: *~ back to* stammen uit **3** *(Am)* afspraakjes hebben, uitgaan, daten
³date [deet] *tr* **1** dateren, dagtekenen **2** dateren, de ouderdom vaststellen van: *~ a painting* een schilderij dateren **3** uitgaan met, afspraakjes hebben met, vrijen met
dated [deetid] ouderwets, gedateerd, verouderd
dative [deetiv] derde naamval
datum [deetem] *(mv: data)* nulpunt *(van schaal e.d.)*; (gemiddeld laag)waterpeil
¹daub [do:b] *zn* **1** lik, klodder, smeer **2** kladschilderij, kladderwerk **3** (muur)pleister, pleisterkalk
²daub [do:b] *ww* besmeren, bekladden, besmeuren
daughter [do:te] dochter
daughter-in-law schoondochter
daunt [do:nt] ontmoedigen, intimideren, afschrikken: *a ~ing prospect* een afschrikwekkend vooruitzicht
dauntless [do:ntles] **1** onbevreesd **2** volhardend, vasthoudend
dawdle [do:dl] treuzelen, teuten || *~ over one's food* met lange tanden eten
¹dawn [do:n] *zn* dageraad *(ook fig)*; zonsopgang: *the ~ of civilization* de ochtendstond der beschaving; *at ~* bij het krieken van de dag
²dawn [do:n] *intr* dagen *(ook fig)*; licht worden, aanbreken, duidelijk worden: *it ~ed on me* het drong tot me door
day [dee] **1** dag, etmaal: *this ~ fortnight* (of: *week*)

vandaag over veertien dagen (*of:* een week); ~ *and night, night and* ~ dag en nacht; *the ~ after tomorrow* overmorgen; *from ~ one* meteen, vanaf de eerste dag; ~ *in*, ~ *out* dag in, dag uit; ~ *after* ~ dag in, dag uit; ~ *by* ~, *from ~ to* ~ dagelijks, van dag tot dag **2** werkdag: *an 8-hour* ~ een achturige werkdag; ~ *off* vrije dag **3** *(in samenstellingen)* (hoogtij)dag **4** tijdstip, gelegenheid: *some ~: a)* eens, eenmaal, op een keer; *b)* bij gelegenheid **5** dag, daglicht: *(form) by* ~ overdag **6** tijd, periode, dag(en): *(in) ~s of old* (of: *yore*) (in) vroeger tijden; *he has had his* ~ hij heeft zijn tijd gehad; *those were the ~s* dat waren nog eens tijden; *these ~s* tegenwoordig, vandaag de dag; *(in) this ~ and age* vandaag de dag **7** slag, strijd: *carry* (of: *save, win*) *the* ~ de slag winnen **8** *~s* levensdagen, leven || *that will be the* ~ dat wil ik zien; *all in a ~'s work* de normale gang van zaken; *call it a ~: a)* het voor gezien houden; *b)* sterven; *make s.o.'s* ~ iemands dag goedmaken; *one of those ~s* zo'n dag waarop alles tegenzit; *to the* ~ op de dag af; *to this* ~ tot op de dag van vandaag, tot op heden; *from one ~ to the next* van vandaag op morgen; *(inform) every other* ~ om de haverklap; *the other* ~ onlangs, pas geleden; *she is thirty if she is a* ~ ze is op zijn minst dertig

daybreak dageraad, zonsopgang

day-care dagopvang, kinderopvang: ~ *centre* crèche, kinderdagverblijf

daytrip uitje, uitstapje, dagje uit

[1]**daze** [deez] *zn* verbijstering: *in a* ~ verbluft, ontsteld

[2]**daze** [deez] *tr* verbijsteren, verbluffen

[1]**dazzle** [dezl] *tr* **1** verblinden **2** verbijsteren

[2]**dazzle** [dezl] *tr, intr* imponeren, indruk maken (op)

DC *afk van direct current* gelijkstroom

D-day [die:dee] *verk van Decision day* D-day, Dag D, kritische begindag

[1]**dead** [ded] *zn* hoogte-, dieptepunt: *in the* (of: *at*) ~ *of night* in het holst van de nacht

[2]**dead** [ded] *bn* **1** dood, overleden, gestorven: *over my ~ body* over mijn lijk; *rise from the* ~ uit de dood opstaan **2** verouderd **3** onwerkzaam, leeg, uit, op: ~ *battery* lege accu; *cut out (the) ~ wood* verwijderen van overbodige franje; ~ *and gone* dood (en begraven), *(fig)* voorgoed voorbij **4** uitgestorven: *the place is* ~ het is er een dooie boel **5** gevoelloos, ongevoelig **6** *(sport)* uit (het spel) *(van bal)* **7** volkomen, absoluut: ~ *certainty* absolute zekerheid; ~ *loss: a)* puur verlies; *b)* tijdverspilling; *c) (inform)* miskleun, fiasco **8** abrupt, plotseling: *come to a ~ stop* (plotseling) stokstijf stil (blijven) staan **9** exact, precies: ~ *centre* precieze midden || ~ *as a doornail* morsdood; ~ *duck* mislukk(el)ing, verliezer; ~ *end: a)* doodlopende straat; *b)* impasse, dood punt; *come to a ~ end* op niets uitlopen; *(sport) ~ heat* gedeelde eerste (tweede enz.) plaats; *flog a ~ horse* achter de feiten aanlopen; ~ *letter: a)* dode letter *(van wet); b)* onbestelbare brief; *wait for a ~ man's shoes* op iemands bezit azen; *make a ~ set at: a)* te lijf gaan *(fig); b)* (vastberaden) avances maken; ~ *to the world: a)* in diepe slaap; *b)* bewusteloos; *I wouldn't be seen ~ in that dress* voor geen goud zou ik me in die jurk vertonen

[3]**dead** [ded] *bw* **1** volkomen, absoluut: ~ *straight* kaarsrecht; *stop* ~ stokstijf blijven staan; ~ *tired* (of: *exhausted*) doodop, bekaf **2** pal, onmiddellijk: ~ *ahead of you* pal voor je; ~ *against: a)* pal tegen *(van wind); b)* fel tegen *(plan e.d.)*

deadbeat nietsnut

dead beat doodop, bekaf

[1]**deaden** [dedn] *intr* de kracht, helderheid verliezen, verflauwen, verzwakken

[2]**deaden** [dedn] *tr* **1** verzwakken; dempen *(geluid);* verzachten, dof maken *(kleur)* **2** ongevoelig maken, verdoven: *drugs to ~ the pain* medicijnen om de pijn te stillen

dead-end **1** doodlopend **2** uitzichtloos

deadline (tijds)limiet, uiterste (in)leverdatum: *meet the* ~ binnen de tijdslimiet blijven; *miss the* ~ de tijdslimiet overschrijden

deadlock patstelling

deadly [dedlie] **1** dodelijk *(ook fig);* fataal **2** *(min)* doods, dodelijk (saai) **3** doods-, aarts- **4** *(inform)* enorm **5** oer-, uiterst: ~ *dull* oersaai || *the seven ~ sins* de zeven hoofdzonden

deaf [def] doof *(ook fig)* || *as ~ as a (door)post* stokdoof; *fall on ~ ears* geen gehoor vinden; *turn a ~ ear to* doof zijn voor

deaf-aid (ge)hoorapparaat

deafen [deffən] verdoven, doof maken, overstemmen

[1]**deal** [die:l] *zn* **1** transactie, overeenkomst, handel **2** (grote) hoeveelheid, mate: *a great ~ of money* heel wat geld **3** *(min)* (koe)handeltje, deal **4** *(kaartspel)* gift, het geven, beurt om te geven: *it's your* ~ jij moet geven || *it's a ~!* afgesproken!, akkoord!

[2]**deal** [die:l] *intr (dealt, dealt)* zaken doen, handelen

[3]**deal** [die:l] *tr, intr* geven, (uit)delen: ~ *(out) fairly* eerlijk verdelen

dealer [die:lə] **1** handelaar, koopman, dealer **2** effectenhandelaar

dealing [die:ling] **1** manier van zaken doen, aanpak **2** *~s* transacties, affaires; relaties *(zakelijke)* **3** *~s* betrekkingen, omgang

dealt [delt] *ovt en volt dw van* deal

deal with **1** zaken doen met, handel drijven met, kopen bij **2** behandelen, afhandelen: ~ *complaints* klachten behandelen **3** aanpakken, een oplossing zoeken voor **4** optreden tegen **5** behandelen, omgaan met: *be impossible to* ~ onmogelijk in de omgang zijn **6** gaan over: *the book deals with racism* het boek gaat over racisme

dean [die:n] **1** deken **2** oudste, overste **3** *(universiteit)* decaan, faculteitsvoorzitter, (studenten)decaan

[1]**dear** [diᵉ] *zn* schat, lieverd
[2]**dear** [diᵉ] *bn* **1** dierbaar, lief **2** lief, schattig **3** duur, prijzig **4** beste, lieve; geachte *(bijv. in briefaanhef): ~ Julia* beste Julia; *my ~ lady* mevrouw; *~ sir* geachte heer; *~ sirs* mijne heren, geachte heren **5** dierbaar, lief: *I hold her very ~* ze ligt me na aan het hart || *for ~ life* of zijn leven ervan afhangt
[3]**dear** [diᵉ] *bw* **1** duur (betaald) *(ook fig)* **2** innig, vurig
dearest [diᵉrist] liefste
dearly [diᵉlie] **1** innig, vurig: *wish ~* vurig wensen **2** duur(betaald) *(ook fig): pay ~ for sth.* iets duur betalen **3** vurig
dearth [dᵉ:θ] schaarste, tekort: *a ~ of talent* te weinig talent
death [deθ] **1** sterfgeval, slachtoffer **2** dood, overlijden; *(fig)* einde: *(fig) be in at the ~* een onderneming zien stranden; *be the ~ of s.o.* iemands dood zijn *(ook fig); bore s.o. to ~* iem stierlijk vervelen; *war to the ~* oorlog op leven en dood **3** de Dood, Magere Hein || *at ~'s door* op sterven, de dood nabij; *dice with ~* met vuur spelen; *flog to ~* uitentreuren herhalen; *worked to ~* afgezaagd, uitgemolken
death duty successierecht
deathly [deθlie] doods, lijk-: *~ pale* doodsbleek
death penalty doodstraf
debase [dibbees] **1** degraderen **2** vervalsen **3** verlagen, vernederen
[1]**debate** [dibbeet] *zn* **1** (met *on, about*) debat (over), discussie, dispuut **2** twist, conflict, strijd **3** overweging, beraad
[2]**debate** [dibbeet] *intr* **1** (met *about, upon*) debatteren (over), discussiëren, een debat houden **2** beraadslagen
[3]**debate** [dibbeet] *tr* bespreken, beraadslagen over, in debat treden over
[1]**debit** [debbit] *zn* **1** schuldpost, debitering, debetboeking **2** debetsaldo
[2]**debit** [debbit] *tr* debiteren, als debet boeken
debit card bankpas, pinpas
debris [debrie:] puin, brokstukken
debt [det] schuld, (terugbetalings)verplichting: *owe s.o. a ~ of gratitude* iem dank verschuldigd zijn; *get* (of: *run*) *into ~* schulden maken
debtor [detteᵉ] **1** schuldenaar **2** debiteur
debug [die:buǩ] **1** *(ongev)* ontluizen, van insecten ontdoen **2** (van mankementen) zuiveren, kinderziekten verhelpen bij **3** (van fouten) zuiveren, debuggen
debut [debjoe:] debuut
decade [dekkeed] decennium, periode van tien jaar
decadence [dekkᵉdᵉns] decadentie; verval *(in de kunst)*
decadent [dekkᵉdent] decadent, genotzuchtig
decaf [die:kef] *verk van decaffeinated coffee* cafeïnevrij(e koffie)
decapitate [dikepitteet] onthoofden
decathlon [dikeθlon] *(atletiek)* tienkamp
[1]**decay** [dikkee] *zn* **1** verval, (geleidelijke) achteruitgang **2** bederf, rotting
[2]**decay** [dikkee] *intr* **1** vervallen, in verval raken **2** (ver)rotten, bederven, verteren
deceased [dissie:st] overleden, pas gestorven
deceit [dissie:t] bedrog, oneerlijkheid
deceive [dissie:v] bedriegen, misleiden, om de tuin leiden: *if my ears do not ~ me* als mijn oren me niet bedriegen
decelerate [die:sellᵉreet] vertragen, afremmen, vaart minderen
December [dissembᵉ] december
decency [die:sᵉnsie] fatsoen, fatsoenlijkheid
decent [die:snt] **1** fatsoenlijk **2** wellevend **3** behoorlijk: *a ~ wage* een redelijk loon **4** geschikt: *a ~ guy* een geschikte kerel
deception [dissepsjᵉn] **1** misleiding, list, bedrog **2** (valse) kunstgreep, (smerige) truc, kunstje
deceptive [disseptiv] bedrieglijk, misleidend: *appearances are often ~* schijn bedriegt
[1]**decide** [dissajd] *intr* **1** beslissen, een beslissing nemen, een keuze maken **2** besluiten, een besluit nemen: *~ against* afzien van; *we have ~d against it* we hebben besloten het niet te doen
[2]**decide** [dissajd] *tr* **1** beslissen, uitmaken: *~ a question* een knoop doorhakken **2** een uitspraak doen in
deciduous [dissidjoeᵉs] loof-: *~ tree* loofboom
[1]**decimal** [dessimmᵉl] *zn* **1** decimale breuk: *recurring ~* repeterende breuk **2** decimaal getal
[2]**decimal** [dessimmᵉl] *bn* decimaal: *~ point* decimaalteken, komma
decipher [dissajfᵉ] ontcijferen, decoderen
decision [dissizjᵉn] beslissing, besluit, uitspraak: *arrive at* (of: *take*) *a ~* een beslissing nemen
decisive [dissajsiv] **1** beslissend, doorslaggevend **2** beslist, gedecideerd, zelfverzekerd
deck [dek] **1** (scheeps)dek, tussendekse ruimte: *clear the ~s (for action) (fig)* zich opmaken voor de strijd; *below ~(s)* benedendeks; *on ~* aan dek **2** verdieping van bus **3** *(Am)* spel (kaarten) **4** (tape)deck, cassettedeck || *hit the ~* op je bek vallen, *(boksen)* neergaan
deck-chair ligstoel, dekstoel
[1]**declaim** [dikleem] *intr* **1** uitvaren, schelden: *~ against* uitvaren tegen **2** retorisch spreken
[2]**declaim** [dikleem] *tr, intr* declameren, voordragen
declaration [deklᵉreesjᵉn] **1** (openbare, formele) verklaring, afkondiging **2** geschreven verklaring
[1]**declare** [dikleᵉ] *intr* **1** een verklaring afleggen, een aankondiging doen **2** (met *against, for*) stelling nemen (tegen, voor), zich (openlijk) uitspreken (tegen, voor)
[2]**declare** [dikleᵉ] *tr* **1** bekendmaken, aankondigen, afkondigen **2** bestempelen als, uitroepen tot: *~ s.o. the winner* iem tot winnaar uitroepen **3** aangeven *(douanegoederen, inkomen e.d.): nothing to ~* niets aan te geven

de

declination [deklinneesjen] **1** (voorover)helling **2** buiging **3** verval, achteruitgang **4** *(Am)* afwijzing **5** declinatie; *(kompas)* afwijking(shoek)

[1]**decline** [diklajn] *zn* **1** verval, achteruitgang, aftakeling: *fall* (of: *go*) *into a ~* beginnen af te takelen, in verval raken **2** daling, afname, vermindering: *on the ~* tanend **3** slotfase, ondergang

[2]**decline** [diklajn] *intr* **1** (af)hellen, aflopen, dalen **2** ten einde lopen, aftakelen: *declining years* oude dag, laatste jaren **3** afnemen, achteruitgaan

[3]**decline** [diklajn] *tr, intr* (beleefd) weigeren, afslaan, van de hand wijzen: *~ an invitation* niet op een uitnodiging ingaan

decode [die:kood] decoderen, ontcijferen

[1]**decompose** [die:kempooz] *intr* **1** desintegreren, uiteenvallen **2** (ver)rotten, bederven

[2]**decompose** [die:kempooz] *tr* **1** ontleden, ontbinden, afbreken **2** doen rotten

decontaminate [die:kenteminneet] ontsmetten, desinfecteren

decorate [dekkereet] **1** afwerken, verven, schilderen, behangen **2** versieren, verfraaien: *~ the Christmas tree* de kerstboom optuigen **3** decoreren, onderscheiden, een onderscheiding geven

decoration [dekkereesjen] **1** versiering, decoratie, opsmuk **2** inrichting (en stoffering), aankleding **3** onderscheiding(steken), decoratie, ordeteken, lintje

decorator [dekkereete] afwerker (van huis), (huis)schilder, stukadoor, behanger

decorous [dekkeres] correct, fatsoenlijk

decoy [die:koj] **1** lokvogel, lokeend **2** lokaas, lokmiddel

[1]**decrease** [die:krie:s] *zn* vermindering, afneming, daling

[2]**decrease** [dikrie:s] *intr* (geleidelijk) afnemen, teruglopen, achteruitgaan

[3]**decrease** [dikrie:s] *tr* verminderen, beperken, verkleinen

[1]**decree** [dikrie:] *zn* verordening, besluit: *by ~* bij decreet

[2]**decree** [dikrie:] *tr* verordenen, bevelen

decrepit [dikreppit] **1** versleten, afgeleefd, op **2** vervallen, bouwvallig, uitgewoond

decry [dikraj] **1** kleineren, openlijk afkeuren **2** kwaadspreken over, afgeven op

dedicate [deddikkeet] **1** wijden, toewijden, in dienst stellen van **2** opdragen, toewijden: *~ a book to s.o.* een boek aan iem opdragen

dedicated [deddikkeetid] toegewijd, trouw

dedication [deddikkeesjen] **1** opdracht **2** (in)wijding, inzegening **3** *(ev)* toewijding, trouw, toegedaanheid

deduce [didjoe:s] (logisch) afleiden: *and what do you ~ from that?* en wat maak je daaruit op?

deduct [diddukt] *(met from)* aftrekken (van), in mindering brengen (op)

deduction [didduksjen] **1** conclusie, gevolgtrekking, slotsom **2** inhouding, korting, (ver)mindering

deed [die:d] **1** daad, handeling: *in word and in ~* met woord en daad **2** wapenfeit, (helden)daad **3** akte, document

[1]**deep** [die:p] *zn* diepte, afgrond

[2]**deep** [die:p] *bn* **1** diep, diepgelegen, ver(afgelegen): *the ~ end* het diepe *(in zwembad); ~ in the forest* diep in het bos **2** diep(zinnig), moeilijk, duister, ontoegankelijk **3** diep(gaand); intens *(van gevoelens);* donker *(van kleuren): ~ in conversation* diep in gesprek **4** dik, achter elkaar: *the people were standing ten ~* de mensen stonden tien rijen dik || *thrown in at the ~ end* in het diepe gegooid, meteen met het moeilijkste (moeten) beginnen; *in ~ water(s)* in grote moeilijkheden

[3]**deep** [die:p] *bw* diep, tot op grote diepte: *~ into the night* tot diep in de nacht

deep-freeze diepvriezen

deep fry frituren

deer [die] hert

def [def] *(inform)* gaaf, vet, cool

deface [diffees] **1** beschadigen, verminken **2** onleesbaar maken, bekladden

defamation [deffemeesjen] laster

default [diffo:lt] **1** afwezigheid: *by ~* bij gebrek aan beter; *in ~ of* bij gebrek aan, bij ontstentenis van **2** verzuim; niet-nakoming *(van betalingsverplichting);* wanbetaling

[1]**defeat** [diffie:t] *zn* **1** nederlaag **2** mislukking **3** verijdeling, dwarsboming

[2]**defeat** [diffie:t] *tr* **1** verslaan, overwinnen, winnen van **2** verijdelen, dwarsbomen: *be ~ed in an attempt* een poging zien mislukken **3** verwerpen, afstemmen **4** tenietdoen, vernietigen: *her expectations were ~ed* haar verwachtingen werden de bodem ingeslagen

defeatism [diffie:tizm] moedeloosheid

[1]**defect** [die:fekt] *zn* mankement, gebrek

[2]**defect** [diffekt] *ww* **1** overlopen, afvallig worden **2** uitwijken *(door asiel te vragen)*

defective [diffektiv] **1** onvolkomen, gebrekkig, onvolmaakt **2** te kort komend, onvolledig

defector [diffekte] overloper, afvallige

defence [diffens] **1** verdediging, afweer, defensief, bescherming; *(jur)* verweer: *~s* verdedigingswerken; *in ~ of* ter verdediging van **2** verdediging(srede), verweer **3** *(sport; ook schaakspel)* verdediging **4** defensie, (lands)verdediging

defend [diffend] **1** verdedigen, afweren, verweren, als verdediger optreden (voor) **2** beschermen, beveiligen

defendant [diffendent] gedaagde, beschuldigde

defender [diffende] **1** verdediger; *(sport)* achterspeler **2** titelverdediger

defensive [diffensiv] defensief, verdedigend, afwerend: *be on the ~* een defensieve houding aannemen

[1]**defer** [diffe:] *intr* zich onderwerpen, het hoofd buigen: *~ to* eerbiedigen, respecteren, in acht nemen

[2]**defer** [diffe:] *tr* opschorten, uitstellen: *~red payment* uitgestelde betaling
deference [defferens] achting, eerbied, respect
defiance [diffajjens] **1** trotsering, uitdagende houding: *in ~ of* in weerwil van, ondanks **2** openlijk verzet, opstandigheid: *in ~ of: a)* met minachting voor; *b)* in strijd met
deficient [diffisjent] **1** incompleet, onvolledig **2** ontoereikend, onvoldoende: *~ in iron* ijzerarm **3** onvolwaardig, zwakzinnig
deficit [deffissit] **1** tekort, nadelig saldo **2** tekort, gebrek
defile [diffajl] **1** bevuilen, verontreinigen, vervuilen **2** schenden, ontheiligen
define [diffajn] **1** definiëren, een definitie geven (van) **2** afbakenen, bepalen, begrenzen
definite [deffinnit] **1** welomlijnd, scherp begrensd **2** ondubbelzinnig, duidelijk **3** uitgesproken, onbetwistbaar **4** beslist, vastberaden **5** *(taalk)* bepaald: *~ article* bepaald lidwoord
definitely [deffinnitlie] absoluut, beslist: *~ not* geen sprake van
definition [deffinnisjen] **1** definitie, omschrijving **2** afbakening, bepaling, begrenzing **3** karakteristiek **4** scherpte; beeldscherpte *(van tv)*
definitive [diffinnittiv] **1** definitief, blijvend, onherroepelijk **2** beslissend, afdoend **3** (meest) gezaghebbend, onbetwist **4** ondubbelzinnig
deflate [die:fleet] **1** leeg laten lopen; *(fig)* doorprikken *(verwaandheid)* **2** kleineren, minder belangrijk maken
deflation [die:fleesjen] deflatie, waardevermeerdering van geld
deflect [diflekt] **1** (doen) afbuigen, (doen) afwijken, uitwijken **2** (met *from*) afbrengen (van), afleiden (van)
deforest [die:forrist] *(Am)* ontbossen
deformed [diffo:md] **1** misvormd, mismaakt **2** verknipt, pervers
defraud [difro:d] bedriegen, bezwendelen
defray [difree] financieren, betalen, voor zijn rekening nemen: *~ the cost(s)* de kosten dragen
defrost [die:frost] ontdooien
deft [deft] behendig, handig, bedreven
defunct [diffungkt] **1** overleden, dood **2** verdwenen, in onbruik: *~ ideas* (of: *laws*) achterhaalde ideeën (*of:* wetten)
defuse [die:fjoe:z] onschadelijk maken *(ook fig)*; demonteren *(explosieven)*: *~ a crisis* een crisis bezweren
defy [diffaj] **1** tarten, uitdagen: *I ~ anyone to prove I'm wrong* ik daag iedereen uit om te bewijzen dat ik ongelijk heb **2** trotseren, weerstaan: *~ definition* (of: *description*) elke beschrijving tarten
degenerate [didzjennereet] **1** degenereren, ontaarden, verloederen **2** verslechteren, achteruitgaan
degrade [dikreed] **1** degraderen, achteruitzetten, terugzetten: *~ oneself* zich verlagen **2** vernederen, onteren
degree [dikrie:] **1** graad: *an angle of 45 ~s* een hoek van 45 graden; *~ of latitude* (of: *longitude*) breedtegraad, lengtegraad **2** (universitaire) graad, academische titel; *(ook)* lesbevoegdheid **3** mate, hoogte, graad, trap: *to a high* (of: *certain*) *~* tot op grote (*of:* zekere) hoogte; *by ~s* stukje bij beetje, gaandeweg
[1]**dehydrate** [die:hajdreet] *intr* **1** vocht verliezen **2** (op-, uit-, ver)drogen, verdorren
[2]**dehydrate** [die:hajdreet] *tr* vocht onttrekken aan
deify [die:iffaj] vergoddelijken
deign [deen] zich verwaardigen, zich niet te goed achten: *not ~ to look at* geen blik waardig keuren
deity [die:ittie] **1** god(in), godheid **2** (af)god, verafgode figuur
dejected [didzjektid] **1** terneergeslagen, somber **2** bedroefd, verdrietig
dejection [didzjeksjen] **1** neerslachtigheid **2** bedroefdheid, verdriet
[1]**delay** [dillee] *zn* **1** vertraging, oponthoud **2** uitstel, verschuiving: *without (any) ~* zonder uitstel
[2]**delay** [dillee] *intr* treuzelen, tijd rekken (winnen)
[3]**delay** [dillee] *tr* **1** uitstellen, verschuiven **2** ophouden, vertragen, hinderen
[1]**delegate** [dellikət] *zn* afgevaardigde, gedelegeerde, ge(vol)machtigde
[2]**delegate** [dellikeet] *tr* **1** afvaardigen, delegeren **2** machtigen **3** delegeren, overdragen
delegation [dellikeesjen] **1** delegatie, afvaardiging **2** machtiging
delete [dillie:t] verwijderen, wissen, doorhalen, wegstrepen: *~ from* schrappen uit; *~ as applicable* doorhalen wat niet van toepassing is
deletion [dillie:sjen] **1** (weg)schrapping, doorhaling **2** verwijderde passage
deli [dellie] *verk van delicatessen* delicatessenwinkel
[1]**deliberate** [dillibberet] *bn* **1** doelbewust, opzettelijk **2** voorzichtig, weloverwogen, bedachtzaam
[2]**deliberate** [dillibbereet] *intr* **1** wikken en wegen, beraadslagen **2** raad inwinnen, te rade gaan
[3]**deliberate** [dillibbereet] *tr* **1** (zorgvuldig) afwegen **2** beraadslagen, zich beraden over
deliberation [dillibbereesjen] **1** (zorgvuldige) afweging, overleg: *after much ~* na lang wikken en wegen **2** omzichtigheid, bedachtzaamheid
delicacy [dellikkesie] **1** delicatesse, lekkernij **2** (fijn)gevoeligheid, verfijndheid **3** tact
delicate [dellikket] **1** fijn, verfijnd **2** lekker *(mbt spijzen)* **3** teer, zwak, tenger: *a ~ constitution* een teer gestel **4** (fijn)gevoelig **5** tactvol **6** kieskeurig, kritisch **7** netelig
delicious [dillisjes] (over)heerlijk, verrukkelijk, kostelijk
[1]**delight** [dillajt] *zn* **1** verrukking, groot genoegen **2** genot, vreugde: *take ~ in* genot vinden in
[2]**delight** [dillajt] *intr* genot vinden
[3]**delight** [dillajt] *tr* in verrukking brengen: *she ~ed them with her play* haar spel bracht hen in verrukking

de

delighted [dillajtid] verrukt, opgetogen: *I shall be ~* het zal me een groot genoegen zijn; *~ at* (of: *with*) opgetogen over
delineate [dillinnie·eet] **1** omlijnen, afbakenen **2** schetsen, tekenen, afbeelden
delinquency [dillingkwensie] **1** vergrijp, delict **2** criminaliteit, misdadigheid, misdaad
delinquent [dillingkwent] wetsovertreder, jeugdige misdadiger
delirious [dillirries] **1** ijlend: *become ~* gaan ijlen **2** dol(zinnig): *~ with joy* dol(zinnig) van vreugde
[1]**deliver** [dillivve] *intr* afkomen, over de brug komen: *he will ~ on his promise* hij zal doen wat hij beloofd heeft
[2]**deliver** [dillivve] *tr* **1** verlossen, bevrijden: *be ~ed of* verlost worden van, bevallen van **2** ter wereld helpen: *~ a child* een kind ter wereld helpen **3** bezorgen, (af)leveren **4** voordragen, uitspreken: *~ a lecture* (of: *paper*) een lezing houden
deliverance [dillivverens] verlossing, bevrijding, redding
delivery [dillivverie] **1** bevalling, verlossing, geboorte **2** bestelling, levering **3** bevrijding, verlossing, redding **4** bezorging, (post)bestelling **5** voordracht, redevoering || *take ~ of* in ontvangst nemen
delude [dilloe:d] misleiden, op een dwaalspoor brengen, bedriegen
deluge [deljoe:dzj] **1** zondvloed **2** overstroming, watervloed **3** wolkbreuk, stortbui **4** stortvloed, stroom; waterval *(van woorden e.d.)*
delusion [dilloe:zjen] waanidee, waanvoorstelling
demagogue [demmekok] demagoog, oproerstoker
[1]**demand** [dimma:nd] *zn* **1** eis, verzoek, verlangen **2** aanspraak, claim, vordering: *make great* (of: *many*) *~s on* veel vergen van **3** vraag, behoefte: *supply and ~* vraag en aanbod; *meet the ~* aan de vraag voldoen; *be in great ~* erg in trek zijn
[2]**demand** [dimma:nd] *tr* **1** eisen, verlangen, vorderen: *I ~ a written apology* ik eis een schriftelijke verontschuldiging **2** vergen, vragen, (ver)eisen: *this job will ~ much of you* deze baan zal veel van u vragen
demarcation [die:ma:keesjen] afbakening, grens(lijn)
demean [dimmie:n] verlagen, vernederen: *~ oneself* zich verlagen; *such language ~s you* dergelijke taal is beneden je waardigheid
demeanour [dimmie:ne] gedrag, houding, optreden
demented [dimmentid] **1** krankzinnig, gek, gestoord **2** dement, kinds
demo [demmoo] *verk van demonstration* **1** betoging, demonstratie, protestmars **2** proefopname
demobilize [die:moobillajz] demobiliseren, uit de krijgsdienst ontslaan
democracy [dimmokresie] **1** democratie **2** medezeggenschap
democrat [demmekret] democraat
democratic [demmekretik] democratisch
demolish [dimmollisj] **1** slopen, vernielen, afbreken, vernietigen **2** omverwerpen, te gronde richten **3** ontzenuwen, weerleggen
demolition [demmelisjen] vernieling, afbraak, sloop
demon [die:men] **1** demon, boze geest, duivel; *(fig)* duivel(s mens) **2** bezetene, fanaat: *he is a ~ chessplayer* hij schaakt als een bezetene
[1]**demonstrate** [demmenstreet] *intr* demonstreren, betogen
[2]**demonstrate** [demmenstreet] *tr* **1** demonstreren, een demonstratie geven van **2** aantonen, bewijzen **3** uiten, openbaren
demonstration [demmenstreesjen] **1** demonstratie, betoging, manifestatie **2** demonstratie, vertoning vd werking **3** bewijs **4** uiting, manifestatie, vertoon
demonstrative [dimmonstretiv] **1** (aan)tonend **2** open, extravert **3** *(taalk)* aanwijzend: *~ pronoun* aanwijzend voornaamwoord
demonstrator [demmenstreete] **1** demonstrateur **2** demonstrant, betoger
demoralization [dimmorrelajzeesjen] **1** demoralisatie, ontmoediging **2** zedelijk bederf
demoralize [dimmorrelajz] demoraliseren, ontmoedigen
demote [die:moot] degraderen, in rang verlagen
demotivate [die:mootivveet] demotiveren, ontmoedigen
demystification [die:mistiffikkeesjen] ontsluiering, opheldering
den [den] **1** hol, schuilplaats; leger *(van dier)* **2** hol, (misdadigers)verblijf **3** kamertje, hok
denial [dinnajjel] **1** ontzegging, weigering **2** ontkenning **3** verwerping
denigrate [dennikreet] kleineren, belasteren
denim [dennim] **1** spijkerstof **2** *~s* spijkerbroek
Denmark [denma:k] Denemarken
denomination [dinnomminneesjen] **1** (eenheids)klasse, munteenheid, muntsoort, getalsoort, gewichtsklasse: *coin of the lowest ~* kleinste munteenheid **2** noemer: *reduce fractions to the same ~* breuken onder een noemer brengen **3** gezindte, kerk(genootschap)
denominator [dinnomminneete] noemer, deler
denote [dinnoot] **1** aanduiden, verwijzen naar, omschrijven **2** aangeven, duiden op **3** betekenen, als naam dienen voor
denounce [dinnauns] **1** hekelen, afkeuren **2** aan de kaak stellen, openlijk beschuldigen
dense [dens] **1** dicht, compact, samengepakt: *~ly populated* dichtbevolkt **2** dom, hersenloos
density [densittie] **1** dichtheid, compactheid, concentratie **2** bevolkingsdichtheid
[1]**dent** [dent] *zn* **1** deuk **2** *(fig)* deuk, knauw || *that made a big ~ in our savings* dat kostte ons flink wat van ons spaargeld

[2]**dent** [dent] *ww* **1** deuken, een deuk maken (krijgen) in **2** *(fig)* deuken, een knauw geven
dental [dentl] **1** dentaal, mbt het gebit, tand- **2** tandheelkundig: *~ floss* tandzijde
dentist [dentist] tandarts
denture [dentsje] **1** gebit **2** *~s* kunstgebit, vals gebit
denunciation [dinnunsie·eesjen] **1** openlijke veroordeling **2** beschuldiging, aangifte, aanklacht **3** opzegging *(van verdrag enz.)*
deny [dinnaj] **1** ontkennen: *there is no ~ing that* het valt niet te ontkennen dat **2** ontzeggen, weigeren
deodorant [die·ooderent] deodorant
[1]**depart** [dippa:t] *intr* heengaan, weggaan, vertrekken: *~ for* vertrekken naar, afreizen naar
[2]**depart** [dippa:t] *tr* verlaten: *~ this life* sterven
department [dippa:tment] **1** afdeling, departement; *(onderwijs)* vakgroep; sectie; instituut *(aan universiteit)* **2** ministerie, departement: *Department of Environment (ongev)* Ministerie van Milieuzaken
department store warenhuis
departure [dippa:tsje] **1** vertrek, vertrektijd **2** afwijking: *new ~* nieuwe koers; *a ~ from the agreed policy* een afwijking van het afgesproken beleid
depend [dippend] afhangen: *it all ~s* het hangt er nog maar van af
dependable [dippendebl] betrouwbaar
dependant [dippendent] afhankelijke *(bijv. voor levensonderhoud)*
dependence [dippendens] **1** afhankelijkheid: *~ on luxury* afhankelijkheid van luxe **2** vertrouwen **3** verslaving
dependent [dippendent] afhankelijk
depend (up)on **1** afhangen van, afhankelijk zijn van **2** vertrouwen op, bouwen op, zich verlaten op: *can I ~ on that?* kan ik daar op rekenen?
depict [dippikt] (af)schilderen, beschrijven, afbeelden: *in that book his father is ~ed as an alcoholic* in dat boek wordt zijn vader afgeschilderd als een alcoholist
deplete [diplie:t] leeghalen, uitputten
deplorable [diplo:rebl] betreurenswaardig, zeer slecht
deplore [diplo:] betreuren, bedroefd zijn over
depopulate [die:popjoeleet] ontvolken
deport [dippo:t] **1** (zich) gedragen, (zich) houden: *~ oneself* zich gedragen **2** verbannen, uitzetten
deportee [die:po:tie:] gedeporteerde, banneling
deportment [dippo:tment] **1** (lichaams)houding, postuur **2** gedrag, manieren, houding
depose [dippooz] **1** afzetten, onttronen **2** getuigen; onder ede verklaren *(schriftelijk)*
[1]**deposit** [dippozzit] *zn* **1** onderpand, waarborgsom, aanbetaling, statiegeld **2** storting **3** deposito; depositogeld *(met opzegtermijn)* **4** afzetting, ertslaag, bezinksel
[2]**deposit** [dippozzit] *tr* **1** afzetten, bezinken **2** neerleggen, plaatsen **3** deponeren, in bewaring geven, storten
depository [dippozzitterie] opslagruimte, bewaarplaats
depot [deppoo] **1** depot, magazijn, opslagruimte **2** (leger)depot, militair magazijn **3** *(Am)* spoorwegstation, busstation
depravation [depreveesjen] verdorvenheid, bederf
deprave [dipreev] bederven, doen ontaarden
deprecation [deprikkeesjen] **1** afkeuring, protest **2** geringschatting
depreciate [diprie:sjie·eet] **1** (doen) devalueren, in waarde (doen) dalen **2** kleineren
depreciation [diprie:sjie·eesjen] **1** devaluatie, waardevermindering, afschrijving **2** geringschatting
depredation [depriddeesjen] plundering
depressed [diprest] **1** gedeprimeerd, ontmoedigd **2** noodlijdend, onderdrukt: *~ area: a)* noodlijdend gebied; *b)* streek met aanhoudend hoge werkloosheid
depressing [dipressing] deprimerend, ontmoedigend
depression [dipresjen] **1** laagte, holte, indruk **2** depressie, lagedrukgebied, lage luchtdruk **3** depressie, crisis(tijd) **4** depressiviteit, neerslachtigheid
deprivation [deprivveesjen] **1** ontbering, verlies, gemis **2** beroving, ontneming
deprive [diprajv] beroven: *the old man was ~d of his wallet* de oude man werd beroofd van zijn portefeuille; *they ~ those people of clean water* ze onthouden deze mensen schoon water
deprived [diprajvd] misdeeld, achtergesteld, arm: *~ children* kansarme kinderen
dept **1** *afk van department* dep. **2** *afk van deputy*
depth [depθ] **1** diepte: *he was beyond* (of: *out of*) *his ~* hij verloor de grond onder z'n voeten; *in ~* diepgaand, grondig **2** diepzinnigheid, scherpzinnigheid **3** het diepst, het holst: *in the ~s of Asia* in het hart van Azië; *in the ~(s) of winter* midden in de winter
deputation [depjoeteesjen] afvaardiging, delegatie
[1]**deputy** [depjoetie] *zn* **1** (plaats)vervanger, waarnemer **2** afgevaardigde, kamerlid **3** hulpsheriff; *(ongev)* plaatsvervangend commissaris
[2]**deputy** [depjoetie] *bn* onder-, vice-, plaatsvervangend: *~ director* onderdirecteur
derail [die:reel] (doen) ontsporen
derange [dirreendzj] verwarren, krankzinnig maken: *mentally ~d* geestelijk gestoord, krankzinnig
derelict [derrillikt] verwaarloosd, verlaten
deride [dirrajd] uitlachen, bespotten, belachelijk maken: *~ as* uitmaken voor
derision [dirrizjen] spot

derivation [derrivveesjen] afleiding, afkomst, etymologie
[1]**derivative** [dirrivvetiv] *zn* afleiding
[2]**derivative** [dirrivvetiv] *bn* afgeleid, niet oorspronkelijk
[1]**derive** [dirrajv] *intr* afstammen: *~ from* ontleend zijn aan, (voort)komen uit
[2]**derive** [dirrajv] *tr* afleiden, krijgen, halen: *~ pleasure from* plezier ontlenen aan
derogatory [dirroĸeterie] geringschattend, minachtend, kleinerend
descale [die:skeel] ontkalken
descant [deskent] *(muz)* discant, sopraan
[1]**descend** [dissend] *intr* **1** (af)dalen, naar beneden gaan, neerkomen **2** afstammen: *be ~ed from* afstammen van
[2]**descend** [dissend] *tr* afdalen, naar beneden gaan langs; afzakken *(rivier)*
descendant [dissendent] afstammeling, nakomeling
descent [dissent] **1** afkomst, afstamming: *Charles claims ~ from a Scottish king* Charles beweert af te stammen van een Schotse koning **2** overdracht, overerving **3** afdaling, landing, val **4** helling
describe [diskrajb] **1** beschrijven, karakteriseren: *you can hardly ~ his ideas as original* je kunt zijn ideeën toch moeilijk oorspronkelijk noemen **2** beschrijven, trekken: *~ a circle* een cirkel tekenen
description [diskripsjen] **1** beschrijving, omschrijving: *fit the ~* aan de beschrijving voldoen **2** soort, type: *weapons of all ~s* (of: *every ~*) allerlei (soorten) wapens
[1]**desert** [dezzet] *zn* woestijn
[2]**desert** [dizze:t] *intr* deserteren
[3]**desert** [dizze:t] *tr* verlaten, in de steek laten: *~ed streets* uitgestorven straten
desertion [dizze:sjen] desertie
deserve [dizze:v] verdienen, recht hebben op
[1]**design** [dizzajn] *zn* **1** ontwerp, tekening, blauwdruk, constructie, vormgeving **2** dessin, patroon **3** opzet, bedoeling, doel: *have ~s against* boze plannen hebben met; *by ~* met opzet
[2]**design** [dizzajn] *ww* **1** ontwerpen **2** uitdenken, bedenken, beramen: *who ~ed this bank-robbery?* wie beraamde deze bankroof? **3** bedoelen, ontwikkelen, bestemmen: *~ed for children* bedoeld voor kinderen
designer [dizzajne] designer, ontwerper, tekenaar: *~ clothes* designerkleding
designing [dizzajning] listig, berekenend, sluw
desirable [dizzajjerebl] **1** wenselijk **2** aantrekkelijk
[1]**desire** [dizzajje] *zn* **1** (met *for*) wens, verlangen (naar), wil **2** begeerte, hartstocht
[2]**desire** [dizzajje] *tr* wensen, verlangen, begeren
desist [dissist] *(met from)* ophouden (met), uitscheiden (met), afzien (van)
desk [desk] **1** werktafel, (schrijf)bureau **2** balie, receptie, kas
desktop *(comp)* desktop
desolate [desselet] **1** verlaten, uitgestorven, troosteloos **2** diepbedroefd, eenzaam: *at 30 he was already ~ and helpless* op zijn dertigste was hij al zo eenzaam en hulpeloos
desolation [desseleesjen] **1** verwoesting, ontvolking **2** verlatenheid **3** eenzaamheid
[1]**despair** [dispee] *zn* wanhoop, vertwijfeling: *drive s.o. to ~, fill s.o. with ~* iem tot wanhoop drijven; *be the ~ of s.o.* iem wanhopig maken
[2]**despair** [dispee] *intr* wanhopen
desperate [desperet] wanhopig, hopeloos; uitzichtloos *(van situatie)*; vertwijfeld; radeloos *(van daden, mensen)*: *a ~ action* een wanhoopsactie; *she was ~ for a cup of tea* ze verlangde verschrikkelijk naar een kopje thee
despicable [dispikkebl] verachtelijk
despise [dispajz] verachten, versmaden
despite [dispajt] ondanks
dessert [dizze:t] dessert
destination [destinneesjen] (plaats van) bestemming, doel, eindpunt
destine [destin] bestemmen, (voor)beschikken: *be ~d for* bestemd zijn voor
destiny [destinnie] lot, bestemming, beschikking
Destiny [destinnie] (nood)lot
destitute [destitjoe:t] arm, behoeftig
destroy [distroj] vernielen, vernietigen, ruïneren: *thousands of houses were ~ed by the earthquakes* door de aardbevingen zijn duizenden huizen vernield
destruction [distruksjen] **1** vernietiging, afbraak **2** ondergang
detach [ditetsj] *(met from)* losmaken (van), scheiden, uit elkaar halen
detached [ditetsjt] **1** los; vrijstaand *(van huis)*; niet verbonden, geïsoleerd **2** onbevooroordeeld: *~ view of sth.* objectieve kijk op iets **3** afstandelijk, gereserveerd
detachment [ditetsjment] **1** detachering, detachement **2** scheiding **3** afstandelijkheid, gereserveerdheid **4** onpartijdigheid
detail [die:teel] **1** detail, bijzonderheid, kleinigheid: *enter* (of: *go*) *into ~(s)* op bijzonderheden ingaan **2** kleine versiering
detailed [die:teeld] uitvoerig: *~ information available on request* uitgebreide informatie op aanvraag verkrijgbaar
detain [ditteen] **1** aanhouden, laten nablijven, gevangen houden **2** laten schoolblijven: *Henry was ~ed for half an hour* Henry moest een halfuur nablijven **3** ophouden, vertragen: *I don't want to ~ you any longer* ik wil u niet langer ophouden
detainee [die:teenie:] (politieke) gevangene, gedetineerde
detect [dittekt] ontdekken, bespeuren
detective [dittektiv] detective, speurder, rechercheur
detention [dittensjen] **1** opsluiting, (militaire) de-

tentie, hechtenis **2** het schoolblijven **3** vertraging, oponthoud
deter [ditte:] *(met from)* afschrikken (van), ontmoedigen, afhouden (van)
detergent [ditte:dzjent] wasmiddel, afwasmiddel, reinigingsmiddel
deteriorate [dittierierreet] verslechteren, achteruitgaan
determination [ditte:minneesjen] **1** vast voornemen, bedoeling, plan **2** vastberadenheid, vastbeslotenheid
determine [ditte:min] **1** besluiten, beslissen: *Sheila ~d to dye her hair green* Sheila besloot haar haar groen te verven **2** doen besluiten, drijven tot
determined [ditte:mind] beslist, vastberaden, vastbesloten
deterrence [ditterrens] afschrikking
deterrent [ditterrent] afschrikwekkend middel, afschrikmiddel, atoombom: *the cameras are a ~ for shoplifters* de camera's hebben een preventieve werking tegen winkeldieven
detest [dittest] verafschuwen, walgen van
dethrone [die:θroon] afzetten, onttronen
[1]**detonate** [detteneet] *intr* ontploffen, exploderen
[2]**detonate** [detteneet] *tr* tot ontploffing brengen, laten exploderen
detour [die:toee] **1** omweg, bocht, (rivier)kronkel **2** omleiding
detract [ditrekt]: *~ from* kleineren, afbreuk doen aan, verminderen
detriment [detrimment] (oorzaak van) schade, kwaad, nadeel: *to the ~ of* ten nadele van
detritus [dittrajtes] resten, afval: *he waded through the ~ of the party* hij waadde door de resten van het feest
deuce [djoe:s] **1** twee *(op dobbelsteen)* **2** *(tennis)* veertig gelijk || *a ~ of a fight* een vreselijke knokpartij
devaluation [die:veljoe·eesjen] devaluatie, waardevermindering
devalue [die:veljoe:] devalueren, in waarde (doen) dalen
devastate [devvesteet] verwoesten, ruïneren, vernietigen
devastation [devvesteesjen] verwoesting
[1]**develop** [divvellep] *tr* **1** ontwikkelen, uitwerken, ontginnen: *~ing country* ontwikkelingsland; *~ a film* een film(pje) ontwikkelen **2** ontvouwen, uiteenzetten
[2]**develop** [divvellep] *tr, intr* (zich) ontwikkelen, (doen) ontstaan, (doen) uitbreiden
developer [divvellepe] **1** projectontwikkelaar **2** *(foto)* ontwikkelaar
development [divvellepment] **1** ontwikkeling, verloop, evolutie, ontplooiing, groei, verdere uitwerking: *await further ~s* afwachten wat er verder komt **2** gebeurtenis **3** (nieuw)bouwproject
deviant [die:vient] **1** afwijkend, tegen de norm **2** abnormaal
deviate [die:vie·eet] *(met from)* afwijken (van), afdwalen
deviation [die:vie·eesjen] afwijking *(vd geldende norm)*; deviatie: *~ from* afwijking van
device [divvajs] **1** apparaat, toestel: *a new ~ for squeezing lemons* een nieuw apparaat om citroenen te persen **2** middel, kunstgreep, truc **3** devies, motto, leus **4** embleem *(op wapen)* || *left to his own ~s* op zichzelf aangewezen
devil [devl] **1** duivel **2** man, jongen, donder, kerel || *give the ~ his due* ere wie ere toekomt, het iem nageven; *~ take the hindmost* ieder voor zich en God voor ons allen; *be a ~* kom op, spring eens uit de band; *there'll be the ~ to pay* dan krijgen we de poppen aan het dansen; *the ~ of an undertaking* een helse klus
devious [die:vies] **1** kronkelend, slingerend; *(fig)* omslachtig: *~ route* omweg **2** onoprecht, onbetrouwbaar, sluw
devise [divvajz] bedenken, beramen
devoid [divvojd] *(met of)* verstoken (van), ontbloot (van), gespeend (van)
devote [divvoot] *(met to)* (toe)wijden (aan), besteden (aan): *~ oneself to* zich overgeven aan
devotee [devvootie:] **1** (met *of*) liefhebber (van), aanbidder, enthousiast **2** aanhanger; volgeling *(van religieuze sekte)* **3** dweper, fanaticus
devotion [divvoosjen] **1** toewijding, liefde, overgave: *~ to duty* plichtsbetrachting **2** het besteden **3** vroomheid
devour [divvaue] **1** verslinden *(ook fig)*; verzwelgen **2** verteren: *(be) ~ed by jealousy* verteerd (worden) door jaloezie
devout [divvaut] **1** vroom **2** vurig, oprecht
dew [djoe:] dauw
dexterity [deksterrittie] handigheid, behendigheid, (hand)vaardigheid
diabetes [dajjebie:tie:z] diabetes, suikerziekte
[1]**diabetic** [dajjebettik] *zn* suikerzieke
[2]**diabetic** [dajjebettik] *bn* voor suikerzieken, diabetes-
diabolic(al) [dajjebollik(l)] afschuwelijk, afgrijselijk, ontzettend
diagnose [dajjek̂nooz] een diagnose stellen (van)
diagnosis [dajjek̂noosis] diagnose
diagonal [dajek̂enl] diagonaal
diagram [dajjek̂rem] diagram, schets, schema, grafiek
[1]**dial** [dajjel] *zn* **1** schaal(verdeling), wijzerplaat; (afstem)schaal *(van radio e.d.)*; zonnewijzer **2** kiesschijf *(van telefoon)* **3** afstemknop *(van radio e.d.)*
[2]**dial** [dajjel] *ww* draaien; bellen *(mbt telefoon)*
dialect [dajjelekt] dialect
dialogue [dajjelok̂] dialoog
diameter [dajemitte] diameter, middellijn, doorsne(d)e
diamond [dajjemend] **1** diamant, diamanten sieraad **2** ruit(vormige figuur) **3** ruiten(kaart) **4** *~s*

ruiten *(kaartspel): Queen of ~s* ruitenvrouw || *it was ~ cut ~* het ging hard tegen hard
diaper [dajjepe] *(Am)* luier
diaphragm [dajjefrem] diafragma, middenrif
diarrhoea [dajjerie] diarree *(ook fig);* buikloop
diary [dajjerie] **1** dagboek **2** agenda
[1]**dice** [dajs] *zn (mv: alleen ~)* **1** dobbelsteen; *(ook fig)* kans; geluk: *the ~ are loaded against him* het lot is hem niet gunstig gezind **2** *~s* dobbelspel || *(Am; inform) no ~* tevergeefs
[2]**dice** [dajs] *tr* in dobbelsteentjes snijden
[3]**dice** [dajs] *tr, intr* dobbelen
dicey [dajsie] link, riskant
dickhead idioot, stommeling
dicky wankel, wiebelig: *a ~ heart* een zwak hart
[1]**dictate** [dikteet] *zn* ingeving, bevel
[2]**dictate** [dikteet] *ww* **1** dicteren **2** commanderen, opleggen
dictator [dikteete] dictator
diction [diksjen] **1** voordracht **2** taalgebruik, woordkeus
dictionary [diksjenerie] woordenboek
did [did] *ovt van* do
didactic [dajdektik] didactisch
diddle [didl] ontfutselen, bedriegen: *he ~d me out of £5* hij heeft me voor £5 afgezet
[1]**die** [daj] *zn* matrijs, stempel, gietvorm
[2]**die** [daj] *intr* **1** sterven, overlijden, omkomen: *~ from* (of: *of*) *an illness* sterven aan een ziekte **2** ophouden te bestaan, verloren gaan: *the mystery ~d with him* hij nam het geheim mee in zijn graf **3** uitsterven, wegsterven **4** verzwakken, verminderen, bedaren || *~ away: a)* wegsterven *(van geluid); b)* uitgaan *(van vuur); c)* gaan liggen *(van wind); ~ down: a)* bedaren, afnemen *(van wind); b)* uitgaan *(van vuur); ~ off: a)* een voor een sterven; *b)* uitsterven; *be dying for a cigarette* snakken naar een sigaret; *~ of anxiety* doodsangsten uitstaan
diehard **1** taaie, volhouder **2** aartsconservatief **3** onverzoenlijke
diesel [die:zl] diesel
[1]**diet** [dajjet] *zn* **1** dieet, leefregel; *(attributief)* light, dieet-: *~ soda* frisdrank light; *on a ~* op dieet **2** voedsel, voeding, kost: *her ~ consisted of bread and lentils* haar voedsel bestond uit brood en linzen
[2]**diet** [dajjet] *intr* op dieet zijn; *(fig)* lijnen
dietician [dajjetisjen] diëtist(e), voedingsspecialist(e)
differ [diffe] **1** (van elkaar) verschillen, afwijken: *those twin sisters ~ from one another* die tweelingzusjes verschillen van elkaar **2** van mening verschillen: *~ from s.o.* het met iem oneens zijn
difference [differens] **1** verschil, onderscheid: *that makes all the ~* dat maakt veel uit **2** verschil, rest: *split the ~* het verschil (samen) delen **3** meningsverschil, geschil(punt)
different [different] **1** verschillend, ongelijk, afwijkend: *as ~ as chalk and* (of: *from*) *cheese* verschillend als dag en nacht; *(fig) strike a ~ note* een ander geluid laten horen; *~ from, ~ to* anders dan **2** ongewoon, speciaal || *a horse of a ~ colour* een geheel andere kwestie
[1]**differential** [differensjl] *zn* **1** verschil in loon **2** koersverschil **3** *(techn)* differentieel
[2]**differential** [differensjl] *bn* onderscheidend
[1]**differentiate** [differensjie·eet] *intr* **1** zich onderscheiden **2** een verschil maken: *~ between* ongelijk behandelen
[2]**differentiate** [differensjie·eet] *tr* onderscheiden, onderkennen
difficult [diffikkelt] moeilijk *(ook van karakter);* lastig
difficulty [diffikkeltie] **1** moeilijkheid, probleem **2** moeite: *with ~* met moeite
diffident [diffident] bedeesd, terughoudend
[1]**diffuse** [difjoe:s] *bn* diffuus; wijdlopig *(ook stijl)*
[2]**diffuse** [difjoe:z] *intr* zich verspreiden; verstrooid worden *(van licht)*
[1]**dig** [dik] *zn* **1** por; *(fig)* steek (onder water) **2** (archeologische) opgraving **3** *~s* kamer(s)
[2]**dig** [dik] *ww (dug, dug)* **1** doordringen **2** zwoegen, ploeteren **3** graven, delven, opgraven **4** uitgraven, rooien **5** uitzoeken, voor de dag halen **6** porren **7** vatten, snappen
[1]**digest** [dajdzjest] *zn* samenvatting, (periodiek) overzicht
[2]**digest** [dajdzjest] *intr* verteren
[3]**digest** [dajdzjest] *tr* verteren *(ook fig);* slikken, verwerken, in zich opnemen
digestion [dajdzjestsjen] spijsvertering, digestie
[1]**digestive** [dajdzjestiv] *zn* **1** digestief *(middel goed voor de spijsvertering)* **2** volkorenbiscuit
[2]**digestive** [dajdzjestiv] *bn* **1** spijsverterings- **2** goed voor de spijsvertering
digger [dike] **1** graver, gouddelver **2** graafmachine **3** Australiër
[1]**dig in** *intr* **1** zich ingraven **2** aanvallen *(op eten)* **3** van geen wijken weten
[2]**dig in** *tr* **1** ingraven: *dig oneself in* zich ingraven, *(fig)* zijn positie verstevigen **2** onderspitten
dig into **1** graven in: *dig sth. into the soil* iets ondergraven, iets onderspitten **2** prikken, slaan, boren in **3** zijn tanden zetten in, diepgaand onderzoeken: *the journalist dug into the scandal* de journalist beet zich vast in het schandaal
digit [didzjit] cijfer; getal *(0 t/m 9)*
digital [didzjitl] digitaal
dignified [dikniffajd] waardig, deftig, statig
dignitary [diknitterie] (kerkelijk) hoogwaardigheidsbekleder: *the local dignitaries* de dorpsnotabelen/
dignity [diknittie] waardigheid: *that is beneath his ~* dat is beneden zijn waardigheid
dig out **1** uitgraven **2** opdiepen, voor de dag halen **3** blootleggen
digress [dajkres] uitweiden: *~ from one's subject* afdwalen van zijn onderwerp

digression [dajkresjen] *(met on)* uitweiding (over)
[1]**dig up** *intr (Am)* bijdrage leveren, betalen
[2]**dig up** *tr* **1** opgraven, uitgraven; omspitten *(weg)* **2** blootleggen, opsporen **3** bij elkaar scharrelen **4** opscharrelen
dike *zie* dyke
dilapidated [dilepiddeetid] vervallen, bouwvallig
dilatory [dilleterie] **1** traag, langzaam, laks **2** vertragend
dilemma [dillemme] dilemma, netelig vraagstuk
diligence [dillidzjens] ijver, vlijt, toewijding
diligent [dillidzjent] ijverig, vlijtig
dilute [dajljoe:t] **1** verdunnen, aanlengen: ~ *the syrup with water or milk* de siroop met water of melk aanlengen **2** doen verbleken, doen vervalen **3** afzwakken, doen verwateren
[1]**dim** [dim] *bn* **1** schemerig, (half)duister **2** vaag, flauw: *I have a ~ understanding of botany* ik heb een beetje verstand van plantkunde **3** stom || *take a ~ view of sth.* iets afkeuren, niets ophebben met iets
[2]**dim** [dim] *tr, intr* **1** verduisteren, versomberen **2** temperen, dimmen: ~ *the headlights* dimmen
dime [dajm] dime; 10 centstuk *(Am);* cent, stuiver || *a ~ a dozen* dertien in een dozijn
dimension [dimmensjen] **1** afmeting, grootte, omvang; *(fig)* kaliber; formaat **2** dimensie, aspect, kwaliteit
diminish [dimminnisj] verminderen, verkleinen, afnemen, z'n waarde verliezen, aantasten
diminutive [dimminjoetiv] **1** verklein- **2** nietig: *a ~ kitten* een piepklein poesje
dimple [dimpl] kuiltje
dimwit [dimwit] sufferd, onbenul
[1]**din** [din] *zn* kabaal, lawaai: *kick up* (of: *make*) *a ~* herrie schoppen
[2]**din** [din] *tr* **1** verdoven *(met lawaai)* **2** inprenten: ~ *sth. into s.o.* iets er bij iem in stampen
dine [dajn] dineren: ~ *out* buitenshuis dineren
diner [dajne] **1** iem die dineert, eter, gast **2** restauratiewagen **3** *(Am)* klein (weg)restaurant
dinghy [dingkie] **1** jol **2** kleine boot, (opblaasbaar) reddingsvlot, rubberboot
dingy [dingdzjie] **1** smerig, smoezelig **2** sjofel, armoedig
dining room eetkamer; *(in hotel)* restaurant
dinky [dingkie] **1** snoezig **2** *(Am)* armzalig
dinner [dinne] eten, avondeten, (warm) middagmaal
dinosaur [dajneso:] dinosaurus
dint [dint] deuk; indruk *(ook fig)*
[1]**dip** [dip] *zn* **1** indoping, onderdompeling, wasbeurt; *(inform)* duik **2** schepje **3** helling, daling; dal *(landschap)* **4** (kleine) daling, vermindering **5** dipsaus
[2]**dip** [dip] *intr* **1** duiken, plonzen, kopje-onder gaan **2** ondergaan, vallen, zinken **3** hellen, dalen **4** tasten, reiken, grijpen: ~ *in* toetasten; ~ *into one's financial resources* aanspraak doen op zijn geldelijke middelen || ~ *into* vluchtig bekijken
[3]**dip** [dip] *tr* **1** (onder)dompelen, (in)dopen; galvaniseren *(in bad);* wassen *(dieren in bad met insecticide)* **2** verven, in verfbad dopen **3** dimmen *(koplampen)*
diploma [diploome] diploma
diplomacy [diploomesie] diplomatie *(ook fig);* (politieke) tact, diplomatiek optreden
diplomat [diplemet] diplomaat
diplomatic [diplemetik] **1** diplomatiek, mbt diplomatieke dienst; *(fig)* met diplomatie: ~ *bag* diplomatieke post(zak) *(voor ambassade e.d.)* **2** subtiel, berekend, sluw
dipsomaniac [dipsemeenie·ek] (periodiek) alcoholist, kwartaaldrinker
dipstick peilstok, meetstok
dire [dajje] ijselijk, uiterst (dringend): *be in ~ need of water* snakken naar water; ~ *poverty* bittere armoede
[1]**direct** [dirrekt] *bn* **1** direct, rechtstreeks, onmiddellijk, openhartig: *be a ~ descendant* in een rechte lijn van iem afstammen; *a ~ hit* een voltreffer **2** absoluut, exact, precies: ~ *opposites* absolute tegenpolen || ~ *current* gelijkstroom; ~ *object* lijdend voorwerp
[2]**direct** [dirrekt] *tr* **1** richten: *these measures are ~ed against abuse* deze maatregelen zijn gericht tegen misbruik **2** de weg wijzen, leiden: ~ *s.o. to the post office* iem de weg wijzen naar het postkantoor **3** bestemmen, toewijzen **4** leiden, de leiding hebben over, besturen **5** geleiden, als richtlijn dienen voor **6** opdracht geven, bevelen; *(jur)* instrueren
[3]**direct** [dirrekt] *tr, intr* regisseren, dirigeren
[4]**direct** [dirrekt] *bw* rechtstreeks: *broadcast ~* rechtstreeks uitzenden
direction [dirreksjen] **1** opzicht, kant, tendens, richting; *(fig ook)* gebied; terrein: *progress in all ~s* vooruitgang op alle gebieden **2** instructie, bevel, aanwijzing: *at the ~ of, by ~ of* op last van **3** oogmerk, doel **4** leiding, directie, supervisie: *in the ~ of London* in de richting van Londen **5** geleiding, het geleiden **6** directie, regie
directive [dirrektiv] instructie, bevel
directly [dirrektli] **1** rechtstreeks, openhartig **2** dadelijk, zo **3** precies, direct: ~ *opposite the door* precies tegenover de deur
director [dirrekte] **1** directeur, manager, directielid: *the board of ~s* de raad van bestuur **2** *(Am)* dirigent **3** regisseur, spelleider
directory [dirrekterie] **1** adresboek, gids, adressenbestand **2** telefoonboek
dirge [de:dzj] lijkzang, treurzang, klaagzang
dirt [de:t] **1** vuil, modder, drek, viezigheid: *treat s.o. like ~* iem als oud vuil behandelen **2** lasterpraat, geroddel **3** grond, aarde
dirty [de:tie] **1** vies, vuil, smerig **2** laag, gemeen:

give s.o. a ~ look iem vuil aankijken; *play a ~ trick on s.o.* iem een gemene streek leveren **3** *(inform)* slecht; ruw *(van weer)* || *wash one's ~ linen in public* de vuile was buiten hangen

disability [dissebillittie] **1** onbekwaamheid, onvermogen **2** belemmering, nadeel, handicap **3** invaliditeit, lichamelijke ongeschiktheid

disable [disseebl] **1** onmogelijk maken, onbruikbaar, ongeschikt maken **2** invalide maken, arbeidsongeschikt maken: *~d persons* (lichamelijk) gehandicapte mensen; *the ~d* de invaliden

disadvantage [dissedva:ntidzj] nadeel, ongunstige situatie: *at a ~* in het nadeel

disagree [dissekrie:] **1** het oneens zijn, verschillen van mening, ruziën **2** verschillen, niet kloppen, niet overeenkomen: *the two statements ~* de twee beweringen stemmen niet overeen

disagreeable [dissekrie:ebl] **1** onaangenaam **2** slecht gehumeurd, onvriendelijk

disagreement [dissekrie:ment] **1** onenigheid, meningsverschil, ruzie **2** verschil, afwijking

disallow [disselau] **1** niet toestaan, verbieden **2** ongeldig verklaren, verwerpen, afkeuren: *~ a goal* een doelpunt afkeuren

disappear [dissepie] verdwijnen

disappoint [dissepojnt] **1** teleurstellen, niet aan de verwachtingen voldoen, tegenvallen **2** verijdelen *(plan);* doen mislukken, tenietdoen

disappointed [dissepojntid] teleurgesteld: *she was ~ in him* hij viel haar tegen

disappointment [dissepojntment] teleurstelling

disapprove [disseproe:v] afkeuren, veroordelen: *he wanted to stay on but his parents ~d* hij wilde nog even blijven, maar zijn ouders vonden dat niet goed

[1]**disarm** [dissa:m] *tr* de kracht ontnemen, vriendelijk stemmen: *his quiet manners ~ed all opposition* zijn rustige manier van doen nam alle tegenstand weg; *a ~ing smile* een ontwapenende glimlach

[2]**disarm** [dissa:m] *tr, intr* ontwapenen, onschadelijk maken

disarmament [dissa:mement] ontwapening

disarrange [dissereendzj] in de war brengen, verstoren

disarray [disseree] wanorde, verwarring

disaster [dizza:ste] ramp, catastrofe; *(fig)* totale mislukking: *court ~* om moeilijkheden vragen

disastrous [dizza:stres] rampzalig, noodlottig

disavowal [dissevauel] **1** ontkenning, loochening **2** afwijzing

disband [disbend] uiteengaan, ontbonden worden

disbelief [disbillie:f] ongeloof: *he stared at us in ~* hij keek ons vol ongeloof aan

disbelieve [disbillie:v] niet geloven, betwijfelen, verwerpen

disc [disk] **1** schijf, parkeerschijf **2** discus **3** (grammofoon)plaat, cd **4** *(med)* schijf, tussenwervelschijf: *a slipped ~* een hernia **5** *(comp)* schijf

[1]**discard** [diska:d] *tr* zich ontdoen van, weggooien, afdanken

[2]**discard** [diska:d] *tr, intr (kaartspel)* afgooien, ecarteren, niet bekennen

discern [disse:n] **1** waarnemen, onderscheiden, bespeuren: *I could hardly ~ the words on the traffic sign* ik kon de woorden op het verkeersbord nauwelijks onderscheiden **2** onderscheiden, verschil zien, onderscheid maken

discerning [disse:ning] scherpzinnig, opmerkzaam, kritisch

[1]**discharge** [distsja:dzj] *zn* **1** bewijs van ontslag **2** lossing, ontlading, het uitladen **3** uitstorting, afvoer, uitstroming; *(van gas e.d.; ook fig)* uiting **4** schot, het afvuren **5** aflossing, vervulling **6** ontslag van rechtsvervolging, vrijspraak

[2]**discharge** [distsja:dzj] *intr* **1** zich ontladen, zich uitstorten; etteren *(van wond): the river ~s into the sea* de rivier mondt in zee uit **2** *(elektr)* zich ontladen

[3]**discharge** [distsja:dzj] *tr* **1** ontladen, uitladen, lossen **2** afvuren, afschieten, lossen **3** ontladen, van elektrische lading ontdoen **4** wegsturen, ontslaan, ontheffen van, vrijspreken, in vrijheid stellen: *~ the jury* de jury van zijn plichten ontslaan; *~ a patient* een patiënt ontslaan **5** uitstorten, uitstoten, afgeven **6** vervullen, voldoen, zich kwijten van: *~ one's duties* zijn taak vervullen

disciple [dissajpl] discipel, leerling, volgeling

[1]**discipline** [dissiplin] *zn* **1** methode, systeem **2** vak, discipline, tak van wetenschap **3** discipline, tucht, orde, controle: *maintain ~* orde houden

[2]**discipline** [dissiplin] *tr* **1** disciplineren, onder tucht brengen, drillen **2** straffen, disciplinaire maatregelen nemen tegen

disc jockey diskjockey

disclaim [diskleem] ontkennen, afwijzen, verwerpen, van de hand wijzen

disclose [disklooz] onthullen *(ook fig);* bekendmaken, tonen

disco [diskoo] disco, discotheek

discomfort [diskumfet] **1** ongemak, ontbering, moeilijkheid **2** ongemakkelijkheid, gebrek aan comfort

disconcert [diskense:t] **1** verontrusten, in verlegenheid brengen **2** verijdelen *(plannen)*

disconnect [diskenekt] losmaken, scheiden, loskoppelen; afsluiten *(iem, van het gas e.d.)*

[1]**discontent** [diskentent] *zn* **1** grief, bezwaar **2** ontevredenheid

[2]**discontent** [diskentent] *bn* (met *with*) ontevreden (over, met), teleurgesteld

[1]**discontinue** [diskentinjoe:] *intr* tot een einde komen, ophouden

[2]**discontinue** [diskentinjoe:] *tr* **1** beëindigen, een eind maken aan, ophouden met **2** opzeggen *(krant e.d.)*

discord [disko:d] **1** onenigheid, twist, ruzie **2** lawaai

discotheque [disketek] disco, discotheek

[1]discount [diskaunt] *zn* **1** reductie, korting: *at a ~ of £3* met een korting van drie pond **2** disconto, wisseldisconto

[2]discount [diskaunt] *tr* **1** disconto geven (nemen); disconteren *(wissel)* **2** korting geven (op) **3** buiten beschouwing laten, niet serieus nemen

discourage [diskurridzj] **1** ontmoedigen, de moed ontnemen **2** weerhouden, afhouden, afbrengen

discourse [disko:s] **1** gesprek, dialoog, conversatie **2** verhandeling, lezing

discourteous [diske:ties] onbeleefd, onhoffelijk

discover [diskuvve] **1** ontdekken, (uit)vinden: *Tasman ~ed New Zealand* Tasman heeft Nieuw-Zeeland ontdekt **2** onthullen, blootleggen; *(fig)* aan het licht brengen; bekendmaken **3** aantreffen, bemerken, te weten komen

discovery [diskuvverie] ontdekking: *a voyage of ~* een ontdekkingsreis

[1]discredit [diskreddit] *zn* schande, diskrediet, opspraak: *bring ~ (up)on oneself, bring oneself into ~* zich te schande maken

[2]discredit [diskreddit] *tr* **1** te schande maken, in diskrediet brengen **2** wantrouwen, verdenken

discreditable [diskredditteb l] schandelijk, verwerpelijk

discreet [diskrie:t] **1** discreet **2** bescheiden, onopvallend

discrepancy [diskreppensie] discrepantie, afwijking, verschil

discretion [diskresjen] **1** oordeelkundigheid, tact, verstand: *the age* (of: *years) of ~* de jaren des onderscheids **2** discretie, oordeel, vrijheid (van handelen): *use one's ~* naar eigen goeddunken handelen

[1]discriminate [diskrimminneet] *intr* **1** onderscheid maken: *~ between* verschil maken tussen **2** discrimineren: *~ against* discrimineren; *she felt ~d against in pay* zij voelde zich qua salaris gediscrimineerd

[2]discriminate [diskrimminneet] *tr* onderscheiden, herkennen

discriminating [diskrimminneeting] **1** opmerkzaam, scherpzinnig **2** onderscheidend, kenmerkend **3** kieskeurig, overkritisch **4** discriminerend

discrimination [diskrimminneesjen] **1** onderscheid, het maken van onderscheid **2** discriminatie **3** oordeelsvermogen, kritische smaak

discus [diskes] discus

discuss [diskus] bespreken, behandelen, praten over: *okay, let's now ~ my pay rise* goed, laten we het nu eens over mijn loonsverhoging hebben

discussion [diskusjen] **1** bespreking, discussie, gesprek: *be under ~* in behandeling zijn **2** uiteenzetting, verhandeling, bespreking

disdain [disdeen] minachting

disease [dizzie:z] ziekte, aandoening, kwaal

[1]disembark [dissimba:k] *intr* van boord gaan, aan wal gaan, uitstappen

[2]disembark [dissimba:k] *tr* ontschepen, aan land brengen, lossen

disenchant [dissintsja:nt] ontgoochelen, ontnuchteren, uit de droom helpen

[1]disengage [dissingk̂eedzj] *intr* losraken, zich losmaken

[2]disengage [dissingk̂eedzj] *tr* losmaken, vrij maken, bevrijden

[1]disentangle [dissintengk̂l] *intr* zich ontwarren

[2]disentangle [dissintengk̂l] *tr* ontwarren, ontrafelen, oplossen

disfavour [disfeeve] **1** afkeuring, lage dunk: *look upon* (of: *regard, view) s.o. with ~* iem niet mogen **2** ongenade, ongunst

disfigurement [disfik̂ement] misvorming, wanstaltigheid

[1]disgorge [disk̂o:dzj] *intr* leegstromen, zich legen, zich uitstorten

[2]disgorge [disk̂o:dzj] *tr* **1** uitbraken, uitstoten **2** uitstorten, uitstromen

[1]disgrace [disk̂rees] *zn* schande, ongenade: *be in ~* uit de gratie zijn

[2]disgrace [disk̂rees] *tr* te schande maken, een slechte naam bezorgen

disgruntled [disk̂runtld] ontevreden: *~ at sth.* (of: *with s.o.*) ontstemd over iets (iem)

[1]disguise [disk̂ajz] *zn* **1** vermomming: *in ~* vermomd, in het verborgene; *a blessing in ~* een geluk bij een ongeluk **2** voorwendsel, schijn, dekmantel

[2]disguise [disk̂ajz] *ww* **1** vermommen **2** een valse voorstelling geven van **3** verbergen, maskeren, verhullen

[1]disgust [disk̂ust] *zn* afschuw, afkeer, walging

[2]disgust [disk̂ust] *tr* doen walgen, afkeer opwekken: *she was suddenly ~ed at* (of: *by, with) him* plotseling vond ze hem weerzinwekkend

disgusting [disk̂usting] weerzinwekkend, walgelijk

[1]dish [disj] *zn* **1** schaal, schotel **2** gerecht, schotel **3** schotelvormig voorwerp, schotelantenne: *~ aerial* schotelantenne **4** lekker stuk, lekkere meid

[2]dish [disj] *tr* ruïneren, naar de maan helpen, verknallen || *~ out: a)* uitdelen *(papieren, pakjes enz.); b)* rondgeven, rondstrooien *(advies)*

dishcloth vaatdoek

dishearten [disha:tn] ontmoedigen

dishevelled [disjevld] slonzig, slordig, onverzorgd

dishonest [dissonnist] oneerlijk, bedrieglijk, vals

dishonour [dissonne] schande, eerverlies, smaad

dish up **1** opdienen, serveren; *(fig)* presenteren; opdissen *(feiten enz.)* **2** het eten opdienen

dishwasher **1** afwasser, bordenwasser **2** afwasmachine, vaatwasmachine

disillusion [dissilloe:zjen] desillusioneren, uit de droom helpen: *be ~ed at* (of: *about, with*) teleurgesteld zijn over

disinclination [dissingklinneesjen] tegenzin, onwil, afkeer: *feel a ~ to meet s.o.* geen (echte) zin hebben om iem te ontmoeten

disinfect [dissinfekt] desinfecteren, ontsmetten

[1]**disinfectant** [dissinfektent] *zn* desinfecterend middel, ontsmettingsmiddel

[2]**disinfectant** [dissinfektent] *bn* desinfecterend, ontsmettend

disinherit [dissinherrit] onterven

disintegrate [dissintikreet] **1** uiteenvallen, uit elkaar vallen, vergaan **2** *(chem)* afbreken

disinterested [dissintristid] **1** belangeloos **2** *(fig)* ongeïnteresseerd, onverschillig

disjointed [disdzjojntid] onsamenhangend; verward *(van verhaal, ideeën)*

disk [disk] *zie* disc

diskette [disket] diskette, floppy(disk)

[1]**dislike** [dislajk] *zn* afkeer, tegenzin: *likes and ~s* sympathieën en antipathieën

[2]**dislike** [dislajk] *tr* niet houden van, een afkeer hebben van, een hekel hebben aan

dislocate [dislekeet] **1** verplaatsen **2** onklaar maken, ontregelen; *(fig)* verstoren; in de war brengen **3** *(med)* ontwrichten

disloyal [dislojjel] ontrouw, trouweloos, niet loyaal

dismal [dizml] **1** ellendig, troosteloos, somber **2** zwak, armzalig

[1]**dismantle** [dismentl] *intr* uitneembaar zijn *(bijvoorbeeld van apparaat)*

[2]**dismantle** [dismentl] *tr* **1** ontmantelen, van de bedekking ontdoen **2** leeghalen, van meubilair (uitrusting) ontdoen, onttakelen **3** slopen, afbreken, uit elkaar halen

[1]**dismay** [dismee] *zn* wanhoop, verbijstering, ontzetting

[2]**dismay** [dismee] *tr* verbijsteren, ontzetten, met wanhoop vervullen: *be ~ed at* (of: *by*) *the sight* de moed verliezen door de aanblik

dismiss [dismis] **1** laten gaan, wegsturen **2** ontslaan, opzeggen **3** van zich afzetten, uit zijn gedachten zetten **4** afdoen, zich (kort) afmaken van, verwerpen: *they ~ed the suggestion* ze verwierpen het voorstel **5** afdanken, laten inrukken

dismissal [dismisl] **1** verlof om te gaan **2** ontslag **3** verdringing, het uit zijn gedachten zetten **4** het terzijde schuiven, verwerping, het afdoen

dismissive [dismissiv] minachtend, afwijzend

disobedient [dissebie:dient] ongehoorzaam, opstandig

disobey [dissebee] niet gehoorzamen, ongehoorzaam zijn; negeren *(bevel)*; overtreden *(regels)*

disorder [disso:de] **1** oproer, opstootje, ordeverstoring **2** stoornis, kwaal, ziekte, aandoening: *Boris suffered from a kidney ~* Boris leed aan een nierkwaal **3** wanorde, verwarring, ordeloosheid

disown [dissoon] **1** verwerpen, afwijzen, ontkennen **2** verstoten, niet meer willen kennen

disparage [disperidzj] **1** kleineren, geringschatten **2** in diskrediet brengen, verdacht maken, vernederen

disparity [disperittie] ongelijkheid, ongelijksoortigheid, ongelijkwaardigheid: *(a) great ~ of* (of: *in*) *age between them* een groot leeftijdsverschil tussen hen

[1]**dispatch** [dispetsj] *zn* **1** bericht **2** het wegsturen **3** doeltreffendheid, snelle afhandeling: *with great ~* met grote doeltreffendheid

[2]**dispatch** [dispetsj] *tr* **1** (ver)zenden, (weg)sturen **2** de genadeslag geven, doden **3** doeltreffend afhandelen **4** wegwerken *(eten e.d.)*; soldaat maken

dispel [dispel] verjagen, verdrijven

dispensary [dispenserie] **1** apotheek; huisapotheek *(in school e.d.)* **2** consultatiebureau, medische hulppost

[1]**dispense** [dispens] *intr* ontheffing geven, vrijstelling verlenen

[2]**dispense** [dispens] *tr* **1** uitreiken, distribueren, geven: *~ justice* het recht toepassen, gerechtigheid doen geschieden **2** klaarmaken en leveren *(medicijnen)*: *dispensing chemist* apotheker

dispenser [dispense] **1** apotheker **2** automaat, houder

dispense with **1** afzien van, het zonder stellen, niet nodig hebben **2** overbodig maken, terzijde zetten

[1]**disperse** [dispe:s] *intr* zich verspreiden, uiteengaan

[2]**disperse** [dispe:s] *tr* **1** uiteen drijven, verspreiden, spreiden, uiteenplaatsen **2** verspreiden, overal bekendmaken **3** verjagen

dispirited [dispirrittid] moedeloos, somber, mistroostig

displace [displees] **1** verplaatsen, verschuiven **2** vervangen, verdringen

[1]**display** [displee] *zn* **1** tentoonstelling, uitstalling, weergave: *the more expensive models are on ~ in our showroom* de duurdere modellen zijn uitgestald in onze toonzaal **2** vertoning, tentoonspreiding **3** demonstratie, vertoon, druktemakerij

[2]**display** [displee] *tr* **1** tonen, exposeren, uitstallen **2** tentoonspreiden, tonen, aan de dag leggen: *a touching ~ of friendship and affection* een ontroerende blijk van vriendschap en genegenheid **3** te koop lopen met, demonstreren

displease [displie:z] ergeren, irriteren: *be ~d at sth.* (of: *with s.o.*) boos zijn over iets (*of:* op iem)

disposable [dispoozebl] **1** beschikbaar: *~ income* besteedbaar inkomen **2** wegwerp-, weggooi-

disposal [dispoozl] **1** het wegdoen, verwijdering **2** overdracht, verkoop, schenking **3** beschikking: *I am entirely at your ~* ik sta geheel tot uw beschikking

dispose [dispooz] **1** plaatsen, ordenen, rangschikken, regelen **2** brengen tot, bewegen: *~ s.o. to do sth.* iem er toe brengen iets te doen

disposed [dispoozd] geneigd, bereid: *they seemed favourably ~ to(wards) that idea* zij sche-

nen welwillend tegenover dat idee te staan
dispose of 1 van de hand doen, verkopen, wegdoen 2 afhandelen; uit de weg ruimen *(vragen, problemen enz.)*
disposition [dispezisjen] 1 plaatsing, rangschikking, opstelling 2 aard, karakter, neiging: *she has a* (of: *is of a*) *happy* ~ zij heeft een opgewekt karakter
dispossess [dispezes] onteigenen, ontnemen: ~ *s.o. of sth.* iem iets ontnemen
disproportionate [dispreppo:sjenet] onevenredig, niet naar verhouding
disprove [disproe:v] weerleggen, de onjuistheid aantonen van
[1]**dispute** [dispjoe:t] *zn* 1 twistgesprek, discussie, woordenstrijd: *the matter in* ~ de zaak in kwestie 2 geschil, twist: *beyond* (of: *past, without*) ~ buiten kijf
[2]**dispute** [dispjoe:t] *intr* redetwisten, discussiëren
[3]**dispute** [dispjoe:t] *tr* 1 heftig bespreken, heftig discussiëren over 2 aanvechten, in twijfel trekken 3 betwisten, strijd voeren over 4 weerstand bieden aan
disqualify [diskwolliffaj] 1 ongeschikt maken 2 onbevoegd verklaren 3 diskwalificeren, uitsluiten
disregard [disrika:d] 1 geen acht slaan op, negeren: ~ *a warning* een waarschuwing in de wind slaan 2 geringschatten
disrepair [disrippe] verval, bouwvalligheid: *the house had fallen into* ~ (of: *was in* ~) het huis was vervallen
disrepute [disripjoe:t] slechte naam, diskrediet: *bring into* ~ in diskrediet brengen
disrupt [disrupt] 1 uiteen doen vallen, verscheuren 2 ontwrichten, verstoren: *communications were ~ed* de verbindingen waren verbroken
diss [dis] *(Am, inform)* beledigen, dissen
dissatisfaction [disetisfeksjen] ontevredenheid
dissect [dissekt] 1 in stukken snijden, verdelen 2 ontleden, grondig analyseren
dissection [disseksjen] 1 ontleed deel van dier of plant 2 ontleding, analyse
disseminate [dissemminneet] uitzaaien, verspreiden
dissension [dissensjen] 1 meningsverschil 2 tweedracht, verdeeldheid, onenigheid
dissent [dissent] verschil van mening
dissertation [disseteesjen] 1 verhandeling, dissertatie, proefschrift 2 scriptie
dissident [dissiddent] 1 dissident, andersdenkend 2 dissident, andersdenkende
dissimilar [dissimmille] ongelijk, verschillend: ~ *in character* verschillend van aard
dissimulation [dissimjoeleesjen] veinzerij
dissipate [dissippeet] 1 verdrijven, verjagen, doen verdwijnen 2 verspillen *(geld, krachten enz.)*; verkwisten
dissociate [dissoosjie·eet] scheiden, afscheiden: *it is very hard to ~ the man from what he did* het is erg moeilijk om de man los te zien van wat hij heeft gedaan; ~ *oneself from* zich distantiëren van
dissolute [disseloe:t] 1 losbandig 2 verdorven
[1]**dissolve** [dizzolv] *intr* oplossen, smelten: *(fig)* ~ *in(to) tears* in tranen wegsmelten
[2]**dissolve** [dizzolv] *tr* 1 oplossen 2 ontbinden *(vh parlement)*; opheffen
dissonance [dissenens] 1 wanklank 2 onenigheid
dissuade [disweed] ontraden, afraden
distance [distens] 1 afstand, tussenruimte, eind(je); *(fig)* afstand(elijkheid); terughoudendheid: *keep one's* ~ afstand bewaren; *within walking* ~ op loopafstand; *in the* ~ in de verte 2 (tijds)afstand, tijdsverloop, tijdruimte
distant [distent] 1 ver, afgelegen, verwijderd: ~ *relations* verre bloedverwanten 2 afstandelijk: *a* ~ *smile* een gereserveerde glimlach
distaste [disteest] (met *for)* afkeer (van), aversie (van), weerzin: *for once he managed to overcome his ~ hard work* eenmaal wist hij zijn afkeer van hard werken te overwinnen
[1]**distil** [distil] *intr* 1 afdruppelen, (neer)druppelen, sijpelen 2 gedistilleerd worden
[2]**distil** [distil] *tr* 1 distilleren 2 via distillatie vervaardigen, branden, stoken
distillery [distillerie] distilleerderij, stokerij
distinct [distingkt] 1 onderscheiden, verschillend, apart: *four ~ meanings* vier afzonderlijke betekenissen 2 duidelijk, goed waarneembaar, onmiskenbaar: *a ~ possibility* een stellige mogelijkheid
distinction [distingksjen] 1 onderscheiding, ereteken 2 onderscheid, onderscheiding, verschil: *draw a sharp ~ between* een scherp onderscheid maken tussen 3 voortreffelijkheid, aanzien, gedistingeerdheid
distinctive [distingktiv] onderscheidend, kenmerkend
distinguish [distingkwisj] 1 indelen, rangschikken 2 onderscheiden, onderkennen: ~ *cause and effect* oorzaak en gevolg onderscheiden 3 zien, onderscheiden: *I could ~ the tower in the distance* in de verte kon ik de toren onderscheiden 4 kenmerken, karakteriseren || ~ *between* onderscheid maken tussen, uit elkaar houden
distinguished [distingkwisjt] 1 voornaam, aanzienlijk 2 beroemd, befaamd 3 gedistingeerd
distort [disto:t] 1 vervormen, verwringen: *the frame of my bike was completely ~ed* het frame van mijn fiets was helemaal vervormd 2 verdraaien, vertekenen: *a ~ed version of the facts* een verdraaide versie van de feiten
distract [distrekt] 1 afleiden 2 verwarren, verbijsteren
distraction [distreksjen] 1 vermakelijkheid, ontspanning, vermaak 2 afleiding, ontspanning, vermaak 3 gebrek aan aandacht 4 verwarring, gekheid: *those children are driving me to ~* ik word

stapelgek van die kinderen
distress [distres] **1** leed, verdriet, zorg **2** nood, armoede **3** gevaar, nood: *a ship in ~* een schip in nood
distressed [distrest] **1** (diep) bedroefd **2** bang **3** overstuur, van streek **4** noodlijdend, behoeftig
distribute [distribjoe:t] distribueren, verdelen: *the rainfall is evenly ~d throughout the year* de regenval is gelijkmatig over het jaar verdeeld
distribution [distribjoe:sjen] verdeling, (ver)spreiding, distributie
district [distrikt] **1** district, regio **2** streek, gebied **3** wijk, buurt: *a residential ~* een woonwijk
[1]**distrust** [distrust] *zn* wantrouwen, argwaan, achterdocht
[2]**distrust** [distrust] *tr* wantrouwen, geen vertrouwen stellen in
disturb [diste:b] **1** in beroering brengen *(ook fig);* verontrusten: *~ing facts* verontrustende feiten **2** storen: *be mentally ~ed* geestelijk gestoord zijn; *please do not ~!* a.u.b. niet storen! **3** verstoren: *~ the peace* de openbare orde verstoren
disturbance [diste:bens] **1** opschudding, relletje **2** stoornis, verstoring: *a ~ of the peace* een ordeverstoring **3** storing
disunity [disjoe:nittie] verdeeldheid, onenigheid
disuse [disjoe:s] onbruik: *fall into ~* in onbruik (ge)raken
ditch [ditsj] sloot, greppel
[1]**dither** [diðe] *zn* zenuwachtigheid, nerveuze opwinding: *all of a ~* zenuwachtig, opgewonden
[2]**dither** [diðe] *intr* **1** aarzelen **2** zenuwachtig doen
ditto [dittoo] **1** dito, idem, hetzelfde **2** duplicaat
ditty [dittie] liedje, deuntje
[1]**dive** [dajv] *zn* **1** duik, duikvlucht **2** plotselinge snelle beweging, greep, duik: *he made a ~ for the ball* hij dook naar de bal **3** kroeg, tent
[2]**dive** [dajv] *intr* **1** duiken *(ook fig);* onderduiken, een duikvlucht maken: *~ into one's studies* zich werpen op zijn studie **2** wegduiken **3** tasten, de hand steken (in): *she ~d into her handbag* zij stak haar hand diep in haar tasje
diver [dajve] duiker
diverge [dajve:dzj] **1** uiteenlopen, uiteenwijken **2** afwijken, verschillen: *his account ~s from the official version* zijn verslag wijkt af van de officiële versie **3** afdwalen
diverse [dajve:s] **1** divers, verschillend **2** afwisselend, gevarieerd
diversion [dajve:sjen] **1** afleidingsactie, schijnbeweging **2** afleiding, ontspanning **3** omleiding
diversity [dajve:sittie] **1** ongelijkheid: *their ~ of interests* hun uiteenlopende belangen **2** verscheidenheid, diversiteit
divert [dajve:t] **1** een andere richting geven, verleggen, omleiden: *why was their plane ~ed to Vienna?* waarom moest hun toestel uitwijken naar Wenen? **2** afleiden *(aandacht)* **3** amuseren, vermaken
[1]**divide** [divvajd] *zn* **1** waterscheiding **2** scheidslijn
[2]**divide** [divvajd] *intr* **1** verdeeld worden **2** onenigheid krijgen **3** zich delen, zich vertakken
[3]**divide** [divvajd] *tr* **1** delen, in delen splitsen, indelen **2** scheiden: *~d highway* weg met gescheiden dubbele rijbanen **3** onderling verdelen *(ook fig);* distribueren, verkavelen: *~d against itself* onderling verdeeld **4** delen: *how much is 18 ~d by 3?* hoeveel is 18 gedeeld door 3?
dividend [divviddend] dividend, winstaandeel, uitkering (van winst)
divination [divvinneesjen] **1** profetie, voorspelling **2** waarzeggerij
[1]**divine** [divvajn] *bn* **1** goddelijk **2** aan God gewijd: *~ service* godsdienstoefening **3** hemels, verrukkelijk
[2]**divine** [divvajn] *intr* **1** waarzeggen **2** (met wichelroede) vaststellen
[3]**divine** [divvajn] *tr* gissen, raden, inzien, een voorgevoel hebben van
diviner [divvajne] **1** waarzegger **2** (wichel)roedeloper
divining rod wichelroede
divinity [divvinnittie] **1** godheid, goddelijkheid, god, goddelijk wezen: *the Divinity* de Godheid **2** theologie
divisible [divvizzibl] deelbaar
division [divvizjen] **1** (ver)deling, het delen: *a ~ of labour* een arbeidsverdeling **2** afdeling *(branche, bureau)* **3** *(mil)* divisie **4** scheiding, scheidslijn, afscheiding **5** verschil, ongelijkheid, onenigheid: *a ~ of opinion* uiteenlopende meningen
divisive [divvajsiv] tot ongelijkheid leidend, onenigheid brengend
[1]**divorce** [divvo:s] *zn* (echt)scheiding
[2]**divorce** [divvo:s] *tr* scheiden (van), zich laten scheiden van
divorcee [divvo:sie:] gescheiden vrouw
divulge [dajvuldzj] onthullen, openbaar maken, bekendmaken
DIY *afk van do-it-yourself* d.h.z., doe-het-zelf
dizzy [dizzie] **1** duizelig, draaierig **2** verward, versuft **3** duizelingwekkend *(van hoogte, snelheid e.d.)*
DJ [die:dzjee] *afk van disc jockey* deejay, dj
[1]**do** [doe:] *zn* partij, feest || *do's and don'ts* wat wel en wat niet mag
[2]**do** [doe:] *intr (does, did, done)* **1** doen, handelen, zich gedragen: *he did well to refuse that offer* hij deed er goed aan dat aanbod te weigeren; *she was hard done by* zij was oneerlijk behandeld **2** het stellen, maken, zich voelen: *how do you do* hoe maakt u het?; *he is doing well* het gaat goed met hem **3** aan de hand zijn, gebeuren: *nothing doing: a)* er gebeurt (hier) niets; *b)* daar komt niets van in **4** klaar zijn, opgehouden zijn (hebben): *be done with s.o.* niets meer te maken (willen) hebben met iem; *have done with sth.* ergens een punt achter zetten **5** geschikt zijn, voldoen, volstaan: *this copy won't do* deze kopie is niet goed genoeg;

it doesn't do to say such things zoiets hoor je niet te zeggen; *that will do!* en nou is 't uit! **6** het (moeten) doen, het (moeten) stellen met: *they'll have to do with what they've got* ze zullen het moeten doen met wat ze hebben || *do away with: a)* wegdoen, weggooien, een eind maken aan; *b)* afschaffen *(doodstraf, instituut e.d.)*; *do for s.o.* het huishouden doen voor iem, werkster zijn bij iem; *I could do with a few quid* ik zou best een paar pond kunnen gebruiken; *it has got nothing to do with you* jij staat erbuiten

[3]**do** [doe:] *tr (does, did, done)* **1** doen *(iets abstracts): do one's best* zijn best doen; *it isn't done* zoiets doet men niet; *what can I do for you?* wat kan ik voor je doen?, *(in winkel)* wat mag het zijn? **2** bezig zijn met *(iets concreets, bestaands)*; doen, opknappen, in orde brengen, herstellen; oplossen *(puzzels e.d.)*; studeren: *do one's duty* zijn plicht doen; *do psychology* psychologie studeren; *have one's teeth done* zijn tanden laten nakijken; *do up the kitchen* de keuken opknappen **3** maken, doen ontstaan: *the storm did a lot of damage* de storm richtte heel wat schade aan; *do wonders* wonderen verrichten **4** (aan)doen, geven, veroorzaken: *do s.o. a favour* iem een dienst bewijzen **5** beëindigen, afhandelen, afmaken; *(inform; fig)* uitputten; kapotmaken: *I have done cleaning, (inform) I am done cleaning* ik ben klaar met de schoonmaak; *done in* bekaf, afgepeigerd; *(inform) do s.o. in* iem van kant maken **6** *(cul)* bereiden, klaarmaken: *well done* goed doorbakken *(van vlees)* **7** rijden, afleggen: *do 50 mph.* 80 km/u rijden **8** *(inform)* beetnemen, afzetten, neppen: *do s.o. for $100* iem voor honderd dollar afzetten **9** ontvangen, onthalen: *he does himself well* hij zorgt wel dat hij niets te kort komt **10** *(inform)* uitzitten *(een straf): he has done time in Attica* hij zat vast in Attica || *I've done it again* ik heb het weer verknoeid; *a boiled egg will do me* ik heb genoeg aan een gekookt ei; *over and done with* voltooid verleden tijd; *do up a zip* (of: *a coat*) een rits (*of:* jas) dichtdoen

[4]**do** [doe:] *hulpww (does, did, done) (vaak onvertaald): (in vragende zin) do you know him?* ken je hem?; *(in ontkennende zin) I don't know him* ik ken hem niet; *(vervangt ww) he laughed and so did she* hij lachte, en zij ook; *I treat my friends as he does his enemies: badly* ik behandel mijn vrienden zoals hij zijn vijanden: slecht; *(om instemming te vragen) he writes well, doesn't he?* hij schrijft goed, nietwaar?; *(met nadruk, in gebiedende wijs) do come in!* kom toch binnen!; *oh, do be quiet!* o, houd alsjeblieft eens je mond!

doc [dok] *verk van doctor* dokter

docile [doosajl] meegaand, volgzaam

[1]**dock** [dok] *zn* **1** dok, droogdok, havendok, kade: *floating ~* drijvend dok **2** *~s* haven(s) **3** werf **4** beklaagdenbank: *be in the ~* terechtstaan || *in ~: a)* in reparatie; *b)* in het ziekenhuis; *c)* op de helling

[2]**dock** [dok] *intr* **1** dokken, de haven binnenlopen, in het dok gaan **2** gekoppeld worden *(ruimteschepen)*

[3]**dock** [dok] *tr* **1** couperen *(staart e.d.)*; afsnijden, afknippen **2** korten, (gedeeltelijk) inhouden, achterhouden **3** dokken, in het dok brengen **4** koppelen *(ruimteschepen)*

docker [dokkə] dokwerker, havenarbeider, stuwadoor

docket [dokkit] **1** bon, kassabon, bewijsstuk, reçu **2** korte inhoud *(ve document, rapport)*

dockyard werf

[1]**doctor** [doktə] *zn* **1** dokter, arts; *(Am)* tandarts; veearts: *that is just what the ~ ordered* dat is net wat je nodig hebt **2** doctor *(iem met de hoogste universitaire graad)*

[2]**doctor** [doktə] *ww* **1** *(euf)* helpen, steriliseren, castreren **2** knoeien met, rommelen met, vervalsen: *~ the accounts* de boeken vervalsen

doctrine [doktrin] **1** doctrine, leer **2** dogma, beginsel

[1]**document** [dokjoemənt] *zn* document, bewijsstuk

[2]**document** [dokjoement] *ww* documenteren, vastleggen

documentary [dokjoeməntərie] documentaire

documentation [dokjoeməntees jən] **1** documentatie **2** bewijsmateriaal

dodder [doddə] **1** beven *(van ouderdom, zwakte)* **2** schuifelen, strompelen

doddle [dodl] eitje: *it's a ~* het is een eitje, het is heel makkelijk

[1]**dodge** [dodzj] *zn* **1** (zij)sprong, ontwijkende beweging **2** foefje, trucje, slimmigheidje: *a tax ~* een belastingtruc

[2]**dodge** [dodzj] *intr* **1** (opzij) springen, snel bewegen, rennen: *the woman ~d behind the chair* de vrouw dook weg achter de stoel **2** uitvluchten zoeken, (eromheen) draaien

[3]**dodge** [dodzj] *tr* ontwijken, vermijden, ontduiken: *he kept dodging the question* hij bleef de vraag ontwijken

dodgem [dodzjəm] botsautootje

dodgy [dodzjie] **1** slim, gewiekst **2** netelig: *~ situation* netelige situatie

doe [doo] wijfje ve konijn

does [duz] *3e pers ev ott van* do

[1]**dog** [doǩ] *zn* **1** hond **2** *(inform)* kerel: *lucky ~* geluksvogel, mazzelaar || *not a ~'s chance* geen schijn van kans; *he is a ~ in the manger* hij kan de zon niet in het water zien schijnen; *go to the ~s* naar de bliksem gaan; *the ~s* (wind)hondenrennen

[2]**dog** [doǩ] *ww* (achter)volgen, (achter)nazitten

dog-eared met ezelsoren *(bladzij)*

dogged [doǩid] vasthoudend, volhardend

doggy [doǩie] hondje

dogmatic [doǩmetik] **1** dogmatisch **2** autoritair

dogsbody [doǩzboddie] duvelstoejager, sloof: *a general ~* een manusje-van-alles

do

doing [doe:ing] **1** handeling, het handelen, het (toe)doen: *it is all their ~* het is allemaal hun schuld **2** *~s* daden, handelingen
doldrums [doldremz] **1** neerslachtigheid: *be in the ~* in de put zitten **2** het stilliggen ve schip **3** *(fig)* stilstand
dole [dool] werkloosheidsuitkering, steun: *be on the ~* steun trekken
doll [dol] **1** pop **2** meisje, meid
dollar [dolle] dollar
dollop [dollep] (klein) beetje, kwak, scheut
doll up zich optutten: *doll oneself up* zich uitdossen
dolly [dollie] *(kindertaal)* pop(je)
dolphin [dolfin] dolfijn
dolt [doolt] domoor, uilskuiken
domain [demeen] **1** domein, (land)goed **2** gebied *(fig);* veld, terrein: *the garden is my wife's ~* de tuin is het domein van mijn vrouw
dome [doom] **1** koepel **2** gewelf **3** ronde top: *the ~ of a hill* de ronde top van een heuvel
[1]**domestic** [demestik] *zn* bediende, dienstbode
[2]**domestic** [demestik] *bn* **1** huishoudelijk, het huishouden betreffend: *~ economy* (of: *science*) huishoudkunde **2** huiselijk **3** binnenlands: *~ trade* binnenlandse handel **4** tam: *~ animals* huisdieren
domesticate [demestikkeet] **1** aan het huiselijk leven doen wennen **2** aan zich onderwerpen, temmen, beteugelen, tot huisdier maken
domicile [dommissajl] verblijfplaats, woning
dominance [domminnens] overheersing
dominant [domminnent] dominant *(ook biol);* (over)heersend
dominate [domminneet] domineren, overheersen: *~ the conversation* het hoogste woord voeren
domination [domminneesjen] overheersing, heerschappij
dominion [deminnien] **1** domein, (grond)gebied, rijk **2** heerschappij, macht
domino [domminnoo] *(mv: ~es)* **1** dominosteen **2** *~es* domino(spel)
donate [dooneet] schenken, geven: *~ money towards sth.* geld schenken voor iets
[1]**done** [dun] *bn* **1** netjes, gepast: *it is not ~* zoiets doet men niet **2** klaar, gereed, af: *be ~ with* klaar zijn met; *have ~ with* niets meer te maken (willen) hebben met **3** doodmoe, uitgeput || *hard ~ by* oneerlijk behandeld; *she seemed completely ~ in* (of: *up*) zij leek volkomen uitgeteld; *~!* akkoord!, afgesproken!
[2]**done** [dun] *volt dw van* do
donkey [dongkie] ezel *(ook fig);* domoor, sufferd
donor [doone] **1** gever, schenker **2** donor
don't [doont] verbod: *do's and ~s* wat wel en niet mag, geboden en verboden
donut *(Am) zie* doughnut
[1]**doodle** [doe:dl] *zn* krabbel, figuurtje, poppetje
[2]**doodle** [doe:dl] *ww* krabbelen, figuurtjes tekenen
[1]**doom** [doe:m] *zn* **1** noodlot, lot: *a sense of ~ and foreboding* een gevoel van naderend onheil **2** ondergang, verderf: *meet one's ~* de ondergang vinden **3** laatste oordeel
[2]**doom** [doe:m] *ww* **1** veroordelen, (ver)doemen **2** *(vnl. volt dw)* ten ondergang doemen: *the undertaking was ~ed from the start* de onderneming was vanaf het begin tot mislukken gedoemd
doomsday [doe:mzdee] dag des oordeels *(ook fig);* doemdag: *till ~* eeuwig
door [do:] **1** deur, (auto)portier: *answer the ~* (de deur) opendoen (voor iem die aangebeld heeft); *show s.o. the ~* iem de deur wijzen; *show s.o. to the ~* iem uitlaten; *out of ~s* buiten(shuis) **2** toegang, mogelijkheid: *leave the ~ open* de mogelijkheid openlaten || *lay the blame at s.o.'s ~* iem de schuld geven
doorway deuropening, ingang, deurgat
[1]**dope** [doop] *zn* **1** sufferd, domoor **2** drugs, verdovende middelen **3** doping, stimulerende middelen **4** info(rmatie), nieuws **5** smeermiddel, smeersel
[2]**dope** [doop] *ww* verdovende middelen, doping toedienen aan
dormant [do:ment] **1** slapend, sluimerend; *(biol)* in winterslaap **2** latent, verborgen **3** inactief: *a ~ volcano* een slapende vulkaan
dormitory [do:mitterie] **1** slaapzaal **2** *(Am)* studentenhuis
dormouse [do:maus] slaapmuis
dosage [doosidzj] dosering, dosis
[1]**dose** [doos] *zn* dosis *(ook fig);* hoeveelheid, stralingsdosis || *like a ~ of salts* razend vlug
[2]**dose** [doos] *ww* doseren, medicijn toedienen aan
[1]**doss** [dos] *zn* dutje
[2]**doss** [dos] *ww* maffen
dosser [dosse] dakloze
dosshouse logement, goedkoop hotelletje
[1]**dot** [dot] *zn* punt *(ook muz, morse; op letterteken);* spikkel, stip || *on the ~* stipt (op tijd)
[2]**dot** [dot] *ww* **1** een punt zetten op *(ook muz): (fig) ~ the i's (and cross the t's)* de puntjes op de i zetten **2** stippelen, (be)spikkelen: *~ted line* stippellijn || *sign on the ~ted line* (een contract) ondertekenen
dote (up)on dol zijn op, verzot zijn op; *(fig)* aanbidden; verafgoden
dotty [dottie] **1** gespikkeld, gestippeld **2** getikt, niet goed snik **3** (met *about*) dol (op), gek (op)
[1]**double** [dubl] *zn* **1** dubbel, doublet: *~ or quits* quitte of dubbel **2** het dubbele, dubbele (hoeveelheid, snelheid e.d.) **3** dubbelganger **4** *(film enz.)* doublure, vervanger, stuntman **5** verdubbeling *(van score, bord, inzet enz. in diverse sporten)* **6** *~s* *(tennis)* dubbel(spel): *mixed ~s* gemengd dubbel || *at* (of: *on*) *the ~* in looppas, *(fig)* meteen, onmiddellijk
[2]**double** [dubl] *bn* **1** dubbel, tweemaal (zo groot, veel): *~ the amount* tweemaal zoveel; *~ bed* tweepersoonsbed; *~ chin* onderkin, dubbele kin; *~ cream* dikke room; *~ entry (bookkeeping)* dubbe-

le boekhouding; ~ *exposure* dubbele belichting; ~ *glazing* (of: *windows*) dubbele beglazing (*of:* ramen); ~ *standard* het meten met twee maten *(fig)* **2** oneerlijk, dubbelhartig, vals: ~ *agent* dubbelagent, dubbelspion || ~ *Dutch* koeterwaals, onzin

[3]**double** [dubl] *intr* **1** (zich) verdubbelen, doubleren **2** terugkeren, plotseling omkeren: ~ *(back) on one's tracks* op zijn schreden terugkeren **3** een dubbele rol spelen **4** *(film enz.)* als vervanger optreden: ~ *for an actor* een (toneel)speler vervangen

[4]**double** [dubl] *tr* **1** verdubbelen, doubleren, tweemaal zo groot maken **2** *(film enz.)* als vervanger optreden van **3** *(bridge)* doubleren

[5]**double** [dubl] *bw* dubbel, tweemaal (zoveel als), samen

[1]**double back** *intr* terugkeren

[2]**double back** *tr* terugslaan, terugvouwen

double-bass contrabas

double-breasted met twee rijen knopen, dubbelrijs

double-cross bedriegen, dubbel spel spelen met, oplichten

[1]**double-dealing** *zn* oplichterij, bedrog

[2]**double-dealing** *bn* oneerlijk, vals

double-edged tweesnijdend *(ook fig): a ~ argument* een argument dat zowel vóór als tegen kan worden gebruikt

double-quick vliegensvlug, razendsnel, zo snel je kunt

double-talk **1** onzin **2** dubbelzinnigheid, dubbelzinnige opmerking(en)

double-time **1** looppas **2** overwerkgeld; onregelmatigheidstoeslag *(van werknemer)*

[1]**double up** *intr* ineenkrimpen *(vh lachen, vd pijn)*

[2]**double up** *tr* **1** buigen, doen ineenkrimpen: ~ *one's legs* zijn benen intrekken **2** opvouwen, omslaan, terugslaan

doubly [dublie] dubbel (zo), tweemaal (zo): ~ *careful* extra voorzichtig

[1]**doubt** [daut] *zn* twijfel, onzekerheid, aarzeling: *the benefit of the* ~ het voordeel van de twijfel; *be in no ~ about sth.* ergens zeker van zijn; *have one's ~s about sth.* ergens aan twijfelen; *without (a)* ~ ongetwijfeld; *no* ~ ongetwijfeld, zonder (enige) twijfel

[2]**doubt** [daut] *ww* twijfelen (aan), onzeker zijn, betwijfelen: ~ *that* (of: *whether*) (be)twijfelen of

dough [doo] **1** deeg **2** *(inform)* poen, centen

doughnut [doonut] donut

dour [doeə] streng, stug

dove [duv] duif *(ook fig);* aanhanger van vredespolitiek

dovecot(e) [duvkot] duiventil

dovetail precies passen *(ook fig);* overeenkomen: *my plans ~ed with his* mijn plannen sloten aan bij de zijne

dowdy [daudie] slonzig, slordig gekleed

[1]**down** [daun] *zn* dons, haartjes, veertjes || *have a ~ on s.o.* een hekel hebben aan iem

[2]**down** [daun] *bn* **1** neergaand, naar onder leidend **2** beneden **3** depressief, verdrietig || *cash* ~ contante betaling, handje contantje; ~ *payment* contante betaling, aanbetaling

[3]**down** [daun] *bw* neer, (naar) beneden, omlaag, onder: *bend* ~ bukken, vooroverbuigen; *the sun goes* ~ de zon gaat onder; *up and* ~ op en neer; ~ *with the president!* weg met de president! || *come* (of: *go*) ~ de universiteit verlaten *(voor vakantie of wegens afstuderen); be sent* ~ weggezonden worden van de universiteit; *eight ~ and two to go* acht gespeeld, nog twee te spelen; ~ *under* in Australië en Nieuw-Zeeland

[4]**down** [daun] *vz* **1** vanaf, langs: ~ *the coast* langs de kust; ~ *(the) river* de rivier af, verder stroomafwaarts; *he went ~ the street* hij liep de straat door **2** neer, af || ~ *town* de stad in, in het centrum

downcast terneergeslagen, somber, neerslachtig

downgrade **1** degraderen, in rang verlagen **2** de waarde naar beneden halen van

downhearted ontmoedigd, terneergeslagen, in de put

[1]**downhill** *bn* **1** (af)hellend, neerwaarts **2** gemakkelijk: *it's all ~ from here* het is een makkie vanaf hier

[2]**downhill** *bw* bergafwaarts, naar beneden: *go* ~ verslechteren

download *(comp)* downloaden

downpour stortbui, plensbui

[1]**downright** *bn* **1** uitgesproken, overduidelijk: *a ~ liar* iem die liegt dat het gedrukt staat **2** eerlijk, oprecht

[2]**downright** *bw* volkomen, door en door

downsizing [daunsajzing] inkrimping, bezuiniging

[1]**downstairs** *bn* beneden, op de begane grond

[2]**downstairs** *bw* (naar) beneden, de trap af

downstream stroomafwaarts

down-to-earth nuchter, met beide benen op de grond

downtown naar de binnenstad, de stad in

downward [daunwəd] naar beneden gaand, neerwaarts, aflopend

downwind met de wind mee (gaand)

downy [daunie] donzig, zacht

dowry [daurie] bruidsschat

dowse [dauz] (met een wichelroede) wateraders (mineralen) opsporen, wichelroede lopen

dowsing-rod wichelroede

[1]**doze** [dooz] *zn* sluimering, dutje

[2]**doze** [dooz] *intr* sluimeren, dutten, soezen: ~ *off* indutten, in slaap sukkelen

[3]**doze** [dooz] *tr (met away)* verdutten, versuffen

dozen [duzn] **1** dozijn, twaalftal **2** groot aantal, heleboel: *~s (and ~s) of people* een heleboel mensen; *by the* ~ bij tientallen, bij bosjes || *it's six of one and half a ~ of the other* het is lood om oud ijzer

dozy [doozie] slaperig, soezerig

[1]**drab** [dreb] *zn (plat)* slons, slet, hoer
[2]**drab** [dreb] *bn* **1** *(inform)* vaalbruin **2** kleurloos, saai
[1]**draft** [dra:ft] *zn* **1** klad(je), concept, schets: *in ~* in het klad **2** *(Am; the)* dienstplicht
[2]**draft** [dra:ft] *ww* **1** ontwerpen, schetsen, een klad(je) maken van **2** *(Am)* indelen, detacheren **3** *(Am)* oproepen (voor militaire dienst)
draftsman [dra:ftsmen] **1** tekenaar, ontwerper **2** opsteller (van documenten)
[1]**drag** [drek] *zn* **1** het slepen, het trekken **2** het dreggen **3** dreg, dregnet, dreganker **4** rem *(fig)*; belemmering, vertraging, blok aan het been: *it was a ~ on the proceedings* het belemmerde de werkzaamheden **5** saai gedoe, saai figuur, vervelend iets (iem): *it was such a ~* het was stomvervelend **6** trekje *(aan sigaret)*; haaltje **7** door een man gedragen vrouwenkleding: *in ~* in travestie, als man verkleed
[2]**drag** [drek] *intr* **1** dreggen: *~ for* dreggen naar **2** zich voortslepen; kruipen *(van tijd)*; lang duren, langdradig zijn: *~ on* eindeloos duren **3** achterblijven
[3]**drag** [drek] *tr* afdreggen; afzoeken *(rivier)*
[4]**drag** [drek] *tr, intr* (mee)slepen, (voort)trekken, (voort)sleuren, (voort)zeulen: *~ through the mire* (of: *mud*) door het slijk halen *(ook fig)*; *don't ~ my name in* laat mijn naam erbuiten
drag down **1** slopen, uitputten, ontmoedigen **2** neerhalen *(ook fig)*; verlagen
draggy [drekie] *(inform)* duf, saai, vervelend
dragon [dreken] draak
dragonfly libel, waterjuffer
[1]**dragoon** [drekoe:n] *zn* dragonder *(ook fig)*
[2]**dragoon** [drekoe:n] *ww* (met *into*) (met geweld) dwingen tot
drag out **1** eruit trekken *(waarheid e.d.)* **2** rekken *(vergadering, verhaal e.d.)*; uitspinnen
[1]**drain** [dreen] *zn* **1** afvoerkanaal, afvoerbuis, riool: *down the ~* naar de knoppen, verloren **2** afvloeiing, onttrekking; *(fig)* druk; belasting: *it is a great ~ on his strength* het vergt veel van zijn krachten
[2]**drain** [dreen] *intr* **1** weglopen, wegstromen, (uit)lekken: *~ away* wegvloeien, *(fig)* wegebben, afnemen **2** leeglopen, afdruipen **3** afwateren, lozen
[3]**drain** [dreen] *tr* **1** afvoeren, doen afvloeien, afgieten; *(fig)* doen verdwijnen **2** leegmaken, leegdrinken: *~ off* afvoeren, leegmaken **3** droogleggen || *a face ~ed of all colour* een doodsbleek gezicht
drainpipe regenpijp, afvoerpijp
drake [dreek] woerd, mannetjeseend
dram [drem] **1** drachme, dram **2** neutje
drama [dra:me] toneelstuk, drama
dramatic [dremetik] **1** dramatisch, toneel-: *~ irony* tragische ironie **2** indrukwekkend, aangrijpend
[1]**dramatize** [dremetajz] *intr* zich aanstellen, dramatisch doen, overdrijven
[2]**dramatize** [dremetajz] *tr* dramatiseren, als drama bewerken, aanschouwelijk voorstellen
drank [drengk] *ovt van* drink
[1]**drape** [dreep] *zn* **1** draperie **2** *(Am)* gordijn
[2]**drape** [dreep] *ww* **1** bekleden, omhullen, versieren **2** draperen *(ook fig)*
drapery [dreeperie] **1** stoffen **2** manufacturenhandel **3** *(Am)* gordijn
drastic [drestik] drastisch, ingrijpend
drat [dret] verwensen, vervloeken: *(inform) that ~ted animal!* dat vervelende beest!
draught [dra:ft] **1** tocht, trek, luchtstroom: *(inform) feel the ~* op de tocht zitten, *(fig)* in geldnood verkeren **2** teug; slok *(van medicinaal drankje)* **3** drankje, medicijn, dosis **4** het aftappen: *beer on ~* bier van het vat **5** schets, concept, klad **6** damschijf: *(game of) ~s* damspel, het dammen
draughtboard dambord
draught-proof tochtdicht, tochtvrij *(van ramen enz.)*
draughtsman [dra:ftsmen] **1** tekenaar, ontwerper **2** opsteller *(van documenten)* **3** damschijf
[1]**draw** [dro:] *zn* **1** trek, het trekken: *he is quick on the ~* hij kan snel zijn revolver trekken, *(fig)* hij reageert snel **2** aantrekkingskracht, attractie, trekpleister **3** *(loterij)* trekking, (uit)loting, verloting **4** gelijkspel, remise
[2]**draw** [dro:] *intr (drew, drawn)* **1** komen, gaan: *~ to an end* (of: *a close*) ten einde lopen; *~ level* gelijk komen *(in race)* **2** aantrekkingskracht uitoefenen, publiek trekken **3** *(sport, spel)* gelijkspelen, in gelijkspel eindigen, remise maken **4** trekken *(van thee)*
[3]**draw** [dro:] *tr (drew, drawn)* **1** (aan)trekken, (aan)lokken: *~ attention to* de aandacht vestigen op **2** (in)halen: *~ a deep breath* diep inademen, diep ademhalen **3** ertoe brengen, overhalen **4** (te voorschijn) halen, uittrekken; *(fig)* ontlokken; naar buiten brengen; (af)tappen *(bier enz.)*: *~ blood* bloed doen vloeien, *(fig)* iem gevoelig raken; *he refused to be ~n* hij liet zich niet uit zijn tent lokken **5** van de ingewanden ontdoen **6** opstellen *(tekst)*; opmaken, formuleren; uitschrijven *(cheque)* **7** trekken *(geld, loon)*; opnemen, ontvangen **8** *(sport, spel)* in gelijkspel doen eindigen || *~ off: a)* afleiden *(aandacht)*; *b)* weglokken; *c)* aftappen
[4]**draw** [dro:] *tr, intr (drew, drawn)* **1** trekken, slepen; tevoorschijn halen *(wapen)*; dichtdoen *(gordijn)*: *~ the blinds* de jaloezieën neerlaten; *~ back the curtains* de gordijnen opentrekken; *~ s.o. into a conversation* iem in een gesprek betrekken **2** tekenen, schetsen: *(fig) one has to ~ the line somewhere* je moet ergens een grens trekken **3** loten, door loting verkrijgen **4** putten *(ook fig)*: *~ inspiration from* inspiratie opdoen uit; *I'll have to ~ upon my savings* ik zal mijn spaargeld moeten aanspreken || *~ a conclusion* een conclusie trekken
draw apart uit elkaar gaan, uit elkaar groeien
draw away **1** (met *from*) wegtrekken (van), (zich) terugtrekken (van) **2** (met *from*) uitlopen (op),

een voorsprong nemen (op)
drawback nadeel, bezwaar
draw back (met *from*) (zich) terugtrekken (van), terugwijken (van, voor)
drawbridge ophaalbrug
drawer [dro:] **1** lade: *a chest of ~s* een ladekast **2** *~s* (lange) onderbroek
draw in 1 binnenrijden, komen aanrijden **2** aan de kant gaan rijden **3** ten einde lopen *(van dag);* schemerig worden; korter worden *(van dagen)*
drawing [dro:ing] **1** tekening **2** het tekenen, tekenkunst: *Yvonne is good at ~* Yvonne is goed in tekenen
drawing-pin punaise
drawing-room salon, zitkamer
[1]**drawl** [dro:l] *zn* lijzige manier van praten
[2]**drawl** [dro:l] *ww* lijzig praten
[1]**drawn** [dro:n] *bn* **1** vertrokken, strak; afgetobd *(gezicht)* **2** onbeslist *(wedstrijd)*
[2]**drawn** [dro:n] *volt dw van* draw
[1]**draw out** *intr* **1** langer worden *(van dagen)* **2** wegrijden *(van trein enz.)*
[2]**draw out** *tr* **1** (uit)rekken, uitspinnen **2** aan de praat krijgen, eruit halen, uithoren
[1]**draw up** *intr* stoppen, tot stilstand komen: *~ to* naderen, dichter komen bij
[2]**draw up** *tr* **1** opstellen; plaatsen *(soldaten)* **2** opmaken, opstellen, formuleren **3** aanschuiven *(stoel);* bijtrekken || *draw oneself up* zich oprichten, zich lang maken
[1]**dread** [dred] *zn* (doods)angst, vrees, schrik
[2]**dread** [dred] *ww* vrezen, erg opzien tegen, doodsbang zijn (voor): *I ~ to think (of) what will happen to him* ik moet er niet aan denken wat hem allemaal zal overkomen
dreadful [dredfoel] vreselijk, ontzettend
dreadlocks [dredloks] rastakapsel, rastavlechten
[1]**dream** [drie:m] *zn* droom; *(fig)* ideaal: *a ~ of a dress* een beeldige jurk
[2]**dream** [drie:m] *ww (dreamt, dreamt)* dromen, zich verbeelden, zich indenken: *~ up* verzinnen; *she wouldn't ~ of moving* zij piekerde er niet over om te verhuizen
dreamt [dremt] *ovt en volt dw van* dream
dreary [drierie] **1** somber, treurig **2** saai
dredge [dredzj] (op)dreggen, (uit)baggeren: *(fig) ~ up old memories* herinneringen ophalen
dregs [drekz] **1** bezinksel, droesem: *drink* (of: *drain) to the ~* tot op de bodem ledigen **2** *(min)* iets waardeloos, uitvaagsel: *~ of society* uitschot van de maatschappij
drench [drentsj] doordrenken, doorweken, kletsnat maken: *sun-drenched beaches* zonovergoten stranden
[1]**dress** [dres] *zn* **1** jurk, japon **2** kleding, dracht
[2]**dress** [dres] *tr* **1** (aan)kleden, van kleding voorzien, kleren aantrekken: *~ed to kill* opvallend gekleed; *~ up* verkleden, vermommen **2** versieren, opsieren, optuigen: *~ up: a)* opdoffen; *b) (ook fig)* mooi doen lijken, aanvaardbaar laten klinken (*of:* maken), leuk brengen **3** *(med)* verbinden; verzorgen *(wond);* verband aanleggen op **4** opmaken, kammen en borstelen, kappen || *~ down: a)* roskammen *(paard); b)* een pak slaag geven, op z'n donder geven
[3]**dress** [dres] *tr, intr* **1** zich (aan)kleden, gekleed gaan **2** zich verkleden: *~ for dinner* zich verkleden voor het eten
dressing [dressing] **1** het (aan)kleden **2** *(med)* verband(materiaal) **3** slasaus **4** *(Am; cul)* vulling
dressing-gown 1 badjas **2** ochtendjas
dressmaker naaister, kleermaker
dress rehearsal generale repetitie
drew [droe:] *ovt van* draw
[1]**dribble** [dribl] *zn* **1** stroompje; *(fig)* vleugje; druppeltje, beetje **2** *(sport)* dribbel **3** kwijl, speeksel
[2]**dribble** [dribl] *intr* **1** (weg)druppelen, langzaam wegstromen; *(fig)* haast ongemerkt verdwijnen: *the answers ~d in* de antwoorden kwamen binnendruppelen **2** kwijlen **3** *(sport)* dribbelen
[3]**dribble** [dribl] *tr* (laten) druppelen, langzaam laten vloeien
dried [drajd] droog, gedroogd: *~ milk* melkpoeder
drier [drajje] droger, haardroger, wasdroger, droogmolen
[1]**drift** [drift] *zn* **1** afwijking, afdrijving, het zwerven **2** vlaag, sneeuwvlaag, regenvlaag, stofwolk **3** opeenhoping, berg, massa **4** ongeorganiseerde beweging, gang, trek: *the ~ from the country to the city* de trek van het platteland naar de stad **5** strekking, tendens, bedoeling: *the general ~ of the story* de algemene strekking van het verhaal
[2]**drift** [drift] *intr* **1** (af)drijven, uiteendrijven *(ook fig);* (zich laten) meedrijven, (rond)zwalken: *~ away* (of: *off*) geleidelijk verdwijnen **2** opwaaien; (zich) ophopen *(van sneeuw)*
[3]**drift** [drift] *tr* **1** meevoeren, voortdrijven **2** bedekken *(met sneeuw, bladeren)*
[1]**drill** [dril] *zn* **1** boor(machine), drilboor **2** het drillen, exercitie, oefening **3** driloefening, het opdreunen, het erin stampen **4** gebruikelijke procedure, normale gang van zaken
[2]**drill** [dril] *intr* **1** boren, gaten boren **2** stampen, (mechanisch) leren **3** oefenen, exerceren
[3]**drill** [dril] *tr* **1** doorboren **2** aanboren **3** drillen, africhten, trainen **4** erin stampen, erin heien
drily [drajlie] droog(jes)
[1]**drink** [dringk] *zn* **1** (iets te) drinken, slok, teug: *would you like a ~?* wilt u misschien iets drinken? **2** drank, sterkedrank, alcohol: *food and ~* eten en drinken
[2]**drink** [dringk] *tr (drank, drunk)* **1** in zich opnemen, (in)drinken: *~ in s.o.'s words* iemands woorden in zich opnemen **2** drinken op, het glas heffen op: *they drank (to) his health* zij dronken op zijn gezondheid
[3]**drink** [dringk] *tr, intr (drank, drunk)* drinken,

leegdrinken, opdrinken: *he ~s like a fish* hij zuipt als een ketter; *~ up* opdrinken, (het glas) leegdrinken

drink-driver alcomobilist, automobilist die te veel gedronken heeft

drink to toosten op, een dronk uitbrengen op

[1]**drip** [drip] *zn* **1** gedruppel, druppel, het druppelen **2** infuus, infusievloeistof **3** sukkel, slome (duikelaar)

[2]**drip** [drip] *intr* druipen, druppelen: *~ping wet* drijfnat, doornat

[3]**drip** [drip] *tr* laten druppelen

drippy [drippie] flauw, onnozel

[1]**drive** [drajv] *zn* **1** rit(je), rijtoer: *let's go for a ~* laten we een eindje gaan rijden **2** *(psych)* drift, drang **3** actie, campagne **4** laan, oprijlaan, oprit **5** (groot) offensief, (zware) aanval **6** aandrijving, overbrenging: *front-wheel ~* voorwielaandrijving **7** drijfkracht, stuwkracht **8** energie, doorzettingsvermogen **9** diskdrive || *right-hand ~* met het stuur rechts, (met) rechtse besturing

[2]**drive** [drajv] *intr (drove, driven)* **1** snellen, (voort)stormen, (blijven) doorgaan **2** gooien, schieten, lanceren

[3]**drive** [drajv] *tr (drove, driven)* **1** dwingen, brengen tot: *~ s.o. to despair* iem wanhopig maken **2** aandrijven

[4]**drive** [drajv] *tr, intr (drove, driven)* **1** drijven *(ook fig)*; opjagen, bijeendrijven: *~ out* verdrijven, uitdrijven, verdringen **2** rijden, (be)sturen, vervoeren: *~ in* binnenrijden; *~ off* wegrijden; *~ up* voorrijden **3** voortdrijven, duwen; slaan *(ook sport)*: *~ home: a)* vastslaan, inhameren; *b)* volkomen duidelijk maken; *~ in: a)* inslaan *(spijker enz.)*; *b)* inhameren *(fig)*

drive at doelen op, bedoelen: *what is he driving at?* wat bedoelt hij?

[1]**drive-in** *zn* drive-in, bioscoop, cafetaria

[2]**drive-in** *bn* drive-in, inrij-

[1]**drivel** [drivl] *zn* gezwam, kletskoek

[2]**drivel** [drivl] *ww* zwammen, (onzin) kletsen, zeveren

driven [drivn] *volt dw van* drive

driver [drajve] **1** bestuurder, chauffeur, machinist **2** (vee)drijver

driveway oprijlaan, oprit

driving [drajving] **1** aandrijvend; stuwend *(ook fig)* **2** krachtig, energiek: *~ rain* slagregen

driving licence rijbewijs

[1]**drizzle** [drizl] *zn* motregen

[2]**drizzle** [drizl] *ww* motregenen, miezeren

droll [drool] komiek, humoristisch

dromedary [drommedrie] dromedaris

[1]**drone** [droon] *zn* **1** hommel, dar **2** gegons, gezoem, gebrom **3** dreun, eentonige manier van praten

[2]**drone** [droon] *ww* **1** gonzen, zoemen, brommen **2** (op)dreunen *(ook fig)*; monotoon spreken: *~ on* (door)zeuren

drool [droe:l] **1** kwijlen: *(inform; fig) ~ about* (of: *over*) dwepen met, weglopen met **2** *(inform)* zwammen, leuteren

[1]**droop** [droe:p] *zn* hangende houding, het (laten) hangen

[2]**droop** [droe:p] *ww* **1** neerhangen, (af)hangen, slap worden, krom staan **2** verflauwen, afnemen, verslappen

[1]**drop** [drop] *zn* **1** druppel, drupje, neutje; *(fig)* greintje; spoor(tje): *he has had a ~ too much* hij heeft te diep in het glaasje gekeken **2** zuurtje **3** *~s* druppels, medicijn: *(inform) knock-out ~s* bedwelmingsmiddel || *a ~ in a bucket* (of: *in the ocean*) een druppel op een gloeiende plaat; *at the ~ of a hat* meteen, bij de minste aanleiding, zonder te aarzelen

[2]**drop** [drop] *intr* **1** druppelen, druipen **2** vallen, omvallen, neervallen, zich laten vallen; *(fig)* terloops geuit worden: *~ dead!* val dood! **3** ophouden, verlopen, uitvallen: *they let the matter ~* zij lieten de zaak verder rusten **4** dalen, afnemen, zakken: *the wind has ~ped* de wind is gaan liggen || *~ back* (of: *behind*) achterblijven, achtergelaten worden; *~ behind* achterraken bij

[3]**drop** [drop] *tr* **1** laten druppelen, laten druipen **2** laten vallen, laten zakken, neerlaten **3** laten varen, laten schieten, opgeven: *~ (the) charges* een aanklacht intrekken **4** laten dalen, verminderen, verlagen: *~ one's voice* zachter praten **5** terloops zeggen, laten vallen: *~ s.o. a hint* iem een wenk geven; *~ me a line* schrijf me maar een paar regeltjes **6** afleveren, afgeven, afzetten: *he ~ped me at the corner* hij zette mij bij de hoek af

drop in langskomen, binnenvallen: *~ on s.o.* even aanlopen bij iem

[1]**drop off** *intr* **1** geleidelijk afnemen, teruglopen **2** *(inform)* in slaap vallen

[2]**drop off** *tr* afzetten, laten uitstappen

drop out **1** opgeven, zich terugtrekken **2** *(Am)* vroegtijdig verlaten

drop-out drop-out, voortijdige schoolverlater, verstotene

droppings [droppingz] uitwerpselen *(van dieren)*; keutels

drought [draut] (periode van) droogte

[1]**drove** [droov] *zn* horde; kudde *(vee)*; menigte *(mensen)*: *people came in ~s* de mensen kwamen in drommen

[2]**drove** [droov] *ovt van* drive

drown [draun] **1** (doen) verdrinken, (doen) verzuipen: *~ one's sorrows (in drink)* zijn verdriet verdrinken **2** (doen) overstromen, onder water zetten, (rijkelijk) overspoelen; *(fig)* overstemmen; overstelpen

[1]**drowse** [drauz] *intr* slaperig zijn, dommelen, loom zijn

[2]**drowse** [drauz] *tr* slaperig maken, suf maken, sloom maken

drubbing [drubbing] **1** pak slaag, aframmeling **2** (zware) nederlaag

[1]**drudge** [drudzj] *zn* sloof, zwoeger, werkezel

[2]**drudge** [drudzj] *ww* zwoegen, zich afbeulen, eentonig werk doen

drudgery [drudzjerie] eentonig werk, slaafs werk

[1]**drug** [druǩ] *zn* **1** geneesmiddel, medicijn **2** drug, verdovend middel

[2]**drug** [druǩ] *ww* medicijn(en) e.d. toedienen, bedwelmen, drogeren, verdoven

drug addict drugsverslaafde

drugstore *(Am)* klein warenhuis, apotheek, drogisterij

[1]**drum** [drum] *zn* **1** trom, trommel **2** getrommel, geroffel, roffel, het trommelen **3** *~s* slagwerk, drumstel, drums **4** drum, ton, vat

[2]**drum** [drum] *tr, intr* trommelen, drummen, slagwerker zijn, roffelen, ritmisch tikken || *~ up* optrommelen, bijeenroepen; *~ up trade* een markt creëren, klanten werven; *~ sth. into s.o.* (of: *s.o.'s head*) iets bij iem erin hameren

drum major tamboer-majoor

drummer [drumme] slagwerker, drummer, tamboer

drumstick **1** trommelstok **2** (gebraden) kippenpootje, drumstick

[1]**drunk** [drungk] *zn* dronkaard, zuiplap

[2]**drunk** [drungk] *bn* **1** dronken: *~ and disorderly* in kennelijke staat; *blind* (of: *dead*) *~* stomdronken **2** door het dolle heen, (brood)dronken: *~ with power* tiranniek, machtswellustig

[3]**drunk** [drungk] *volt dw van* drink

drunken [drungken] dronken, dronkenmans-

[1]**dry** [draj] *bn* **1** droog: *~ land* vaste grond **2** droog, (op)gedroogd; zonder beleg *(brood);* drooggelegd *(land; ook fig): run ~* opdrogen, droog komen te staan **3** *(inform)* dorstig **4** droog, op droge toon (gezegd), ironisch || *~ cleaner('s)* stomerij; *(as) ~ as dust, bone-dry* gortdroog, kurkdroog; *~ run* repetitie, het proefdraaien

[2]**dry** [draj] *intr* (op)drogen, droog worden, uitdrogen: *dried milk* melkpoeder || *~ out: a)* uitdrogen, grondig droog worden; *b)* afkicken *(alcoholici); ~ up: a)* opdrogen; *b) (ook fig)* afnemen tot niets

[3]**dry** [draj] *tr* (af)drogen, laten drogen || *~ out: a)* grondig droog laten worden; *b)* laten afkicken *(alcoholici)*

dry-cleaning **1** het chemisch reinigen **2** chemisch gereinigde kleding

dryer [drajje:] *zie* drier

dual [djoe:el] tweevoudig, tweeledig: *~ carriageway* dubbele rijbaan; *dual-purpose* voor twee doeleinden geschikt

dub [dub] **1** tot ridder slaan, ridderen **2** noemen, (om)dopen (tot), de bijnaam geven van **3** (na)synchroniseren, dubben

dubbing [dubbing] het bijmixen *(geluid);* (na)synchronisatie

dubious [djoe:bies] **1** twijfelend, aarzelend, onzeker **2** onbetrouwbaar, twijfelachtig

duchy [dutsjie] hertogdom

[1]**duck** [duk] *zn* eend, eendvogel || *play ~s and drakes with, make ~s and drakes of* verkwanselen; *take to sth. like a ~ to water* in z'n element zijn

[2]**duck** [duk] *intr* buigen, (zich) bukken, wegduiken

[3]**duck** [duk] *tr* **1** plotseling (onder)dompelen, kopje-onder duwen **2** ontwijken, vermijden **3** snel intrekken *(hoofd)*

duckboard loopplank *(over greppel of modder)*

duckling [dukling] jonge eend, eendje

duckweed eendenkroos

duct [dukt] buis *(ook biol);* kanaal, goot, leiding

dud [dud] **1** prul, nepding **2** blindganger *(bom, granaat)*

dude [djoe:d] **1** kerel, vent **2** stadsmens *(als vakantieganger op boerderij)*

[1]**due** [djoe:] *zn* **1** datgene wat iem toekomt: *give s.o. his ~* iem niet tekortdoen, iem geven wat hem toekomt **2** *~s* schuld(en), rechten, contributie

[2]**due** [djoe:] *bn* **1** gepast, juist, terecht: *with ~ care* met gepaste zorgvuldigheid; *in ~ time, in ~ course (of time)* te zijner tijd **2** schuldig, verschuldigd, invorderbaar, verplicht: *postage ~* ongefrankeerd; *the amount ~* het verschuldigde bedrag; *fall* (of: *become*) *~* vervallen, verschijnen *(termijn); our thanks are ~ to you* wij zijn u dank verschuldigd **3** verwacht: *the aircraft is ~ at 4.50 p.m.* het toestel wordt om 16 uur 50 verwacht || *~ to* toe te schrijven aan

[3]**due** [djoe:] *bw* precies *(alleen vóór windstreken): ~ south* pal naar het zuiden

duel [djoe:el] duel

duet [djoe:et] duet

due to wegens, vanwege, door

duff [duf] waardeloos, slecht, kapot

dug [duǩ] *ovt en volt dw van* dig

dugout **1** (boomstam)kano **2** schuilhol, uitgegraven schuilplaats **3** *(sport)* dug-out

duke [djoe:k] hertog

dull [dul] **1** saai, vervelend **2** dom, sloom **3** mat *(van kleur, geluid, pijn);* dof **4** bot, stomp **5** bewolkt, betrokken **6** *(handel)* flauw: *the ~ season* de slappe tijd || *as ~ as ditchwater* (of: *dishwater*) oersaai

duly [djoe:lie] **1** behoorlijk, naar behoren, terecht **2** stipt, prompt

dumb [dum] **1** stom, niet kunnen spreken, zwijgzaam: *to be struck ~* met stomheid geslagen zijn, sprakeloos zijn **2** dom, stom, suf

dumbo [dumboo] dombo, stomkop

dumb show gebarenspel, pantomime

[1]**dummy** [dummie] *zn* **1** dummy; blinde *(kaartspel);* pop; model *(van boek);* proefpagina, stroman, figurant **2** nepartikel **3** fopspeen **4** *(inform)* sufferd, uilskuiken

[2]**dummy** [dummie] *bn* **1** namaak, schijn, nep **2** proef-: *~ run* het proefdraaien, militaire oefening

[1]**dump** [dump] *zn* **1** hoop, (vuilnis)belt, (vuil)stort-

plaats **2** dump, tijdelijk depot van legergoederen **3** *(inform)* puinhoop, vervallen woning, desolate stad, desolaat dorp || *(inform) (down) in the ~s* in de put, somber

[2]**dump** [dump] *ww* **1** dumpen, storten, lozen, neersmijten **2** dumpen *(goederen op buitenlandse markt)* **3** achterlaten, in de steek laten

du

dumpy [dumpie] kort en dik

dune [djoe:n] duin

dung [dung] mest, drek, gier

dungarees [dungkerie:z] overall, jeans, tuinbroek

dungeon [dundzjen] kerker

dunghill **1** mesthoop **2** puinhoop

dunk [dungk] onderdompelen *(ook fig);* (in)dopen; soppen *(brood in thee e.d.)*

duodenum [djoe:oodie:nem] *(med)* twaalfvingerige darm

[1]**dupe** [djoe:p] *zn* dupe, slachtoffer (van bedrog), bedrogene

[2]**dupe** [djoe:p] *ww* bedriegen, benadelen, duperen

[1]**duplicate** [djoe:plikket] *zn* **1** duplicaat, kopie **2** duplo: *in ~* in duplo, in tweevoud

[2]**duplicate** [djoe:plikket] *bn* **1** dubbel, tweevoudig **2** gelijkluidend, identiek

[3]**duplicate** [djoe:plikkeet] *ww* **1** verdubbelen, kopiëren, verveelvuldigen **2** herhalen

duplicity [djoe:plissittie] dubbelhartigheid, bedrog

durable [djoeerebl] duurzaam, bestendig, onverslijtbaar

duration [djoereesjen] duur

during [djoeering] tijdens, gedurende, onder: *~ the afternoon* in de loop van de middag

dusk [dusk] schemer(ing), duister, duisternis

[1]**dust** [dust] *zn* **1** stof, poeder **2** stofwolk: *(fig) when the ~ had settled* toen de gemoederen bedaard waren

[2]**dust** [dust] *intr* (af)stoffen, stof afnemen

[3]**dust** [dust] *tr* **1** bestuiven, bestrooien: *~ crops* gewas besproeien *(vanuit vliegtuig)* **2** afstoffen

dustbin vuilnisbak

duster [duste] **1** stoffer, plumeau **2** stofdoek

dust jacket stofomslag

dustman [dustmen] vuilnisman

dust off afstoffen; *(fig)* opfrissen; ophalen *(oude kennis)*

dustpan blik *(stoffer en blik)*

dust-up **1** handgemeen **2** rel, oproer

dusty [dustie] **1** stoffig, bestoft, droog **2** als stof || *not so ~* lang niet gek

[1]**Dutch** [dutsj] *eig.n.* **1** Nederlands, Hollands **2** Nederlanders, het Nederlandse volk || *(Am; inform) beat the ~* een bijzondere prestatie leveren

[2]**Dutch** [dutsj] *bn* Nederlands, Hollands || *~ auction* veiling bij afslag; *~ bargain* overeenkomst die met een dronk bezegeld wordt; *~ comfort* schrale troost; *~ courage* jenevermoed; *~ door* boerderijdeur, onder- en bovendeur; *~ treat* feest waarbij ieder voor zich betaalt; *talk like a ~ uncle* duidelijk zeggen waar het op staat; *go ~* ieder voor zich betalen

Dutchman [dutsjmen] Nederlander, Hollander || *... or I am a ~, I am a ~ if...* ik ben een boon als ik ...

dutiful [djoe:tiffoel] **1** plicht(s)getrouw **2** gehoorzaam, eerbiedigend

duty [djoe:tie] **1** plicht, verplichting, taak, functie, dienst: *do ~ for* dienstdoen als, vervangen; *off ~* buiten (de) dienst(tijd), in vrije tijd; *on ~* in functie, in diensttijd **2** belasting, accijns, (invoer-, uitvoer)recht(en) **3** mechanisch arbeidsvermogen: *a heavy ~ drilling machine* een boormachine voor zwaar werk **4** *-ies* functie, werkzaamheden **5** belasting, accijns, (invoer-, uitvoer)rechten

duty-free belastingvrij

[1]**dwarf** [dwo:f] *zn (mv: ook dwarves)* dwerg

[2]**dwarf** [dwo:f] *bn* dwerg-, dwergachtig

[3]**dwarf** [dwo:f] *tr* **1** in z'n groei belemmeren, klein(er) maken, klein houden: *~ plants* miniatuurplanten kweken **2** klein(er) doen lijken: *the skyscraper ~ed all the other buildings* bij de wolkenkrabber verzonken alle andere gebouwen in het niet

dwell [dwel] *(ook dwelt, dwelt)* **1** wonen, verblijven, zich ophouden **2** blijven stilstaan, uitweiden: *~ (up)on* (lang) blijven stilstaan bij, (lang) doorgaan over

dwelling [dwelling] woning

dwelt [dwelt] *ovt en volt dw van* dwell

dwindle [dwindl] afnemen, achteruitgaan

[1]**dye** [daj] *zn* verf(stof), kleurstof

[2]**dye** [daj] *ww* verven, kleuren

dyke [dajk] **1** dijk, (keer)dam **2** kanaaltje, sloot, (natuurlijke) waterloop **3** pot, lesbienne

dynamic [dajnemik] **1** dynamisch, bewegend **2** voortvarend, actief, energiek

dynamite [dajnemajt] dynamiet

dynamo [dajnemoo] dynamo

dynasty [dinnestie] dynastie, (vorsten)huis

dysentery [disntrie] bloeddiarree

dyslexia [disleksie] leesblindheid, dyslexie

e

E **1** *(elektr) afk van earth* aarde **2** *afk van east(ern)* O., Oost(elijk)

each [ie:tsj] **1** elk, ieder afzonderlijk: *~ year he grows weaker* ieder jaar wordt hij zwakker **2** elk; ieder *(ve groep): they are a dollar ~* ze kosten een dollar per stuk

each other elkaar, mekaar: *they hate ~'s guts* ze kunnen elkaars bloed wel drinken

eager [ie:k̂e] **1** vurig, onstuimig **2** (met *for*) (hevig) verlangend (naar), begerig || *(inform) ~ beaver* (overdreven) harde werker

eagle [ie:k̂l] adelaar, arend

ear [ie] **1** oor: *(fig) play it by ~* improviseren, op z'n gevoel afgaan; *up to one's ~s* tot over zijn oren **2** gehoor, oor: *have an ~ for* een gevoel hebben voor **3** (koren)aar **4** oor, lus, oog, handvat || *keep an ~* (of: *one's ~(s)) (close) to the ground: a)* (goed) op de hoogte blijven *(van trends, roddels); b)* de boel goed in de gaten houden; *prick up one's ~s* de oren spitsen; *be out on one's ~* ontslagen worden; *be all ~s* een en al oor zijn

eardrum trommelvlies

earl [e:l] (Engelse) graaf

[1]**early** [e:lie] *bn* **1** vroeg, vroegtijdig: *~ bird* vroege vogel; *~ retirement* VUT, vervroegd pensioen; *the ~ bird catches the worm* vroeg begonnen, veel gewonnen; *in the ~ 1960s* in het begin van de jaren zestig **2** spoedig: *an ~ reply* een spoedig antwoord **3** oud, van lang geleden: *the ~ Celts* de oude Kelten

[2]**early** [e:lie] *bw* **1** vroeg, (in het) begin, tijdig: *~ on (in)* al vroeg, al in het begin **2** te vroeg: *we were an hour ~* we kwamen een uur te vroeg

earmark reserveren *(gelden e.d.): ~ for* opzijleggen om (... te)

earn [e:n] **1** verdienen, (ver)krijgen **2** verwerven, (terecht) krijgen: *his behaviour ~ed him his nickname* zijn gedrag bezorgde hem zijn bijnaam

[1]**earnest** [e:nist] *zn* ernst: *in (real) ~* menens; *I am in (real) ~* ik méén het

[2]**earnest** [e:nist] *bn* ernstig, serieus, gemeend

earnings [e:ningz] **1** inkomen, inkomsten, verdiensten **2** winst *(van bedrijf)*

earphones koptelefoon

earshot gehoorsafstand: *out of* (of: *within*) *~* buiten (*of:* binnen) gehoorsafstand

earth [e:θ] **1** aarde **2** *(dierk)* hol: *go* (of: *run*) *to ~: a)* zijn hol invluchten; *b)* onderduiken || *promise the ~* gouden bergen beloven; *down to ~* met beide benen op de grond, nuchter, eerlijk; *why on ~* waarom in vredesnaam

earthenware [e:θenwee] aardewerk

earthly [e:θlie] aards, werelds

earthquake [e:θkweek] aardbeving

earthworm pier, regenworm

earthy [e:θie] **1** vuil (van aarde) **2** materialistisch, aards, grof

earwax oorsmeer

earwig oorwurm

[1]**ease** [ie:z] *zn* **1** gemak, gemakkelijkheid **2** ongedwongenheid, gemak, comfort: *(mil) stand at ~* op de plaats rust; *at one's ~* op zijn gemak, rustig **3** welbehagen: *ill at ~* niet op z'n gemak

[2]**ease** [ie:z] *intr* afnemen, minder worden, (vaart) minderen: *~ off* (of: *up*) afnemen, verminderen, rustiger aan gaan doen

[3]**ease** [ie:z] *tr* **1** verlichten, doen afnemen: *~ back the throttle* gas terugnemen **2** gemakkelijk(er) maken: *(fig) ~ s.o.'s mind* iem geruststellen **3** voorzichtig bewegen: *~ off the lid* voorzichtig het deksel eraf halen

easel [ie:zl] (schilders)ezel

easily [ie:zillie] **1** moeiteloos, rustig, met gemak **2** ongetwijfeld, zonder meer, beslist

[1]**east** [ie:st] *zn* het oosten *(windrichting);* oost: *the East* het oostelijk gedeelte, de Oost, de Oriënt

[2]**east** [ie:st] *bn* oostelijk: *~ wind* oostenwind

[3]**east** [ie:st] *bw* in, uit, naar het oosten: *sail due ~* recht naar het oosten varen

Easter [ie:ste] Pasen

[1]**easterly** [ie:stelie] *zn* oostenwind

[2]**easterly** [ie:stelie] *bn* oostelijk

eastern [ie:sten] **1** oostelijk, oost(en)- **2** oosters

[1]**easy** [ie:zie] *bn* **1** (ge)makkelijk, eenvoudig, moeiteloos: *have ~ access to sth.* makkelijk toegang hebben tot iets **2** ongedwongen: *have an ~ manner* ontspannen manier van doen **3** comfortabel, gemakkelijk: *~ chair* leunstoel, luie stoel **4** welgesteld, bemiddeld: *in ~ circumstances* in goede doen; *have an ~ time (of it)* een gemakkelijk leventje hebben || *by ~ stages* stap voor stap; *on ~ terms* op gemakkelijke condities, op afbetaling

[2]**easy** [ie:zie] *bw* **1** gemakkelijk, eenvoudig: *easier said than done* gemakkelijker gezegd dan gedaan **2** kalm, rustig: *take it ~* het rustig aan doen; *~ does it!* voorzichtig! (dan breekt het lijntje niet)

easygoing [ie:ziek̂ooing] **1** laconiek, makkelijk **2** gemakzuchtig, laks

easy-peasy [ie:ziepie:zie] makkelijk, een eitje

[1]**eat** [ie:t] *intr (ate, eaten)* eten: *~ out* buitenshuis eten

[2]**eat** [ie:t] *tr (ate, eaten)* **1** (op)eten, vreten **2** verslinden, opvreten: *~en up with curiosity* verteerd door nieuwsgierigheid **3** aantasten, wegvreten || *what's ~ing you?* wat zit je zo dwars?

eaten [ie:tn] *volt dw van* eat
eavesdrop [ie:vzdrop] afluisteren, luistervinkje spelen
e-banking [ie:bengking] internetbankieren
[1]**ebb** [eb] *zn* eb, laag water: *(fig) be at a low ~* in de put zitten
[2]**ebb** [eb] *ww* afnemen, wegebben
ebony [ebbenie] ebbenhout
ebullient [ibboelient] uitbundig, uitgelaten
[1]**eccentric** [iksentrik] *zn* zonderling, excentriekeling
[2]**eccentric** [iksentrik] *bn* zonderling, excentriek
ecclesiastical [iklie:zie·estikl] geestelijk, kerkelijk, kerk-
[1]**echo** [ekkoo] *zn (mv: ~es)* echo, weerklank
[2]**echo** [ekkoo] *intr* weerklinken, resoneren
[3]**echo** [ekkoo] *tr, intr* **1** echoën, herhalen, nazeggen **2** weerkaatsen
[1]**eclipse** [iklips] *zn* eclips, verduistering: *a total ~ of the sun* een volledige zonsverduistering
[2]**eclipse** [iklips] *ww* **1** verduisteren **2** overschaduwen, in glans overtreffen
ecology [ikkolledzjie] ecologie
e-commerce [ie:komme:s] internethandel, e-commerce
economic [ekkenommik] **1** economisch **2** rendabel, lonend, winstgevend
economical [ekkenommikl] **1** zuinig, spaarzaam **2** economisch, voordelig
economics [ekkenommiks] economie (als wetenschap)
economize [ikkonnemajz] *(met on)* bezuinigen (op), spaarzaam zijn
economy [ikkonnemi] **1** economie, economisch stelsel: *all those strikes are damaging the French ~* al die stakingen brengen de Franse economie veel schade toe **2** besparing, bezuiniging, zuinig gebruik: *we bought a smaller house for reasons of ~* we hebben een kleiner huis gekocht om redenen van bezuiniging
economy size voordeelverpakking, voordeelpak
ecstasy [ekstesie] extase, vervoering
ecumenical [ie:kjoemennikl] oecumenisch
eczema [eksimme] eczeem
ed *afk van edition* uitg, uitgave
[1]**eddy** [eddie] *zn* werveling, draaikolk
[2]**eddy** [eddie] *ww* (doen) dwarrelen, (doen) kolken
[1]**edge** [edzj] *zn* **1** snede, snijkant; scherpte *(ook fig);* effectiviteit, kracht: *her voice had an ~ to it* haar stem klonk scherp; *take the ~ off* het ergste wegnemen **2** kant, richel **3** rand, boord, oever, grens: *on the ~ of* op het punt van || *(inform) have an ~ over* een voorsprong hebben op; *be on ~* gespannen zijn
[2]**edge** [edzj] *intr* (langzaam, voorzichtig) bewegen: *~ away* (of: *off*) voorzichtig wegsluipen; *~ up* dichterbij schuiven
[3]**edge** [edzj] *tr* omranden: *~d with lace* met een randje kant
edging [edzjing] rand, boord, bies
edgy [edzjie] **1** scherp **2** gespannen, prikkelbaar
edible [eddibl] eetbaar, niet giftig
edification [eddiffikkeesjen] stichting, zedelijke en godsdienstige opbouw
edifice [eddiffis] gebouw, bouwwerk, bouwsel
edit [eddit] bewerken, herschrijven: *an ~ed version* een gekuiste versie; *~ed by* onder redactie van *(tijdschriften e.d.)*
edition [iddisjen] uitgave, editie, oplage; *(fig)* versie
editor [edditte] **1** bewerker, samensteller **2** redacteur **3** uitgever
[1]**editorial** [edditto:riel] *zn* hoofdartikel, redactioneel artikel
[2]**editorial** [edditto:riel] *bn* redactioneel, redactie-, redacteurs-
educate [edjoekeet] **1** opvoeden, vormen **2** opleiden, onderwijzen: *an ~d person* een gestudeerd iem, intellectueel **3** scholen, trainen
education [edjoekeesjen] **1** onderwijs, scholing, opleiding **2** opvoeding, vorming **3** pedagogie, opvoedkunde
eel [ie:l] paling || *be as slippery as an ~* zo glad als een aal zijn
eerie [ierie] angstaanjagend, griezelig
[1]**effect** [iffekt] *zn* **1** resultaat, effect, gevolg, uitwerking: *take ~* resultaat hebben; *to no ~* vruchteloos, tevergeefs **2** uitvoering, voltrekking: *put plans into ~* plannen uitvoeren **3** inhoud, strekking: *words to that ~* woorden van die strekking **4** werking, (rechts)geldigheid: *come into ~, take ~* van kracht worden **5** *~s* bezittingen, eigendommen || *in ~* in feite, eigenlijk
[2]**effect** [iffekt] *ww* bewerkstelligen, teweegbrengen, veroorzaken: *~ a cure for s.o.* iem genezen
effective [iffektiv] **1** effectief, doeltreffend **2** indrukwekkend, treffend: *~ speeches* indrukwekkende toespraken **3** van kracht *(wet e.d.)*
effeminate [iffemminnet] verwijfd
effervescence [effevesns] **1** levendigheid, uitgelatenheid **2** het bruisen
effete [iffie:t] verzwakt, slap, afgeleefd
efficacy [effikkesie] werkzaamheid, doeltreffendheid
efficiency [iffisjensie] **1** efficiëntie, doeltreffendheid, doelmatigheid **2** bekwaamheid **3** productiviteit
efficient [iffisjent] **1** efficiënt, doeltreffend, doelmatig **2** bekwaam **3** productief
effigy [effidzjie] beeltenis
effluent [efloeent] **1** afvalwater, rioolwater **2** aftakking, zijrivier, afvoer
effort [effet] **1** moeite, inspanning, poging: *make an ~ (to do sth.)* zich inspannen iets te doen **2** prestatie: *he has made a jolly good ~* hij heeft geweldig zijn best gedaan
effrontery [ifrunterie] brutaliteit
effusion [ifjoe:zjen] ontboezeming

effusive [ifjoe:siv] overdadig *(van uitingen);* uitbundig
e.g. [ie:dzjie:] *(wordt gelezen als 'for example') afk van exempli gratia* bijv.
egalitarian [iĸelitteeriən] gelijkheids-, gelijkheid voorstaand
egg [eĸ] **1** ei: *fried ~* gebakken ei; *poached ~* gepocheerd ei; *scrambled ~s* roerei; *~ whisk* eierklopper **2** eierstruif **3** eicel || *have* (of: *put*) *all one's ~s in one basket* alles op één kaart zetten; *(inform) have ~ on one's face* voor schut staan
eggcup eierdopje
egghead *(inform)* intellectueel, gestudeerde
eggplant aubergine
egocentric [eĸoosentrik] **1** egocentrisch **2** egoïstisch, zelfzuchtig
egoism [eĸooizm] egoïsme
egotism [eĸətizm] eigenwaan
eiderdown 1 (donzen) dekbed **2** eiderdons
eight [eet] acht
eighteen [eetie:n] achttien
eighth [eetθ] achtste, achtste deel: *the ~ fastest runner* de op zeven na snelste loper
eightieth [eetieiθ] tachtigste, tachtigste deel
eighty [eetie] tachtig: *in the eighties* in de jaren tachtig
[1]**either** [ajðə] *vnw* **1** één van beide(n): *use ~ hand* gebruik een van je (twee) handen; *choose ~ of the colours* kies één van de twee kleuren **2** beide(n), alle twee, allebei: *in ~ case, ~ way* in beide gevallen, in elk geval; *on ~ side* aan beide kanten
[2]**either** [ajðə] *bw* evenmin, ook niet, bovendien niet: *he can't sing, and I can't ~* hij kan niet zingen en ik ook niet
[3]**either** [ajðə] *vw* (met *or*) of, ofwel, hetzij: *have ~ cheese or a dessert* neem kaas of een toetje
ejaculation [idzjekjoeleesjən] **1** zaadlozing, ejaculatie **2** uitroep
eject [idzjekt] uitgooien, uitzetten, uitstoten, uitwerpen
ejection [idzjeksjən] **1** verdrijving, (ambts)ontzetting, uitzetting **2** uitwerping
eke out 1 rekken *(ook voorraden);* aanvullen **2** bijeenscharrelen: *~ a living* (met moeite) zijn kostje bijeen scharrelen
[1]**elaborate** [ilebərət] *bn* **1** gedetailleerd, uitgebreid, uitvoerig **2** ingewikkeld
[2]**elaborate** [ilebəreet] *intr* (met *(up)on*) uitweiden (over)
[3]**elaborate** [ilebəreet] *tr* **1** in detail uitwerken, uitvoerig behandelen, uitweiden over **2** (moeizaam) voortbrengen, ontwikkelen
elapse [ileps] verstrijken, voorbijgaan
[1]**elastic** [ilestik] *zn* elastiek(je)
[2]**elastic** [ilestik] *bn* **1** elastieken: *~ band* elastiekje **2** elastisch, rekbaar **3** flexibel, soepel
elate [illeet] verrukken, in vervoering brengen: *be ~d at* (of: *by*) *sth.* met iets verguld zijn
[1]**elbow** [elboo] *zn* **1** elleboog, (scherpe) bocht **2** *(techn)* elleboog, knie(stuk) || *give s.o. the ~* iem de bons geven; *at s.o.'s ~* naast iem, bij iem in de buurt
[2]**elbow** [elboo] *ww* zich (een weg) banen, met de ellebogen duwen, werken
elbow-grease zwaar werk, poetswerk, schoonmaakwerk
elbow-room bewegingsvrijheid, armslag
[1]**elder** [eldə] *zn* **1** oudere: *he is my ~ by four years* hij is vier jaar ouder dan ik **2** oudste *(van twee)* **3** voorganger, ouderling
[2]**elder** [eldə] *bn* oudste *(van twee);* oudere
elderly [eldəlie] op leeftijd, bejaard
eldest [eldist] oudste *(van drie of meer)*
[1]**elect** [illekt] *bn* gekozen *(maar nog niet in functie): the president ~* de nieuwgekozen president
[2]**elect** [illekt] *ww* **1** kiezen, verkiezen (als) **2** besluiten: *~ to become a lawyer* besluiten jurist te worden
election [illeksjən] verkiezing, keus: *municipal* (of: *local*) *~(s)* gemeenteraadsverkiezingen
electoral [illektərəl] **1** kies-, kiezers-: *~ register* (of: *roll*) kiesregister **2** electoraal, verkiezings-: *~ campaign* verkiezingscampagne
electorate [illektərət] electoraat, de kiezers
electric [illektrik] **1** elektrisch: *~ chair* elektrische stoel; *~ storm* onweer **2** opwindend, opzwepend **3** gespannen *(bijv. van sfeer)*
electrical [illektrikl] elektrisch, elektro-
electrician [illektrisjən] elektricien, elektromonteur
electricity [illektrissittie] elektriciteit, elektrische stroom
electrify [illektriffaj] **1** onder spanning zetten **2** elektrificeren, voorzien van elektrische installaties **3** opwinden, geestdriftig maken
electrocute [illektrəkjoe:t] elektrocuteren, op de elektrische stoel ter dood brengen
electronic [illektronnik] elektronisch
electronics [illektronniks] elektronica
elegant [elliĸənt] elegant, sierlijk
elegy [ellidzjie] treurdicht, klaaglied
element [ellimmənt] **1** element, onderdeel, (hoofd)bestanddeel: *out of one's ~* als een vis op het droge **2** iets, wat: *there is an ~ of truth in it* er zit wel wat waars in **3** *(chem, wisk)* element **4** *~s* de elementen *(vh weer)* **5** *~s* (grond)beginselen
elementary [ellimmentərie] **1** eenvoudig, simpel: *~ question* eenvoudige vraag **2** inleidend, elementair: *~ school* lagere school, basisschool **3** *(nat, chem)* elementair
elephant [elliffənt] olifant || *white ~* overbodig luxeartikel
elevate [ellivveet] **1** opheffen, omhoogbrengen, verhogen **2** verheffen *(alleen fig);* op een hoger plan brengen **3** promoveren, bevorderen: *~d to the presidency* tot president verheven
elevation [ellivveesjən] **1** hoogte, heuvel, ophoging **2** bevordering, promotie **3** verhevenheid

el

elevator [ellivveete] *(Am)* lift
eleven [illevn] elf; *(sport)* elftal; ploeg
eleventh [illevnθ] elfde, elfde deel: *(fig) at the ~ hour* ter elfder ure, op het laatste ogenblik
elf [elf] *(mv: elves)* elf, fee
elicit [illissit] **1** ontlokken, loskrijgen: *~ an answer from s.o.* een antwoord uit iem krijgen; *~ a response* een reactie ontlokken **2** teweegbrengen, veroorzaken

eligible [ellidzjibl] in aanmerking komend, geschikt, bevoegd: *~ for (a) pension* pensioengerechtigd
eliminate [illimminneet] **1** verwijderen **2** uitsluiten, buiten beschouwing laten: *~ the possibility of murder* de mogelijkheid van moord uitsluiten **3** uitschakelen *(in wedstrijd e.d.)* **4** *(inform)* van kant maken, uit de weg ruimen
elimination [illimminneesjen] **1** verwijdering, eliminatie **2** uitschakeling *(in wedstrijd e.d.)* **3** uitsluiting; het schrappen *(van mogelijkheden)*
elk [elk] eland
ellipse [illips] ellips, ovaal
elm [elm] **1** iep, olm **2** iepenhout, olmenhout
elocution [ellekjoe:sjen] voordrachtskunst, welbespraaktheid
elongate [ie:longkeet] langer worden (maken), (zich) verlengen, in de lengte (doen) groeien
elope [illoop] er vandoor gaan *(met minnaar, of om in het geheim te trouwen)*
eloquence [ellekwens] welsprekendheid, welbespraaktheid
eloquent [ellekwent] welsprekend *(van persoon, betoog)*
else [els] anders, nog meer: *anything ~?* verder nog iets?; *little ~* niet veel meer; *what ~ did you expect?* wat had jij anders verwacht?
elsewhere [elswee] elders, ergens anders
elucidate [illoe:siddeet] (nader) toelichten, licht werpen op, ophelderen
elude [illoe:d] **1** ontwijken, ontschieten, ontsnappen aan; *(fig)* ontduiken; zich onttrekken aan *(plichten);* uit de weg gaan: *~ capture* weten te ontkomen **2** ontgaan *(van feit, naam);* ontschieten: *his name ~s me* ik ben zijn naam even kwijt
elusive [illoe:siv] **1** ontwijkend: *~ answer* ontwijkend antwoord **2** moeilijk te vangen **3** onvatbaar, ongrijpbaar: *an ~ name* een moeilijk te onthouden naam
elves [elvz] *mv van* elf
'em [en] *zie* them
e-mail *verk van electronic mail* elektronische post, e-mail
emancipate [imensippeet] **1** vrijmaken *(slaven enz.);* emanciperen, zelfstandig maken: *~d women* geëmancipeerde vrouwen **2** gelijkstellen voor de wet, emanciperen
emancipation [imensippeesjen] **1** bevrijding *(van slaven);* emancipatie **2** emancipatie, gelijkstelling voor de wet: *the ~ of women* de emancipatie van de vrouw
embalm [imba:m] balsemen
embankment [imbengkment] **1** dijk, dam, wal **2** opgehoogde baan, spoordijk **3** kade
embargo [imba:koo] embargo *(van schepen, handel);* blokkade, beslag, beslaglegging, verbod, belemmering, uitvoerverbod
embark [imba:k] **1** aan boord gaan (nemen), (zich) inschepen **2** beginnen, van start gaan: *~ (up)on* zich begeven in, beginnen (aan)
embarkation [emba:keesjen] **1** inscheping, inlading, het aan boord gaan (brengen) **2** het beginnen
embarrass [imberes] **1** in verlegenheid brengen **2** in geldverlegenheid brengen, in financiële moeilijkheden brengen
embarrassment [imberesment] **1** verlegenheid, onbehagen **2** (geld)verlegenheid, (geld)probleem
embassy [embesie] ambassade, diplomatieke vertegenwoordigers
embed [imbed] **1** (vast)zetten, vastleggen: *the arrow ~ded itself in his leg* de pijl zette zich vast in zijn been; *be ~ded in* vastzitten in **2** omsluiten, insluiten, omringen, omgeven **3** inbedden
embellish [imbellisj] verfraaien, versieren: *~ a story* een verhaal opsmukken
ember [embe] **1** gloeiend stukje kool **2** *~s* gloeiende as, smeulend vuur; *(fig)* laatste vonken; resten
embezzle [imbezl] verduisteren, achterhouden
embitter [imbitte] verbitteren, bitter(der) maken
emblem [emblem] embleem, symbool
embody [imboddie] **1** vorm geven (aan), uitdrukken: *~ one's principles in actions* zijn principes tot uiting laten komen in daden **2** inlijven: *his points of view were embodied in the article* zijn standpunten waren verwerkt in het artikel
[1]**embrace** [imbrees] *zn* omhelzing, omarming
[2]**embrace** [imbrees] *intr* elkaar omhelzen, elkaar omarmen
[3]**embrace** [imbrees] *tr* **1** omhelzen, omarmen, omvatten **2** gebruikmaken van, aangrijpen: *~ an offer* gebruikmaken van een aanbod
embroider [imbrojde] **1** borduren **2** opsmukken, verfraaien
embryo [embrie·oo] embryo
emend [immend] corrigeren; verbeteringen aanbrengen *(in tekst)*
emendation [ie:mendeesjen] correctie, verbetering
emerald [emmereld] **1** smaragd(groen) **2** smaragden, van smaragd
emerge [imme:dzj] **1** verschijnen, tevoorschijn komen: *~ from* (of: *out of*) tevoorschijn komen uit **2** bovenkomen, opduiken **3** blijken, uitkomen: *after a long investigation it ~d that* een langdurig onderzoek wees uit dat
emergence [imme:dzjens] **1** het bovenkomen **2** het uitkomen **3** het optreden
emergency [imme:dzjensie] **1** onverwachte gebeurtenis, onvoorzien voorval **2** noodsituatie,

noodtoestand, noodgeval: *state of ~* noodtoestand; *~ exit* nooduitgang, nooddeur; *in case of ~* in geval van nood

emigrant [emmikrent] emigrant(e)

emigrate [emmikreet] emigreren, het land verlaten

eminence [emminnens] **1** heuvel, hoogte **2** eminentie *(ook titel);* verhevenheid

eminent [emminnent] **1** uitstekend **2** hoog; verheven *(ook lett);* aanzienlijk

emission [immisjen] afgifte, uitzending; afscheiding *(vh lichaam); (nat)* emissie; uitstoot *(van (giftige) gassen)*

emit [immit] **1** uitstralen, uitzenden **2** afscheiden, afgeven; uitstoten *((giftige) gassen): ~ a smell* stank afgeven

[1]**emollient** [immollient] *zn* verzachtend middel

[2]**emollient** [immollient] *bn* verzachtend, zachtmakend

emoticon [immootiekon] emoticon

emotion [immoosjen] **1** (gevoels)aandoening, emotie, gevoelen, ontroering: *mixed ~s* gemengde gevoelens **2** het gevoel, de gevoelswereld **3** bewogenheid

emotional [immoosjenel] **1** emotioneel, gevoels-, gemoeds- **2** ontroerend

emperor [empere] keizer

emphasis [emfesis] **1** accent; klemtoon *(ook fig): lay* (of: *place, put) an ~ on sth.* het accent leggen op iets **2** nadruk, klem, kracht

emphasize [emfesajz] benadrukken, de nadruk leggen op

empire [empajje] (keizer)rijk; imperium *(ook fig);* wereldrijk

empirical [empirrikl] gebaseerd op ervaring

[1]**employ** [imploj] *zn* (loon)dienst: *in the ~ of* in dienst van

[2]**employ** [imploj] *ww* **1** in dienst nemen, tewerkstellen **2** gebruiken, aanwenden **3** bezighouden: *be ~ed in* bezig zijn, zich bezighouden met

employable [implojjebl] bruikbaar, inzetbaar

employee [implojjie:] werknemer

employer [implojje] werkgever

employment [implojment] **1** beroep, werk, baan **2** bezigheid **3** werkgelegenheid: *full ~* volledige werkgelegenheid **4** gebruik, het gebruiken

empower [impaue] **1** machtigen **2** in staat stellen

empress [empres] keizerin

[1]**empty** [emptie] *bn* **1** leeg, ledig **2** nietszeggend, hol **3** onbewoond, leegstaand **4** leeghoofdig, oppervlakkig

[2]**empty** [emptie] *intr* leeg raken, (zich) legen

[3]**empty** [emptie] *tr* legen, leegmaken

enable [inneebl] **1** in staat stellen, (de) gelegenheid geven **2** mogelijk maken

enact [inekt] **1** bepalen, vaststellen **2** tot wet verheffen

enamel [ineml] **1** (email)lak, glazuur, vernis **2** email, (tand)glazuur

encampment [inkempment] kamp(ement), legerplaats, veldverblijf

encapsulate [inkeps·joeleet] **1** (zich) inkapselen **2** samenvatten

enchant [intsja:nt] **1** betoveren, beheksen **2** bekoren, verrukken: *be ~ed by* (of: *with*) verrukt zijn over

encircle [inse:kl] omcirkelen, omsingelen, insluiten

encl *afk van enclosed, enclosure* bijl., bijlage

enclose [inklooz] **1** omheinen, insluiten **2** insluiten; bijsluiten *(bijlage e.d.)*

enclosure [inkloozje] **1** (om)heining, schutting **2** omheind stuk land **3** vak, afdeling **4** bijlage

encode [inkood] coderen

encompass [inkumpes] **1** omringen, omgeven **2** bevatten, omvatten

encore [ongko:] toegift, encore

[1]**encounter** [inkaunte] *zn* **1** (onverwachte) ontmoeting **2** krachtmeting, confrontatie, treffen

[2]**encounter** [inkaunte] *ww* **1** ontmoeten, (onverwacht) tegenkomen **2** ontmoeten, geconfronteerd worden met: *~ difficulties* moeilijkheden moeten overwinnen

encourage [inkurridzj] **1** bemoedigen, hoop geven **2** aanmoedigen, stimuleren, in de hand werken

encroach [inkrootsj] opdringen, oprukken: *the sea ~es further (up)on the land* de zee tast de kust steeds verder aan

encrust [inkrust] **1** met een korst bedekken **2** bedekken, bezetten: *~ed with precious stones* bezet met edelstenen

encrypt [inkript] coderen, in code weergeven; versleutelen *(boodschap, gegevens)*

encumber [inkumbe] **1** beladen, (over)belasten: *~ed with parcels* met boodschappen beladen **2** hinderen, belemmeren: *~ oneself with financial responsibilities* zich financiële verplichtingen op de hals halen

encyclop(a)edia [insajklepie:die] encyclopedie

[1]**end** [end] *zn* **1** einde, afsluiting, besluit: *come* (of: *draw) to an ~* ten einde lopen, ophouden; *put an ~ to* een eind maken aan, afschaffen; *in the ~* ten slotte, op het laatst, uiteindelijk; *for weeks on ~* weken achtereen **2** einde, uiteinde: *~ to ~* in de lengte **3** einde, verste punt, grens; *(ook fig)* uiterste **4** kant, onderkant, bovenkant, zijde; *(ook fig)* afdeling; part: *place on ~* rechtop zetten **5** einde, vernietiging, dood **6** doel, bedoeling, (beoogd) resultaat: *the ~ justifies the means* het doel heiligt de middelen || *at the ~ of the day* uiteindelijk, als puntje bij paaltje komt; *be at the ~ of one's tether* aan het eind van zijn krachten zijn; *make (both) ~s meet* de eindjes aan elkaar knopen; *that irritates me no ~* dat irriteert me heel erg

[2]**end** [end] *intr* **1** eindigen, aflopen: *our efforts ~ed in a total failure* onze pogingen liepen op niets uit **2** zijn einde vinden, sterven

en

[3]**end** [end] *tr* **1** beëindigen, een eind maken aan, ophouden met **2** conclusie vormen van **3** vernietigen, een eind maken aan: ~ *it (all)* er een eind aan maken, zelfmoord plegen
endanger [indeendzje] in gevaar brengen, een gevaar vormen voor, bedreigen: *~ed species* bedreigde diersoorten
endear [indie] geliefd maken
endearment [indiement] **1** uiting van genegenheid **2** innemendheid: *terms of* ~ lieve woordjes
[1]**endeavour** [indevve] *zn* poging, moeite, inspanning
[2]**endeavour** [indevve] *ww* pogen, trachten, zich inspannen
ending [ending] **1** einde, beëindiging, afronding, eindspel **2** einde, slot, afloop: *happy* ~ goede afloop
endive [endiv] andijvie
endorse [indo:s] bevestigen, bekrachtigen, beamen
endow [indau] **1** begiftigen, subsidiëren, bekostigen **2** schenken, geven aan: *~ed with great musical talent* begiftigd met grote muzikaliteit
endowment [indaument] **1** gave, begaafdheid, talent **2** gift **3** het schenken
endue [indjoe:] begiftigen, schenken
endurance [indjoeerens] **1** uithoudingsvermogen, weerstand **2** duurzaamheid || *beyond* (of: *past*) ~ onverdraaglijk, niet uit te houden
[1]**endure** [indjoee] *intr* **1** duren, blijven **2** het uithouden
[2]**endure** [indjoee] *tr* **1** doorstaan, uithouden, verdragen **2** ondergaan, lijden
enduring [indjoeering] blijvend, (voort)durend
enemy [ennemie] vijand, vijandelijke troepen
energetic [ennedzjettik] **1** energiek, vurig, actief **2** krachtig; sterk *(protest e.d.)*
energy [ennedzjie] kracht, energie: *nuclear* ~ kernenergie
enervate [enneveet] ontkrachten, slap maken, verzwakken
enfeeble [infie:bl] verzwakken, uitputten
enforce [info:s] **1** uitvoeren, op de naleving toezien van; de hand houden aan *(regel, wet)* **2** (af)dwingen **3** versterken, benadrukken
enforcement [info:sment] **1** handhaving, uitvoering **2** dwang
[1]**engage** [inkeedzj] *intr* **1** (met *in*) zich bezighouden (met), zich inlaten (met), doen (aan) **2** zich verplichten, beloven, aangaan **3** *(techn.)* in elkaar grijpen, gekoppeld worden **4** (met *with*) *(mil)* de strijd aanbinden (met)
[2]**engage** [inkeedzj] *tr* **1** aannemen, in dienst nemen, contracteren **2** bezetten; in beslag nemen *(ook fig)*: ~ *s.o. in conversation* een gesprek met iem aanknopen **3** beloven, verplichten: ~ *oneself to do sth.* beloven iets te doen **4** *(mil)* aanvallen **5** *(techn)* koppelen, inschakelen
engaged [inkeedzjd] **1** verloofd: ~ *to* verloofd met **2** bezet, bezig, druk, gereserveerd: *I'm* ~ ik heb een afspraak; *the telephone is* ~ de telefoon is in gesprek **3** gecontracteerd
engagement [inkeedzjment] **1** verloving **2** afspraak **3** belofte, verplichting: *~s* financiële verplichting **4** gevecht **5** contract
engaging [inkeedzjing] innemend, aantrekkelijk
engender [indzjende] veroorzaken, voortbrengen
engine [endzjin] motor, machine, locomotief
[1]**engineer** [endzjinnie] *zn* **1** ingenieur **2** machinebouwer **3** genieofficier, geniesoldaat: *the (Royal) Engineers* de Genie **4** technicus, mecanicien; *(scheepv)* werktuigkundige **5** *(Am)* (trein)machinist
[2]**engineer** [endzjinnie] *ww* **1** bouwen, maken, construeren **2** bewerkstelligen, op touw zetten
engineering [endzjinniering] **1** techniek **2** bouw, constructie
England [ingklend] Engeland
[1]**English** [ingklisj] *eig.n.* Engels, de Engelse taal: *the* ~ de Engelsen
[2]**English** [ingklisj] *bn* Engels, in het Engels: ~ *breakfast* Engels ontbijt, ontbijt met spek en eieren
Englishman [ingklisjmen] Engelsman
engrave [inkreev] graveren
engraving [inkreeving] **1** gravure **2** graveerkunst
engross [inkroos] geheel in beslag nemen, overheersen: *I was so ~ed in my book that* ik was zo in mijn boek verdiept, dat
enhance [inha:ns] verhogen, versterken, verbeteren
enigma [innikme] mysterie, raadsel
enjoy [indzjoj] genieten van, plezier beleven aan: *Dick ~s a good health* Dick geniet een goede gezondheid || ~ *oneself* zich vermaken
enjoyable [indzjojjebl] plezierig, prettig, fijn
enkindle [inkindl] aansteken *(fig)*; doen oplaaien; opwekken *(woede, hartstocht)*
[1]**enlarge** [inla:dzj] *intr* **1** groeien, groter worden, zich uitbreiden **2** uitgebreid spreken, uitweiden: ~ *(up)on a subject* uitweiden over een onderwerp **3** uitvergroot worden
[2]**enlarge** [inla:dzj] *tr* vergroten, groter maken
enlighten [inlajtn] onderrichten, onderwijzen
enlightened [inlajtnd] verlicht, rationeel, redelijk: ~ *ideas* verlichte opvattingen
enlightenment [inlajtnment] opheldering, verduidelijking
[1]**enlist** [inlist] *intr* dienst nemen, vrijwillig in het leger gaan
[2]**enlist** [inlist] *tr* werven, mobiliseren, in dienst nemen: ~ *s.o. in an enterprise* iem bij een onderneming te hulp roepen
enmity [enmittie] vijandschap, haat(gevoel), onmin
enormity [inno:mittie] **1** gruweldaad, wandaad **2** gruwelijkheid, misdadigheid **3** enorme omvang;

immense grootte *(van probleem e.d.)*
enormous [inno:mes] enorm, geweldig groot
[1]**enough** [innuf] *vnw* genoeg, voldoende: *beer ~* genoeg bier || *be ~ of a man to* wel zo flink zijn om te
[2]**enough** [innuf] *bw* **1** genoeg: *~ said* genoeg daarover; *oddly* (of: *strangely*) *~* merkwaardig genoeg **2** zeer, heel: *I'm having ~ problems with my own children* ik heb al genoeg problemen met mijn eigen kinderen **3** tamelijk, redelijk: *she paints well ~* ze schildert vrij behoorlijk
enquire [inkwajje] *zie* inquire
enquiry [inkwajjerie] *zie* inquiry
enrage [inreedzj] woedend maken, tot razernij brengen
enrich [inritsj] **1** verrijken, rijk(er) maken, uitbreiden **2** verrijken, de kwaliteit verhogen: *~ed uranium* verrijkt uranium
[1]**enrol** [inrool] *intr* zich inschrijven, zich opgeven
[2]**enrol** [inrool] *tr* **1** inschrijven, opnemen **2** werven, aanwerven, in dienst nemen
ensign [ensajn] **1** insigne, embleem **2** vlag, nationale vlag
enslave [insleev] knechten, tot slaaf maken, onderwerpen
ensnare [insnee] vangen, verstrikken; *(ook fig)* in de val laten lopen
ensue [ins·joe:] **1** volgen: *the ensuing month* de volgende maand, de maand daarna **2** (met *from*) voortvloeien (uit), voortkomen (uit)
ensure [insjoee] **1** veiligstellen, beschermen **2** garanderen, instaan voor: *~ the safety of our guests* de veiligheid van onze gasten waarborgen **3** verzekeren van
entail [inteel] met zich meebrengen, noodzakelijk maken, inhouden
entangle [intengkl] verwarren, onontwarbaar maken; *(ook fig)* verstrikken; vast laten lopen
[1]**enter** [ente] *intr* **1** zich laten inschrijven, zich opgeven **2** *(theat)* opkomen
[2]**enter** [ente] *tr* **1** gaan in, op, bij, zich begeven in, zijn intrede doen in: *~ the Church* priester worden **2** inschrijven, bijschrijven, opschrijven, noteren, boeken, invoeren **3** opgeven, inschrijven **4** toelaten; binnenlaten *(als lid)* **5** deelnemen aan; meedoen aan *((wed)strijd)* **6** inzenden: *~ sth. in the competition* iets inzenden voor de wedstrijd
[3]**enter** [ente] *tr, intr* binnengaan; binnenlopen *(van schip)*; binnendringen
enter into **1** beginnen; aanknopen *(gesprek)* **2** zich verplaatsen in, zich inleven in **3** deel uitmaken van, onderdeel vormen van **4** ingaan op, onder de loep nemen **5** aangaan; sluiten *(contract, verdrag)*
enterprise [enteprajz] **1** onderneming **2** firma, zaak **3** ondernemingsgeest, ondernemingszin
enterprising [enteprajzing] ondernemend
[1]**entertain** [enteteen] *intr* **1** een feestje (etentje) geven, gasten hebben **2** vermaak bieden
[2]**entertain** [enteteen] *tr* **1** gastvrij ontvangen, aanbieden **2** onderhouden, amuseren **3** koesteren, erop nahouden: *~ doubts* twijfels hebben **4** overdenken, in overweging nemen: *~ a proposal* over een voorstel nadenken
entertainer [enteteene] iem die het publiek vermaakt, zanger, conferencier, cabaretier, goochelaar
entertaining [enteteening] onderhoudend, vermakelijk, amusant
entertainment [enteteenment] **1** iets dat amusement biedt, opvoering, uitvoering, show, conference **2** feest, partij, feestmaal **3** gastvrijheid, gastvrij onthaal **4** vermaak, plezier, amusement: *greatly* (of: *much*) *to our ~* tot onze grote pret **5** amusementswereld(je), amusementsbedrijf
enthralling [inθro:ling] betoverend, boeiend
enthrone [inθroon] op de troon zetten, kronen
[1]**enthuse** [inθjoe:z] *intr (*met *about, over)* enthousiast zijn (over)
[2]**enthuse** [inθjoe:z] *tr* enthousiast maken
enthusiasm [inθjoe:zie·ezm] **1** (met *about, for*) enthousiasme (voor), geestdrift (voor, over), verrukking, vervoering **2** vurige interesse, passie
enthusiast [inθjoe:zie·est] **1** (met *about, for*) enthousiasteling (in), fan (van), liefhebber (van) **2** dweper
enthusiastic [inθjoe:zie·estik] enthousiast
entice [intajs] (ver)lokken, verleiden
entire [intajje] **1** compleet, volledig **2** geheel, totaal **3** gaaf, heel, onbeschadigd
entirely [intajjelie] **1** helemaal, geheel (en al), volkomen **2** alleen, enkel, slechts
entitle [intajtl] **1** betitelen, noemen: *a novel ~d 'Enduring love'* een roman met als titel 'Enduring love' **2** recht geven op: *be ~d to compensation* recht hebben op schadevergoeding
entity [entittie] bestaan, wezen, het zijn
entrails [entreelz] ingewanden, darmen
[1]**entrance** [entrens] *zn* **1** ingang, toegang, entree **2** binnenkomst **3** opkomst *(op toneel)* **4** entree, toelating; *(bij uitbr)* toegangsgeld: *~ fee* toegangsgeld; *no ~* verboden toegang
[2]**entrance** [intra:ns] *ww* in verrukking brengen, meeslepen
entreat [intrie:t] smeken (om), bidden (om), dringend verzoeken
[1]**entrench** [intrentsj] *intr* **1** zich verschansen, zich ingraven **2** (met *on, upon*) inbreuk maken (op)
[2]**entrench** [intrentsj] *tr* stevig vastleggen; verankeren *(recht, gewoonte e.d.)*
entrepreneur [ontreprene:] **1** ondernemer **2** impresario *(toneel)*
entrust [intrust] toevertrouwen: *~ sth. to s.o., ~ s.o. with sth.* iem iets toevertrouwen
entry [entrie] **1** intrede, entree, toetreding, intocht, binnenkomst; *(theat)* opkomst **2** toegang: *no ~* verboden in te rijden **3** ingang, toegang, hal **4** notitie, inschrijving, boeking

en

enumerate [injoe:mereet] **1** opsommen **2** (op)tellen
enunciate [innunsie·eet] (goed) articuleren, (duidelijk) uitspreken
envelop [invellep] inwikkelen, inpakken; *(fig)* omhullen; omgeven
envelope [enveloop] **1** omhulling *(ook fig)* **2** envelop: *padded ~* luchtkussenenvelop
enviable [enviebl] benijdenswaardig, begerenswaardig
envious [envies] *(met of)* jaloers (op), afgunstig
environment [invajrenment] **1** omgeving **2** milieu, omgeving
environmentalist [invajrenmentelist] **1** milieudeskundige, milieubeheerder **2** milieuactivist, milieubewust iem
envisage [invizzidzj] voorzien; zich voorstellen *(in de toekomst)*
envoy [envoj] (af)gezant, diplomatiek vertegenwoordiger
[1]**envy** [envie] *zn* afgunst: *he was filled with ~ at my new car* hij benijdde me mijn nieuwe wagen
[2]**envy** [envie] *ww* benijden
enzyme [enzajm] enzym
[1]**epic** [eppik] *zn* epos, heldendicht
[2]**epic** [eppik] *bn* **1** episch, verhalend **2** heldhaftig
epidemic [eppiddemmik] epidemie
epilepsy [eppillepsie] epilepsie, vallende ziekte
[1]**epileptic** [eppilleptik] *zn* epilepticus
[2]**epileptic** [eppilleptik] *bn* epileptisch
epilogue [eppillok] **1** epiloog, slotrede **2** naschrift, nawoord
episcopal [ippiskepl] bisschoppelijk
episode [eppissood] episode, (belangrijke) gebeurtenis, voorval; aflevering *(van vervolgverhaal, tv-serie)*
epitaph [eppitta:f] grafschrift
epoch [ie:pok] **1** keerpunt, mijlpaal **2** tijdvak, tijdperk
equable [ekwebl] gelijkmatig, gelijkmoedig
[1]**equal** [ie:kwel] *zn* gelijke, weerga
[2]**equal** [ie:kwel] *bn* **1** gelijk, overeenkomstig, hetzelfde: *on ~ terms* op voet van gelijkheid; *~ to* gelijk aan **2** onpartijdig, eerlijk, rechtvaardig: *~ opportunity* gelijkberechtiging **3** gelijkmatig, effen
[3]**equal** [ie:kwel] *ww* evenaren, gelijk zijn aan: *two and four ~s six* twee en vier is zes
equality [ikwollittie] gelijkheid, overeenkomst
[1]**equalize** [ie:kwelajz] *intr* **1** gelijk worden **2** *(sport)* gelijkmaken
[2]**equalize** [ie:kwelajz] *tr* gelijkmaken, gelijkstellen
equally [ie:kwelie] **1** eerlijk, evenzeer, gelijkmatig **2** in dezelfde mate
equate [ikweet] **1** (met *to, with*) vergelijken (met) **2** (met *with*) gelijkstellen (aan) **3** gelijkmaken, met elkaar in evenwicht brengen
equation [ikweesjen] vergelijking
equator [ikweete] evenaar, equator
equestrian [ikwestrien] ruiter
equilibrium [ie:kwillibriem] evenwicht
equip [ikwip] *(met with)* uitrusten (met), toerusten (met)
equipment [ikwipment] uitrusting, installatie, benodigdheden
equity [ekwittie] **1** billijkheid, rechtvaardigheid **2** *-ies* aandelen
[1]**equivalent** [ikwivvelent] *zn* equivalent
[2]**equivalent** [ikwivvelent] *bn (met to)* equivalent (aan), gelijkwaardig (aan)
equivocal [ikwivvekl] **1** dubbelzinnig **2** twijfelachtig
equivocate [ikwivvekeet] **1** eromheen draaien, een ontwijkend antwoord geven **2** een slag om de arm houden
er [e:] eh *(aarzeling)*
era [iere] era, tijdperk, jaartelling, hoofdtijdperk
eradicate [iredikkeet] met wortel en al uittrekken; *(fig)* uitroeien; verdelgen
erase [irreez] uitvegen, uitwissen
eraser [irreeze] **1** stukje vlakgom, gummetje **2** bordenwisser
[1]**erect** [irrekt] *bn* recht, rechtop (gaand), opgericht
[2]**erect** [irrekt] *ww* **1** oprichten, bouwen, neerzetten **2** stichten, vestigen, instellen
erection [irreksjen] **1** erectie **2** gebouw **3** het oprichten, het bouwen, het optrekken **4** het instellen
[1]**erode** [irrood] *intr* wegspoelen
[2]**erode** [irrood] *tr* **1** (ook met *away*) uitbijten *(van zuur)* **2** (ook met *away*) uithollen *(van water)*; afslijpen, eroderen
erosion [irroozjen] erosie *(ook fig)*
erotic [irrottik] erotisch
err [e:] **1** zich vergissen **2** afwijken: *~ on the side of caution* het zekere voor het onzekere nemen **3** zondigen
errand [errend] **1** boodschap: *go on* (of: *run*) *~s for s.o.* boodschappen doen voor iem **2** doel *(van boodschap)*
erratic [iretik] **1** onregelmatig, ongeregeld, grillig **2** excentriek, onconventioneel **3** veranderlijk, wispelturig
error [erre] vergissing: *~ of judgement* beoordelingsfout; *human ~* menselijke fout; *be in ~* zich vergissen
erupt [irrupt] **1** uitbarsten *(van vulkaan, geiser enz.)*; (vuur)spuwen, spuiten **2** barsten *(ook fig)*; uitbreken
[1]**escalate** [eskeleet] *intr* stijgen *(van prijzen, lonen)*; escaleren
[2]**escalate** [eskeleet] *tr* verhevigen, doen escaleren
escalator [eskeleete] roltrap
escapade [eskepeed] **1** escapade **2** dolle streek, wild avontuur
[1]**escape** [iskeep] *zn* ontsnapping, vlucht: *make one's ~* ontsnappen
[2]**escape** [iskeep] *intr* **1** (met *from, out of*) ontsnappen (uit, aan), ontvluchten: *~ with one's life* het er

levend afbrengen **2** naar buiten komen; ontsnappen *(van gas, stoom)* **3** verdwijnen, vervagen, vergeten raken
[3]**escape** [iskeep] *tr* **1** vermijden, ontkomen aan: ~ *death* de dood ontlopen **2** ontschieten; (even) vergeten zijn *(van naam e.d.)* **3** ontgaan: ~ *one's attention* aan iemands aandacht ontsnappen **4** ontglippen, ontvallen
[1]**escort** [esko:t] *zn* **1** escorte, (gewapende) geleide **2** begeleider, metgezel
[2]**escort** [isko:t] *ww* escorteren, begeleiden, uitgeleide doen
esp *afk van especially* i.h.b., in het bijzonder
especial [ispesjl] speciaal, bijzonder
especially [ispesjelie] **1** speciaal: *bought ~ for you* speciaal voor jou gekocht **2** vooral, in het bijzonder, voornamelijk
espionage [espiena:zj] spionage
Esq *afk van esquire* Dhr.
esquire [iskwajje] de (Weledelgeboren) Heer
essay [essee] essay, opstel, (korte) verhandeling
essence [esns] **1** essentie, kern **2** wezen, geest: *he's the ~ of kindness* hij is de vriendelijkheid zelf
[1]**essential** [issensjl] *zn* **1** het essentiële, essentie, wezen **2** essentieel punt, hoofdzaak **3** noodzakelijk iets, onontbeerlijke zaak: *the basic ~s* de allernoodzakelijkste dingen
[2]**essential** [issensjl] *bn* **1** (met *for, to*) essentieel (voor), wezenlijk **2** (met *for, to*) onmisbaar (voor), noodzakelijk (voor)
establish [isteblisj] **1** vestigen *(ook fig)*; oprichten, stichten: *~ed custom* ingeburgerd gebruik; ~ *oneself* zich vestigen **2** (vast) benoemen, aanstellen **3** vaststellen *(feiten)*; bewijzen || *~ed church* staatskerk
establishment [isteblisjment] vestiging, oprichting, instelling
estate [isteet] **1** landgoed, buiten(verblijf) **2** (land)bezit, vastgoed **3** woonwijk **4** stand, klasse **5** *(jur)* boedel **6** plantage || *industrial ~* industrieterrein, industriegebied, industriewijk
estate agent makelaar in onroerend goed
[1]**esteem** [istie:m] *zn* achting, respect, waardering: *hold s.o. in high ~* iem hoogachten
[2]**esteem** [istie:m] *tr* **1** (hoog)achten, waarderen, respecteren **2** beschouwen: ~ *sth. a duty* iets als een plicht zien
esthet- *zie* aesthet-
estimable [estimmebl] **1** achtenswaardig **2** schatbaar, taxeerbaar
[1]**estimate** [estimmet] *zn* **1** schatting: *at a rough ~* ruwweg **2** (kosten)raming, begroting, prijsopgave **3** oordeel
[2]**estimate** [estimmeet] *ww* **1** schatten, berekenen: ~ *sth. at £100* iets op 100 pond schatten **2** beoordelen *(persoon)*
estimation [estimmeesjen] **1** (hoog)achting: *hold s.o. in ~* iem (hoog)achten **2** schatting, taxatie
estrangement [istreendzjment] vervreemding, verwijdering
etc *afk van et cetera* enz., etc., enzovoort
etch [etsj] etsen
eternal [itte:nl] eeuwig *(ook inform)*
eternity [itte:nittie] **1** eeuwigheid *(ook inform)* **2** onsterfelijkheid, het eeuwige leven
ethical [eθikl] ethisch
ethics [eθiks] **1** ethiek, zedenleer **2** gedragsnormen, gedragscode
ethnic [eθnnik] etnisch
EU *afk van European Union* EU, Europese Unie
eulogy [joe:ledzjie] *(met of, on)* lofprijzing (over)
euphemism [joe:femizm] eufemisme
euphony [joe:fenie] welluidendheid
euphoria [joe:fo:rie] euforie, gevoel van welbevinden, opgewektheid
Euro [joeeroo] euro
Europe [joeerep] Europa
[1]**European** [joeerepien] *zn* Europeaan
[2]**European** [joeerepien] *bn* Europees: ~ *Union* Europese Unie, EU
euro symbol euroteken
euthanasia [joe:θeneezie] euthanasie
evacuate [ivekjoe·eet] evacueren, ontruimen; *(mil)* terugtrekken uit
evacuation [ivekjoe·eesjen] ontruiming, evacuatie
evade [ivveed] vermijden, (proberen te) ontkomen aan, ontwijken: ~ *one's responsibilities* zijn verantwoordelijkheden uit de weg gaan
evaluate [iveljoe·eet] **1** de waarde bepalen van, evalueren **2** berekenen
evaluation [iveljoe·eesjen] **1** waardebepaling, beoordeling, evaluatie **2** berekening
evangelical [ie:vendzjellikl] evangelisch
evangelist [ivendzjelist] evangelist: *the four ~s* de vier evangelisten
evaporate [ivepereet] verdampen, (doen) vervliegen; *(fig)* in het niets (doen) verdwijnen: *my hope has ~d* ik heb de hoop verloren
evasion [ivveezjen] ontwijking, uitvlucht: ~ *of taxes* belastingontduiking
eve [ie:v] **1** vooravond: *on the ~ of* aan de vooravond van; *on the ~ of the race* de dag voor de wedstrijd **2** avond
[1]**even** [ie:vn] *bn* **1** vlak, gelijk, glad **2** gelijkmatig, kalm, onveranderlijk: *an ~ temper* een evenwichtig humeur **3** even: ~ *and odd numbers* even en oneven getallen **4** gelijk, quitte: *get ~ with s.o.* 't iem betaald zetten; *now we're ~ again* nu staan we weer quitte **5** eerlijk: *an ~ exchange* een eerlijke ruil
[2]**even** [ie:vn] *intr* gelijk worden, glad worden
[3]**even** [ie:vn] *tr* gelijk maken
[4]**even** [ie:vn] *bw* **1** zelfs: ~ *now* zelfs nu; ~ *so* maar toch; ~ *if* (of: *though*) zelfs al **2** *(voor vergrotende trap)* nog: *that's ~ better* dat is zelfs (nog) beter
evening [ie:vning] avond; *(fig)* einde: *good ~!* goedenavond!; *in* (of: *during*) *the ~* 's avonds; *on Tuesday ~* op dinsdagavond

even out (gelijkmatig) spreiden, gelijk verdelen, uitsmeren
event [ivvent] **1** gebeurtenis, evenement, manifestatie: *the normal* (of: *usual*) *course of ~s* de gewone gang van zaken; *happy ~* blijde gebeurtenis *(geboorte)* **2** geval: *at all ~s* in elk geval; *in the ~ of his death* in het geval dat hij komt te overlijden **3** uitkomst, afloop: *in the ~, he decided to withdraw from the race* uiteindelijk besloot hij zich uit de wedstrijd terug te trekken **4** *(sport)* nummer, onderdeel
eventual [ivventsjoeel] uiteindelijk
eventuality [ivventsjoe·elittie] eventualiteit, mogelijke gebeurtenis
eventually [ivventsjoeelie] ten slotte, uiteindelijk
even up gelijk worden, gelijkmaken, gelijkschakelen, evenwicht herstellen
ever [evve] **1** ooit: *faster than ~* sneller dan ooit **2** toch, in 's hemelsnaam: *how ~ could I do that?* hoe zou ik dat in 's hemelsnaam kunnen? **3** echt, erg, verschrikkelijk, zo ... als het maar kan: *it is ~ so cold* het is verschrikkelijk koud **4** immer, altijd, voortdurend: *an ever-growing fear* een steeds groeiende angst; *they lived happily ~ after* daarna leefden ze nog lang en gelukkig; *~ since* van toen af, sindsdien
[1]**evergreen** [evvekrie:n] *zn* altijd jeugdig iem (iets); onsterfelijke melodie *(e.d.)*; evergreen
[2]**evergreen** [evvekrie:n] *bn* altijdgroen, groenblijvend; *(fig)* onsterfelijk; altijd jeugdig
everlasting [evvela:sting] **1** eeuwig(durend), eindeloos **2** onsterfelijk; *(fig)* onverwoestbaar
every [evrie] **1** elk(e), ieder(e), alle: *(inform) ~ bit as good* in elk opzicht even goed; *~ which way* in alle richtingen; *~ (single) one of them is wrong* ze zijn stuk voor stuk verkeerd; *three out of ~ seven* drie op zeven; *~ other week* om de andere week, eens in de twee weken **2** alle, alle mogelijke: *she was given ~ opportunity* ze kreeg alle kansen || *~ now and again* (of: *then*), *~ so often* (zo) nu en dan, af en toe
everybody [evrieboddie] iedereen: *~ despises her* iedereen kijkt op haar neer
everyday [evriedee] (alle)daags, gewoon, doordeweeks
everyone [evriewun] *zie* everybody
everyplace [evrieplees] *(Am; inform)* overal
everything [evrieθing] **1** alles, alle dingen: *~ but a success* allesbehalve een succes, bepaald geen succes **2** (met *and*) van alles, dergelijke, zo, dat (alles), nog van die dingen: *with exams, holidays and ~ she had plenty to think of* met examens, vakantie en zo had ze genoeg om over te denken
everywhere [evriewee] **1** overal **2** overal waar, waar ook: *~ he looked he saw decay* waar hij ook keek zag hij verval
evict [ivvikt] uitzetten, verdrijven
evidence [evviddens] **1** aanduiding, spoor, teken: *bear* (of: *show*) *~ of* sporen dragen van, getuigen van **2** bewijs, bewijsstuk, bewijsmateriaal: *conclusive ~* afdoend bewijs; *on the ~ of* op grond van **3** getuigenis, getuigenverklaring: *call s.o. in ~* iem als getuige oproepen **4** duidelijkheid, zichtbaarheid, opvallendheid: *be in ~* zichtbaar zijn, opvallen
evident [evviddent] duidelijk, zichtbaar, klaarblijkelijk
[1]**evil** [ie:vl] *zn* **1** kwaad, onheil, ongeluk: *choose the least* (of: *lesser*) *of two ~s* van twee kwaden het minste kiezen **2** kwaad, zonde: *speak ~ of* kwaadspreken over **3** kwaal
[2]**evil** [ie:vl] *bn* **1** kwaad, slecht, boos: *put off the ~ day* (of: *hour*) iets onaangenaams op de lange baan schuiven **2** kwaad, zondig
evince [ivvins] tonen, aan de dag leggen
evoke [ivvook] oproepen, tevoorschijn roepen, (op)wekken
evolution [ie:veloe:sjen] evolutie, ontwikkeling, groei
[1]**evolve** [ivvolv] *intr* zich ontwikkelen, zich ontvouwen, geleidelijk ontstaan
[2]**evolve** [ivvolv] *tr* ontwikkelen, afleiden, uitdenken
ewe [joe:] ooi, wijfjesschaap
ex [eks] ex, ex-man, ex-vrouw, ex-verloofde
[1]**exact** [ikzekt] *bn* **1** nauwkeurig, accuraat **2** exact, precies: *the ~ time* de juiste tijd
[2]**exact** [ikzekt] *ww* **1** vorderen *(geld, betaling)*; afdwingen, afpersen **2** eisen, vereisen
exacting [ikzekting] veeleisend
exactly [ikzektlie] precies, helemaal, juist, nauwkeurig: *not ~* eigenlijk niet, *(iron)* niet bepaald
exaggerate [ikzedzjereet] **1** overdrijven, aandikken **2** versterken
exalt [ikzo:lt] **1** verheffen, verhogen, adelen **2** loven, prijzen **3** in vervoering brengen
exam [ikzem] *verk van examination* examen
examination [ikzeminneesjen] **1** examen: *sit for* (of: *take*) *an ~* examen doen **2** onderzoek, inspectie, analyse: *a medical ~* een medisch onderzoek; *on closer ~* bij nader onderzoek; *under ~* nog in onderzoek
examine [ikzemin] **1** onderzoeken, onder de loep nemen, nagaan **2** examineren: *~ s.o. in* (of: *on*) iem examineren in
examiner [ikzeminne] **1** examinator **2** inspecteur
example [ikza:mpl] voorbeeld: *give* (of: *set*) *a good ~* een goed voorbeeld geven; *make an ~ of s.o.* een voorbeeld stellen; *for ~* bijvoorbeeld
exasperate [ikza:spereet] **1** erger maken **2** boos maken, ergeren
exasperation [ikza:spereesjen] ergernis, ergerlijkheid, kwaadheid
excavate [ekskeveet] **1** uitgraven, blootleggen, delven **2** uithollen
exceed [iksie:d] **1** overschrijden **2** overtreffen, te boven gaan: *they ~ed us in number* zij overtroffen ons in aantal

exceedingly [iksie:dienglie] buitengewoon, bijzonder
[1]**excel** [iksel] *intr* uitblinken, knap zijn
[2]**excel** [iksel] *tr* overtreffen, uitsteken boven
excellence [ekselens] **1** voortreffelijkheid, uitmuntendheid **2** uitmuntende eigenschap
Excellency [ekselensie] excellentie: *His* (of: *Her*) ~ Zijne (*of:* Hare) Excellentie
excellent [ekselent] uitstekend, voortreffelijk
[1]**except** [iksept] *ww* uitzonderen, uitsluiten, buiten beschouwing laten
[2]**except** [iksept] *vz* behalve, uitgezonderd, tenzij, op ... na: ~ *for Sheila* behalve Sheila
[3]**except** [iksept] *vw* ware het niet dat, maar, echter, alleen: *I'd buy that ring for you, ~ I've got no money* ik zou die ring best voor je willen kopen, alleen heb ik geen geld
exception [iksepsjen] uitzondering, uitsluiting: *with the ~ of* met uitzondering van; *an ~ to the rule* een uitzondering op de regel || *take ~ to* bezwaar maken tegen, aanstoot nemen aan
exceptionable [iksepsjenebl] **1** verwerpelijk **2** aanvechtbaar
exceptional [iksepsjenel] uitzonderlijk, buitengewoon
excerpt [ekse:pt] **1** uittreksel **2** stukje, fragment, passage
[1]**excess** [ikses] *zn* **1** overmaat, overdaad: *in* (of: *to*) ~ overmatig **2** exces, buitensporigheid, uitspatting **3** overschot, surplus, rest **4** eigen risico *(van verzekering)* || *in ~ of* meer dan, boven; *drink to ~* (veel te) veel drinken
[2]**excess** [ekses] *bn* **1** bovenmatig, buitenmatig **2** extra-: ~ *baggage* (of: *luggage*) overvracht, overgewicht; ~ *postage* strafport
excessive [iksessiv] **1** buitensporig **2** overdadig, overmatig
[1]**exchange** [ikstsjeendzj] *zn* **1** ruil, (uit)wisseling, woordenwisseling, gedachtewisseling **2** beurs, beursgebouw **3** telefooncentrale **4** het (om)ruilen, het (uit)wisselen: *in ~ for* in ruil voor **5** het wisselen *(van geld)*
[2]**exchange** [ikstsjeendzj] *ww* **1** ruilen, uitwisselen, verwisselen: ~ *words with* een woordenwisseling hebben met **2** wisselen, inwisselen
exchequer [ikstsjekke] schatkist, staatskas
Exchequer [ikstsjekke] *(altijd met the)* ministerie van Financiën
[1]**excise** [eksajz] *zn* accijns
[2]**excise** [eksajz] *ww* uitsnijden, wegnemen
excite [iksajt] **1** opwekken, uitlokken, oproepen **2** opwinden: *do not get ~d about it!* wind je er niet over op! **3** prikkelen; stimuleren *(ook seksueel)*
excited [iksajtid] opgewonden, geprikkeld
excitement [iksajtment] **1** opwindende gebeurtenis, sensatie **2** opwinding, opschudding, drukte
exclamation [eksklemeesjen] **1** uitroep, schreeuw, kreet: ~ *mark* uitroepteken **2** geroep, geschreeuw, luidruchtig commentaar
exclude [ikskloe:d] uitsluiten, weren, uitzonderen, verwerpen
exclusion [ikskloe:zjen] uitsluiting, uitzetting, verwerping, uitzondering
exclusive [ikskloe:siv] exclusief: *mutually ~ duties* onverenigbare functies; ~ *rights* alleenrecht, monopolie; ~ *of* exclusief, niet inbegrepen
exclusively [ikskloe:sivlie] uitsluitend, enkel, alleen
excrement [ekskrimment] uitwerpsel, uitwerpselen, ontlasting
excruciating [ikskroe:sjie·eeting] tenenkrommend, vreselijk
excursion [ikske:sjen] **1** excursie, uitstapje, pleziertochtje **2** uitweiding: *the teacher made a brief ~ into politics* de leraar hield een korte uitweiding over politiek
[1]**excuse** [ikskjoe:s] *zn* **1** excuus, verontschuldiging: *make one's* (of: *s.o.'s*) *~s* zich excuseren (voor afwezigheid) **2** uitvlucht, voorwendsel
[2]**excuse** [ikskjoe:z] *ww* **1** excuseren, verontschuldigen, vergeven: ~ *my being late* neem me niet kwalijk dat ik te laat ben; ~ *me, can you tell me ...?* pardon, kunt u me zeggen ...?; ~ *me!* sorry!, pardon! **2** vrijstellen, ontheffen **3** laten weggaan, niet langer ophouden || *may I be ~d?* mag ik van tafel af?, mag ik even naar buiten? *(voor het toilet)*; ~ *oneself* zich excuseren *(ook voor afwezigheid)*
execute [eksikjoe:t] **1** uitvoeren *(vonnis)*; afwikkelen *(testament)* **2** executeren, terechtstellen
execution [eksikjoe:sjen] **1** executie, terechtstelling **2** uitvoering; volbrenging *(van vonnis)*; afwikkeling *(van testament)* **3** spel, (muzikale) voordracht, vertolking
executioner [eksikjoe:sjene] beul
[1]**executive** [igzekjoetiv] *zn* **1** leidinggevend persoon, hoofd, directeur **2** uitvoerend orgaan, administratie, dagelijks bestuur
[2]**executive** [igzekjoetiv] *bn* **1** leidinggevend: ~ *director* lid van de raad van bestuur, directeur *(die lid is vd raad van bestuur)* **2** uitvoerend *(ook pol)*
executor [igzekjoete] executeur(-testamentair)
exemplary [igzemplerie] voorbeeldig *(van gedrag bijv.)*
exemplification [igzempliffikkeesjen] **1** voorbeeld, illustratie **2** toelichting
exemplify [igzempliffaj] toelichten; illustreren *(met voorbeeld)*
[1]**exempt** [igzempt] *bn* vrij(gesteld), ontheven
[2]**exempt** [igzempt] *ww (met from)* vrijstellen (van), ontheffen, excuseren
[1]**exercise** [eksesajz] *zn* **1** (uit)oefening, gebruik, toepassing **2** lichaamsoefening, training **3** *~s* militaire oefeningen, manoeuvres
[2]**exercise** [eksesajz] *ww* **1** (zich) oefenen, lichaamsoefeningen doen, trainen **2** (uit)oefenen, gebruiken, toepassen: ~ *patience* geduld oefenen; ~ *power* macht uitoefenen **3** uitoefenen, waarnemen; bekleden *(ambt, functie)* **4** *(mil)* laten exerceren, drillen

exercise bike hometrainer
exercise book schoolschrift
exert [ikze:t] uitoefenen, aanwenden, doen gelden: ~ *pressure* pressie uitoefenen; ~ *oneself* zich inspannen
exertion [ikze:sjen] **1** (zware) inspanning **2** uitoefening, aanwending
exhale [eksheel] uitademen
[1]**exhaust** [ikzo:st] *zn* **1** uitlaat(buis, -pijp) **2** afzuigapparaat **3** uitlaatstoffen, uitlaatgassen
[2]**exhaust** [ikzo:st] *ww* **1** opgebruiken, opmaken **2** uitputten, afmatten; *(fig)* uitputtend behandelen: ~ *a subject* een onderwerp uitputten; *feel ~ed* zich uitgeput voelen
exhaustion [ikzo:stsjen] **1** het opgebruiken **2** uitputting
[1]**exhibit** [ikzibbit] *zn* **1** geëxposeerd stuk **2** geëxposeerde collectie
[2]**exhibit** [ikzibbit] *ww* **1** tentoonstellen, uitstallen **2** vertonen, tonen, blijk geven van
exhibition [eksibbisjen] **1** tentoonstelling, expositie **2** vertoning || *make an ~ of oneself* zich belachelijk aanstellen
exhilarate [ikzillereet] **1** opwekken, opvrolijken **2** versterken, stimuleren
exhilarating [ikzillereeting] **1** opwekkend, opbeurend **2** versterkend, stimulerend
exhort [ikzo:t] aanmanen, oproepen
exhume [ekshjoe:m] opgraven; *(fig)* aan het licht brengen
exile [eksajl] **1** balling, banneling **2** ballingschap: *send into* ~ in ballingschap zenden
exist [ikzist] **1** bestaan, zijn, voorkomen, gebeuren **2** (over)leven, bestaan, voortbestaan: *how can they ~ in these conditions?* hoe kunnen zij in deze omstandigheden overleven?
existence [ikzistens] **1** bestaanswijze, levenswijze **2** het bestaan, het zijn: *come into* ~ ontstaan
existent [ikzistent] **1** bestaand **2** levend, in leven **3** huidig, actueel
[1]**exit** [eksit] *zn* **1** uitgang **2** afslag; uitrit *(van autoweg)* **3** vertrek: *make one's* ~ van het toneel verdwijnen
[2]**exit** [eksit] *ww* afgaan; van het toneel verdwijnen *(ook fig)*
exonerate [ikzonnerreet] **1** zuiveren, vrijspreken **2** vrijstellen, ontlasten
exorbitant [ikzo:bittent] buitensporig, overdreven
exorcism [ekso:sizm] uitdrijving, (geesten)bezwering
exotic [ikzottik] exotisch, uitheems, vreemd
expand [ikspend] **1** opengaan, (zich) ontplooien, spreiden **2** (doen) uitzetten, (op)zwellen, (in omvang) doen toenemen **3** (zich) uitbreiden, (zich) ontwikkelen, uitgroeien: *she owns a rapidly ~ing chain of fast-food restaurants* zij bezit een snelgroeiende keten van fastfoodrestaurants **4** uitwerken, uitschrijven || ~ *on sth.* over iets uitweiden
expansion [ikspensjen] uitbreiding, uitgezet deel, vergroting: *sudden industrial* ~ plotselinge industriële groei
expatriate [ekspetriet] (ver)banneling, iem die in het buitenland woont
expect [ikspekt] **1** verwachten, wachten op, voorzien: *I did not ~ this* ik had dit niet verwacht **2** rekenen op, verlangen: ~ *too much of s.o.* te veel van iem verlangen **3** *(inform)* aannemen, vermoeden: *I ~ you're coming too* jij komt zeker ook? || *be ~ing (a baby)* in (blijde) verwachting zijn
expectancy [ikspektensie] verwachting, afwachting
expectant [ikspektent] **1** verwachtend, (af)wachtend, vol vertrouwen: ~ *crowds* menigte vol verwachting **2** toekomstige: ~ *mother* aanstaande moeder
expectation [ekspekteesjen] verwachting, afwachting, (voor)uitzicht; vooruitzichten *(op erfenis, geld)*: ~ *of life* vermoedelijke levensduur; *against* (of: *contrary to*) *(all) ~(s)* tegen alle verwachting in
expedient [ikspie:dient] geschikt, passend
expedite [ekspiddajt] **1** bevorderen, bespoedigen **2** (snel) afhandelen, afwerken
expedition [ekspiddisjen] expeditie, onderzoekingstocht; *(bij uitbr)* plezierreis; excursie
expeditious [ekspiddisjes] snel, prompt
expel [ikspel] **1** verdrijven, verjagen **2** wegzenden, wegsturen, deporteren
expend [ikspend] **1** besteden, uitgeven, spenderen **2** (op)gebruiken, verbruiken, uitputten
expenditure [ikspenditsje] uitgave(n), kosten, verbruik
expense [ikspens] **1** uitgave, uitgavenpost **2** kosten, uitgave(n), prijs; *(fig)* moeite; opoffering: *at the ~ of* op kosten van, *(fig)* ten koste van **3** *~s* onkosten **4** onkostenvergoeding || *spare no* ~ geen kosten sparen
expensive [ikspensiv] duur, kostbaar
[1]**experience** [ikspieriens] *zn* ervaring, belevenis, ondervinding, praktijk
[2]**experience** [ikspieriens] *ww* ervaren, beleven, ondervinden: ~ *difficulties* op moeilijkheden stoten
experienced [ikspierienst] ervaren, geschikt, geroutineerd
[1]**experiment** [iksperrimment] *zn* experiment, proef(neming), test
[2]**experiment** [iksperrimment] *ww* experimenteren, proeven nemen
[1]**expert** [ekspe:t] *zn* expert, deskundige
[2]**expert** [ekspe:t] *bn* bedreven, deskundig, bekwaam: ~ *job: a)* vakkundig uitgevoerde klus; *b)* werkje voor een expert
expiration [ekspirreesjen] **1** uitademing **2** vervaltijd, expiratie **3** dood
expire [ikspajje] verlopen, verstrijken, aflopen, vervallen
expiry [ikspajjerie] einde, verval, vervaldag, af-

loop: ~ *date* vervaldatum
explain [ikspleen] (nader) verklaren, uitleggen, uiteenzetten, toelichten, verantwoorden, rechtvaardigen: ~ *one's conduct* zijn gedrag verantwoorden; ~ *away* wegredeneren, goedpraten
explanation [eksplәneesjәn] verklaring, uitleg, toelichting
expletive [ikspli̲e:tiv] krachtterm, vloek, verwensing
explicable [eksplikkәbl] verklaarbaar
explicit [iksplissit] expliciet, duidelijk, uitvoerig, uitgesproken, uitdrukkelijk
[1]**explode** [iksplood] *intr* **1** exploderen, ontploffen, (uiteen)barsten **2** uitbarsten, uitvallen: ~ *with laughter* in lachen uitbarsten
[2]**explode** [iksplood] *tr* **1** tot ontploffing brengen, opblazen **2** ontzenuwen, verwerpen: ~*d ideas* achterhaalde ideeën
[1]**exploit** [eksplojt] *zn* (helden)daad, prestatie, wapenfeit
[2]**exploit** [iksplojt] *tr* **1** benutten, gebruikmaken van **2** uitbuiten: ~ *poor children* arme kinderen uitbuiten
exploitation [eksplojteesjәn] **1** exploitatie, gebruik, ontginning **2** uitbuiting
exploration [eksplәreesjәn] onderzoek, studie
explore [iksplo:] **1** een onderzoek instellen **2** onderzoeken, bestuderen: ~ *all possibilities* alle mogelijkheden onderzoeken **3** verkennen
explorer [iksplo:rә] ontdekkingsreiziger, onderzoeker
explosion [iksploozjәn] **1** explosie, ontploffing, uitbarsting **2** uitbarsting, losbarsting, uitval: ~ *of anger* uitval van woede
[1]**explosive** [iksploosiv] *zn* explosief, ontplofbare stof, springstof
[2]**explosive** [iksploosiv] *bn* **1** explosief, (gemakkelijk) ontploffend: ~ *population increase* enorme bevolkingsgroei **2** opvliegend, driftig
[1]**export** [ekspo:t] *zn* **1** export, uitvoer(handel) **2** exportartikel
[2]**export** [ikspo:t] *ww* exporteren, uitvoeren
expose [ikspooz] **1** blootstellen, blootgeven, introduceren aan **2** tentoonstellen, uitstallen, (ver)tonen: ~ *the goods* de waren uitstallen **3** onthullen, ontmaskeren, bekendmaken **4** *(foto)* belichten
exposed [ikspoozd] blootgesteld, onbeschut, kwetsbaar: ~ *pipes* slecht geïsoleerde leidingen; *be ~ to* blootstaan aan
exposure [ikspoozjә] **1** blootstelling *(aan weer, gevaar, licht)* **2** bekendmaking, uiteenzetting, onthulling: *the ~ of his crimes* de onthulling van zijn misdaden **3** *(foto)* belichting
[1]**express** [ikspres] *zn* sneltrein, snelbus, exprestrein
[2]**express** [ikspres] *bn* **1** uitdrukkelijk, duidelijk (kenbaar gemaakt), nadrukkelijk: *it was his ~ wish it should be done* het was zijn uitdrukkelijke wens dat het gedaan werd **2** snel(gaand), expres-, ijl-: *an ~ train* een sneltrein
[3]**express** [ikspres] *ww* uitdrukken, laten zien, betuigen: *he ~ed his concern* hij toonde zijn bezorgdheid
[4]**express** [ikspres] *bw* **1** met grote snelheid, met spoed **2** per expresse, met snelpost **3** speciaal
expression [ikspresjәn] **1** uitdrukking, zegswijze **2** (gelaats)uitdrukking, blik **3** *(wisk)* (hoeveelheids)uitdrukking, symbool, symbolen(verzameling) **4** het uitdrukken: *that's beyond* (of: *past*) ~ daar zijn geen woorden voor **5** expressie, uitdrukkingskracht
expressive [ikspressiv] expressief, betekenisvol, veelzeggend
expressway *(Am)* snelweg
expulsion [ikspulsjәn] verdrijving, verbanning, uitwijzing
exquisite [ekskwizzit] **1** uitstekend, prachtig, voortreffelijk **2** fijn, subtiel
[1]**extend** [ikstend] *intr* zich uitstrekken *(van land, tijd);* voortduren
[2]**extend** [ikstend] *tr* **1** (uitt)rekken, langer (groter) maken, uitbreiden: *an ~ing ladder* schuifladder **2** uitstrekken, uitsteken, aanreiken **3** (aan)bieden, verlenen, betuigen, bewijzen: ~ *a warm welcome to s.o.* iem hartelijk welkom heten
extension [ikstensjәn] **1** aanvulling, verlenging, toevoeging: *(comp) file ~* extensie **2** (extra) toestel(nummer): *ask for ~ 212* vraag om toestel 212 **3** uitstel, langer tijdvak **4** uitbreiding, vergroting, verlenging: *the ~ of a contract* de verlenging van een contract
extensive [ikstensiv] uitgestrekt, groot, uitgebreid: *an ~ library* een veelomvattende bibliotheek
extent [ikstent] **1** omvang, grootte, uitgestrektheid: *the full ~ of his knowledge* de volle omvang van zijn kennis **2** mate, graad, hoogte: *to a certain ~* tot op zekere hoogte; *to a great* (of: *large*) ~ in belangrijke mate, grotendeels; *to what ~* in hoeverre
extenuate [ikstenjoe·eet] verzachten, afzwakken: *extenuating circumstances* verzachtende omstandigheden
exterior [iksti̲erie] **1** buitenkant, oppervlakte, uiterlijk **2** buiten-, aan buitenkant
exterminate [ikstә:minneet] uitroeien, verdelgen
external [ikstә:nl] **1** uiterlijk, extern **2** (voor) uitwendig (gebruik) || ~ *examination* (of: *examiner*) examen (*of:* examinator) van buiten de school
extinct [ikstingkt] **1** uitgestorven **2** niet meer bestaand, afgeschaft **3** uitgedoofd; (uit)geblust *(ook fig);* dood: *an ~ volcano* een uitgedoofde vulkaan
extinction [ikstingksjәn] **1** ondergang, uitroeiing: *be threatened by* (of: *with*) *complete ~* bedreigd worden door totale uitroeiing **2** het doven
extinguish [ikstingkwisj] **1** doven, (uit)blussen **2** vernietigen, beëindigen

extinguisher [ikstingkwisje] **1** (brand)blusapparaat, brandblusser **2** domper, kaarsendover

extol [ikstool] hoog prijzen, ophemelen, verheerlijken: ~ *s.o.'s talents to the skies* iemands talent hemelhoog prijzen

extort [iksto:t] afpersen: ~ *a confession from s.o.* iem een bekentenis afdwingen

[1]**extra** [ekstre] *zn* **1** niet (in de prijs) inbegrepen zaak, bijkomend tarief **2** figurant, dummy

[2]**extra** [ekstre] *bn* extra, bijkomend || ~ *buses for football-supporters* speciaal ingezette bussen voor voetbalsupporters

[3]**extra** [ekstre] *bw* **1** extra, buitengewoon, bijzonder (veel): ~ *good quality* speciale kwaliteit **2** buiten het gewone tarief: *pay ~ for postage* bijbetalen voor portokosten

[1]**extract** [ekstrekt] *zn* **1** passage, fragment, uittreksel **2** extract, aftreksel, afkooksel

[2]**extract** [ikstrekt] *ww* **1** (uit)trekken, (uit)halen, verwijderen; *(fig)* afpersen; weten te ontlokken: ~ *a confession* een bekentenis afdwingen **2** (uit)halen *((delf)stoffen e.d.)*; onttrekken, winnen

extraction [ikstreksjen] **1** het winnen *(van (delf)stoffen e.d.)* **2** afkomst, oorsprong: *Americans of Polish and Irish ~* Amerikanen van Poolse en Ierse afkomst

extradite [ekstredajt] **1** uitleveren *(misdadiger)* **2** uitgeleverd krijgen

extramarital [ekstremeritl] buitenechtelijk

extraneous [ikstreenies] **1** van buitenaf, buiten-, extern **2** onbelangrijk

extraordinary [ikstro:denerie] **1** extra: *an ~ session* een extra zitting **2** buitengewoon, bijzonder

extraterrestrial [ekstreterestriel] buitenaards

extravagant [ikstreveKent] **1** buitensporig, mateloos **2** verkwistend, verspillend: *she is rather ~* zij smijt met geld

[1]**extreme** [ikstrie:m] *zn* uiterste, extreme: *go from one ~ to the other* van het ene uiterste in het andere (ver)vallen; *in the ~* uitermate, uiterst

[2]**extreme** [ikstrie:m] *bn* **1** extreem, buitengewoon **2** uiterst, verst **3** grootst, hoogst: ~ *danger* het grootste gevaar

extremely [ikstrie:mlie] uitermate, uiterst, buitengewoon

extremism [ikstrie:mizm] extremisme

extremity [ikstremmittie] **1** uiteinde **2** *(steeds ev)* uiterste **3** lidmaat: *the upper and lower extremities* armen en benen **4** *extremities* handen en voeten **5** uiterste nood

extricate [ekstrikkeet] halen uit, bevrijden, losmaken: ~ *oneself from difficulties* zich uit de nesten redden

exuberant [iKzjoe:berent] **1** uitbundig, vol enthousiasme, geestdriftig **2** overdadig, overvloedig: ~ *growth* weelderige groei

exude [iKzjoe:d] **1** (zich) afscheiden, afgeven: ~ *sweat* zweet afscheiden **2** (uit)stralen, duidelijk tonen: ~ *happiness* geluk uitstralen

exultation [eKzulteesjen] uitgelatenheid, verrukking

[1]**eye** [aj] *zn* **1** oog: *~s* gezichtsvermogen, blik, kijk; *as far as the ~ can see* zo ver het oog reikt; *catch s.o.'s ~* iemands aandacht trekken; *close* (of: *shut*) *one's ~s to* oogluikend toestaan; *cry* (of: *weep*) *one's ~s out* hevig huilen; *have an ~ for* kijk hebben op; *keep an ~ on* in de gaten houden; *keep your ~s open* let goed op!; *there is more to it* (of: *in it*) *than meets the ~* er zit meer achter (dan je zo zou zeggen); *open s.o.'s ~s (to)* iem de ogen openen (voor); *set* (of: *lay*) *~s on* onder ogen krijgen; *under* (of: *before*) *his very ~s* vlak voor (*of:* onder) zijn ogen; *with an ~ to* met het oog op; *all ~s* een en al aandacht **2** oog; opening *(van naald)*; oog; ringetje *(voor haakje)* **3** centrum, oog; middelpunt *(van storm)* **4** *(plantk)* kiem, oog || *do s.o. in the ~* iem een kool stoven; *make ~s at* lonken naar; *see ~ to ~ (with s.o.)* het eens zijn (met iem); *with one's ~s shut* met het grootste gemak; *(inform) that was one in the ~ for him* dat was een hele klap voor hem

[2]**eye** [aj] *ww* bekijken, aankijken, kijken naar

eyeball oogappel, oogbal, oogbol: *(inform) ~ to ~* (vlak) tegenover elkaar

eyebrow wenkbrauw: *raise an ~* (of: *one's*) *~s* de wenkbrauwen optrekken; *(be) up to one's ~s (in work)* tot over de oren (in het werk zitten)

eyeful [ajfoel] **1** goede blik: *get* (of: *have*) *an ~ (of)* een goede blik kunnen werpen (op) **2** lust voor het oog: *Deborah is quite an ~* Deborah ziet er heel erg goed uit

eyelash wimper, ooghaartje

eye-opener openbaring, verrassing: *it was an ~ to him* daar keek hij van op

eyesight gezicht(svermogen)

eyesore ontsiering: *be a real ~* vreselijk lelijk zijn

eyewitness ooggetuige

f

fable [feebl] **1** fabel, mythe, legende **2** verzinsel, verzinsels, fabeltje, praatje
fabric [febrik] **1** stof, materiaal, weefsel **2** bouw, constructie
fabricate [febrikkeet] **1** bouwen, vervaardigen, fabriceren **2** verzinnen, uit de duim zuigen
fabric softener wasverzachter
fabulous [febjeles] **1** legendarisch, verzonnen **2** fantastisch
façade [fesa:d] gevel, front, voorzijde
[1]**face** [fees] *zn* **1** gezicht, gelaat: *look s.o. in the ~* iem recht aankijken *(ook fig); meet s.o. ~ to ~* iem onder ogen komen; *show one's ~* zijn gezicht laten zien; *in (the) ~ of* ondanks, tegenover **2** (gezichts)-uitdrukking: *fall on one's ~* (plat) op zijn gezicht vallen, *(ook fig)* zijn neus stoten **3** aanzien, reputatie, goede naam: *lose ~* zijn gezicht verliezen, afgaan; *save (one's) ~* zijn figuur redden **4** (belangrijkste) zijde, oppervlak; bodem *(aarde);* gevel, voorzijde; wijzerplaat *(klok);* kant; wand *(berg)* || *fly in the ~ of sth.* tegen iets in gaan; *on the ~ of it* op het eerste gezicht
[2]**face** [fees] *intr* uitzien, het gezicht (de voorkant) toekeren, uitzicht hebben
[3]**face** [fees] *tr* **1** onder ogen zien, (moedig) tegemoet treden: *let's ~ it, …* laten we wel wezen, … **2** confronteren: *Joe was ~d with many difficulties* Joe werd met vele moeilijkheden geconfronteerd **3** staan tegenover, uitzien op: *the picture facing the title page* de illustratie tegenover het titelblad || *~ s.o. down* iem overbluffen
face-cloth washandje
faceless [feesles] gezichtloos, grauw; anoniem *(van massa)*
face-lift facelift *(ook fig);* opknapbeurt
facer [feese] **1** klap in het gezicht **2** onverwachte moeilijkheid, kink in de kabel, probleem
face value 1 nominale waarde **2** ogenschijnlijke betekenis, eerste indruk: *take sth. at (its) ~* iets kritiekloos accepteren
facile [fesajl] *(vaak min)* **1** oppervlakkig, luchtig **2** makkelijk, vlot **3** vlot, vaardig; vloeiend *(stijl, hand van schrijven)*
facilitate [fesillitteet] vergemakkelijken, verlichten
facilities [fesillittiez] voorzieningen, faciliteiten
facility [fesillittie] **1** voorziening, gelegenheid: *research facilities* onderzoeksfaciliteiten **2** vaardigheid, handigheid, talent **3** simpelheid; gemakkelijkheid *(van taak, muziekstuk)*
fact [fekt] **1** feit, waarheid, zekerheid: *the ~s of life* de bloemetjes en de bijtjes; *know for a ~* zeker weten **2** werkelijkheid, realiteit: *in ~* in feite || *in ~* bovendien, zelfs, en niet te vergeten
faction [feksjen] **1** (pressie)groep *(binnen politieke partij)* **2** partijruzie, interne onenigheid
factoid [fektojd] weetje, feitje
factor [fekte] **1** factor, omstandigheid **2** agent, vertegenwoordiger, zaakgelastigde
factory [fekterie] fabriek, werkplaats
factory farming bio-industrie
factual [fektsjoeel] feitelijk, werkelijk
faculty [fekeltie] **1** (geest)vermogen, functie, zin, zintuig: *-ies* verstandelijke vermogens; *the ~ of hearing* (of: *speech*) de gehoorzin, het spraakvermogen **2** (leden van) faculteit, wetenschappelijk personeel, staf: *the Faculty of Law* de Juridische Faculteit
fad [fed] bevlieging, rage, gril
[1]**fade** [feed] *intr* langzaam verdwijnen, afnemen; verflauwen *(van enthousiasme);* vervagen *(van kleuren, herinneringen);* verbleken; verschieten *(van kleuren);* verwelken *(van bloemen): (film) ~ in* (in)faden, invloeien
[2]**fade** [feed] *tr* doen verdwijnen, laten wegsterven, laten vervagen: *~ in* (of: *up*): *a) (van radio)* het volume (geleidelijk) laten opkomen; *b) (film)* (in)faden, invloeien *(beeld)*
fade away (geleidelijk) verdwijnen; afnemen *(krachten);* vervagen *(kleuren);* wegsterven *(geluid)*
fade out 1 *(radio)* langzaam (doen) wegsterven; wegdraaien *(geluid)* **2** *(film)* geleidelijk (doen) vervagen; langzaam uitfaden *(beeld)*
fag [fek] **1** saai werk **2** *(inform)* peuk, sigaret
fagged (out) [fekd (aut)] *(inform)* afgepeigerd, kapot
faggot [feket] **1** takkenbos, bundel (aanmaak)-houtjes **2** bal gehakt **3** vervelend mens, (oude) zak
[1]**fail** [feel] *zn* onvoldoende || *without ~* zonder mankeren
[2]**fail** [feel] *intr* **1** tekortschieten, ontbreken, het begeven: *words ~ed me* ik kon geen woorden vinden **2** afnemen, opraken, verzwakken **3** zakken, een onvoldoende halen **4** mislukken, het niet halen, het laten afweten **5** failliet gaan
[3]**fail** [feel] *tr* **1** nalaten, niet in staat zijn, er niet in slagen: *I ~ to see your point* ik begrijp niet wat u bedoelt **2** in de steek laten, teleurstellen **3** zakken voor; niet halen *(examen)* **4** laten zakken, als onvoldoende beoordelen
[1]**failing** [feeling] *zn* tekortkoming; zwakheid *(in karakter);* fout *(in constructie)*
[2]**failing** [feeling] *vz* bij gebrek aan
failure [feelje] **1** het falen, het zakken, afgang:

power ~ stroomstoring, stroomuitval **2** mislukking, fiasco, mislukkeling **3** nalatigheid, verzuim, onvermogen **4** het uitblijven; mislukking *(oogst)* **5** storing, ontregeling

¹faint [feent] *zn* flauwte, onmacht: *to fall down in a ~* flauwvallen

²faint [feent] *bn* **1** flauw, leeg, wee: *~ with hunger* flauw van de honger **2** halfgemeend, zwak: *damn with ~ praise* het graf in prijzen **3** laf **4** nauwelijks waarneembaar, vaag; onduidelijk *(geluid)* **5** gering, vaag; zwak *(idee, hoop): I haven't the ~est idea* ik heb geen flauw idee

fa

³faint [feent] *ww* flauwvallen

¹fair [fee] *zn* **1** markt, bazaar **2** beurs, (jaar)markt, tentoonstelling **3** kermis

²fair [fee] *bn* **1** eerlijk, redelijk, geoorloofd: *get a ~ hearing* een eerlijk proces krijgen; *by ~ means or foul* met alle middelen; *~ play* fair play, eerlijk spel; *(inform) ~ enough!* dat is niet onredelijk!, oké! **2** behoorlijk, bevredigend, redelijk **3** mooi *(weer);* helder *(lucht)* **4** gunstig, veelbelovend: *(scheepv) ~ wind* gunstige wind **5** blank, licht(gekleurd); blond *(haar, huid)* || *the ~ sex* het schone geslacht

³fair [fee] *bw* **1** eerlijk, rechtvaardig: *play ~* eerlijk spelen, integer zijn **2** precies, pal, net: *~ and square: a)* precies; *b)* rechtuit, open(hartig)

fairground kermisterrein

fairly [feelie] **1** eerlijk, billijk **2** volkomen, helemaal: *I was ~ stunned* ik stond compleet paf **3** tamelijk, redelijk

fair-minded rechtvaardig, eerlijk

fairy [feerie] **1** (tover)fee, elf(je) **2** *(plat)* homo, nicht

fairyland sprookjeswereld, sprookjesland

fairy tale **1** sprookje **2** verzinsel

faith [feeθ] **1** geloof, geloofsovertuiging, vertrouwen: *pin one's ~ on, put one's ~ in* vertrouwen stellen in **2** (ere)woord, gelofte **3** trouw, oprechtheid: *act in good ~* te goeder trouw handelen

faithful [feeθfoel] **1** gelovig, godsdienstig **2** trouw, loyaal **3** getrouw *(kopie)* **4** betrouwbaar *(werker)*

faithfully [feeθfelie] **1** trouw **2** met de hand op het hart *(iets beloven)* || *yours ~* hoogachtend

faithless [feeθles] **1** ontrouw **2** onbetrouwbaar, vals

¹fake [feek] *zn* **1** vervalsing, kopie **2** oplichter, bedrieger

²fake [feek] *bn* namaak-, vals; vervalst *(sieraad, schilderij)*

³fake [feek] *ww* **1** voorwenden; doen alsof *(ziekte, verbazing): a ~d robbery* een in scène gezette overval **2** namaken; vervalsen *(schilderij, handtekening)*

falcon [fo:lken] valk

¹fall [fo:l] *zn* **1** val, smak, het vallen; *(fig)* ondergang; verderf: *the Fall (of man)* de zondeval **2** afname, daling; verval *(van rivier);* het zakken *(van prijzen, temperatuur)* **3** *~s* waterval **4** *(Am)* herfst, najaar

²fall [fo:l] *intr (fell, fallen)* **1** vallen, omvallen; invallen *(van duisternis);* afnemen; dalen *(van prijzen, barometer, stem);* aflopen; afhellen *(van land): ~ to pieces* in stukken vallen *(ook fig); the wind fell* de wind nam af, de wind ging liggen; *~ apart* uiteenvallen, *(inform)* instorten; *sth. to ~ back on* iets om op terug te vallen; *~ over* omvallen; *(inform) ~ over backwards* zich uitsloven, zich in allerlei bochten wringen; *~ through* mislukken **2** ten onder gaan, vallen, sneuvelen; ingenomen worden *(van stad, fort);* zijn (hoge) positie verliezen: *~ from power* de macht verliezen **3** betrekken *(van gezicht)* **4** terechtkomen, neerkomen; *(fig)* ten deel vallen: *it fell to me to put the question* het was aan mij de vraag te stellen **5** raken: *~ behind with* achteropraken met || *Easter always ~s on a Sunday* Pasen valt altijd op zondag; *~ asleep* in slaap vallen; *~ flat* niet inslaan, mislukken; *~ short (of)* tekortschieten (voor), niet voldoen (aan)

³fall [fo:l] *koppelww (fell, fallen)* worden: *~ ill* ziek worden; *~ silent* stil worden

fallacy [felesie] **1** denkfout, drogreden **2** vergissing

fall down **1** (neer)vallen, instorten, ten val komen **2** *(inform)* mislukken, tekortschieten: *~ on sth.* (of: *the job*) er niets van bakken

¹fallen [fo:len] *bn* **1** gevallen **2** zondig: *~ angel* (of: *woman*) gevallen engel (*of:* vrouw) **3** gesneuveld

²fallen [fo:len] *volt dw van* fall

fall in **1** instorten, invallen **2** *(mil)* aantreden, zich in het gelid opstellen

fall out **1** (met *with*) ruzie maken (met) **2** gebeuren, terechtkomen, uitkomen

fall-out **1** radioactieve neerslag **2** het uitvallen, het ophouden

fallow [feloo] braak, onbewerkt: *lie ~* braak liggen *(ook fig)*

fallow deer damhert

false [fo:ls] **1** onjuist, fout, verkeerd: *~ pride* ongerechtvaardigde trots; *true or ~?* waar of onwaar? **2** onecht, kunstmatig: *~ teeth* kunstgebit; *a ~ beard* een valse baard **3** bedrieglijk, onbetrouwbaar: *~ alarm* loos alarm; *~ bottom* dubbele bodem; *under ~ pretences* onder valse voorwendsels

falsify [fo:lsiffaj] **1** vervalsen, falsificeren **2** verkeerd voorstellen *(gebeurtenis)* **3** weerleggen *(voorspelling)*

falter [fo:lte] **1** wankelen, waggelen **2** aarzelen, weifelen **3** stotteren, stamelen

fame [feem] **1** roem, bekendheid **2** (goede) naam, reputatie: *of ill ~* berucht

familiar [femillie] **1** vertrouwd, bekend, gewoon **2** (met *with*) op de hoogte (van), bekend (met) **3** informeel, ongedwongen **4** vrijpostig

familiarity [femillie·errittie] **1** vertrouwdheid, bekendheid: *~ breeds contempt* wat vertrouwd is wordt gemakkelijk doodgewoon **2** ongedwongenheid **3** vrijpostigheid, vrijheid

family [femillie] **1** (huis)gezin, kinderen, gezinsleden **2** familie(leden), geslacht: *run in the ~* in de familie zitten **3** afkomst, afstamming, familie
famine [femin] **1** hongersnood **2** tekort, schaarste, gebrek
famish [femisj] (laten) verhongeren, uitgehongerd zijn: *the men were ~ed* de mannen waren uitgehongerd
famous [feemes] *(met for)* beroemd (om), (wel)bekend
¹fan [fen] *zn* **1** waaier **2** ventilator, fan **3** bewonderaar(ster), enthousiast, fan
²fan [fen] *ww* **1** (toe)waaien; blazen *(lucht);* toewuiven *(koelte)* **2** aanblazen; aanwakkeren *(ook fig): ~ the flames* het vuur aanwakkeren, olie op het vuur gooien
fanatic [fenetik] fanatiekeling(e)
fanciful [fensiefoel] **1** fantasievol; rijk aan fantasie *(stijl, schrijver)* **2** denkbeeldig, verzonnen, ingebeeld
¹fancy [fensie] *zn* **1** fantasie, verbeelding(skracht), inbeelding **2** voorkeur, voorliefde, zin: *a passing ~* een bevlieging **3** veronderstelling, idee, fantasie
²fancy [fensie] *bn* **1** versierd, decoratief, elegant: *~ cakes* taartjes; *~ dress* kostuum; *~ goods* fantasiegoed, snuisterijen **2** grillig; buitensporig *(prijzen)* **3** verzonnen, denkbeeldig
³fancy [fensie] *ww* **1** zich voorstellen, zich indenken **2** vermoeden, geloven: *~ that!* stel je voor!, niet te geloven! **3** leuk vinden, zin hebben in: *~ a girl* op een meisje vallen; *~ some peanuts?* wil je wat pinda's?; *~ oneself* een hoge dunk van zichzelf hebben
fang [feng] hoektand; snijtand *(van hond of wolf);* giftand *(van slang);* slagtand
fantasize [fentesajz] fantaseren
fantastic [fentestik] **1** grillig, bizar **2** denkbeeldig **3** enorm, fantastisch, geweldig
fantasy [fentesie] **1** verbeelding, fantasie **2** illusie, fantasie
¹far [fa:] *bn* ver, (ver)afgelegen: *at the ~ end of the room* aan het andere eind van de kamer
²far [fa:] *bw* **1** ver: *~ and near* overal; *so ~* (tot) zó ver, in zoverre; *~ from easy* verre van makkelijk; *in so ~ as, as ~ as* voor zover; *as ~ as I can see* volgens mij **2** lang; ver *(van tijd): so ~* tot nu toe; *so ~ so good* tot nu toe is alles nog goed gegaan **3** veel, verreweg: *~ too easy* veel te makkelijk
faraway [fa:rewee] **1** (ver)afgelegen, ver **2** afwezig, dromerig; ver *(van blik)*
farce [fa:s] **1** klucht **2** schijnvertoning, zinloos gedoe
¹fare [fee] *zn* **1** vervoerprijs, ritprijs, vervoerkosten, tarief; *(ongev)* kaartje **2** kost, voedsel, voer: *simple ~* eenvoudige kost
²fare [fee] *intr* (ver)gaan || *how did you ~?* hoe is het gegaan?; *~ well* succes hebben, het goed maken
¹farewell *zn* afscheid, vaarwel
²farewell *tw* vaarwel, adieu, tot ziens
far-fetched vergezocht
¹farm [fa:m] *zn* boerderij, landbouwbedrijf
²farm [fa:m] *intr* boer zijn, boeren, een boerderij hebben
³farm [fa:m] *tr* bewerken, bebouwen; cultiveren *(grond)* || *~ out: a)* uitbesteden *(werk, kind); b)* overdragen, afschuiven *(verantwoordelijkheid)*
farmer [fa:me] boer, landbouwer, agrariër
farmers' market *(ongev)* boerderijwinkel, markt met producten van de boerderij
farm-hand boerenknecht, landarbeider
farmstead boerenhoeve
far-off ver(afgelegen), ver weg, lang geleden
far-out **1** afgelegen, ver weg **2** *(inform)* uitzonderlijk, uitheems; bizar *(van kleding, ideeën)* **3** *(inform)* fantastisch
far-reaching verstrekkend; verreikend *(van gevolg, effect)*
far-sighted **1** vooruitziend **2** verziend
¹fart [fa:t] *zn (plat)* **1** scheet, wind **2** lul, klootzak
²fart [fa:t] *ww (plat)* een scheet laten || *~ about* (of: *around*) klooien, rotzooien
¹farther [fa:ðe] *bn (vergr trap van far)* verder (weg)
²farther [fa:ðe] *bw* verder, door, vooruit
farthest [fa:ðist] verst (weg)
fascinate [fesinneet] boeien, fascineren
fascination [fesinneesjen] **1** aantrekkingskracht, charme, bekoring **2** geboeidheid
¹fashion [fesjen] *zn* **1** gebruik, mode, gewoonte: *set a ~* de toon aangeven; *come into ~* in de mode raken **2** manier, stijl, trant: *did he change the nappies? yes, after a ~* heeft hij de baby verschoond? ja, op zijn manier *(d.w.z. niet perfect)*
²fashion [fesjen] *ww* vormen, modelleren, maken
fashionable [fesjenebl] modieus, in (de mode), populair
¹fast [fa:st] *zn* vasten(tijd)
²fast [fa:st] *bn* **1** vast, stevig, hecht: *~ colours* wasechte kleuren **2** snel, vlug; gevoelig *(film): ~ food* gemaksvoedsel *(hamburgers, patat enz.); ~ lane* linker rijbaan, inhaalstrook *(van autoweg)* **3** vóór *(van klok)* || *(inform) make a ~ buck* snel geld verdienen; *(inform) pull a ~ one on s.o.* met iem een vuile streek uithalen, iem afzetten
³fast [fa:st] *ww* vasten
⁴fast [fa:st] *bw* **1** stevig, vast: *~ asleep* in diepe slaap; *play ~ and loose (with)* het niet zo nauw nemen (met), spelen (met) *(iemands gevoelens)* **2** snel, vlug, hard
fasten [fa:sn] vastmaken, bevestigen, dichtmaken: *~ up one's coat* zijn jas dichtdoen
fastener [fa:sene] (rits)sluiting; haakje *(van jurk)*
fastening [fa:sening] sluiting, slot; bevestiging *(van raam, deur)*
fastidious [festiddies] veeleisend, pietluttig, kieskeurig
¹fat [fet] *zn* vet, bakvet, lichaamsvet || *the ~ is in*

the fire de poppen zijn aan het dansen; *chew the ~* kletsen

[2]**fat** [fet] *bn* **1** dik, vet(gemest), weldoorvoed **2** vettig, zwaar; vet *(van vlees, voedsel)* **3** rijk; vruchtbaar *(van land);* vet *(van klei)* **4** groot, dik, lijvig: *(iron) a ~ lot of good that'll do you* daar schiet je geen moer mee op, nou, daar heb je veel aan || *(inform) a ~ cat: a)* rijke pief; *b)* (stille) financier, geldschieter *(achter politicus of partij)*

fatal [feetl] **1** (met *to*) noodlottig (voor), dodelijk; fataal *(van ziekte, ongeluk)* **2** rampzalig *(van besluit)*

fatality [fetelittie] **1** slachtoffer, dodelijk ongeluk **2** noodlottigheid

fate [feet] lot, noodlot, bestemming: *as sure as ~* daar kun je donder op zeggen

fateful [feetfoel] noodlottig, rampzalig, belangrijk

fatfree vetarm, vetvrij

fathead sufferd

[1]**father** [fa:ðe] *zn* **1** vader, huisvader **2** grondlegger, stichter

[2]**father** [fa:ðe] *ww* **1** vader zijn van, voor **2** produceren; de geestelijke vader zijn van *(plan, boek enz.)*

Father [fa:ðe] pater, priester: *~ Christmas* de Kerstman

fatherhood [fa:ðehoed] vaderschap

father-in-law [fa:ðerinlo:] schoonvader

fatherly [fa:ðelie] vaderlijk

fathom [feðem] vadem; vaam *(1,82 m)*

[1]**fatigue** [fetie:ĝ] *zn* **1** vermoeidheid; moeheid *(ook van metalen)* **2** *(mil)* corvee

[2]**fatigue** [fetie:ĝ] *ww* afmatten, vermoeien

fatten [fetn] dik(ker) maken: *~ up* (vet)mesten

[1]**fatty** [fetie] *zn (inform)* vetzak, dikke(rd)

[2]**fatty** [fetie] *bn* vettig, vet(houdend)

fatuous [fetjoees] dom, dwaas, stompzinnig

faucet [fo:sit] *(Am)* kraan

[1]**fault** [fo:lt] *zn* **1** fout, defect, gebrek **2** overtreding, misstap **3** foute service; fout *(bij tennis enz.)* **4** schuld, oorzaak: *at ~* schuldig **5** *(geol)* breuk, verschuiving

[2]**fault** [fo:lt] *ww* aanmerkingen maken op, bekritiseren

faulty [fo:ltie] **1** defect, onklaar **2** onjuist, verkeerd, gebrekkig

[1]**favour** [feeve] *zn* **1** genegenheid, sympathie, goedkeuring: *be in* (of: *out of*) *~ with* in de gunst (*of:* uit de gratie) zijn bij **2** partijdigheid, voorkeur, voortrekkerij **3** gunst, attentie, begunstiging: *do s.o. a ~* iem een plezier doen || *do me a ~!* zeg, doe me een lol!

[2]**favour** [feeve] *ww* **1** gunstig gezind zijn, positief staan tegenover, een voorstander zijn van **2** begunstigen, prefereren, bevoorrechten

favourable [feeverebl] **1** welwillend, goedgunstig: *the weather is ~ to us* het weer zit ons mee **2** gunstig, veelbelovend, positief

[1]**favourite** [feeverit] *zn* **1** favoriet(e) *(ook sport)* **2** lieveling(e)

[2]**favourite** [feeverit] *bn* favoriet, lievelings-

favouritism [feeverittizm] voortrekkerij, vriendjespolitiek

fawn [fo:n] kwispelstaarten *(van hond)* || *(fig) ~ (up)on* vleien, kruipen voor

[1]**fax** [feks] *zn* **1** fax(apparaat) **2** fax(bericht)

[2]**fax** [feks] *ww* faxen, per fax verzenden

faze [feez] van streek maken, in de war doen geraken

[1]**fear** [fie] *zn* vrees, angst(gevoel): *in ~ and trembling* met angst en beven; *go in ~ of* bang zijn voor; *(inform) no ~* beslist niet, geen sprake van

[2]**fear** [fie] *ww* **1** vrezen, bang zijn voor **2** vermoeden, een voorgevoel hebben van, vrezen: *~ the worst* het ergste vrezen

fearful [fiefoel] **1** vreselijk, afschuwelijk, ontzettend **2** bang, angstig

fearsome [fiesem] afschrikwekkend, ontzaglijk

feasible [fie:zibl] **1** uitvoerbaar, haalbaar, doenlijk **2** aannemelijk, waarschijnlijk, geloofwaardig

[1]**feast** [fie:st] *zn* **1** feest **2** feestmaal, banket

[2]**feast** [fie:st] *intr* feesten, feestvieren

[3]**feast** [fie:st] *tr* onthalen; trakteren *(ook fig)*

feat [fie:t] **1** heldendaad **2** prestatie, knap stuk werk

feather [feðe] veer; pluim *(ook aan staart e.d.)* || *a ~ in one's cap* iets om trots op te zijn, een eer

[1]**feature** [fie:tsje] *zn* **1** (gelaats)trek: *~s* gezicht **2** (hoofd)kenmerk, hoofdtrek **3** hoogtepunt, specialiteit, hoofdnummer **4** speciaal onderwerp; *(krant)* hoofdartikel

[2]**feature** [fie:tsje] *ww* een (belangrijke) plaats innemen, opvallen

feature film speelfilm, hoofdfilm

February [febroeerie] februari

feckless [fekles] lamlendig, futloos

fed [fed] *ovt en volt dw van* feed

Federal [fedderel] **1** federaal, bonds- **2** *(Am)* nationaal, lands-, regerings-

federation [feddereesjen] **1** federatie, statenbond **2** bond, federatie, overkoepelend orgaan

fed up *(inform)* (het) zat, ontevreden, (het) beu: *be ~ with sth.* van iets balen

fee [fie:] **1** honorarium *(van arts, advocaat enz.)* **2** inschrijfgeld, lidmaatschapsgeld **3** *~s* schoolgeld, collegegeld

feeble [fie:bl] **1** zwak, teer; krachteloos *(van levende wezens)* **2** flauw, slap; zwak *(van excuus, grap e.d.): a ~ effort* een halfhartige poging

feeble-minded **1** zwakzinnig, zwak begaafd **2** dom

[1]**feed** [fie:d] *zn* **1** voeding *(van dier, baby);* voedering **2** (vee)voer, groenvoer

[2]**feed** [fie:d] *intr (fed, fed)* eten; zich voeden *(van dieren en baby's);* grazen, weiden: *~ on* leven van, zich voeden met *(ook fig)*

[3]**feed** [fie:d] *tr (fed, fed)* **1** voeren, (te) eten geven, voederen: *~ up* vetmesten, volstoppen **2** voedsel geven aan; *(fig)* stimuleren *(verbeelding)* **3** *(meest-*

al techn) aanvoeren *(grondstof enz.); toevoeren (materiaal): ~ coins into the pay phone* munten in de telefoon stoppen
feedback terugkoppeling, antwoord, reactie, feedback
[1]**feel** [fie:l] *zn* **1** het voelen, betasting **2** aanleg, gevoel, feeling **3** routine: *get the ~ of sth.* iets in zijn vingers krijgen
[2]**feel** [fie:l] *intr (felt, felt)* **1** (rond)tasten, (rond)zoeken **2** voelen **3** gevoelens hebben, een mening hebben
[3]**feel** [fie:l] *tr (felt, felt)* **1** voelen, gewaarworden **2** voelen (aan), betasten: *~ s.o.'s pulse* iem de pols voelen *(ook fig); ~ one's way* op de tast gaan *(ook fig)* **3** voelen, gewaarworden: *~ the effects of* lijden onder de gevolgen van **4** voelen, aanvoelen, de indruk krijgen: *I ~ it necessary to deny that* ik vind het nodig dat te ontkennen **5** vinden, menen: *it was felt that …* men was de mening toegedaan dat …
[4]**feel** [fie:l] *koppelww (felt, felt)* **1** zich voelen: *I felt such a fool* ik voelde me zo stom; *~ cold* (of: *warm*) het koud (*of:* warm) hebben; *~ small* zich klein voelen *(beschaamd, nederig); I ~ like sleeping* ik heb zin om te slapen; *I ~ like a walk* ik heb zin in een wandelingetje **2** aanvoelen, een gevoel geven, voelen
feeler [fie:le] tastorgaan, voelhoorn, voelspriet; *(fig)* proefballonnetjes: *put* (of: *throw*) *out ~s* een balletje opgooien
feeling [fie:ling] **1** gevoel, gewaarwording: *a sinking ~* een benauwd gevoel *(als er iets mis dreigt te gaan)* **2** emotie, gevoel: *~s* gevoelens; *hurt s.o.'s ~s* iem kwetsen; *mixed ~s* gemengde gevoelens **3** idee, gevoel, indruk **4** aanleg, gevoel: *a ~ for colour* een gevoel voor kleur **5** opinie, mening, geloof **6** opwinding, ontstemming, wrok: *~s ran high* de gemoederen raakten verhit **7** gevoel: *have lost all ~ in one's fingers* alle gevoel in zijn vingers kwijt zijn
feet [fie:t] *mv van* foot
feign [feen] veinzen, simuleren: *~ed indifference* gespeelde onverschilligheid
felicity [fillissittie] geluk, gelukzaligheid || *express oneself with ~* zijn woorden goed weten te kiezen
feline [fie:lajn] **1** katachtig **2** katten-
[1]**fell** [fel] *ww* omhakken, kappen
[2]**fell** [fel] *ovt van* fall
[1]**fellow** [felloo] *zn* **1** kerel, vent **2** maat, kameraad **3** wederhelft; andere helft *(van twee): a sock and its ~* een sok en de bijbehorende (sok) **4** lid van universiteitsbestuur
[2]**fellow** [felloo] *bn* mede-, collega, -genoot
fellowship [felloosjip] **1** genootschap **2** broederschap, verbond **3** omgang, gezelschap **4** vriendschap, kameraadschap(pelijkheid)
felony [fellenie] (ernstig) misdrijf, zware misdaad
[1]**felt** [felt] *zn* vilt
[2]**felt** [felt] *ovt en volt dw van* feel
fem *afk van feminine* vrl., vrouwelijk
[1]**female** [fie:meel] *zn* **1** vrouwelijk persoon, vrouw **2** wijfje, vrouwtje **3** vrouwspersoon
[2]**female** [fie:meel] *bn* vrouwelijk, wijfjes-
[1]**feminine** [femminnin] *zn* vrouwelijk
[2]**feminine** [femminnin] *bn* vrouwen-, vrouwelijk
feminism [femminnizm] feminisme
fen [fen] moeras(land)
[1]**fence** [fens] *zn* **1** hek, omheining, afscheiding: *(fig) be* (of: *sit*) *on the ~* geen partij kiezen **2** heler
[2]**fence** [fens] *intr (sport)* schermen
[3]**fence** [fens] *tr* omheinen: *~ in* afrasteren, *(fig)* inperken
fend [fend]: *~ off* afweren, ontwijken *(slag, vraag); ~ for oneself* voor zichzelf zorgen
fender [fende] **1** stootrand, stootkussen; *(Am)* bumper **2** *(Am)* spatbord *(van auto)* **3** haardscherm
fennel [fenl] venkel
[1]**ferment** [fe:ment] *zn* **1** gist(middel) **2** onrust, opwinding
[2]**ferment** [fement] *ww* **1** (ver)gisten, (doen) fermenteren **2** in beroering zijn (brengen); onrustig zijn (maken) *(volk)*
fern [fe:n] varen
ferocious [feroosjes] woest, ruw, wild, meedogenloos
ferocity [ferossittie] woestheid, ruwheid, gewelddadigheid
[1]**ferret** [ferrit] *zn* fret
[2]**ferret** [ferrit] *ww* rommelen, snuffelen: *~ about* (of: *around*) *among s.o.'s papers* in iemands papieren rondsnuffelen || *~ out* uitvissen, uitzoeken *(bijv. de waarheid)*
Ferris wheel [ferris wie:l] reuzenrad
[1]**ferry** [ferrie] *zn* **1** veer, veerboot, pont **2** veerdienst; veer *(ook met hovercraft of vliegtuig)*
[2]**ferry** [ferrie] *ww* **1** overzetten, overvaren **2** vervoeren: *~ children to and from a party* kinderen naar een feestje brengen en ophalen
ferryboat veerboot
fertile [fe:tajl] **1** vruchtbaar **2** rijk (voorzien), overvloedig: *~ imagination* rijke verbeelding
fertilize [fe:tillajz] **1** bevruchten, insemineren **2** vruchtbaar maken, bemesten
fertilizer [fe:tillajze] (kunst)mest
fervent [fe:vent] vurig, hartstochtelijk, fervent
fervour [fe:ve] heftigheid, hartstocht, vurigheid
fester [feste] **1** zweren, etteren **2** knagen; irriteren *(opmerking e.d.)*
festival [festivvel] **1** feest, feestelijkheid **2** muziekfeest, festival
festive [festiv] feestelijk: *the ~ season* de feestdagen
festivity [festivvittie] feestelijkheid, festiviteit
festoon [festoe:n] met slingers versieren
fetch [fetsj] **1** halen, brengen, afhalen **2** tevoor-

schijn brengen; trekken *(publiek, tranen)* **3** opbrengen *(geld): the painting ~ed £100* het schilderij ging voor 100 pond weg
fetching [fetsjing] leuk, aantrekkelijk, aardig
fete [feet] feest, festijn
fetish [fettisj] fetisj
fetter [fette] keten, boei, ketting
feud [fjoe:d] vete, onenigheid, ruzie
feudal [fjoe:dl] feodaal, leen-
feudalism [fjoe:delizm] leenstelsel
fever [fie:ve] **1** opwinding, agitatie, spanning **2** koorts, verhoging
fever blister koortslip
few [fjoe:] **1** weinige(n), weinig, enkele(n), een paar: *holidays are ~ and far between* feestdagen zijn er maar weinig; *a ~* een paar, enkele(n) **2** weinig, een paar: *a ~ words* een paar woorden; *every ~ days* om de zoveel dagen || *(inform) there were a good ~* er waren er nogal wat; *quite a ~* vrij veel; *quite a ~ books* nogal wat boeken
ff *afk van following* e.v., en volgende(n)
fiancé [fi·onsee] verloofde
fiasco [fie·eskoo] mislukking, fiasco
fib [fib] leugentje: *tell ~s* jokken
fibre [fajbe] **1** vezel **2** draad **3** kwaliteit, sterkte, karakter: *moral ~* ruggengraat
fibreglass fiberglas, glasvezel
fickle [fikl] wispelturig, grillig
fiction [fiksjen] verzinsel, verdichtsel, fictie
fictional [fiksjenel] roman-: *~ character* romanfiguur
fictitious [fiktisjes] **1** onecht **2** verzonnen; bedacht *(verhaal);* gefingeerd *(naam, adres)* **3** denkbeeldig; fictief *(gebeurtenis)*
¹fiddle [fidl] *zn* viool, fiedel || *play second ~ (to)* in de schaduw staan (van)
²fiddle [fidl] *intr (inform)* **1** vioolspelen, fiedelen **2** lummelen: *~ about* (of: *around*) rondlummelen **3** friemelen, spelen: *~ with* morrelen aan, spelen met
³fiddle [fidl] *tr* **1** spelen *(wijsje op viool)* **2** *(inform)* foezelen met, vervalsen, bedrog plegen met: *~ one's taxes* met zijn belastingaangifte knoeien
fiddlesticks lariekoek, kletskoek
fiddling [fidling] onbeduidend, nietig: *~ little screws* pietepeuterige schroefjes
fidelity [fiddellittie] **1** (natuur)getrouwheid, precisie **2** (met *to*) trouw (aan, jegens), loyaliteit
¹fidget [fidzjit] *zn* zenuwlijer, iem die niet stil kan zitten
²fidget [fidzjit] *ww* de kriebels hebben, niet stil kunnen zitten
¹field [fie:ld] *zn* **1** veld, land, weide, akker, vlakte, sportveld, sportterrein, gebied **2** arbeidsveld, gebied, branche: *~ of study* onderwerp (van studie) **3** *(elektr, nat)* (kracht)veld, draagwijdte, invloedssfeer, reikwijdte: *magnetic ~* magnetisch veld **4** bezetting *(van wedstrijd);* veld, alle deelnemers, jachtpartij, jachtstoet **5** concurrentie, veld; andere deelnemers *(buiten de favoriet; vnl. bij paardenrennen): play the ~* fladderen, van de een naar de ander lopen
²field [fie:ld] *ww (sport)* in het veld brengen; uitkomen met *(team)*
field day schooluitstapje, excursie || *have a ~* volop genieten
field glasses veldkijker, verrekijker
field hockey hockey
Field Marshal *(mil)* veldmaarschalk
field trip uitstapje, excursie
fiend [fie:nd] **1** duivel, demon, kwade geest **2** *(in samenstellingen)* fanaat, maniak
fierce [fies] **1** woest, wreed **2** hevig: *~ dislike* intense afkeer
fiery [fajjerie] **1** brandend, vurig **2** onstuimig, vurig, opvliegend: *~ temperament* fel temperament
fifteen [fiftie:n] vijftien
fifteenth [fiftie:nθ] vijftiende, vijftiende deel
fifth [fifθ] vijfde, vijfde deel; *(muz)* kwint
fifty [fiftie] vijftig: *a man in his fifties* een man van in de vijftig
fifty-fifty half om half, fiftyfifty: *go ~ with so.* met iem samsam doen
fig [fik̂] **1** vijg **2** vijgenboom || *not care* (of: *give*) *a ~ (for)* geen bal geven (om)
¹fight [fajt] *zn* **1** gevecht, strijd, vechtpartij: *a ~ to the finish* een gevecht tot het bittere einde **2** vechtlust, strijdlust: *(still) have plenty of ~ in one* zijn vechtlust (nog lang) niet kwijt zijn
²fight [fajt] *intr (fought, fought)* **1** vechten, strijden: *~ to a finish* tot het bittere eind doorvechten **2** ruziën
³fight [fajt] *tr (fought, fought)* bestrijden, strijden tegen: *~ off sth.* ergens weerstand tegen bieden; *~ it out* het uitvechten
fighter [fajte] vechter, strijder, vechtersbaas
¹fighting [fajting] *zn* het vechten, gevechten
²fighting [fajting] *bn* strijdbaar, uitgerust voor de strijd: *~ spirit* vechtlust || *he has a ~ chance* als hij alles op alles zet lukt het hem misschien
figment [fik̂ment] verzinsel: *~ of the imagination* hersenspinsel
figurative [fik̂eretiv] figuurlijk *(uitdrukking)*
¹figure [fik̂e] *zn* **1** vorm, contour, omtrek, gedaante, gestalte, figuur **2** afbeelding; *(wisk)* figuur; motief *(van patroon): (wisk) solid ~* lichaam *(3D-figuur)* **3** personage: *~ of fun* mikpunt van plagerij **4** cijfer: *double ~s* getal van twee cijfers **5** bedrag, waarde, prijs
²figure [fik̂e] *intr* **1** voorkomen, een rol spelen, gezien worden: *~ in a book* in een boek voorkomen **2** *(Am; inform)* vanzelf spreken, logisch zijn: *that ~s* dat ligt voor de hand, dat zit er wel in
³figure [fik̂e] *tr (Am; inform)* denken, menen, geloven
figure out **1** berekenen, becijferen, uitwerken **2** *(Am)* uitpuzzelen, doorkrijgen: *be unable to figure a person out* geen hoogte van iem kunnen krijgen

filch [filtsj] jatten, gappen
[1]**file** [fajl] *zn* **1** vijl **2** dossier, register, legger **3** (dossier)map, ordner, klapper **4** *(comp)* bestand **5** rij, file: *in single ~* in ganzenmars
[2]**file** [fajl] *intr* in een rij lopen, achter elkaar lopen
[3]**file** [fajl] *tr* **1** vijlen, bijvijlen; bijschaven *(ook fig): ~ sth. smooth* iets gladvijlen **2** opslaan, archiveren: *~ away* opbergen
filibuster [fillibbustə] vertragingstactiek *(door het houden van lange redevoeringen)*
[1]**fill** [fil] *zn* vulling, hele portie: *eat one's ~* zich rond eten
[2]**fill** [fil] *tr* **1** (op)vullen, vol maken: *~ a gap* een leemte opvullen *(meestal fig)* **2** vervullen, bezetten, bekleden: *~ a vacancy* een vacature bezetten
filler [fillə] vulling, vulsel, vulstof, plamuur
fillet [fillit] filet, lendenstuk, haas: *~ of pork* varkenshaas
fill in **1** invullen *(formulier)* **2** passeren: *~ time* de tijd doden **3** (met *on*) *(inform)* op de hoogte brengen (van), briefen (over) **4** dichtgooien, dempen
filling [filling] vulling, vulsel
filling station benzinestation, tankstation
fill out **1** opvullen, groter (dikker) maken: *~ a story* een verhaaltje uitbouwen **2** *(Am)* invullen *(formulier)*
[1]**fill up** *intr* **1** zich vullen, vollopen, dichtslibben **2** benzine tanken
[2]**fill up** *tr* **1** (op)vullen; vol doen *(tank van auto)*; bijvullen **2** invullen *(formulier)*
filly [fillie] merrieveulen, jonge merrie
[1]**film** [film] *zn* **1** dunne laag, vlies: *a ~ of dust* een dun laagje stof **2** rolfilm, film **3** (speel)film
[2]**film** [film] *ww* **1** filmen; opnemen *(scène)* **2** verfilmen, een film maken van
filmy [filmie] dun, doorzichtig
[1]**filter** [filtə] *zn* filter, filtertoestel, filtreertoestel
[2]**filter** [filtə] *intr* uitlekken, doorsijpelen, doorschemeren: *the news ~ed out* het nieuws lekte uit
[3]**filter** [filtə] *tr* filtreren, zeven, zuiveren
filth [filθ] **1** vuiligheid, vuil, viezigheid **2** vuile taal, smerige taal
filthy [filθie] **1** vies, vuil, smerig **2** schunnig || *~ lucre* vuil gewin, poen
fin [fin] **1** vin **2** vinvormig voorwerp, zwemvlies, kielvlak, stabilisatievlak
[1]**final** [fajnl] *zn* **1** finale, eindwedstrijd **2** *~s* (laatste) eindexamen
[2]**final** [fajnl] *bn* **1** definitief, finaal, beslissend **2** laatste, eind-, slot-
finalize [fajnəlajz] tot een einde brengen, de laatste hand leggen aan, afronden
finally [fajnəlie] **1** ten slotte, uiteindelijk **2** afdoend, definitief, beslissend: *it was ~ decided* er werd definitief besloten
[1]**finance** [fajnens] *zn* **1** financieel beheer, geldwezen, financiën **2** *~s* geldmiddelen, fondsen
[2]**finance** [fajnens] *ww* financieren, bekostigen
financial [finensjl] financieel: *~ year* boekjaar
finch [fintsj] vink
[1]**find** [fajnd] *zn* (goede) vondst
[2]**find** [fajnd] *intr (found, found) (jur)* oordelen
[3]**find** [fajnd] *tr (found, found)* **1** vinden, ontdekken, terugvinden: *he was found dead* hij werd dood aangetroffen **2** (be)vinden, (be)oordelen (als), ontdekken; *(pass)* blijken; *(jur)* oordelen; verklaren, uitspreken: *it was found that all the vases were broken* alle vazen bleken gebroken te zijn; *be found wanting* niet voldoen, tekortschieten, te licht bevonden worden; *the jury found him not guilty* de gezworenen spraken het onschuldig over hem uit
find out **1** ontdekken, erachter komen **2** betrappen || *be found out* door de mand vallen
[1]**fine** [fajn] *zn* (geld)boete
[2]**fine** [fajn] *bn* **1** fijn, dun, scherp: *the ~ print* de kleine lettertjes **2** voortreffelijk, fijn: *that's all very ~* allemaal goed en wel **3** fijn, goed: *~ workmanship* goed vakmanschap **4** in orde, gezond: *I'm ~, thanks* met mij gaat het goed, dank je || *~ arts* beeldende kunst(en); *one of these ~ days* vandaag of morgen; *not to put too ~ a point* (of: *an edge*) *on it* zonder er doekjes om te winden
[3]**fine** [fajn] *ww* beboeten
[4]**fine** [fajn] *bw* **1** fijn, in orde: *it suits me ~* ik vind het prima **2** fijn, dun: *cut up onions ~* uien fijn snipperen
finery [fajnərie] opschik, opsmuk, mooie kleren
finger [fingγə] vinger || *(inform) work one's ~s to the bone* zich kapot werken; *(inform) have a ~ in every pie* overal een vinger in de pap hebben; *be all ~s and thumbs* twee linkerhanden hebben, erg onhandig zijn; *burn one's ~s* zijn vingers branden; *(inform) cross one's ~s, keep one's ~s crossed* duimen *(voor iem); have one's ~s in the till* geld stelen uit de kas (van de winkel waar men werkt); *not be able to put* (of: *lay*) *one's ~ on sth.* iets niet kunnen plaatsen; *not lift/move* (of: *raise, stir*) *a ~* geen vinger uitsteken; *let slip through one's ~s* door de vingers laten glippen; *twist* (of: *wind*) *s.o. round one's (little) ~* iem om zijn vinger winden
fingermark (vuile) vinger(afdruk)
fingerprint vingerafdruk
fingertip vingertop || *have sth. at one's ~s* iets heel goed kennen
[1]**finish** [finnisj] *zn* beëindiging, einde, voltooiing: *be in at the ~ (fig)* bij het einde aanwezig zijn; *(fight) to the ~* tot het bittere einde (doorvechten)
[2]**finish** [finnisj] *intr* **1** eindigen, tot een einde komen, uit zijn: *the film ~es at 11 p.m.* de film is om 11 uur afgelopen; *~ off with* eindigen met; *we used to ~ up with a glass of port* we namen altijd een glas port om de maaltijd af te ronden **2** uiteindelijk terechtkomen, belanden: *he will ~ up in jail* hij zal nog in de gevangenis belanden
[3]**finish** [finnisj] *tr* **1** *(vaak met off)* beëindigen, afmaken, een einde maken aan: *~ a book* een boek uitlezen **2** *(vaak met off, up)* opgebruiken, opeten, op-

drinken **3** afwerken, voltooien, de laatste hand leggen aan: ~ *(up) cleaning* ophouden met schoonmaken
finished [finnisjt] **1** (goed) afgewerkt, verzorgd, kunstig **2** klaar, af: *those days are* ~ die tijden zijn voorbij **3** geruïneerd, uitgeput: *he is* ~ *as a politician* als politicus is hij er geweest
finishing touch laatste hand: *put the ~es to* de laatste hand leggen aan
finite [fajnajt] eindig, begrensd, beperkt
finite verb *(taalk)* persoonsvorm
Finn [fin] Fin(se)
Finnish [finnisj] Fins
fir [fe:] **1** spar(renboom) **2** sparrenhout, vurenhout
[1]**fire** [fajje] *zn* **1** vuur, haard(vuur): *catch* ~ vlam vatten **2** brand: *set on ~, set ~ to* in brand steken; *on* ~ in brand, *(fig)* in vuur (en vlam) **3** het vuren, vuur; schot *(van vuurwapen): be* (of: *come*) *under* ~ onder vuur genomen worden *(ook fig)* **4** kachel || *play with* ~ met vuur spelen; *~!* brand!
[2]**fire** [fajje] *tr* **1** in brand steken; doen ontvlammen *(ook fig): it ~d him with enthusiasm* het zette hem in vuur en vlam **2** *(inform)* de laan uitsturen, ontslaan || ~ *up* bezielen, stimuleren
[3]**fire** [fajje] *tr, intr* **1** stoken, brandend houden: *oil-fired furnace* oliekachel, petroleumkachel **2** bakken *(aardewerk)* **3** schieten; (af)vuren *(ook fig): ~ questions* vragen afvuren
firearm vuurwapen
firebrand brandhout *(brandend stuk hout)*
fire brigade brandweer(korps)
fire exit nooduitgang, branddeur
firefighter brandbestrijder, brandweerman
firefly glimworm
fireman [fajjemen] **1** brandweerman **2** stoker
fireplace **1** open haard **2** schoorsteen, schouw
fireproof vuurbestendig, brandveilig
fireworks vuurwerk
[1]**firm** [fe:m] *zn* firma
[2]**firm** [fe:m] *bn* **1** vast, stevig, hard: *be on ~ ground* vaste grond onder de voeten hebben *(ook fig)* **2** standvastig, resoluut: ~ *decision* definitieve beslissing; *take a ~ line* zich (kei)hard opstellen
[3]**firm** [fe:m] *bw* stevig, standvastig: *stand* ~ op zijn stuk blijven
[1]**first** [fe:st] *bw* **1** eerst: *he told her* ~ hij vertelde het eerst aan haar; ~ *and foremost* in de eerste plaats, bovenal; ~ *of all* in de eerste plaats, om te beginnen **2** liever, eerder: *she'd die ~ rather than give in* ze zou eerder sterven dan toe te geven
[2]**first** [fe:st] *telw* eerste deel, begin: *at* ~ aanvankelijk, eerst || *she came out* ~ ze behaalde de eerste plaats; ~ *form* eerste klas *(school); I'll take the ~ train* ik neem de eerstvolgende trein
first-aid eerstehulp-, EHBO-
first name voornaam
first-rate prima, eersterangs
first school *(ongev)* onderbouw
fiscal [fiskl] fiscaal, belasting(s)-: ~ *year* belastingjaar
[1]**fish** [fisj] *zn* vis, zeedier: ~ *and chips* (gebakken) vis met patat || *like a ~ out of water* als een vis op het droge; *(inform) drink like a* ~ drinken als een tempelier; *have other ~ to fry* wel wat anders te doen hebben
[2]**fish** [fisj] *intr* vissen *(ook fig);* hengelen, raden
[3]**fish** [fisj] *tr* (be)vissen: ~ *out a piece of paper from a bag* een papiertje uit een tas opdiepen
fisherman [fisjemen] visser, sportvisser
fishing rod hengel
fishing tackle vistuig, visbenodigdheden
fishmonger vishandelaar, visboer
fishwife visvrouw; *(min)* viswijf
fishy [fisjie] **1** visachtig **2** *(inform)* verdacht: *a ~ story* een verhaal met een luchtje eraan
fission [fisjen] splijting, deling; *(biol)* (cel)deling; *(nat)* (kern)splitsing
fist [fist] vuist
[1]**fit** [fit] *zn* **1** vlaag, opwelling, inval: *by* (of: *in*) *~s (and starts)* bij vlagen **2** aanval, stuip; toeval *(ook fig): a ~ of coughing* een hoestbui; *give s.o. a* ~ iem de stuipen op het lijf jagen
[2]**fit** [fit] *bn* **1** geschikt, passend: *a ~ person to do sth.* de juiste persoon om iets te doen **2** gezond, fit, in (goede) conditie: *as ~ as a fiddle* kiplekker, zo gezond als een vis **3** gepast: *think* (of: *see*) ~ *to do sth.* het juist achten (om) iets te doen
[3]**fit** [fit] *intr* geschikt zijn, passen, goed zitten: *it ~s like a glove* het zit als gegoten
[4]**fit** [fit] *tr* **1** passen, voegen **2** aanbrengen, monteren: *have a new lock ~ted* een nieuw slot laten aanbrengen
[1]**fit in** *intr* (goed) aangepast zijn, zich aanpassen aan: ~ *with your ideas* in overeenstemming zijn met jouw ideeën; ~ *with our plans* stroken met onze plannen
[2]**fit in** *tr* **1** inpassen, plaats (tijd) vinden voor **2** aanpassen: *fit sth. in with sth.* iets ergens bij aanpassen
fitness [fitnes] **1** het passend zijn: ~ *for a job* geschiktheid voor een baan **2** fitheid, goede conditie
fitness steps steps
fitted [fittid] **1** (volledig) uitgerust, compleet: ~ *kitchen* volledig uitgeruste keuken; ~ *with* (uitgerust) met, voorzien van **2** vast: ~ *carpet* vaste vloerbedekking || ~ *sheet* hoeslaken
fitter [fitte] monteur, installateur
fitting [fitting] **1** *(techn)* hulpstuk, accessoire **2** *(mode)* maat
fit up *(inform)* onderdak verlenen: *fit s.o. up with a bed* iem onderdak verlenen
five [fajv] vijf
fivefold vijfvoudig
fiver [fajve] *(inform)* briefje van vijf
[1]**fix** [fiks] *zn* **1** moeilijke situatie, knel: *be in* (of: *get oneself into*) *a* ~ in de knel zitten (*of:* raken) **2** doorgestoken kaart, afgesproken werk: *the elec-*

tion was a ~ de verkiezingen waren doorgestoken kaart **3** shot, dosis

[2]**fix** [fiks] *ww* **1** vastmaken, bevestigen, monteren: ~ *sth. in the mind* (of: *memory*) iets in de geest (*of:* in het geheugen) prenten **2** vasthouden; trekken *(aandacht);* fixeren *(blik):* ~ *one's eyes* (of: *attention*) *(up)on sth.* de blik (*of:* aandacht) vestigen op iets **3** vastleggen, bepalen; afspreken *(prijs, datum, plaats)* **4** regelen, schikken: *(min) the whole thing was ~ed* het was allemaal doorgestoken kaart **5** opknappen, repareren, in orde brengen **6** *(Am)* bereiden; maken *(maaltijd, drankje):* ~ *sth. up* iets klaarmaken

fixation [fikseesjen] **1** bevestiging, bepaling **2** *(psych)* fixatie

fixed [fikst] **1** vast: ~ *idea* idee-fixe **2** voorzien van: *how are you ~ for beer?* hoe staat het met je voorraad bier?

fixer [fikse] tussenpersoon *(vnl. voor onwettige zaken)*

fixings [fiksingz] *(Am; inform)* **1** uitrusting, toebehoren **2** garnering; versiering *(gerecht)*

fix up regelen, organiseren, voorzien van: *fix s.o. up with a job* iem aan een baan(tje) helpen

[1]**fizz** [fiz] *zn* **1** gebruis, gesis, geschuim **2** *(inform)* mousserende drank, champagne

[2]**fizz** [fiz] *ww* sissen, (op)bruisen, mousseren

fizzle [fizl] (zachtjes) sissen, (zachtjes) bruisen || *(inform)* ~ *out* met een sisser aflopen

fizzy [fizzie] bruisend, sissend, mousserend

flabbergast [flebeka:st] *(inform)* verstomd doen staan, verbijsteren, overdonderen: *be ~ed at* (of: *by*) verstomd staan door

flabby [flebie] slap; zwak *(ook van karakter)*

flaccid [fleksid] slap, zwak, zacht

[1]**flag** [flek] *zn* **1** vlag, vaandel, vlaggetje: ~ *of convenience* goedkope vlag; *show the ~ (fig)* je gezicht laten zien **2** lisbloem || *keep the ~ flying* doorgaan met de strijd, volharden

[2]**flag** [flek] *intr* verslappen; verflauwen *(aandacht)*

[3]**flag** [flek] *tr* **1** met vlaggen versieren (markeren) **2** doen stoppen (met zwaaibewegingen), aanhouden, aanroepen: ~ *(down) a taxi* een taxi aanroepen

flag-day collectedag, speldjesdag

flagon [fleken] **1** schenkkan, flacon **2** kan, fles

flagpole vlaggenstok, vlaggenmast

flagrant [fleekrent] flagrant, in het oog springend

flagship vlaggenschip; *(fig ook)* paradepaardje

flagstaff vlaggenstok, vlaggenmast

[1]**flail** [fleel] *zn* (dors)vlegel

[2]**flail** [fleel] *ww* **1** dorsen **2** wild zwaaien (met): *the boy ~ed his arms in the air* de jongen maaide met zijn armen in de lucht

flair [flee] flair, feeling, fijne neus, bijzondere handigheid

[1]**flake** [fleek] *zn* vlok, sneeuwvlok, schilfer; *(verf)* bladder

[2]**flake** [fleek] *ww* (doen) (af)schilferen, (doen) pellen || *(inform) ~ out: a)* omvallen van vermoeidheid; *b)* gaan slapen; *c)* flauwvallen

flamboyant [flembojjent] **1** bloemrijk **2** schitterend, vlammend **3** opzichtig, zwierig

[1]**flame** [fleem] *zn* **1** vlam, gloed: *~s* vuur, hitte; *burst into ~(s)* in brand vliegen **2** geliefde, liefde, passie

[2]**flame** [fleem] *ww* vlammen, ontvlammen; opvlammen *(van passie, liefde)* || ~ *out* (of: *up*) (razend) opvliegen, opstuiven *(van personen)*

flammable [flemebl] brandbaar, explosief

flan [flen] *(ongev)* kleine vla(ai)

Flanders [fla:ndez] Vlaanderen

flank [flengk] zijkant, flank

flannel [flenl] **1** flanel **2** (flanellen) doekje, washandje **3** *(inform)* mooi praatje, vleierij, smoesjes

[1]**flap** [flep] *zn* **1** geflapper, geklap **2** klep, flap, (afhangende) rand; (neerslaand) blad *(van tafel)* **3** *(inform)* staat van opwinding, paniek, consternatie

[2]**flap** [flep] *intr* flapp(er)en, klepp(er)en, slaan

[3]**flap** [flep] *tr* op en neer bewegen, slaan met

[1]**flare** [flee] *zn* **1** flakkerend licht, flikkering **2** signaalvlam, vuursignaal

[2]**flare** [flee] *ww* (op)flakkeren, (op)vlammen; *(fig)* opstuiven: ~ *up: a)* opflakkeren; *b) (ook fig)* woest worden

flare-up opflakkering, uitbarsting, hevige ruzie

[1]**flash** [flesj] *zn* **1** (licht)flits, vlam, (op)flikkering: *~es of lightning* bliksemschichten; *quick as a ~* razend snel; *in a ~* in een flits **2** flits(licht), flitsapparaat **3** lichtsein, vlagsein **4** kort (nieuws)bericht, nieuwsflits **5** opwelling, vlaag: *a ~ of inspiration* een flits van inspiratie

[2]**flash** [flesj] *bn* **1** plotseling (opkomend): ~ *flood* (of: *fire*) plotselinge overstroming (*of:* brand) **2** *(inform)* opzichtig, poenig

[3]**flash** [flesj] *intr* **1** opvlammen; (plotseling) ontvlammen *(ook fig)* **2** plotseling opkomen: ~ *into view* (of: *sight*) plotseling in het gezichtsveld verschijnen **3** snel voorbijflitsen, (voorbij)schieten: ~ *past* (of: *by*) voorbijvliegen, voorbijflitsen

[4]**flash** [flesj] *tr* **1** (doen) flitsen, (doen) flikkeren: ~ *the headlights (of a car)* met de koplampen flitsen **2** pronken met *(juwelen):* ~ *money around* te koop lopen met zijn geld

flashback terugblik

flasher [flesje] **1** flitser, knipperlicht **2** potloodventer *(exhibitionist)*

flashlight **1** flitslicht, lichtflits, signaallicht **2** *(Am)* zaklantaarn

flask [fla:sk] **1** fles, flacon; *(chem)* kolf **2** veldfles **3** thermosfles

[1]**flat** [flet] *zn* **1** vlakte, vlak terrein **2** flat, etage, appartement: *a block of ~s* een flatgebouw **3** platte kant, vlak, hand(palm) **4** *(Am)* lekke band **5** *(muz)* mol(teken); *(Belg)* b-molteken

[2]**flat** [flet] *bn* **1** vlak, plat **2** laag, niet hoog; plat *(ook*

fl

van voeten) **3** zonder prik; *(Belg)* plat *(water);* verschaald *(bier)* **4** effen; gelijkmatig *(kleur, verf)* **5** bot, vierkant; absoluut *(ontkenning, weigering)* **6** leeg; plat *(band)* **7** saai, oninteressant, mat, smaakloos; flauw *(eten): fall ~* mislukken, geen effect hebben **8** *(muz)* te laag **9** *(muz)* mol, mineur

[3]**flat** [flet] *bw* **1** *(inform)* helemaal: *~ broke* helemaal platzak; *~ out* (op) volle kracht, met alle kracht *(vooruitgaan, werken)* **2** *(inform)* botweg, ronduit: *tell s.o. sth. ~* iem botweg iets zeggen **3** *(muz)* (een halve toon) lager, te laag **4** rond, op de kop af, exact: *ten seconds ~* op de kop af tien seconden

fl

flat-bottomed platboomd, met een platte bodem

flatfish platvis

flat-iron strijkijzer, strijkbout

flatly [fletlie] **1** uitdrukkingsloos, mat; dof *(zeggen, spreken enz.)* **2** botweg; kortaf *(bijv. weigeren): Simon ~ refused to say where he had been* Simon vertikte het gewoon om te zeggen waar hij had gezeten **3** helemaal

flatten [fletn] **1** afplatten, effenen: *~ out* afvlakken, effenen **2** flauw(er) maken, dof maken

flatter [flete] **1** vleien: *~ oneself* zich vleien, zichzelf te hoog aanslaan; *I ~ myself that I'm a good judge of character* ik vlei mezelf met de hoop dat ik mensenkennis bezit **2** strelen *(oren, ogen)* **3** flatteren, mooier afschilderen

flattery [fleterie] **1** vleierij; *(pesterig)* slijm, slijm **2** gevlei, vleiende woorden

flaunt [flo:nt] **1** pronken met, pralen met, tentoonspreiden **2** doen opvallen, (zich) zeer opvallend uitdossen (gedragen)

flautist [flo:tist] fluitist, fluitspeler

flavour [fleeve] **1** smaak, aroma, geur; *(fig)* bijsmaak **2** het karakteristieke, het eigene, het typische: *Camden has its own peculiar ~* Camden heeft iets heel eigens

flavouring [fleevering] smaakstof, aroma, kruid, kruiderij

flaw [flo:] **1** barst, breuk, scheur **2** gebrek; fout *(in juweel, steen, karakter)*

flax [fleks] vlas *(plant, vezel)*

flay [flee] **1** villen, (af)stropen **2** afranselen; *(fig)* hekelen

flea [flie:] **1** vlo **2** watervlo || *go off with a ~ in his ear* van een koude kermis thuiskomen; *~ market* vlooienmarkt, rommelmarkt

fleabite vlooienbeet; *(fig)* iets onbelangrijks; kleinigheid

[1]**fleck** [flek] *zn* vlek(je), plek(je), spikkel(tje)

[2]**fleck** [flek] *ww* (be)spikkelen, vlekken, stippen

fled [fled] *ovt en volt dw van* flee

flee [flie:] *(fled, fled)* (ont)vluchten

[1]**fleece** [flie:s] *zn* **1** (schaaps)vacht **2** vlies *(afgeschoren, samenhangende wollaag)* **3** fleece

[2]**fleece** [flie:s] *ww* **1** scheren *(schaap)* **2** *(inform)* afzetten; het vel over de oren halen *(persoon)*

fleet [flie:t] **1** vloot, marine, luchtvloot **2** schare, verzameling, groep: *a ~ of cars* (of: *taxis*) een wagenpark

fleeting [flie:ting] **1** vluchtig, vergankelijk **2** kortstondig: *a ~ glance* een vluchtige blik

Fleming [flemming] Vlaming

Flemish [flemmisj] Vlaams

flesh [flesj] vlees: *~ and blood* het lichaam, een mens(elijk wezen); *one's own ~ and blood* je eigen vlees en bloed, je naaste verwanten

flew [flw:] *ovt van* fly

[1]**flex** [fleks] *zn* (elektrisch) snoer

[2]**flex** [fleks] *ww* buigen, samentrekken

flexible [fleksibl] **1** buigzaam *(ook fig);* soepel, flexibel: *~ working hours* variabele werktijd **2** meegaand, plooibaar

flexitime [fleksittajm] variabele werktijd(en)

flexiworker [fleksiwwe:ke] flexwerker

[1]**flick** [flik] *zn* **1** tik, mep, slag **2** ruk, schok: *a ~ of the wrist* een snelle polsbeweging **3** *(inform)* film **4** *the ~s* bios

[2]**flick** [flik] *ww* even aanraken, aantikken, afschudden; aanknippen *(schakelaar): ~ crumbs from* (of: *off*) *the table* kruimels van de tafel vegen || *~ through a newspaper* een krant doorbladeren

[1]**flicker** [flikke] *zn* **1** trilling, (op)flikkering, flikkerend licht **2** sprankje: *a ~ of hope* een sprankje hoop

[2]**flicker** [flikke] *ww* **1** trillen, fladderen, wapperen, flikkeren **2** heen en weer bewegen, heen en weer schieten

flier [flajje] *zie* flyer

flight [flajt] **1** vlucht, het vliegen; baan *(van projectiel, bal); (fig)* opwelling; uitbarsting: *put to ~* op de vlucht jagen **2** zwerm, vlucht, troep **3** trap: *a ~ of stairs* een trap

flight attendant steward(ess)

flight path **1** vliegroute **2** baan *(van satelliet)*

flight recorder vluchtrecorder, zwarte doos

flighty [flajtie] grillig, wispelturig

[1]**flimsy** [flimzie] *zn* doorslag(papier), kopie

[2]**flimsy** [flimzie] *bn* **1** broos, kwetsbaar, dun **2** onbenullig, onnozel

flinch [flintsj] *(ook fig)* terugdeinzen; terugschrikken *(van angst, pijn): without ~ing* zonder een spier te vertrekken

[1]**fling** [fling] *zn* **1** worp, gooi **2** uitspatting, korte, hevige affaire || *have one's ~* uitspatten

[2]**fling** [fling] *ww (flung, flung)* **1** gooien, (weg)smijten, (af)werpen **2** wegstormen, (boos) weglopen

flint [flint] vuursteen(tje)

[1]**flip** [flip] *zn* tik, mep, (vinger)knip

[2]**flip** [flip] *bn* glad, ongepast, brutaal

[3]**flip** [flip] *intr (inform)* **1** flippen, maf worden **2** boos worden, door het lint gaan

[4]**flip** [flip] *tr* **1** wegtikken, wegschieten (met de vingers): *~ a coin* kruis of munt gooien **2** omdraaien

flip-chart flip-over, flap-over

flip-flop [flipflop] teenslipper

flippant [flippent] oneerbiedig, spottend
flipper [flippe] 1 vin, zwempoot 2 zwemvlies
flip side 1 B-kant (van grammofoonplaat) 2 keerzijde *(ook fig)*
flip through doorbladeren, snel doorlezen
[1]**flirt** [fle:t] *zn* flirt
[2]**flirt** [fle:t] *ww* flirten, koketteren
flirt with 1 flirten met; *(fig)* spelen met; overwegen: *we ~ the idea of* we spelen met de gedachte om 2 uitdagen, flirten met: *~ danger* een gevaarlijk spel spelen
[1]**float** [floot] *zn* 1 drijvend voorwerp, vlot, boei, dobber 2 drijver 3 kar, (praal)wagen 4 contanten, kleingeld
[2]**float** [floot] *intr* 1 drijven, dobberen 2 vlot komen *(van schip)* 3 zweven
[3]**float** [floot] *tr* 1 doen drijven 2 vlot maken *(schip e.d.)* 3 over water vervoeren 4 in omloop brengen, voorstellen, rondvertellen: *~ an idea* met een idee naar voren komen
floating [flooting] 1 drijvend: *~ bridge: a)* pontonbrug; *b)* kettingpont 2 veranderlijk: *~ kidney* wandelende nier; *~ voter* zwevende kiezer
[1]**flock** [flok] *zn* 1 bosje, vlokje 2 troep, zwerm, kudde
[2]**flock** [flok] *ww* bijeenkomen, samenstromen: *people ~ed to the cities* men trok in grote groepen naar de steden
flog [flok] slaan, ervan langs geven
[1]**flood** [flud] *zn* 1 vloed 2 uitstorting, stroom, vloed: *~ of reactions* stortvloed van reacties 3 overstroming
[2]**flood** [flud] *ww* (doen) overstromen, overspoelen, buiten zijn oevers doen treden: *we were ~ed (out) with letters* we werden bedolven onder de brieven
floodgate sluisdeur *(fig)*; sluis: *open the ~s* de sluizen openzetten
flooding [fludding] overstroming
floodlight 1 schijnwerper 2 strijklicht, spotlicht
[1]**floor** [flo:] *zn* 1 vloer, grond: *first ~* eerste verdieping, *(Am)* begane grond 2 verdieping, etage 3 vergaderzaal *(vh parlement): a motion from the ~* een motie uit de zaal || *wipe the ~ with s.o.* de vloer met iem aanvegen
[2]**floor** [flo:] *ww* 1 vloeren *(ook fig)*; knock-out slaan, verslaan: *his arguments ~ed me* tegen zijn argumenten kon ik niet op 2 van de wijs brengen
floorboard 1 vloerplank 2 bodemplank
floor show floorshow, striptease
[1]**flop** [flop] *zn* 1 smak, plof 2 flop, mislukking
[2]**flop** [flop] *ww* 1 zwaaien, klappen, spartelen: *~ about in the water* rondspartelen in het water 2 smakken, ploffen: *~ down in a chair* neerploffen in een stoel 3 *(inform)* mislukken, floppen; zakken *(bij examen)*
[1]**floppy** [floppie] *zn* floppy (disk), diskette, flop
[2]**floppy** [floppie] *bn* 1 slap(hangend) 2 *(inform)* zwak
floral [flo:rel] 1 gebloemd: *~ tribute* bloemenhulde 2 mbt flora, plant-
florid [florrid] 1 bloemrijk, (overdreven) sierlijk 2 in het oog lopend, opzichtig 3 blozend, hoogrood
florin [florrin] florijn, gulden
florist [florrist] 1 bloemist 2 bloemkweker
flotilla [fletille] 1 flottielje, smaldeel 2 vloot *(van kleine schepen)*
flotsam [flotsem] 1 drijfhout, wrakhout: *(fig) ~ and jetsam* uitgestotenen 2 rommel, rotzooi
[1]**flounce** [flauns] *zn* 1 zwaai, ruk, schok 2 (gerimpelde) strook *(aan kledingstuk, gordijn)*
[2]**flounce** [flauns] *ww* 1 zwaaien *(van lichaam)*; schokken, schudden 2 ongeduldig lopen: *~ about the room* opgewonden door de kamer ijsberen
flounder [flaunde] 1 ploeteren 2 stuntelen, van zijn stuk gebracht worden 3 de draad kwijtraken, hakkelen
flour [flaue] meel, (meel)bloem
[1]**flourish** [flurrisj] *zn* 1 krul, krulletter 2 bloemrijke uitdrukking, stijlbloempje 3 zwierig gebaar 4 fanfare, geschal
[2]**flourish** [flurrisj] *intr* 1 gedijen, bloeien 2 floreren, succes hebben: *his family were ~ing* het ging goed met zijn gezin
[3]**flourish** [flurrisj] *tr* tonen, zwaaien met: *he ~ed a letter in my face* hij zwaaide een brief onder mijn neus heen en weer
flout [flaut] 1 beledigen, bespotten 2 afwijzen, in de wind slaan
[1]**flow** [floo] *zn* 1 stroom, stroming, het stromen 2 vloed, overvloed: *ebb and ~* eb en vloed
[2]**flow** [floo] *ww* 1 (toe)vloeien, (toe)stromen 2 golven; loshangen *(van haar, kledingstuk)* 3 opkomen *(van vloed): swim with the ~ing tide* met de stroom meegaan
[1]**flower** [flaue] *zn* 1 bloem, bloesem 2 bloei: *the orchids are in ~* de orchideeën staan in bloei
[2]**flower** [flaue] *ww* bloeien, tot bloei (ge)komen (zijn)
flowing [flooing] 1 vloeiend 2 loshangend, golvend
flown [floon] *volt dw van* fly
flu [floe:] *verk van influenza* griep
flub [flub] *(Am)* verknoeien
fluctuate [fluktjoe·eet] fluctueren, schommelen, variëren
flue [floe:] schoorsteenpijp, rookkanaal
fluency [floe:ensie] spreekvaardigheid
fluent [floe:ent] vloeiend: *be ~ in English* vloeiend Engels spreken
[1]**fluff** [fluf] *zn* pluis(jes), dons
[2]**fluff** [fluf] *ww* blunderen
[1]**fluid** [floeid] *zn* vloeistof
[2]**fluid** [floeid] *bn* 1 vloeibaar, niet vast, vloeiend 2 instabiel, veranderlijk: *our plans are still ~* onze plannen staan nog niet vast
fluke [floe:k] bof, meevaller, mazzel: *by a ~* door stom geluk

flummox [flummeks] in verwarring brengen, perplex doen staan
flung [flung] *ovt en volt dw van* fling
flunk [flungk] *(Am; inform)* (doen) zakken *(voor examen)*; afwijzen *(voor examen)*
flunkey [flungkie] *(vaak min)* **1** lakei **2** stroop-likker
fluorescent [floeeresnt] fluorescerend: ~ *lamp* tl-buis
fluoride [floeerajd] fluoride, fluorwaterstofzout
flurry [flurrie] vlaag *(ook fig)*; windvlaag, windstoot, (korte) bui: *in a ~ of excitement* in een vlaag van opwinding

fl

[1]**flush** [flusj] *zn* **1** vloed, (plotselinge) stroom, vloedgolf **2** (water)spoeling **3** opwinding: *in the first ~ of victory* in de overwinningsroes **4** blos **5** flush, serie kaarten van dezelfde kleur
[2]**flush** [flusj] *bn* **1** goed voorzien, goed bij kas: ~ *with money* goed bij kas **2** gelijk, vlak: ~ *with the wall* gelijk met de muur
[3]**flush** [flusj] *intr* **1** doorspoelen; doortrekken *(van toilet)* **2** kleuren, blozen
[4]**flush** [flusj] *tr* **1** (schoon)spoelen: ~ *sth. away* (of: *down*) iets wegspoelen **2** opwinden, aanvuren: *~ed with happiness* dolgelukkig **3** doen wegvliegen: ~ *s.o. out of* (of: *from*) *his hiding place* iem uit zijn schuilplaats verjagen
[1]**fluster** [fluste] *zn* opwinding, verwarring: *be in a ~* opgewonden zijn
[2]**fluster** [fluste] *ww* van de wijs brengen, zenuwachtig maken
flute [floe:t] fluit
flutist [floe:tist] *(Am)* fluitist
[1]**flutter** [flutte] *zn* **1** gefladder, geklapper **2** opwinding, drukte: *be in a ~* opgewonden zijn **3** *(inform)* gokje, speculatie
[2]**flutter** [flutte] *intr* **1** fladderen, klapwieken **2** dwarrelen *(van blad)* **3** wapperen *(van vlag)* **4** zenuwachtig rondlopen, ijsberen **5** snel slaan, (snel) kloppen
flux [fluks] **1** vloed, het vloeien, stroom **2** voortdurende beweging, veranderlijkheid: *everything was in a state of ~* er waren steeds nieuwe ontwikkelingen
[1]**fly** [flaj] *zn* **1** vlieg: *die like flies* in groten getale omkomen; *not harm* (of: *hurt*) *a ~* geen vlieg kwaad doen **2** gulp || *a ~ in the ointment* een kleinigheid die het geheel bederft; *a ~ on the wall* een spion; *(inform) there are no flies on her* ze is niet op haar achterhoofd gevallen
[2]**fly** [flaj] *intr (flew, flown)* **1** vliegen *(van vogel, vliegtuig enz.)*: ~ *away* wegvliegen, *(fig)* verdwijnen; ~ *in* (of: *out*) aankomen (*of:* vertrekken) per vliegtuig; ~ *past* (in formatie) over vliegen; ~ *at: a)* aanvallen, zich storten op *(van vogel)*; *b) (fig)* uitvallen tegen; ~ *into* landen op *(luchthaven)* **2** wapperen *(van vlag, haar)*; fladderen, vliegen **3** zich snel voortbewegen, vliegen, vluchten; omvliegen *(van tijd)*; wegvliegen *(van geld)*: *let ~: a)* (af)schieten, afvuren; *b)* laten schieten; ~ *into a rage* (of: *passion, temper*) in woede ontsteken || ~ *high* hoog vliegen *(fig)*, ambitieus zijn
[3]**fly** [flaj] *tr (flew, flown)* **1** vliegen, besturen: ~ *a plane in* een vliegtuig aan de grond zetten **2** vliegen (met) *(luchtvaartmaatschappij)* **3** laten vliegen *(duif)*; oplaten *(vlieger)*: ~ *a kite* vliegeren, *(fig)* een balletje opgooien **4** voeren; laten wapperen *(vlag)* **5** ontvluchten, vermijden
flyer [flajje] **1** vlugschrift, folder **2** piloot
flying [flajjing] **1** vliegend: ~ *jump* (of: *leap*) sprong met aanloop; ~ *saucer* vliegende schotel **2** (zeer) snel, zich snel verplaatsend (ontwikkelend), vliegend: ~ *start* vliegende start *(ook fig)* **3** kortstondig, van korte duur, tijdelijk
flying squad vliegende brigade, mobiele eenheid
flyover viaduct *(over snelweg)*
flysheet **1** (reclame)blaadje, folder, circulaire **2** informatieblad; gebruiksaanwijzing *(van catalogus, boek)*
fly swatter vliegenmepper
flyweight *(boksen, worstelen)* **1** worstelaar (bokser) in de vlieggewichtklasse, vlieggewicht **2** vlieggewicht
foal [fool] veulen
[1]**foam** [foom] *zn* **1** schuim **2** schuimrubber
[2]**foam** [foom] *ww* **1** schuimen **2** schuimbekken: ~ *at the mouth* schuimbekken *(ook fig)*
fob off **1** wegwuiven, geen aandacht besteden aan **2** afschepen, zich afmaken van: *we won't be fobbed off this time* deze keer laten we ons niet met een kluitje in het riet sturen
focal point brandpunt *(ook fig)*; middelpunt
[1]**focus** [fookes] *zn* **1** brandpunt, focus; *(fig)* middelpunt; centrum **2** scherpte: *out of ~* onscherp
[2]**focus** [fookes] *ww* **1** in een brandpunt (doen) samenkomen **2** (zich) concentreren: ~ *on* zich concentreren op
fodder [fodde] (droog) veevoeder; voer *(ook fig)*
foe [foo] *(form)* vijand, tegenstander
foetus [fie:tes] foetus
fog [fok̂] mist; nevel *(ook fig)*; onduidelijkheid, verwarring
fogey [fook̂ie] ouderwets figuur, ouwe zeur
foggy [fok̂ie] mistig, (zeer) nevelig; *(ook fig)* onduidelijk; vaag: *(inform) I haven't the foggiest (idea)* (ik heb) geen flauw idee
foible [fojbl] **1** zwak, zwakheid, zwak punt **2** gril
[1]**foil** [fojl] *zn* **1** bladmetaal, folie, zilverpapier **2** folie *(verpakkingsmateriaal van levensmiddelen)*
[2]**foil** [fojl] *ww* verijdelen, verhinderen, voorkomen
[1]**fold** [foold] *zn* **1** vouw, plooi, kronkel(ing), kreuk **2** schaapskooi **3** het vouwen **4** kudde; *(fig)* kerk; gemeente: *return to the ~* in de schoot van zijn familie terugkeren
[2]**fold** [foold] *intr (inform)* **1** op de fles gaan, over de kop gaan **2** het begeven, bezwijken
[3]**fold** [foold] *tr* **1** (op)vouwen: ~ *away* opvouwen, opklappen; ~ *back* terugslaan, omslaan **2** (om)-

wikkelen, (in)pakken **3** (om)sluiten, omhelzen: ~ *s.o. in one's arms* iem in zijn armen sluiten **4** hullen *(in mist)* **5** over elkaar leggen; kruisen *(armen)*; intrekken *(vleugels)*
folder [foolde] **1** folder, (reclame)blaadje **2** map(je)
folding [foolding] vouw-, opvouwbaar, opklapbaar, klap-
[1]**fold up** *intr* **1** bezwijken, het begeven, het opgeven **2** failliet gaan, over de kop gaan
[2]**fold up** *tr* opvouwen, opklappen
foliage [foolie·idzj] gebladerte, blad, loof
folk [fook] *(inform)* **1** familie, gezin, oude lui: *her ~s were from New Jersey* haar familie kwam uit New Jersey **2** luitjes, jongens, mensen **3** mensen, lieden, lui: *some ~ never learn* sommige mensen leren het nooit
folklore [fooklo:] **1** folklore **2** volkskunde
folk-tale volksverhaal, sage, sprookje
follow [folloo] volgen, achternalopen, aanhouden; gaan langs *(weg, richting, rivier)*; achternazitten, vergezellen, bijwonen, komen na, opvolgen, aandacht schenken aan, in de gaten houden, begrijpen; bijhouden *(nieuws)*; zich laten leiden door; uitvoeren *(bevel, advies)*; nadoen *(voorbeeld)*; voortvloeien uit: ~ *the rules* zich aan de regels houden; ~ *s.o. about* (of: *around*) iem overal volgen; ~ *on* verder gaan, volgen *(na onderbreking)*; ~ *up: a)* (op korte afstand) volgen, in de buurt blijven van; *b)* vervolgen, een vervolg maken op; *c)* gebruikmaken van; *d)* nagaan; *the outcome is as ~s* het resultaat is als volgt; *to ~* als volgend gerecht; *would you like anything to ~?* wilt u nog iets toe?
[1]**following** [follooing] *zn* aanhang, volgelingen
[2]**following** [follooing] *bn* **1** volgend **2** mee, in de rug; gunstig *(wind)*
[3]**following** [follooing] *vz* na, volgende op: ~ *the meeting* na de vergadering
follow-up vervolg, voortzetting, vervolgbrief, tweede bezoek
folly [follie] **1** (buitensporig) duur en nutteloos iets **2** dwaasheid, dwaas gedrag
foment [fooment] aanstoken, aanmoedigen, stimuleren
fond [fond] **1** liefhebbend, teder, innig **2** dierbaar, lief: *his ~est wish was fulfilled* zijn liefste wens ging in vervulling **3** al te lief, al te toegeeflijk || *be ~ of* gek zijn op, *(inform)* er een handje van hebben te
fondle [fondl] liefkozen, strelen, aaien
fondness [fondnes] **1** tederheid, genegenheid, warmte **2** voorliefde, hang: *his ~ for old proverbs is quite irritating at times* zijn voorliefde voor oude spreekwoorden is soms heel irritant
font [font] **1** (doop)vont **2** font, lettertype
food [foe:d] **1** voedingsmiddel, voedingsartikel, levensmiddel, eetwaar: *frozen ~s* diepvriesproducten **2** voedsel, eten; voeding *(ook fig)*: ~ *for thought* (of: *reflection*) stof tot nadenken
foodprocessor keukenmachine
foodstuff levensmiddel, voedingsmiddel, voedingsartikel
[1]**fool** [foe:l] *zn* **1** dwaas, gek, zot(skap), stommeling: *more ~ him* hij had beter kunnen weten; *make a ~ of s.o.* iem voor de gek houden **2** nar, zot: *act* (of: *play*) *the ~* gek doen **3** dessert van stijf geklopte room, ei, suiker en vruchten || *he's nobody's* (of: *no*) ~ hij is niet van gisteren
[2]**fool** [foe:l] *intr* **1** gek doen: ~ *(about, around) with* spelen met, flirten met **2** lummelen, lanterfanten: ~ *about* (of: *around*) rondlummelen, aanrommelen
[3]**fool** [foe:l] *tr* voor de gek houden, ertussen nemen: *he ~ed her into believing he's a guitarist* hij maakte haar wijs dat hij gitarist is
foolhardy onbezonnen, roekeloos
foolish [foe:lisj] **1** dwaas, dom, stom **2** verbouwereerd, beteuterd
[1]**foot** [foet] *zn (mv: feet)* **1** voet *(ook van berg, kous)*: *put one's feet up* (even) gaan liggen; *stand on one's own feet* op eigen benen staan; *on ~* te voet, op handen **2** (vers)voet **3** poot *(van tafel)* **4** voeteneinde *(van bed)* **5** onderste, laatste deel, (uit)einde **6** *(lengtemaat)* voet *(0,3048 m)* || *have a ~ in both camps* geen partij kiezen; *(fig) feet of clay* fundamentele zwakte; *carry* (of: *sweep*) *s.o. off his feet* iem meeslepen; *(inform) fall* (of: *land*) *on one's feet* mazzel hebben; *find one's feet: a)* beginnen te staan *(van kind)*; *b)* op eigen benen kunnen staan; *get to one's feet* opstaan; *put one's ~ down* streng optreden, *(inform)* plankgas rijden; *(inform) put one's ~ in it* (of: *one's mouth*) een blunder begaan; *(inform) be rushed off one's feet* zich uit de naad werken; *my ~!* kom nou!
[2]**foot** [foet] *tr* betalen, vereffenen, dokken voor
[3]**foot** [foet] *tr, intr (inform)*: ~ *it: a)* dansen; *b)* de benenwagen nemen, te voet gaan
foot-and-mouth disease mond-en-klauwzeer
football **1** voetbal *(bal)* **2** rugbybal **3** speelbal *(fig)* **4** *(Am)* Amerikaans football
footbridge voetbrug
footer [foete] voettekst
foothill uitloper *(ve gebergte)*
foothold **1** steun(punt) voor de voet, plaats om te staan **2** vaste voet, steunpunt, zekere positie
footing [foeting] **1** steun (voor de voet), steunpunt, houvast; *(fig)* vaste voet: *lose one's ~* wegglijden **2** voet, niveau, sterkte **3** voet, verstandhouding, omgang: *on the same ~* op gelijke voet
footlights voetlicht; *(bij uitbr)* (toneel)carrière
footling [foe:tling] **1** dwaas, stom **2** onbeduidend, waardeloos
footloose vrij, ongebonden
footman [foetmen] lakei, livreiknecht
footnote voetnoot; *(fig)* kanttekening
footpath voetpad, wandelpad
footprint voetafdruk, voetspoor, voetstap

footstep **1** voetstap, voetafdruk; voetspoor *(ook fig): follow* (of: *tread) in s.o.'s ~s* in iemands voetsporen treden **2** pas, stap
foppish [foppisj] fatterig, dandyachtig
for [fo:] **1** voor, om, met het oog op, wegens, bedoeld om, ten behoeve van: *act ~ the best* handelen om bestwil; *long ~ home* verlangen naar huis; *write ~ information* schrijven om informatie; *thank you ~ coming* bedankt dat je gekomen bent; *now ~ it* en nu erop los **2** voor, wat betreft, gezien, in verhouding met: *an ear ~ music* een muzikaal gehoor; *it's not ~ me to* het is niet aan mij om te; *so much ~ that* dat is dat; *I ~ one will not do it* ik zal het in elk geval niet doen; *~ all I care* voor mijn part **3** ten voordele van, ten gunste van, vóór: *~ and against* voor en tegen **4** in de plaats van, tegenover, in ruil voor **5** als (zijnde): *left ~ dead* dood achtergelaten **6** over, gedurende, sinds, ver, met een omvang: *it was not ~ long* het duurde niet lang **7** dat ... zou ..., dat ... moet ...: *~ her to leave us is impossible* het is onmogelijk dat zij ons zou verlaten **8** opdat: *~ this to work it is necessary to* wil dit lukken, dan is het nodig te || *anyone ~ coffee?* wil er iem koffie?; *and now ~ something completely different* en nu iets anders
forbade [febeed] *ovt van* forbid
forbear [fo:bee] *(forbore, forborne)* zich onthouden, zich inhouden, afzien: *he should ~ from quarrels* hij moet zich verre houden van ruzies
forbid [febid] *(forbade, forbidden)* **1** verbieden, ontzeggen **2** voorkomen, verhoeden, buitensluiten: *God ~!* God verhoede!
forbidden [febidn] verboden, niet toegestaan
forbidding [febidding] afstotelijk, afschrikwekkend
forbore [fo:bo:] *ovt van* forbear
forborn [fo:bo:n] *volt dw van* forbear
[1]**force** [fo:s] *zn* **1** kracht, geweld, macht: *by ~ of circumstances* door omstandigheden gedwongen; *join ~s (with)* de krachten bundelen (met); *by* (of: *from, out of*) *~ of habit* uit gewoonte **2** (rechts)geldigheid, het van kracht zijn: *a new law has come into ~* (of: *has been put into ~*) een nieuwe wet is van kracht geworden **3** macht, krijgsmacht, leger **4** *the Forces* strijdkrachten
[2]**force** [fo:s] *ww* **1** dwingen, (door)drijven, forceren: *~ back* terugdrijven; *Government will ~ the prices up* de regering zal de prijzen opdrijven **2** forceren, open-, doorbreken: *the burglar ~d an entry* de inbreker verschafte zich met geweld toegang
forced [fo:st] gedwongen, onvrijwillig, geforceerd: *~ labour* dwangarbeid; *~ landing* noodlanding
forcemeat gehakt
forcible [fo:sibl] **1** gewelddadig, gedwongen, krachtig **2** indrukwekkend, overtuigend
fore [fo:] het voorste gedeelte: *(fig) come to the ~* op de voorgrond treden
forearm onderarm, voorarm
forebear [fo:bee] voorvader, voorouder
foreboding [fo:booding] **1** voorteken, voorspelling **2** (akelig) voorgevoel
[1]**forecast** [fo:ka:st] *zn* voorspelling; verwachting *(van weer)*
[2]**forecast** [fo:ka:st] *ww (ook forecast, forecast)* voorspellen, verwachten, aankondigen
forecourt voorplein
forefather voorvader, stamvader
forefinger wijsvinger
forefront voorste deel, voorste gelid, front, voorgevel: *in the ~ of the fight* aan het (gevechts)front
foregather [fo:ǩeðe] samenkomen, (zich) verzamelen
forego [fo:ǩoo] *(forewent, foregone)* voorafgaan
foregoing [fo:ǩooing] voorafgaand, voornoemd, vorig
foregone [fo:ǩon] *volt dw van* forego
foregone conclusion uitgemaakte zaak
forehead [forrid] voorhoofd
foreign [forren] **1** buitenlands: *~ aid* ontwikkelingshulp; *~ exchange* deviezen; *Foreign Office* Ministerie van Buitenlandse Zaken **2** vreemd, ongewoon
foreigner [forrene] buitenlander, vreemdeling
foreman [fo:men] **1** voorzitter van jury **2** voorman, ploegbaas
[1]**foremost** [fo:moost] *bn* **1** voorst(e), eerst(e), aan het hoofd: *head ~* met het hoofd naar voren **2** opmerkelijkst, belangrijkst
[2]**foremost** [fo:moost] *bw* voorop
forename voornaam
forensic [ferensik] gerechtelijk, (ge)rechts-, forensisch
forerunner **1** voorteken; *(fig)* voorbode **2** voorloper
foresee voorzien, verwachten, vooraf zien
foreseeable [fo:sie:ebl] **1** te verwachten, te voorzien **2** afzienbaar, nabij: *in the ~ future* in de nabije toekomst
foreshadow aankondigen, voorspellen
foresight **1** vooruitziende blik, het vooruitzien **2** toekomstplanning, voorzorg
foreskin [fo:skin] voorhuid
forest [forrist] woud *(ook fig)*; bos
forestall [fo:sto:l] **1** vóór zijn **2** vooruitlopen op **3** (ver)hinderen, dwarsbomen, voorkomen
forester [forriste] boswachter, houtvester
foretaste voorproef(je)
foretell [fo:tel] voorspellen, voorzeggen
forethought toekomstplanning, voorzorg, vooruitziende blik
forever [ferevve] **1** (voor) eeuwig, voorgoed, (voor) altijd **2** onophoudelijk, aldoor: *I was ~ dragging David away from the fireplace* ik moest David aldoor bij de open haard wegslepen
forewent [fo:went] *ovt van* forego
[1]**forfeit** [fo:fit] *zn* het verbeurde, boete, straf
[2]**forfeit** [fo:fit] *ww* verbeuren, verspelen, verbeurd verklaren

forgave [feǩeev] *ovt van* forgive
[1]**forge** [fo:dzj] *zn* **1** smidse, smederij **2** smidsvuur
[2]**forge** [fo:dzj] *intr* **1** vervalsing(en) maken, valsheid in geschrifte plegen **2** vooruitschieten: *~ ahead* gestaag vorderingen maken
[3]**forge** [fo:dzj] *tr* **1** smeden *(ook fig)*; bedenken, beramen **2** vervalsen: *a ~d passport* een vals paspoort
forger [fo:dzje] vervalser, valsemunter
forgery [fo:dzjerie] **1** vervalsing, namaak **2** het vervalsen, oplichterij
[1]**forget** [feǩet] *tr (forgot, forgotten)* vergeten, nalaten, verwaarlozen: *~ to do sth.* iets nalaten te doen
[2]**forget** [feǩet] *tr, intr (forgot, forgotten)* vergeten, niet denken aan, niet meer weten: *(inform) ~ (about) it* laat maar, denk er maar niet meer aan; *(inform) So you want to borrow my car? ~ it!* Dus jij wil mijn auto lenen? Vergeet het maar!; *not ~ting* en niet te vergeten, en ook
forget-me-not vergeet-mij-nietje
forgive [feǩiv] *(forgave, forgiven)* vergeven
forgiven [feǩivn] *volt dw van* forgive
forgo [fo:ǩoo] *(forwent, forgone)* zich onthouden van, afstand doen van, het zonder (iets) doen
forgone [fo:ǩon] *volt dw van* forgo
forgot [feǩot] *ovt van* forget
forgotten [feǩotn] *volt dw van* forget
[1]**fork** [fo:k] *zn* **1** vork, hooivork, mestvork **2** tweesprong, splitsing
[2]**fork** [fo:k] *ww* **1** zich vertakken, zich splitsen, uiteengaan **2** afslaan, een richting opgaan: *~ right* rechts afslaan
fork out (geld) dokken
forlorn [felo:n] **1** verlaten, eenzaam **2** hopeloos, troosteloos || *~ hope* hopeloze onderneming, laatste hoop
[1]**form** [fo:m] *zn* **1** (verschijnings)vorm, gedaante, silhouet **2** vorm, soort, systeem **3** vorm(geving), opzet, presentatiewijze **4** formulier, voorgedrukt vel **5** formaliteit, vast gebruik, gewoonte: *true to ~* geheel in stijl, zoals gebruikelijk **6** *(sport)* conditie, vorm: *be on ~, be in great ~* goed op dreef zijn **7** manier, wijze, vorm **8** (school)klas: *first ~* eerste klas
[2]**form** [fo:m] *intr* zich vormen, verschijnen, zich ontwikkelen
[3]**form** [fo:m] *tr* **1** vormen, modelleren, vorm geven **2** maken; opvatten *(plan)*; construeren, samenstellen: *~ (a) part of* deel uitmaken van
formal [fo:ml] formeel, officieel, volgens de regels
formality [fo:melittie] **1** vormelijkheid, stijfheid **2** formaliteit
[1]**format** [fo:met] *zn* **1** (boek)formaat, afmeting, grootte, uitvoering **2** manier van samenstellen, opzet **3** (beschrijving van) opmaak; indeling *(van gegevens)*
[2]**format** [fo:met] *ww* formatteren, opmaken; indelen *(gegevens e.d.)*
formation [fo:meesjen] **1** vorming **2** formatie, opstelling, verband
formative [fo:metiv] vormend, vormings-: *the ~ years of his career* de beginjaren van zijn loopbaan
formatting [fo:meting] het formatteren, opmaak
[1]**former** [fo:me] *zn* leerling *(ve bepaalde klas): second-former* tweedeklasser
[2]**former** [fo:me] *aanw vnw* **1** eerste; eerstgenoemde *(van twee)* **2** vroeger, voorafgaand, vorig: *in ~ days* in vroeger dagen
formerly [fo:melie] vroeger, eertijds, voorheen
formidable [fo:middebl] **1** ontzagwekkend, gevreesd **2** formidabel, geweldig, indrukwekkend
formula [fo:mjoele] **1** formule, formulering, formulier; *(fig)* cliché **2** formule, samenstelling, recept **3** *(Am)* babyvoeding
formulate [fo:mjoeleet] **1** formuleren **2** opstellen, ontwerpen, samenstellen
forsake [feseek] *(forsook, forsaken)* verlaten, in de steek laten, opgeven
forsaken [feseeken] *volt dw van* forsake
forsook [fesoek] *ovt van* forsake
fort [fo:t] fort, vesting, sterkte || *hold the ~* de zaken waarnemen, op de winkel letten
forth [fo:θ] voort, tevoorschijn: *bring ~: a)* voortbrengen, veroorzaken; *b)* baren || *hold ~* uitweiden; *and so ~* enzovoort(s)
forthcoming [fo:θkumming] **1** aanstaand, verwacht, aangekondigd: *her ~ album* haar binnenkort te verschijnen album **2** tegemoetkomend, behulpzaam **3** *(ook met ontkenning)* beschikbaar, ter beschikking: *an explanation was not ~* een verklaring bleef uit
forthright [fo:θrajt] rechtuit, openhartig, direct
fortieth [fo:tieθ] veertigste, veertigste deel
fortification [fo:tiffikkeesjen] versterking, fortificatie
fortify [fo:tiffaj] versterken, verstevigen
fortitude [fo:titjoe:d] standvastigheid, vastberadenheid
fortnight [fo:tnajt] veertien dagen, twee weken: *a ~ on Monday: a)* maandag over veertien dagen; *b)* maandag veertien dagen geleden; *Tuesday ~* dinsdag over veertien dagen
fortress [fo:tris] vesting, versterkte stad, fort
fortuitous [fo:tjoe:ittes] **1** toevallig, onvoorzien **2** *(inform)* gelukkig
fortunate [fo:tsjenet] gelukkig, fortuinlijk, gunstig
fortune [fo:tsjoe:n] **1** fortuin, voorspoed, geluk **2** lotgeval, (toekomstige) belevenis: *tell ~s* de toekomst voorspellen **3** fortuin, vermogen, rijkdom: *she spends a ~ on clothes* ze geeft een vermogen uit aan kleren
fortune-teller waarzegger
forty [fo:tie] veertig
[1]**forward** [fo:wed] *zn (sport)* voorspeler: *centre ~* middenvoor

²forward [fo:wed] *bn* **1** voorwaarts, naar voren (gericht) **2** vroegrijp: *a ~ girl* een vroegrijp meisje **3** arrogant, brutaal **4** voorst, vooraan gelegen **5** gevorderd, opgeschoten **6** vooruitstrevend, modern, geavanceerd **7** termijn-, op termijn: *~ planning* toekomstplanning
³forward [fo:wed] *ww* **1** doorzenden; nazenden *(post)* **2** zenden, (vcr)sturen, verzenden
⁴forward [fo:wed] *bw* **1** voorwaarts, vooruit; naar voren *(in de ruimte; ook fig): backward(s) and ~* vooruit en achteruit, heen en weer **2** vooruit, vooraf; op termijn *(in de tijd): from today ~* vanaf heden
forwards [fo:wedz] voorwaarts, vooruit, naar voren
forwent [fo:went] *ovt van* forgo
fossil [fosl] fossiel
foster [foste] **1** koesteren, aanmoedigen; *(fig)* voeden **2** opnemen in het gezin; als pleegkind opnemen *(zonder adoptie): ~ parent* pleegouder
fought [fo:t] *ovt en volt dw van* fight
¹foul [faul] *zn (sport)* overtreding, fout
²foul [faul] *bn* **1** vuil, stinkend, smerig, vies: *~ weather* smerig weer **2** vuil, vulgair: *a ~ temper* een vreselijk humeur; *~ language* vuile taal **3** *(sport)* onsportief, gemeen, vals: *(vaak fig) ~ play* onsportief spel, boze opzet, misdaad || *fall ~ (of)* in aanvaring komen (met)
³foul [faul] *intr (sport)* een overtreding begaan, in de fout gaan
⁴foul [faul] *tr* **1** bevuilen, bekladden **2** *(sport)* een overtreding begaan tegenover
foul-mouthed ruw in de mond, vulgair
foul-up **1** verwarring, onderbreking **2** blokkering, mechanisch defect
¹found [faund] *ww* **1** grondvesten; funderen *(ook fig)* **2** stichten, oprichten, tot stand brengen: *this bakery was ~ed in 1793* deze bakkerij is in 1793 opgericht
²found [faund] *ovt en volt dw van* find
foundation [faundeesjen] **1** stichting, fonds, oprichting **2** fundering *(ook fig);* fundament, basis: *the story is completely without ~* het verhaal is totaal ongegrond
¹founder [faunde] *zn* stichter, oprichter, grondlegger
²founder [faunde] *ww* **1** invallen, instorten, mislukken: *the project ~ed on the ill will of the government* het project mislukte door de onwil van de regering **2** zinken, vergaan, schipbreuk lijden
foundling [faundling] vondeling
foundry [faundrie] (metaal)gieterij
fountain [fauntin] **1** fontein: *~ pen* vulpen **2** bron *(ook fig)*
four [fo:] vier, viertal, vierspan || *be on all ~s* op handen en knieën lopen, kruipen
four-leaved clover klavertjevier
foursome [fo:sem] viertal, kwartet
foursquare **1** vierkant, vierhoekig **2** resoluut, open en eerlijk, vastbesloten
fourteen [fo:tie:n] veertien
fourteenth [fo:tie:nθ] veertiende, veertiende deel
fourth [fo:θ] vierde, vierde deel, kwart
fowl [faul] kip, hoen, haan
¹fox [foks] *zn* vos *(ook fig)*
²fox [foks] *intr* doen alsof
³fox [foks] *tr* **1** beetnemen, bedriegen, te slim af zijn **2** in de war brengen
fraction [freksjen] **1** breuk, gebroken getal: *decimal ~* tiendelige breuk; *vulgar ~* (gewone) breuk **2** fractie, (zeer) klein onderdeel
fractious [freksjes] **1** onhandelbaar, dwars, lastig **2** humeurig, prikkelbaar
fracture [frektsje] **1** fractuur, (bot)breuk, beenbreuk **2** scheur, barst, breuk
fragile [fredzjajl] breekbaar, broos
fragment [frekment] fragment, deel, (brok)stuk
fragmentation [frekmenteesjen] versplintering
fragrance [freekrens] geur, (zoete) geurigheid
frail [freel] breekbaar, zwak, tenger, teer
¹frame [freem] *zn* **1** (het dragende) geraamte *(ve constructie);* skelet *(houtbouw);* frame *(van fiets);* raamwerk, chassis **2** omlijsting, kader, kozijn; montuur *(van bril);* raam *(van venster e.d.)* **3** *(vaak fig)* (gestructureerd) geheel, structuur, opzet: *~(s) of reference* referentiekader || *~ of mind* gemoedsgesteldheid
²frame [freem] *ww* **1** vorm geven aan, ontwerpen, uitdenken, formuleren, uitdrukken, vormen, vervaardigen, verzinnen, zich inbeelden **2** inlijsten, omlijsten, als achtergrond dienen voor **3** *(inform)* erin luizen, in de val laten lopen, (opzettelijk) vals beschuldigen: *the swindlers were ~d* de zwendelaars werden in de val gelokt
frame-up complot, gearrangeerde beschuldiging, valstrik
France [fra:ns] Frankrijk
franchise [frentsjajz] **1** stemrecht, burgerrecht **2** concessie **3** franchise, systeemlicentie
¹frank [frengk] *bn* (met *with*) openhartig (tegen), oprecht, eerlijk
²frank [frengk] *ww* **1** frankeren **2** stempelen, automatisch frankeren
frankly [frengklie] eerlijk gezegd: *~, I don't like it* eerlijk gezegd vind ik het niet leuk
frantic [frentik] **1** dol, buiten zichzelf, uitzinnig: *the noise drove me ~* het lawaai maakte me hoorndol **2** *(inform)* verwoed, extreem: *~ efforts* verwoede pogingen
fraternal [frete:nl] broederlijk *(ook fig);* vriendelijk
fraternity [frete:nittie] **1** broederlijkheid **2** genootschap, broederschap, vereniging: *the medical ~* de medische stand **3** *(Am)* studentencorps; studentenclub *(voor mannen)*
fraud [fro:d] **1** bedrog, fraude, zwendel **2** bedrieger, oplichter **3** vervalsing, bedriegerij, oplichte-

rij: *the newly-discovered Rembrandt was a ~* de pas ontdekte Rembrandt was een vervalsing
fraudulence [fro:djoelens] bedrog, bedrieglijkheid
fraught [fro:t] vol, beladen: *the journey was ~ with danger* het was een reis vol gevaren
¹fray [free] *zn* strijd, gevecht, twist: *eager for the ~* strijdlustig
²fray [free] *tr* verzwakken, uitputten: *~ed nerves* overbelaste zenuwen
³fray [free] *tr, intr* (uit)rafelen, verslijten
¹freak [frie:k] *zn* **1** gril, kuur, nuk **2** uitzonderlijk verschijnsel **3** *(inform)* fanaticus, freak, fanaat
²freak [frie:k] *bn* abnormaal, uitzonderlijk, ongewoon: *a ~ accident* een bizar ongeval; *~ weather* typisch weer
freckle [frekl] (zomer)sproet
¹free [frie:] *bn* **1** vrij, onafhankelijk, onbelemmerd: *a ~ agent* iem die vrij kan handelen; *~ fight* algemeen gevecht; *give* (of: *allow*) *s.o. a ~ hand* iem de vrije hand laten; *(voetbal) ~ kick* vrije schop; *~ speech* vrijheid van meningsuiting; *set ~* vrijlaten, in vrijheid stellen; *~ from care* vrij van zorgen, onbekommerd; *~ of charge* gratis, kosteloos **2** vrij, gratis, belastingvrij: *(inform) for ~* gratis, voor niets **3** vrij, zonder staatsinmenging: *~ enterprise* (de) vrije onderneming; *~ trade* vrije handel, vrijhandel **4** vrij, niet bezet, niet in gebruik; *(nat)* ongebonden: *is this seat ~?* is deze plaats vrij? **5** vrijmoedig, vrijpostig: *~ and easy* ongedwongen, zorgeloos || *~ pardon* gratie(verlening)
²free [frie:] *ww* **1** bevrijden, vrijlaten **2** verlossen, losmaken, vrijstellen
³free [frie:] *bw* **1** vrij, los, ongehinderd: *the dogs ran ~* de honden liepen los **2** gratis
freebie [frie:bie] *(inform)* weggevertje, iets dat je gratis krijgt
freebooter [frie:boe:te] vrijbuiter *(vaak fig)*; kaper
freedom [frie:dem] **1** vrijheid, onafhankelijkheid: *~ of the press* persvrijheid; *~ of speech* vrijheid van meningsuiting **2** vrijstelling, ontheffing, vrijwaring
free house pub die *(of:* café dat) niet onder contract staat bij een brouwerij
¹freelance [frie:la:ns] *bn* freelance, onafhankelijk, zelfstandig
²freelance [frie:la:ns] *ww* freelance werken, als freelancer werken
freeload [frie:lood] klaplopen, profiteren, bietsen
freeman [frie:men] **1** vrij man **2** ereburger
freemason vrijmetselaar
freephone [frie:foon] het gratis bellen *(bijv. naar 0800-nummer)*
freepost antwoordnummer || *~ no. 1111* antwoordnummer 1111
free-range scharrel-: *~ eggs* scharreleieren
freesia [frie:zie] fresia
freestyle **1** *(zwemsport)* vrije slag, (borst)crawl **2** *(worstelen e.d.)* vrije stijl
freeway *(Am)* snelweg, autoweg
freewheel rustig aandoen *(ook fig)*
¹freeze [frie:z] *zn* **1** vorst, vorstperiode **2** bevriezing, blokkering, opschorting: *a wage ~* een loonstop
²freeze [frie:z] *intr (froze, frozen)* vriezen: *it is freezing in here* het is hier om te bevriezen; *the government froze all contracts* de regering bevroor alle contracten
³freeze [frie:z] *tr, intr (froze, frozen)* bevriezen *(ook fig)*; verstijven, ijzig behandelen, opschorten: *make one's blood ~* het bloed in de aderen doen stollen; *~ out (inform)* uitsluiten || *frozen with fear* verstijfd van angst
freezer [frie:ze] **1** diepvries, diepvriezer **2** vriesvak
freight [freet] vracht(goederen)
¹French [frentsj] *eig.n.* Frans, de Franse taal
²French [frentsj] *bn* Frans: *~ bread* (of: *loaf*) stokbrood || *~ bean* sperzieboon; *~ fries* patat, friet; *~ kiss* tongzoen; *take ~ leave* er tussenuit knijpen; *~ windows* openslaande (balkon-, terras)deuren
Frenchman [frentsjmen] Fransman
Frenchwoman Française, Franse
frenzy [frenzie] (vlaag van) waanzin, razernij, staat van opwinding
frequency [frie:kwensie] **1** frequentie, (herhaald) voorkomen **2** *(nat)* frequentie, trillingsgetal, periodetal **3** *(radio)* frequentie, golflengte
¹frequent [frie:kwent] *bn* frequent, veelvuldig: *a ~ caller* een regelmatig bezoeker
²frequent [friekwent] *ww* regelmatig bezoeken
fresh [fresj] **1** vers, pas gebakken, vers geplukt: *~ from the oven* zo uit de oven, ovenvers **2** nieuw, ander, recent: *a ~ attempt* een hernieuwde poging **3** zoet *(van water)*; niet brak **4** zuiver, helder, levendig: *~ air* frisse lucht **5** fris, koel, nogal koud: *a ~ breeze* een frisse bries *(windkracht 5)* **6** *(inform)* brutaal, flirterig
freshen [fresjen] in kracht toenemen, aanwakkeren
freshen up **1** opfrissen, verfrissen **2** zich opfrissen, zich verfrissen
freshman [fresjmen] eerstejaars(student), groene
freshwater zoetwater-
fret [fret] zich ergeren, zich opvreten (van ergernis), zich zorgen maken: *the child is ~ting for its mother* het kind zit om z'n moeder te zeuren
fretful [fretfoel] geïrriteerd, zeurderig
fretsaw [fretso:] figuurzaag
friar [frajje] monnik, broeder
friction [friksjen] wrijving *(ook fig)*; frictie, onenigheid
Friday [frajdee] vrijdag
fridge [fridzj] *verk van refrigerator (inform)* koelkast, ijskast
¹fried [frajd] *bn* gebakken: *~ egg* spiegelei

²fried [frajd] *ovt en volt dw van* fry
friend [frend] **1** vriend(in), kameraad, kennis, collega: *make ~s with s.o.* bevriend raken met; *can be still be ~?* kunnen we vrienden blijven?; *a ~ in need (is a ~ indeed)* in nood leert men zijn vrienden kennen **2** vriend(in), voorstander, liefhebber
friendly [frendlie] **1** vriendelijk, welwillend, aardig **2** vriendschappelijk, bevriend, gunstig gezind: *~ nations* bevriende naties
friendship [frendsjip] vriendschap
Friesian [frie:zjen] *zie* Frisian
frieze [frie:z] fries, sierlijst
frigate [friket] fregat
fright [frajt] angst, vrees, schrik: *give a ~* de schrik op 't lijf jagen; *he took ~ at the sight of the knife* de schrik sloeg hem om 't hart toen hij het mes zag
frighten [frajtn] bang maken, doen schrikken, afschrikken: *we were ~ed to death* we schrokken ons dood; *~ s.o. to death* iem de stuipen op het lijf jagen; *be ~ed of snakes* bang voor slangen zijn
frigid [fridzjid] **1** koud *(ook fig);* koel, onvriendelijk **2** frigide
frill [fril] **1** (sier)strook **2** *~s* franje *(ook fig);* fraaiigheden, kouwe drukte
fringe [frindzj] **1** franje **2** randgroepering, randverschijnsel: *the ~s of society* de zelfkant van de maatschappij **3** pony(haar)
frisbee [frizbie] frisbee
Frisian [frizzien] Fries
¹frisk [frisk] *intr* huppelen, springen
²frisk [frisk] *tr* fouilleren
frisky [friskie] vrolijk, speels
fritter away verkwisten, verspillen
frivolous [frivveles] **1** onbelangrijk, pietluttig, onnozel **2** frivool, lichtzinnig
frizz [friz] kroeskop, kroeshaar, krul(len)
¹frizzle [frizl] *intr* **1** krullen, kroezen **2** sissen; knetteren *(in de pan)*
²frizzle [frizl] *tr* **1** kroezend maken, doen krullen: *~ up* friseren **2** laten sissen; laten knetteren *(in de pan);* braden, bakken
fro [froo] *zie* to
frock [frok] jurk, japon
frog [frok] kikker, kikvors
frogman [frokmen] kikvorsman
¹frolic [frollik] *zn* pret, lol, gekheid: *the little boys were having a ~* de jongetjes waren aan het stoeien
²frolic [frollik] *ww* **1** (rond)dartelen, rondhossen **2** pret maken
from [from] van, vanaf, vanuit: *~ one day to the next* van de ene dag op de andere; *judge ~ the facts* oordelen naar de feiten; *I heard ~ Mary* ik heb bericht gekregen van Mary; *recite ~ memory* uit het geheugen opzeggen; *~ bad to worse* van kwaad tot erger; *(in) a week ~ now* over een week
¹front [frunt] *zn* **1** voorkant, voorste gedeelte: *the driver sits in (the) ~* de bestuurder zit voorin; *in ~ of* voor, in aanwezigheid van **2** *(mil)* front *(ook fig);* gevechtslinie **3** façade *(ook fig);* schijn, dekmantel: *show* (of: *put on*) *a bold ~* zich moedig voordoen **4** (strand)boulevard, promenade langs de rivier **5** *(weerk)* front
²front [frunt] *bn* **1** voorst, eerst: *~ garden* voortuin; *~ runner* koploper **2** façade-, camouflage-: *~ organisation* mantelorganisatie || *up ~* eerlijk, rechtdoorzee
frontal [fruntl] frontaal, voor-: *~ attack* frontale aanval
frontier [fruntie] grens(gebied): *the ~s of knowledge* de grenzen van het weten
front page voorpagina *(van krant)*
front runner *(atletiek)* koploper
¹frost [frost] *zn* vorst, bevriezing: *there was five degrees of ~* het vroor vijf graden
²frost [frost] *tr* **1** bevriezen *(plant enz.)* **2** glaceren *(cake)* **3** matteren *(glas, metaal): ~ed glass* matglas
frostbite bevriezing
frosty [frostie] vriezend, (vries)koud; *(fig)* ijzig; afstandelijk: *~ welcome* koele verwelkoming
¹froth [froθ] *zn* **1** schuim **2** oppervlakkigheid, zeepbel **3** gebazel
²froth [froθ] *ww* schuimen, schuimbekken
¹frown [fraun] *zn* frons, fronsende blik, afkeuring
²frown [fraun] *ww* de wenkbrauwen fronsen, streng kijken, turen: *(fig) ~ at* (of: *on*) afkeuren(d staan tegenover)
froze [frooz] *ovt van* freeze
¹frozen [froozn] *bn* **1** bevroren, vastgevroren, doodgevroren: *~ over* dichtgevroren **2** (ijs)koud *(ook fig);* ijzig, hard **3** diepvries-, ingevroren: *~ food* diepvriesvoedsel **4** *(econ)* bevroren, geblokkeerd: *~ assets* bevroren tegoeden
²frozen [froozn] *volt dw van* freeze
frugal [froe:kl] **1** (met *of*) zuinig (met), spaarzaam (met) **2** schraal, karig, sober
fruit [froe:t] **1** vrucht, stuk fruit **2** fruit, vruchten **3** *~s* opbrengst, resultaat
fruiterer [froe:tere] fruithandelaar, fruitkoopman
fruitful [froe:tfoel] vruchtbaar *(ook fig);* productief, lonend
fruition [froe:isjen] vervulling, verwezenlijking, realisatie: *bring* (of: *come*) *to ~* in vervulling doen gaan
fruit machine fruitautomaat, gokautomaat
frustrate [frustreet] frustreren, verijdelen: *~ s.o. in his plans, ~ s.o.'s plans* iemands plannen dwarsbomen
frustration [frustreesjen] **1** frustratie, teleurstelling **2** verijdeling, dwarsboming
¹fry [fraj] *zn* jong(e vis), broed(sel); *(fig)* kleintje; jonkie
²fry [fraj] *ww* braden, bakken, frituren: *fried egg* spiegelei
ft *afk van foot, feet* ft, voet

fuck [fuk] *(plat)* neuken, naaien, wippen
fuddled [fudld] verward, in de war, beneveld, dronken
[1]**fudge** [fudzj] *zn* **1** onzin, larie **2** zachte karamel
[2]**fudge** [fudzj] *ww* **1** knoeien (met), vervalsen **2** er omheen draaien, ontwijken **3** in elkaar flansen
fuel [fjoeel] brandstof; *(fig)* voedsel: *~ for dissension* stof tot onenigheid
fug [fuk̂] bedomptheid, mufheid
fugitive [fjoe:dzjittiv] vluchteling, voortvluchtige
fugue [fjoe:k̂] fuga
fulfil [foelfil] volbrengen, vervullen, uitvoeren, voltooien: *~ a condition* aan een voorwaarde voldoen; *~ a purpose* aan een doel beantwoorden
[1]**full** [foel] *zn* totaal, geheel: *in ~* volledig, voluit
[2]**full** [foel] *bn* vol, volledig: *~ board* vol(ledig) pension; *~ to the brim* boordevol; *come ~ circle* weer terugkomen bij het begin; *(fig) give ~ marks for sth.* iets hoog aanslaan, iets erkennen; *~ moon* vollemaan; *(at) ~ speed* (in) volle vaart; *~ stop* punt *(leesteken); come to a ~ stop* (plotseling) tot stilstand komen; *in ~ swing* in volle gang; *~ of oneself* vol van zichzelf; *he was ~ of it* hij was er vol van
[3]**full** [foel] *bw* **1** volledig, ten volle: *~ ripe* helemaal rijp **2** zeer, heel: *know sth. ~ well* iets zeer goed weten **3** vlak, recht: *hit s.o. ~ on the nose* iem recht op zijn neus slaan
full-blooded **1** volbloed, raszuiver **2** volbloedig, energiek
full-blown **1** in volle bloei **2** goed ontwikkeld, volledig: *~ war* regelrechte oorlog
full-grown volwassen, volgroeid
full-scale volledig, totaal, levensgroot
full-time fulltime, met volledige dagtaak
fully [foelie] **1** volledig, geheel: *~ automatic* volautomatisch **2** minstens, ten minste: *~ an hour* minstens een uur
fully-fledged **1** geheel bevederd *(van vogel)* **2** volwassen, ten volle ontwikkeld **3** (ras)echt, volslagen
fulsome [foelsem] overdreven
[1]**fumble** [fumbl] *intr* struikelen, hakkelen, klunzen
[2]**fumble** [fumbl] *tr, intr* **1** tasten, morrelen (aan), rommelen (in): *~ about* rondtasten **2** *(balsport)* fumbelen *(bal onzuiver vangen)*
[1]**fume** [fjoe:m] *zn* (onwelriekende, giftige) damp, rook
[2]**fume** [fjoe:m] *ww* **1** roken, dampen **2** opstijgen *(van damp)* **3** *(fig)* koken *(van woede);* branden
fumigate [fjoe:mik̂eet] uitroken, zuiveren
[1]**fun** [fun] *zn* pret, vermaak, plezier: *figure of ~* groteske figuur, schertsfiguur; *~ and games* pretmakerij, iets leuks; *make ~ of, poke ~ at* voor de gek houden, de draak steken met; *for ~, for the ~ of it* (of: *the thing*) voor de aardigheid; *for ~, in ~* voor de grap
[2]**fun** [fun] *bn* prettig, amusant, gezellig: *a ~ guy* een leuke kerel; *a ~ game* een leuk spelletje
[1]**function** [fungksjen] *zn* **1** functie, taak, werking **2** plechtigheid, ceremonie, receptie, feest: *I have a ~ tonight* ik ga vanavond naar een feest (receptie)
[2]**function** [fungksjen] *ww* functioneren, werken: *~ as* fungeren als
functional [fungksjenel] functioneel, doelmatig, bruikbaar
functionary [fungksjenerie] functionaris, beambte
function room zaal, receptiezaal, feestzaal
fund [fund] **1** fonds **2** voorraad, bron, schat: *a ~ of knowledge* een schat aan kennis **3** *~s* fondsen, geld, kapitaal: *short of ~s* slecht bij kas
[1]**fundamental** [fundementl] *zn* (grond)beginsel, grondslag, fundament
[2]**fundamental** [fundementl] *bn* fundamenteel, grond-, basis-
funeral [fjoe:nerel] **1** begrafenis(plechtigheid); *(Am)* rouwdienst **2** *(Am)* begrafenisstoet **3** *(inform)* zorg, zaak: *it's is your ~* het is jouw zorg
funereal [fjoenieriel] akelig, droevig, triest: *a ~ expression* begrafenisgezicht
funfair **1** pretpark, amusementspark **2** reizende kermis
fungi [fungk̂aj] *mv van* fungus
fungus [fungk̂es] fungus, paddenstoel, schimmel
funicular [fjoenikjoele] kabelbaan(trein)
funk [fungk] *(inform)* schrik, angst: *be in a (blue) ~* in de rats zitten
funky [fungkie] *(Am; inform)* funky, eenvoudig; gevoelsmatig *(van muziek)*
[1]**funnel** [funl] *zn* **1** trechter **2** koker, pijp; schoorsteen(pijp) *(van stoomschip)*
[2]**funnel** [funl] *ww* afvoeren (als) door een trechter: *~ off* doen afvloeien
funny [funnie] **1** grappig, leuk **2** vreemd, gek **3** niet in orde, niet pluis: *there is sth. ~ about* er is iets niet pluis met **4** misselijk, onwel: *feel ~* zich onwel voelen || *~ bone* telefoonbotje *(in elleboog)*
fur [fe:] **1** vacht **2** bont, pels(werk), bontjas **3** aanslag, beslag
furious [fjoeeries] **1** woedend, razend **2** fel, verwoed, heftig: *a ~ quarrel* een felle twist
furnace [fe:nis] oven, verwarmingsketel, hoogoven
furnish [fe:nisj] **1** verschaffen, leveren, voorzien van **2** uitrusten, meubileren, inrichten: *a ~ed house* een gemeubileerd huis
furniture [fe:nitsje] meubilair, meubels
furrow [furroo] **1** voor, gleuf, groef, rimpel **2** zog; spoor *(van schip)*
[1]**further** [fe:ðe] *bn (vergr trap van far)* verder, nader: *on ~ consideration* bij nader inzien; *~ education* voortgezet onderwijs voor volwassenen
[2]**further** [fe:ðe] *ww* bevorderen, stimuleren: *~ s.o.'s interests* iemands belangen behartigen
[3]**further** [fe:ðe] *bw* verder, nader, elders: *inquire ~* nadere inlichtingen inwinnen
furthermore [fe:ðemo:] verder, bovendien

furthermost [fe:ðemoost] verst (verwijderd)
furthest [fe:ðist] *(overtr trap van far)* verst, laatst, meest
furtive [fe:tiv] heimelijk
fury [fjoeerie] woede(aanval), razernij
[1]**fuse** [fjoe:z] *zn* **1** lont **2** (schok)buis, ontsteker **3** zekering, stop
[2]**fuse** [fjoe:z] *ww* **1** (doen) fuseren *(van bedrijven enz.)* **2** (doen) uitvallen *(van elektrisch apparaat)*
fusion [fjoe:zjen] fusie(proces), (samen)smelting, mengeling, coalitie, kernfusie
[1]**fuss** [fus] *zn* (nodeloze) drukte, omhaal, ophef: *I don't understand what all the ~ is about* ik snap niet waar al die heisa om gemaakt wordt; *kick up* (of: *make*) *a ~* heibel maken, luidruchtig protesteren; *make a ~ of* (of: *over*) overdreven aandacht schenken aan
[2]**fuss** [fus] *ww (*met *about)* zich druk maken (om), drukte maken, zich opwinden: *~ about* zenuwachtig rondlopen
fussy [fussie] **1** (overdreven) druk, zenuwachtig, bemoeiziek **2** pietluttig, moeilijk: *(inform) I'm not ~* het is mij om het even
futile [fjoe:tajl] vergeefs, doelloos
futility [fjoe:tillittie] nutteloosheid, doelloosheid
[1]**future** [fjoe:tsje] *zn* toekomst: *in the distant ~* in de verre toekomst; *for the* (of: *in*) *~* voortaan, in 't vervolg
[2]**future** [fjoe:tsje] *bn* toekomstig, aanstaande: *~ tense* toekomende tijd
fuzz [fuz] **1** dons, pluis, donzig haar **2** *(inform)* smeris *(politieagent)*; de smerissen *(de politie)*
fuzzy [fuzzie] **1** donzig, pluizig **2** kroes, krullig **3** vaag **4** verward

g

g *afk van gram(s)* g, gram
gabble [k̂ebl] kakelen, kwebbelen: ~ *away* erop los kletsen
gable [k̂eebl] gevelspits, geveltop
gabled [k̂eebld] met gevelspits
gadfly paardenvlieg, horzel
gadget [k̂edzjit] (handig) dingetje, apparaatje, snufje
gadgetry [k̂edzjitrie] snufjes
Gaelic [k̂eelik] Gaelisch
gaffer [k̂efe] chef-technicus *(bij tv- of filmopnamen)*
[1]**gag** [k̂ek̂] *zn* **1** (mond)prop **2** (zorgvuldig voorbereid) komisch effect **3** grap
[2]**gag** [k̂ek̂] *intr* kokhalzen, braken: ~ *on sth.* zich in iets verslikken
[3]**gag** [k̂ek̂] *tr* een prop in de mond stoppen
gaga [k̂a:k̂a:] **1** kierewiet: *go* ~ kinds worden **2** stapel: *be ~ about* stapel zijn op
gaiety [k̂eeetie] vrolijkheid, pret, opgewektheid
[1]**gain** [k̂een] *zn* **1** aanwinst **2** groei, stijging, verhoging **3** *~s* winst, opbrengst
[2]**gain** [k̂een] *intr* **1** winst maken **2** winnen: ~ *(up)on* terrein winnen op, inhalen **3** groeien **4** voorlopen *(van uurwerk): my watch ~s (three minutes a day)* mijn horloge loopt (elke dag drie minuten meer) voor
[3]**gain** [k̂een] *tr* winnen, verkrijgen, behalen: ~ *the victory* (of: *the day*) de overwinning behalen; ~ *weight* aankomen
gait [k̂eet] gang, pas, loop
[1]**gal** [k̂el] *zn* meid, meisje
[2]**gal** [k̂el] *afk van gallon(s)*
galaxy [k̂eleksie] Melkweg
gale [k̂eel] storm, harde wind
[1]**gall** [k̂o:l] *zn* **1** gal(blaas) **2** bitterheid, rancune **3** galnoot, galappel **4** brutaliteit
[2]**gall** [k̂o:l] *ww* (mateloos) irriteren, razend maken
gallant [k̂elent] dapper, moedig; indrukwekkend *(van schip, paard)*
gallantry [k̂elentrie] **1** moedige daad **2** moed, dapperheid **3** hoffelijkheid
gall bladder galblaas
galleon [k̂elien] galjoen
gallery [k̂elerie] **1** galerij, portiek, (zuilen)gang **2** galerij, balkon **3** museum, museumzaal **4** (kunst)galerie **5** engelenbak
galley [k̂elie] **1** galei **2** kombuis
Gallic [k̂elik] Gallisch, Frans
gallicize [k̂elissajz] verfransen
gallon [k̂elen] gallon *(inhoudsmaat)*
[1]**gallop** [k̂o:l] *zn* galop: *at a* ~ in galop, op een galop, *(fig)* op een holletje
[2]**gallop** [k̂o:l] *intr* galopperen; *(fig)* zich haasten; vliegen
gallows [k̂elooz] galg
gallows humour galgenhumor
gallstone galsteen
galore [k̂elo:] in overvloed, genoeg: *examples* ~ voorbeelden te over
galvanic [k̂elvenik] opwindend, opzienbarend
galvanize [k̂elvenajz] prikkelen, opzwepen: ~ *s.o. into action* (of: *activity*) iem tot actie aansporen
[1]**gamble** [k̂embl] *zn* gok(je) *(ook fig);* riskante zaak, speculatie: *take a ~ (on)* een gokje wagen (op); *it is a* ~ het is een gok
[2]**gamble** [k̂embl] *intr* **1** gokken, spelen, dobbelen: ~ *on* gokken op **2** speculeren
[3]**gamble** [k̂embl] *tr* op het spel zetten, inzetten: ~ *away* vergokken
gambler [k̂emble] gokker
gambling [k̂embling] gokkerij
[1]**game** [k̂eem] *zn* **1** spel *(ook fig);* wedstrijd, partij: ~ *of chance* kansspel; *play the* ~ eerlijk (spel) spelen, zich aan de regels houden; *it is all in the* ~ het hoort er (allemaal) bij **2** spelletje, tijdverdrijf **3** *tennis* game: *(one) ~ all* gelijk(e stand); ~ *and (set)* game en set **4** plannetje: *two can play (at) that* ~ dat spelletje kan ik ook spelen; *none of your (little) ~s!* geen kunstjes!; *the ~ is up* het spel is uit, nu hangen jullie **5** jachtdier; prooi *(ook fig)* **6** *~s* spelen, (atletiek)wedstrijden **7** *~s* gym(nastiek); sport *(op school)* || *beat* (of: *play*) *s.o. at his own* ~ iem een koekje van eigen deeg geven
[2]**game** [k̂eem] *bn* **1** dapper, kranig, flink **2** bereid(willig), enthousiast: *be ~ to do sth.* bereid zijn om iets te doen; *I am* ~ ik doe mee **3** lam; kreupel *(van arm, been)*
gamekeeper jachtopziener
games computer spelcomputer
game show spelshow
gammon [k̂emen] **1** (gekookte) achterham **2** gerookte ham
gander [k̂ende] mannetjesgans
gang [k̂eng] groep mensen, (boeven)bende, troep; ploeg *(arbeiders): violent street ~s* gewelddadige straatbendes; *a ~ of labourers removing graffiti* een ploeg werklui die graffiti verwijderen
gangling [k̂engk̂ling] slungelig
gangplank loopplank
gangrene [k̂engk̂rie:n] **1** koudvuur **2** verrotting
gangster [k̂engste] gangster, bendelid
gang up een bende vormen, (samen)klieken, zich verenigen: ~ *against* (of: *on*) samenspannen tegen, aanvallen; ~ *with* zich aansluiten bij, samenspannen met

gangway [k̂engwee] **1** doorgang **2** (gang)pad *(in schouwburg enz.)* **3** loopplank
gaol [dzjeel] *zie* jail
gap [k̂ep] (tussen)ruimte, opening, gat, kloof, barst, ravijn, tekort: *bridge/close* (of: *fill, stop*) *a* ~ een kloof overbruggen, een tekort aanvullen; *some developing countries are quickly closing the* ~ sommige ontwikkelingslanden lopen snel de achterstand in
gape [k̂eep] **1** gapen, geeuwen **2** geopend zijn, gapen: *gaping wound* gapende wond **3** staren: ~ *at* aangapen, aanstaren
garage [k̂era:zj] garage, garagebedrijf, benzinestation

ga

garb [k̂a:b] dracht, kledij
garbage [k̂a:bidzj] **1** afval, huisvuil **2** rommel
garbage can vuilnisbak, vuilnisvat
garbage collector vuilnisman
garble [k̂a:bl] onvolledige voorstelling geven van, verkeerd voorstellen, verdraaien: ~*d account* verdraaide voorstelling
[1]**garden** [k̂a:dn] *zn* tuin *(ook fig)*; groenten, bloementuin: *the* ~ *of Eden* de hof van Eden, het Aards Paradijs; *lead up the* ~ *(path)* om de tuin leiden
[2]**garden** [k̂a:dn] *intr* tuinieren
gardener [k̂a:dene] tuinman, hovenier, tuinier
gardening [k̂a:dening] het tuinieren, tuinbouw
garden party tuinfeest
gargle [k̂a:k̂l] gorgelen
gargoyle [k̂a:k̂ojl] waterspuwer (als versiering op kerken e.d.)
garish [k̂eerisj] **1** fel, schel **2** bont, opzichtig
garland [k̂a:lend] **1** slinger **2** lauwer(krans)
garlic [k̂a:lik] knoflook
garment [k̂a:ment] kledingstuk: ~*s* kleren
[1]**garnish** [k̂a:nisj] *zn* garnering, versiering
[2]**garnish** [k̂a:nisj] *ww* garneren, verfraaien, opkloppen
garret [k̂eret] zolderkamertje
garrison [k̂erisn] garnizoen, garnizoensplaats
garter [k̂a:te] kousenband, jarretelle
gas [k̂es] *(mv: Am ook ~ses)* **1** gas, gifgas, lachgas, mijngas: *natural* ~ aardgas **2** benzine: *step on the* ~ gas geven, er vaart achter zetten **3** *(plat)* gezwam, kletspraat, geklets
gasbag kletsmeier
gas chamber gaskamer
gas fitter gasfitter
gash [k̂esj] **1** jaap, gapende wond **2** kloof, breuk
gasket [k̂eskit] pakking
gaslight **1** gaslamp **2** gaslicht
gas lighter gasaansteker, gasontsteker
gas main hoofd(gas)leiding
gasman meteropnemer
gasoline [k̂eselie:n] **1** gasoline **2** benzine
[1]**gasp** [k̂a:sp] *zn* snik: *at one's last* ~ bij de laatste ademtocht
[2]**gasp** [k̂a:sp] *intr* **1** (naar adem) snakken, naar lucht happen: ~ *for breath* naar adem snakken **2** hijgen, puffen, snuiven
[3]**gasp** [k̂a:sp] *tr* haperend uitbrengen, hijgend uitbrengen: *'call an ambulance!' she ~ed* 'bel een ziekenwagen!' hijgde ze
gas ring gaspit
gas station benzinestation, tankstation
gastric [k̂estrik] maag-
gastronome [k̂estrenoom] fijnproever
gastronomy [k̂estronnemie] fijnproeverij
gasworks gasfabriek(en)
gate [k̂eet] **1** poort(je), deur, hek, ingang, afsluitboom, slagboom, sluis(deur), schuif; uitgang *(op luchthaven)*; perron: *anti-theft ~s* antidiefstalpoortjes **2** *(sport)* publiek *(aantal betalende toeschouwers)*: *a ~ of 2000* 2000 man publiek **3** entreegelden
gatecrash (onuitgenodigd) binnenvallen *(op een feestje enz.)*
gatecrasher onuitgenodigde gast, indringer
gatekeeper portier
gatepost deurpost || *between you and me and the* ~ onder ons gezegd en gezwegen
gateway poort: *the* ~ *to success* de poort tot succes; *the* ~ *to Europe* de toegangspoort tot Europa
[1]**gather** [k̂eðe] *intr* **1** zich verzamelen, samenkomen: ~ *round* bijeenkomen; ~ *round s.o. (sth.)* zich rond iem (iets) scharen **2** zich op(een)hopen, zich op(een)stapelen
[2]**gather** [k̂eðe] *tr* **1** verzamelen, samenbrengen, bijeenroepen, op(een)hopen, op(een)stapelen, vergaren, inzamelen, plukken, oogsten, oprapen: ~ *(one's) strength* op krachten komen; ~ *wood* hout sprokkelen; ~ *speed* op snelheid komen **2** opmaken, afleiden, concluderen: *your husband is not in I* ~ uw echtgenoot is niet thuis, begrijp ik; ~ *from* afleiden uit
gathering [k̂eðering] **1** bijeenkomst, vergadering **2** verzameling, op(een)stapeling, op(een)hoping
gauche [k̂oosj] onhandig, onbeholpen
gaudy [k̂o:die] opzichtig, schel, bont
[1]**gauge** [k̂eedzj] *zn* **1** standaardmaat, ijkmaat, vermogen, capaciteit, inhoud; kaliber *(ook van vuurwapens)*: *narrow-gauge film* smalfilm **2** meetinstrument, meter, kaliber
[2]**gauge** [k̂eedzj] *tr* meten, uit-, af-, opmeten, peilen
gaunt [k̂o:nt] **1** uitgemergeld, vel over been **2** somber
gauntlet [k̂o:ntlit] kaphandschoen, sporthandschoen, werkhandschoen: *fling* (of: *throw*) *down the* ~ iem uitdagen; *pick* (of: *take*) *up the* ~ de uitdaging aanvaarden; *run the* ~ spitsroeden (moeten) lopen
gauze [k̂o:z] gaas, verbandgaas, muggengaas
gave [k̂eev] *ovt van* give
gavel [k̂evel] voorzittershamer
gawky [k̂o:kie] klungelig, onhandig
[1]**gay** [k̂ee] *zn* homo(seksueel), nicht, lesbienne

[2]**gay** [k̂ee] *bn* **1** homoseksueel: ~ *marriage* (of: *blessing*) homohuwelijk **2** vrolijk, opgeruimd **3** fleurig, bont: ~ *colours* bonte kleuren
gaze [k̂eez] staren, aangapen: ~ *at* (of: *on*) aanstaren
gazelle [k̂ezel] gazel(le), antilope
gazette [k̂ezet] krant, dagblad
GB *afk van Great Britain* Groot-Brittannië
GCE *afk van General Certificate of Education* middelbareschooldiploma, havodiploma, vwo-diploma
GCSE *afk van General Certificate of Secondary Education* eindexamen *(middelbareschoolexamen met verschillende niveaus)*
[1]**gear** [k̂ie] *zn* **1** toestel, mechanisme, apparaat, inrichting: *landing* ~ landingsgestel **2** transmissie, koppeling, versnelling: *bottom* ~ eerste versnelling; *reverse* ~ achteruit; *top* ~ hoogste versnelling; *change* ~ (over)schakelen **3** uitrusting, gereedschap, kledij, spullen: *hunting* ~ jagersuitrusting
[2]**gear** [k̂ie] *tr* (over)schakelen, in (een) versnelling zetten: ~ *down* terugschakelen, vertragen; ~ *up* opschakelen, overschakelen
gearbox versnellingsbak
gearlever (versnellings)pook
gear to afstemmen op, instellen, afstellen op: *be geared to* ingesteld zijn op, berekend zijn op
gearwheel tandwiel, tandrad
gee [dzjie:] jee(tje)!
geek [k̂ie:k] sukkel, fanaat: *computergeek* computerfanaat
geese [k̂ie:s] *mv van* goose
geezer [k̂ie:ze] (ouwe) vent
[1]**gel** [dzjel] *zn* gel
[2]**gel** [dzjel] *intr* **1** gel(ei)achtig worden, stollen **2** vorm krijgen *(van ideeën e.d.)*; goed kunnen samenwerken *(van mensen)*; lukken
gelatin [dzjelletin] gelatine(achtige stof)
geld [k̂eld] castreren
gelding [k̂elding] castraat, gecastreerd paard, ruin
gelt [k̂elt] *ovt en volt dw van* geld
gem [dzjem] **1** edelsteen, juweel **2** kleinood, juweeltje
Gemini [dzjemminnaj] (de) Tweelingen
gemstone (half)edelsteen
gender [dzjende] (grammaticaal) geslacht
gene [dzjie:n] gen
genealogy [dzjie:nie·eledzjie] genealogie, familiekunde
[1]**general** [dzjennerel] *zn* **1** algemeenheid, het algemeen: *in* ~ in het algemeen **2** generaal, veldheer
[2]**general** [dzjennerel] *bn* algemeen: ~ *anaesthetic* algehele verdoving; ~ *election* algemene, landelijke verkiezingen; *in the* ~ *interest* in het algemeen belang; *the* ~ *public* het grote publiek; *as a* ~ *rule* in 't algemeen, doorgaans || ~ *delivery* poste restante; ~ *practitioner* huisarts
generality [dzjennerelittie] algemeenheid
generalize [dzjennerelajz] generaliseren, veralgemenen, (zich) vaag uitdrukken
generally [dzjennerelie] **1** gewoonlijk, meestal **2** algemeen: ~ *known* algemeen bekend **3** in het algemeen, ruwweg: ~ *speaking* in 't algemeen
generate [dzjennereet] genereren, doen ontstaan, voortbrengen: ~ *electricity* elektriciteit opwekken; ~ *heat* warmte ontwikkelen
generation [dzjennereesjen] **1** generatie, (mensen)geslacht, mensenleven **2** generatie, voortplanting, ontwikkeling
generator [dzjennereete] generator
generic [dzjinnerrik] **1** de soort betreffende, generiek **2** algemeen, verzamel-
generosity [dzjennerossittie] vrijgevigheid, gulheid
generous [dzjenneres] **1** grootmoedig, edel(moedig) **2** vrijgevig, royaal, gul **3** overvloedig, rijk(elijk)
genesis [dzjennissis] ontstaan, wording
Genesis [dzjennissis] (het bijbelboek) Genesis
genetic [dzjinnettik] genetisch: ~ *engineering* genetische manipulatie; ~ *fingerprint* genenprint; *~ally modified* genetisch gemodificeerd
geneticist [dzjinnettissist] geneticus
genetics [dzjinnettiks] genetica, erfelijkheidsleer
Geneva [dzjinnie:ve] Genève
genial [dzjie:niel] **1** mild, zacht, aangenaam; warm *(van weer, klimaat enz.)* **2** vriendelijk, sympathiek
geniality [dzjie:nie·elittie] hartelijkheid, sympathie, vriendelijkheid
genital [dzjennitl] genitaal, geslachts-, voortplantings-
genitalia [dzjennitteelie] genitaliën, geslachtsorganen
genitive [dzjennittiv] genitief, tweede naamval
genius [dzjie:nies] **1** genie *(persoon)*: *be a* ~ *at* geniaal zijn in **2** genialiteit, begaafdheid: *a woman of* ~ een geniale vrouw **3** geest: *evil* ~ kwade genius
Genoa [dzjennooe] Genua
genocide [dzjennesajd] genocide, volkerenmoord
genre [zjonre] genre, soort, type
gent [dzjent] gentleman, heer || *(inform) the Gents* het herentoilet
genteel [dzjentie:l] **1** *(vaak iron)* chic, elegant **2** aanstellerig
[1]**gentile** [dzjentajl] *zn* niet-jood, christen, heiden
[2]**gentile** [dzjentajl] *bn* niet-joods, christelijk, ongelovig
gentility [dzjentillittie] deftigheid, voornaamheid
gentle [dzjentl] **1** voornaam, van goede afkomst **2** zacht, licht, (ge)matig(d): ~ *pressure* lichte dwang; *hold it gently* hou het voorzichtig vast **3** zacht(aardig), teder, vriendelijk: *the* ~ *sex* het

zwakke geslacht **4** kalm, bedaard, rustig
gentleman [dzjentlmen] **1** (echte) heer: *Ladies and Gentlemen!* Dames en Heren! **2** edelman
gentleman's agreement herenakkoord
gentry [dzjentrie] lage(re) adel, voorname stand: *landed ~* (groot)grondbezitters, lage landadel
genuine [dzjenjoein] **1** echt, zuiver, onvervalst: *~ parts* oorspronkelijke onderdelen **2** oprecht, eerlijk
genus [dzjie:nes] **1** soort, genre, klasse **2** genus, geslacht
geographer [dzjie·okrefe] aardrijkskundige, geograaf
geographic(al) [dzjiekrefik(l)] aardrijkskundig, geografisch
geography [dzjie·okrefie] aardrijkskunde, geografie
geological [dzjielodzjikl] geologisch
geologist [dzjie·olledzjist] geoloog
geology [dzjie·olledzjie] geologie
geometric(al) [dzjiemetrik(l)] meetkundig
geometry [dzjie·ommitrie] meetkunde
Georgia [dzjo:dzjie] Georgië
Georgian [dzjo:dzjien] **1** Georgisch *(van Georgië)* **2** Georgian *(mbt de tijd van koning George)*
gerbil [dzje:bil] woestijnrat
geriatric [dzjerrie·etrik] ouderdoms-; *(min)* aftands; oud
geriatrics [dzjerrie·etriks] geriatrie, ouderdomszorg
germ [dzje:m] **1** *(biol)* kiem, geslachtscel; *(fig)* oorsprong; begin **2** *(med)* ziektekiem, bacil
[1]**German** [dzje:men] *zn* Duitse(r)
[2]**German** [dzje:men] *bn* Duits: *~ shepherd* Duitse herder(shond) || *~ measles* rodehond
Germanic [dzje:menik] **1** Germaans **2** Duits
Germany [dzje:menie] Duitsland
germ carrier bacillendrager, kiemdrager
germinate [dzje:minneet] *(ook fig)* ontkiemen, ontspruiten: *the idea ~d with him* het idee kwam bij hem op
germ warfare biologische oorlogvoering
gerontology [dzjerrontolledzjie] ouderdomskunde
gestation [dzjesteesjen] dracht(tijd), zwangerschap(speriode)
gesticulate [dzjestikjoeleet] gebaren
[1]**gesture** [dzjestsje] *zn* gebaar, geste, teken: *a ~ of friendship* een vriendschappelijk gebaar
[2]**gesture** [dzjestsje] *ww* gebaren, (met gebaren) te kennen geven
[1]**get** [ket] *intr (got, got)* **1** (ge)raken, (ertoe) komen, gaan, bereiken: *~ rid of sth.* zich van iets ontdoen; *he is ~ting to be an old man* hij is een oude man aan het worden; *he never ~s to drive the car* hij krijgt nooit de kans om met de auto te rijden; *~ lost* verdwalen; *~ lost!* loop naar de maan!; *~ to see s.o.* iem te zien krijgen; *~ ahead* vooruitkomen, succes boeken; *~ behind* achteropraken; *(fig) ~ nowhere* (of: *somewhere*) niets (*of:* iets) bereiken; *~ there* er komen, succes boeken; *~ above oneself* heel wat van zichzelf denken; *~ at: a)* bereiken, te pakken krijgen, komen aan, achter; *b) (inform)* bedoelen; *c)* bekritiseren; *d)* knoeien met; *e)* omkopen; *f)* ertussen nemen; *~ at the truth* de waarheid achterhalen; *what are you ~ting at?* wat bedoel je daarmee?; *~ in contact* (of: *touch*) *with* contact opnemen met; *~ into the car* in de auto stappen; *what has got into you?* wat bezielt je?, wat heb je?; *~ off: a)* afstappen van *(fiets, stoep, grasveld); b)* ontheven worden van *(verplichting); ~ onto s.o.* iem te pakken krijgen; *~ on(to) one's bike* op zijn fiets stappen; *~ out of sth.* ergens uitraken, zich ergens uit redden; *~ out of the way* uit de weg gaan, plaatsmaken; *~ over* te boven komen, overwinnen; *~ over an illness* genezen van een ziekte; *I still can't ~ over the fact that ...* ik heb nog steeds moeite met het feit dat ..., ik kan er niet over uit dat ...; *~ through* heen raken door *(tijd, geld, kleding, werk); ~ through an exam* slagen voor een examen; *~ to* bereiken, kunnen beginnen aan, toekomen aan; *where has he got to?* waar is hij naartoe?; *~ to the top of the ladder* (of: *tree*) de top bereiken **2** beginnen, aanvangen: *~ going!* (of: *moving!*) vooruit!, begin (nu eindelijk)!; *~ going: a)* op dreef komen *(van persoon); b)* op gang komen *(van feestje, project, machine e.d.); ~ to like sth.* ergens de smaak van te pakken krijgen || *~ off the ground* van de grond raken; *(inform) ~ stuffed!* stik!, val dood!
[2]**get** [ket] *tr (got, got)* **1** (ver)krijgen, verwerven: *~ a glimpse of* vluchtig te zien krijgen; *~ one's hands on* te pakken krijgen; *~ leave* verlof krijgen; *~ what is coming to one* krijgen wat men verdient; *~ sth. out of s.o.* iets van iem loskrijgen **2** (zich) aanschaffen, kopen: *my car was stolen, so I had to ~ a new one* mijn auto was gestolen, dus moest ik een nieuwe kopen **3** bezorgen, verschaffen, voorzien: *~ s.o. some food* iem te eten geven; *~ sth. for s.o.* iem iets bezorgen, iets voor iem halen **4** doen geraken, doen komen, gaan, brengen, krijgen, doen: *~ sth. going* iets op gang krijgen, iets op dreef helpen; *~ s.o. talking* iem aan de praat krijgen; *(inform; fig) it ~s you nowhere* je bereikt er niets mee; *~ sth. into one's head* zich iets in het hoofd halen; *~ sth. into s.o.'s head* iets aan iem duidelijk maken; *~ s.o. out of sth.* iem aan iets helpen ontsnappen **5** maken, doen worden, bereiden, klaarmaken: *~ dinner (ready)* het avondmaal bereiden; *let me ~ this clear* (of: *straight*) laat me dit even duidelijk stellen; *~ ready* klaarmaken; *~ sth. done* iets gedaan krijgen **6** nemen, (op-, ont)vangen, grijpen, (binnen)halen: *go and ~ your breakfast!* ga maar ontbijten! **7** overhalen, zover krijgen: *~ s.o. to talk* iem aan de praat krijgen **8** *(inform)* hebben, krijgen: *he got a mobile phone for his birthday* hij kreeg een mobieltje voor zijn verjaardag **9** vervelen, ergeren: *it really ~s me when*

ik erger me dood wanneer **10** snappen, begrijpen, verstaan: *he has finally got the message* (of: *got it*) hij heeft het eindelijk door; ~ *sth. (s.o.) wrong* iets (iem) verkeerd begrijpen

³get [k̂et] *hulpww (got, got)* worden: ~ *killed (in an accident)* omkomen (bij een ongeluk); ~ *married* trouwen; ~ *punished* gestraft worden

⁴get [k̂et] *koppelww (got, got)* (ge)raken, worden: ~ *better* beter worden; ~ *used to* wennen aan; ~ *even with s.o.* het iem betaald zetten

get across **1** oversteken, aan de overkant komen **2** begrepen worden; aanslaan *(van idee enz.)*; succes hebben **3** overkomen *(van persoon)*; bereiken, begrepen worden: ~ *to the audience* zijn gehoor weten te boeien

get along **1** vertrekken, voortmaken, weggaan **2** opschieten, vorderen: *is your work getting along?* schiet het al op met je werk? **3** (zich) redden, het stellen, het maken: *we can ~ without your help* we kunnen je hulp best missen **4** (met *with*) (kunnen) opschieten (met), overweg kunnen (met): *they ~ very well* ze kunnen het goed met elkaar vinden

get (a)round **1** op de been zijn; rondlopen *(van persoon; na ziekte)* **2** rondtrekken, rondreizen, overal komen **3** zich verspreiden; de ronde doen *(van nieuws)*: ~ *to s.o.* iem ter ore komen **4** gelegenheid hebben, toekomen: ~ *to sth.: a)* aan iets kunnen beginnen; *b)* ergens de tijd voor vinden

getaway ontsnapping: *make one's ~* ontsnappen

get away **1** wegkomen, weggaan: *did you manage to ~ this summer?* heb je deze zomer wat vakantie kunnen nemen? **2** ontsnappen, ontkomen: ~ *from* ontsnappen aan; *you can't ~ from this* hier kun je niet (meer) onderuit || ~ *from it all* even alles achterlaten, er tussenuit gaan; *he'll never ~ with it* dat lukt hem nooit; *some students ~ with murder* sommige studenten mogen echt alles en niemand die er wat van zegt; *commit a crime and ~ with it* ongestraft een misdaad bedrijven

¹get back *intr* terugkomen, teruggaan, thuiskomen: *~!* terug!, naar buiten! || ~ *at* (of: *on*) *s.o.* het iem betaald zetten

²get back *tr* **1** terugkrijgen, terugvinden **2** terugbrengen, terughalen, naar huis brengen || *get one's own back (on s.o.)* het iem betaald zetten

get by **1** zich er doorheen slaan, zich redden, het stellen: ~ *without sth.* het zonder iets kunnen stellen **2** (net) voldoen, er (net) mee door kunnen

¹get down *intr* dalen: ~ *on one's knees* op zijn knieën gaan (zitten) || ~ *to sth.* aan iets kunnen beginnen, aan iets toekomen; ~ *to business* ter zake komen; ~ *to work* aan het werk gaan

²get down *tr* **1** doen dalen, naar beneden brengen; naar binnen krijgen *(voedsel)* **2** deprimeren, ontmoedigen: *it is not just the work that gets you down* het is niet alleen het werk waar je depressief van wordt

¹get in *intr* **1** binnenkomen; toegelaten worden *(mbt school, universiteit)*: ~ *on sth.* aan iets meedoen; *(inform)* ~ *on the act* mogen meedoen **2** instappen *(in voertuig)*

²get in *tr* binnenbrengen; binnenhalen *(oogst)*; inzamelen *(geld)*: *get the doctor in* de dokter er bij halen; *I couldn't get a word in (edgeways)* ik kon er geen speld tussen krijgen, ik kreeg geen kans om ook maar iets te zeggen

¹get off *intr* **1** ontsnappen, ontkomen **2** afstappen, uitstappen: *you should ~ at Denmark Street* je moet bij Denmark Street uitstappen **3** vertrekken, beginnen: ~ *to a good start* flink van start gaan, goed beginnen **4** in slaap vallen **5** vrijkomen, er goed afkomen: ~ *lightly* er licht van afkomen || ~ *with* het aanleggen met, aanpappen met

²get off *tr* **1** doen vertrekken, doen beginnen **2** doen vrijkomen, er goed doen afkomen, vrijspraak krijgen voor: *he got me off with a fine* hij zorgde ervoor dat ik er met een bon af kwam **3** (op)sturen *(brief)*; wegsturen: *get s.o. off to school* iem naar school sturen **4** eraf krijgen: *I can't get the lid off* ik krijg het deksel er niet af **5** uittrekken *(kleding, schoenen)*; afnemen **6** leren, instuderen: *get sth. off by heart* iets uit het hoofd leren

¹get on *intr* **1** vooruitkomen, voortmaken, opschieten: ~ *with one's work* goed opschieten met zijn werk **2** bloeien, floreren **3** (met *with*) (kunnen) opschieten met, overweg kunnen met **4** oud (laat) worden: *he is getting on (in years)* hij wordt oud, hij wordt een dagje ouder **5** opstappen *(mbt paard, fiets)*; opstijgen; instappen *(mbt bus, vliegtuig)* || *he is getting on for fifty* hij loopt tegen de vijftig; ~ *to sth.: a)* iets door hebben; *b)* iets op het spoor komen

²get on *tr* **1** aantrekken, opzetten: *~e's hat and coat on* zijn hoed opzetten en zijn jas aantrekken **2** erop krijgen: *I can't get the lid on* ik krijg het deksel er niet op

¹get out *intr* **1** uitlekken, bekend worden **2** naar buiten gaan, weggaan, eruit komen **3** ontkomen, maken dat je weg komt, ontsnappen: *no-one here gets out alive* niemand komt hier levend vandaan **4** afstappen, uitstappen

²get out *tr* eruit halen (krijgen) *(splinter, vlekken; ook fig)*

¹get over *intr* begrepen worden *(van grap, komiek)*

²get over *tr* overbrengen *(bedoeling e.d.)*; duidelijk maken, doen begrijpen

¹get through *intr* (er) doorkomen, zijn bestemming bereiken; goedgekeurd worden *(van wetsvoorstel)*; aansluiting krijgen *(per telefoon enz.)*; begrepen worden: ~ *to: a)* bereiken, doordringen tot, contact krijgen met; *b)* begrepen worden door

²get through *tr* **1** zijn bestemming doen bereiken, laten goedkeuren; erdoor krijgen *(ook i.v.m. examens)* **2** duidelijk maken, aan zijn verstand brengen

get-together bijeenkomst

[1]**get up** *intr* **1** opstaan, recht (gaan) staan **2** opsteken *(van wind, storm enz.)* || ~ *to: a)* bereiken; *b)* gaan naar, benaderen; *what is he getting up to now?* wat voert hij nu weer in zijn schild?

[2]**get up** *tr* **1** organiseren; op touw zetten *(feestje, toneelstuk)* **2** maken, ontwikkelen, produceren: ~ *speed* versnellen **3** instuderen, bestuderen || *get one up on s.o.* iem de loef afsteken; ~ *to* doen bereiken

get-up **1** uitrusting, kostuum **2** uitvoering, formaat **3** aankleding, decor

geyser [ǩie:ze] **1** geiser **2** (gas)geiser

ghastly [ǩa:stlie] verschrikkelijk, afgrijselijk

gherkin [ǩe:kin] augurk

ghetto [ǩettoo] getto

ghost [ǩoost] **1** geest, spook, spookverschijning **2** spook(beeld), fata morgana **3** spoor, greintje: *not have the ~ of a chance* geen schijn van kans hebben; *a ~ of a smile* een zweem van een glimlach || *give up the ~* de geest geven, sterven

ghostly [ǩoostlie] spookachtig

ghost town spookstad

ghost-writer spookschrijver *(anoniem schrijver in opdracht ve ander)*

GHQ *afk van General Headquarters* hoofdkwartier

GI [dzjie:aj] dienstplichtige

giant [dzjajjent] reus, kolos; *(fig)* uitblinker: *Shakespeare is one of the ~s of English literature* Shakespeare is een van de allergrootsten in de Engelse literatuur

giant killer reuzendoder *(persoon die een favoriet verslaat)*

gibberish [dzjibberisj] gebrabbel

gibbon [ǩibben] gibbon

[1]**gibe** [dzjajb] *zn* spottende opmerking

[2]**gibe** [dzjajb] *ww* (be)spotten, schimpen: ~ *at* de draak steken met

giddy [ǩiddie] **1** duizelig, draaierig, misselijk **2** duizelingwekkend **3** frivool, wispelturig, lichtzinnig

gift [ǩift] **1** cadeau, geschenk, gift: *free ~* gratis geschenk *(als reclame)* **2** gave, talent, aanleg: *have the ~ of (the) gab: a)* welbespraakt zijn; *b)* praatziek zijn

gifted [ǩiftid] begaafd, talentvol, intelligent

gift-horse gegeven paard *(fig)*; geschenk: *don't look a ~ in the mouth* je moet een gegeven paard niet in de bek zien

gift shop cadeauwinkel(tje)

giftwrap als cadeautje inpakken, in cadeaupapier inpakken

gift-wrapping [ǩiftreping] geschenkverpakking

gig [ǩiǩ] optreden, concert

gigantic [dzjajǩentik] gigantisch, reusachtig (groot)

[1]**giggle** [ǩiǩl] *zn* gegiechel: *have the ~s* de slappe lach hebben

[2]**giggle** [ǩiǩl] *ww* giechelen (van)

gild [ǩild] vergulden; *(fig)* versieren; opsmukken

gilded [ǩildid] verguld; *(fig)* versierd; sierlijk

gill [ǩil] kieuw

[1]**gilt** [ǩilt] *zn* **1** goudgerande schuldbrief *(met garantie vd regering)* **2** vergulds el

[2]**gilt** [ǩilt] *ovt en volt dw van* gild

gilt-edged **1** goudgerand **2** met rijksgarantie: ~ *shares* goudgerande aandelen

gimme [ǩimmie] *samentr van give me* geef mij, toe (nou), kom op nou

gimmick [ǩimmik] truc(je), vondst

gimmicky [ǩimmikkie] op effect gericht *(van producten)*

gin [dzjin] gin, jenever

ginger [dzjindzje] **1** gember(plant) **2** roodachtig bruin, rossig; *(voor persoon)* rooie

ginger ale gemberbier

gingerbread gembercake, gemberkoek, peperkoek

gingerly [dzjindzjelie] (uiterst) voorzichtig

ginger up stimuleren, opvrolijken, oppeppen

ginseng [dzjinseng] ginseng(plant)

gipsy [dzjipsie] zigeuner(in)

giraffe [dzjirra:f] giraf(fe)

girder [ǩe:de] steunbalk, draagbalk, dwarsbalk

girdle [ǩe:dl] gordel, (buik)riem, korset

girl [ǩe:l] **1** meisje, dochter; *(inform)* vrouw(tje) **2** dienstmeisje **3** liefje, vriendinnetje

girlfriend vriendin(netje), meisje

Girl Guide padvindster

Girl Scout padvindster

giro [dzjajjeroo] **1** giro(dienst): *National Giro* postgiro **2** girocheque

gist [dzjist] hoofdgedachte, essentie, kern

give [giv] *(gave, given)* **1** geven, schenken, overhandigen: ~ *him my best wishes* doe hem de groeten van mij; ~ *a dinner* een diner aanbieden **2** geven, verlenen, verschaffen, gunnen: ~ *a prize* een prijs toekennen; *we were ~n three hours' rest* we kregen drie uur rust; *he has been ~n two years* hij heeft twee jaar (gevangenisstraf) gekregen; ~ *s.o. to understand* (of: *know*) iem te verstaan (*of:* kennen) geven **3** geven, opofferen, wijden: ~ *one's life for one's country* zijn leven geven voor zijn vaderland **4** *(met zn)* doen: ~ *a beating* een pak slaag geven; ~ *a cry* een kreet slaken; ~ *s.o. a sly look* iem een sluwe blik toewerpen **5** (op)geven, meedelen: *the teacher gave us three exercises (to do)* de onderwijzer heeft ons drie oefeningen opgegeven (als huiswerk); ~ *information* informatie verstrekken **6** produceren, voortbrengen: ~ *off* (af)geven, verspreiden, maken || ~ *or take 5 minutes* 5 minuten meer of minder; ~ *as good as one gets* met gelijke munt betalen; *don't ~ me that* (hou op met die) onzin; ~ *s.o. what for* iem flink op zijn donder geven

give away **1** weggeven, cadeau doen **2** verraden, verklappen

give-away **1** cadeautje **2** onthulling, (ongewild) verraad
give in (met *to)* toegeven (aan), zich gewonnen geven, zwichten (voor)
[1]**given** [ǩivn] *bn* **1** gegeven, gekregen, verleend **2** gegeven *(ook wisk)*; (wel) bepaald, vastgesteld: *under the ~ conditions* in de gegeven omstandigheden; *at any ~ time* om het even wanneer, op elk moment **3** geneigd: *~ to drinking* verslaafd aan de drank
[2]**given** [ǩivn] *vz* gezien: *~ the present situation* in het licht van de huidige situatie
[3]**given** [ǩivn] *vw* aangezien: *~ (that) you don't like it* aangezien je het niet leuk vindt
[4]**given** [ǩivn] *volt dw van* give
given name voornaam, doopnaam
[1]**give out** *intr* uitgeput raken, opraken
[2]**give out** *tr* **1** afgeven, verspreiden, maken **2** verdelen, uitdelen, uitreiken
[1]**give over** *intr* ophouden, stoppen
[2]**give over** *tr* afzien van, stoppen, opgeven: *I asked the students to ~ chewing gum in class* ik verzocht de studenten om geen kauwgom meer te kauwen tijdens de les
[1]**give up** *intr* (het) opgeven, zich gewonnen geven: *~ on* geen hoop meer hebben voor; *I ~ on you* je bent hopeloos
[2]**give up** *tr* **1** opgeven, afstand doen van, niet langer verwachten, alle hoop opgeven voor; *(inform)* laten zitten: *~ one's seat* zijn zitplaats afstaan; *~ for dead* (of: *lost*) als dood (*of:* verloren) beschouwen *(ook fig)*; *~ smoking* stoppen met roken **2** ophouden **3** overgeven, overleveren, (toe)wijden: *give oneself up* zich gevangen geven, zich melden
gizmo [ǩizmoo] dingetje, apparaatje
glacial [ǩleesjl] ijs- *(ook fig)*; ijzig, ijskoud
glacier [ǩlesie] gletsjer
glad [ǩled] blij, gelukkig, verheugd: *be ~ to see the back of s.o.* iem gaarne zien vertrekken; *I'd be ~ to!* met plezier!; *I'll be ~ to help* ik wil je graag helpen *(ook iron)*; *~ about* (of: *at, of*) blij om, verheugd over
gladden [ǩledn] blij maken
gladiator [ǩledie·eete] gladiator
gladiolus [ǩledie·ooles] gladiool
gladly [ǩledlie] graag, met plezier
glamorous [ǩlemeres] (zeer) aantrekkelijk, bekoorlijk, betoverend (mooi), prachtig, glitter-
glamour [ǩleme] betovering, schone schijn
[1]**glance** [ǩla:ns] *zn* (vluchtige) blik, oogopslag, kijkje: *at a ~* met één oogopslag, onmiddellijk
[2]**glance** [ǩla:ns] *intr* (vluchtig) kijken, een (vluchtige) blik werpen: *~ at* even bekijken, een blik werpen op
gland [ǩlend] klier: *sweat ~s* zweetklieren
[1]**glare** [ǩlee] *zn* **1** woeste (dreigende) blik **2** verblindend licht *(ook fig)*; (felle) glans
[2]**glare** [ǩlee] *intr* **1** fel schijnen, blinken, schitteren: *the sun ~d down on our backs* de zon brandde (fel) op onze rug **2** boos kijken, woest kijken
glaring [ǩleering] **1** verblindend, schitterend, fel: *~ colours* schreeuwende kleuren **2** dreigend, woest: *~ eyes* vlammende ogen
glass [ǩla:s] **1** glas, (drink)glas, brillenglas, spiegel **2** lens **3** glas; glaasje *(drank)* **4** glas(werk) **5** *~es* bril: *two pairs of ~es* twee brillen **6** *~es* verrekijker, toneelkijker || *people who live in ~ houses should not throw stones* wie in een glazen huisje zit, moet niet met stenen gooien
glass fibre glasvezel, glasdraad
glasshouse (broei)kas
glassworks glasfabriek, glasblazerij
glassy [ǩla:sie] glasachtig, glazig, (spiegel)glad
[1]**glaze** [ǩleez] *zn* glazuur, glazuurlaag
[2]**glaze** [ǩleez] *intr* (ook met *over)* glazig worden; breken *(van ogen)*
[3]**glaze** [ǩleez] *tr* in glas zetten: *double-glazed windows* dubbele ramen
glazing [ǩleezing] **1** glazuur, glazuurlaag **2** beglazing, ruiten, ramen: *double ~* dubbel glas, dubbele ramen
[1]**gleam** [ǩlie:m] *zn* (zwak) schijnsel, glans, schittering; straal(tje) *(ook fig)*: *not a ~ of hope* geen sprankje hoop
[2]**gleam** [ǩlie:m] *intr* (zwak) schijnen, glanzen, schitteren
glean [ǩlie:n] **1** verzamelen, oprapen; vergaren *(aren)* **2** moeizaam vergaren; (bijeen) sprokkelen *(informatie)*: *~ ideas from everywhere* overal ideeën vandaan halen
glee [ǩlie:] leedvermaak, vreugde, opgewektheid
glib [ǩlib] welbespraakt, vlot, rad van tong, glad, handig
glide [ǩlajd] **1** glijden, sluipen, zweven **2** *(luchtv)* zweven
glider [ǩlajde] **1** zweefvliegtuig **2** zweefvlieger
glimmer [ǩlimme] **1** zwak licht, glinstering, flikkering **2** straaltje *(fig)*: *~ of hope* sprankje hoop
glimpse [ǩlimps] glimp: *catch* (of: *get*) *a ~ of* eventjes zien, een glimp opvangen van
glisten [ǩlisn] schitteren, glinsteren, glimmen: *~ with* schitteren van, fonkelen van
[1]**glitter** [ǩlitte] *zn* geschitter, glans, glinstering
[2]**glitter** [ǩlitte] *intr* schitteren, blinken, glinsteren: *~ with* blinken van || *all that ~s is not gold* het is niet al goud wat er blinkt
glitz [ǩlits] glitter
glitzy [ǩlitsie] opzichtig, opvallend
gloat [ǩloot] **1** wellustig staren, begerig kijken **2** zich verlustigen, zich vergenoegen: *~ over* (of: *on*) zich verkneukelen in
global [ǩloobl] **1** wereldomvattend, wereld-: *~ warming* opwarming van de aarde ten gevolge van het broeikaseffect **2** algemeen, allesomvattend, globaal
globe [ǩloob] globe, aarde, wereldbol
globetrotter globetrotter, wereldreiziger
gloom [ǩloe:m] **1** duisternis, halfduister: *cast a*

~ *over sth.* een schaduw over iets werpen **2** zwaarmoedigheid, somberheid

glorify [k̂lo:riffaj] **1** verheerlijken, vereren **2** ophemelen, loven, prijzen: *(inform) this isn't a country house but a glorified hut* dit is geen landhuis, maar een veredeld soort hut **3** mooier voorstellen, verfraaien

glorious [k̂lo:ries] **1** roemrijk, glorierijk, glorieus, luisterrijk **2** prachtig, schitterend

glory [k̂lo:rie] **1** glorie, eer, roem: *I wrote that book for my own personal ~* ik heb dat boek geschreven voor mijn eigen roem **2** lof, dankzegging

gloss [k̂los] **1** lippenglans **2** glans **3** glamour, schone schijn

glossy [k̂lossie] glanzend, blinkend, glad: *~ print* glanzende foto || *~ magazine* duur blad, glossy

glove [k̂luv] handschoen: *fit like a ~* als gegoten zitten || *throw down the ~* de handschoen toewerpen

glove compartment dashboardkastje, handschoenenkastje

[1]**glow** [k̂loo] *zn* gloed; *(fig)* bezieling; enthousiasme

[2]**glow** [k̂loo] *intr* **1** gloeien, glimmen; *(fig)* bezield zijn; enthousiast zijn **2** blozen || *~ with pride* zo trots als een pauw zijn

glowworm glimworm

glucose [k̂loe:koos] glucose, druivensuiker

[1]**glue** [k̂loe:] *zn* lijm

[2]**glue** [k̂loe:] *tr* lijmen, plakken: *(fig) his eyes were ~d to the girl* hij kon zijn ogen niet van het meisje afhouden

glum [k̂lum] mistroostig

[1]**glut** [k̂lut] *zn* **1** overvloed **2** overschot

[2]**glut** [k̂lut] *tr* **1** volstoppen: *~ oneself with* zich volstoppen met **2** (over)verzadigen, overladen, overvoeren

glutton [k̂lutn] slokop, gulzigaard, (veel)vraat

gm *afk van gram* g(r)

GMT *afk van Greenwich Mean Time* GT, Greenwichtijd

gnarled [na:ld] knoestig, ruw, verweerd

gnash [nesj] knarsetanden, tandenknarsen: *~ one's teeth* tandenknarsen

gnat [net] mug, muskiet

[1]**gnaw** [no:] *intr* knagen *(ook fig)*; knabbelen, smart veroorzaken, pijn doen

[2]**gnaw** [no:] *tr* **1** knagen aan *(ook fig)*; kwellen **2** (uit)knagen, afknagen: *the mice have ~n a small hole* de muizen hebben een holletje uitgeknaagd

gnawn [no:n] *volt dw van* gnaw

gnome [noom] gnoom, aardmannetje, kabouter

GNP *afk van gross national product* bnp, bruto nationaal product

gnu [noe:] gnoe

[1]**go** [k̂oo] *zn (mv: goes)* **1** poging: *have a go at sth.* eens iets proberen **2** beurt, keer: *at* (of: *in*) *one go* in één klap, in één keer **3** aanval || *make a go of it* er een succes van maken; *(it's) no go* het kan niet, het lukt nooit

[2]**go** [k̂oo] *bn* goed functionerend, in orde, klaar: *all systems (are) go* (we zijn) startklaar

[3]**go** [k̂oo] *intr (went, gone)* **1** gaan, starten, vertrekken, beginnen: *(right) from the word go* vanaf het begin; *go to find s.o.* iem gaan zoeken; *get going: a)* aan de slag gaan; *b)* op gang komen; *let go* laten gaan, loslaten; *(fig) I wouldn't go so far as to say that* dat zou ik niet durven zeggen; *go about sth.: a)* iets aanpakken; *b)* zich bezighouden met; *go by sth.* zich baseren op, zich laten leiden door; *nothing to go by* niets om op af te gaan; *go off* afgaan van, afstappen van; *go on the pill* aan de pil gaan; *go over: a)* doornemen, doorlezen *(tekst)*; *b)* herhalen *(uitleg)*; *c)* repeteren *(rol, les)*; *go through: a)* nauwkeurig onderzoeken, doorzoeken; *b)* nagaan, checken *(bewering e.d.)*; *c)* doornemen *(tekst)*; *we go through a difficult time* we maken een moeilijke periode door; *ready, steady, go!* klaar voor de start? af! **2** gaan, voortgaan, lopen, reizen: *go by air* (of: *car*) met het vliegtuig (*of:* de auto) reizen; *go for a walk* een wandeling maken; *go abroad* naar het buitenland gaan; *go along that way* die weg nemen **3** gaan (naar), wijzen (naar, op); voeren (naar) *(ook fig)*; reiken, zich uitstrekken: *go from bad to worse* van kwaad tot erger vervallen; *the difference goes deep* het verschil is erg groot **4** gaan; (voortdurend) zijn *(in een bepaalde toestand)*: *as things go* in het algemeen; *go armed* gewapend zijn; *how are things going?* hoe gaat het ermee? **5** gaan, lopen, draaien; werken *(van toestel, systeem, fabriek enz.)*: *the clock won't go* de klok doet het niet; *go slow* een langzaamaanactie houden **6** gaan; afgaan *(van geweer)*; aflopen; luiden *(van klok e.d.)* **7** verstrijken, (voorbij)gaan; verlopen *(van tijd)*: *ten days to go to* (of: *before*) *Easter* nog tien dagen (te gaan) en dan is het Pasen **8** gaan; afleggen *(mbt afstand)*: *five miles to go* nog vijf mijl af te leggen **9** gaan; luiden *(van gedicht, verhaal)*; klinken *(van wijsje)*: *the tune goes like this* het wijsje klinkt als volgt **10** aflopen, gaan, uitvallen: *how did the exam go?* hoe ging het examen?; *go well* goed aflopen, goed komen **11** doorgaan, gebeuren, doorgang vinden: *what he says goes* wat hij zegt, gebeurt ook **12** vooruitgaan, opschieten: *how is the work going?* hoe vordert het (met het) werk? **13** gelden; gangbaar zijn *(van geld)*; gezaghebbend zijn; gezag hebben *(van oordeel, persoon)*: *that goes for all of us* dat geldt voor ons allemaal **14** wegkomen, er onderuitkomen, er vanaf komen: *go unpunished* ongestraft wegkomen **15** (weg)gaan; verkocht worden *(van koopwaar)*: *go cheap* goedkoop verkocht worden; *going!, going!, gone!* eenmaal! andermaal! verkocht! **16** gaan; besteed worden *(van geld, tijd)* **17** verdwijnen; verloren gaan *(ook fig)*: *my complaints went unnoticed* mijn klachten werden niet gehoord **18** verdwijnen, wijken, afgeschaft worden, afgevoerd worden: *my car must go* mijn auto moet weg **19** weggaan, vertrekken; heen-

gaan *(ook fig);* sterven, doodgaan: *we must be going* we moeten ervandoor **20** gaan, passen, thuishoren: *the forks go in the top drawer* de vorken horen in de bovenste la; *where do you want this cupboard to go?* waar wil je deze kast hebben? **21** dienen, helpen, nuttig zijn, bijdragen: *this goes to prove I'm right* dit bewijst dat ik gelijk heb; *it only goes to show* zo zie je maar || *go by the book* volgens het boekje handelen; *go and get sth.* iets gaan halen; *let oneself go: a)* zich laten gaan, zich ontspannen; *b)* zich verwaarlozen; *anything goes* alles is toegestaan, alles mag; *go before* voorafgaan *(in de tijd); go one better* (één) meer bieden, *(fig)* het beter doen, overtreffen; *go easy on* geen druk uitoefenen op, matig (*of:* voorzichtig) zijn met; *go easy with* aardig zijn tegen; *here goes!* daar gaat ie (dan)!; *there you go: a)* alsjeblieft; *b)* daar heb je het (al); *go west* het hoekje omgaan, de pijp uitgaan; *go wrong: a)* een fout maken, zich vergissen; *b)* fout (*of:* mis) gaan, de mist in gaan; *not much evidence to go on* niet veel bewijs om op af te gaan; *to go* om mee te nemen *(bijv. warme gerechten)*

[4]**go** [k̂oo] *tr (went, gone)* **1** maken; gaan maken *(reis enz.)* **2** afleggen, gaan: *go the shortest way* de kortste weg nemen || *go it alone* iets helemaal alleen doen

[5]**go** [k̂oo] *koppelww (went, gone)* worden, gaan: *go bad* slecht worden, bederven; *go blind* blind worden; *go broke* al zijn geld kwijtraken; *we'll have to go hungry* we moeten het zonder eten stellen; *the milk went sour* de melk werd zuur; *going fifteen* bijna vijftien (jaar), naar de vijftien toe

go about **1** rondlopen **2** (rond)reizen **3** de ronde doen; rondgaan *(van gerucht, praatje)* **4** omgang hebben, verkering hebben: *~ with s.o.* omgaan met iem

go across oversteken, overgaan, gaan over

goad [k̂ood] drijven; *(fig)* aanzetten; prikkelen, opstoken: *she ~ed him on to take revenge* ze stookte hem op wraak te nemen

go against **1** ingaan tegen, zich verzetten tegen **2** indruisen tegen, in strijd zijn met, onverenigbaar zijn met

go ahead **1** voorafgaan, voorgaan, vooruitgaan: *Peter went ahead of the procession* Peter liep voor de stoet uit **2** beginnen, aanvangen: *we went ahead with our task* we begonnen aan onze taak; *~!* ga je gang!, begin maar! **3** verder gaan, voortgaan, vervolgen: *we went ahead with our homework* we gingen verder met ons huiswerk

goal [k̂ool] **1** doel: *one's ~ in life* iemands levensdoel **2** (eind)bestemming **3** doel, goal: *keep ~* het doel verdedigen, keepen **4** doelpunt, goal: *kick* (of: *make*) *a ~* een doelpunt maken

goal area doelgebied

goalie [k̂oolie] *(inform)* keeper, doelman

goalkeeper [k̂oolkie:pe] *(sport)* keeper, doelman, doelverdediger

goal kick doeltrap, uittrap, doelschop

go along **1** meegaan: *she decided to ~ with the children* ze besloot om met de kinderen mee te gaan **2** vorderen, vooruitgaan: *the work was going along nicely* het werk schoot lekker op

go along with **1** meegaan met *(ook fig);* akkoord gaan met, bijvallen **2** samenwerken met, terzijde staan **3** deel uitmaken van, behoren tot, horen bij

goalpost doelpaal: *move the ~s (fig, inform)* de regels naar zijn hand zetten

go (a)round **1** rondgaan (in), rondlopen; de ronde doen *(van gerucht e.d.);* zich verspreiden *(van ziekte): his words kept going round my head* zijn woorden bleven mij door het hoofd spelen; *you can't ~ complaining all of the time!* je kan toch niet de hele tijd lopen klagen! **2** voldoende zijn (voor): *there are enough chairs to ~* er zijn genoeg stoelen voor iedereen

goat [k̂oot] **1** geit **2** ezel, stomkop || *get s.o.'s ~* iem ergeren

go at **1** aanvallen, te lijf gaan; *(fig)* van leer trekken tegen, tekeergaan tegen **2** verkocht worden voor

goatee beard [k̂ooie:bied] sik(je)

go away weggaan, vertrekken: *~ with s.o. (sth.)* ervandoor gaan met iem (iets)

gob [k̂ob] **1** rochel, fluim **2** smoel, mond, bek: *shut your ~!* houd je waffel!, kop dicht!

go back **1** teruggaan, terugkeren **2** teruggaan, zijn oorsprong vinden, dateren: *Louis and I ~ a long time* Louis en ik kennen elkaar al heel lang; *this tradition goes back to the Middle Ages* deze traditie gaat terug tot de middeleeuwen **3** teruggrijpen, terugkeren **4** teruggedraaid worden; teruggezet worden *(van klok, horloge)*

go back on **1** terugnemen; terugkomen op *(woord(en) e.d.)* **2** ontrouw worden, verraden

gobble [k̂obl] (op)schrokken: *~ down* (of: *up*) naar binnen schrokken

go-between tussenpersoon, bemiddelaar

go beyond gaan boven, overschrijden, overtreffen, te buiten gaan: *~ one's duty* buiten zijn boekje gaan, zijn bevoegdheid overschrijden; *their teasing is going beyond a joke* hun geplaag is geen grapje meer

goblet [k̂oblit] kelk, beker

gobsmacked met de mond vol tanden, stomverbaasd

go by **1** voorbijgaan *(ook fig);* passeren **2** verstrijken, verlopen, aflopen

god [k̂od] (af)god; *(fig)* invloedrijk persoon; idool

God [k̂od] God: *in ~'s name!, for ~'s sake!* in godsnaam!; *~ bless you!* God zegene u!; *thank ~!* goddank!

godchild petekind

goddaughter peetdochter

goddess [k̂oddis] godin

godfather *(ook fig)* peetvader, peter, peetoom

godforsaken **1** (van) godverlaten **2** triest, ellendig, hopeloos

godmother meter, peettante
go down **1** naar beneden gaan: *~ to the Mediterranean* naar de Middellandse Zee afzakken **2** dalen *(van prijs, temperatuur)* **3** zinken; ondergaan *(schip, persoon)* **4** in de smaak vallen, ingang vinden: *~ like a bomb* enthousiast ontvangen worden; *~ with* in de smaak vallen bij, gehoor vinden bij **5** te boek gesteld worden: *~ in history* de geschiedenis ingaan || *~ on one's knees* op de knieën vallen *(ook fig); ~ with measles* de mazelen krijgen
godson peetzoon
go far **1** het ver schoppen, het ver brengen **2** toereiken(d zijn), veruit volstaan, lang meegaan || *far gone* ver heen

go for **1** gaan om, (gaan) halen, gaan naar: *Rob went for some more coffee* Rob ging nog wat koffie halen; *~ a walk* een wandeling maken **2** gelden voor, van toepassing zijn op **3** verkocht worden voor, gaan voor: *~ a song* voor een prikje van de hand gaan **4** aanvallen, te lijf gaan; *(ook fig; met woorden)* van leer trekken tegen
go forward **1** vooruitgaan *(ook fig)*; vorderen, vooruitgang boeken **2** zijn gang gaan, voortgaan, vervolgen
go-getter doorzetter
goggle [k̂ok̂l] staren, turen: *~ at* aangapen
goggles [k̂ok̂lz] veiligheidsbril, sneeuwbril, stofbril
go in **1** erin gaan, (erin) passen **2** naar binnen gaan
go in for **1** (gaan) deelnemen aan, opgaan voor; zich aanmelden voor *(een examen, wedstrijd enz.)* **2** (gaan) doen aan; een gewoonte maken van *(hobby, sport e.d.)*
[1]**going** [k̂ooing] *zn* **1** vertrek: *comings and ~s* komen en gaan *(ook fig)* **2** gang, tempo: *be heavy ~* moeilijk zijn, een hele klus zijn || *while the ~ is good* nu het nog kan
[2]**going** [k̂ooing] *bn* **1** voorhanden, in omloop: *there is a good job ~* er is een goede betrekking vacant; *I've got some fresh coffee ~* ik heb nog verse koffie staan **2** (goed) werkend **3** gangbaar, geldend: *the ~ rate* het gangbare tarief
go into **1** binnengaan (in), ingaan **2** gaan in, zich aansluiten bij, deelnemen aan: *~ business* zakenman worden **3** (nader) ingaan op, zich verdiepen in, onderzoeken: *~ (the) details* in detail treden
gold [k̂oold] **1** goud *(ook fig)* **2** goud, goudstukken, rijkdom **3** goud, goudkleur: *~ card* creditcard met speciale voordelen voor de houder **4** goud(en medaille): *~ medallist* goudenmedaillewinnaar
golden [k̂oolden] gouden; goudkleurig *(ook fig)*: *the Golden Age* de gouden eeuw; *~ handshake* gouden handdruk; *~ rule* gulden regel; *~ wedding (anniversary)* gouden bruiloft || *~ oldie* gouwe ouwe
goldfinch putter, distelvink
goldfish goudvis
gold rush goudkoorts
golf [k̂olf] golf *(spel)*
golfer [k̂olfe] golfspeler
goliath [k̂elajjeθ] goliath, reus, krachtpatser
golly [k̂ollie] gossie(mijne)
gondola [k̂ondele] **1** gondel *(Venetiaans schuitje)* **2** gondola; open (hang)bak *(voor het etaleren van artikelen)*
gondolier [k̂ondelie] gondelier
[1]**gone** [k̂on] *bn* **1** verloren *(ook fig)* **2** voorbij, vertrokken || *be three months ~* in de derde maand zijn *(van zwangerschap); far ~* ver heen
[2]**gone** [k̂on] *vz* over: *he is ~ fifty* hij is over de vijftig, hij is de vijftig voorbij; *it's ~ three* het is over drieën
[3]**gone** [k̂on] *volt dw van* go
gong [k̂ong] **1** gong **2** medaille, lintje
gonna [k̂onne] *samentr van going to*
goo [k̂oe:] kleverig goedje
[1]**good** [k̂oed] *zn* **1** goed, welzijn, voorspoed: *for the common ~* voor het algemeen welzijn; *he will come to no ~* het zal slecht met hem aflopen; *for his (own) ~* om zijn eigen bestwil **2** nut, voordeel: *it's no ~ (my) talking to her* het heeft geen zin met haar te praten **3** goed werk, dienst: *be after* (of: *up to) no ~* niets goeds in de zin hebben **4** goedheid, verdienste, deugd(zaamheid): *~ and evil* goed en kwaad **5** *~s* goederen, (koop)waar, handelsartikelen: *deliver the ~s* de goederen (af)leveren, *(fig)* volledig aan de verwachtingen voldoen **6** *~s* bezittingen || *for ~ (and all)* voorgoed, voor eeuwig (en altijd)
[2]**good** [k̂oed] *bn (better, best)* **1** goed, knap, kundig: *~ looks* knapheid; *~ for* (of: *on) you* goed zo, knap (van je) **2** goed, correct, juist: *~ English* goed Engels; *my watch keeps ~ time* mijn horloge loopt gelijk; *all in ~ time* alles op zijn tijd **3** goed, fatsoenlijk, betrouwbaar: *(in) ~ faith* (te) goede(r) trouw **4** aardig, lief, gehoorzaam: *~ humour* opgewektheid; *put in a ~ word for, say a ~ word for* een goed woordje doen voor, aanbevelen; *be so ~ as to* wees zo vriendelijk, gelieve; *it's ~ of you to help him* het is aardig van u om hem te helpen **5** goed, aangenaam, voordelig, lekker, smakelijk, gezond: *~ buy* koopje, voordeeltje; *~ afternoon* goedemiddag; *feel ~: a)* zich lekker voelen; *b)* lekker aanvoelen; *too ~ to be true* te mooi om waar te zijn **6** afdoend, geldig: *this rule holds ~* deze regel geldt **7** aanzienlijk, aardig groot, lang: *stand a ~ chance* een goede kans maken; *a ~ deal, a ~ many* heel wat; *a ~ hour* (of: *ten miles*) ruim een uur (*of:* tien mijl) || *all ~ things come to an end* aan alle goede dingen komt een einde; *one ~ turn deserves another* de ene dienst is de andere waard; *be in s.o.'s ~ books* bij iem in een goed blaadje staan; *as ~ as gold* erg braaf, erg lief *(van kind); stroke of ~ luck* buitenkansje; *it's a ~ thing that* het is maar goed dat; *it's a ~ thing to …* het is verstandig om …; *a ~ thing too!* maar goed ook!; *too much of a ~ thing* te veel van het goede; *make ~ time* lekker

opschieten; *as ~ as* zogoed als, nagenoeg; *be ~ at* goed zijn in; *be ~ for another couple of years* nog wel een paar jaar meekunnen; *~ies and baddies* de goeien en de slechteriken

[1]**goodbye** [ǩoedbaj] *zn* afscheid, afscheidsgroet

[2]**goodbye** [ǩoedbaj] *tw* tot ziens

goodish [ǩoedisj] **1** tamelijk goed **2** behoorlijk, tamelijk groot, lang, veel: *a ~ number of people* een vrij groot aantal mensen

good-looking knap, mooi

good-tempered goedgehumeurd, opgewekt

good-time op amusement belust, gezelligheids-

good will **1** welwillendheid **2** goodwill; (goede) reputatie *(deel vd activa)* **3** klantenkring *(commerciële waarde ve zaak);* klanten, zakenrelaties

[1]**goody** [ǩoedie] *zn -ies* lekkernij, zoetigheid

[2]**goody** [ǩoedie] *tw (kindertaal)* jippie!, leuk!

goody-goody schijnheilige

[1]**goof** [ǩoe:f] *zn* **1** sufkop, stommeling **2** blunder, flater

[2]**goof** [ǩoe:f] *intr* miskleunen, een flater slaan

go off **1** weggaan *(ook fig);* (vh toneel) afgaan: *~ with* ertussenuit knijpen met, ervandoor gaan met **2** afgaan *(van alarm, geweer);* ontploffen *(van bom);* aflopen *(van wekker);* losbarsten *(ook fig)* **3** slechter worden, achteruit gaan; verwelken *(van bloemen);* zuur worden; bederven *(van voedsel): the veal has gone off* het kalfsvlees is niet goed meer

google [ǩoeǩl] googelen, zoeken op internet

[1]**go on** *ww met vz* zich baseren op, afgaan op, zich laten leiden door

[2]**go on** *intr* **1** voortduren *(ook fig);* doorgaan (met), aanhouden: *he went on to say that* hij zei vervolgens dat **2** verstrijken, verlopen, voorbijgaan **3** (door)zaniken, (door)zagen: *~ about* doorzeuren over **4** gebeuren, plaatsvinden, doorgang vinden: *what is going on?* wat is er aan de hand? || *enough to be going* (of: *go*) *on with* genoeg om mee rond te komen

goose [ǩoe:s] *(mv: geese)* **1** gans **2** onbenul

gooseberry [ǩoezberie] kruisbes(senstruik)

goose bumps *(Am) (fig)* kippenvel

goose-flesh kippenvel

goose pimples *(fig)* kippenvel

go out **1** uitgaan, van huis gaan, afreizen: *~ with* uitgaan met, verkering hebben met **2** uitgaan *(van vuur, licht)* **3** uit de mode raken **4** teruglopen; eb worden *(van zee): the tide is going out* het is eb || *go (all) out for sth.* zich volledig inzetten voor iets

go out of **1** verlaten; uitgaan *(een ruimte): ~ play* 'uit' gaan *(van bal)* **2** verdwijnen uit: *~ fashion* uit de mode raken; *~ sight* (of: *view*) uit het zicht verdwijnen; *~ use* in onbruik raken, buiten gebruik raken

go over **1** (met *to*) overlopen (naar), overschakelen (op); overgaan (tot) *(andere partij e.d.): we now ~ to our reporter on the spot* we schakelen nu over naar onze verslaggever ter plaatse **2** aanslaan, overkomen

gorge [ǩo:dzj] kloof, bergengte

gorgeous [ǩo:dzjes] schitterend, grandioos; prachtig *(ook van persoon)*

gorilla [ǩerille] gorilla

gormless [ǩo:mles] stom, dom, onnozel

go round **1** (met *to*) langsgaan (bij) *(iem)* **2** (rond)draaien

gorse [ǩo:s] brem

gory [ǩo:rie] bloederig, bloedig: *a ~ film* een film met veel bloed en geweld

gospel [ǩospl] evangelie: *take sth. for ~* iets zonder meer aannemen

gossamer [ǩosseme] **1** herfstdraad, spinrag **2** gaas, fijn en licht weefsel

[1]**gossip** [ǩossip] *zn* **1** roddel, kletspraat, praatjes **2** roddelaar(ster), kletskous

[2]**gossip** [ǩossip] *intr* roddelen

got [ǩot] *ovt en volt dw van* get

gotcha [ǩotsje] hebbes!, nou heb ik je!, gelukt!

Gothic [ǩoθik] **1** *(taal)* Gotisch **2** *(bouwk)* gotisch

go through aangenomen worden *(van voorstel, wet e.d.);* erdoor komen || *~ with* doorgaan met

go to **1** gaan naar *(ook fig)* **2** zich getroosten: *~ great* (of: *considerable*) *expense* er heel wat geld tegenaan gooien; *~ great lengths* zich de grootste moeite getroosten, alle mogelijke moeite doen

gotta [ǩotte] *samentr van (have) got to*

gouge [ǩaudzj] (uit)gutsen, uitsteken: *~ out s.o.'s eyes* iem de ogen uitsteken

goulash [ǩoe:lesj] goulash

go under **1** ondergaan, zinken; *(fig)* er onder door gaan; bezwijken **2** failliet gaan, bankroet gaan

go up **1** opgaan, naar boven gaan: *~ in the world* in de wereld vooruitkomen **2** stijgen; omhooggaan *(van prijs, temperatuur)* **3** ontploffen, in de lucht vliegen: *~ in smoke* (of: *flames*) in rook (*of:* vlammen) opgaan

gourmet [ǩoeemee] lekkerbek

gout [ǩaut] jicht

govern [ǩuvven] **1** regeren, besturen: *~ing body* bestuurslichaam, raad van beheer **2** bepalen, beheersen, beïnvloeden

governess [ǩuvvenis] gouvernante

government [ǩuvvenment] regering(svorm), (staats)bestuur, kabinet, leiding: *the Government has* (of: *have*) *accepted the proposal* de regering heeft het voorstel aanvaard

governor [ǩuvvene] **1** gouverneur **2** bestuurder; president *(van bank);* directeur *(van gevangenis);* commandant *(van garnizoen)* **3** *(inform)* ouwe, ouwe heer, baas

go with **1** meegaan met *(ook fig);* het eens zijn met: *~ the times* met de tijd meegaan **2** samengaan, gepaard gaan met, passen bij: *your socks don't ~ your shirt* jouw sokken passen niet bij je overhemd

go without het stellen zonder || *it goes without*

saying het spreekt vanzelf

gown [k̂aun] **1** toga, tabbaard **2** nachthemd, ochtendjas **3** lange jurk, avondjapon

GP *afk van General Practitioner* huisarts

GPO *afk van General Post Office* hoofdpostkantoor

gr 1 *afk van gram* gr. **2** *afk van gross* gros

[1]**grab** [k̂reb] *zn* greep, graai: *make a ~ at* (of: *for*) *sth.* ergens naar grijpen; *up for ~s* voor het grijpen

[2]**grab** [k̂reb] *intr* graaien, grijpen, pakken

[3]**grab** [k̂reb] *tr* **1** grijpen, vastpakken **2** bemachtigen, in de wacht slepen: *~ s.o.'s seat* iemands plaats inpikken; *try to ~ the attention* proberen de aandacht op zich te vestigen

grace [k̂rees] **1** gratie, charme **2** *(goedheid)* vriendelijkheid, fatsoen: *with bad ~* onvriendelijk, met tegenzin **3** uitstel, genade: *a day's ~* een dag uitstel *(van betaling)* **4** (dank)gebed: *say ~* dank zeggen, bidden (bij maaltijd) **5** genade, goedertierenheid; gunst *(van God): fall from ~* tot zonde vervallen, *(fig)* uit de gratie raken, in ongenade vallen || *his smile is his saving ~* zijn glimlach maakt al het overige goed

graceful [k̂reesfoel] **1** gracieus, bevallig, elegant **2** aangenaam, correct, charmant

gracious [k̂reesjes] hoffelijk || *good ~!* goeie genade!

gradation [k̂redeesjen] **1** (geleidelijke) overgang, verloop, gradatie **2** nuance(ring), stap, trede: *many ~s of red* vele tinten rood

[1]**grade** [k̂reed] *zn* **1** rang, niveau, kwaliteit **2** klas *(op lagere school)* **3** cijfer *(als beoordeling van schoolwerk): make the ~* slagen, aan de eisen voldoen, carrière maken

[2]**grade** [k̂reed] *tr* **1** kwalificeren, rangschikken; sorteren *(naar grootte, kwaliteit e.d.): ~d eggs* gesorteerde eieren **2** een cijfer geven, beoordelen || *~d reader* voor een bepaald niveau bewerkt boek

grader [k̂reede] **1** *(Am; ond)* leerling uit de ... klas, ... jaars: *fourth ~* leerling uit de vierde klas **2** iem die cijfers geeft

grade school basisschool

gradient [k̂reedient] helling, stijging, hellingshoek: *on a ~* op een helling

gradual [k̂redzjoeel] geleidelijk, trapsgewijs

[1]**graduate** [k̂redzjoeet] *zn* **1** afgestudeerde **2** gediplomeerde

[2]**graduate** [k̂redzjoe·eet] *intr* een diploma behalen, afstuderen, een getuigschrift behalen: *he has ~d in law from Yale* hij heeft aan Yale een titel in de rechten behaald

graduate programme mastersopleiding

graduate school instituut voor onderwijs aan masterstudenten of promovendi

graduate student 1 masterstudent *(of:* promovendus) **2** bachelor, doctorandus

graduation [k̂redzjoe·eesjen] **1** schaalverdeling, maatstreep **2** uitreiking van diploma, het afstuderen

graffiti [k̂refie:tie] graffiti, opschriften, muurtekeningen

[1]**graft** [k̂ra:ft] *zn* **1** ent, griffel **2** (politiek) geknoei, omkoperij, smeergeld **3** zwaar werk

[2]**graft** [k̂ra:ft] *tr* **1** enten, samenbinden, inplanten **2** verenigen, aan elkaar voegen

grain [k̂reen] **1** graankorrel **2** graan, koren **3** korrel(tje); *(fig)* greintje; zier: *take his words with a ~ of salt* neem wat hij zegt met een korreltje zout **4** textuur, vleug; draad *(van weefsel);* vlam; nerf *(in hout);* korrel *(van film, metaal);* structuur *(van gesteente): go against the ~* tegen de draad in gaan *(ook fig)*

gram [k̂rem] gram

grammar [k̂reme] **1** spraakkunst, grammatica **2** (correct) taalgebruik

grammar school 1 atheneum; gymnasium *(met Latijn en Grieks)* **2** voortgezet lagere school; *(ongev)* mavo

grammatical [k̂remetikl] grammaticaal

gramme [k̂rem] *zie* gram

gramophone [k̂remefoon] grammofoon, platenspeler

gran [k̂ren] oma

[1]**grand** [k̂rend] *zn* **1** vleugel(piano) **2** duizend pond (dollar); *(ongev)* mille: *it cost me two ~* het kostte me twee mille

[2]**grand** [k̂rend] *bn* **1** voornaam, gewichtig, groots: *live in ~ style* op grote voet leven **2** grootmoedig: *a ~ gesture* een grootmoedig gebaar **3** prachtig, indrukwekkend **4** reusachtig, fantastisch **5** hoofd-, belangrijkste; *(in titels)* groot-: *~ duke* groothertog || *~ piano* vleugel(piano); *~ jury* jury van 12-23 personen die onderzoekt of het bewijsmateriaal voldoende is om arrestaties te verrichten

grandad [k̂rended] opa, grootvader

grandchild [k̂rendtsjajld] kleinkind

granddaughter [k̂rendo:te] kleindochter

grandfather [k̂rendfa:ðe] grootvader

grandiose [k̂rendie·oos] grandioos, groots, prachtig

grandma [k̂renma:] oma, grootmoeder

grandmaster *(schaakspel, damspel, bridge)* grootmeester

grandmother grootmoeder

grandpa [k̂renpa:] opa, grootvader

grandparent grootouder

grandson [k̂rendsun] kleinzoon

grandstand (hoofd-, ere)tribune

granite [k̂renit] graniet

granny [k̂renie] oma, opoe, grootje

granny flat aanleunwoning

[1]**grant** [k̂ra:nt] *zn* subsidie, toelage, beurs

[2]**grant** [k̂ra:nt] *tr* **1** toekennen, inwilligen, verlenen, toestaan: *~ a request* een verzoek inwilligen; *~ a discount* korting verlenen **2** toegeven, erkennen: *I must ~ you that you've are a better driver than I* ik moet toegeven dat je beter rijdt dan ik || *take sth. for ~ed* iets als (te) vanzelfsprekend beschouwen

grape [k̂reep] druif: *a bunch of ~s* een tros druiven
grapefruit grapefruit, pompelmoes
grape sugar druivensuiker
grapevine **1** wijnstok, wingerd **2** gerucht **3** geruchtencircuit: *I heard it on the ~* het is me ter ore gekomen
graph [k̂ra:f] grafiek, diagram, grafische voorstelling
graphic(al) [k̂refik(l)] **1** grafisch, mbt tekenen, schrijven, drukken: *the ~ arts* de grafische kunsten **2** treffend, levendig: *a ~ description* een levendige beschrijving; *~ designer* grafisch ontwerper
graphics [k̂refiks] grafiek, grafische kunst, grafische media
graphite [k̂refajt] grafiet
graphology [k̂refolledzjie] handschriftkunde
graph paper millimeterpapier
grapple [k̂repl] (met *with)* worstelen (met) *(ook fig);* slaags raken (met): *~ with a problem* met een probleem worstelen
[1]**grasp** [k̂ra:sp] *zn* **1** greep *(ook fig);* macht **2** begrip, bevatting, beheersing: *that is beyond my ~* dat gaat mijn pet te boven
[2]**grasp** [k̂ra:sp] *intr* grijpen, graaien
[3]**grasp** [k̂ra:sp] *tr* **1** grijpen, vastpakken **2** vatten, begrijpen: *I ~ed half of what he said* de helft van wat hij zei heb ik begrepen
grasping [k̂ra:sping] hebberig, inhalig
[1]**grass** [k̂ra:s] *zn* **1** gras **2** tipgever, verklikker **3** *(inform)* marihuana, weed || *cut the ~ from under s.o.'s feet* iem het gras voor de voeten wegmaaien
[2]**grass** [k̂ra:s] *intr* klikken *(bij de politie): ~ on s.o.* iem verraden, iem aangeven
grasshopper [k̂ra:shoppe] sprinkhaan
grassroots **1** van gewone mensen, aan de basis: *the ~ opinion* de publieke opinie **2** fundamenteel
grass widow onbestorven weduwe, groene weduwe
grassy [k̂ra:sie] **1** grazig, grasrijk **2** grasachtig
[1]**grate** [k̂reet] *zn* **1** rooster, haardrooster **2** traliewerk **3** haard
[2]**grate** [k̂reet] *intr* **1** knarsen **2** irriterend werken: *the noise ~d on my nerves* het lawaai werkte op mijn zenuwen
[3]**grate** [k̂reet] *tr* raspen: *~d cheese* geraspte kaas
grateful [k̂reetfoel] dankbaar
grater [k̂reete] rasp
gratification [k̂retiffikkeesjen] voldoening, bevrediging
gratify [k̂retiffaj] **1** behagen, genoegen doen **2** voldoen, bevredigen
grating [k̂reeting] **1** rooster, traliewerk **2** raster
gratis [k̂retis] gratis, kosteloos
gratitude [k̂retitjoe:d] dankbaarheid, dank
gratuitous [k̂retjoe:ittes] **1** ongegrond, nodeloos **2** gratis, kosteloos
[1]**grave** [k̂reev] *zn* graf, grafkuil; *(fig)* dood; ondergang: *from the cradle to the ~* van de wieg tot het graf; *dig one's own ~* zichzelf te gronde richten; *rise from the ~* uit de dood opstaan
[2]**grave** [k̂reev] *bn* **1** belangrijk, gewichtig: *~ issue* ernstige zaak **2** ernstig, plechtig: *a ~ look on his face* een ernstige uitdrukking op zijn gezicht
gravel [k̂revl] **1** grind, kiezel **2** kiezelzand, grof zand
graveyard kerkhof, begraafplaats
gravitation [k̂revitteesjen] zwaartekracht: *law of ~* wet van de zwaartekracht
gravity [k̂revittie] **1** ernst, serieusheid **2** zwaarte, gewicht, dichtheid: *centre of ~* zwaartepunt *(ook fig)* **3** zwaartekracht
gravy [k̂reevie] **1** jus, vleessaus **2** gemakkelijk verdiend geld, voordeeltje
gravy boat juskom *(met schenktuit(en))*
gray [k̂ree] *zie* grey
[1]**graze** [k̂reez] *zn* **1** schampschot **2** schaafwond, schram
[2]**graze** [k̂reez] *intr* **1** grazen, weiden **2** schampen, schuren
[3]**graze** [k̂reez] *tr* **1** laten grazen, weiden, hoeden **2** licht(jes) aanraken, schampen, schuren: *he ~d his arm against the wall* hij schaafde zijn arm tegen de muur
[1]**grease** [k̂rie:s] *zn* vet, smeer
[2]**grease** [k̂rie:z] *tr* invetten, oliën, smeren
[1]**great** [k̂reet] *zn (ww vnl. mv)* groten, vooraanstaande figuren: *Hermans is one of the ~ of Dutch literature* Hermans is een van de groten van de Nederlandse literatuur
[2]**great** [k̂reet] *bn* **1** groot; nobel *(personen): a ~ man* een groot man **2** geweldig, fantastisch: *a ~ idea* een geweldig idee **3** groot, belangrijk, vooraanstaand: *Great Britain* Groot-Brittannië; *the Great Wall of China* de Chinese Muur **4** buitengewoon, groot; zwaar *(gevoelens, toestanden e.d.)* **5** groot, aanzienlijk; hoog *(aantal): a ~ deal* heel wat; *a ~ many* heel wat, een heleboel **6** lang; hoog *((leef)tijd): live to a ~ age* een hoge leeftijd bereiken **7** groot, ijverig, enthousiast: *a ~ reader* een verwoed lezer **8** *(inform)* omvangrijk, dik, reuzen-, enorm: *a ~ big tree* een kanjer van een boom **9** goed, bedreven: *he is ~ at golf* hij is een geweldige golfer || *Great Dane* Deense dog; *at ~ length* uitvoerig; *be in ~ spirits* opgewekt zijn; *set ~ store by* (of: *on*) grote waarde hechten aan; *the ~est thing since sliced bread* iets fantastisch; *the Great War* de Eerste Wereldoorlog
greatly [k̂reetlie] zeer, buitengewoon: *~ moved* zeer ontroerd
Grecian [k̂rie:sjen] Grieks *(in stijl e.d.)*
Greece [k̂rie:s] Griekenland
greed [k̂rie:d] **1** hebzucht, hebberigheid, gulzigheid **2** gierigheid
[1]**Greek** [k̂rie:k] *zn* Griek(se)
[2]**Greek** [k̂rie:k] *bn* Grieks: *(fig) that is ~ to me* daar snap ik niks van
[1]**green** [k̂rie:n] *zn* **1** grasveld, brink, dorpsplein

2 *(golf)* green *(putting oppervlak)* 3 groen 4 loof, groen gewas 5 *~s* (blad)groenten 6 (de) Groenen, (de) milieupartij

[2]**green** [k̂rie:n] *bn* 1 groen, met gras begroeid 2 groen, plantaardig: *~ vegetables* bladgroenten 3 groen, onrijp; *(fig)* onervaren; naïef 4 groen, milieu-: *the ~ party* de Groenen 5 jaloers, afgunstig: *~ with envy* scheel van afgunst

greenery [k̂rie:nerie] groen, bladeren en groene takken

greengrocer groenteboer, groenteman

greenhorn groentje, beginneling

greenhouse broeikas: *~ effect* broeikaseffect

Greenland Groenland

gr

Greenwich Mean Time [k̂rinnidzj mie:n tajm] Greenwichtijd

greet [k̂rie:t] 1 begroeten, groeten 2 onthalen, begroeten || *a cold air ~ed us* een vlaag koude lucht kwam ons tegemoet

greeting [k̂rie:ting] 1 groet, begroeting, wens: *exchange ~s* elkaar begroeten 2 aanhef *(ve brief)*

gregarious [k̂rik̂eeries] 1 in kudde(n) levend: *a ~ animal* een kuddedier 2 van gezelschap houdend, graag met anderen zijnd

Gregorian [k̂rik̂o:rien] gregoriaans: *~ calendar* gregoriaanse kalender

gremlin [k̂remlin] 1 pechduiveltje, zetduivel 2 kwelgeest, lastpak

grenade [k̂rinneed] (hand)granaat

grew [k̂roe:] *ovt van* grow

[1]**grey** [k̂ree] *zn* 1 schimmel *(paard)* 2 grijs

[2]**grey** [k̂ree] *bn* 1 grijs(kleurig): *~ cells* grijze cellen, hersenen; *his face turned ~* zijn gezicht werd (as)grauw 2 grijs, bewolkt, grauw 3 somber, treurig, triest: *~ with age* grijs van de ouderdom, *(fig)* verouderd

greyhound 1 hazewind(hond) 2 greyhoundbus *(grote bus voor langeafstandsreizen)*

grid [k̂rid] 1 rooster, traliewerk 2 raster; coördinatenstelsel *(van landkaart)* 3 netwerk, hoogspanningsnet

gridlock verkeersknoop, het muurvast zitten; *(fig)* impasse

grief [k̂rie:f] leed, verdriet, smart: *come to ~: a)* verongelukken; *b)* vallen; *c) (ook fig)* mislukken, falen

grievance [k̂rie:vens] 1 grief, klacht 2 bitter gevoel: *nurse a ~ against s.o.* wrok tegen iem koesteren

[1]**grieve** [k̂rie:v] *intr* treuren, verdriet hebben: *~ for s.o., ~ over s.o.'s death* treuren om iemands dood

[2]**grieve** [k̂rie:v] *tr* bedroeven, verdriet veroorzaken: *it ~s me to hear that* het spijt mij dat te horen

griffin [k̂riffin] griffioen

[1]**grill** [k̂ril] *zn* 1 grill, rooster 2 geroosterd (vlees)-gerecht

[2]**grill** [k̂ril] *tr* verhoren, aan een kruisverhoor onderwerpen

[3]**grill** [k̂ril] *tr, intr* roosteren, grilleren; *(fig)* bakken: *~ing on the beach* op het strand liggen bakken

grille [k̂ril] 1 traliewerk, rooster, rasterwerk 2 traliehek(je), kijkraampje 3 radiatorscherm *(van auto)*; sierscherm, grille

grim [k̂rim] 1 onverbiddelijk, meedogenloos: *~ determination* onwrikbare vastberadenheid 2 akelig, beroerd: *~ prospects* ongunstige vooruitzichten

grimace [k̂rimmees] grimas, gezicht, grijns: *make ~s* smoelen trekken

grime [k̂rajm] vuil, roet

[1]**grin** [k̂rin] *zn* 1 brede glimlach 2 grijns, grimas: *take that (silly) ~ off your face!* sta niet (zo dom) te grijnzen!

[2]**grin** [k̂rin] *intr* grijnzen, grinniken, glimlachen: *~ and bear it* zich flink houden, op zijn tanden bijten

[1]**grind** [k̂rajnd] *zn* 1 geknars, schurend geluid 2 inspanning, (vervelend) karwei

[2]**grind** [k̂rajnd] *ww (ground, ground)* 1 blokken, ploeteren: *he is ~ing away at his maths* hij zit op zijn wiskunde te blokken 2 knarsen, schuren, krassen: *~ one's teeth* tandenknarsen; *~ to a halt* tot stilstand komen *(ook fig)* 3 verbrijzelen, (ver)malen, verpletteren; *(fig)* onderdrukken: *~ coffee* koffie malen; *~ing poverty* schrijnende armoede 4 (uit)trappen *(ook fig): Joe ~ed his cigarette into the rug* Joe trapte zijn sigaret in het tapijt (uit) 5 (doen) draaien *((koffie)molen, draaiorgel e.d.)*

grinder [k̂rajnde] 1 molen 2 slijper, slijpmachine 3 maalsteen 4 kies

grind out uitbrengen, voortbrengen; opdreunen *(voortdurend en machinaal): the pupil first had to ~ ten irregular verbs* de leerling moest eerst tien onregelmatige werkwoorden opdreunen

grindstone slijpsteen: *go back to the ~* weer aan het werk gaan

gringo [k̂ringk̂oo] vreemdeling

[1]**grip** [k̂rip] *zn* 1 greep, houvast: *keep a tight ~ on* stevig vasthouden 2 beheersing, macht, meesterschap; *(fig)* begrip; vat: *come to ~s with a problem* een probleem aanpakken; *keep* (of: *take*) *a ~ on oneself* zich beheersen, zichzelf in de hand houden 3 greep, handvat 4 toneelknecht

[2]**grip** [k̂rip] *intr* pakken *(van rem e.d.)*; grijpen *(van anker)*

[3]**grip** [k̂rip] *tr* vastpakken, grijpen, vasthouden; *(fig)* pakken; boeien: *a ~ping story* een boeiend verhaal

gripe [k̂rajp] klacht, bezwaar, kritiek

grip fastening klittenbandsluiting

grisly [k̂rizlie] 1 griezelig, akelig 2 weerzinwekkend, verschrikkelijk

gristle [k̂risl] kraakbeen *(in vlees)*

[1]**grit** [k̂rit] *zn* 1 gruis, zand 2 lef, durf

[2]**grit** [k̂rit] *ww* 1 knarsen: *~ one's teeth* knarsetanden *(ook fig)* 2 met zand bestrooien: *~ the icy roads* de gladde wegen met zand bestrooien

gritty [k̂rittie] 1 zanderig, korrelig 2 kranig, moedig, flink
grizzled [k̂rizld] 1 grijs, grauw 2 grijsharig
grizzly [k̂rizlie] grizzly(beer)
[1]**groan** [k̂roon] *zn* gekreun, gekerm, gesteun
[2]**groan** [k̂roon] *intr* 1 kreunen, kermen, steunen: *~ with pain* kreunen van de pijn 2 grommen, brommen
grocer [k̂roose] kruidenier
grocery [k̂rooserie] 1 kruidenierswinkel 2 kruideniersbedrijf, kruideniersvak 3 *-ies* kruidenierswaren, levensmiddelen
grog [k̂rok̂] grog, (warme) drank bestaande uit cognac, wijn e.d. verdund met water
groggy [k̂rok̂ie] 1 onvast op de benen, wankel 2 suf, versuft, verdoofd: *I feel ~* ik voel me suf
groin [k̂rojn] lies
[1]**groom** [k̂roe:m] *zn* 1 bruidegom 2 stalknecht
[2]**groom** [k̂roe:m] *tr* 1 verzorgen *(paarden);* roskammen 2 een keurig uiterlijk geven; uiterlijk verzorgen *(persoon)*
groove [k̂roe:v] 1 groef, gleuf, sponning 2 routine, sleur: *find one's ~, get into the ~* zijn draai vinden; *be stuck in the ~* in een sleur zitten
[1]**grope** [k̂roop] *intr* tasten, rondtasten; *(fig)* zoeken: *~ for an answer* onzeker naar een antwoord zoeken
[2]**grope** [k̂roop] *tr* 1 al tastend zoeken: *~ one's way* zijn weg op de tast zoeken 2 betasten *(vnl. met seksuele bedoelingen)*
[1]**gross** [k̂roos] *zn* gros, 12 dozijn, 144: *by the ~* bij dozijnen, bij het gros
[2]**gross** [k̂roos] *bn* 1 grof *(ook fig);* dik, lomp: *~ injustice* uitgesproken onrechtvaardigheid; *~ language* ruwe taal 2 bruto, totaal: *~ national product* bruto nationaal product
[3]**gross** [k̂roos] *tr* een bruto winst hebben van, in totaal verdienen
grotesque [k̂rootesk] zonderling, belachelijk
grotto [k̂rottoo] *(mv: ook ~es)* grot
grotty [k̂rottie] *(inform)* rottig, vies, waardeloos
grouch [k̂rautsj] mopperen, mokken: *he is always ~ing about his students* hij loopt altijd te mopperen over zijn studenten
[1]**ground** [k̂raund] *zn* 1 terrein 2 grond, reden; basis *(van handeling, argument): on religious ~s* uit godsdienstige overwegingen 3 grond, aarde; bodem *(ook fig): go to ~: a)* zich in een hol verschuilen *(van dier); b)* onderduiken *(van persoon); get off the ~* van de grond komen 4 gebied *(fig);* grondgebied, afstand: *break new* (of: *fresh*) *~* nieuw terrein betreden, pionierswerk verrichten; *gain* (of: *make*) *~: a)* veld winnen; *b)* erop vooruit gaan; *give* (of: *lose*) *~* terrein verliezen, wijken; *hold* (of: *keep, stand*) *one's ~* standhouden, voet bij stuk houden 5 *~s* gronden, domein; park *(rondom gebouw): a house standing in its own ~s* een huis, geheel door eigen grond omgeven || *cut the ~ from under s.o.'s feet* iem het gras voor de voeten wegmaaien; *it suits him down to the ~* dat komt hem uitstekend van pas
[2]**ground** [k̂raund] *intr* 1 op de grond terecht komen, de grond raken 2 aan de grond lopen, stranden
[3]**ground** [k̂raund] *tr* 1 aan de grond houden *(vliegtuig, vliegenier): the planes have been ~ed by the fog* de vliegtuigen moeten door mist aan de grond blijven 2 laten stranden *(schip)*
[4]**ground** [k̂raund] *ovt en volt dw van* grind
ground control vluchtleiding
ground-floor benedenverdieping, parterre
ground frost vorst aan de grond, nachtvorst
grounding [k̂raunding] scholing, training, basisvorming
ground plan plattegrond, grondplan; *(fig)* ontwerp; blauwdruk
groundsman [k̂raundzmen] 1 terreinknecht 2 tuinman
groundswell vloedgolf *(ook fig);* zware golving; nadeining *(van zee, na storm of aardbeving)*
[1]**group** [k̂roe:p] *zn* groep, geheel, verzameling, klasse, familie, afdeling, onderdeel
[2]**group** [k̂roe:p] *intr* zich groeperen
[3]**group** [k̂roe:p] *tr* groeperen, in groepen plaatsen: *we ~ed ourselves round the guide* we gingen in een groep rond de gids staan
[1]**grouse** [k̂raus] *zn* korhoen, Schotse sneeuwhoen
[2]**grouse** [k̂raus] *intr* mopperen, klagen
grovel [k̂rovl] kruipen *(fig);* zich vernederen, zich verlagen: *~ before s.o.* voor iem kruipen
[1]**grow** [k̂roo] *intr (grew, grown)* 1 groeien, opgroeien, ontstaan: *~ wild* in het wild groeien; *~ up: a)* opgroeien, volwassen worden; *b)* ontstaan; *~ up into* opgroeien tot, zich ontwikkelen tot, worden; *~ out of: a)* ontstaan uit; *b)* ontgroeien *(slechte gewoonte, vrienden); ~ out of one's clothes* uit zijn kleren groeien 2 aangroeien, zich ontwikkelen, gedijen: *~ to become* uitgroeien tot; *~ into sth. big* tot iets groots uitgroeien || *~ up!* doe niet zo kinderachtig!
[2]**grow** [k̂roo] *tr (grew, grown)* 1 kweken, verbouwen, telen: *~ vegetables* groenten kweken 2 laten staan (groeien) *(baard)* 3 laten begroeien, bedekken
[3]**grow** [k̂roo] *koppelww (grew, grown)* worden, gaan: *she has ~n (into) a woman* ze is een volwassen vrouw geworden
grower [k̂rooe] kweker, teler, verbouwer
growing pains 1 groeistuipen, groeipijnen 2 kinderziekten *(fig)*
growl [k̂raul] 1 grommen, brommen 2 snauwen, grauwen
[1]**grown** [k̂roon] *bn* 1 gekweekt, geteeld 2 volgroeid, rijp, volwassen
[2]**grown** [k̂roon] *volt dw van* grow
grown-up volwassen
growth [k̂rooθ] 1 gewas, product 2 gezwel, uitwas, tumor 3 groei, (volle) ontwikkeling: *reach*

full ~ volgroeid zijn **4** toename, uitbreiding **5** kweek, productie

growth area groeisector, (snel) groeiende bedrijfstak

grub [k̂rub] **1** larve, made, rups **2** eten, voer, hap

grubby [k̂rubbie] vuil, vies, smerig

[1]**grudge** [k̂rudzj] *zn* wrok, grief

[2]**grudge** [k̂rudzj] *tr* misgunnen, niet gunnen, benijden

grudgingly [k̂rudzjinglie] met tegenzin, niet van harte

gruelling [k̂roe:eling] afmattend, slopend

gruesome [k̂roe:sem] gruwelijk, afschuwelijk

gruff [k̂ruf] nors, bars

[1]**grumble** [k̂rumbl] *intr* rommelen *(van donder)*

[2]**grumble** [k̂rumbl] *tr, intr* morren, mopperen, brommen: ~ *at s.o. about sth.* tegen iem over iets mopperen

grumpy [k̂rumpie] knorrig, humeurig

grunge [k̂rundzj] *(Am)* vuil, smerigheid

grunt [k̂runt] knorren, brommen, grommen

G-string [dzjie:string] g-strings, tangaslipje

[1]**guarantee** [k̂erentie:] *zn* waarborg, garantie(bewijs), zekerheid, belofte

[2]**guarantee** [k̂erentie:] *ww* **1** garanderen, waarborgen, borg staan voor **2** verzekeren

[1]**guard** [k̂a:d] *zn* **1** bewaker, cipier, gevangenbewaarder **2** conducteur *(op trein)* **3** beveiliging, bescherming(smiddel), scherm, kap **4** wacht, bewaking, waakzaamheid: *be on* (of: *keep, stand*) ~ de wacht houden, op wacht staan; *the changing of the* ~ het aflossen van de wacht; *catch s.o. off (his)* ~ iem overrompelen; *be on (one's)* ~ *against* bedacht zijn op **5** garde, (lijf)wacht, escorte

[2]**guard** [k̂a:d] *intr* **1** (zich) verdedigen, zich dekken **2** zich hoeden, zijn voorzorgen nemen: ~ *against sth.* zich voor iets hoeden **3** op wacht staan

[3]**guard** [k̂a:d] *tr* **1** bewaken, beveiligen; bewaren *(geheim)* **2** beschermen

guarded [k̂a:did] voorzichtig; bedekt *(termen)*

guardian [k̂a:dien] **1** bewaker, beschermer, oppasser **2** voogd(es), curator

guardian angel beschermengel, engelbewaarder

guard rail **1** leuning, reling **2** vangrail

guava [k̂wa:ve] guave

gue(r)rilla [k̂erille] guerrilla(strijder)

[1]**guess** [k̂es] *zn* gis(sing), ruwe schatting: *your ~ is as good as mine* ik weet het net zo min als jij; *make* (of: *have*) *a ~ (at sth.)* (naar iets) raden; *it is anybody's* (of: *anyone's*) ~ dat is niet te zeggen; *at a* ~ naar schatting

[2]**guess** [k̂es] *ww* **1** raden, schatten, gissen: *keep s.o. ~ing* iem in het ongewisse laten; ~ *at sth.* naar iets raden **2** denken, aannemen: *What is that? - That is his new car, I* ~ Wat is dat nou? - Dat is zijn nieuwe auto, neem ik aan

guest [k̂est] **1** gast, logé: ~ *of honour* eregast **2** genodigde, introducé || *be my ~!* ga je gang!

guidance [k̂ajdens] **1** leiding **2** raad, advies, hulp, begeleiding: *vocational* ~ beroepsvoorlichting

[1]**guide** [k̂ajd] *zn* **1** gids **2** leidraad **3** padvindster, gids

[2]**guide** [k̂ajd] *tr* **1** leiden, gidsen, de weg wijzen, (be)geleiden: *a ~d tour of the head office* een rondleiding in het hoofdkantoor **2** als leidraad dienen voor: *he was ~d by his feelings* hij liet zich leiden door zijn gevoelens

guild [k̂ild] gilde

guilder [k̂ilde] gulden

guildhall **1** gildehuis **2** raadhuis, stadhuis

guile [k̂ajl] slinksheid, bedrog, valsheid: *he is full of* ~ hij is niet te vertrouwen

guillotine [k̂illetie:n] **1** guillotine, valbijl **2** papiersnijmachine

guilt [k̂ilt] schuld, schuldgevoel

guilty [k̂iltie] schuldig, schuldbewust: *a ~ conscience* een slecht geweten; *plead not* ~ schuld ontkennen

guinea [k̂innie] gienje *(oude gouden munt ter waarde van 21 shilling)*

guinea pig **1** cavia **2** proefkonijn

guitar [k̂itta:] gitaar

gulf [k̂ulf] golf, (wijde) baai

Gulf stream Golfstroom

gull [k̂ul] meeuw

gullet [k̂ullit] keel(gat), strot || *stick in s.o.'s* ~ onverteerbaar zijn voor iem

gullible [k̂ullibl] makkelijk beet te nemen, lichtgelovig, onnozel

gully [k̂ullie] geul, ravijn, greppel

[1]**gulp** [k̂ulp] *zn* **1** teug, slok **2** slikbeweging

[2]**gulp** [k̂ulp] *ww* schrokken, slokken, slikken: *he ~ed down his drink* hij sloeg zijn borrel achterover

gum [k̂um] **1** *~s* tandvlees **2** gom(hars) **3** kauwgom

gumdrop gombal

gumption [k̂umpsjen] *(inform)* **1** initiatief, ondernemingslust, vindingrijkheid **2** gewiekstheid, pienterheid

[1]**gun** [k̂un] *zn* **1** stuk geschut, kanon **2** vuurwapen, (jacht)geweer, pistool **3** spuitpistool || *beat* (of: *jump*) *the* ~ te vroeg van start gaan, *(fig)* op de zaak vooruitlopen; *stick to one's ~s* voet bij stuk houden

[2]**gun** [k̂un] *intr* jagen, op jacht zijn (gaan)

[3]**gun** [k̂un] *tr (ook met down)* neerschieten, neerknallen: *he was ~ned down from an ambush* hij werd vanuit een hinderlaag neergeknald

gunge [k̂undzj] smurrie

gunman [k̂unmen] gangster, (beroeps)moordenaar

gunmetal staalgrijs

gunner [k̂unne] **1** artillerist, kanonnier **2** boordschutter

gunpoint: *at* ~ onder bedreiging van een vuurwapen, onder schot

gun-runner wapensmokkelaar

[1]**gurgle** [k̂e:k̂l] *zn* gekir *(van baby);* geklok, gemurmel
[2]**gurgle** [k̂e:k̂l] *intr* kirren, klokken, murmelen
[3]**gurgle** [k̂e:k̂l] *tr* kirrend zeggen
guru [k̂oeroe:] goeroe
[1]**gush** [k̂usj] *zn* **1** stroom *(ook fig);* vloed, uitbarsting **2** uitbundigheid, overdrevenheid **3** sentimentaliteit
[2]**gush** [k̂usj] *intr* **1** stromen, gutsen **2** dwepen (met), overdreven doen (over)
[3]**gush** [k̂usj] *tr* spuiten, uitstorten, doen stromen
gust [k̂ust] (wind)vlaag, windstoot
gusto [k̂ustoo] animo: *with (great) ~* enthousiast
[1]**gut** [k̂ut] *zn* **1** darm **2** *~s* ingewanden **3** *~s* lef, durf, moed || *hate s.o.'s ~s* grondig de pest hebben aan iem; *sweat* (of: *work*) *one's ~s out* zich een ongeluk werken
[2]**gut** [k̂ut] *bn* instinctief, onberedeneerd: *a ~ reaction* een (zuiver) gevoelsmatige reactie
[3]**gut** [k̂ut] *tr* uitbranden *(van gebouw)*
[1]**gutter** [k̂utte] *zn* goot *(ook fig);* geul, greppel, dakgoot: *he'll end up in the ~* hij belandt nog in de goot
[2]**gutter** [k̂utte] *intr* druipen *(van kaars)*
guv [k̂uv] **1** baas *(werkgever)* **2** ouwe heer *(vader)* **3** meneer
guy [k̂aj] **1** kerel, vent, man **2** mens: *~s* lui, jongens, mensen; *where are you ~s going?* waar gaan jullie naartoe?
guzzler [k̂uzle] zwelger, brasser, zuiper
gym [dzjim] **1** gymlokaal, fitnesscentrum, sportschool **2** gymnastiek(les)
gymnasium [dzjimneeziem] gymnastieklokaal
gymnast [dzjimnest] gymnast, turner
gymnastics [dzjimnestiks] gymnastiek, lichamelijke oefening, turnen
gynaecologist [k̂ajnikkolledzjist] gynaecoloog, vrouwenarts
gypsy [dzjipsie] zigeuner(in)

h

haberdashery [hebedesjerie] **1** fournituren, garen, band, fourniturenwinkel **2** *(Am)* herenmode(artikelen), herenmodezaak
habit [hebit] **1** habijt, ordekleed **2** rijkleding: *riding* ~ rijkleding **3** gewoonte, hebbelijkheid, aanwensel: *fall* (of: *get*) *into the* ~ de gewoonte aannemen; *he has a* ~ *of changing the lyrics in mid-song* hij heeft de gewoonte om midden in het lied de tekst de veranderen; *get out of* (of: *kick*) *the* ~ *of doing sth.* (de gewoonte) afleren om iets te doen; *be in the* ~ *of doing sth.* gewoon zijn iets te doen
habitable [hebittebl] bewoonbaar
habitat [hebitet] natuurlijke omgeving *(van plant, dier)*; habitat, woongebied
habitation [hebitteesjen] woning, bewoning
habitual [hebitsjoeel] **1** gewoon(lijk), gebruikelijk **2** gewoonte-
[1]**hack** [hek] *zn* **1** huurpaard, knol **2** broodschrijver **3** houw, snee, jaap, trap(wond)
[2]**hack** [hek] *ww* **1** hakken, houwen, een jaap geven: ~ *off a branch* een tak afkappen; ~ *at sth.* in iets hakken, op iets in houwen **2** fijnhakken; bewerken *(aarde)* **3** kraken, een computerkraak plegen, hacken
hacker [heke] **1** (computer)kraker, hacker **2** computermaniak
hackneyed [heknid] afgezaagd; banaal *(van gezegde)*
hacksaw ijzerzaag, metaalzaag
had [hed] *ovt en volt dw van* have
haddock [hedek] schelvis
hadn't [hednt] *samentr van had not*
haemophilia [hie:mefillie] hemofilie, bloederziekte
haemorrhage [hemmeridzj] bloeding: *massive* ~*s* zware bloedingen
haemorrhoids [hemmerojdz] aambeien
hag [hek̂] (lelijke oude) heks
haggard [hek̂ed] verwilderd uitziend; wild *(van blik)*; met holle ogen, afgetobd
haggle [hek̂l] **1** kibbelen **2** pingelen, afdingen: ~ *with s.o. about* (of: *over*) *sth.* met iem over iets marchanderen
Hague [heek̂]: *The* ~ Den Haag, 's-Gravenhage
[1]**hail** [heel] *zn* (welkomst)groet
[2]**hail** [heel] *zn* hagel(steen); *(fig)* regen; stortvloed: *a* ~ *of bullets* een regen van kogels
[3]**hail** [heel] *intr* hagelen *(ook fig)*; neerkomen (als hagel)
[4]**hail** [heel] *tr* **1** erkennen, begroeten als: *the people* ~*ed him (as) king* het volk haalde hem als koning in **2** aanroepen: ~ *a taxi* een taxi (aan)roepen
hailstorm hagelbui
hair [hee] haar, haren, hoofdhaar: *let one's* ~ *down* het haar los dragen, *(fig)* zich laten gaan || *hang by a* ~ aan een zijden draadje hangen; *not harm a* ~ *on s.o.'s head* iem geen haar krenken; *(inform) keep your* ~ *on!* maak je niet dik!; *split* ~*s* haarkloven; *tear one's* ~ *(out)* zich de haren uit het hoofd trekken; *without turning a* ~ zonder een spier te vertrekken
hairdo [heedoe:] kapsel
hairdresser kapper; *(Am)* dameskapper
hairgrip (haar)speld(je)
hairpin haarspeld: ~ *bend* haarspeldbocht
hair-splitting haarkloverij
hairstyle kapsel, coiffure
hairy [heerie] **1** harig, behaard **2** riskant
halal [ha:la:l] halal
halcyon [helsien] kalm, vredig, gelukkig
hale [heel] gezond, kras: ~ *and hearty* fris en gezond
[1]**half** [ha:f] *zn (halves)* helft, half(je), de helft van: ~ *an hour, a* ~ *hour* een half uur; *two and a* ~ twee-en-een-half; *one* ~ een helft || *(inform) go halves with s.o. in sth.* de kosten van iets met iem samsam delen; *he's too clever by* ~ hij is veel te sluw; *(inform) that was a game and a* ~ dat was me een wedstrijd
[2]**half** [ha:f] *vnw* de helft: ~ *of six is three* de helft van zes is drie
[3]**half** [ha:f] *bw* half; *(inform)* bijna: *only* ~ *cooked* maar half gaar; *I* ~ *wish* ik zou bijna willen; ~ *as much* (of: *many*) *again* anderhalf maal zoveel; *(inform)* ~ *seven* half acht; *he didn't do* ~ *as badly as we'd thought* hij deed het lang zo slecht niet als we gedacht hadden; ~ *past* (of: *after*) *one* half twee; *(inform)* ~ *one,* ~ *two etc* half twee, half drie enz.; ~ *and* ~ half om half || *(inform) he didn't* ~ *get mad* hij werd me daar toch razend; *(inform) not* ~ *bad* lang niet kwaad, schitterend; *not* ~ *strong enough* lang niet sterk genoeg
half-breed halfbloed, bastaard-
half holiday vrije middag *(op scholen)*
half-life halveringstijd: *some radioactive materials have a* ~ *of thousands of years* sommige radioactieve stoffen hebben een halveringstijd van duizenden jaren
half-term *(school)* korte vakantie *(bijv. krokus-, herfstvakantie)*
half-time **1** *(sport)* rust: *at* ~ tijdens de rust **2** halve werktijd, deeltijdarbeid, halve dagen: *be on* ~ halve dagen werken, een deeltijdbaan (*of:* halve baan) hebben
halfway house **1** rehabilitatiecentrum, reclasse-

ringscentrum **2** compromis

halibut [helibbet] heilbot

halitosis [helittoosis] slechte adem

hall [ho:l] **1** zaal, ridderzaal **2** openbaar gebouw, paleis **3** groot herenhuis **4** vestibule, hal, gang **5** studentenhuis: *~ of residence* studentenhuis

hallelujah [helilloe:je] halleluja

hallmark stempel *(ook fig);* gehaltemerk, waarmerk, kenmerk

hallo [heloo] hallo!, hé!

hallowed [helood] gewijd, heilig

Hallowe'en [helooie:n] avond voor Allerheiligen *(waarop kinderen zich verkleden)*

hallucination [heloe:sinneesjen] hallucinatie, zinsbegoocheling

hallway portaal, hal, vestibule

halo [heeloo] *(mv: ook ~es)* **1** halo **2** stralenkrans; *(fig)* glans

[1]**halt** [ho:lt] *zn* **1** *(inform)* (bus)halte, stopplaats; stationnetje **2** halt, stilstand, rust: *call a ~ to* een halt toeroepen; *come to a ~* tot stilstand komen

[2]**halt** [ho:lt] *ww* halt (doen) houden, stoppen, pauzeren

halter [ho:lte] **1** halster **2** strop

halting [ho:lting] weifelend, aarzelend, onzeker: *a ~ voice* een stokkende stem

halve [ha:v] halveren, in tweeën delen, tot de helft reduceren

halves [ha:vz] *mv van* half

[1]**ham** [hem] *zn* **1** ham **2** dij, bil: *~s* achterste **3** *(inform)* amateur

[2]**ham** [hem] *ww* overacteren, overdrijven: *~ up* zich aanstellen

ham-fisted onhandig

hamlet [hemlet] gehucht

[1]**hammer** [heme] *zn* hamer: *go* (of: *come*) *under the ~* geveild worden || *go at it ~ and tongs* er uit alle macht tegenaan gaan

[2]**hammer** [heme] *intr* **1** hameren: *~ (away) at* er op losbeuken **2** *(inform)* zwoegen: *~ (away) at sth.* op iets zwoegen

[3]**hammer** [heme] *tr* **1** hameren, smeden **2** *(inform)* verslaan, inmaken, een zware nederlaag toebrengen **3** *(inform)* scherp bekritiseren, afkraken || *~ out a compromise solution* (moeizaam) een compromis uitwerken

hammock [hemek] hangmat

[1]**hamper** [hempe] *zn* **1** (grote) sluitmand; pakmand *(voor voedingsmiddelen): Christmas ~* kerstpakket **2** *(Am)* wasmand

[2]**hamper** [hempe] *ww* belemmeren, storen; *(fig)* hinderen

[1]**hamstring** [hemstring] *zn* **1** kniepees **2** hakpees, achillespees

[2]**hamstring** [hemstring] *ww (ook hamstrung, hamstrung)* de achillespees doorsnijden bij, kreupel maken; *(fig)* verlammen; frustreren

[1]**hand** [hend] *zn* **1** hand; voorpoot *(bij dieren): bind* (of: *tie*) *s.o. ~ and foot* iem aan handen en voeten binden *(ook fig); hold* (of: *join*) *~s* (elkaar) de hand geven; *shake s.o.'s ~, shake ~s with s.o.* iem de hand drukken; *wring one's ~s* ten einde raad zijn; *~s off!* bemoei je er niet mee!; *at ~* dichtbij, *(fig)* op handen; *close* (of: *near*) *at ~* heel dichtbij; *by ~: a)* met de hand (geschreven); *b)* in handen, per bode *(brief); make* (of: *earn*) *money ~ over fist* geld als water verdienen **2** arbeider, werkman, bemanningslid: *~s needed* arbeidskrachten gevraagd; *all ~s on deck!* alle hens aan dek! **3** vakman, specialist: *be a poor ~ at sth.* geen slag van iets hebben **4** wijzer *(van klok);* naald *(van meter)* **5** kaart(en) *(aan een speler toebedeeld);* hand: *overplay one's ~* te veel wagen, te ver gaan, zijn hand overspelen; *show* (of: *reveal*) *one's ~* zijn kaarten op tafel leggen **6** handbreed(te) *(ca. 10 cm)* **7** kant, zijde, richting: *at my left ~* aan mijn linkerhand; *on the one* (of: *other*) *~* aan de ene (*of:* andere) kant **8** handschrift, handtekening: *set* (of: *put*) *one's ~ to a document* zijn hand(tekening) onder een document plaatsen **9** hulp, steun, bijstand: *give* (of: *lend*) *s.o. a (helping) ~* iem een handje helpen **10** controle, beheersing, bedwang: *have the situation well in ~* de toestand goed in handen hebben; *take in ~* onder handen nemen; *get out of ~* uit de hand lopen **11** *~s* macht, beschikking, gezag: *change ~s* in andere handen overgaan, van eigenaar veranderen; *put* (of: *lay*) *(one's) ~s on sth.* de hand leggen op iets; *the children are off my ~s* de kinderen zijn de deur uit; *have time on one's ~s* tijd zat hebben **12** toestemming, (huwelijks)belofte; (handels)akkoord *(met handdruk): ask for s.o.'s ~* iem ten huwelijk vragen **13** invloed, aandeel: *have a ~ in sth.* bij iets betrokken zijn **14** applaus, bijval: *the actress got a big* (of: *good*) *~* de actrice kreeg een daverend applaus **15** *~s (sport)* hands, handsbal || *wait on* (of: *serve*) *s.o. ~ and foot* iem op zijn wenken bedienen; *they are ~ in glove* ze zijn twee handen op één buik; *try one's ~ at (doing) sth.* iets proberen; *get one's ~ in at sth.* iets onder de knie krijgen; *go ~ in ~* samengaan; *force s.o.'s ~* iem tot handelen dwingen; *lay* (of: *put*) *one's ~ on* de hand weten te leggen op; *strengthen one's ~* zijn positie verbeteren; *my ~s are tied* ik ben machteloos; *turn one's ~ to sth.* iets ondernemen; *(euf) where can I wash my ~s?* waar is het toilet?; *wash one's ~s of sth.* zijn handen van iets aftrekken; *win ~s down* op één been winnen; *at the ~s of s.o., at s.o.'s ~s* van(wege) iem, door iem; *live from ~ to mouth* van de hand in de tand leven; *cash in ~* contanten in kas; *we have plenty of time in ~* we hebben nog tijd genoeg; *out of ~: a)* voor de vuist weg; *b)* tactloos; *have s.o. eating out of one's ~* iem volledig in zijn macht hebben; *to ~* bij de hand, dichtbij; *a hand-to-mouth existence* een leven van dag tot dag, *(ongev)* te veel om dood te gaan, te weinig om van te leven; *with one ~ (tied) behind one's back* zonder enige moeite; *(at) first* (of: *second*) *~* uit de eerste (*of:* tweede) hand

[2]**hand** [hend] *ww* **1** overhandigen, aanreiken, (aan)geven: ~ *back* teruggeven; ~ *round* ronddelen **2** helpen, een handje helpen, leiden || *(inform) you have to ~ it to her* dat moet je haar nageven
handcuffs handboeien
hand down **1** overleveren *(traditie enz.)*; overgaan *(bezit): this watch has been handed down in our family for 130 years* dit horloge gaat in onze familie al 130 jaar over van generatie op generatie **2** aangeven
handicap [hendiekep] **1** handicap, nadeel, functiebeperking **2** *(sport)* handicap, (wedren met) voorgift
handicapped [hendiekept] gehandicapt, invalide
handicraft [hendiekra:ft] handvaardigheid, handenarbeid, handwerk

ha

hand in **1** inleveren: *please ~ your paper to your own teacher* lever alsjeblieft je proefwerk in bij je eigen docent **2** voorleggen, aanbieden, indienen: ~ *one's resignation* zijn ontslag indienen
handkerchief [hengketsjie:f] *(mv: ook handkerchieves)* zakdoek
[1]**handle** [hendl] *zn* **1** handvat, hendel, steel **2** knop, kruk, klink **3** heft, greep **4** oor, hengsel || *(inform) fly off the ~* opvliegen, z'n zelfbeheersing verliezen
[2]**handle** [hendl] *ww* **1** aanraken, betasten; bevoelen *(met de handen)* **2** hanteren, bedienen, manipuleren: ~ *with care!* voorzichtig (behandelen)! **3** behandelen, omgaan met **4** verwerken, afhandelen **5** aanpakken; bespreken *(probleem): can he ~ that situation?* kan hij die situatie aan? **6** verhandelen, handelen in
handlebar stuur *(van fiets)*
handout **1** gift, aalmoes **2** stencil, folder
hand out ronddelen, uitdelen
hand over overhandigen *(vnl. geld)*; overdragen
handrail leuning
handsfree handsfree: *you must phone ~ in a car* in een auto moet je handsfree bellen
handsome [hensem] **1** mooi, schoon; knap *(man)*; elegant, statig *(vrouw)* **2** royaal; gul *(beloning, prijs)*; overvloedig, ruim || *come down ~(ly)* flink over de brug komen
hands-on praktisch, praktijk-: ~ *training* praktijkgerichte training
handwriting (hand)schrift
handy [hendie] **1** bij de hand, binnen bereik **2** handig, praktisch: *come in ~* van pas komen
handyman klusjesman, manusje-van-alles
[1]**hang** [heng] *zn* het vallen; val *(van stof)*; het zitten *(van kleding)* || *(inform) get* (of: *have*) *the ~ of sth.* de slag van iets krijgen (*of:* hebben)
[2]**hang** [heng] *intr (hung, hung)* **1** hangen: ~ *loose: a)* loshangen; *b)* kalm blijven **2** hangen, opgehangen worden **3** zweven, blijven hangen **4** aanhangen, zich vastklemmen, vast (blijven) zitten **5** onbeslist zijn: ~ *in the balance* (nog) onbeslist zijn || ~ *behind* achterblijven; *(Am) ~ in (there)* volhouden; *she hung on(to) his every word* zij was één en al oor; ~ *onto sth.* proberen te (be)houden; ~ *over one's head* iem boven het hoofd hangen
[3]**hang** [heng] *tr (hung, hung)* **1** (op)hangen *(ook als straf): he ~ed himself* hij verhing zich **2** laten hangen: ~ *one's head in shame* het hoofd schuldbewust laten hangen **3** tentoonstellen *(schilderij)* || *(inform) ~ it (all)!* ze kunnen van mij allemaal in elkaar storten!; ~ *sth. on s.o.* iem de schuld van iets geven
hangar [henge] hanga(a)r, vliegtuigloods
hang (a)round **1** rondhangen, rondlummelen **2** wachten, treuzelen
hanger-on (slaafse) volgeling, parasiet, handlanger
hang-glider deltavlieger *(zowel toestel als gebruiker)*; zeilvlieger, hangglider
hangman [hengmen] beul
hang on **1** zich (stevig) vasthouden, niet loslaten, blijven (hangen): ~ *tight!* hou (je) stevig vast!; ~ *to* zich vasthouden aan **2** volhouden, het niet opgeven, doorzetten **3** even wachten; aan de lijn blijven *(telefoon): ~ (a minute)!* ogenblikje!
hangout verblijf, stamkroeg, ontmoetingsplaats, hangplek
[1]**hang out** *intr (inform)* uithangen, zich ophouden: *where were you hanging out?* waar heb jij uitgehangen?; *I used to ~ with him* vroeger ben ik veel met hem opgetrokken
[2]**hang out** *tr* uithangen; ophangen *(was)*; uitsteken *(vlag)*
hangover [hengoove] **1** kater, houten kop **2** overblijfsel: *his style of driving is a ~ from his racing days* zijn rijstijl heeft hij overgehouden aan zijn tijd als autocoureur **3** ontnuchtering, ontgoocheling
[1]**hang up** *intr* **1** ophangen *(telefoon): and then she hung up on me* en toen gooide ze de hoorn op de haak **2** vastlopen
[2]**hang up** *tr* **1** ophangen **2** uitstellen, ophouden, doen vastlopen || *(inform) be hung up on* (of: *about*) *sth.* complexen hebben over iets
hang-up complex, obsessie, frustratie
hank [hengk] streng *(garen)*
hanker [hengke] *(met after, for)* hunkeren (naar)
hanky [hengkie] zakdoek
hanky-panky [hengkiepengkie] **1** hocus pocus, bedriegerij **2** gescharrel, overspel
haphazard [hephezed] toevallig, op goed geluk (af), lukraak
hapless [heples] ongelukkig, onfortuinlijk
happen [hepen] **1** (toevallig) gebeuren: *as it ~s* (of: *~ed*) toevallig, zoals het nu eenmaal gaat; *should anything ~ to him* mocht hem iets overkomen **2** toevallig verschijnen, toevallig komen, gaan || *if you ~ to see him* mocht u hem zien; *I ~ed to notice it* ik zag het toevallig; *I ~ed (up)on it* ik trof het toevallig aan

happening [hepening] gebeurtenis
happy [hepie] **1** gelukkig, blij **2** gepast, passend; gelukkig *(taal, gedrag, suggestie)* **3** voorspoedig, gelukkig: *Happy Birthday* hartelijk gefeliciteerd met je verjaardag; *Happy New Year* Gelukkig nieuwjaar **4** blij; verheugd *(in beleefdheidsformules): I'll be ~ to accept your kind invitation* ik neem uw uitnodiging graag aan || *(strike) the ~ medium* de gulden middenweg (inslaan); *(euf) ~ event* blijde gebeurtenis, geboorte; *many ~ returns (of the day)!* nog vele jaren!
haram [ha:ra:m] haram
harass [heres] **1** treiteren, pesten, kwellen **2** teisteren, voortdurend bestoken
[1]**harbour** [ha:be] *zn* **1** haven **2** schuilplaats
[2]**harbour** [ha:be] *ww* **1** herbergen; onderdak verlenen *(misdadiger)* **2** koesteren *(gevoelens, ideeën)*
[1]**hard** [ha:d] *bn* **1** hard, vast(staand), krachtig, taai, robuust: *~ cover* (boek)band, gebonden editie; *~ currency* harde valuta; *a ~ winter* een strenge winter; *~ and fast rule* (of: *line*) vaste regel, ijzeren wet **2** hard, hardvochtig: *drive a ~ bargain* keihard onderhandelen; *be ~ on s.o.* onvriendelijk zijn tegen iem **3** moeilijk, hard, lastig: *~ labour* dwangarbeid; *she gave him a ~ time* hij kreeg het zwaar te verduren van haar; *~ of hearing* slechthorend, hardhorend **4** hard, ijverig, energiek: *a ~ drinker* een stevige drinker; *a ~ worker* een harde werker || *~ cash* baar geld, klinkende munt; *they preferred ~ copy to soft copy* zij verkozen uitdraai boven beeldschermtekst; *~ feelings* wrok(gevoelens), rancune; *~ luck* pech, tegenslag; *as ~ as nails* ongevoelig, onverzoenlijk; *~ shoulder* vluchtstrook; *play ~ to get* moeilijk doen, zich ongenaakbaar opstellen; *~ by* vlakbij
[2]**hard** [ha:d] *bw* **1** hard, krachtig, inspannend, zwaar: *be ~ hit* zwaar getroffen zijn; *think ~* diep nadenken; *be ~ on s.o.'s heels* (of: *trail*) iem op de hielen zitten **2** met moeite, moeizaam: *be ~ put (to it) to (do sth.)* het moeilijk vinden (om iets te doen); *old habits die ~* vaste gewoonten verdwijnen niet gauw; *take sth. ~* iets zwaar opnemen, zwaar lijden onder iets
hardback (in)gebonden *(boek)*
hardboard (hard)board, houtvezelplaat
hard-boiled **1** hardgekookt **2** hard, ongevoelig
hard copy (computer)uitdraai, afdruk
hard disk harde schijf, vaste schijf, harddisk
harden [ha:dn] **1** (ver)harden, ongevoelig worden, maken: *a ~ed criminal* een gewetenloze misdadiger **2** gewennen: *become ~ed to sth.* aan iets wennen
hard-headed praktisch, nuchter, zakelijk
hard-hearted hardvochtig
hardline keihard, een politiek vd harde lijn voerend
hardly [ha:dlie] nauwelijks, amper: *we had ~ arrived when it began to rain* we waren er nog maar net toen het begon te regenen; *I could ~ move* ik kon me haast niet bewegen; *~ anything* bijna niets; *~ anybody* vrijwel niemand; *~ ever* bijna nooit
hardship [ha:dsjip] ontbering, tegenspoed
hard up slecht bij kas || *be ~ for sth.* grote behoefte aan iets hebben
hardware **1** ijzerwaren, (huis)gereedschap **2** apparatuur *(ook van computer)*; hardware, bouwelementen
hardy [ha:die] **1** sterk, robuust **2** wintervast, winterhard
hare [hee] haas
harelip hazenlip
harem [haa:ri:m] harem
haricot [herikkoo] snijboon
[1]**harm** [ha:m] *zn* kwaad, schade: *be* (of: *do*) *no ~* geen kwaad kunnen; *she came to no ~* er overkwam haar geen kwaad; *out of ~'s way* in veiligheid
[2]**harm** [ha:m] *ww* kwaad doen, schade berokkenen
harmful [ha:mfoel] schadelijk, nadelig
harmless [ha:mles] **1** onschadelijk, ongevaarlijk **2** onschuldig
[1]**harmonic** [ha:monnik] *zn* harmonische (toon), boventoon
[2]**harmonic** [ha:monnik] *bn* harmonisch
harmonious [ha:moonies] **1** harmonieus **2** eensgezind
harmony [ha:menie] **1** harmonie, eensgezindheid, overeenstemming: *be in ~ with* in overeenstemming zijn met **2** goede verstandhouding, eendracht: *live in ~* in goede verstandhouding leven
[1]**harness** [ha:nis] *zn* gareel, (paarden)tuig || *get back into ~* weer aan het werk gaan
[2]**harness** [ha:nis] *ww* **1** optuigen; inspannen *(paard)*; in het gareel brengen **2** aanwenden, gebruiken; benutten *((natuurlijke) energiebronnen)*
harp [ha:p] harp
harp on [ha:p on] zaniken, zeuren: *~ about sth.* doorzeuren over iets
harpoon [ha:poe:n] harpoen
harpsichord [ha:psikko:d] klavecimbel
harrow [heroo] eg
harrowing [herooing] aangrijpend
harsh [ha:sj] **1** ruw, wrang; verblindend *(licht)*; krassend *(geluid)* **2** wreed, hardvochtig
[1]**harvest** [ha:vist] *zn* oogst(tijd)
[2]**harvest** [ha:vist] *ww* **1** oogsten, vergaren **2** verkrijgen, behalen (wat men verdient)
has [hez] *3e pers ev ott van* have
hash [hesj] **1** hachee **2** mengelmoes **3** hasj(iesj) || *make a ~ of it* de boel verknoeien
hashish [hesjisj] hasjiesj
hash symbol hekje (#)
[1]**hassle** [hesl] *zn* **1** gedoe: *a real ~* een zware opgave, een heel gedoe **2** ruzie
[2]**hassle** [hesl] *ww* moeilijk maken, dwarszitten, lastigvallen
haste [heest] **1** haast, spoed: *make ~* zich haasten **2** overhaasting

[1]**hasten** [heesn] *intr* zich haasten
[2]**hasten** [heesn] *tr* versnellen, bespoedigen
hat [het] hoed: *at the drop of a ~* bij de minste aanleiding, plotseling, zonder aarzeling || *knock into a cocked ~: a)* gehakt maken van, helemaal inmaken; *b)* in duigen doen vallen; *I'll eat my ~ if ...* ik mag doodvallen als ...; *keep sth. under one's ~* iets geheim houden, iets onder de pet houden; *pass* (of: *send, take*) *the ~ (round)* met de pet rondgaan; *(fig) take off one's ~* (of: *take one's ~ off*) *to s.o.* zijn pet(je) afnemen voor iem; *(inform) talk through one's ~* bluffen, nonsens verkopen; *throw* (of: *toss*) *one's ~ in(to) the ring* zich in de (verkiezings)strijd werpen
[1]**hatch** [hetsj] *zn* **1** onderdeur **2** luik **3** sluisdeur || *down the ~* proost!
[2]**hatch** [hetsj] *intr (*ook met *out)* uit het ei komen *(van kuiken);* openbreken *(van ei(erschaal))*
[3]**hatch** [hetsj] *tr* **1** (ook met *out*) uitbroeden, broeden **2** beramen *(plan)*
hatchback [hetsjbek] **1** (opklapbare) vijfde deur **2** vijfdeursauto
hatchet [hetsjit] **1** bijltje, (hand)bijl **2** tomahawk, strijdbijl || *(inform) bury the ~* de strijdbijl begraven, vrede sluiten
hatchet man **1** huurmoordenaar, gangster **2** *(min)* handlanger, trawant; *(bij uitbr)* waakhond; ordehandhaver
[1]**hate** [heet] *zn* **1** gehate persoon, gehaat iets **2** haat
[2]**hate** [heet] *ww* **1** haten, grondig verafschuwen, een hekel hebben aan **2** *(inform)* het jammer vinden: *I ~ having to tell you ...* het spijt me u te moeten zeggen ...; *I ~ to say this, but ...* ik zeg het niet graag, maar ...
hateful [heetfoel] **1** gehaat, weerzinwekkend **2** hatelijk *(opmerking)* **3** onsympathiek, onaangenaam, onuitstaanbaar
hatred [heetrid] haat, afschuw
haughty [ho:tie] trots, arrogant
[1]**haul** [ho:l] *zn* **1** haal, trek, het trekken **2** vangst, buit **3** afstand, traject: *in* (of: *over*) *the long ~* op lange termijn **4** lading, vracht
[2]**haul** [ho:l] *ww* **1** halen, ophalen; inhalen *(met inspanning): ~ down one's flag* (of: *colours*) de vlag strijken, *(fig)* zich overgeven; *~ in the net* het net binnenhalen **2** vervoeren **3** slepen *(voor de rechter)*
haulage [ho:lidzj] **1** het slepen, het trekken **2** vervoer, transport **3** transportkosten, vervoerkosten: *all prices include ~* bij alle prijzen zijn de vervoerkosten inbegrepen
haulier [ho:lie] vrachtrijder, vervoerder, expediteur
haunch [ho:ntsj] lende, heup, bil, dij: *on one's ~es* op zijn hurken
[1]**haunt** [ho:nt] *zn* **1** trefpunt: *we went for a drink at one of his favourite ~s* we gingen iets drinken in een van de plaatsen waar hij graag kwam **2** hol; schuilplaats *(van dieren)*
[2]**haunt** [ho:nt] *ww* **1** vaak aanwezig zijn in, zich altijd ophouden in, regelmatig bezoeken: *he ~s that place* daar is hij altijd te vinden **2** rondspoken in, rondwaren in: *~ed castle* spookkasteel **3** achtervolgen, niet loslaten, (steeds) lastigvallen: *that tune has been ~ing me all afternoon* dat deuntje speelt de hele middag al door mijn kop
have [hev] *(had, had)* **1** hebben, bezitten, beschikken over, houden: *he has (got) an excellent memory* hij beschikt over een voortreffelijk geheugen; *~ mercy on us* heb medelijden met ons; *I've got it* ik heb het, ik weet het (weer); *you ~ sth. there* daar zeg je (me) wat, daar zit wat in; *~ sth. about* (of: *on, with*) *one* iets bij zich hebben; *what does she ~ against me?* wat heeft ze tegen mij? **2** *(als onderdeel)* bevatten, bestaan uit: *the book has six chapters* het boek telt zes hoofdstukken **3** krijgen, ontvangen: *we've had no news* we hebben geen nieuws (ontvangen); *you can ~ it back tomorrow* je kunt het morgen terugkrijgen **4** nemen, pakken; gebruiken *(eten, drinken e.d.): ~ breakfast* ontbijten; *~ a drink* iets drinken, een drankje nemen **5** hebben, genieten van, lijden aan: *~ a good time* het naar zijn zin hebben **6** hebben, laten liggen, leggen, zetten: *let's ~ the rug in the hall* laten we het tapijt in de hal leggen **7** hebben, maken, nemen: *~ a bath* (of: *shower*) een bad (*of:* douche) nemen; *~ a try* (het) proberen **8** toelaten, accepteren: *I won't ~ such conduct* ik accepteer zulk gedrag niet; *I'm not having any* ik pik het niet, ik pieker er niet over **9** hebben te: *I still ~ quite a bit of work to do* ik heb nog heel wat te doen **10** laten, doen, opdracht geven te: *~ one's hair cut* zijn haar laten knippen **11** krijgen *(kind): ~ a child by* een kind hebben van **12** zorgen voor: *can you ~ the children tonight?* kun jij vanavond voor de kinderen zorgen? **13** *(inform)* te pakken hebben *(lett en fig);* het winnen van: *you've got me there: a)* jij wint; *b)* geen idee, daar vraag je me wat **14** *(inform)* bedriegen, bij de neus nemen: *John's been had* ze hebben John beetgenomen **15** hebben, zijn: *I ~ worked* ik heb gewerkt; *he has died* hij is gestorven; *I had better* (of: *best*) *forget it* ik moest dat maar vergeten; *I'd just as soon die* ik zou net zo lief doodgaan || *he had it coming to him* hij kreeg zijn verdiende loon; *rumour has it that ...* het gerucht gaat dat ...; *~ it (from s.o.)* het (van iem) gehoord hebben; *(inform) ~ had it: a)* hangen, de klos zijn; *b)* niet meer de oude zijn, dood zijn; *c)* het beu zijn, er de brui aan geven; *~ it in for s.o.* een hekel hebben aan iem, het op iemand gemunt hebben; *~ it in for s.o.* de pik hebben op iem; *~ it* (of: *the matter*) *out with s.o.* het (probleem) uitpraten met iem; *~ s.o. up (for sth.)* iem voor de rechtbank brengen (wegens iets); *~ nothing on* niet kunnen tippen aan
haven [heevn] (beschutte, veilige) haven *(ook fig);* toevluchtsoord
haven't [hevnt] *samentr van have not*

have on **1** aanhebben; dragen *(kleren);* ophebben *(hoed)* **2** gepland hebben, op zijn agenda hebben: *I've got nothing on tonight* vanavond ben ik vrij **3** *(inform)* voor de gek houden, een loopje nemen met: *are you having me on?* zit je mij nou voor de gek te houden?

have to moeten, verplicht zijn om te, (be)hoeven: *we have (got) to go now* we moeten nu weg; *he didn't ~ do that* dat had hij niet hoeven doen

havoc [hevek] verwoesting, vernieling, ravage; *(fig)* verwarring: *play ~ among* (of: *with*), *make ~ of, wreak ~ on: a)* totaal verwoesten; *b)* grondig in de war sturen, een puinhoop maken van

hawk [ho:k] havik; *(fig)* oorlogszuchtig persoon

hawker [ho:ke] (straat)venter, marskramer

hawthorn [ho:θo:n] haagdoorn, meidoorn

hay [hee] hooi || *hit the ~* gaan pitten; *make ~ while the sun shines* men moet het ijzer smeden als het heet is

hay fever hooikoorts

haywire in de war, door elkaar: *my plans went ~* mijn plannen liepen in het honderd

[1]**hazard** [hezed] *zn* **1** gevaar, risico: *smoking and drinking are health ~s* roken en drinken zijn een gevaar voor de gezondheid **2** kans, mogelijkheid, toeval **3** *(golf)* (terrein)hindernis

[2]**hazard** [hezed] *ww* **1** in de waagschaal stellen, wagen, riskeren **2** zich wagen aan, wagen: *~ a guess* een gok wagen

hazardous [hezedes] gevaarlijk, gewaagd, riskant

[1]**haze** [heez] *zn* nevel, damp, waas; *(fig)* vaagheid; verwardheid

[2]**haze** [heez] *ww (met over)* nevelig worden

hazel [heezl] hazelaar, hazelnotenstruik

hazy [heezie] nevelig, wazig; *(fig)* vaag: *a ~ idea* een vaag idee

he [hie:] hij, die, dat, het: *'Who is he?' 'He's John'* 'Wie is dat?' 'Dat is John'

[1]**head** [hed] *zn* **1** hoofd, kop, hoofdlengte: *~ and shoulders above* met kop en schouders erbovenuit, *(fig)* verreweg de beste; *~s or tails?* kruis of munt?; *~ first* (of: *foremost*) voorover **2** hoofd, verstand: *it never entered* (of: *came into*) *his ~* het kwam niet bij hem op; *get* (of: *take*) *sth. into one's ~* zich iets in het hoofd zetten; *the success has gone to* (of: *turned*) *his ~* het succes is hem naar het hoofd gestegen; *put one's ~s together* de koppen bij elkaar steken; *a ~ for mathematics* een wiskundeknobbel **3** persoon, hoofd: *£1 a ~* £1 per persoon **4** uiteinde, kop **5** hoofdje, korfje, kruin **6** top, bovenkant **7** breekpunt, crisis: *that brought the matter to a ~* daarmee werd de zaak op de spits gedreven **8** boveneinde, hoofd(einde) **9** voorkant, kop, spits; hoofd *(ook van ploeg)* **10** meerdere, leider, hoofd: *~ of state* staatshoofd **11** stuk (vee); kudde; aantal dieren: *50 ~ of cattle* 50 stuks vee || *have one's ~ in the clouds* met het hoofd in de wolken lopen; *from ~ to foot* van top tot teen; *bury one's ~ in the sand* de kop in het zand steken; *I could not make ~ or tail of it* ik kon er geen touw aan vastknopen; *keep one's ~ above water* het hoofd boven water houden; *keep one's ~* zijn kalmte bewaren; *laugh one's ~ off* zich een ongeluk lachen; *lose one's ~* het hoofd verliezen; *scream* (of: *shout*) *one's ~ off* vreselijk tekeergaan; *have one's ~ screwed on straight* (of: *right*) verstandig zijn, niet gek zijn

[2]**head** [hed] *intr* gaan, gericht zijn, koers zetten: *the plane ~ed north* het vliegtuig zette koers naar het noorden

[3]**head** [hed] *tr* **1** aan het hoofd staan van, voorop lopen: *the general ~ed the revolt* de generaal leidde de opstand **2** bovenaan plaatsen, bovenaan staan op **3** overtreffen, voorbijstreven **4** *(voetbal)* koppen **5** richten, sturen

headache **1** hoofdpijn **2** probleem, vervelende kwestie: *finding reliable staff has become a major ~* het vinden van betrouwbaar is een groot probleem geworden

header [hedde] **1** *(voetbal)* kopbal **2** duik(eling): *take a ~* een duikeling maken **3** koptekst

head for afgaan op, koers zetten naar: *he was already heading for the bar* hij liep al in de richting van de bar; *you are heading for trouble* als jij zo doorgaat krijg je narigheid

headhunting **1** het koppensnellen **2** headhunting *(werven van topfunctionarissen bij andere bedrijven)*

heading [hedding] opschrift, titel, kop

headlight koplamp

headline (kranten)kop, opschrift: *make* (of: *hit*) *the ~s* volop in het nieuws komen || *the ~s* hoofdpunten van het nieuws

headlong **1** voorover, met het hoofd voorover **2** haastig, halsoverkop

headmaster schoolhoofd, rector

head off **1** onderscheppen, van richting doen veranderen **2** voorkomen

head-on frontaal, van voren: *a ~ collision* een frontale botsing

headphones koptelefoon

headquarters hoofdbureau, hoofdkantoor, hoofdkwartier

headrest hoofdsteun *(bijv. in auto)*

headset koptelefoon

head start *(met on, over)* voorsprong (op) *(ook fig);* goede uitgangspositie

headstone grafsteen

headstrong koppig, eigenzinnig

headway voortgang; vaart *(ve schip): (fig) make ~* vooruitgang boeken

headwind tegenwind

heady [heddie] **1** opwindend, wild **2** bedwelmend; dronken makend *(wijn)*

heal [hie:l] *(ook met over)* genezen, (doen) herstellen; dichtgaan *(van wond); (fig)* bijleggen; vereffenen

health [helθ] gezondheid, gezondheidstoestand:

have (of: *be in, enjoy*) *good* ~ een goede gezondheid genieten || *drink (to) s.o.'s* ~ op iemands gezondheid drinken

health food gezonde (natuurlijke) voeding

healthy [helθie] gezond, heilzaam: *he has a ~ respect for my father* hij heeft een groot ontzag voor mijn vader

[1]**heap** [hie:p] *zn* **1** hoop, stapel, berg **2** boel, massa, hoop: *we've got ~s of time* we hebben nog zeeën van tijd

[2]**heap** [hie:p] *ww* **1** (met *up*) ophopen, (op)stapelen, samenhopen **2** (met *on, with*) vol laden (met), opladen (met) **3** overladen, overstelpen: *she ~ed reproaches (up)on her mother* zij overstelpte haar moeder met verwijten

[1]**hear** [hie] *tr (heard, heard)* **1** luisteren naar, (ver)horen, behandelen; verhoren *(gebed);* overhoren, gehoor geven aan: *please ~ me out* laat mij uitspreken **2** vernemen, kennisnemen van, horen: *we are sorry to ~ that* het spijt ons te (moeten) horen dat

[2]**hear** [hie] *tr, intr (heard, heard)* horen: *~ from* bericht krijgen van, horen van; *~ of* (of: *about*) horen van (*of:* over) || *~! ~!* bravo!

heard [heied] *ovt en volt dw van* hear

hearing [hiering] **1** gehoor, hearing, hoorzitting: *he would not even give us a ~* hij wilde zelfs niet eens naar ons luisteren **2** behandeling *(ve zaak)* **3** *(Am; jur)* verhoor **4** gehoor: *she is hard of ~* zij is hardhorend **5** gehoorsafstand: *out of* (of: *within*) *~ distance* buiten (*of:* binnen) gehoorsafstand

hearing aid (ge)hoorapparaat

hearsay praatjes, geruchten: *I know it from ~* ik weet het van horen zeggen

hearse [he:s] lijkwagen

heart [ha:t] **1** hart, hartspier, binnenste, gemoed: *from* (of: *to*) *the bottom of my ~* uit de grond van mijn hart; *they have their own interests at ~* zij hebben hun eigen belangen voor ogen; *set one's ~ on sth.* zijn zinnen op iets zetten, iets dolgraag willen; *she took it to ~* zij trok het zich aan, zij nam het ter harte; *in one's ~ of ~s* in het diepst van zijn hart; *with all one's ~* van ganser harte **2** boezem, borst **3** geest, gedachten, herinnering: *a change of ~* verandering van gedachten; *(learn) by ~* uit het hoofd (leren) **4** kern, hart, essentie **5** moed, durf: *not have the ~* de moed niet hebben; *lose ~* de moed verliezen; *take ~* moed vatten, zich vermannen || *my ~ bleeds* ik ben diepbedroefd, *(iron)* oh jee, wat heb ik een medelijden; *cry* (of: *weep*) *one's ~ out* tranen met tuiten huilen; *eat one's ~ out* wegkwijnen (van verdriet, verlangen)

heartbreaking **1** hartbrekend, hartverscheurend **2** frustrerend *(werk)*

heart condition hartkwaal

hearten [ha:tn] bemoedigen, moed geven

heartfelt hartgrondig, oprecht

hearth [ha:θ] haard(stede); *(fig)* huis; woning: *~ and home* huis en haard

heartily [ha:tillie] **1** van harte, oprecht, vriendelijk **2** flink, hartig: *eat ~* stevig eten **3** hartgrondig: *I ~ dislike that fellow* ik heb een hartgrondige hekel aan die vent

heart-rending hartverscheurend

heartstrings diepste gevoelens; *(iron)* sentimentele gevoelens: *tug at s.o.'s ~* iem zeer (ont)roeren

hearty [ha:tie] **1** hartelijk, vriendelijk **2** gezond, flink, hartig: *a ~ meal* een stevig maal; *hale and ~* kerngezond **3** *(inform)* (al te) joviaal

[1]**heat** [hie:t] *zn* **1** warmte, hitte **2** vuur, drift, heftigheid: *in the ~ of the conversation* in het vuur van het gesprek **3** *(inform)* druk, dwang, moeilijkheden: *turn* (of: *put*) *the ~ on s.o.* iem onder druk zetten **4** loopsheid: *on ~* loops, tochtig **5** voorwedstrijd, serie, voorronde

[2]**heat** [hie:t] *intr* warm worden: *~ up* heet worden

[3]**heat** [hie:t] *tr* verhitten, verwarmen: *~ up* opwarmen

heater [hie:te] kachel, verwarming(stoestel)

heath [hie:θ] **1** heideveld, open veld **2** dopheide, erica

heathen [hie:ðen] **1** heiden, ongelovige **2** barbaar

heather [heðe] heide(kruid), struikheide

heating [hie:ting] verwarming(ssysteem)

[1]**heave** [hie:v] *zn* **1** hijs, het op en neer gaan: *the ~ of the sea* de deining van de zee **2** ruk: *he gave a mighty ~* hij gaf een enorme ruk

[2]**heave** [hie:v] *intr* **1** (op)zwellen, rijzen, omhooggaan: *his stomach ~d* zijn maag draaide ervan om **2** op en neer gaan **3** trekken, sjorren: *~ at* (of: *on*) trekken aan

[3]**heave** [hie:v] *tr* **1** opheffen, (op)hijsen **2** slaken: *she ~d a sigh* ze zuchtte diep, ze liet een diepe zucht **3** *(inform)* gooien, smijten **4** *(scheepv)* hijsen, takelen

heaven [hevn] hemel; *(fig)* gelukzaligheid; Voorzienigheid: *in Heaven's name, for Heaven's sake* in hemelsnaam; *thank ~(s)!* de hemel zij dank!

heavy [hevvie] **1** zwaar: *~ industry* zware industrie; *~ with* zwaar beladen met; *~ with the smell of roses* doortrokken van de geur van rozen **2** zwaar, hevig, aanzienlijk: *~ traffic* druk verkeer, vrachtverkeer **3** moeilijk te verteren *(ook fig): I find it ~ going* ik schiet slecht op **4** serieus *(krant, toneelrol);* zwaar op de hand **5** streng **6** zwaar, drukkend **7** zwaarmoedig || *play the ~ father* een (donder)preek houden; *make ~ weather of sth.* moeilijk maken wat makkelijk is; *(inform) be ~ on* veel gebruiken *(benzine, make-up); time hung ~ on her hands* de tijd viel haar lang

heavyweight **1** zwaar iem **2** worstelaar (bokser) in de zwaargewichtklasse **3** kopstuk, zwaargewicht

Hebrew [hie:broe:] Hebreeuws, Joods

heckle [hekl] steeds onderbreken *(spreker)*

hectic [hektik] koortsachtig *(ook fig);* jachtig, druk, hectisch

he'd [hied] *samentr van he would, he had*

[1]**hedge** [hedzj] *zn* heg, haag

²hedge [hedzj] *intr* een slag om de arm houden, ergens omheen draaien
³hedge [hedzj] *tr* **1** omheinen: ~ *about* (of: *around, in*) *with* omringen met **2** dekken *(weddenschappen, speculaties)*
hedgehog [hedzjhok] egel
hedge in omheinen; *(fig)* omringen; belemmeren: *hedged in by rules and regulations* door regels en voorschriften omringd
hedgerow haag
heed [hie:d] aandacht, zorg: *give* (of: *pay*) ~ *to* aandacht schenken aan; *take* ~ *of* nota nemen van, letten op
heedless [hie:dles] **1** achteloos, onoplettend: *be* ~ *of* niet letten op, in de wind slaan **2** onvoorzichtig
heel [hie:l] **1** hiel *(ook van kous);* hak *(ook van schoen)* **2** uiteinde, onderkant; korst *(van kaas);* kapje *(van brood)* || *bring to* ~ kleinkrijgen, in het gareel brengen; *dig one's ~s in* het been stijf houden; *he took to his ~s* hij koos het hazenpad; *turn on one's* ~ zich plotseling omdraaien; *down at* ~ met scheve hakken, afgetrapt, *(fig)* haveloos; *at* (of: *on*) *the ~s* op de hielen, vlak achter
hefty [heftie] **1** fors, potig **2** zwaar, lijvig
heifer [heffe] vaars(kalf)
height [hajt] **1** hoogte, lengte, peil, niveau: *it is only 4 feet in* ~ het is maar 4 voet hoog **2** hoogtepunt, toppunt: *the* ~ *of summer* hartje zomer; *at its* ~ op zijn hoogtepunt **3** top, piek **4** terreinverheffing, hoogte
heighten [hajtn] **1** hoger (doen) worden, verhogen **2** (doen) toenemen, verhevigen
heinous [heenes] gruwelijk
heir [ee] **1** erfgenaam: *~s* erven; *sole* ~ enige erfgenaam **2** opvolger: ~ *to the throne* troonopvolger
heiress [eeris] erfgename *(ve fortuin)*
heirloom [eeloe:m] erfstuk, familiestuk
held [held] *ovt en volt dw van* hold
helicopter [hellikkopte] helikopter
hell [hel] hel *(ook fig): she drove* ~ *for leather* zij reed in vliegende vaart || *come* ~ *and* (of: *or*) *high water* wat er zich ook voordoet
he'll [hie:l] *samentr van he will, he shall*
hell-bent *(met on, for)* vastbesloten (om)
hello [heloo] **1** hallo **2** hé *(kreet van verbazing)*
helm [helm] helmstok; *(ook fig)* stuurrad; roer
helmet [helmet] helm
helmsman [helmzmen] roerganger, stuurman
¹help [help] *zn* **1** hulp, steun, bijstand: *that's a big ~!* nou, daar hebben we wat aan!, daar schieten we mee op, zeg!; *can we be of any ~?* kunnen wij ergens mee helpen? **2** help(st)er, dienstmeisje, werkster **3** huishoudelijk personeel **4** remedie: *there is no* ~ *for it* er is niets aan te doen
²help [help] *ww* **1** helpen, bijstaan, (onder)steunen, baten: ~ *along* (of: *forward*) vooruithelpen, bevorderen; ~ *out: a)* bijspringen; *b)* aanvullen **2** opscheppen, bedienen: ~ *yourself* ga je gang, tast toe **3** verhelpen, helpen tegen: *it can't be ~ed* er is niets aan te doen **4** voorkomen, verhinderen: *if I can* ~ *it* als het aan mij ligt **5** *(met ontkenning)* nalaten, zich weerhouden van: *we could not* ~ *but smile* wij moesten wel glimlachen, of we wilden of niet
helping [helping] portie *(eten)*
helpless [helples] **1** hulpeloos: ~ *with laughter* slap van de lach **2** onbeholpen
helter-skelter holderdebolder, halsoverkop, kriskras
¹hem [hem] *zn* boord, zoom: *take the* ~ *up (of sth.)* (iets) korter maken
²hem [hem] *ww* (om)zomen: ~ *about* (of: *around*) omringen; *feel ~med in* zich ingekapseld voelen
he-man [hie:men] mannetjesputter
hemisphere [hemmisfie] halve bol; *(aardr)* halfrond: *the northern* (of: *southern*) ~ het noordelijk (*of:* zuidelijk) halfrond
hemp [hemp] hennep, cannabis
hen [hen] **1** hoen, hen, kip **2** pop *(van vogel)* **3** *(inform)* pop *(van vogel)*
hence [hens] **1** van nu (af): *five years* ~ over vijf jaar **2** vandaar
henceforth van nu af aan, voortaan
henchman [hentsjmen] **1** volgeling, aanhanger **2** trawant
hen-party vrijgezellenfeest (voor vrouwen)
¹her [he:] *pers vnw* **1** haar, aan haar: *he gave* ~ *a watch* hij gaf haar een horloge **2** zij: *that's* ~ dat is ze
²her [he:] *bez vnw* haar: *it's* ~ *day* het is haar grote dag
¹herald [herreld] *zn* **1** heraut, gezant **2** (voor)bode
²herald [herreld] *ww* aankondigen: ~ *in* inluiden
heraldry [herreldrie] heraldiek, wapenkunde
herb [he:b] kruid: *~s and spices* kruiden en specerijen
¹herd [he:d] *zn* kudde, troep, horde; *(min)* massa: *the (common, vulgar)* ~ de massa
²herd [he:d] *intr* samendrommen, bij elkaar hokken: ~ *with* omgaan met
³herd [he:d] *tr* hoeden: ~ *together* samendrijven
here [hie] hier, op deze plaats, hierheen: *where do we go from ~?* hoe gaan we nu verder?; *near* ~ hier in de buurt; *(inform)* ~ *we are* daar zijn we dan, (zie)zo; ~ *you are* hier, alsjeblieft; ~ *and now* nu meteen; *over* ~ hier(heen); ~, *there and everywhere* overal; *that's is neither* ~ *nor there* dat slaat nergens op, dat heeft er niets mee te maken
hereditary [hirredditterie] erfelijk, erf-
heredity [hirreddittie] **1** erfelijkheid **2** overerving
heresy [herresie] ketterij
heretic [herretik] ketter
herewith hierbij, bij deze(n)
heritage [herrittidzj] **1** erfenis; erfgoed *(ook fig)* **2** erfdeel
hermit [he:mit] kluizenaar
hernia [he:nie] hernia, (lies)breuk
hero [hieroo] *(mv: ~es)* **1** held **2** hoofdpersoon, hoofdrolspeler

heroic [hirrooik] **1** heroïsch, heldhaftig **2** helden-: *~ age* heldentijd **3** groots, gedurfd
heroin [herrooin] heroïne
heroine [herrooin] **1** heldin **2** hoofdrolspeelster
heron [herren] reiger
herring [herring] haring
hers [he:z] van haar, de (het) hare: *my books and ~* mijn boeken en die van haar; *a friend of ~* een vriend van haar
herself zichzelf, zich, zelf: *she cut ~* ze sneed zich; *she did it ~* ze deed het zelf
he's [hie:z] *samentr van he is, he has*
hesitate [hezzitteet] aarzelen, weifelen: *~ about* (of: *over*) aarzelen over
hesitation [hezzitteesjen] aarzeling
heterogeneous [hettereoedzjie:nies] heterogeen, ongelijksoortig
hew [hjoe:] *(volt dw ook hewn)* houwen, sabelen, (be)kappen: *~ down: a)* kappen, omhakken *(bomen); b)* neermaaien *(mensen)*
hewn [hjoe:n] *volt dw van* hew
hexagon [heksekèn] regelmatige zeshoek
heyday [heedee] hoogtijdagen, bloei, beste tijd
hi [haj] **1** hé **2** hallo, hoi
hibernate [hajbeneet] een winterslaap houden *(ook fig)*
hiccup [hikkup] hik
hid [hid] *ovt van* hide
[1]**hidden** [hidn] *bn* verborgen, geheim
[2]**hidden** [hidn] *volt dw van* hide
[1]**hide** [hajd] *zn* (dieren)huid, vel
[2]**hide** [hajd] *intr (hid, hidden)* zich verbergen: *~ away* (of: *out*) zich schuil houden
[3]**hide** [hajd] *tr (hid, hidden)* verbergen, verschuilen: *~ from view* aan het oog onttrekken
hide-and-seek verstoppertje: *play ~* verstoppertje spelen
hidebound [hajdbaund] bekrompen
hideous [hiddies] afschuwelijk, afzichtelijk
hideout schuilplaats
hiding [hajding] **1** het verbergen **2** het verborgen zijn: *come out of ~* tevoorschijn komen; *go into ~* zich verbergen **3** *(inform)* pak rammel || *(inform) be on a ~ to nothing* voor een onmogelijke taak staan, geen schijn van kans maken
hiding place schuilplaats, geheime bergplaats
hierarchy [hajjera:kie] hiërarchie
hieroglyph [hajrekklif] hiëroglief
hi-fi [hajfaj] *verk van high fidelity* hifi-geluidsinstallatie, stereo
[1]**high** [haj] *zn* **1** (hoogte)record, hoogtepunt, toppunt: *hit a ~* een hoogtepunt bereiken; *an all-time ~* een absoluut hoogtepunt, een absolute topper **2** hogedrukgebied || *from on ~* uit de hemel
[2]**high** [haj] *bn* **1** hoog, hooggeplaatst, verheven: *~ command* opperbevel; *a ~ opinion of* een hoge dunk van; *have friends in ~ places* een goede kruiwagen hebben; *~ pressure: a) (weerk)* hoge druk; *b) (inform)* agressiviteit *(van verkooptechniek)*; *~ society* de hogere kringen; *~ tide* hoogwater, vloed, *(fig)* hoogtepunt; *~ water* hoogwater **2** intens, sterk, groot: *~ hopes* hoge verwachtingen **3** belangrijk: *~ treason* hoogverraad **4** vrolijk: *in ~ spirits* vrolijk **5** gevorderd, hoog, op een hoogtepunt: *~ season* hoogseizoen; *it's ~ time we went* het is de hoogste tijd om te gaan **6** aangeschoten, zat || *get on one's ~ horse* een hoge toon aanslaan; *the ~ sea(s)* de volle zee; *~ tea* vroeg warm eten, vaak met thee; *~ and dry* gestrand, *(fig)* zonder middelen; *~ and mighty* uit de hoogte
[3]**high** [haj] *bw* **1** hoog, zeer **2** schel || *hold one's head ~* zijn hoofd niet laten hangen; *feelings ran ~* de emoties liepen hoog op; *ride ~* succes hebben; *search ~ and low* in alle hoeken zoeken
[1]**highbrow** *zn* (semi-)intellectueel
[2]**highbrow** *bn* geleerd
high-class **1** eersteklas, prima, eerlijk **2** hooggeplaatst, voornaam
high-flyer hoogvlieger, ambitieus persoon
high-grade hoogwaardig
high-handed eigenmachtig, aanmatigend, autoritair
highland [hajlend] hoogland
high-level op hoog niveau
[1]**highlight** *zn* **1** lichtste deel; *(fig)* opvallend kenmerk **2** hoogtepunt **3** *~s* coupe soleil
[2]**highlight** *ww* naar voren halen, doen uitkomen: *use this pen to ~ the relevant passages* gebruik deze pen maar om de relevant passages te markeren
highly [hajlie] **1** hoog: *~ paid officials* goed betaalde ambtenaren **2** zeer, erg, in hoge mate **3** met lof: *speak ~ of* loven, roemen
high-minded hoogstaand, verheven
highness [hajnes] **1** hoogheid: *His* (of: *Her*) *Royal Highness* Zijne (*of:* Hare) Koninklijke Hoogheid **2** hoogte, verhevenheid
high-pitched **1** hoog, schel **2** steil *(dak)*
high-rise *(Am)* hoog: *~ flats* torenflats
high road hoofdweg, grote weg; *(fig)* (directe) weg
high school *(Am)* middelbare school
high-strung nerveus, overgevoelig
high-tech [hajtek] geavanceerd technisch
highway grote weg, verkeersweg; *(fig)* (directe) weg
highwayman [hajweemen] struikrover
hijab [hidzjeb] hoofddoek, hidjab
[1]**hijack** [hajdzjek] *zn* kaping
[2]**hijack** [hajdzjek] *ww* kapen
hijacker [hajdzjeke] kaper
[1]**hike** [hajk] *zn* lange wandeling, trektocht
[2]**hike** [hajk] *intr* lopen, wandelen, trekken
[3]**hike** [hajk] *tr* **1** (met *up*) ophijsen, optrekken **2** *(Am)* verhogen
hiker [hajke] wandelaar
hilarious [hilleeries] **1** heel grappig, dolkomisch **2** vrolijk, uitgelaten

hilarity [hilerittie] hilariteit, vrolijkheid
hill [hil] heuvel || *it is up ~ and down dale* het gaat heuvelop, heuvelaf; *over the ~* over zijn hoogtepunt heen
hillock [hillek] **1** heuveltje **2** bergje *(aarde)*
hillside helling
hilt [hilt] gevest, handvat || *(up)to the ~* volkomen, tot over de oren
him [him] **1** hem, aan hem **2** hij: *~ and his jokes* hij met zijn grapjes
himself zichzelf, zich, zelf: *he cut ~* hij sneed zich; *he did it ~* hij deed het zelf
[1]**hind** [hajnd] *zn* hinde
[2]**hind** [hajnd] *bn* achterst || *talk the ~ leg(s) off a donkey* iem de oren van het hoofd kletsen
hinder [hinde] **1** belemmeren, hinderen **2** (met *from*) beletten (te), verhinderen, tegenhouden
hindquarters achterdeel; achterlijf *(van paard)*
hindrance [hindrens] belemmering, beletsel, hindernis
hindsight [hajndsajt] kennis, inzicht achteraf: *with ~* achteraf gezien
[1]**Hindu** [hindoe:] *zn* hindoe
[2]**Hindu** [hindoe:] *bn* Hindoes
hinge [hindzj] scharnier; *(fig)* spil
[1]**hint** [hint] *zn* **1** wenk, hint, tip: *drop a ~* een hint geven; *take a ~* een wenk ter harte nemen **2** vleugje, tikje
[2]**hint** [hint] *intr* aanwijzingen geven: *~ at* zinspelen op
[3]**hint** [hint] *tr* laten doorschemeren
[1]**hip** [hip] *zn* heup
[2]**hip** [hip] *bn* hip, modern || *~, ~, hurrah!* hiep, hiep, hoera!
hippie [hippie] hippie
hippo [hippoo] nijlpaard
hippopotamus [hippepottemes] nijlpaard
[1]**hire** [hajje] *zn* huur, (dienst)loon: *for* (of: *on*) *~* te huur
[2]**hire** [hajje] *ww* **1** huren: *~ out* verhuren **2** inhuren, (tijdelijk) in dienst nemen
hireling [hajjeling] huurling
hire purchase huurkoop: *on ~* op afbetaling
his [hiz] zijn, van hem, het zijne, de zijne: *these boots are ~* deze laarzen zijn van hem; *a hobby of ~* een hobby van hem; *it was ~ day* het was zijn grote dag
hiss [his] **1** sissen **2** uitfluiten: *~ off* (of: *away, down*) van het podium fluiten
historian [histo:rien] historicus
historic [historrik] historisch, beroemd
historical [historrikl] historisch, geschiedkundig
history [histerie] **1** geschiedenis: *ancient* (of: *past*) *~* verleden tijd **2** historisch verhaal
[1]**hit** [hit] *zn* **1** klap, slag **2** treffer **3** hit, succes(nummer) **4** buitenkansje, treffer **5** goede zet: *make a ~ (with)* succes hebben (bij)
[2]**hit** [hit] *intr (hit, hit)* **1** aanvallen **2** hard aankomen || *~ home* doel treffen
[3]**hit** [hit] *tr (hit, hit)* treffen *(ook fig)*; raken: *be hard ~* zwaar getroffen zijn || *(inform) ~ it off (with)* het (samen) goed kunnen vinden (met)
[4]**hit** [hit] *tr, intr (hit, hit)* **1** slaan; geven *(een klap)*: *(fig) ~ a man when he is down* iem een trap nageven; *~ and run* doorrijden na aanrijding; *~ back (at)* terugslaan, *(fig)* van repliek dienen **2** stoten (op), botsen (tegen)
[1]**hitch** [hitsj] *zn* **1** ruk, zet, duw **2** storing: *go off without a ~* vlot verlopen
[2]**hitch** [hitsj] *tr* **1** vastmaken, vasthaken: *~ a horse to a cart* een paard voor een wagen spannen **2** liften: *(inform) ~ a ride* liften || *get ~ed* trouwen; *~ up* optrekken
hitchhiker [hitsjhajke] lifter
hither [hiðe] herwaarts: *~ and thither* her en der
hitherto [hiðetoe:] tot nu toe, tot dusver
hit man *(Am; inform)* huurmoordenaar
hit out **1** krachtig slaan **2** aanvallen || *~ at* uithalen naar
hit (up)on bedenken; komen op *(een idee)*; bij toeval ontdekken
HIV *afk van human immunodeficiency virus* hiv-virus
hive [hajv] **1** bijenkorf *(ook fig)* **2** zwerm; *(fig)* menigte **3** *~s* netelroos
HM **1** *afk van Her Majesty* H.M., Hare Majesteit **2** *afk van His Majesty* Z.M., Zijne Majesteit
Ho **1** *afk van Honorary* Ere- **2** *afk van Hono(u)rable* Hoog(wel)geboren *(titel voor edellieden)*
[1]**hoard** [ho:d] *zn* **1** (geheime) voorraad, schat **2** opeenhoping
[2]**hoard** [ho:d] *ww* hamsteren: *~ up* oppotten
hoarding [ho:ding] **1** (tijdelijke) schutting **2** reclamebord
hoarfrost rijp
hoarse [ho:s] **1** hees, schor **2** met een hese stem
hoary [ho:rie] **1** grijs **2** grijsharig, witharig **3** (al)oud, eerbiedwaardig: *a ~ joke* een ouwe bak
[1]**hoax** [hooks] *zn* bedrog: *the bomb scare turned out to be a ~* de bommelding bleek vals (alarm)
[2]**hoax** [hooks] *ww* om de tuin leiden: *~ s.o. into believing that* iem laten geloven dat ...
hob [hob] kookplaat *(ve fornuis)*
hobble [hobl] (doen) strompelen; *(fig)* moeizaam (doen) voortgaan
hobby [hobbie] hobby, liefhebberij
hobby-horse **1** hobbelpaard **2** stokpaardje *(ook fig)*
hobnob [hobnob] *(ook met with)* vriendschappelijk omgaan (met): *he is always ~bing with the manager* hij papt altijd met de directeur aan
hockey [hokkie] **1** hockey **2** *(Am)* ijshockey
hocus-pocus [hookes pookes] hocus pocus, gegoochel, bedriegerij
hoe [hoo] schoffel
hog [hok] **1** varken **2** zwijn *(ook fig)*; veelvraat || *(inform) go the whole ~* iets grondig doen

[1]**hoist** [hojst] *zn* hijstoestel, tillift

[2]**hoist** [hojst] *ww* hijsen, takelen: *~ one's flag* zijn vlag in top hijsen

[1]**hold** [hoold] *zn* **1** greep, houvast; *(fig)* invloed: *catch/get* (of: *grab, take*) *~ of* (vast)grijpen, (vast)pakken; *get a ~ on* vat krijgen op; *have a ~ over s.o.* macht over iem hebben; *keep* (of: *leave*) *~ of* vasthouden, loslaten; *take ~* vastgrijpen, *(fig)* aanslaan **2** (scheeps)ruim || *on ~* uitgesteld, vertraagd, in afwachting; *put a project on ~* een project opschorten; *no ~s barred* alle middelen zijn toegestaan, alles mag

[2]**hold** [hoold] *intr (held, held)* **1** houden, het uithouden, standhouden: *~ by* (of: *to*) zich houden aan **2** van kracht zijn, gelden, waar zijn: *~ good* (of: *true*) *for* gelden voor, van toepassing zijn op **3** doorgaan, aanhouden; goed blijven *(van weer)*

[3]**hold** [hoold] *tr (held, held)* **1** vasthouden (aan), beethouden; *(fig)* boeien: *will you ~ the line?* wilt u even aan het toestel blijven?; *~ together* bijeenhouden; *~ s.o. to his promise* iem aan zijn belofte houden **2** hebben: *~ a title* een titel dragen **3** bekleden *(bijv. functie)* **4** doen plaatsvinden, beleggen, houden: *~ a conversation* een gesprek voeren **5** in bedwang houden, weerhouden: *there is no ~ing her* zij is niet te stuiten **6** *(inform)* ophouden met, stilleggen, stoppen: *~ everything!* stop! **7** menen, beschouwen als: *~ sth. cheap* (of: *dear*) weinig (*of:* veel) waarde aan iets hechten; *~ sth. against s.o.* iem iets verwijten **8** in hechtenis houden, vasthouden || *~ it!* houen zo!, stop!; *~ one's own: a)* het (alleen) aankunnen; *b)* zich handhaven, niet achteruitgaan *(ve zieke)*; *~ one's own with* opgewassen zijn tegen

holdall reistas, weekendtas

[1]**hold back** *intr* aarzelen, schromen, iets verzwijgen: *~ from* zich weerhouden van

[2]**hold back** *tr* **1** tegenhouden, inhouden, in de weg staan **2** achterhouden, voor zich houden

holder [hoold*e*] **1** houder, bezitter; drager *(ve titel)* **2** bekleder *(ve ambt)*

holding [hoolding] **1** pachtgoed **2** bezit *(van aandelen enz.)*; eigendom

[1]**hold off** *intr* uitblijven, wegblijven

[2]**hold off** *tr* **1** uitstellen **2** weerstaan, tegenstand bieden aan

hold on 1 volhouden **2** zich vasthouden **3** aanhouden **4** *(inform)* wachten; niet ophangen *(telefoon)* || *(inform) ~!* stop!, wacht eens even!

hold on to 1 vasthouden, niet loslaten: *whatever you do, ~ your dreams* wat je ook doet, geef nooit je dromen op **2** *(inform)* houden

[1]**hold out** *intr* **1** standhouden, volhouden, het uithouden **2** weigeren toe te geven || *~ for* blijven eisen; *~ on: a)* weigeren toe te geven aan; *b)* iets geheim houden voor

[2]**hold out** *tr* uitsteken *(hand)*

hold over 1 aanhouden **2** verdagen, uitstellen

[1]**hold up** *intr* standhouden, het uithouden

[2]**hold up** *tr* **1** (onder)steunen **2** omhoog houden; opsteken *(hand)*: *~ as an example* tot voorbeeld stellen; *~ to ridicule* (of: *scorn*) bespotten **3** ophouden, tegenhouden, vertragen **4** overvallen

hold-up 1 oponthoud **2** roofoverval; *(fig)* overval

hole [hool] **1** gat, holte, kuil **2** gat, opening, bres: *make a ~ in* een gat slaan in, *(fig)* duchtig aanspreken; *(fig) pick ~s in* ondergraven *(bijv. argument)* **3** hol *(van dier)*; leger **4** hok, krot; *(Am)* isoleercel **5** penibele situatie: *in a ~* in het nauw, in de knel **6** kuiltje *(bij balspelen)*; knikkerpotje; *(biljart)* zak **7** *(golf)* hole

[1]**holiday** [holliddee] *zn* **1** feestdag: *public ~* officiële feestdag **2** vakantiedag: *ook ~s* vakantie, vrije tijd; *take a ~* vrijaf nemen; *on ~, on one's ~s* op vakantie

[2]**holiday** [holliddee] *ww* met vakantie zijn

[1]**hollow** [holloo] *zn* **1** holte, kuil **2** leegte

[2]**hollow** [holloo] *bn* **1** hol **2** zonder inhoud, leeg, onoprecht **3** hol *(van klank)* || *beat s.o. ~* iem totaal verslaan

holly [hollie] hulst

holocaust [holl*e*ko:st] holocaust, vernietiging

holster [hoolst*e*] holster

holy [hoolie] heilig, gewijd, vroom, godsdienstig: *the Holy Ghost* (of: *Spirit*) de Heilige Geest; *Holy Writ* de Heilige Schrift; *(r-k) the Holy See* de Heilige Stoel; *~ water* wijwater; *Holy Week* de Goede Week

homage [hommidzj] hulde: *pay* (of: *do*) *~ to* eer bewijzen aan

[1]**home** [hoom] *zn* **1** huis, woning, verblijf, woonhuis **2** thuis, geboortegrond: *arrive* (of: *get*) *~* thuiskomen; *leave ~* het ouderlijk huis verlaten; *at* (of: *back*) *~* bij ons thuis, in mijn geboortestreek, geboorteplaats; *be at ~: a)* thuis zijn; *b)* ontvangen; *make yourself at ~* doe alsof je thuis bent; *(away) from ~* van huis; *it's a ~ from ~* het is er zogoed als thuis **3** bakermat, zetel, haard: *strike ~* doel treffen **4** (te)huis, inrichting **5** *(sport, spel)* eindstreep, finish, (thuis)honk || *drive a nail ~* een spijker er helemaal inslaan; *~ (in) on: a)* zich richten op *(van vliegtuig enz.)*; *b)* koersen op *(een baken)*

[2]**home** [hoom] *bn* **1** huis-, thuis-: *~ base* (thuis)basis, *(sport, spel)* doel, honk; *~ brew* zelf gebrouwen bier; *~ help* gezinshulp; *~ movie* zelf opgenomen film; *~ remedy* huismiddel(tje) **2** huiselijk: *~ life* het huiselijk leven **3** lokaal: *the Home Counties* de graafschappen rondom Londen

Home [hoom] binnenlands, uit eigen land: *the ~ Office* het Ministerie van Binnenlandse Zaken; *the ~ Secretary* de minister van Binnenlandse Zaken

homely [hoomlie] **1** eenvoudig **2** alledaags **3** *(Am)* lelijk *(van personen)*

homemade zelfgemaakt: *~ jam* zelfgemaakte jam

homemaker *(Am) (ongev)* huismoeder, huisvrouw

homesick: *be* (of: *feel*) ~ heimwee hebben
homespun **1** zelfgesponnen **2** eenvoudig
homestead [hoomsted] hofstede, boerderij
homeward(s) [hoomwed(z)] (op weg) naar huis, terugkerend, huiswaarts: *homeward bound* op weg naar huis
homework huiswerk; *(fig)* voorbereiding: *do ~* huiswerk maken; *do one's ~* zich (grondig) voorbereiden
homey [hoomie] huiselijk, gezellig, knus
homicide [hommissajd] doodslag, moord
homoeopathy [hoomie·oppeθie] homeopathie
homogeneity [hoomedzjinnie:ittie] homogeniteit, gelijksoortigheid
homogeneous [hommedzjie:nies] homogeen, gelijksoortig
homosexual [hommeseksjoeel] homoseksueel
hone [hoon] slijpen, wetten; *(fig)* verbeteren
honest [onnist] **1** eerlijk, oprecht: *earn* (of: *turn*) *an ~ penny* een eerlijk stuk brood verdienen **2** braaf
honesty [onnistie] eerlijkheid, oprechtheid: *~ is the best policy* eerlijk duurt het langst
honey [hunnie] **1** honing; *(fig)* zoetheid; liefelijkheid **2** *(Am)* schat; liefje *(als aanspreekvorm)*
[1]**honeycomb** *zn* **1** honingraat **2** honingraatmotief
[2]**honeycomb** *ww* doorboren, doorzeven: *~ed with* doorzeefd met, doortrokken van
honeymoon **1** huwelijksreis **2** wittebroodsdagen
honeysuckle [hunniesukl] kamperfoelie
[1]**honk** [hongk] *intr* schreeuwen *(van gans)*
[2]**honk** [hongk] *tr, intr* (doen) toeteren, (doen) claxonneren: *he ~ed the horn* hij toeterde
honorary [onnererie] honorair, ere-, onbezoldigd
[1]**honour** [onne] *zn* eer(bewijs), hulde, aanzien, reputatie: *code of ~* erecode; *it does him ~, it is to his ~* het strekt hem tot eer; *in ~ bound, on one's ~* moreel verplicht; *do the ~s* als gastheer optreden || *Your* (of: *His*) *Honour* Edelachtbare *(aanspreekvorm voor rechters)*
[2]**honour** [onne] *tr* **1** eren, in ere houden, eer bewijzen: *~ with* vereren met **2** honoreren
honourable [onnerebl] **1** eerzaam, respectabel **2** eervol: *~ mention* eervolle vermelding **3** eerbaar **4** hooggeboren, edelachtbaar: *Most* (of: *Right*) *Honourable* edel(hoog)achtbaar *(in titels)*
honour killing eerwraak
hooch [hoe:tsj] sterkedrank
hood [hoed] **1** kap, capuchon **2** overkapping, huif; vouwdak *(van auto)*; kap *(van rijtuig, kinderwagen)* **3** beschermkap, wasemkap
hoodwink [hoedwingk] bedriegen, voor de gek houden
hooey [hoe:ie] onzin, nonsens, kletskoek
hoof [hoe:f] *(mv: ook hooves)* hoef
[1]**hook** [hoek] *zn* **1** (telefoon)haak: *~ and eye* haak en oog; *off the ~* van de haak *(telefoon)* **2** vishoek, vishaak **3** hoek, kaap, landtong || *~, line and sinker* helemaal, van a tot z; *by ~ or by crook* hoe dan ook, op eerlijke of oneerlijke wijze; *get* (of: *let*) *s.o. off the ~* iem uit de puree halen
[2]**hook** [hoek] *intr* vastgehaakt worden
[3]**hook** [hoek] *tr* **1** vasthaken, aanhaken: *~ on* vasthaken **2** aan de haak slaan *(ook fig)*; strikken, bemachtigen
hooked [hoekt] **1** haakvormig: *a ~ nose* een haakneus, haviksneus **2** met een haak **3** vast(gehaakt), verstrikt: *her skirt got ~ on a nail* ze bleef met haar rok achter een spijker haken **4** (met *on*) verslaafd (aan) *(drugs)*: *(fig) he is completely ~ on that girl* hij is helemaal bezeten van dat meisje
hook up **1** (met *with*) aansluiten (op), verbinden (met) **2** aanhaken, vasthaken
hooligan [hoe:liken] (jonge) vandaal, herrieschopper, hooligan
hoop [hoe:p] **1** hoepel, ring **2** *(sport)* hoepel; *(croquet)* hoop; ijzeren poortje || *put s.o. through the ~(s)* iem het vuur na aan de schenen leggen
[1]**hoot** [hoe:t] *zn* **1** gekras *(ve uil)* **2** getoet **3** (ge)boe, gejouw **4** *(inform)* giller || *(inform) he doesn't give* (of: *care*) *a ~* het kan hem geen zier schelen
[2]**hoot** [hoe:t] *intr* **1** krassen, schreeuwen **2** toeteren (met) **3** schateren, bulderen vh lachen
[3]**hoot** [hoe:t] *tr* uitjouwen: *~ at s.o., ~ s.o. off the stage* iem uitjouwen, iem wegjouwen
hooter [hoe:te] sirene, fabrieksfluit, fabriekssirene
hoover [hoe:ve] stofzuigen
hooves [hoe:vz] *mv van* hoof
[1]**hop** [hop] *zn* **1** hink(el)sprong(etje), huppelsprong(etje) **2** dansje, dansfeest **3** reisje **4** *~s* hop(plant), hopbel || *catch s.o. on the ~* iem verrassen, bij iem binnenvallen; *on the ~* druk in de weer
[2]**hop** [hop] *intr* hinkelen, huppen, wippen: *~ in* (of: *out*) instappen, uitstappen
[3]**hop** [hop] *tr* **1** overheen springen **2** springen in *(een bus, trein)* || *(inform) ~ it!* smeer 'em!, donder op!
[1]**hope** [hoop] *zn* hoop(volle verwachting), vertrouwen; *(Belg)* betrouwen: *~ against ~* tegen beter weten in blijven hopen; *lay/set* (of: *pin, put*) *one's ~s on* zijn hoop vestigen op; *live in ~(s)* (blijven) hopen
[2]**hope** [hoop] *ww* (met *for*) hopen (op): *~ for the best* er het beste (maar) van hopen
[1]**hopeful** [hoopfoel] *zn* veelbelovend persoon, belofte
[2]**hopeful** [hoopfoel] *bn* hoopvol, hoopgevend, veelbelovend, optimistisch: *I'm not very ~ of success* ik heb niet veel hoop op een geslaagde afloop
hopeless [hoples] hopeloos, wanhopig, uitzichtloos: *~ at* hopeloos slecht in
horizon [herajzen] horizon *(ook fig)*
horizontal [horrizzontl] horizontaal, vlak
hormone [ho:moon] hormoon
horn [ho:n] **1** hoorn, gewei, (voel)hoorn **2** toeter, claxon, trompet: *blow* (of: *sound*) *the ~* toeteren

|| *draw* (of: *pull*) *in one's ~s: a)* terugkrabbelen; *b)* de buikriem aanhalen

hornet [ho:nit] horzel

hornet's nest wespennest || *stir up a ~* zich in een wespennest steken

horrendous [herendes] afgrijselijk, afschuwelijk

horrible [horribl] afschuwelijk, vreselijk, verschrikkelijk

horrid [horrid] **1** vreselijk, verschrikkelijk **2** akelig

horrific [heriffik] weerzinwekkend, afschuwelijk

horrify [horriffaj] met afschuw vervullen, schokken, ontstellen

horror [horre] **1** (ver)schrik(king), gruwel, ontzetting **2** *~s* kriebels || *you little ~!* klein kreng dat je bent!

horse [ho:s] **1** paard: *eat* (of: *work*) *like a ~* eten (*of:* werken) als een paard **2** (droog)rek, schraag, ezel **3** bok *(gymnastiektoestel);* paard **4** heroïne || *a ~ of another* (of: *a different*) *colour* een geheel andere kwestie; *(straight) from the ~'s mouth* uit de eerste hand; *hold your ~s!* rustig aan!, niet te overhaast!

horseback paardenrug: *three men on ~* drie mannen te paard

horseman [ho:smen] ruiter, paardrijder

horseplay stoeipartij, lolbroekerij

horsepower paardenkracht

horseradish **1** mierik(swortel) **2** mierikswortelsaus

horseshoe [ho:ssjoe:] (hoef)ijzer

horticulture [ho:tikkultsje] **1** tuinbouw **2** hovenierskunst

[1]**hose** [hooz] *zn* **1** brandslang, tuinslang **2** kousen, panty's, sokken

[2]**hose** [hooz] *tr* (met een slang) bespuiten, schoonspuiten: *~ down a car* een auto schoonspuiten

hospice [hospis] **1** verpleeghuis voor terminale patiënten **2** *(Am)* wijkverpleger, -verpleegster *(stervensbegeleider, -begeleidster)* **3** gastenverblijf *(in klooster)*

hospitable [hospittebl] gastvrij, hartelijk

hospital [hospitl] ziekenhuis: *in ~, (Am) in the hospital* in het ziekenhuis

hospitality [hospitelittie] gastvrijheid

hospitalize [hospittelajz] (laten) opnemen in een ziekenhuis

[1]**host** [hoost] *zn* **1** gastheer **2** waard **3** massa, menigte: *~s of tourists* horden toeristen

[2]**host** [hoost] *tr* ontvangen, optreden als gastheer bij, op: *~ a television programme* een televisieprogramma presenteren

hostage [hostidzj] gijzelaar

hostel [hostl] **1** tehuis, studentenhuis, pension **2** jeugdherberg

hostess [hoostis] **1** gastvrouw **2** hostess **3** stewardess

host family gastgezin

hostile [hostajl] **1** vijandelijk **2** vijandig, onvriendelijk

hostilities [hostillittiez] vijandelijkheden, oorlog(shandelingen)

hostility [hostillittie] **1** vijandschap **2** vijandelijkheid, vijandige daad

hot [hot] **1** heet, warm, gloeiend, scherp, pikant, vurig, hartstochtelijk, heetgebakerd; *(inform)* geil; opgewonden; *(inform; techn)* radioactief: *~ flushes* opvlieger, opvlieging; *with two policemen in ~ pursuit* met twee agenten op zijn hielen; *am I getting ~?* word ik warm? *(al radend)* **2** vers *(van spoor);* recent; heet (vd naald) *(van nieuws): ~ off the press* vers van de pers || *~ air* blabla, gezwets; *like a cat on ~ bricks* (Am: *on a ~ tin roof*) benauwd, niet op zijn gemak; *sell like ~ cakes* als warme broodjes de winkel uitvliegen; *strike while the iron is ~* het ijzer smeden als het heet is; *a ~ potato* een heet hangijzer; *~ stuff: a)* bink; *b)* prima spul; *c)* (harde) porno; *d)* buit, gestolen goed; *be ~ on s.o.'s track* (of: *trail*) iem na op het spoor zijn; *be in* (of: *get into*) *~ water* in de problemen zitten (*of:* raken); *make it* (of: *the place, things*) *(too) ~ for s.o.* iem het vuur na aan de schenen leggen; *not so ~* niet zo goed; *~ on astrology* gek op astrologie; *blow ~ and cold* nu eens voor dan weer tegen zijn

hotbed **1** broeikas **2** broeinest

hotchpotch [hotsjpotsj] hutspot, ratjetoe; *(fig)* mengelmoes; allegaartje

hotel [hootel] hotel

hotplate kookplaat(je), warmhoudplaat(je)

[1]**hot up** *intr (inform)* warm(er) worden, hevig(er) worden

[2]**hot up** *tr (inform)* verhevigen, intensiveren

hound [haund] (jacht)hond, windhond

hour [aue] **1** uur: *after ~s* na sluitingstijd, na kantoortijd; *on the ~* op het hele uur; *out of ~s* buiten de normale uren; *at the eleventh ~* ter elfder ure, op het allerlaatste ogenblik **2** moment, huidige tijd: *the ~ has come* de tijd is gekomen, het is zover

[1]**house** [haus] *zn* **1** huis, woning, behuizing, (handels)huis: *~ of cards* kaartenhuis *(ook fig); ~ of God* godshuis, huis des Heren; *eat s.o. out of ~ and home* iem de oren van het hoofd eten; *move ~* verhuizen; *(fig) put* (of: *set*) *one's ~ in order* orde op zaken stellen; *set up ~* op zichzelf gaan wonen; *on the ~* van het huis, (rondje) van de zaak **2** (vorstelijk, adellijk) geslacht, koningshuis, vorstenhuis, adellijke familie **3** bioscoopzaal, schouwburgzaal, voorstelling: *(fig) bring the ~ down* staande ovaties oogsten || *like a ~ on fire: a)* krachtig; *b)* (vliegens)vlug; *c)* prima, uitstekend; *keep ~* (het) huishouden (doen)

[2]**house** [hauz] *tr* huisvesten, onderdak bieden aan

House [haus] (gebouw van) volksvertegenwoordiging, kamer: *the ~ of Commons* het Lagerhuis; *the ~ of Lords* het Hogerhuis; *the ~s of Parliament* het parlement, de parlementsgebouwen; *the ~ of Representatives* het Huis van Afgevaardigden

household [haushoold] (de gezamenlijke) huisbewoners, huisgenoten, huisgezin
housekeeper huishoudster
housekeeping huishouding, huishouden
houseman [hausmen] **1** (intern) assistent-arts *(in ziekenhuis)* **2** (huis)knecht
houseroom onderdak, (berg)ruimte: *(fig) I wouldn't give such a chair ~* ik zou zo'n stoel niet eens gratis willen hebben
housetrained *(van dieren)* zindelijk
housewarming inwijdingsfeest *(ve huis)*
housewife huisvrouw
housing [hauzing] **1** huisvesting, woonruimte **2** *(techn)* huis, omhulsel
housing association woningbouwvereniging
hove [hoov] *ovt en volt dw van* heave
hovel [hovl] krot, bouwval
hover [hovve] **1** hangen (boven); (blijven) zweven *(van vogels enz.)* **2** rondhangen, blijven hangen || *(fig) ~ between life and death* tussen leven en dood zweven
hovercraft hovercraft
[1]**how** [hau] *bw* **1** hoe, hoeveel, hoever: *~ are things?* hoe gaat het ermee?; *(inform) ~ idiotic can you get?* kan het nog gekker?; *she knows ~ to cook* ze kan koken; *~ do you like my hat?* wat vind je van mijn hoed?; *~ do you do?* aangenaam, hoe maakt u het?; *~ is she (off) for clothes?* heeft ze genoeg kleren?; *~ about John?* wat doe je (dan) met John? **2** hoe, waardoor, waarom: *~ come she is late?* hoe komt het dat ze te laat is? || *~ about going home?* zouden we niet naar huis gaan?; *~ about an ice-cream?* wat vind je van een ijsje?
[2]**how** [hau] *vw* zoals: *colour it ~ you like* kleur het zoals je wilt
[1]**however** [hauevve] *bw* **1** hoe ... ook, hoe dan ook, op welke wijze ook: *~ you travel, you will be tired* hoe je ook reist, je zult moe zijn **2** echter, nochtans, desondanks: *this time, ~, he meant what he said* deze keer echter meende hij het **3** hoe in 's hemelsnaam: *~ did you manage to come?* hoe ben je erin geslaagd te komen?
[2]**however** [hauevve] *vw* hoe ... maar, zoals ... maar: *~ he tried, it wouldn't go in* hoe hij het ook probeerde, het wilde er niet in
[1]**howl** [haul] *zn* gehuil, brul, gil: *~s of derision* spotgelach, hoongelach
[2]**howl** [haul] *ww* huilen, jammeren, krijsen: *the wind ~ed* de wind gierde; *~ with laughter* gieren van het lachen || *the speaker was ~ed down* de spreker werd weggehoond
howler [haule] giller, flater, blunder
howling [hauling] gigantisch, enorm
howsoever *zie* however
hp 1 *afk van horsepower* pk, paardenkracht **2** *afk van hire purchase* huurkoop: *on (the) hp* op huurkoopbasis, *(ongev)* op afbetaling
HQ *afk van headquarters* hoofdbureau, hoofdkwartier
HRH *afk van Her Royal Highness* H.K.H., Z.K.H., Hare (Zijne) Koninklijke Hoogheid
hr(s) *afk van hour(s)* uur, uren
hub [hub] **1** naaf **2** centrum, middelpunt
[1]**huddle** [hudl] *zn* **1** (dicht opeengepakte) groep, kluwen, menigte **2** samenraapsel, bos, troep || *go into a ~* de koppen bij elkaar steken
[2]**huddle** [hudl] *ww* bijeenkruipen: *~ together* bij elkaar kruipen; *the singers ~d together around the microphone* de zangeressen stonden dicht bijeen rond de microfoon
huff [huf] boze bui: *in a ~* nijdig, beledigd
[1]**hug** [huk] *zn* omhelzing, knuffel
[2]**hug** [huk] *ww* **1** omarmen, omhelzen, tegen zich aandrukken **2** (zich) vasthouden aan
huge [hjoe:dzj] reusachtig, kolossaal, enorm: *~ly overrated* zwaar overschat
hulk [hulk] **1** (scheeps)casco, scheepsromp, hulk **2** vleesklomp, kolos
hull [hul] **1** (scheeps)romp **2** (peulen)schil; *(fig)* omhulsel
hullo [heloo] hallo
[1]**hum** [hum] *zn* zoemgeluid, bromgeluid, brom, gebrom, gezoem
[2]**hum** [hum] *intr* **1** zoemen, brommen **2** bruisen, (op volle toeren) draaien: *things are beginning to ~* er komt schot in; *~ with activity* gonzen van de bedrijvigheid
[3]**hum** [hum] *tr, intr* neuriën: *he was just ~ming a tune to himself* hij zat in zichzelf een deuntje te neuriën
[1]**human** [hjoe:men] *zn* mens
[2]**human** [hjoe:men] *bn* menselijk, mensen-: *~ being* mens; *~ interest* het menselijk element, de gevoelsinbreng *(in krantenartikelen enz.)*; *~ nature* de menselijke natuur; *the ~ race* de mensheid; *~ rights* mensenrechten; *I'm only ~* ik ben (ook) maar een mens
humane [hjoe:meen] humaan, menselijk
humanistic [hjoe:menistik] humanistisch
humanitarian [hjoe:menitteerien] humanitair, menslievend
humanity [hjoe:menittie] **1** mensdom **2** menselijkheid, mensheid, mens-zijn, menslievendheid **3** *-ies* geesteswetenschappen
[1]**humble** [humbl] *bn* bescheiden, onderdanig, nederig, eenvoudig: *my ~ apologies* mijn nederige excuses || *eat ~ pie* een toontje lager zingen, inbinden
[2]**humble** [humbl] *ww* vernederen
humbug [humbuk] **1** bedrieger, oplichter **2** pepermuntballetje, kussentje **3** onzin, nonsens, larie **4** bluf
humdrum [humdrum] saai, vervelend, eentonig
humid [hjoe:mid] vochtig
humidity [hjoe:midditie] vochtigheid
humiliate [hjoe:millie·eet] vernederen, krenken
humiliation [hjoe:millie·eesjen] vernedering
humility [hjoe:millittie] nederigheid, bescheidenheid

humorous [hjoe:meres] humoristisch, grappig, komisch
¹humour [hjoe:me] *zn* **1** humor, geestigheid: *sense of* ~ gevoel voor humor **2** humeur, stemming: *in a bad* ~ slechtgeluimd, in een slechte bui
²humour [hjoe:me] *ww* tegemoetkomen (aan), paaien, toegeven: ~ *a child* een kind zijn zin geven
¹hump [hump] *zn* **1** bult, bochel **2** *(inform)* landerigheid: *it gives me the* ~ ik baal ervan || *be over the* ~ het ergste achter de rug hebben
²hump [hump] *ww* **1** welven, bol maken, ronden **2** *(inform)* torsen, (mee)zeulen
¹hunch [huntsj] *zn* voorgevoel, vaag idee
²hunch [huntsj] *ww* krommen; optrekken *(schouders);* (krom)buigen
hunchback gebochelde, bultenaar
hundred [hundred] honderd; *(fig)* talloos: *one* ~ *per cent* honderd percent, helemaal, *(fig; vnl. na ontkenning)* helemaal de oude, weer helemaal opgeknapt
hundredth [hundredθ] honderdste, honderdste deel
hung [hung] *ovt en volt dw van* hang
¹Hungarian [hungĝeerien] *zn* Hongaar(se)
²Hungarian [hungĝeerien] *bn* Hongaars
Hungary [hungĝerie] Hongarije
¹hunger [hungĝe] *zn* honger, trek; *(fig)* hunkering; dorst: *a* ~ *for sth.* een hevig verlangen naar iets
²hunger [hungĝe] *ww* hongeren, honger hebben; *(fig)* hunkeren; dorsten
hungry [hungĝrie] **1** hongerig, uitgehongerd: *feel* ~ honger hebben **2** (met *for*) *(fig)* hunkerend (naar)
hunk [hungk] **1** homp, brok **2** *(fig)* stuk
¹hunt [hunt] *zn* jacht(partij), vossenjacht; *(fig)* speurtocht, zoektocht
²hunt [hunt] *ww* **1** jagen (op), jacht maken (op) **2** zoeken, speuren: ~ *high and low for sth.* overal zoeken naar iets **3** opjagen: *a ~ed look* een (op)gejaagde blik
hunt down opsporen, najagen
hunter [hunte] **1** jager *(ook fig)* **2** jachtpaard
hunting [hunting] jacht, vossenjacht
hunt out opdiepen, opsporen
huntsman [huntsmen] **1** jager **2** jachtmeester
hunt up opzoeken, natrekken
hurdle [he:dl] **1** horde, hindernis; obstakel *(ook fig)* **2** schot, horde **3** *~s* horde(loop)
hurl [he:l] smijten, slingeren: ~ *reproaches at one another* elkaar verwijten naar het hoofd slingeren; *the dog ~ed itself at* (of: *on*) *the postman* de hond stortte zich op de postbode
hurray [hoeree] hoera(atje), hoezee, hoerageroep || *hip, hip, ~!* hiep, hiep, hoera!
hurricane [hurrikken] orkaan, cycloon
hurried [hurried] haastig, gehaast, gejaagd
¹hurry [hurrie] *zn* haast: *I'm rather in a* ~ ik heb nogal haast
²hurry [hurrie] *intr* zich haasten, haast maken, opschieten: *he hurried along* hij snelde voort; ~ *up!* schiet op! vooruit!
³hurry [hurrie] *tr* **1** tot haast aanzetten, opjagen **2** verhaasten, bespoedigen: ~ *up a job* haast maken met een klus **3** haastig vervoeren
¹hurt [he:t] *zn* **1** pijn(lijke zaak) **2** letsel, wond
²hurt [he:t] *intr (hurt, hurt)* pijn doen: *my feet* ~ mijn voeten doen pijn; *it won't* ~ *to cut down on spending* het kan geen kwaad om te bezuinigen
³hurt [he:t] *tr (hurt, hurt)* **1** bezeren, verwonden, blesseren: *I* ~ *my knee* ik heb mijn knie bezeerd **2** krenken, kwetsen, beledigen: *feel* ~ zich gekrenkt voelen
hurtful [he:tfoel] **1** schadelijk **2** kwetsend
hurtle [he:tl] kletteren, razen, suizen
husband [huzbend] man, echtgenoot: ~ *and wife* man en vrouw
husbandry [huzbendrie] landbouw en veeteelt, het boerenbedrijf: *animal* ~ veehouderij, veeteelt
¹hush [husj] *zn* stilte
²hush [husj] *intr* verstommen, tot rust komen || *~!* stil!, sst!
³hush [husj] *tr* tot zwijgen brengen, doen verstommen: ~ *up* verzwijgen, doodzwijgen
hush-hush *(inform)* (diep) geheim
husk [husk] **1** schil(letje), (mais)vlies **2** (waardeloos) omhulsel, lege dop
husky [huskie] eskimohond
hussy [hussie] brutaaltje: *brazen* (of: *shameless*) ~ brutaal nest
¹hustle [husl] *zn* gedrang, bedrijvigheid, drukte: ~ *and bustle* drukte, bedrijvigheid
²hustle [husl] *intr* **1** dringen, duwen **2** zich haasten, hard werken, druk in de weer zijn
³hustle [husl] *tr* **1** (op)jagen, duwen: *she ~d him out of the house* ze werkte hem het huis uit **2** *(Am; inform)* bewerken *(bijv. klanten)*
hut [hut] **1** hut(je), huisje, keet **2** *(mil)* barak
hyacinth [hajjesinθ] hyacint
hybrid [hajbrid] kruising
hydrant [hajdrent] brandkraan
hydraulic [hajdrollik] hydraulisch: ~ *engineering* waterbouw(kunde)
hydroelectric [hajdrooillektrik] hydro-elektrisch
hydrofoil [hajdroofojl] draagvleugel, (draag)-vleugelboot
hydrogen [hajdredzjen] waterstof
hyena [hajjie:ne] hyena
hygiene [hajdzjie:n] hygiëne, gezondheidsleer, gezondheidszorg
hygienic [hajdzjie:nik] hygiënisch
hymn [him] hymne, lofzang, kerkgezang
hype [hajp] **1** kunstje, truc, list **2** opgeblazen zaak *(door media, reclame);* schreeuwerige reclame, aanprijzing
hyperbole [hajpe:belie] *(form)* hyperbool, overdrijving

hypermarket [hajpema:kit] hypermarkt, weidewinkel
hyphen [hajfen] verbindingsstreepje, afbrekingsteken, koppelteken
hyphenate [hajfeneet] afbreken, door een koppelteken verbinden
hypnotism [hipnetizm] hypnotisme
hypnotize [hipnetajz] hypnotiseren *(ook fig);* biologeren, fascineren
[1]**hypochondriac** [hajpookondrie·ek] *zn* hypochonder, zwaarmoedig mens
[2]**hypochondriac** [hajpookondrie·ek] *bn* hypochondrisch, zwaarmoedig
hypocrite [hippekrit] hypocriet, huichelaar
hypodermic [hajpoode:mik] onderhuids: ~ *needle* injectienaald
hypothesis [hajpoθissis] hypothese, veronderstelling
hypothetical [hajpeθettikl] hypothetisch, verondersteld
hysteria [histierie] hysterie

i

I [aj] ik, zelf, eigen persoon
Iberian [ajbierien] Iberisch
[1]**ice** [ajs] *zn* **1** ijs: *(fig) put sth. on ~* iets in de ijskast zetten, iets uitstellen **2** vruchtenijs, waterijs(je) **3** ijs(je) || *break the ~* het ijs breken; *cut no* (of: *not much*) *~ (with s.o.)* geen (*of:* weinig) indruk maken (op iem)
[2]**ice** [ajs] *ww* bevriezen, dichtvriezen: *~ over* dichtvriezen || *~d drinks* (ijs)gekoelde dranken
ice age ijstijd
icebound ingevroren, door ijs ingesloten
icebreaker ijsbreker
ice cream ijs(je), roomijs(je)
ice cube ijsblokje
ice floe [ajsfloo] ijsschots
Iceland [ajslend] IJsland
ice rink (overdekte) ijsbaan
ice skate schaatsen
ice tea icetea
icicle [ajsikl] ijskegel, ijspegel
icing [ajsing] suikerglazuur, glaceersel || *(the) ~ on the cake* tierelantijntje(s)
icing sugar poedersuiker
icky [ikkie] goor, vies, smerig
icon [ajkon] ico(o)n; *(comp)* pictogram; icoon
iconoclast [ajkonneklest] beeldenstormer
icy [ajsie] **1** ijzig, ijskoud, ijsachtig: *an ~ look* een ijzige blik **2** met ijs bedekt, bevroren, glad
I'd [ajd] *samentr van I had, I would, I should*
ID card [ajdie: ka:d] *zie* identity card
idea [ajdie] idee, denkbeeld, begrip, gedachte: *is this your ~ of a pleasant evening?* noem jij dit een gezellige avond?
[1]**ideal** [ajdiel] *zn* ideaal
[2]**ideal** [ajdiel] *bn* **1** ideaal **2** ideëel, denkbeeldig **3** idealistisch
idealism [ajdielizm] idealisme
idealize [ajdielajz] idealiseren
identical [ajdentikl] identiek, gelijk(luidend), gelijkwaardig: *~ twins* eeneiige tweeling
[1]**identify** [ajdentiffaj] *intr (*met *with)* zich identificeren (met), zich vereenzelvigen (met)
[2]**identify** [ajdentiffaj] *tr* **1** identificeren, de identiteit vaststellen van, in verband brengen: *I can't ~ your accent* ik kan uw accent niet thuisbrengen; *s.o. who is identified with a fascist party* iem die in verband gebracht wordt met een fascistische partij **2** erkennen, vaststellen
identity [ajdentittie] **1** identiteit, persoon(lijkheid): *a case of mistaken ~* een geval van persoonsverwisseling **2** volmaakte gelijkenis
identity card legitimatie(bewijs), identiteitsbewijs
ideology [ajdie·olledzjie] ideologie
idiocy [iddiesie] idiotie, dwaasheid
idiom [iddiem] **1** idiomatische uitdrukking **2** idioom, taaleigen, taaleigenaardigheid
idiosyncrasy [iddiesingkresie] eigenaardigheid, typerend kenmerk
idiot [iddiet] idioot
[1]**idle** [ajdl] *bn* **1** werkloos, inactief: *he has been ~ all day* hij heeft de hele dag niets uitgevoerd **2** lui, laks **3** doelloos, zinloos, vruchteloos: *an ~ attempt* een vergeefse poging; *~ gossip* loze kletspraat **4** ongebruikt, onbenut: *~ machines only cost money* stilstaande machines kosten alleen maar geld
[2]**idle** [ajdl] *ww* **1** nietsdoen, luieren: *~ about* luieren, rondhangen **2** stationair draaien *(van motor)*
idle away verdoen; verlummelen *(tijd)*
idly *zie* idle
idol [ajdl] **1** afgod(sbeeld), idool **2** favoriet
idolize [ajdlajz] verafgoden
idyl(l) [iddil] idylle
i.e. *afk van id est* d.w.z., dat wil zeggen
[1]**if** [if] *zn* onzekere factor, voorwaarde, mogelijkheid || *ifs and buts* maren, bedenkingen
[2]**if** [if] *vw* **1** indien, als, zo, op voorwaarde dat: *if anything* indien dan al iets, dan …; *if anything this is even worse* dit is zo mogelijk nog slechter; *if not* zo niet; *if so* zo ja **2** telkens als, telkens wanneer **3** of: *I wonder if she is happy* ik vraag mij af of ze gelukkig is **4** zij het, (al)hoewel, al: *a talented if arrogant young man* een begaafde, zij het arrogante, jongeman; *protest, if only to pester them* protesteer, al was het maar om hen te pesten; *if we failed we did all we could* we hebben wel gefaald maar we hebben gedaan wat we konden **5** warempel, zowaar: *if that isn't Mr Smith!* als dat niet meneer Smith is! || *if only* als … maar, ik wou dat
iffy [iffie] onzeker, dubieus
igloo [ikloe:] iglo, Eskimohut, sneeuwhut
[1]**ignite** [iknajt] *intr* ontbranden, vlam vatten
[2]**ignite** [iknajt] *tr* aansteken
ignition [iknisjen] **1** ontsteking(sinrichting) *(van auto): turn the ~, switch the ~ on* het contactsleuteltje omdraaien, starten **2** ontbranding, ontsteking
ignition key contactsleuteltje
ignoble [iknoobl] laag(hartig), onwaardig
ignominious [iknemminnies] schandelijk, oneervol
ignorance [iknerens] onwetendheid, onkunde, onkundigheid: *keep in ~* in het ongewisse laten
ignorant [iknerent] **1** onwetend, onkundig: *~ of*

onkundig van; *I'm very ~ of politics* ik heb helemaal geen verstand van politiek **2** dom, onontwikkeld

ignore [iĸno:] negeren

¹ill [il] *zn* **1** tegenslag **2** kwaad, onheil, vloek: *speak ~ of* kwaadspreken van

²ill [il] *bn* **1** ziek, beroerd, ongezond: *fall* (of: *be taken*) *~* ziek worden **2** slecht, kwalijk: *~ fame* slechte naam; *~ health* slechte gezondheid **3** schadelijk, nadelig, ongunstig: *~ effects* nadelige gevolgen **4** vijandig, onvriendelijk: *~ feeling* haatdragendheid

³ill [il] *bw* **1** slecht, kwalijk, verkeerd: *~ at ease* slecht op zijn gemak **2** nauwelijks, amper, onvoldoende: *I can ~ afford the money* ik kan het geld eigenlijk niet missen

I'll [ajl] *samentr van I will, I shall*

ill-advised onverstandig

ill-bred onopgevoed, ongemanierd

ill-disposed **1** kwaadgezind, kwaadwillig **2** afkerig, onwillig: *~ towards a plan* gekant tegen een plan

illegal [illie:ĸl] onwettig, illegaal, onrechtmatig

illegality [illiĸelittie] onwettigheid, onrechtmatigheid

illegible [illedzjibl] onleesbaar

illegitimate [illidzjittimmet] **1** onrechtmatig, illegaal **2** onwettig *(van kind);* buitenechtelijk **3** ongewettigd, ongeldig

illicit [illissit] onwettig, illegaal, ongeoorloofd

illiteracy [illitteresie] analfabetisme, ongeletterdheid

illiterate [illitteret] ongeletterd, analfabeet

ill-mannered ongemanierd

ill-natured onvriendelijk

illness [ilnes] ziekte, kwaal

illogical [illodzjikl] onlogisch, ongerijmd, tegenstrijdig

ill-tempered slecht gehumeurd, humeurig

ill-timed misplaatst, op een ongeschikt ogenblik

illuminate [illoe:minneet] **1** *(ook fig)* verlichten, licht werpen op **2** met feestverlichting versieren

illumination [illoe:minneesjen] **1** verlichting; *(fig)* geestelijke verlichting **2** opheldering, verduidelijking **3** *~s* feestverlichting

illusion [illoe:zjen] **1** illusie, waandenkbeeld: *optical ~* gezichtsbedrog; *cherish the ~ that* de illusie koesteren dat; *be under an ~* misleid zijn **2** (zins)begoocheling, zelfbedrog

illusory [illoe:serie] denkbeeldig, bedrieglijk

illustrate [illestreet] illustreren, verduidelijken, toelichten

illustration [illestreesjen] illustratie, toelichting, afbeelding

illustrious [illustries] illuster, vermaard, gerenommeerd

I'm [ajm] *samentr van I am*

image [immidzj] **1** beeld, afbeelding, voorstelling **2** imago, reputatie: *corporate ~* bedrijfsimago

imaginable [imedzjinnebl] voorstelbaar, denkbaar, mogelijk

imagination [imedzjinneesjen] verbeelding(skracht), voorstelling(svermogen), fantasie

imagine [imedzjin] **1** zich verbeelden, zich indenken, fantaseren: *just ~ that!* stel je voor! **2** veronderstellen, aannemen

imam [imma:m] imam

imbalance [imbelens] onevenwichtigheid, wanverhouding

¹imbecile [imbesie:l] *zn* imbeciel, zwakzinnige, stommeling

²imbecile [imbesie:l] *bn* imbeciel, zwakzinnig, dwaas

imbue [imbjoe:] (door)drenken *(ook fig);* verzadigen, doordringen: *~d with hatred* van haat vervuld

imitate [immitteet] **1** nadoen, imiteren: *you should ~ your brother* neem een voorbeeld aan je broer **2** lijken op: *it is wood, made to ~ marble* het is hout dat eruitziet als marmer

imitation [immitteesjen] imitatie, navolging, namaak: *~ leather* kunstleer

immaculate [imekjoelet] **1** vlekkeloos, onbevlekt, zuiver: *(r-k) Immaculate Conception* onbevlekte ontvangenis **2** onberispelijk

immaterial [immetieriel] **1** onstoffelijk, immaterieel **2** onbelangrijk, irrelevant: *all that is ~ to me* dat is mij allemaal om het even

immature [immetsjoee] onvolgroeid, onrijp, onvolwassen

immeasurable [immezjerebl] onmetelijk, immens, oneindig

immediacy [immie:diesie] **1** nabijheid **2** dringendheid, urgentie, directheid

immediate [immie:diet] **1** direct, onmiddellijk, rechtstreeks: *an ~ reply* een onmiddellijk antwoord **2** nabij, dichtstbijzijnd, naast: *my ~ family* mijn naaste familie

¹immediately [immie:dietlie] *bw* meteen, onmiddellijk

²immediately [immie:dietlie] *vw* zodra

immemorial [immimmo:riel] onheuglijk, eeuwenoud, oeroud: *from time ~* sinds mensenheugenis

immense [immens] immens, onmetelijk, oneindig: *enjoy oneself ~ly* zich kostelijk amuseren

immerse [imme:s] **1** (onder)dompelen **2** verdiepen, absorberen, verzinken: *he ~s himself completely in his work* hij gaat helemaal op in zijn werk

immigrant [immiĸrent] immigrant

immigrate [immiĸreet] immigreren

immigration [immiĸreesjen] immigratie

imminence [imminnens] dreiging, nabijheid; nadering *(van gevaar)*

imminent [imminnent] dreigend, op handen zijnd: *a storm is ~* er dreigt onweer

immobile [immoobajl] onbeweeglijk, roerloos

im

immobilize [immoobillajz] onbeweeglijk maken, stilleggen, lamleggen, inactiveren
immoderate [immodderet] onmatig, overmatig, buitensporig
immodest [immoddist] **1** onbescheiden, arrogant **2** onfatsoenlijk, onbeschaamd
immoral [immorrel] immoreel, onzedelijk, verdorven
immortal [immo:tl] onsterfelijk
immortalize [immo:telajz] vereeuwigen
immune [imjoe:n] immuun, onvatbaar, bestand: ~ *against* (of: *from, to*) immuun voor; ~ *from punishment* vrijgesteld van straf
immune system immuunsysteem, natuurlijk afweersysteem
immunity [imjoe:nittie] onschendbaarheid: ~ *from taxation* vrijstelling van belasting
immutable [imjoe:tebl] onveranderbaar, onveranderlijk
im
imp [imp] **1** duiveltje **2** deugniet
impact [impekt] **1** schok, botsing, inslag: *on* ~ op het moment van een botsing **2** schokeffect, (krachtige) invloed, impact
impair [impee] schaden, benadelen, verslechteren: ~ *one's health* zijn gezondheid schaden
impaired [impeed] beschadigd, verzwakt: *visually* ~ visueel gehandicapt
impart [impa:t] **1** verlenen, verschaffen **2** meedelen, onthullen
impartial [impa:sjl] onpartijdig, neutraal, onbevooroordeeld
impassable [impa:sebl] onbegaanbaar
impassioned [impesjend] bezield, hartstochtelijk
impassive [impesiv] ongevoelig, gevoelloos, onbewogen; *(soms min)* hardvochtig; kil
impatient [impeesjent] **1** ongeduldig, geërgerd, onlijdzaam **2** begerig: *the child is ~ to see his mother* het kind popelt van ongeduld om zijn moeder te zien
impeachment [impie:tsjment] beschuldiging, aanklagingsprocedure
impeccable [impekkebl] **1** foutloos, feilloos, vlekkeloos **2** onberispelijk, smetteloos
impede [impie:d] belemmeren, (ver)hinderen
impediment [impeddimment] **1** beletsel, belemmering **2** (spraak)gebrek
impel [impel] **1** aanzetten, aanmoedigen **2** voortdrijven, voortstuwen
impending [impending] dreigend, aanstaand
impenetrable [impennitrebl] ondoordringbaar, ontoegankelijk; *(fig)* ondoorgrondelijk; onpeilbaar
[1]**imperative** [imperretiv] *zn* gebiedende wijs
[2]**imperative** [imperretiv] *bn* **1** noodzakelijk, vereist **2** verplicht, dwingend **3** gebiedend, autoritair
imperceptible [impeseptibl] onwaarneembaar, onmerkbaar, onzichtbaar
imperfect [impe:fikt] onvolmaakt, onvolkomen, gebrekkig
imperfection [impefeksjen] onvolkomenheid, gebrek, gebrekkigheid, onvolmaaktheid
imperial [impieriel] imperiaal, mbt een keizer(rijk), keizerlijk, rijks-, mbt het Britse rijk
imperialism [impierielizm] imperialisme, expansiedrang
impermeable [impe:miebl] ondoordringbaar, waterdicht
impersonal [impe:senl] **1** onpersoonlijk, zakelijk **2** niet menselijk
impersonate [impe:seneet] **1** vertolken, (de rol) spelen (van), imiteren **2** zich uitgeven voor
impertinent [impe:tinnent] onbeschaamd, brutaal
imperturbable [impete:bebl] onverstoorbaar, onwankelbaar
impervious [impe:vies] **1** ondoordringbaar **2** onontvankelijk, ongevoelig: ~ *to* ongevoelig voor
impetuous [impetjoees] onstuimig, impulsief, heetgebakerd
impetus [impittes] **1** impuls, stimulans **2** drijvende kracht, drijfkracht, stuwkracht, drijfveer
impinge (up)on [impindzj] **1** treffen, raken, inslaan in **2** beroeren, van invloed zijn op **3** inbreuk maken op
impish [impisj] ondeugend, schelms
implacable [implekebl] onverbiddelijk, onvermurwbaar
implant [impla:nt] **1** (in)planten, (in de grond) steken **2** inprenten, inhameren
implausible [implo:zibl] onaannemelijk, onwaarschijnlijk
[1]**implement** [impliment] *zn* werktuig, gereedschap, instrument
[2]**implement** [impliment] *ww* ten uitvoer brengen, toepassen, verwezenlijken: ~ *a new computer network* een nieuw computernetwerk in gebruik nemen
implicate [implikkeet] betrekken, verwikkelen
implication [implikkeesjen] **1** implicatie, (onuitgesproken) suggestie: *by* ~ bij implicatie **2** verwikkeling, betrokkenheid
implicit [implissit] **1** impliciet, onuitgesproken, stilzwijgend **2** onvoorwaardelijk: ~ *faith* onvoorwaardelijk geloof
implore [implo:] smeken, dringend verzoeken
imply [implaj] **1** impliceren, met zich meebrengen: *his refusal implies that ...* uit zijn weigering blijkt dat ... **2** suggereren, duiden op: *are you ~ing that you're going to resign?* wil je daarmee zeggen dat je ontslag gaat nemen?
impolite [impelajt] onbeleefd, onhoffelijk
imponderable [imponderebl] onvoorspelbaar
[1]**import** [impo:t] *zn* **1** invoerartikel **2** invoer, import
[2]**import** [impo:t] *ww* invoeren, importeren: ~ *cars from Japan into Europe* auto's uit Japan invoeren in Europa
important [impo:tent] belangrijk, gewichtig: ~ *to* belangrijk voor

importation [impo:teesjen] invoer(artikel), import(goederen)
impose [impooz] 1 opleggen, heffen, afdwingen: ~ *a task* een taak opleggen 2 opdringen: ~ *oneself* (of: *one's company*) *(up)on* zich opdringen aan
impose (up)on gebruik maken van, tot last zijn, een beroep doen op
imposing [impoozing] imponerend, indrukwekkend, ontzagwekkend
imposition [impezisjen] 1 heffing, belasting 2 (opgelegde) last, (zware) taak, druk 3 straf(taak), strafwerk
impossibility [impossibbillittie] onmogelijkheid
impossible [impossibl] onmogelijk: *an ~ situation* een hopeloze situatie; *that chap is ~ to get along with* die gozer is onmogelijk om mee om te gaan
impostor [imposte] bedrieger, oplichter
impotent [impetent] 1 machteloos, onmachtig 2 impotent
impoverish [impovverisj] verarmen, verpauperen
impracticable [imprektikkebl] onuitvoerbaar, onrealiseerbaar
impractical [imprektikl] onpraktisch, onhandig
imprecise [imprissajs] onnauwkeurig
impregnable [imprekneb l] onneembaar, onaantastbaar
impregnate [imprekneet] 1 zwanger maken 2 bevruchten
impress [impres] 1 bedrukken, afdrukken, indrukken, opdrukken 2 (een) indruk maken op, imponeren: *your boyfriend ~es us unfavourably* je vriendje maakt geen beste indruk op ons; *~ed at* (of: *by, with*) geïmponeerd door, onder de indruk van 3 inprenten
impression [impresjen] 1 afdruk, indruk 2 indruk, impressie: *make an ~ (on)* indruk maken (op); *under the ~ that...* in de veronderstelling dat...
impressive [impressiv] indrukwekkend, ontzagwekkend
imprint [imprint] (af)drukken, indrukken, stempelen; *(fig)* griffen; inprenten
imprisonment [imprizzenment] gevangenneming, gevangenschap
improbability [improbbebillittie] onwaarschijnlijkheid
improbable [improbbebl] onwaarschijnlijk, onaannemelijk
[1]**impromptu** [impromptjoe:] *bn* onvoorbereid, geïmproviseerd
[2]**impromptu** [impromptjoe:] *bw* voor de vuist (weg), spontaan
improper [improppe] 1 ongepast, misplaatst 2 onfatsoenlijk, oneerbaar
impropriety [impreprajjetie] 1 ongepastheid 2 onfatsoenlijkheid
improve [improe:v] vooruitgaan, beter worden: *his health is improving* zijn gezondheid gaat vooruit
improvement [improe:vment] verbetering, vooruitgang: *that is quite an ~* dat is een stuk beter; *an ~ in the weather* een weersverbetering
improve (up)on overtreffen: ~ *a previous performance* een eerdere prestatie overtreffen
improvident [improvviddent] zorgeloos, verkwistend
improvisation [imprevajzeesjen] improvisatie
improvise [imprevajz] improviseren, in elkaar flansen
impudent [impjoedent] schaamteloos, brutaal
impulse [impuls] 1 impuls, puls, stroomstoot 2 opwelling, inval, impuls(iviteit): *act on ~* impulsief handelen
impulsive [impulsiv] impulsief
impunity [impjoe:nittie] straffeloosheid: *with ~* straffeloos, ongestraft
impure [impjoee] 1 onzuiver, verontreinigd 2 onzedig
impute [impjoe:t] toeschrijven, wijten, aanwrijven
[1]**in** [in] *bn* 1 intern, inwonend, binnen- 2 populair, modieus, in 3 exclusief: *in-crowd* kliekje, wereldje
[2]**in** [in] *bw* binnen, naar binnen, erheen: *built-in* ingebouwd; *fit sth. in* iets (er)in passen; *the police moved in* de politie kwam tussenbeide
[3]**in** [in] *vz* 1 in: *in my opinion* naar mijn mening; *play in the street* op straat spelen 2 *(richting; ook fig)* in, naar, ter: *in aid of* ten voordele van 3 *(tijd)* in, binnen: *in a few minutes* over enkele minuten; *in all those years* gedurende al die jaren 4 *(activiteit, beroep)* wat betreft, in: *the latest thing in computers* het laatste snufje op het gebied van computers 5 *(verhouding, maat, graad)* in, op, uit: *sell in ones* per stuk verkopen; *one in twenty* één op twintig 6 *(in de vorm van)* als: *buy in instalments* op afbetaling kopen 7 in zover dat, in, met betrekking tot, doordat, omdat: *he resembles you in being very practical* hij lijkt op jou in zoverre dat hij heel praktisch is || *he was in charge of* hij was verantwoordelijk voor; *in honour of* ter ere van
inability [innebillittie] onvermogen, onmacht
inaccessible [inneksessibl] ontoegankelijk, onbereikbaar
inaccurate [inekjoeret] 1 onnauwkeurig 2 foutief
inadequacy [inedikwesie] ontoereikendheid, tekort, tekortkoming, gebrek
inadequate [inedikwet] ontoereikend, onvoldoende, ongeschikt
inadmissible [innedmissibl] ontoelaatbaar, ongeoorloofd: ~ *evidence* ontoelaatbaar bewijs
inadvertent [innedve:tent] 1 onoplettend, nonchalant 2 onopzettelijk: *I dropped it ~ly* ik heb het per ongeluk laten vallen
inane [inneen] leeg, inhoudloos, zinloos
inanimate [inenimmet] levenloos, dood
inapplicable [ineplikkebl] ontoepasselijk, ontoe-

pasbaar, onbruikbaar
inappropriate [inneproopriet] ongepast, onbehoorlijk, misplaatst
inapt [inept] **1** ontoepasselijk, ongeschikt **2** onbekwaam, on(des)kundig, onhandig
inarticulate [inna:tikjoelet] **1** onduidelijk (uitgesproken), onverstaanbaar, onsamenhangend **2** onduidelijk sprekend
inasmuch as aangezien, omdat
inattentive [innetentiv] onoplettend, achteloos
inaudible [inno:dibl] onhoorbaar
inaugurate [inno:kjoereet] installeren, inaugureren, (in een ambt, functie) bevestigen
inauguration [inno:kjoereesjen] installatie(plechtigheid), inauguratie, inhuldiging
inborn [inbo:n] aangeboren
inbound [inbaund] *(Am)* binnenkomend, thuiskomend, inkomend, binnenlopend
inbreeding [inbrie:ding] inteelt

in

Inc *(Am) afk van Incorporated* nv, naamloze vennootschap
incalculable [inkelkjoelebl] **1** onberekenbaar **2** onvoorspelbaar
incandescent [inkendesnt] **1** gloeiend: *~ lamp* gloeilamp **2** kwaad, woedend
incapable [inkeepebl] onbekwaam, machteloos: *drunk and ~* dronken en onbekwaam; *be ~ of* niet in staat zijn tot, niet kunnen
incapacity [inkepesittie] onvermogen, onmacht: *~ for work* arbeidsongeschiktheid
incarnate [inka:net] vleesgeworden, lijfelijk: *the devil ~* de duivel in eigen persoon
incautious [inko:sjes] onvoorzichtig
[1]**incendiary** [insendierie] *zn* **1** brandstichter **2** opruier
[2]**incendiary** [insendierie] *bn* **1** brandgevaarlijk, (licht) ontvlambaar: *~ bomb* brandbom **2** opruiend
[1]**incense** [insens] *zn* wierook(geur)
[2]**incense** [insens] *ww* kwaad, boos maken: *~d at* (of: *by*) zeer boos over
incentive [insentiv] **1** stimulans, aansporing, motief **2** (prestatie)premie, toeslag, aanmoedigingspremie
incessant [insesnt] onophoudelijk, voortdurend, aanhoudend
incest [insest] incest, bloedschande
[1]**inch** [intsj] *zn* (Engelse) duim *(25,4 mm);* inch: *not budge* (of: *give, yield*) *an ~* geen duimbreed wijken; *every ~ a gentleman* op-en-top een heer || *give him an ~ and he'll take a mile* als je hem een vinger geeft neemt hij de hele hand; *~ by ~* beetje bij beetje; *we came within an ~ of death* het scheelde maar een haar of we waren dood geweest
[2]**inch** [intsj] *ww* schuifelen, langzaam voortgaan: *~ forward through a crowd* zich moeizaam een weg banen door een menigte
incidence [insiddens] (mate van) optreden, frequentie: *a high ~ of disease* een hoog ziektecijfer
incident [insiddent] incident, voorval, gebeurtenis
incidental [insiddentl] bijkomend, begeleidend, bijkomstig: *~ expenses* onvoorziene uitgaven; *~ to* samenhangend met, gepaard gaande met
incidentally [insiddentelie] **1** terloops **2** overigens, trouwens, tussen twee haakjes
incident room meldkamer
incinerate [insinnereet] (tot as) verbranden, verassen
incipient [insippient] beginnend, begin-
incision [insizjen] insnijding, inkerving, snee; *(med)* incisie
incisive [insajsiv] **1** scherp(zinnig) **2** doortastend
incisor [insajze] snijtand
incite [insajt] **1** opwekken, aanzetten, aansporen **2** bezielen, opstoken, ophitsen
inclement [inklemment] guur, stormachtig
inclination [inklinneesjen] **1** neiging, voorkeur: *have an ~ to get fat* aanleg hebben om dik te worden **2** geneigdheid, zin
[1]**incline** [inklajn] *zn* helling, glooiing
[2]**incline** [inklajn] *intr* neigen, geneigd zijn, een neiging hebben: *I ~ to think so* ik neig tot die gedachte
[3]**incline** [inklajn] *tr* **1** (neer)buigen, neigen: *~ one's head* het hoofd neigen **2** beïnvloeden, aanleiding geven: *I am ~d to think so* ik neig tot die gedachte
inclose [inklooz] *zie* enclose
include [inkloe:d] **1** omvatten, bevatten, insluiten: *the price ~s freight* de prijs is inclusief vracht; *(spott) ~ out* uitsluiten, niet meerekenen **2** (mede) opnemen, bijvoegen, toevoegen
including [inkloe:ding] inclusief: *10 days ~ today* 10 dagen, vandaag meegerekend; *up to and ~* tot en met
inclusive [inkloe:siv] inclusief: *pages 60 to 100 ~* pagina 60 tot en met 100
incoherent [inkoohierent] incoherent, onsamenhangend
income [ingkum] inkomen, inkomsten: *live within one's ~* niet te veel uitgeven, rondkomen
incoming [inkumming] **1** inkomend, aankomend, binnenkomend: *~ tide* opkomend tij **2** opvolgend, komend: *the ~ tenants* de nieuwe huurders
incomparable [inkomperebl] onvergelijkelijk, onvergelijkbaar
incompatible [inkempetibl] onverenigbaar, (tegen)strijdig, tegengesteld
incompetent [inkompittent] onbevoegd, onbekwaam
incomplete [inkemplie:t] **1** onvolledig, incompleet **2** onvolkomen, onvoltooid
incomprehensible [inkomprihhensibl] onbegrijpelijk, ondoorgrondelijk
inconceivable [inkensie:vebl] onvoorstelbaar, ondenkbaar
inconclusive [inkenkloe:siv] **1** niet doorslagge-

vend, onovertuigend **2** onbeslist
incongruity [inkenǩroe:ittie] ongerijmdheid
incongruous [inkongǩroees] **1** ongerijmd, strijdig **2** ongelijksoortig
inconsiderable [inkensidderebl] onaanzienlijk, onbetekenend
inconsiderate [inkensidderet] onattent, onnadenkend
inconsistent [inkensistent] **1** inconsistent, onlogisch **2** onverenigbaar, strijdig
inconsolable [inkensoolebl] ontroostbaar
incontinent [inkontinnent] incontinent
incontrovertible [inkontreve:tibl] onweerlegbaar, onomstotelijk
[1]**inconvenience** [inkenvie:niens] *zn* ongemak, ongerief
[2]**inconvenience** [inkenvie:niens] *ww* overlast bezorgen, ongelegen komen
inconvenient [inkenvie:nient] storend, ongelegen
incorporate [inko:pereet] **1** opnemen, verenigen, incorporeren **2** omvatten, bevatten: *this theory ~s new ideas* deze theorie omvat nieuwe ideeën
incorrect [inkerekt] incorrect, onjuist, verkeerd, ongepast
[1]**increase** [ingkrie:s] *zn* **1** toename, groei, aanwas: *be on the ~* toenemen **2** verhoging, stijging
[2]**increase** [inkrie:s] *intr* toenemen, (aan)groeien, stijgen
[3]**increase** [inkrie:s] *tr* vergroten, verhogen
incredible [inkreddibl] ongelofelijk, ongeloofwaardig; *(inform)* verbluffend (goed)
incredulity [inkridjoe:littie] ongelovigheid
incredulous [inkredjoeles] ongelovig
increment [ingkrimment] **1** toename, (waarde)vermeerdering **2** periodiek *(van salaris)*; periodieke verhoging
incriminate [inkrimminneet] **1** beschuldigen, aanklagen **2** bezwaren, als de schuldige aanwijzen: *incriminating statements* bezwarende verklaringen
incubation [ingkjoebeesjen] **1** uitbroeding **2** broedperiode **3** incubatie(tijd)
[1]**incumbent** [inkumbent] *zn* bekleder ve kerkelijk ambt
[2]**incumbent** [inkumbent] *bn* zittend, in functie zijnd: *(Am) the ~ governor* de zittende gouverneur
incur [inke:] oplopen, zich op de hals halen: *~ large debts* zich diep in de schulden steken; *~ expenses* onkosten maken
incurable [inkjoeerebl] ongeneeslijk: *~ pessimism* onuitroeibaar pessimisme
incursion [inke:sjen] inval, invasie, strooptocht: *(fig) an ~ upon s.o.'s privacy* een inbreuk op iemands privacy
indebted [indettid] schuldig, verschuldigd: *be ~ to s.o. for ...* iem dank verschuldigd zijn voor ...
indecency [indie:sensie] onfatsoenlijkheid
indecent [indie:snt] onfatsoenlijk, onbehoorlijk, indecent
indecision [indissizjen] **1** besluiteloosheid **2** aarzeling
indecisive [indissajsiv] **1** niet afdoend: *the battle was ~* de slag was niet beslissend **2** besluiteloos, weifelend
indeed [indie:d] **1** inderdaad: *is it blue? ~ it is* is het blauw? inderdaad **2** in feite, sterker nog: *I don't mind. ~, I would be pleased* ik vind het best. Sterker nog, ik zou het leuk vinden **3** *(na een te benadrukken woord)* echt: *that's a surprise ~* dat is echt een verrassing || *very kind ~* werkelijk zeer vriendelijk
indefatigable [indifetiǩebl] onvermoeibaar
indefinite [indeffinnit] **1** onduidelijk, onbestemd, vaag: *postponed ~ly* voor onbepaalde tijd uitgesteld **2** onbepaald *(ook taalk)*: *~ article* onbepaald lidwoord; *~ pronoun* onbepaald voornaamwoord **3** onzeker, onbeslist
indelible [indellibl] onuitwisbaar
indelicate [indellikket] **1** onbehoorlijk **2** smakeloos, grof **3** tactloos
indemnity [indemnittie] **1** schadeloosstelling, herstelbetaling(en) **2** garantie, (aansprakelijkheids)verzekering **3** vrijstelling *(van straf)*; vrijwaring
[1]**indent** [indent] *zn* **1** inspringing **2** orderbrief
[2]**indent** [indent] *intr* een schriftelijke bestelling doen
[3]**indent** [indent] *tr* kartelen, kerven, inkepen: *an ~ed coastline* een grillige kustlijn
[4]**indent** [indent] *tr, intr* (laten) inspringen *(regel)*
indentation [indenteesjen] **1** keep, snee **2** inspringing **3** inham, fjord **4** karteling, insnijding
independence [indippendens] onafhankelijkheid
independent [indippendent] **1** onafhankelijk, partijloos: *of ~ means* financieel onafhankelijk; *~ school* particuliere school **2** vrijstaand
indescribable [indiskrajbebl] onbeschrijfelijk, niet te beschrijven
indestructible [indistruktibl] onverwoestbaar
indeterminate [inditte:minnet] **1** onbepaald, onbeslist **2** onbepaalbaar **3** onduidelijk, vaag
index [indeks] **1** index *(ook nat)*; indexcijfer, verhoudingscijfer **2** (bibliotheek)catalogus **3** register, index || *~ finger* wijsvinger
[1]**Indian** [indien] *zn* **1** Indiër **2** indiaan: *American ~* indiaan; *Red ~* indiaan
[2]**Indian** [indien] *bn* **1** Indiaas, Indisch **2** indiaans || *~ corn* mais; *in ~ file* in ganzenmars; *~ ink* Oost-Indische inkt; *~ summer* Indian summer *((warme) nazomer)*
indicate [indikkeet] **1** duiden op, een teken zijn van, voor **2** te kennen geven **3** de noodzaak aantonen van
indication [indikkeesjen] aanwijzing, indicatie, teken: *there is little ~ of improvement* er is weinig

dat op een verbetering duidt
indicator [indikkeete] richtingaanwijzer
indices [indissie:z] *mv van* index
indictment [indajtment] **1** (aan)klacht **2** (staat van) beschuldiging
indifferent [indifferent] **1** onverschillig: ~ *to hardship* ongevoelig voor tegenspoed **2** (middel)matig
indigenous [indidzjinnes] **1** inheems: *plants ~ to this island* op dit eiland thuishorende planten **2** aangeboren, geboren
indigestion [indidzjestsjen] indigestie
indignation [indiknеesjen] verontwaardiging
indignity [indiknittie] vernedering, belediging, hoon
indirect [indirrekt] indirect, niet rechtstreeks: *(taalk) ~ object* meewerkend voorwerp
indiscretion [indiskresjen] indiscretie, onbescheidenheid: *an ~ of his youth* een misstap uit zijn jeugd
indiscriminate [indiskrimminnet] **1** kritiekloos, onzorgvuldig **2** lukraak: *deal out ~ blows* in het wilde weg om zich heen slaan
indispensable [indispensebl] onmisbaar, essentieel
indisposition [indispezisjen] **1** ongesteldheid, onpasselijkheid **2** ongenegenheid, onwil(ligheid)
indisputable [indispjoe:tebl] onbetwistbaar
indistinct [indistingkt] onduidelijk, vaag
[1]**individual** [indivvidjoeel] *zn* individu; *(inform)* figuur; type
[2]**individual** [indivvidjoeel] *bn* **1** individueel, persoonlijk, eigen: *I can't thank you all ~ly* ik kan u niet ieder afzonderlijk bedanken **2** afzonderlijk: *give ~ attention to* persoonlijke aandacht besteden aan
indivisible [indivvizzibl] ondeelbaar
indocility [indoosillittie] hardleersheid
indoctrinate [indoktrinneet] indoctrineren
indolence [indelens] traagheid, sloomheid
indomitable [indommittebl] ontembaar, onbedwingbaar
Indonesia [indoonie:zie] Indonesië
[1]**Indonesian** [indenie:zjen] *zn* Indonesiër
[2]**Indonesian** [indenie:zjen] *bn* Indonesisch
indoor [indo:] binnen-: ~ *aerial* kamerantenne; ~ *sports* zaalsporten
indoors [indo:z] binnen: *let's go ~* laten we naar binnen gaan
induce [indjoe:s] **1** bewegen tot, brengen tot: *our reduced prices will ~ people to buy* onze verlaagde prijzen zullen de mensen tot kopen bewegen; *nothing will ~ me to give in* nooit zal ik toegeven **2** teweegbrengen, veroorzaken, leiden tot; opwekken *(weeën)*
induction [induksjen] **1** installatie, inhuldiging, bevestiging **2** opwekking *(van weeën)* **3** opgewekte geboorte **4** introductie(cursus)
inductive [induktiv] **1** aanleiding gevend, veroorzakend **2** inductief
[1]**indulge** [induldzj] *intr* zich laten gaan, zich te goed doen; *(inform)* zich te buiten gaan aan drank (eten): ~ *in* zich (de luxe) permitteren (van)
[2]**indulge** [induldzj] *tr* **1** toegeven aan **2** (zich) uitleven (in)
indulgence [induldzjens] **1** mateloosheid: ~ *in strong drink* overmatig drankgebruik **2** toegeeflijkheid
indulgent [induldzjent] toegeeflijk, inschikkelijk
industrial [industriel] **1** industrieel **2** geïndustrialiseerd: *the ~ nations* de industrielanden **3** de industriearbeid(ers) betreffende: ~ *dispute* arbeidsconflict
industrialization [industrielajzeesjen] industrialisatie
industrious [industries] vlijtig, arbeidzaam
industry [indestrie] **1** industrie **2** bedrijfsleven **3** vlijt, (werk)ijver
inedible [inneddibl] oneetbaar
ineffective [inniffektiv] **1** ineffectief **2** inefficiënt, ondoelmatig, onbekwaam
ineffectual [inniffektsjoeel] **1** vruchteloos, vergeefs **2** ongeschikt
inefficient [inniffisjent] inefficiënt, ondoelmatig, onpraktisch
ineligible [innellidzjibl] ongeschikt: ~ *to vote* niet stemgerechtigd
inept [innept] **1** absurd, dwaas **2** onbeholpen, onbekwaam
inequality [innikwollittie] ongelijkheid, verschil
inequitable [innekwittebl] onrechtvaardig
ineradicable [inniredikkebl] onuitroeibaar, onuitwisbaar
inert [inne:t] inert, traag, mat: ~ *gas* edel gas
inestimable [innestimmebl] onschatbaar
inevitable [innevvittebl] onvermijdelijk, onontkoombaar, onafwendbaar
inexact [innikzekt] onnauwkeurig
inexhaustible [innikzo:stibl] **1** onuitputtelijk **2** onvermoeibaar
inexorable [innekserebl] onverbiddelijk
inexpensive [innikspensiv] voordelig, goedkoop
inexperienced [innikspierienst] onervaren
inexplicable [inniksplikkebl] onverklaarbaar
infallible [infelibl] **1** onfeilbaar **2** feilloos: *infallibly, she makes the wrong choice* ze doet steevast de verkeerde keus
infamous [infemes] **1** berucht **2** schandelijk
infamy [infemie] **1** beruchtheid **2** schanddaad
infancy [infensie] **1** kindsheid, eerste jeugd **2** beginstadium: *in its ~* in de kinderschoenen
[1]**infant** [infent] *zn* jong kind
[2]**infant** [infent] *bn* kinder-: ~ *prodigy* wonderkind
infantile [infentajl] **1** infantiel, kinderachtig, onvolwassen **2** kinder-: ~ *paralysis* kinderverlamming
infantry [infentrie] infanterie, voetvolk
infant school kleuterschool

infatuated [infetjoe·eetid] gek, dol, (smoor)verliefd: *be ~ with s.o. (sth.)* gek zijn op iem (iets)
infect [infekt] **1** besmetten *(ook fig)*; infecteren **2** vervuilen, bederven
infection [infeksjen] infectie, infectieziekte
infectious [infeksjes] **1** besmettelijk **2** aanstekelijk
infer [infe:] **1** (met *from*) concluderen (uit), afleiden, opmaken **2** impliceren, inhouden
[1]**inferior** [infierie] *zn* ondergeschikte
[2]**inferior** [infierie] *bn* **1** lager, minder, ondergeschikt **2** inferieur, minderwaardig: *~ goods* goederen van mindere kwaliteit; *be ~ to* onderdoen voor
inferiority [infierie·orrittie] minderwaardigheid
infernal [infe:nl] **1** hels, duivels **2** afschuwelijk, vervloekt
infest [infest] teisteren, onveilig maken: *be ~ed with* vergeven zijn van
infidel [infidl] ongelovige
infiltrate [infiltreet] *(met into)* infiltreren (in), tersluiks binnendringen
[1]**infinite** [infinnit] *zn* oneindigheid: *the ~* het heelal; *the Infinite* God
[2]**infinite** [infinnit] *bn* **1** oneindig, onbegrensd **2** buitengemeen groot
infinitesimal [infinnittessiml] oneindig klein || *~ calculus* infinitesimaalrekening
infinitive [infinnittiv] infinitief
infinity [infinnittie] oneindigheid, grenzeloosheid
infirm [infe:m] zwak: *~ of purpose* besluiteloos
infirmary [infe:merie] ziekenhuis, ziekenafdeling, ziekenzaal
infirmity [infe:mittie] **1** zwakheid **2** gebrek, kwaal
[1]**inflame** [infleem] *tr* opwinden, kwaad maken: *~d with rage* in woede ontstoken
[2]**inflame** [infleem] *tr, intr* ontsteken, ontstoken raken: *an ~d eye* een ontstoken oog
inflammable [inflemebl] ontvlambaar, zeer brandbaar; *(fig)* opvliegend
inflammation [inflemeesjen] ontsteking, ontbranding
inflate [infleet] **1** opblazen, doen zwellen **2** inflateren; kunstmatig opdrijven *(bijv. prijzen)*
inflation [infleesjen] **1** het opblazen **2** *(econ)* inflatie: *galloping ~* wilde inflatie
inflect [inflekt] *(taalk)* verbuigen, vervoegen
inflexible [infleksibl] onbuigbaar *(ook fig)*; onbuigzaam
inflict [inflikt] **1** opleggen, opdringen: *~ a penalty (up)on s.o.* iem een straf opleggen **2** toedienen, toebrengen: *~ a blow (up)on s.o.* iem een klap geven **3** teisteren
[1]**influence** [infloeens] *zn* **1** invloed, inwerking, macht: *~ on* (of: *upon*) (onbewuste) invloed op **2** protectie; *(inform)* kruiwagen || *(inform) under the ~* onder invloed
[2]**influence** [infloeens] *ww* beïnvloeden, invloed hebben op
influential [infloe·ensjl] invloedrijk
influenza [infloe·enze] influenza, griep
influx [influks] toevloed, instroming
info [infoo] *verk van information* info, informatie
inform [info:m] **1** informeren, op de hoogte stellen: *~ s.o. about* (of: *of*) iem inlichten over **2** berichten, meedelen
informal [info:ml] **1** informeel, niet officieel **2** ongedwongen: *~ speech* spreektaal
informant [info:ment] informant, zegsman
informatics [infemetiks] informatica
information [infemeesjen] informatie, inlichting(en), voorlichting: *obtain ~* informatie inwinnen
informative [info:metiv] informatief, leerzaam
informed [info:md] ingelicht: *ill-informed* slecht op de hoogte
informer [info:me] geheim agent, politiespion
infrastructure [infrestruktsje] infrastructuur
infrequent [infrie:kwent] zeldzaam
[1]**infringe** [infrindzj] *intr (*met *(up)on)* inbreuk maken (op)
[2]**infringe** [infrindzj] *tr* schenden; overtreden *(overeenkomst e.d.)*
infuriate [infjoeerie·eet] razend maken
infuse [infjoe:z] **1** (in)gieten, ingeven **2** bezielen, inprenten, storten: *~ courage into s.o., ~ s.o. with courage* iem moed inblazen
ingenious [indzjie:nies] ingenieus, vernuftig
ingenuity [indzjinjoe:ittie] **1** vindingrijkheid, vernuft **2** ingenieuze uitvinding
ingenuous [indzjenjoees] **1** argeloos, naïef, onschuldig, ongekunsteld **2** eerlijk, openhartig
ingot [ingket] baar, (goud)staaf, ingot
ingrained [inkreend] **1** ingeworteld **2** verstokt, doortrapt
ingratiate [inkreesjie·eet] bemind maken: *~ oneself with s.o.* bij iem in de gunst trachten te komen
ingratitude [inkretitjoe:d] ondankbaarheid
ingredient [inkrie:dient] ingrediënt
ingrown [inkroon] ingegroeid *(van nagels)*: *(fig) ~ habit* vaste gewoonte
inhabit [inhebit] bewonen, wonen in
inhabitant [inhebittent] bewoner, inwoner
inhale [inheel] inademen, inhaleren
inherent [inhierent] inherent, intrinsiek, eigen: *violence is ~ in a dictatorship* geweld is inherent aan een dictatuur
inherit [inherrit] erven, erfgenaam zijn; meekrijgen *(eigenschappen e.d.)*
inheritance [inherrittens] **1** erfenis, nalatenschap **2** (over)erving
inhibit [inhibbit] **1** verbieden, ontzeggen **2** hinderen, onderdrukken: *~ s.o. from doing sth.* iem beletten iets te doen
inhospitable [inhospittebl] ongastvrij
inhumanity [inhjoe:menittie] wreedheid
inimical [innimmikl] **1** vijandig **2** (met *to*) schadelijk (voor)

inimitable [innimmittebl] onnavolgbaar, weergaloos
iniquity [innikwittie] onrechtvaardigheid, ongerechtigheid, zonde
[1]**initial** [innisjl] *zn* initiaal, beginletter, hoofdletter, voorletter: *~s* paraaf
[2]**initial** [innisjl] *bn* begin-, eerste, initiaal: *~ capital* grondkapitaal; *~ stage* beginstadium
initially [innisjelie] aanvankelijk, eerst, in het begin
initiate [innisjie·eet] **1** beginnen, in werking stellen **2** (met *into*) inwijden (in)
initiative [innisjietiv] initiatief: *on one's own ~* op eigen initiatief
inject [indzjekt] **1** injecteren **2** inbrengen, introduceren: *~ a little life into a community* een gemeenschap wat leven inblazen
injection [indzjeksjen] injectie *(ook fig)*; stimulans
injure [indzje] **1** (ver)wonden, kwetsen, blesseren: *twelve people were ~d* er vielen twaalf gewonden **2** kwaad doen, benadelen, beledigen
injury [indzjerie] **1** verwonding, letsel, blessure: *suffer minor injuries* lichte verwondingen oplopen **2** mishandeling **3** schade, onrecht
injustice [indzjustis] onrechtvaardigheid: *do s.o. an ~* iem onrecht doen
ink [ingk] inkt *(ook van inktvis)*; drukinkt
inkling [ingkling] flauw vermoeden, vaag idee: *he hasn't an ~ of what goes on* hij heeft geen idee van wat er gebeurt
[1]**inland** [inlend] *bn* binnenlands: *~ navigation* binnen(scheep)vaart
[2]**inland** [inlend] *bw* landinwaarts
Inland Revenue **1** staatsbelastinginkomsten **2** belastingdienst
in-law [inlo:] aangetrouwd familielid: *my ~s* mijn schoonouders, schoonfamilie
inlay [inlee] **1** inlegsel, inlegwerk, mozaïek **2** informatieblad, informatieboekje bij cd
inlet [inlet] **1** inham, kreek **2** inlaat *(voor vloeistoffen)*; toegang
in-line skate [inlajnskeet] skate
inmate [inmeet] (mede)bewoner, kamergenoot, huisgenoot, patiënt, gevangene
inmost [inmoost] **1** binnenst **2** diepst, geheimst
inn [in] **1** herberg **2** taveerne, kroeg
innards [innedz] ingewanden
innate [inneet] aangeboren, ingeboren
inner [inne] **1** binnenst, innerlijk: *~ city: a)* binnenstad; *b)* verpauperde stadskern; *~ tube* binnenband **2** verborgen, intiem: *~ life* gemoedsleven; *the ~ meaning* de diepere betekenis
innings [inningz] *(cricket)* slagbeurt, innings
innkeeper waard
innocence [innesns] onschuld
innocent [innesnt] onschuldig, schuldeloos
innocuous [innokjoees] onschadelijk
innovate [inneveet] vernieuwen
innovation [inneveesjen] vernieuwing, innovatie
innuendo [injoe·endoo] *(mv: ook ~es)* (bedekte) toespeling
innumerable [injoe:merebl] ontelbaar, talloos
inoculation [innokjoeleesjen] inenting *(met vaccin)*
inoffensive [innefensiv] onschuldig, onschadelijk, geen ergernis wekkend
inopportune [innoppetjoe:n] ongelegen (komend)
inorganic [inno:kenik] anorganisch
in-patient (intern verpleegd) patiënt
input [inpoet] **1** toevoer, invoer, inbreng **2** invoer, input
inquest [ingkwest] **1** gerechtelijk onderzoek, lijkschouwing **2** jury voor lijkschouwing
[1]**inquire** [inkwajje] *intr* (met *into*) een onderzoek instellen (naar)
[2]**inquire** [inkwajje] *tr, intr* (na)vragen, onderzoeken: *~ after* (of: *for*) *s.o.* naar iemands gezondheid informeren; *~ of s.o.* bij iem informeren
inquiry [inkwajjerie] (met *into*) onderzoek (naar), (na)vraag, enquête, informatie: *make inquiries* inlichtingen inwinnen; *on ~* bij navraag
inquisition [ingkwizzisjen] (gerechtelijk) onderzoek, ondervraging: *the Inquisition* de inquisitie
inquisitive [inkwizzittiv] nieuwsgierig, benieuwd
ins [inz]: *the ~ and outs* de fijne kneepjes (van het vak), de details
insane [inseen] krankzinnig *(ook fig)*; onzinnig
insanitary [insenitterie] **1** ongezond **2** smerig, besmet
insanity [insenittie] krankzinnigheid, waanzin
insatiable [inseesjebl] onverzadigbaar
inscribe [inskrajb] **1** (met *in(to), on*) (in)schrijven (in), (in)graveren; *(fig)* (in)prenten **2** opdragen; van een opdracht voorzien *(boek enz.)*
inscription [inskripsjen] **1** inscriptie, opschrift **2** opdracht *(in boek enz.)*
inscrutable [inskroe:tebl] ondoorgrondelijk, raadselachtig
insect [insekt] **1** insect **2** (nietig) beestje; *(fig)* onderkruiper
insecticide [insektissajd] insecticide, insectenvergif
insecure [insikjoee] **1** onveilig, instabiel, wankel **2** onzeker, bang
insemination [insemminneesjen] bevruchting, inseminatie: *artificial ~* kunstmatige inseminatie
insensible [insensibl] **1** onwaarneembaar, onmerkbaar **2** gevoelloos, bewusteloos **3** ongevoelig, onbewust: *be ~ of the danger* zich niet van het gevaar bewust zijn
insensitive [insensittiv] ongevoelig, gevoelloos: *~ to the feelings of others* onverschillig voor de gevoelens van anderen
inseparable [inseppereb l] on(af)scheidbaar, onafscheidelijk

[1]**insert** [inse:t] *zn* tussenvoegsel, bijlage, inzetstuk, bijsluiter
[2]**insert** [inse:t] *ww* inzetten, inbrengen; *(comp)* invoegen: ~ *a coin* een muntstuk inwerpen
insertion [inse:sjen] **1** insertie, inplanting **2** tussenvoeging; plaatsing *(in krant)* **3** tussenzetsel, inzetstuk
inset [inset] **1** bijvoegsel, (losse) bijlage, inlegvel, inlegvellen **2** inzetsel, tussenzetsel
[1]**inside** [insajd] *zn* binnenkant, binnenste; huizenkant *(van trottoir of weg)*
[2]**inside** [insajd] *bn* **1** binnen-: *the ~ track* de binnenbaan, *(Am)* voordelige positie, voordeel **2** van ingewijden, uit de eerste hand: ~ *information* inlichtingen van ingewijden || ~ *job* inbraak door bekenden
[3]**inside** [insajd] *bw* **1** *(plaats en richting; ook fig)* (naar) binnen, aan de binnenkant: *turn sth. ~ out* iets binnenstebuiten keren **2** *(inform)* in de bak
[4]**inside** [insajd] *vz* **1** *(plaats)* (binnen)in **2** *(tijd)* binnen, (in) minder dan: ~ *an hour* binnen een uur
insider [insajde] ingewijde
insidious [insiddies] verraderlijk, geniepig, bedrieglijk
insight [insajt] *(met into)* inzicht (in), begrip (van)
insignia [insiǩnie] insignes, onderscheidingstekenen
insignificant [insiǩniffikkent] onbeduidend, onbelangrijk, gering
insincere [insinsie] onoprecht, hypocriet
insinuate [insinjoe·eet] insinueren, toespelingen maken, indirect suggereren: *what are you insinuating?* wat wil je daarmee zeggen? || *he was trying to ~ himself into the minister's favour* hij probeerde bij de minister in de gunst te komen
insipid [insippid] **1** smakeloos, flauw **2** zouteloos, banaal, nietszeggend
insist [insist] *(met (up)on)* (erop) aandringen, volhouden, erop staan: *I ~ (up)on an apology* ik eis een verontschuldiging
insistence [insistens] **1** aandrang, eis **2** volharding, vasthoudendheid
insistent [insistent] vasthoudend, dringend, hardnekkig
insofar as voor zover
insolent [inselent] onbeschaamd, schaamteloos, brutaal
insoluble [insoljoebl] onoplosbaar
insolvent [insolvent] insolvent, niet in staat om geldelijke verplichtingen na te komen
insomnia [insomnie] slapeloosheid
insomuch as zodanig dat, aangezien, daar
insouciance [insoe:siens] zorgeloosheid, onverschilligheid
inspect [inspekt] inspecteren, onderzoeken, keuren
inspection [inspeksjen] inspectie, onderzoek, controle: *on ~: a)* ter inzage; *b)* bij nader onderzoek
inspector [inspekte] inspecteur, opzichter, controleur
inspiration [inspirreesjen] **1** inspiratie **2** *(inform)* inval, ingeving
inspire [inspajje] **1** inspireren, bezielen **2** opwekken, doen ontstaan
instability [instebillittie] onvastheid, instabiliteit
install [insto:l] **1** installeren; plechtig bevestigen *(in ambt, waardigheid)* **2** installeren, aanbrengen, plaatsen: ~ *central heating* centrale verwarming aanleggen || ~ *oneself* zich installeren, zich nestelen
installation [insteleesjen] **1** toestel, installatie, apparaat **2** installatie; plechtige bevestiging *(in ambt, waardigheid)* **3** installering, vestiging **4** aanleg, installering, montage
instalment [insto:lment] **1** (afbetalings)termijn **2** aflevering *(van verhaal, tv-programma enz.)*
instance [instens] geval, voorbeeld: *for ~* bijvoorbeeld || *in the first ~* in eerste instantie, in de eerste plaats
[1]**instant** [instent] *zn* moment, ogenblik(je): *the ~ (that) I saw her* zodra ik haar zag
[2]**instant** [instent] *bn* **1** onmiddellijk, ogenblikkelijk: *an ~ replay* een herhaling *(van televisiebeelden)* **2** kant-en-klaar, instant
instantaneous [instenteenies] onmiddellijk, ogenblikkelijk
instantly [instentlie] onmiddellijk, dadelijk
instead [insted] in plaats daarvan: ~ *of* in plaats van
instep [instep] **1** wreef *(van voet)* **2** instap *(van schoen)*
instigate [instiǩeet] **1** aansporen, aanstichten, teweegbrengen **2** aanzetten, uitlokken, ophitsen: ~ *s.o. to steal* iem aanzetten tot diefstal
instigation [instiǩeesjen] aandrang, instigatie: *at Peter's ~* op aandrang van Peter
instil [instil] geleidelijk doen doordringen, bijbrengen, langzaamaan inprenten
instinct [instingkt] instinct, intuïtie
instinctive [instingktiv] instinctief, intuïtief
[1]**institute** [institjoe:t] *zn* instituut, instelling
[2]**institute** [institjoe:t] *ww* stichten, invoeren, op gang brengen, instellen || ~ *proceedings against s.o.* een rechtszaak tegen iem aanspannen
institution [institjoe:sjen] **1** instelling, stichting, invoering **2** gevestigde gewoonte, (sociale) institutie, regel **3** instituut, instelling, genootschap **4** inrichting, gesticht
instruct [instrukt] **1** onderwijzen, onderrichten, instrueren **2** opdragen, bevelen
instruction [instruksjen] **1** onderricht, instructie, les **2** voorschrift, order, opdracht: ~*s for use* handleiding
instructive [instruktiv] instructief, leerzaam
instructor [instrukte] instructeur, docent
instrument [instrement] instrument, gereedschap; werktuig *(ook fig)*

instrumental [instremengtl] **1** (met *in*) behulpzaam (bij), hulpvaardig: *be ~ in* een cruciale rol spelen bij **2** instrumentaal
insubordinate [insebo:dinnet] ongehoorzaam, opstandig
insufferable [insufferebl] on(ver)draaglijk, onuitstaanbaar
insufficient [insefisjent] ontoereikend, onvoldoende, te weinig
insular [ins·joele] **1** eiland-, geïsoleerd **2** bekrompen, kortzichtig
insulate [ins·joeleet] **1** (met *from*) isoleren (van), afschermen (van), beschermen (tegen) **2** isoleren *(warmte, geluid)*
insulation [ins·joeleesjen] **1** isolatie, afzondering **2** isolatiemateriaal
[1]**insult** [insult] *zn* belediging: *add ~ to injury* de zaak nog erger maken
[2]**insult** [insult] *ww* beledigen
insuperable [insoe:perebl] onoverkomelijk, onoverwinnelijk
insupportable [insepo:tebl] on(ver)draaglijk, onuitstaanbaar
insurance [insjoeerens] **1** verzekering, assurantie, verzekeringspolis **2** *(Am)* zekerheid, bescherming
insure [insjoee] **1** (laten) verzekeren **2** *(Am)* garanderen, veiligstellen
insurer [insjoeere] verzekeraar
insurgence [inse:dzjens] oproer, opstand
insurmountable [insemoontebl] onoverkomelijk, onoverwinnelijk
insurrection [insereksjen] oproer, opstand
intact [intekt] intact, ongeschonden, gaaf
intake [inteek] **1** inlaat, toevoer(opening), toegevoerde, opgenomen hoeveelheid, voeding **2** opneming, opname, toegelaten aantal
integer [intidzje] *(wisk)* geheel getal
integral [intikrel] **1** wezenlijk **2** geheel, volledig, integraal
[1]**integrate** [intikreet] *intr* geïntegreerd worden, integreren, deel gaan uitmaken (van)
[2]**integrate** [intikreet] *tr* **1** integreren, tot een geheel samenvoegen **2** als gelijkwaardig opnemen *(bijv. minderheden);* integreren
integrity [intekrittie] **1** integriteit, rechtschapenheid: *a man of ~* een integer man **2** ongeschonden toestand, eenheid
intellect [intelekt] intellect, verstand(elijk vermogen)
intelligence [intellidzjens] **1** intelligentie, verstand(elijk vermogen) **2** informatie, nieuws, inlichtingen **3** (geheime) informatie, inlichtingendienst
intelligent [intellidzjent] intelligent, slim
intelligible [intellidzjibl] begrijpelijk, verstaanbaar
intemperate [intemperet] **1** onmatig, buitensporig, heftig, drankzuchtig **2** guur *(van klimaat, wind);* extreem
intend [intend] **1** van plan zijn, bedoelen, in de zin hebben: *I ~ to cancel the order* ik ben van plan de order te annuleren; *we ~ them to repair it* we willen dat zij het repareren **2** (voor)bestemmen, bedoelen: *their son was ~ed for the Church* hun zoon was voorbestemd om priester te worden
intense [intens] intens, sterk, zeer hevig
[1]**intensify** [intensiffaj] *intr* intens(er) worden, versterken, toenemen
[2]**intensify** [intensiffaj] *tr* verhevigen, versterken, intensiveren
intensity [intensittie] intensiteit, sterkte, (mate van) hevigheid
intensive [intensiv] intensief, heftig, (in)gespannen
[1]**intent** [intent] *zn* bedoeling, intentie, voornemen || *to all ~s and purposes* feitelijk, in (praktisch) alle opzichten
[2]**intent** [intent] *bn* **1** (in)gespannen, aandachtig **2** vastbesloten, vastberaden: *be ~ on revenge* zinnen op wraak
intention [intensjen] **1** bedoeling, oogmerk, voornemen **2** *~s (inform)* bedoelingen, (huwelijks)plannen
inter [inte:] ter aarde bestellen, begraven
interact [interekt] op elkaar inwerken, met elkaar reageren
interactive [interektiv] interactief
intercede [intesie:d] **1** ten gunste spreken, een goed woordje doen **2** bemiddelen, tussenbeide komen
intercept [intesept] onderscheppen, afsnijden
intercession [intesesjen] tussenkomst, bemiddeling, voorspraak
[1]**interchange** [intetsjeendzj] *zn* **1** uitwisseling, ruil(ing), verwisseling **2** knooppunt *(van snelwegen);* verkeersplein
[2]**interchange** [intetsjeendzj] *ww* **1** uitwisselen, ruilen **2** (onderling) verwisselen, afwisselen
interchangeable [intetsjeendzjebl] **1** uitwisselbaar, ruilbaar **2** (onderling) verwisselbaar
intercom [intekom] intercom
intercourse [inteko:s] **1** omgang, sociaal verkeer, betrekking(en) **2** (geslachts)gemeenschap
interdenominational [intedinnomminneesjenel] oecumenisch
interdependent [intedippendent] onderling afhankelijk, afhankelijk van elkaar
interest [intrest] **1** interesse, (voorwerp van) belangstelling: *show an ~ in* belangstelling tonen voor; *take a great ~ in* zich sterk interesseren voor **2** (eigen)belang, interesse, voordeel: *it's in the ~ of the community* het is in het belang van de gemeenschap **3** rente *(ook fig);* interest: *the rate of ~, the ~ rate* de rentevoet; *lend money at 7% ~* geld lenen tegen 7% rente
interested [intrestid] **1** belangstellend, geïnteresseerd, vol interesse **2** belanghebbend, betrokken: *the ~ party* de betrokken partij
interesting [intresting] interessant, belangwekkend

interface [intefees] raakvlak *(ook fig)*; grensvlak, scheidingsvlak
interfaith [intefeeθ] oecumenisch, van meerdere religies: *the commemoration was an ~ service* de herdenkingsdienst werd geleid door vertegenwoordigers van verschillende religies
interfere [intefie] hinderen, in de weg staan: *don't ~* hou je erbuiten
interference [intefierens] **1** (ver)storing, belemmering **2** inmenging, tussenkomst, bemoeienis
interfere with 1 aankomen, betasten, knoeien met: *don't ~ that bike* blijf met je handen van die fiets af **2** zich bemoeien met **3** *(euf)* aanranden, zich vergrijpen aan
[1]**interim** [interim] *zn* interim, tussentijd: *in the ~* intussen, ondertussen
[2]**interim** [interim] *bn* tijdelijk, voorlopig: *an ~ report* een tussentijds rapport
interior [intierie] **1** inwendig, binnenst, binnen- **2** binnenshuis, interieur- **3** innerlijk **4** binnenlands
interject [intedzjekt] (zich) ertussen werpen, tussenbeide komen, opmerken
interjection [intedzjeksjen] **1** tussenwerpsel, interjectie **2** uitroep, kreet
[1]**interlock** [intelok] *intr* in elkaar grijpen, nauw met elkaar verbonden zijn: *these problems ~* deze problemen hangen nauw met elkaar samen
[2]**interlock** [intelok] *tr* met elkaar verbinden, aaneenkoppelen
interloper [interloope] indringer
interlude [inteloe:d] **1** onderbreking, pauze **2** tussenstuk, tussenspel
intermarry [intemerie] **1** een gemengd huwelijk aangaan **2** onderling trouwen, binnen de eigen familie trouwen
[1]**intermediary** [intemie:dierie] *zn* tussenpersoon, bemiddelaar, contactpersoon
[2]**intermediary** [intemie:dierie] *bn* bemiddelend, optredend als tussenpersoon
intermediate [intemie:dieet] tussenliggend, tussengelegen, tussentijds
interminable [inte:minnebl] oneindig (lang), eindeloos
intermingle [intemingkl] (zich) (ver)mengen, (vrijelijk) met elkaar omgaan
intermission [intemisjen] onderbreking *(ook bij toneelstuk enz.)*; pauze, rust: *without ~* ononderbroken
intermittent [intemittent] met tussenpozen (verschijnend, werkend), onderbroken, met onderbrekingen
[1]**intern** [inte:n] *zn (Am)* **1** intern, inwonend (co)assistent **2** hospitant(e), stagiair(e)
[2]**intern** [inte:n] *ww* interneren, gevangen zetten; vastzetten *(in oorlog)*
internal [inte:nl] **1** inwendig, innerlijk, binnen- **2** binnenlands, inwendig
[1]**international** [intenesjenel] *zn* **1** interland(wedstrijd) **2** international, interlandspeler
[2]**international** [intenesjenel] *bn* internationaal
internee [inte:nie:] (politieke) gevangene
internet café [intenetkefee] internetcafé
internment [inte:nment] internering
interplay [inteplee] interactie, wisselwerking
interpose [intepooz] **1** tussenplaatsen, invoegen **2** interrumperen, onderbreken **3** naar voren brengen, aanvoeren
[1]**interpret** [inte:prit] *intr* als tolk optreden, tolken
[2]**interpret** [inte:prit] *tr* **1** interpreteren, uitleggen, opvatten **2** vertolken, interpreteren **3** (mondeling) vertalen
interpretation [inte:preteesjen] **1** interpretatie, uitleg **2** het tolken **3** vertolking, interpretatie
interpreter [inte:pritte] tolk
interracial [intereesjl] tussen (verschillende) rassen, voor verschillende rassen
interregnum [interegnem] tussenregering
[1]**interrelate** [interilleet] *intr* met elkaar in verband staan, met elkaar verbonden zijn
[2]**interrelate** [interilleet] *tr* met elkaar in verband brengen
interrogation [interregeesjen] ondervraging, verhoor
[1]**interrogative** [interogetiv] *zn* vragend (voornaam)woord
[2]**interrogative** [interogetiv] *bn* vragend; vraag- *(ook taalk)*
[1]**interrupt** [interupt] *intr* storen, onderbreken, in de rede vallen
[2]**interrupt** [interupt] *tr* **1** onderbreken, afbreken, belemmeren **2** interrumperen, in de rede vallen, storen
interruption [interupsjen] **1** onderbreking, afbreking **2** interruptie, het storen
intersection [inteseksjen] **1** (weg)kruising, kruispunt, snijpunt **2** doorsnijding, kruising
intersperse [intespe:s] **1** verspreid zetten, (hier en daar) strooien: *a speech ~d with posh words* een met deftige woorden doorspekte toespraak **2** afwisselen, variëren, van tijd tot tijd onderbreken
interstice [inte:stis] nauwe tussenruimte, spleet, reet
[1]**intertwine** [intetwajn] *intr* zich in elkaar strengelen, (met elkaar) verweven zijn
[2]**intertwine** [intetwajn] *tr* ineenstrengelen, dooreenvlechten
interval [intevl] **1** tussenruimte, interval, tussentijd: *trams go at 15-minute ~s* er rijdt iedere 15 minuten een tram **2** pauze, rust **3** interval, toonsafstand
intervene [intevie:n] **1** tussenbeide komen, zich erin mengen, ertussen komen **2** ertussen liggen: *in the intervening months* in de tussenliggende maanden
intervention [intevensjen] tussenkomst, inmenging; ingreep *(ook med)*
[1]**interview** [intevjoe:] *zn* **1** (persoonlijk) onder-

in

houd, sollicitatiegesprek **2** interview, vraaggesprek

[2]**interview** [intevjoe:] *ww* interviewen, een vraaggesprek houden met, een sollicitatiegesprek voeren met

intestine [intestin] darm(kanaal), (buik)ingewanden: *large ~* dikke darm; *small ~* dunne darm

intimacy [intimmesie] **1** intimiteit, vertrouwelijkheid, intieme mededeling **2** innige verbondenheid, vertrouwdheid: *they were on terms of ~* er bestond een sterke vriendschapsband tussen hen **3** intimiteit, intieme omgang, geslachtsverkeer

[1]**intimate** [intimmet] *bn* **1** intiem *(ook seksueel)*; innig (verbonden) **2** vertrouwelijk, privé: *~ secrets* hartsgeheimen; *they are on ~ terms* zij zijn goede vrienden

[2]**intimate** [intimmeet] *ww* suggereren, een hint geven, laten doorschemeren

intimation [intimmeesjen] aanduiding, suggestie, hint

intimidate [intimmiddeet] intimideren, bang maken

into [intoe:] **1** in, binnen-: *look ~ the matter* de zaak bestuderen; *(inform) he's ~ Zen these days* tegenwoordig interesseert hij zich voor zen **2** *(verandering van omstandigheid)* tot, in: *translate ~ Japanese* in het Japans vertalen **3** *(duur of afstand)* tot … in: *far ~ the night* tot diep in de nacht || *run ~ an old friend* een oude vriend tegen het lijf lopen; *talk somebody ~ leaving* iem ompraten om te gaan

intolerable [intollerrebl] on(ver)draaglijk, onuitstaanbaar

intolerant [intollerent] *(met of)* onverdraagzaam (tegenover), intolerant

intonation [inteneesjen] intonatie, stembuiging

[1]**intoxicant** [intoksikkent] *zn* bedwelmend middel, alcoholische drank, sterkedrank

[2]**intoxicant** [intoksikkent] *bn* bedwelmend, alcoholisch

intoxication [intoksikkeesjen] **1** bedwelming, dronkenschap **2** vervoering

intransigent [intrensidzjent] onbuigzaam, onverzoenlijk, onverzettelijk

intransitive [intrensittiv] onovergankelijk

intrepid [intreppid] onverschrokken, dapper

intricate [intrikket] ingewikkeld, complex, moeilijk

[1]**intrigue** [intrie:k] *zn* intrige, gekonkel, samenzwering

[2]**intrigue** [intrie:k] *intr* intrigeren, samenzweren

[3]**intrigue** [intrie:k] *tr* intrigeren, nieuwsgierig maken, boeien

intrinsic [intrinsik] intrinsiek, innerlijk, wezenlijk

introduce [intredjoe:s] **1** introduceren, voorstellen, inleiden: *~ to: a)* voorstellen aan *(iem)*; *b)* kennis laten maken met *(iets)* **2** invoeren, introduceren, naar voren brengen: *~ a new subject* een nieuw onderwerp aansnijden

introduction [intreduksjen] **1** inleiding, introductie, voorwoord: *an ~ to the Chinese language* een inleiding tot de Chinese taal **2** introductie, voorstelling, inleiding

introductory [intreduktерie] inleidend: *~ offer* introductieaanbieding; *~ remarks* inleidende opmerkingen

[1]**intrude** [introe:d] *intr* **1** (zich) binnendringen, zich opdringen: *intruding into conversations* zich ongevraagd in gesprekken mengen **2** zich opdringen, ongelegen komen, storen: *let's not ~ on his time any longer* laten wij niet langer onnodig beslag leggen op zijn tijd

[2]**intrude** [introe:d] *tr* **1** binnendringen, indringen, opdringen **2** opdringen, lastigvallen, storen

intruder [introe:de] indringer, insluiper

intrusion [introe:zjen] binnendringing, indringing, inbreuk: *an ~ (up)on my privacy* een inbreuk op mijn privacy

intuition [intjoe·isjen] intuïtie, ingeving: *she had an ~ that things were wrong* ze had een plotselinge ingeving dat de zaak fout zat

inundate [innendeet] onder water zetten, overstelpen

inure [injoee] gewennen, harden

invade [inveed] **1** binnenvallen, een inval doen in, binnendringen **2** overstromen: *hundreds of people ~d the newly-opened shopping centre* honderden mensen overstroomden het pas geopende winkelcentrum **3** inbreuk maken op; schenden *(privacy)*

[1]**invalid** [invelid] *zn* invalide

[2]**invalid** [invelid] *bn* **1** ongerechtvaardigd, ongegrond, zwak **2** ongeldig, onwettig, nietig: *this will is ~* dit testament is ongeldig

[3]**invalid** [invelid] *bn* **1** invalide, gebrekkig **2** invaliden-, zieken-: *~ chair* rolstoel

invalidate [invelliddeet] ongeldig maken (verklaren), nietig maken: *this automatically ~s the guarantee* hierdoor komt de garantie automatisch te vervallen; *his arguments were ~d* zijn argumenten werden ontzenuwd

invaluable [invel joeebl] onschatbaar

invariable [inveeriebl] onveranderlijk, constant, vast

invasion [inveezjen] **1** invasie *(ook fig)*; inval, het binnenvallen **2** inbreuk, schending

invective [invektiv] scheldwoord, scheldwoorden, getier

inveigh [invee] krachtig protesteren, uitvaren, tieren

inveigle [inveekl] verleiden, overhalen: *~ s.o. into stealing* iem ertoe brengen om te stelen

invent [invent] **1** uitvinden, uitdenken **2** bedenken, verzinnen

invention [invensjen] **1** uitvinding, vinding **2** bedenksel, verzinsel

inventive [inventiv] inventief, vindingrijk, creatief

inventor [invente] uitvinder
inventory [inventerie] **1** inventaris(lijst), inventarisatie, boedelbeschrijving **2** overzicht, lijst
inverse [inve:s] omgekeerd, tegenovergesteld, invert: ~ *ratio* omgekeerd evenredigheid
invert [inve:t] omkeren, inverteren: ~*ed commas* aanhalingstekens
[1]**invertebrate** [inve:tibret] *zn* ongewerveld dier
[2]**invertebrate** [inve:tibret] *bn* ongewerveld
[1]**invest** [invest] *intr* geld beleggen, (geld) investeren
[2]**invest** [invest] *tr* investeren, beleggen: *they ~ed all their spare time in the car* ze staken al hun vrije tijd in de auto
[1]**investigate** [investikeet] *intr* een onderzoek instellen
[2]**investigate** [investikeet] *tr* onderzoeken, nasporen
investigation [investikeesjen] onderzoek
investigator [investikeete] onderzoeker, detective
investment [investment] investering, (geld)belegging
inveterate [invetteret] **1** ingeworteld, diep verankerd **2** verstokt, aarts-: ~ *liars* onverbeterlijke leugenaars
invidious [inviddies] **1** aanstootgevend, ergerlijk **2** hatelijk, beledigend
invigilate [invidzjilleet] surveilleren *(bij examen)*
invigorate [invikereet] (ver)sterken, kracht geven
invincible [invinsibl] onoverwinnelijk, onomstotelijk || ~ *belief* onwankelbaar geloof
invisible [invizzibl] onzichtbaar *(ook fig)*; verborgen
invitation [invitteesjen] uitnodiging, invitatie: *an ~ to a party* een uitnodiging voor een feest
invite [invajt] **1** uitnodigen, inviteren: ~ *s.o. over* (of: *round*) iem vragen langs te komen **2** uitnodigen, verzoeken **3** vragen om, uitlokken
invoice [invojs] factuur
invoke [invook] **1** aanroepen, inroepen **2** zich beroepen op, een beroep doen op
involuntary [invollenterie] onwillekeurig, onopzettelijk, onbewust: *an ~ movement* een reflexbeweging
involve [involv] **1** betrekken, verwikkelen: *whose interests are ~d?* om wiens belangen gaat het?; *the persons ~d* de betrokkenen **2** (met zich) meebrengen, betekenen: *large sums of money are ~d* er zijn grote bedragen mee gemoeid; *this job always ~s a lot of paperwork* dit werk brengt altijd veel administratieve rompslomp met zich mee
invulnerable [invulnerebl] onkwetsbaar *(ook fig)*; onaantastbaar
[1]**inward** [inwed] *bn* **1** innerlijk, inwendig **2** binnenwaarts, naar binnen gericht
[2]**inward** [inwed] *bw* **1** binnenwaarts, naar binnen **2** innerlijk, in de geest
iodine [ajjedie:n] jodium(tinctuur)
IOU [aj oo joe:] *afk van I owe you* schuldbekentenis
IQ [ajkjoe:] *afk van Intelligence Quotient* IQ, intelligentiequotiënt
irascible [iresibl] prikkelbaar, opvliegend
irate [ajreet] ziedend, woedend
Ireland [ajjelend] Ierland
iris [ajjeris] **1** iris; regenboogvlies *(van oog)* **2** lis, iris
[1]**Irish** [ajjerisj] *eig.n.* Iers, de Ierse taal, (Iers-)Gaelisch
[2]**Irish** [ajjerisj] *bn* Iers, van Ierland
iris scan irisscan
irk [e:k] ergeren, hinderen: *it ~s me to do this job* deze klus staat me tegen
[1]**iron** [ajjen] *zn* ijzer, strijkijzer, brandijzer: *rule with a rod of ~* met ijzeren vuist regeren; *cast ~* gietijzer; *wrought ~* smeedijzer || *have too many ~s in the fire* te veel hooi op z'n vork genomen hebben
[2]**iron** [ajjen] *bn* **1** ijzeren **2** ijzersterk: ~ *constitution* ijzeren gestel || *the Iron Curtain* het IJzeren Gordijn
[3]**iron** [ajjen] *ww* strijken: *(fig) ~ out problems* problemen gladstrijken
Iron Age ijzertijd
ironic(al) [ajronnik(l)] ironisch, spottend
ironing [ajjening] het strijken, strijkgoed
ironmonger ijzerhandelaar
irony [ajrenie] ironie, spot
irradiate [irreedie·eet] **1** schijnen op, verlichten: *their faces were ~d with happiness* hun gezicht straalde van geluk **2** bestralen *(ook met röntgenstralen e.d.)* **3** doen stralen, doen schitteren
[1]**irrational** [iresjenel] *zn* onmeetbaar getal
[2]**irrational** [iresjenel] *bn* irrationeel, onredelijk: ~ *behaviour* onberekenbaar gedrag
irreconcilable [irrekkensajlebl] **1** onverzoenlijk **2** onverenigbaar, onoverbrugbaar
irrecoverable [irrikkuvverebl] **1** onherstelbaar, hopeloos **2** onherroepelijk **3** oninbaar, oninvorderbaar
irrefutable [irrifjoe:tebl] onweerlegbaar, onbetwistbaar
[1]**irregular** [irrekjoele] *zn* lid van ongeregelde troepen, partizaan, guerrillastrijder
[2]**irregular** [irrekjoele] *bn* **1** onregelmatig, abnormaal, afwijkend: *in spite of his ~ passport* hoewel zijn paspoort niet in orde was **2** ongeregeld, ongeordend: *she studies very ~ly* ze studeert zeer onregelmatig || ~ *verbs* onregelmatige werkwoorden
irrelevant [irrellevent] irrelevant, niet ter zake (doend)
irremediable [irrimmie:diebl] onherstelbaar
irreparable [irrepperebl] onherstelbaar, niet te verhelpen
irreplaceable [irripleesebl] onvervangbaar

irrepressible [irripressebl] onbedwingbaar, ontembaar, onstuitbaar: ~ *laughter* onbedaarlijk gelach
irresistible [irrizzistibl] onweerstaanbaar, onbedwingbaar, onweerlegbaar
irresolute [irrezzeloe:t] besluiteloos, weifelend, aarzelend
irrespective [irrispektiv] toch, sowieso: ~ *of* ongeacht; ~ *of whether it was necessary or not* of het nu noodzakelijk was of niet
irresponsible [irrisponsibl] **1** onverantwoord(elijk) **2** ontoerekenbaar, niet aansprakelijk
irretrievable [irritrie:vebl] onherstelbaar, niet meer ongedaan te maken, reddeloos (verloren)
irreverent [irrevverent] oneerbiedig, zonder respect
irreversible [irrivve:sibl] onomkeerbaar, onherroepelijk, onveranderlijk
irrevocable [irrevvekebl] onherroepelijk, onomkeerbaar
irrigate [irrikeet] irrigeren, bevloeien, begieten
irrigation [irrikeesjen] irrigatie, bevloeiing, besproeiing
irritable [irrittebl] lichtgeraakt, prikkelbaar, opvliegend
irritate [irritteet] **1** irriteren, ergeren, boos maken: *be ~d at* (of: *by, with*) geërgerd zijn door **2** irriteren; prikkelen *(huid e.d.)*
irritation [irritteesjen] **1** irritatie, ergernis **2** irritatie, branderigheid, branderige plek
is [iz] *3e pers ev ott van* be
Is *afk van Island(s), Isle(s)* Eiland(en)
Isaiah [ajzajje] Jesaja, Isaias
Islam [izla:m] islam, islamitische wereld
Islamic [izlemik] islamitisch
island [ajlend] **1** eiland *(ook fig)* **2** vluchtheuvel
islander [ajlende] eilander, eilandbewoner
isle [ajl] *(in specifieke combinaties)* eiland
isolate [ajseleet] isoleren, afzonderen, afsluiten
isolation [ajseleesjen] isolatie, afzondering, isolement: *in* ~ in afzondering, op zichzelf
[1]**Israeli** [izreelie] *zn* Israëli, bewoner van Israël
[2]**Israeli** [izreelie] *bn* Israëlisch
[1]**Israelite** [izrelajt] *zn* Israëliet, nakomeling van Israël
[2]**Israelite** [izrelajt] *bn* Israëlitisch
[1]**issue** [isjoe:] *zn* **1** uitgave, aflevering; nummer *(van tijdschrift)* **2** kwestie, (belangrijk) punt, probleem: *force the* ~ een beslissing forceren; *make an ~ of sth.* ergens een punt van maken **3** publicatie, uitgave, emissie: *the day of* ~ de dag van publicatie
[2]**issue** [isjoe:] *intr* uitkomen, verschijnen: ~ *forth* (of: *out*) tevoorschijn komen
[3]**issue** [isjoe:] *tr* **1** uitbrengen, publiceren, in circulatie brengen, uitvaardigen: *they ~d a new series of stamps* ze gaven een nieuwe serie postzegels uit **2** uitlenen *(boeken)* **3** uitstorten, uitspuwen: *a volcano issuing dangerous gases* een vulkaan die gevaarlijke gassen uitspuwt
isthmus [ismes] istmus, nauwe verbinding, landengte
it [it] **1** het: *I dreamt it* ik heb het gedroomd; *it is getting on* het wordt laat; *it says in this book that* ... er staat in dit boek dat ...; *it is reported that* volgens de berichten; *I've got it* ik heb een idee; *she let him have it* ze gaf hem ervan langs; *who is it?* wie is het? **2** hét, het neusje vd zalm, het probleem: *that is it, I've finished* dat was het dan, klaar is Kees; *that is it* dat is 't hem nu juist
IT *afk van information technology* IT, informatietechnologie
[1]**Italian** [itelien] *zn* Italiaan(se)
[2]**Italian** [itelien] *bn* Italiaans
italic [itelik] **1** cursief, cursieve drukletter: *the words in* ~ de schuingedrukte woorden **2** schuinschrift, lopend schrift
Italy [ittelie] Italië
[1]**itch** [itsj] *zn* **1** jeuk, kriebel **2** verlangen, hang
[2]**itch** [itsj] *ww* **1** jeuken, kriebelen: *the wound keeps ~ing* de wond blijft maar jeuken **2** jeuk hebben **3** graag willen: *she was ~ing to tell her* ze zat te popelen om het haar te vertellen
it'd [itted] *samentr van it would, it had*
item [ajtem] **1** item, punt, nummer **2** onderdeel, bestanddeel **3** artikel, (nieuws)bericht
itinerant [ittinnerent] rondreizend, (rond)trekkend: ~ *preacher* rondtrekkend prediker
itinerary [ittinnererie] **1** routebeschrijving, reisbeschrijving **2** reisroute
it'll [itl] *samentr van it will*
its [its] zijn, haar, ervan: *this coat has had ~ day* deze mantel heeft zijn tijd gehad; *the government has lost ~ majority* de regering is haar meerderheid kwijt; ~ *strength frightens me* de kracht ervan maakt mij bang
it's [its] *samentr van it is, it has*
itself [itself] **1** zich, zichzelf: *the animal hurt* ~ het dier bezeerde zich; *by* ~ alleen, op eigen kracht; *in* ~ op zichzelf **2** zelf: *the watch ~ was not in the box* het horloge zelf zat niet in de doos
I've [ajv] *samentr van I have*
ivory [ajverie] ivoor
ivy [ajvie] klimop

j

[1]**jab** [dzjeb] *zn* **1** por, steek **2** *(inform)* prik, injectie
[2]**jab** [dzjeb] *ww* porren, stoten, stompen: *he ~bed his elbow into my side* hij gaf me een por in de ribben
jabber [dzjebe] brabbelen, kwebbelen: *~ away* erop los kwebbelen
jack [dzjek] **1** toestel, hefboom, vijzel, krik, stut, stellage, (zaag)bok **2** dier, mannetje **3** *(kaartspel)* boer: *~ of hearts* hartenboer
jackal [dzjeko:l] jakhals
jackass [dzjekes] ezel *(ook fig)*
jackdaw kauw, torenkraai
jacket [dzjekit] **1** jas(je), colbert(je) **2** omhulsel, bekleding, mantel, huls **3** stofomslag *(van boek)*
[1]**jackknife** *zn* (groot) knipmes
[2]**jackknife** *ww* scharen *(van vrachtwagen met oplegger)*
jack-of-all-trades manusje-van-alles
jackpot pot *(bij gokspelen);* jackpot: *hit the ~: a)* (de pot) winnen *(bij poker enz.); b) (fig)* een klapper maken, het helemaal maken
jack up opkrikken; *(inform, fig ook)* opvijzelen; opdrijven *(prijzen e.d.)*
jade [dzjeed] **1** knol *(oud paard)* **2** jade, bleekgroen
jaded [dzjeedid] **1** afgemat, uitgeput **2** afgestompt
jagged [dzjekid] getand, gekarteld, puntig: *~ edge* scherpe rand
[1]**jail** [dzjeel] *zn* gevangenis, huis van bewaring
[2]**jail** [dzjeel] *ww* gevangen zetten
jailbird bajesklant
jailer [dzjeele] cipier, gevangenbewaarder
[1]**jam** [dzjem] *zn* **1** opstopping, blokkering, stremming **2** knel, knoei, moeilijkheden: *be in* (of: *get into*) *a ~* in de nesten zitten (*of:* raken)
[2]**jam** [dzjem] *intr* vast (blijven) zitten, klemmen, blokkeren, vastraken: *the door ~med* de deur raakte klem
[3]**jam** [dzjem] *tr* **1** vastzetten, klemmen, knellen **2** (met kracht) drijven, dringen, duwen: *~ the brakes on* op de rem gaan staan **3** (vol)proppen: *he ~med all his clothes into a tiny case* hij propte al zijn kleren in een piepklein koffertje **4** blokkeren, verstoppen, versperren: *the crowds ~med the streets* de massa versperde de straten **5** *(radio)* storen
jam-packed [dzjempekt] propvol, barstensvol
[1]**jangle** [dzjenkl] *zn* **1** metaalklank, gerinkel **2** wanklank
[2]**jangle** [dzjenkl] *intr* **1** kletteren, rinkelen, rammelen **2** vals klinken, wanklank geven: *the music ~d on my ears* de muziek schetterde in mijn oren
[3]**jangle** [dzjenkl] *tr* irriteren, van streek maken: *it ~d his nerves* het vrat aan zijn zenuwen
janitor [dzjenitte] **1** portier, deurwachter **2** *(Am)* conciërge, huisbewaarder
January [dzjenjoeerie] januari
[1]**Japanese** [dzjepenie:z] *zn* Japanner, Japanse
[2]**Japanese** [dzjepenie:z] *bn* Japans
[1]**jar** [dzja:] *zn* **1** (zenuw)schok, onaangename verrassing, ontnuchtering: *suffer a nasty ~* flink ontnuchterd worden **2** pot, (stop)fles, kruik; *(inform)* glas *(bier e.d.)*
[2]**jar** [dzja:] *ww* **1** knarsen, vals klinken: *(ook fig) ~ring note* valse noot, dissonant **2** botsen, in strijd zijn: *~ring opinions* botsende meningen
jargon [dzja:ken] jargon, vaktaal; *(min)* koeterwaals; taaltje
jasmin(e) [dzjezmin] jasmijn
[1]**jaundice** [dzjo:ndis] *zn* geelzucht
[2]**jaundice** [dzjo:ndis] *ww* afgunstig maken, verbitteren: *take a ~d view of the matter* een scheve kijk op de zaak hebben
jaunt [dzjo:nt] uitstapje, tochtje, snoepreisje
jaunty [dzjo:ntie] **1** zwierig, elegant **2** vrolijk, zelfverzekerd: *a ~ step* een kwieke tred
javelin [dzjevlin] **1** speer, werpspies **2** *(atletiek)* speerwerpen
[1]**jaw** [dzjo:] *zn* **1** kaak: *lower* (of: *upper*) *~* onderkaak, bovenkaak **2** praat, geklets, gezwam, geroddel **3** tegenspraak, brutale praat: *don't give me any ~!* hou je gedeisd! **4** *~s* bek; muil *(van dier)*
[2]**jaw** [dzjo:] *ww* **1** kletsen, zwammen, roddelen **2** preken: *~ at s.o.* iem de les lezen
jay [dzjee] Vlaamse gaai
jazz [dzjez] **1** jazz **2** gesnoef **3** onzin, larie || *and all that ~* en nog meer van die dingen
jazz up opvrolijken, opfleuren, verfraaien: *they jazzed it up* ze brachten wat leven in de brouwerij
jealous [dzjelles] **1** jaloers, afgunstig: *~ of* jaloers op **2** (overdreven) waakzaam, nauwlettend: *guard ~ly* angstvallig bewaken
jealousy [dzjellesie] jaloersheid, afgunst, jaloezie
jeans [dzjie:nz] spijkerbroek, jeans
[1]**jeer** [dzjie] *zn* hatelijke opmerking: *~s* gejouw, hoon
[2]**jeer** [dzjie] *intr* jouwen: *~ at s.o.* iem uitlachen
[3]**jeer** [dzjie] *tr* uitjouwen
jell [dzjel] **1** (doen) opstijven, geleiachtig (doen) worden **2** vorm krijgen (geven), kristalliseren: *my ideas are beginning to ~* mijn ideeën beginnen vorm te krijgen
jelly [dzjellie] gelei, gelatine(pudding), jam: *beat s.o. to ~* iem tot moes slaan
jellyfish [dzjelliefisj] kwal

jemmy [dzjemmie] koevoet, breekijzer
jeopardize [dzjeppədajz] in gevaar brengen, riskeren, op het spel zetten: ~ *one's life* zijn leven wagen
jeopardy [dzjeppədie] gevaar: *put one's future in* ~ zijn toekomst op het spel zetten
[1]**jerk** [dzjə:k] *zn* **1** ruk, schok, trek **2** *(plat)* lul, zak
[2]**jerk** [dzjə:k] *intr* schokken, beven: ~ *to a halt* met een ruk stoppen
[3]**jerk** [dzjə:k] *tr* rukken aan, stoten, trekken aan: *he ~ed the fish out of the water* hij haalde de vis met een ruk uit het water
jerky [dzjə:kie] schokkerig, spastisch, hortend: *move along jerkily* zich met horten en stoten voortbewegen
jest [dzjest] **1** grap, mop **2** scherts, gekheid: *in* ~ voor de grap
jester [dzjestə] nar
Jesus [dzjie:zəs] Jezus
[1]**jet** [dzjet] *zn* **1** straal *(van water enz.)* **2** (gas)vlam, pit **3** *(inform)* jet, straalvliegtuig, straalmotor
[2]**jet** [dzjet] *ww* **1** spuiten, uitspuiten, uitwerpen: ~ *(out) flames* vlammen werpen; ~ *out* eruit spuiten **2** *(inform)* per jet reizen || ~ *out* vooruitspringen
jet-black gitzwart
jetfoil draagvleugelboot
jetsam [dzjetsəm] strandgoed
jettison [dzjettisn] werpen *(scheepslading); (fig)* overboord gooien; prijsgeven
jetty [dzjettie] pier, havendam, havenhoofd, golfbreker
Jew [dzjoe:] **1** *(godsd)* jood **2** *(etnisch)* Jood
jewel [dzjoe:əl] **1** juweel *(ook fig)*; edelsteen, sieraad **2** steen *(in uurwerk)*
jeweller [dzjoe:ələ] juwelier
jewellery [dzjoe:əlrie] juwelen, sieraden
Jewess [dzjoe:es] **1** *(etnisch)* Jodin **2** *(godsd)* jodin
Jewish [dzjoe:isj] **1** *(godsd)* joods **2** *(etnisch)* Joods
Jewry [dzjoeərie] Jodendom, de Joden
jib [dzjib] **1** weigeren (verder te gaan) *(van paard)* **2** terugkrabbelen: ~ *at* terugdeinzen voor, zich afkerig tonen van
jiffy [dzjiffie] momentje: *I won't be a* ~ ik kom zo; *in a* ~ in een mum van tijd, in een wip
[1]**jig** [dzjiǩ] *zn* sprongetje
[2]**jig** [dzjiǩ] *ww* op en neer (doen) wippen, (doen) huppelen, (doen) hossen
[1]**jiggle** [dzjiǩl] *intr* schommelen, wiegen
[2]**jiggle** [dzjiǩl] *tr* doen schommelen, (zacht) rukken aan, wrikken
jigsaw [dzjiǩso:] figuurzaag
jigsaw (puzzle) (leg)puzzel
jilt [dzjilt] afwijzen; de bons geven *(minna(a)r(es))*
[1]**jingle** [dzjingǩl] *zn* **1** geklingel, gerinkel, getinkel **2** *(min)* rijmelarij, rijmpje **3** jingle *(op de radio)*
[2]**jingle** [dzjingǩl] *ww* (laten) klingelen, (doen) rinkelen
jinks [dzjingks] pretmakerij: *high* ~ dolle pret
jinx [dzjingks] **1** onheilsbrenger **2** doem, vloek: *put a* ~ *on s.o.* iem beheksen
jitters [dzjittəz] kriebels, zenuwen: *give s.o. the* ~ iem nerveus maken
jnr *afk van junior* jr.
job [dzjob] **1** karwei, klus, (stuk) werk, job: *have a* ~ *to get sth. done* aan iets de handen vol hebben; *make a (good)* ~ *of sth.* iets goed afwerken; *on the* ~ aan het werk, bezig **2** baan(tje), vak, job, taak: *~s for the boys* vriendjespolitiek **3** *(inform)* geval, ding: *that new car of yours is a beautiful* ~ die nieuwe wagen van je is een prachtslee **4** *(inform)* toestand: *make the best of a bad* ~ ergens nog het beste van maken; *he has gone, and a good* ~ *too* hij is weg, en maar goed ook || *that should do the* ~ zo moet het lukken
jobbery [dzjobbərie] ambtsmisbruik, (ambtelijke) corruptie
jobbing [dzjobbing] klusjes-: *a* ~ *gardener* een klusjesman voor de tuin
jobless [dzjobləs] zonder werk, werkloos
job-sharing het werken met deeltijdbanen
[1]**jockey** [dzjokkie] *zn* jockey
[2]**jockey** [dzjokkie] *ww* manoeuvreren: ~ *for position* met de ellebogen werken
jocular [dzjokjoelə] schertsend, grappig
[1]**jog** [dzjoǩ] *zn* **1** duw(tje), schok, stootje **2** sukkeldraf(je) **3** een stukje joggen
[2]**jog** [dzjoǩ] *intr* **1** joggen, trimmen **2** op een sukkeldraf(je) lopen, sukkelen: ~ *along* (of: *on*) voortsukkelen
[3]**jog** [dzjoǩ] *tr* (aan)stoten, een duw(tje) geven, (aan)porren || ~ *s.o.'s memory* iemands geheugen opfrissen
[4]**jog** [dzjoǩ] *tr, intr* hotsen, op en neer (doen) gaan, schudden
joggle [dzjoǩl] hotsen, heen en weer (op en neer) (doen) gaan, schudden
jogtrot sukkeldraf(je), lichte draf
john [dzjon] **1** *(Am; inform)* wc **2** *(Am; plat)* klant *(ve hoer)*; hoerenloper
johnny [dzjonnie] kerel, man, vent
[1]**join** [dzjojn] *zn* verbinding(sstuk), voeg, las, naad
[2]**join** [dzjojn] *intr* **1** samenkomen, zich verenigen, verenigd worden, elkaar ontmoeten, uitkomen op: ~ *up (with)* samensmelten (met) **2** zich aansluiten, meedoen, deelnemen: *can I* ~ *in?* mag ik meedoen?; ~ *up* dienst nemen (bij het leger), lid worden, zich aansluiten (bij)
[3]**join** [dzjojn] *tr* **1** verenigen, verbinden, vastmaken: ~ *the main road* op de hoofdweg uitkomen; ~ *up (with)* samenvoegen (met) **2** zich aansluiten bij, meedoen met, deelnemen aan: ~ *the army* dienst nemen (bij het leger); *will you* ~ *us?* doe je mee?, kom je bij ons zitten?
joiner [dzjojnə] schrijnwerker, meubelmaker
[1]**joint** [dzjojnt] *zn* **1** verbinding(sstuk), voeg, las, naad **2** gewricht, geleding, scharnier: *out of* ~ *(ook fig)* ontwricht, uit het lid, uit de voegen **3** braad-

stuk, gebraad, (groot) stuk vlees **4** *(inform)* tent, kroeg **5** *(inform)* joint, stickie

[2]**joint** [dzjojnt] *bn* gezamenlijk, gemeenschappelijk: ~ *account* gezamenlijke rekening; ~ *owners* mede-eigenaars; ~ *responsibility* gedeelde verantwoordelijkheid

joist [dzjojst] (dwars)balk, bint, (horizontale) steunbalk

[1]**joke** [dzjook] *zn* **1** grap(je), mop: *practical* ~ poets, practical joke; *crack* (of: *tell*) ~*s* moppen tappen; *be* (of: *go*) *beyond a* ~ te ver gaan, niet leuk zijn; *(inform) no* ~ geen grapje **2** mikpunt *(van spot, geestigheid);* spot

[2]**joke** [dzjook] *ww* grappen maken, schertsen: *you must be joking!* dat meen je niet!; *joking apart* in alle ernst, nee, nou even serieus

joker [dzjooke] **1** grapjas, grappenmaker **2** *(kaartspel)* joker; *(fig)* (laatste) troef **3** kerel, (rot)vent

jollity [dzjollittie] uitgelatenheid, joligheid

[1]**jolly** [dzjollie] *bn* **1** plezierig, prettig **2** *(ook iron)* vrolijk, jolig: *a* ~ *fellow* een lollige vent **3** *(inform; euf)* (lichtelijk) aangeschoten, dronken || *(inform) it's a* ~ *shame* het is een grote schande; *Jolly Roger* piratenvlag

[2]**jolly** [dzjollie] *ww* vleien, bepraten: ~ *along* (of: *up*) zoet houden, bepraten; ~ *s.o. into sth.* iem tot iets overhalen

[3]**jolly** [dzjollie] *bw (inform)* heel, zeer: *you* ~ *well will!* en nou en of je het doet!

[1]**jolt** [dzjoolt] *zn* schok, ruk, stoot; *(fig ook)* verrassing; ontnuchtering

[2]**jolt** [dzjoolt] *intr (*met *along)* (voort)schokken, horten, botsen, stoten

[3]**jolt** [dzjoolt] *tr* schokken; *(fig)* verwarren: ~ *s.o. out of a false belief* iem plotseling tot een beter inzicht brengen

josh [dzjosj] plagen, voor de gek houden

jostle [dzjosl] (ver)dringen, (weg)duwen, (weg)stoten

[1]**jot** [dzjot] *zn* jota *(alleen fig): I don't care a* ~ het kan me geen moer schelen

[2]**jot** [dzjot] *ww (*met *down)* (vlug) noteren, neerpennen, opkrabbelen

jotter [dzjotte] blocnote, notitieboekje

journal [dzje:nl] **1** dagboek, journaal, kasboek **2** dagblad, krant **3** tijdschrift

journalese [dzje:nelie:z] journalistieke stijl, krantentaal, sensatiestijl

journalism [dzje:nelizm] journalistiek

[1]**journey** [dzje:nie] *zn* (dag)reis; tocht *(over land)*

[2]**journey** [dzje:nie] *ww* reizen, trekken

journey planner reisplanner

joust [dzjaust] aan een steekspel deelnemen; een steekspel houden *(ook fig):* ~ *with s.o.* met iem in het krijt treden

Jove [dzjoov] Jupiter

jovial [dzjooviel] joviaal, vrolijk

jowl [dzjaul] kaak, kaaksbeen, wang

joy [dzjoj] **1** bron van vreugde: *she's a great* ~ *to her parents* ze is de vreugde van haar ouders **2** vreugde, genot, blijdschap: *be filled with* ~ overlopen van vreugde

joyride joyride

joystick **1** knuppel; stuurstang *(van vliegtuig)* **2** bedieningspookje; joystick *(van videospelen, computer enz.)*

JP *afk van Justice of the Peace* politierechter

Jr *afk van Junior* jr.

jubilant [dzjoe:billent] **1** uitbundig, triomfantelijk: ~ *shout* vreugdekreet; ~ *at* in de wolken over **2** jubelend, juichend

jubilee [dzjoe:billie:] jubileum: *diamond* ~ diamanten jubileum

judder [dzjudde] (heftig) vibreren, trillen, schudden

[1]**judge** [dzjudzj] *zn* **1** rechter **2** scheidsrechter, arbiter, jurylid; beoordelaar *(bij prijsvraag e.d.)* **3** kenner, expert: *good* ~ *of character* mensenkenner, iemand met veel mensenkennis

[2]**judge** [dzjudzj] *intr* **1** rechtspreken, vonnis vellen **2** arbitreren, als scheidsrechter optreden; *(bij wedstrijd)* punten toekennen **3** oordelen, een oordeel vellen: *judging by* (of: *from*) *his manner* naar zijn houding te oordelen

[3]**judge** [dzjudzj] *tr* **1** rechtspreken over, berechten **2** beoordelen, achten, schatten: ~ *s.o. by his actions* iem naar zijn daden beoordelen

judg(e)ment [dzjudzjment] **1** oordeel, uitspraak, vonnis, schatting: *sit in* ~ *on* rechter spelen over; *in my* ~ naar mijn mening **2** inzicht: *use one's* ~ zijn (gezond) verstand gebruiken; *against one's better* ~ tegen beter weten in

Judg(e)ment Day laatste oordeel

judicial [dzjoe:disjl] gerechtelijk, rechterlijk, rechter(s)-

judiciary [dzjoe:disjierie] **1** rechtswezen **2** rechterlijke macht

judicious [dzjoe:disjes] verstandig, voorzichtig

[1]**jug** [dzjuk̂] *zn* **1** kan(netje) **2** *(Am)* kruik

[2]**jug** [dzjuk̂] *ww* stoven *(haas, konijn): ~ged hare* gestoofde haas, hazenpeper

juggernaut [dzjuk̂eno:t] grote vrachtwagen, bakbeest

juggle [dzjuk̂l] **1** (met *with*) jongleren (met) **2** goochelen, toveren **3** (met *with*) knoeien (met), frauderen

juggler [dzjuk̂le] **1** jongleur **2** goochelaar

Jugoslav [joe:k̂oosla:v] *zie* Yugoslav

juice [dzjoe:s] sap, levenssap || *let s.o. stew in their own* ~ iem in zijn eigen vet gaar laten koken

July [dzjoelaj] juli

[1]**jumble** [dzjumbl] *zn* **1** warboel, janboel, troep **2** mengelmoes, allegaartje

[2]**jumble** [dzjumbl] *ww* dooreengooien, dooreenhaspelen, samenflansen

jumble sale liefdadigheidsbazaar, rommelmarkt

[1]**jumbo** [dzjumboo] *zn* **1** kolos, reus **2** jumbo(jet)

[2]**jumbo** [dzjumboo] *bn* kolossaal, jumbo-, reuzen-

[1]**jump** [dzjump] *zn* sprong; *(fig)* (plotselinge, snelle) stijging; schok, ruk: *(fig) stay one ~ ahead* één stap vóór blijven
[2]**jump** [dzjump] *intr* **1** springen; *(wielrennen)* wegspringen; demarreren: *~ in* naar binnen springen, vlug instappen, *(fig)* tussenbeide komen; *(fig) he ~ed at the offer* hij greep het aanbod met beide handen aan; *~ on s.o.* iem te lijf gaan, *(fig)* uitvaren tegen iem **2** opspringen, opschrikken, een schok krijgen: *he ~ed at the noise* hij schrok op van het lawaai; *~ to one's feet* opspringen **3** zich haasten, overhaast komen (tot): *~ to conclusions* overhaaste conclusies trekken
jumper [dzjumpe] **1** springer **2** pullover, (dames)trui, jumper **3** *(Am)* overgooier
jumper cable *(Am)* startkabel
jumping jack hansworst; trekpop *(speelgoed)*
jump lead startkabel
jump suit overall
jumpy [dzjumpie] **1** gespannen **2** lichtgeraakt, prikkelbaar

ju

junction [dzjungksjen] verbinding(spunt), kruispunt; knooppunt *(van auto-, spoorwegen)*
juncture [dzjungktsje] tijdsgewricht, toestand: *at this ~* onder de huidige omstandigheden
June [dzjoe:n] juni
jungle [dzjungkl] **1** jungle, oerwoud **2** warboel, warwinkel, chaos: *a ~ of tax laws* een doolhof van belastingwetten
[1]**junior** [dzjoe:nie] *zn* **1** junior **2** jongere, kleinere: *he's my ~ by two years, he's two years my ~* hij is twee jaar jonger dan ik **3** mindere, ondergeschikte
[2]**junior** [dzjoe:nie] *bn* **1** jonger, klein(er); junior *(achter namen)* **2** lager geplaatst, ondergeschikt, jonger: *~ clerk* jongste bediende
junior college *(Am)* universiteit *(met alleen de eerste twee jaren van de opleiding)*
junior high (school) *(Am)* middenschool, brugschool
juniper [dzjoe:nippe] jeneverbes(struik)
junk [dzjungk] **1** (oude) rommel, rotzooi, schroot **2** jonk
junk food junkfood, ongezonde kost, vette hap
junkie [dzjungkie] junkie, (drugs)verslaafde
junk mail huis-aan-huispost, ongevraagde post, reclamedrukwerk
jurisdiction [dzjoeerisdiksjen] **1** rechtspraak **2** (rechts)bevoegdheid, jurisdictie, competentie: *have ~ of* (of: *over*) bevoegd zijn over
juror [dzjoeere] jurylid
jury [dzjoeerie] jury
[1]**just** [dzjust] *bn* **1** billijk, rechtvaardig, fair **2** (wel)verdiend: *get* (of: *receive*) *one's ~ deserts* zijn verdiende loon krijgen **3** gegrond, gerechtvaardigd
[2]**just** [dzjust] *bw* **1** precies, juist, net: *~ about* zowat, wel zo'n beetje, zo ongeveer; *~ now* net op dit moment, daarnet **2** amper, ternauwernood, (maar) net: *~ a little* een tikkeltje (maar) **3** net, zo-even, daarnet: *they've (only) ~ arrived* ze zijn er (nog maar) net **4** gewoon, (alleen) maar, (nu) eens, nu eenmaal: *it ~ doesn't make sense* het slaat gewoon nergens op; *~ wait and see* wacht maar, dan zul je eens zien **5** gewoonweg, in één woord, (toch) even || *~ the same* toch, niettemin
justice [dzjustis] **1** rechter: *Justice of the Peace* kantonrechter, politierechter, *(Belg)* vrederechter **2** gerechtigheid, rechtmatigheid, recht, rechtvaardigheid, Justitia: *do ~ (to)* recht laten wedervaren; *do ~ to oneself, do oneself ~* zich (weer) waarmaken, aan de verwachtingen voldoen; *to do him ~* ere wie ere toekomt **3** gerecht, rechtspleging, justitie: *bring s.o. to ~* iem voor het gerecht brengen
justifiable [dzjustiffajjebl] **1** gerechtvaardigd, verantwoord, rechtmatig **2** te rechtvaardigen, verdedigbaar
justify [dzjustiffaj] **1** rechtvaardigen, bevestigen: *we were clearly justified in sacking him* we hebben hem terecht ontslagen **2** *(vooral in lijdende vorm)* in het gelijk stellen, rechtvaardigen, staven: *am I justified in thinking that …* heb ik gelijk als ik denk dat …
jut [dzjut] *(ook met out)* uitsteken, (voor)uitspringen
[1]**juvenile** [dzjoe:venajl] *zn* jongere, jeugdig persoon
[2]**juvenile** [dzjoe:venajl] *bn* jeugdig, kinderlijk: *~ court* kinderrechter; *~ delinquency* jeugdcriminaliteit

k

K [kee] **1** *afk van 1000* 1000: *he earns £30K a year* hij verdient £30.000 per jaar **2** *afk van 1024 bytes* KB
kale [keel] (boeren)kool
kaleidoscope [kelajdeskoop] caleidoscoop
kangaroo [kengkeroe:] kangoeroe
kapok [keepok] kapok
karaoke [kerie·ookie] karaoke
karting [ka:ting] karting, gocarting
kayak [kajek] kajak *(van Eskimo's);* kano
[1]**Kazakh** [keza:k] *zn* Kazak
[2]**Kazakh** [keza:k] *bn* Kazaks
Kazakhstan [kezeksta:n] Kazachstan
keel [kie:l] *(scheepv)* kiel
keelhaul **1** kielhalen, kielen **2** op z'n nummer zetten, op z'n donder geven: *Julian was ~ed by his boss* Julian kreeg flink op z'n donder van zijn baas
keen [kie:n] **1** scherp *(ook fig);* bijtend, fel; hevig *(van wind, vorst e.d.; ook van strijd): we're facing ~ competition from small businesses* we kampen met felle concurrentie van kleine ondernemingen **2** scherp; helder *(van zintuigen, verstand e.d.): ~ sight* scherp gezichtsvermogen **3** vurig, enthousiast: *a ~ golfer* een hartstochtelijk golfer; *~ on* gespitst op, gebrand op **4** spotgoedkoop
[1]**keep** [kie:p] *zn* **1** (hoofd)toren **2** bolwerk, bastion **3** (levens)onderhoud, kost, voedsel: *earn your ~* de kost verdienen || *for ~s* voor altijd, voorgoed
[2]**keep** [kie:p] *intr (kept, kept)* **1** blijven, doorgaan met: *~ left* links houden; *will you please ~ still!* blijf nou toch eens stil zitten!; *how is Richard ~ing?* hoe gaat het met Richard?; *~ abreast of (lett)* bijhouden, *(fig)* op de hoogte blijven van; *~ back* op een afstand blijven; *~ indoors* in huis blijven; *if the rain ~s off* als het droog blijft; *~ off!* (of: *out!*) verboden toegang!; *~ off* uit de buurt blijven van, vermijden; *~ out of: a)* zich niet bemoeien met; *b)* niet betreden; *c)* zich niet blootstellen aan **2** goed blijven; vers blijven *(van voedsel): (fig) your news will have to ~ a bit* dat nieuwtje van jou moet maar even wachten
[3]**keep** [kie:p] *tr (kept, kept)* **1** houden, zich houden aan, bewaren: *~ a promise* een belofte nakomen; *~ a secret* een geheim bewaren **2** houden, onderhouden, eropna houden, (in dienst) hebben: *~ chickens* kippen houden **3** (in bezit) hebben, bewaren, in voorraad hebben, verkopen: *~ the change* laat maar zitten **4** houden, ophouden, vasthouden, tegenhouden: *~ within bounds* binnen de perken houden; *~ it clean* houd het netjes; *~ sth. going* iets aan de gang houden; *~ s.o. waiting* iem laten wachten; *what kept you (so long)?* wat heeft je zo (lang) opgehouden?, waar bleef je (nou)?; *~ back: a)* tegenhouden, op een afstand houden; *b)* achterhouden, geheimhouden; *~ down: a)* binnenhouden *(voedsel); b)* omlaaghouden, laag houden; *c)* onder de duim houden; *d)* onderdrukken, inhouden *(woede); ~ one's weight down* z'n gewicht binnen de perken houden; *~ your head down!* bukken!; *~ off* op een afstand houden; *~ s.o. out* iem buitensluiten; *he tried to ~ the bad news from his father* hij probeerde het slechte nieuws voor z'n vader verborgen te houden; *he couldn't ~ his eyes off the girl* hij kon z'n ogen niet van het meisje afhouden; *~ your hands off me!* blijf met je poten van me af!; *~ them out of harm's way* zorg dat ze geen gevaar lopen; *he kept it to himself* hij hield het voor zich **5** bijhouden *((dag)boek e.d.);* houden: *Mary used to ~ (the) accounts* Mary hield de boeken bij **6** houden, aanhouden, blijven in: *~ your seat!* blijf (toch) zitten!
keep at door blijven gaan met: *~ it!* ga zo door!
keeper [kie:pe] **1** bewaarder **2** keeper, doelverdediger; *(cricket)* wicketkeeper
[1]**keep in** *intr* binnen blijven
[2]**keep in** *tr* na laten blijven
keeping [kie:ping] **1** bewaring, hoede: *in safe ~* in veilige bewaring **2** overeenstemming, harmonie: *in ~ with* in overeenstemming met
keep in with (proberen) op goede voet (te) blijven met: *now that she's old she wishes she had kept in with her children* nu ze oud is, wilde ze dat ze op goede voet was gebleven met haar kinderen
[1]**keep on** *intr* **1** volhouden, doorgaan: *he keeps on telling me these awful jokes* hij blijft me maar van die vreselijke grappen vertellen **2** doorgaan, doorrijden, doorlopen, verder gaan **3** blijven praten, doorkletsen
[2]**keep on** *tr* **1** aanhouden, ophouden; blijven dragen *(kleding, hoed): please ~ your safety helmet throughout the tour* houd u alstublieft tijdens de rondleiding uw veiligheidshelm op **2** aanlaten *(licht)*
keepsake [kie:pseek] aandenken, souvenir: *for a ~* als aandenken
keep to **1** blijven bij, (zich) beperken tot, (zich) houden (aan): *~ the point* bij het onderwerp blijven; *she always keeps (herself) to herself* ze is erg op zichzelf **2** houden, rijden: *~ the left* links houden
[1]**keep up** *intr* **1** overeind blijven, blijven staan **2** hoog blijven *(van prijs, standaard; ook fig)* **3** (in dezelfde, goede staat) blijven, aanhouden: *I do hope that the weather keeps up* ik hoop wel dat het weer mooi blijft **4** opblijven **5** bijblijven, bijhou-

den: ~ *with one's neighbours* niet bij de buren achterblijven; ~ *with the Joneses* z'n stand ophouden; ~ *with the times* bij de tijd blijven

[2]**keep up** *tr* **1** omhooghouden, ophouden **2** hooghouden: ~ *the costs* de kosten hoog houden; *keep morale up* het moreel hooghouden **3** doorgaan met, handhaven, volhouden: ~ *the conversation* de conversatie gaande houden; ~ *the good work!* ga zo door!

keg [keǩ] vaatje

ken [ken] kennis, bevattingsvermogen, begrip: *that is beyond* (of: *outside*) *my* ~ dat gaat boven mijn pet

kennel [kenl] **1** hondenhok **2** kennel, hondenfokkerij

kept [kept] *ovt en volt dw van* keep

kerb [kɘ:b] stoeprand, trottoirband

kerfuffle [kɘfufl] opschudding

kernel [kɘ:nl] **1** pit, korrel **2** kern, essentie

kerosene [kerrɘsie:n] kerosine, (lampen)petroleum, lampolie, paraffineolie

kettle [ketl] ketel: *put the* ~ *on* theewater opzetten

ke

kettledrum keteltrom(mel), pauk

[1]**key** [kie:] *zn* **1** sleutel; *(fig)* toegang; oplossing, verklaring: ~ *to the mystery* sleutel van het raadsel **2** toon; *(muz)* toonaard, toonsoort; tonaliteit, stijl: *out of* ~, *off* ~ vals **3** toets *(van piano, schrijfmachine e.d.)*; klep *(van blaasinstrument)*

[2]**key** [kie:] *bn* sleutel-, hoofd-, voornaamste: ~ *figure* sleutelfiguur; ~ *question* hamvraag; ~ *witness* hoofdgetuige, voornaamste getuige

[3]**key** [kie:] *tr* (met *in*) invoeren *(via toetsenbord)*; intikken

keyboard **1** toetsenbord **2** klavierinstrument, toetsinstrument

keyhole sleutelgat || ~ *surgery* kijkoperatie

keynote **1** grondtoon, hoofdtoon **2** hoofdgedachte, grondgedachte

keypad (druk)toetsenpaneel(tje) *(van afstandsbediening, rekenmachientje e.d.)*

keystone **1** sluitsteen *(van boog)* **2** hoeksteen, fundament

key up opwinden, gespannen maken: *the boy looked keyed up* de jongen zag er gespannen uit

kg *afk van kilogram(s)* kg

khaki [ka:kie] kaki(kleur), kakistof

kibbutz [kibboets] kibboets

[1]**kick** [kik] *zn* **1** schop, trap **2** terugslag *(van geweer)* **3** kick, stimulans, impuls: *do sth. for ~s* iets voor de lol doen **4** kracht, fut, energie || *a* ~ *in the pants* een schop onder zijn kont *(fig)*; *a* ~ *in the teeth* een slag in het gezicht *(fig)*

[2]**kick** [kik] *intr* **1** schoppen, trappen: *(voetbal)* ~ *off* aftrappen **2** terugslag hebben *(van geweer)* **3** er tegenaan schoppen, protesteren: ~ *against* (of: *at*) protesteren tegen || ~ *off* sterven

[3]**kick** [kik] *tr* **1** schoppen, trappen, wegtrappen: ~ *oneself* zich voor zijn kop slaan; ~ *out* eruit schoppen, ontslaan **2** stoppen met *(verslaving e.d.)* || ~ *a person when he is down* iem nog verder de grond in trappen; ~ *upstairs* wegpromoveren

[1]**kick around** *intr* **1** rondslingeren: *his old bicycle has been kicking around in the garden for weeks now* zijn oude fiets slingert al weken rond in de tuin **2** in leven zijn, bestaan, rondhollen

[2]**kick around** *tr* **1** sollen met, grof behandelen **2** commanderen, bazen

kickback smeergeld

kick in in werking treden, beginnen (te werken); (plotseling) beginnen mee te spelen *(bijv. van angst): but when she saw the rhino at close range, fear kicked in* maar toen ze de neushoorn van dichtbij zag, werd ze ineens bang

kick-off **1** *(voetbal)* aftrap **2** begin

kick-start **1** snel op gang brengen, een impuls geven aan **2** aantrappen; starten *(motor)*

kickstart(er) trapstarter

[1]**kid** [kid] *zn* **1** jong geitje, bokje **2** kind, joch **3** geitenleer

[2]**kid** [kid] *bn* **1** jonger: ~ *brother* (of: *sister*) jonger broertje (*of:* zusje) **2** van geitenleer, glacé: *handle* (of: *treat*) *(s.o.) with* ~ *gloves* (iem) met fluwelen handschoentjes aanpakken

[3]**kid** [kid] *ww* plagen, in de maling nemen: *no ~ding?* meen je dat?; *no ~ding!* echt waar!

kiddie [kiddie] jong, joch, knul

kidnap [kidnep] ontvoeren, kidnappen

kidney [kidnie] nier

[1]**kill** [kil] *zn* buit, vangst, (gedode) prooi || *be in at the* ~ erbij zijn als de vos gedood wordt, *(fig)* er (op het beslissende moment) bij zijn

[2]**kill** [kil] *tr* **1** *(ook fig)* doden, moorden, ombrengen: *my feet are ~ing me* ik verga van de pijn in mijn voeten; ~ *oneself laughing* (of: *with laughter*) zich een ongeluk lachen; ~ *off* afmaken, uit de weg ruimen, uitroeien; *be ~ed* om het leven komen **2** *(voetbal)* doodmaken, doodleggen, stoppen || *dressed to* ~ er piekfijn uitzien

killer [killɘ] moordenaar

[1]**killing** [killing] *zn* **1** moord, doodslag **2** groot (financieel) succes: *make a* ~ zijn slag slaan, groot succes hebben

[2]**killing** [killing] *bn* **1** dodelijk, fataal **2** slopend, uitputtend

killjoy spelbreker

kiln [kiln] (steen)oven

kilo [kie:loo] **1** kilo(gram) **2** kilometer

kilobyte [killɘbajt] kilobyte *(1024 (=2^{10}) bytes)*

kilogramme [killɘǩrem] kilogram

kilometre [killommittɘ] kilometer

kilowatt [killɘwot] kilowatt

kilt [kilt] kilt

kin [kin] familie, verwanten: *kith and* ~ vrienden en verwanten; *next of* ~ naaste verwanten

[1]**kind** [kajnd] *zn* **1** soort, type, aard: *nothing of the* ~ niets van dien aard, geen sprake van; *three of a* ~ drie gelijke(n), drie dezelfde(n); *a* ~ *of* een

soort; *all ~s of* allerlei; *I haven't got that ~ of money* zulke bedragen heb ik niet **2** wijze, manier van doen **3** wezen, karakter, soort || *pay in ~* in natura betalen, *(fig)* met gelijke munt terugbetalen
[2]**kind** [kajnd] *bn* vriendelijk, aardig: *with ~ regards* met vriendelijke groeten; *would you be ~ enough to* (of: *so ~ as to*) *open the window* zou u zo vriendelijk willen zijn het raam open te doen
kindergarten [kindeka:tn] kleuterschool
[1]**kindle** [kindl] *intr* ontbranden, (op)vlammen, vlam vatten: *such dry wood ~s easily* zo'n droog hout vat gemakkelijk vlam
[2]**kindle** [kindl] *tr* **1** ontsteken **2** opwekken, doen stralen, gloeien: *I don't know what ~d their hatred of him* ik weet niet waardoor ze hem zijn gaan haten
kindling [kindling] aanmaakhout
[1]**kindly** [kajndlie] *bn* vriendelijk, (goed)aardig: *in a ~ fashion* vriendelijk
[2]**kindly** [kajndlie] *bw* alstublieft: *~ move your car* zet u a.u.b. uw auto ergens anders neer || *he did not take ~ to all those rules* hij kon niet zo goed tegen al die regels
kindness [kajndnes] **1** vriendelijke daad, iets aardigs, gunst **2** vriendelijkheid: *out of ~* uit goedheid
[1]**kindred** [kindrid] *zn* **1** verwantschap **2** verwanten, familie(leden)
[2]**kindred** [kindrid] *bn* verwant: *a ~ spirit* een verwante geest
king [king] koning; *(kaartspel ook)* heer
kingcup boterbloem
kingdom [kingdem] koninkrijk, rijk, domein
kingpin **1** *(bowling)* koning **2** spil *(fig)*; leidende figuur
King's English standaard Engels, BBC-Engels
king-size(d) extra lang, extra groot
kink [kingk] **1** kink; knik *(in draad e.d.)* **2** kronkel, eigenaardigheid
kinky [kingkie] **1** pervers **2** sexy; opwindend *(van kleren)*
kinship [kinsjip] verwantschap; *(ook fig)* overeenkomst; verbondenheid: *she felt a deep ~ with the other students in her group* ze voelde een diepe verbondenheid met de andere studenten in haar groep
kinsman [kinzmen] (bloed)verwant
kiosk [kie:osk] **1** kiosk, stalletje **2** reclamezuil **3** telefooncel
[1]**kip** [kip] *zn* **1** slaapplaats, bed **2** dutje, slaap(je)
[2]**kip** [kip] *intr* (ook met *down*) (gaan) pitten, (gaan) slapen
[1]**Kirghiz** [ke:kiz] *zn* Kirgies
[2]**Kirghiz** [ke:kiz] *bn* Kirgizisch
Kirghizistan [ke:kizista:n] Kirgizië
[1]**kiss** [kis] *zn* kus(je), zoen(tje): *blow a ~* een kushandje geven, een kus toewerpen || *~ of life* mond-op-mondbeademing
[2]**kiss** [kis] *ww* **1** kussen, elkaar kussen, (elkaar) zoenen: *~ and be friends* het afzoenen, het weer goedmaken **2** (even, licht) raken; *(biljart)* klotsen (tegen); een klos maken
kisser [kisse] snoet, waffel: *he smacked the thief in the ~* hij gaf de dief een klap voor zijn kanis
kissing disease knuffelziekte, ziekte van Pfeiffer
kit [kit] **1** (gereedschaps)kist, doos, (plunje)zak **2** bouwdoos, bouwpakket **3** uitrusting, spullen: *did you remember to bring your squash ~?* heb je eraan gedacht je squashspullen mee te brengen?
kitbag plunjezak
kitchen [kitsjin] keuken
kitchen garden moestuin, groentetuin
kitchen sink aanrecht
kite [kajt] **1** vlieger: *fly a ~* vliegeren, een vlieger oplaten, *(fig)* een balletje opgooien **2** wouw || *go fly a ~* maak dat je weg komt
kitten [kitn] katje, poesje || *have ~s* de zenuwen hebben, op tilt slaan
kitty [kittie] **1** katje, poesje **2** pot; inzet *(bij kaartspel)*; kas
kiwi [kie:wie:] **1** kiwi(vrucht) **2** Nieuw-Zeelander
klaxon [kleksen] claxon
km *afk van kilometre(s)* km
knack [nek] **1** vaardigheid, handigheid, slag: *get the ~ of sth.* de slag te pakken krijgen van iets **2** truc, handigheidje: *there's a ~ in it* je moet de truc even doorhebben
knacker [neke] sloper
knackered [neked] bekaf, doodop
knapsack knapzak, plunjezak
knave [neev] **1** *(kaartspel)* boer **2** schurk
knead [nie:d] **1** (dooreen)kneden: *make sure you ~ the dough properly* zorg ervoor dat je het deeg goed kneedt **2** kneden; masseren *(bijv. spier)*
knee [nie:] **1** knie: *bring s.o. to his ~s* iem op de knieën krijgen **2** kniestuk || *his ~s were knocking together* hij stond te trillen op zijn benen
kneecap **1** knieschijf **2** kniebeschermer
kneel [nie:l] *(ook knelt, knelt)* (ook met *down*) knielen, geknield zitten
knees-up knalfuif, feest
knelt [nelt] *ovt en volt dw van* kneel
knew [njoe:] *ovt van* know
knickers [nikkez] slipje; onderbroek *(van vrouw)*
knick-knack [niknek] prul(letje), snuisterij
[1]**knife** [najf] *zn (mv: knives)* mes || *turn* (of: *twist*) *the ~* nog een trap nageven
[2]**knife** [najf] *tr* (door)steken, aan het mes rijgen
knight [najt] **1** ridder **2** *(schaakspel)* paard
knighthood [najthoed] ridderorde: *confer a ~ on s.o.* iem tot ridder slaan
[1]**knit** [nit] *intr (ook knit, knit)* één worden, vergroeien: *the broken bones ~ readily* de gebroken botten groeien weer snel aan elkaar
[2]**knit** [nit] *tr (ook knit, knit)* **1** breien **2** fronsen, samentrekken **3** verweven, verbinden: *(their interests are) closely ~* (hun belangen zijn) nauw verweven

knitting [nitting] breiwerk
knives [najvz] *mv van* knife
knob [nob] **1** knop, hendel, handvat, schakelaar **2** knobbel, bult: *the ~ on her leg was quite visible* de bult op haar been was goed te zien **3** brok(je), klontje
knobbly [noblie] knobbelig
knobby [nobbie] knobbelig
[1]**knock** [nok] *zn* **1** slag, klap, klop, tik **2** oplazer: *take a lot of ~s* heel wat te verduren krijgen
[2]**knock** [nok] *tr* **1** (hard) slaan, meppen, stoten (tegen): *~ a hole* (of: *nail*) *in* een gat (*of:* spijker) slaan in **2** (af)kraken **3** met stomheid slaan, versteld doen staan
[3]**knock** [nok] *tr, intr* kloppen, tikken: *~ at* (of: *on*) *a door* op een deur kloppen || *~ against sth.* tegen iets (op) botsen; *~ into s.o.* iem tegen het lijf lopen
knockabout 1 gooi-en-smijt- *(mbt films)* **2** rouwdouw
knock about 1 rondhangen, lanterfanten **2** (rond)slingeren **3** rondzwerven, rondscharrelen, vd hand in de tand leven: *~ with* optrekken met, scharrelen (*of:* rotzooien) met
knockdown 1 verpletterend, vernietigend **2** afbraak-, spotgoedkoop
knock down 1 neerhalen, tegen de grond slaan; *(fig)* vloeren **2** slopen, tegen de grond gooien **3** aanrijden, omverrijden, overrijden **4** naar beneden krijgen, afdingen, afpingelen: *knock s.o. down a pound* een pond bij iem afdingen **5** verkopen *(op veiling): the chair was knocked down at three pounds* de stoel ging weg voor drie pond
knock-kneed [noknie:d] met X-benen
knock off 1 (af)nokken (met), kappen; stoppen *((met) werk)* **2** goedkoper geven, korting geven **3** in elkaar draaien **4** afmaken, nog doen **5** *(inform)* jatten, beroven
knockout 1 *(boksen)* knock-out **2** *(sport)* eliminatietoernooi; *(ongev)* voorronde **3** spetter, juweel: *you look a ~* je ziet eruit om te stelen
knock out 1 vloeren, knock-out slaan **2** verdoven; bedwelmen *(van medicijn)* **3** *(sport)* uitschakelen, elimineren **4** in elkaar flansen: *we knocked out a programme for the festivities* we flansten snel een programma voor de festiviteiten in elkaar
knock over 1 omgooien, neervellen, aan-, over-, omverrijden **2** versteld doen staan **3** overvallen, beroven
knock together in elkaar flansen, (slordig, haastig) in elkaar zetten
[1]**knock up** *intr (tennis)* inslaan
[2]**knock up** *tr* **1** afbeulen, slopen **2** bij elkaar verdienen *(geld)* **3** zwanger maken
[1]**knot** [not] *zn* **1** knoop; strik *(als versiering)* **2** knoop *(fig);* moeilijkheid **3** kwast, (k)noest **4** kluitje mensen **5** band, verbinding, huwelijksband **6** knoop, zeemijl per uur, zeemijl || *get tied (up) into ~s (over)* van de kook raken door, de kluts kwijtraken (van, over)
[2]**knot** [not] *tr* **1** (vast)knopen, (vast)binden, een knoop leggen in **2** dichtknopen, dichtbinden
knotty [nottie] **1** vol knopen, in de knoop (geraakt) **2** kwastig; knoestig *(van hout)* **3** ingewikkeld, lastig
[1]**know** [noo] *zn: in the ~* ingewijd, (goed) op de hoogte
[2]**know** [noo] *ww (knew, known)* **1** weten, kennis hebben (van), beseffen: *if you ~ what I mean* als je begrijpt wat ik bedoel; *for all I ~ he may be in China* misschien zit hij in China, wie weet; *you ~* weet je (wel), je weet wel; *not that I ~ of* niet dat ik weet **2** kennen, bekend zijn met: *~ one's way* de weg weten **3** herkennen, (kunnen) thuisbrengen: *I knew Jane by her walk* ik herkende Jane aan haar manier van lopen || *don't I ~ it* moet je mij vertellen; *~ backwards (and forwards)* kennen als zijn broekzak, kunnen dromen; *~ better than to do sth.* (wel) zo verstandig zijn iets te laten
know-how handigheid, praktische vaardigheid, technische kennis
knowledge [nollidzj] kennis, wetenschap, informatie, geleerdheid: *to the best of one's ~ (and belief)* naar (zijn) beste weten; *without s.o.'s ~* buiten iemands (mede)weten; *be common ~* algemeen bekend zijn
knowledgeable [nollidzjebl] goed geïnformeerd, goed op de hoogte: *be ~ about* verstand hebben van
[1]**known** [noon] *bn* **1** bekend, algemeen beschouwd, erkend **2** gegeven, bekend || *make oneself ~ to* zich voorstellen aan
[2]**known** [noon] *volt dw van* know
knuckle [nukl] knokkel || *rap on* (of: *over*) *the ~s* op de vingers tikken; *near the ~* op het randje *(van mop)*
knuckle down (met *to*) zich serieus wijden (aan) *(karwei);* aanpakken, aanvatten: *it's high time you knuckled down to some hard study* het wordt hoog tijd dat je eens flink gaat studeren
knuckle under (met *to*) buigen (voor), zwichten (voor)
koala [kooa:le] koala(beer)
kooky [koe:kie] verknipt, geschift
Koran [ko:ra:n] Koran
kosher [koosje] koosjer, jofel, in orde
kowtow [kautau] (met *to*) door het stof gaan (voor), zich vernederen
kph *afk van kilometres per hour* km/u, kilometer per uur
Kurd [ke:d] Koerd
Kurdish [ke:disj] Koerdisch
kW *afk van kilowatt(s)* kW

l

l 1 *afk van left* links 2 *afk van litre(s)* l, liter(s)
L *afk van learner driver* leerling-automobilist
[1]**label** [leebl] *zn* 1 etiket, label 2 label *(van cd)*; platenmaatschappij 3 etiket
[2]**label** [leebl] *ww* 1 etiketteren, labelen, merken 2 een etiket opplakken, bestempelen als
laboratory [leborreterie] laboratorium, proefruimte
laborious [lebo:ries] 1 afmattend, bewerkelijk 2 moeizaam
[1]**labour** [leebe] *zn* 1 arbeid; werk *(in loondienst)* 2 (krachts)inspanning, moeite 3 arbeidersklasse, arbeidskrachten 4 (barens)weeën 5 bevalling: *be in ~* bevallen
[2]**labour** [leebe] *ww* 1 arbeiden, werken 2 zich inspannen, ploeteren: *~ at* (of: *over*) *sth.* op iets zwoegen 3 moeizaam vooruitkomen, zich voortslepen
labourer [leebere] (hand)arbeider, ongeschoolde arbeider: *agricultural ~* landarbeider
labour under te kampen hebben met, last hebben van
labyrinth [leberinθ] doolhof; labyrint *(ook fig)*
[1]**lace** [lees] *zn* 1 veter, koord 2 kant(werk)
[2]**lace** [lees] *ww* 1 rijgen, dichtmaken met veter 2 (door)vlechten, (door)weven 3 een scheutje sterkedrank toevoegen aan: *~ tea with rum* een scheutje rum in de thee doen
lacerate [lesereet] (ver)scheuren
[1]**lack** [lek] *zn* 1 gebrek, tekort: *die for* (of: *through*) *~ of food* sterven door voedselgebrek 2 behoefte
[2]**lack** [lek] *ww* 1 missen, niet hebben: *he simply ~s courage* het ontbreekt hem gewoon aan moed 2 gebrek hebben aan, te kort komen
lackey [lekie] 1 lakei, livreiknecht 2 kruiper
lacking [leking] afwezig, ontbrekend: *be ~ in* gebrek hebben aan
lacklustre dof, glansloos; mat *(van ogen)*
laconic [lekonnik] kort en krachtig, laconiek
lacquer [leke] 1 lak 2 (blanke) lak, vernis 3 (haar)lak
lactation [lekteesjen] 1 het zogen, melkvoeding 2 lactatie(periode), zoogperiode
lad [led] jongen, knul, jongeman || *be one of the ~s* erbij horen
ladder [lede] 1 ladder *(ook fig)*; trap(leer), touwladder 2 ladder *(in kous)* 3 *(sport)* ladder, ranglijst
Ladies(') [leediez] dames(toilet)
[1]**ladle** [leedl] *zn* soeplepel
[2]**ladle** [leedl] *ww* 1 opscheppen, oplepelen 2 (met *out*) rondstrooien, smijten met
lady [leedie] 1 dame: *ladies and gentlemen* dames en heren; *(Am) First Lady* presidentsvrouw 2 lady *(adellijke dame)* || *~ doctor* vrouwelijke arts
ladybird lieveheersbeestje
ladybug *(Am)* lieveheersbeestje
ladykiller vrouwenjager, (ras)versierder
ladylike [leedielajk] 1 ladylike, zoals een dame past, beschaafd 2 elegant
[1]**lag** [lek̂] *intr* (met *behind*) achterblijven, achteraan komen
[2]**lag** [lek̂] *tr* bekleden, betimmeren; isoleren *(leidingen e.d.)*
lager [la:k̂e] (blond) bier; *(fig)* pils
laggard [lek̂ed] treuzelaar, laatkomer, slome duikelaar
lagging [lek̂ing] bekleding(smateriaal), isolatie(materiaal), het bekleden
lagoon [lek̂oe:n] lagune
la(h)-di-da(h) [la:dieda:] bekakt
laid [leed] *ovt en volt dw van* lay
laid-back relaxed, ontspannen
lain [leen] *volt dw van* lie
lair [lee] 1 hol; leger *(van wild dier)* 2 hol *(fig)*; schuilplaats
laity [leeittie] *(ww altijd mv)* 1 leken(dom), de leken 2 leken(publiek), de leken
lake [leek] meer, vijver
lamb [lem] 1 lam(metje), lamsvlees 2 lammetje, lief kind, schatje
lame [leem] 1 mank, kreupel 2 onbevredigend, nietszeggend: *~ excuse* zwak excuus || *~ duck* slappeling, zielige (*of:* behoeftige) figuur
[1]**lament** [lement] *zn* 1 jammerklacht 2 klaaglied
[2]**lament** [lement] *intr* 1 (met *over*) klagen (over), jammeren (over) 2 treuren: *~ for a brother* treuren om een broer
[3]**lament** [lement] *tr* (diep) betreuren, treuren om, bewenen
lamentable [lementebl] 1 betreurenswaardig, beklagenswaard(ig) 2 erbarmelijk (slecht), bedroevend (slecht)
laminate [leminneet] 1 in dunne lagen splijten 2 lamineren, tot dunne platen pletten, bedekken met (metalen) platen: *~d wood* triplex, multiplex
lamp [lemp] lamp
[1]**lampoon** [lempoe:n] *zn* satire, schotschrift
[2]**lampoon** [lempoe:n] *ww* hekelen
lamp-post lantaarnpaal
lampshade lampenkap
lance [la:ns] lans, spies, speer
lancet [la:nsit] lancet *(chirurgisch mesje)*
[1]**land** [lend] *zn* 1 (vaste)land 2 landstreek, staat, gebied: *native ~* vaderland 3 bouwland, aarde, grond, grondgebied, lap grond, weiland || *the*

promised ~ het beloofde land
[2]**land** [lend] *intr* **1** landen, aan land gaan **2** (be)landen, neerkomen, terechtkomen: ~ *in a mess* in de knoei raken || *(inform) I ~ed up in Rome* uiteindelijk belandde ik in Rome
[3]**land** [lend] *tr* **1** aan wal zetten **2** doen landen; aan de grond zetten *(vliegtuig)* **3** doen belanden, brengen: ~ *s.o. in a mess* iem in de knoei brengen **4** vangen; binnenhalen, binnenbrengen *(vis)* **5** in de wacht slepen, bemachtigen
landed [lendid] **1** land-, grond-, uit land bestaand: ~ *property* grondbezit **2** land bezittend: ~ *gentry* (of: *nobility*) landadel
land forces landstrijdkrachten, landmacht
landing [lending] **1** landingsplaats, steiger, aanlegplaats **2** landing *(van vliegtuig);* het aan wal gaan; aankomst *(van schip)* **3** overloop, (trap)portaal
landing craft landingsvaartuig, landingsschip
landing gear landingsgestel, onderstel
landing net schepnet
landing stage (aanleg)steiger, aanlegplaats, losplaats
landlady **1** hospita, pensionhoudster, waardin **2** huisbazin, vrouw vd huisbaas
landlord **1** landheer **2** huisbaas, pensionhouder, waard
landmark **1** grenspaal **2** oriëntatiepunt *(ook fig);* markering, baken **3** mijlpaal, keerpunt
landscape [len(d)skeep] landschap, panorama
landslide [len(d)slajd] aardverschuiving *(ook fig): win by a* ~ een verpletterende overwinning behalen
lane [leen] **1** (land)weggetje, laantje, paadje **2** (voorgeschreven) vaarweg, vaargeul **3** luchtcorridor, luchtweg, (aan)vliegroute **4** *(verkeer)* rijstrook **5** *(sport)* baan
language [lengkwidzj] **1** taal: *foreign ~s* vreemde talen **2** taalgebruik, woordgebruik, stijl **3** (groeps)taal, vaktaal, jargon **4** communicatiesysteem, gebarentaal, (programmeer)taal, computertaal **5** taalbeheersing, spraak(vermogen)
language acquisition taalverwerving
languid [lengkwid] lusteloos, (s)loom, slap
languish [lengkwisj] (weg)kwijnen, verslappen, verzwakken
languor [lengke] **1** apathie, lusteloosheid, matheid **2** lome stilte, zwoelheid, drukkendheid
lank [lengk] **1** schraal, (brood)mager, dun **2** krachteloos, slap; sluik *(van haar)* **3** lang en buigzaam *(bijv. van gras)*
lantern [lenten] lantaarn
[1]**lap** [lep] *zn* **1** schoot *(ook van kledingstuk)* **2** overlap(ping), overlappend deel, overslag **3** *(sport)* baan, ronde **4** etappe *(van reis)*
[2]**lap** [lep] *intr* (met *against*) kabbelen (tegen), klotsen (tegen)
[3]**lap** [lep] *tr, intr* likken, oplikken: ~ *up* oplikken, opslorpen, *(fig)* verslinden
[1]**lapse** [leps] *zn* **1** kleine vergissing, fout(je) **2** misstap **3** (tijds)verloop, verstrijken van tijd **4** periode, tijd(je); poos(je) *(in het verleden)*
[2]**lapse** [leps] *ww* **1** (gaandeweg) verdwijnen, achteruitgaan, afnemen: *my anger had soon ~d* mijn boosheid was weldra weggeëbd **2** vervallen, terugvallen, afglijden: ~ *into silence* in stilzwijgen verzinken **3** verstrijken, verlopen
lapsed [lepst] **1** afvallig, ontrouw **2** *(jur)* verlopen, vervallen
laptop (computer) schootcomputer, laptop
larceny [la:senie] diefstal
[1]**lard** [la:d] *zn* varkensvet, (varkens)reuzel
[2]**lard** [la:d] *ww* larderen *(ook fig);* doorspekken, doorrijgen met spek
larder [la:de] provisiekamer, provisiekast
large [la:dzj] **1** groot, omvangrijk, ruim **2** veelomvattend, ver(re)gaand **3** onbevangen, gedurfd **4** edelmoedig, vrijgevig || *as ~ as life: a)* in levenden lijve, hoogstpersoonlijk; *b)* onmiskenbaar; *~r than life* overdreven, buiten proporties; *the murderer is still at* ~ de moordenaar is nog steeds op vrije voeten
largely [la:dzjlie] grotendeels, hoofdzakelijk, voornamelijk
lark [la:k] **1** grap: *for a* ~ voor de gein **2** leeuwerik
larva [la:ve] larve, larf
larynx [leringks] strottenhoofd
lascivious [lesivvies] wellustig, geil
laser [leeze] laser: ~ *beams* laserstralen
[1]**lash** [lesj] *zn* **1** zweepkoord, zweepeinde **2** zweepslag **3** wimper
[2]**lash** [lesj] *tr* **1** opzwepen, ophitsen: ~ *s.o. into a fury* iemand woedend maken **2** vastsnoeren, (stevig) vastbinden; *(scheepv)* sjorren
[3]**lash** [lesj] *tr, intr* **1** een plotselinge beweging maken (met), slaan; zwiepen *(bijv. van staart)* **2** met kracht slaan (tegen), geselen, teisteren; striemen *(van regen);* beuken *(van golven)*
lash out **1** (met *at*) (heftig) slaan, schoppen (naar), uithalen (naar), een uitval doen (naar) **2** (met *at, against*) uitvallen (tegen) **3** met geld smijten
lassie [lesie] meisje
lassitude [lesitjoe:d] vermoeidheid, uitputting
[1]**lasso** [lesoe:] *zn* lasso, werpkoord
[2]**lasso** [lesoe:] *ww* met een lasso vangen
[1]**last** [la:st] *zn* (schoenmakers)leest || *stick to one's* ~ zich bij zijn leest houden
[2]**last** [la:st] *intr* **1** duren, aanhouden **2** meegaan, intact blijven, houdbaar zijn: *his irritation won't* ~ zijn ergernis gaat wel over; ~ *out: a)* niet opraken; *b)* het volhouden **3** toereikend zijn
[3]**last** [la:st] *tr* toereikend zijn voor, voldoende zijn voor
[4]**last** [la:st] *bw* **1** als laatste; *(in samenstellingen)* laatst-: *come in* ~ als laatste binnenkomen; *last-mentioned* laatstgenoemde; ~ *but not least* (als) laatstgenoemde, maar daarom niet minder be-

langrijk **2** (voor) het laatst, (voor) de laatste keer: *when did you see her ~?* (of: *~ see her?*) wanneer heb je haar voor het laatst gezien?

⁵last [la:st] *telw* laatste *(ve reeks)*; laatstgenoemde: *breathe one's ~* zijn laatste adem uitblazen; *fight to* (of: *till*) *the ~* vechten tot het uiterste; *I don't think we have seen the ~ of him* ik denk dat we nog wel terugzien || *at (long) ~* (uit)eindelijk, ten slotte

⁶last [la:st] *telw* laatste *(ook fig)*; vorige, verleden: *at the ~ minute* (of: *moment*) op het laatste ogenblik; *~ night* gister(en)avond, vannacht; *~ Tuesday* vorige week dinsdag; *the ~ but one* de voorlaatste; *the ~ few days* de laatste paar dagen || *that's the ~ straw* dat doet de deur dicht; *the ~ word in cars* het nieuwste snufje op het gebied van auto's; *down to every ~ detail* tot in de kleinste details

lasting [la:sting] blijvend, aanhoudend, duurzaam: *a ~ solution* een definitieve oplossing

lastly [la:stlie] ten slotte, in de laatste plaats, tot slot

last-minute allerlaatst, uiterst

latch [letsj] klink *(van deur, hek)*: *on the ~* op de klink *(niet op slot)*

latchkey huissleutel

latch on to **1** snappen, (kunnen) volgen **2** hangen aan, zich vastklampen aan

¹late [leet] *bn (ook latter, last)* **1** te laat, verlaat, vertraagd: *five minutes ~* vijf minuten te laat **2** laat, gevorderd: *in the ~ afternoon* laat in de middag; *at a ~ hour* laat (op de dag), diep in de nacht; *at the ~st* uiterlijk, op zijn laatst **3** recent, vd laatste tijd, nieuw: *her ~st album* haar nieuwste album **4** voormalig, vorig **5** (onlangs) overleden, wijlen: *his ~ wife* zijn (onlangs) overleden vrouw

²late [leet] *bw* **1** te laat, verlaat, vertraagd: *better ~ than never* beter laat dan nooit **2** laat, op een laat tijdstip, gevorderd: *~ in (one's) life* op gevorderde leeftijd; *~r on: a)* later, naderhand; *b)* verderop || *of ~* onlangs, kort geleden

lately [leetlie] onlangs, kort geleden

late-night laat(st), nacht-: *~ shopping* koopavond

lateral [letrel] zij-, aan, vanaf, naar de zijkant

lath [la:θ] **1** tengel(lat), latwerk **2** lat

lather [la:ðe] (zeep)schuim, scheerschuim

¹Latin [letin] *eig.n.* **1** Latijn *(taal)* **2** Romaan, (een) Romaans(e taal) sprekende

²Latin [letin] *bn* Latijns: *~ America* Latijns-Amerika

latitude [letitjoe:d] **1** hemelstreek, luchtstreek, zone **2** (geografische) breedte, poolshoogte **3** speelruimte, (geestelijke) vrijheid

latrine [letrie:n] latrine, (kamp, kazerne) wc

latter [lete] **1** laatstgenoemde *(van twee)* **2** laatst(genoemd) *(van twee)*: *the ~ part of the year* het tweede halfjaar; *in his ~ years* in zijn laatste jaren

lattice [letis] raster(werk), vak-, raam-, tralie-werk, rooster: *~ window* glas-in-loodraam

Latvia [letvie] Letland

laudable [lo:debl] prijzenswaardig

¹laugh [la:f] *zn* **1** lach, gelach, lachje **2** geintje, lolletje, lachertje: *for ~s* voor de lol || *have the last ~* het laatst lachen

²laugh [la:f] *intr* **1** lachen: *~ to oneself* inwendig lachen **2** in de lach schieten, moeten lachen

³laugh [la:f] *tr* **1** lachend zeggen **2** belachelijk maken, uitlachen, weglachen: *~ off* met een grapje afdoen

laughable [la:febl] lachwekkend, belachelijk

laugh at **1** uitlachen, belachelijk maken **2** lachen om, maling hebben aan

laughing [la:fing] **1** lachend, vrolijk, opgewekt **2** om te lachen: *no ~ matter* een serieuze zaak, geen gekheid

laughing stock mikpunt (van spot) *(ook van zaken)*

laughter [la:fte] **1** gelach **2** plezier, pret, lol

¹launch [lo:ntsj] *zn* **1** motorsloep **2** rondvaartboot, plezierboot **3** tewaterlating **4** lancering

²launch [lo:ntsj] *intr* (ook met *out)* (energiek) iets (nieuws) beginnen: *~ out into business for oneself* voor zichzelf beginnen; *~ into* zich storten op

³launch [lo:ntsj] *tr* **1** lanceren, afvuren, (weg)werpen, (weg)smijten **2** te water laten **3** op gang brengen, (doen) beginnen, op touw zetten

launching pad lanceerplatform; *(fig)* springplank

launder [lo:nde] **1** wassen (en strijken) **2** witmaken *(zwart geld)*

launderette [lo:nderet] wasserette

laundry [lo:ndrie] **1** wasserij, wasinrichting **2** was, wasgoed

laundry list waslijst *(ook fig)*; wenslijst

laurel [lorrel] **1** laurier **2** lauwerkrans, erepalm **3** *~s* lauweren, roem, eer: *rest on one's ~s* op zijn lauweren rusten

lavatory [leveterie] **1** toilet, wc, openbaar toilet **2** toiletpot

lavender [levende] lavendel

¹lavish [levisj] *bn* **1** kwistig, gul, verkwistend **2** overvloedig, overdadig: *~ praise* overdadige lof

²lavish [levisj] *ww* kwistig schenken

law [lo:] **1** wet, recht, rechtsregel, wetmatigheid, natuurwet: *~ and order* orde en gezag, recht en orde; *be a ~ unto oneself* zijn eigen wetten stellen, eigenmachtig optreden **2** wet(geving), rechtsstelsel **3** rechten(studie), rechtsgeleerdheid **4** recht, rechtsgang, justitie, gerecht: *go to ~* naar de rechter stappen, een proces aanspannen **5** (gedrags)code, (spel)regel, norm, beroeps-, sport-, kunstcode **6** *(inform)* politie, sterke arm || *take the ~ into one's own hands* het recht in eigen hand nemen; *~ of the jungle* recht van de sterkste; *lay down the ~: a)* de wet voorschrijven; *b)* snauwen, blaffen

law-abiding gezagsgetrouw, gehoorzaam aan de wet

la

law centre wetswinkel
law court rechtscollege, rechtbank, gerechtshof
lawful [lo:foel] **1** wettig, legaal, rechtsgeldig **2** rechtmatig, geoorloofd, legitiem
lawless [lo:les] **1** wetteloos **2** onstuimig, losbandig, wild
lawn [lo:n] **1** gazon, grasveld **2** batist, linnen
lawnmower grasmaaier, gras(maai)machine
lawsuit proces, (rechts)geding, (rechts)zaak
lawyer [lo:je] **1** advocaat, (juridisch) raadsman **2** jurist, rechtsgeleerde
lax [leks] laks, nalatig: *~ about keeping appointments* laks in het nakomen van afspraken
[1]**laxative** [leksetiv] *zn* laxeermiddel
[2]**laxative** [leksetiv] *bn* laxerend
[1]**lay** [lee] *zn* ligging, positie: *(Am) the ~ of the land* de natuurlijke ligging van het gebied, *(fig ook)* de stand van zaken
[2]**lay** [lee] *bn* leken-, niet-priesterlijk, wereldlijk
[3]**lay** [lee] *intr (laid, laid)* wedden || *~ into* ervan langs geven *(ook fig)*
[4]**lay** [lee] *tr, intr (laid, laid)* **1** leggen, neerleggen (= neervlijen) **2** installeren, leggen, plaatsen, zetten; dekken *(tafel): the scene of the story is laid in Oxford* het verhaal speelt zich af in Oxford **3** (eieren) leggen **4** in een bepaalde toestand brengen, leggen, zetten, brengen: *~ bare* blootleggen, *(fig)* aan het licht brengen; *~ low: a)* tegen de grond werken; *b)* (vernietigend) verslaan; *c) (fig)* vellen *(bijv. van ziekte); ~ waste* verwoesten **5** riskeren, op het spel zetten, (ver)wedden: *~ a wager* een weddenschap aangaan || *~ in: a)* inslaan; *b)* opslaan
[5]**lay** [lee] *ovt van* lie
layabout nietsnut
lay about wild (om zich heen) slaan, te lijf gaan; ervan langs geven *(ook fig)*
lay aside 1 opzijleggen, sparen, wegleggen, bewaren **2** laten varen; opgeven *(plan, hoop)*
lay down 1 neerleggen: *~ one's tools* staken **2** vastleggen, voorschrijven, bepalen: *~ a procedure* een procedure uitstippelen **3** opgeven, laten varen; neerleggen *(ambt)*
layer [leee] **1** laag: *~ of sand* laag zand **2** legger *(kip);* leghen
layman [leemen] leek, amateur, niet-deskundige
[1]**lay off** *intr* stoppen, ophouden, opgeven: *~, will you?* laat dat, ja?
[2]**lay off** *tr* (tijdelijk) ontslaan, op non-actief stellen, laten afvloeien
lay on zorgen voor, regelen, organiseren: *~ a car* een auto regelen || *lay it on (thick): a)* (sterk, flink) overdrijven, het er dik opleggen; *b)* slijmen
layout indeling, ontwerp, bouwplan
lay out 1 uitgeven, investeren **2** uitspreiden, etaleren; klaarleggen *(kleding)* **3** afleggen; opbaren *(lijk)*
lay up 1 opslaan, een voorraad aanleggen van, inslaan **2** uit de roulatie halen, het bed doen houden: *he was laid up with the flu* hij moest in bed blijven met de griep
laze [leez] luieren, niksen: *~ about* (of: *around*) aanklooien, rondlummelen
lazy [leezie] **1** lui **2** loom, drukkend: *~ day* lome dag
lb *afk van libra* lb., Engels pond, 454 gram
L-driver *verk van learner-driver* leerling-automobilist
[1]**lead** [led] *zn* **1** lood **2** (diep)lood, peillood, paslood **3** (potlood)stift, grafiet || *swing the ~* zich drukken, lijntrekken
[2]**lead** [lie:d] *zn* **1** leiding, het leiden: *take the ~* de leiding nemen, het initiatief nemen **2** aanknopingspunt, aanwijzing, suggestie: *give s.o. a ~* iem op weg helpen, iem een hint geven **3** leiding, kopopositie, eerste plaats **4** voorsprong **5** hoofdrol; *(bij uitbr)* hoofdrolspeler **6** (honden)lijn, hondenriem
[3]**lead** [lie:d] *tr (led, led)* **1** (weg)leiden; (mee)voeren *(bij de hand, aan een touw e.d.)* **2** brengen tot, overhalen, aanzetten tot: *~ s.o. to think that* iem in de waan brengen dat **3** leiden *(bestaan, leven): ~ a life of luxury* een weelderig leven leiden || *~ away* meeslepen, blind(elings) doen volgen; *~ (s.o.) on: a)* (iem) overhalen (tot); *b)* iem iets wijsmaken; *~ up to: a)* (uiteindelijk) resulteren in; *b)* een inleiding (*of:* voorbereiding) zijn tot
[4]**lead** [lie:d] *tr, intr (led, led)* **1** leiden, voorgaan, de weg wijzen, begeleiden **2** aan de leiding gaan, aanvoeren, op kop liggen; *(sport)* voorstaan; een voorsprong hebben op; *(fig)* de toon aangeven: *Liverpool ~s with sixty points* Liverpool staat bovenaan met zestig punten **3** voeren; leiden *(van weg, route); (fig)* resulteren in: *~ to disaster* tot rampspoed leiden **4** leiden, aanvoeren, het bevel hebben (over) || *~ off (with)* beginnen (met)
leaden [ledn] **1** loden, van lood **2** loodgrijs, loodkleurig
leader [lie:de] **1** leider, aanvoerder, gids **2** eerste man, partijleider, voorman; *(muz)* concertmeester; eerste violist; *(Am; muz)* dirigent **3** *(journalistiek)* hoofdcommentaar
leading [lie:ding] **1** voornaam(st), hoofd-, toonaangevend: *~ actor* hoofdrolspeler **2** leidend, (be)sturend || *~ question* suggestieve vraag
lead singer [lie:d singe] leadzanger
[1]**leaf** [lie:f] *zn (mv: leaves)* **1** blad *(van boom, plant);* (bloem)blad **2** blad, bladzijde *(van boek)* **3** uitklapbare klep; insteek-, uitschuifblad *(van tafel)* **4** *(als 2e lid van samenstellingen)* folie; blad- *(van metaal): gold ~* bladgoud
[2]**leaf** [lie:f] *ww* bladeren: *~ through* (snel) doorbladeren
leaflet [lie:flit] **1** blaadje **2** foldertje, brochure
league [lie:ĝ] **1** *(sport)* bond, competitie, divisie **2** klasse, niveau: *she's not in my ~* ik kan niet aan haar tippen || *in ~ with* in samenwerking met, samenspannend met
[1]**leak** [lie:k] *zn* **1** lek, lekkage, ongewenste ontsnap-

ping: *spring a ~* lek raken; *(inform) take a ~* pissen **2** uitlekking; ruchtbaarheid *(van geheime gegevens)*

²leak [lie:k] *ww* lekken, lek zijn, (lekkend) doorlaten; *(informatie)* onthullen: *~ information (out) to the papers* gegevens aan de kranten doorspelen; *(fig) ~ out* (laten) uitlekken, (onbedoeld) bekend worden

leakage [lie:kidzj] lekkage, lek

¹lean [lie:n] *bn* mager, schraal, karig

²lean [lie:n] *intr* **1** leunen **2** steunen, staan (tegen) **3** zich buigen: *~ down* zich bukken; *~ over to s.o.* zich naar iem overbuigen **4** hellen, scheef staan || *~ over backwards* zich in (de gekste) bochten wringen, alle mogelijke moeite doen; *~ on* onder druk zetten; *~ to* (of: *towards*): *a)* neigen tot; *b)* prefereren; *~ (up)on* steunen op, afhankelijk zijn van

³lean [lie:n] *tr* **1** laten steunen, zetten (tegen) **2** buigen, doen hellen: *the Leaning Tower of Pisa* de scheve toren van Pisa; *~ one's head back* zijn hoofd achteroverbuigen **3** mager, schraal **4** arm(zalig), weinig opleverend: *~ years* magere jaren

leant [lent] *ovt en volt dw van* lean

lean-to aanbouw, afdak

¹leap [lie:p] *zn* sprong, gesprongen afstand, plotselinge toename, hindernis, obstakel || *by ~s and bounds* halsoverkop; *(fig) a ~ in the dark* een sprong in het duister

²leap [lie:p] *intr (ook leapt, leapt)* (op)springen, vooruitspringen: *~ for joy* dansen van vreugde || *her heart ~ed up* haar hart maakte een sprongetje; *~ at* met beide handen aangrijpen *(kans e.d.)*

¹leapfrog *zn* haasje-over, bokspringen

²leapfrog *intr* sprongsgewijs vorderen

³leapfrog *tr, intr* haasje-over spelen, bokspringen

leapt [lept] *ovt en volt dw van* leap

leap year schrikkeljaar

¹learn [lə:n] *intr (ook learnt, learnt)* **1** leren, studeren: *~ how to play the piano* piano leren spelen; *~ from experience* door ervaring wijzer worden **2** horen, vernemen, te weten komen: *~ about* (of: *of*) *sth. from the papers* iets uit de krant te weten komen

²learn [lə:n] *tr (ook learnt, learnt)* **1** leren, zich eigen maken, bestuderen **2** vernemen, horen van, ontdekken: *I ~t it from the papers* ik heb het uit de krant

learned [lə:nid] **1** onderlegd, ontwikkeld, geleerd **2** belezen **3** wetenschappelijk, academisch: *~ periodical* wetenschappelijk tijdschrift

learner [lə:nə] **1** leerling **2** beginner, beginneling **3** leerling-automobilist

learnt [lə:nt] *ovt en volt dw van* learn

¹lease [lie:s] *zn* **1** pacht, pachtcontract **2** (ver)huur, (ver)huurcontract, -overeenkomst **3** pachttermijn, huurtermijn, pachtduur

²lease [lie:s] *tr* **1** (ver)pachten **2** (ver)huren, leasen

leash [lie:sj] (honden)lijn, riem: *always keep Sarah on the ~* houd Sarah altijd aangelijnd || *strain at the ~* trappelen van ongeduld

¹least [lie:st] *bn* kleinste, geringste: *I haven't the ~ idea* ik heb er geen flauw idee van; *the line of ~ resistance* de weg van de minste weerstand

²least [lie:st] *bw, vnw (overtr trap van little)* minst(e): *the ~ popular leader* de minst populaire leider; *to say the ~ (of it)* om het zachtjes uit te drukken; *at (the) ~ seven* ten minste zeven; *it didn't bother me in the ~* het stoorde mij helemaal niet

¹leather [leðə] *zn* leer

²leather [leðə] *bn* leren, van leer

¹leave [lie:v] *zn* **1** toestemming, permissie, verlof: *~ of absence* verlof, vakantie; *by* (of: *with*) *your ~* met uw permissie **2** verlof, vrij, vakantie: *on ~* met verlof || *take one's ~ of s.o.: a)* iem gedag zeggen; *b)* afscheid nemen van iem

²leave [lie:v] *tr (left, left)* **1** laten liggen, laten staan, achterlaten, vergeten: *~ about* (of: *around*) laten (rond)slingeren **2** laten staan, onaangeroerd laten: *~ (sth.) undone* (iets) ongedaan laten; *be left with* (blijven) zitten met, opgescheept worden met **3** overlaten, doen overblijven: *four from six ~s two* zes min vier is twee **4** afgeven, achterlaten: *~ a note for s.o.* een boodschap voor iem achterlaten **5** toevertrouwen, in bewaring geven **6** nalaten, achterlaten || *~ it at that* het er (maar) bij laten; *~ (people) to themselves* zich niet bemoeien met (mensen)

³leave [lie:v] *tr, intr (left, left)* weggaan (bij, van), verlaten, vertrekken (bij, van): *it's time for you to ~, it's time you left* het wordt tijd dat je weggaat

leave behind **1** thuis laten, vertrekken zonder, vergeten (mee te nemen) **2** (alleen) achterlaten, in de steek laten: *John was left behind* John werd (alleen) achtergelaten **3** achter zich laten, passeren

¹leave off *intr* ophouden, stoppen

²leave off *tr* **1** uit laten *(kleding);* niet meer dragen **2** staken, stoppen met

leave out **1** buiten laten (liggen, staan) **2** weglaten, overslaan, niet opnemen **3** buitensluiten: *feel left out* zich buitengesloten voelen

leaves [lie:vz] *mv van* leaf

leavings [lie:vingz] overschot, overblijfsel(en), etensresten

lecherous [letsjərəs] **1** wellustig, liederlijk **2** geil, hitsig

¹lecture [lektsjə] *zn* **1** lezing, verhandeling, voordracht **2** (hoor)college, (openbare) les **3** preek, berisping: *read s.o. a ~* iem de les lezen

²lecture [lektsjə] *tr* de les lezen

³lecture [lektsjə] *tr, intr* **1** spreken (voor), lezing(en) geven (voor) **2** college geven (aan), onderrichten

lecturer [lektsjərə] **1** spreker, houder van lezing **2** docent *(in het hoger onderwijs)*

led [led] *ovt en volt dw van* lead

LED *afk van light-emitting diode* led

ledge [ledzj] richel, (uitstekende) rand

ledger [ledzjə] *(boekhouden)* grootboek; *(Am ook)* register

lee [lie:] **1** luwte, beschutting, beschutte plek **2** *(scheepv)* lij(zijde)
leech [lie:tsj] bloedzuiger; *(fig)* uitzuiger; parasiet || *cling* (of: *stick*) *like a ~ (to)* niet weg te branden zijn (bij)
leek [lie:k] prei
[1]**leer** [lie] *zn* **1** wellustige blik **2** wrede grijns, vuile blik
[2]**leer** [lie] *intr* **1** loeren, grijnzen **2** verlekkerd kijken, wellustige blikken werpen
leeway (extra) speelruimte, speling; *(Am)* veiligheidsmarge
[1]**left** [left] *zn* **1** linkerkant, links, linkerhand: *keep to the ~* links (aan)houden; *turn to the ~* links afslaan **2** *(pol)* links, de progressieven
[2]**left** [left] *bn* **1** linker, links **2** *(pol)* links
[3]**left** [left] *bw* **1** links, aan de linkerzijde **2** naar links, linksaf, linksom: *turn ~* links afslaan
[4]**left** [left] *ovt en volt dw van* leave
left-back linksachter
left-hand links, linker: *~ bend* bocht naar links; *~ drive* linkse besturing *(van auto)*
left-handed **1** links(handig) **2** links, onhandig **3** dubbelzinnig, dubieus: *~ compliment* twijfelachtig compliment
leftovers [leftoovez] **1** (etens)restjes, kliekje(s) **2** kliekjesmaaltijd
leg [lek] **1** been **2** poot *(van dier);* achterpoot **3** beengedeelte van kledingstuk; been *(van kous);* (broeks)pijp **4** poot *(van meubel e.d.)* **5** gedeelte (van groter geheel); etappe *(van reis, wedstrijd e.d.);* estafetteonderdeel; manche *(van wedstrijd)* **6** bout *(van kalf, lam): ~ of mutton* schapenbout **7** schenkel: *~ of veal* kalfsschenkel || *give s.o. a ~ up* iem een voetje geven, *(fig)* iem een handje helpen; *pull s.o.'s ~* iem voor de gek houden; *run s.o. off his ~s: a)* iem geen seconde met rust laten; *b)* iem uitputten; *shake a ~* opschieten; *not have a ~ to stand on* geen poot hebben om op te staan; *stretch one's ~s* de benen strekken *(door een wandeling); walk s.o. off his ~s* iem laten lopen tot hij erbij neervalt
legacy [lekesie] erfenis *(ook fig);* nalatenschap
legal [lie:kl] **1** wettig, legaal, rechtsgeldig: *~ tender* wettig betaalmiddel **2** wettelijk, volgens de wet **3** juridisch: *(free) ~ aid* kosteloze rechtsbijstand
legality [likelittie] rechtsgeldigheid, rechtmatigheid
legalize [lie:kelajz] legaliseren, wettig maken
legend [ledzjend] **1** (volks)overlevering, legende(n) **2** onderschrift, opschrift
legendary [ledzjenderie] legendarisch *(ook fig)*
legging [leking] **1** beenkap, beenbeschermer, scheenbeschermer **2** legging
legible [ledzjibl] leesbaar
legion [lie:dzjen] legioen
[1]**legionary** [lie:dzjenerie] *zn* legionair, legioensoldaat
[2]**legionary** [lie:dzjenerie] *bn* legioens-
legislation [ledzjisleesjen] wetgeving
legislative [ledzjisletiv] **1** wetgevend, bevoegd tot wetgeving **2** wets-, mbt wetgeving
legislator [ledzjisleete] wetgever, lid ve wetgevend lichaam
legit [lidzjit] *verk van legitimate* wettig, legaal, oké
legitimate [lidzjittimmet] **1** wettig, rechtmatig, legitiem **2** geldig: *~ purpose* gerechtvaardigd doel
leg-pull plagerij, beetnemerij
leg-up steuntje, duwtje; zetje *(in de goede richting)*
[1]**leisure** [lezje] *zn* (vrije) tijd, gelegenheid: *at ~* vrij, zonder verplichtingen, ontspannen; *at one's ~* in zijn vrije tijd, als men tijd heeft, als het schikt
[2]**leisure** [lezje] *bn* **1** vrij: *~ hours* (of: *time*) vrije uren (*of:* tijd) **2** vrijetijds-
leisure centre *(ongev)* recreatiecentrum, sportcentrum
leisurely [lezjelie] zonder haast (te maken), ontspannen, op zijn gemak
leisurewear vrijetijdskleding
lemon [lemmen] **1** citroen **2** *(inform)* idioot **3** miskoop, maandagochtendexemplaar
lemonade [lemmeneed] (citroen)limonade
lemon squash **1** citroensiroop **2** citroenlimonade
lend [lend] *(lent, lent)* **1** (uit)lenen: *~ s.o. a book* iem een boek lenen **2** verlenen, schenken, geven: *~ assistance to* steun verlenen aan || *~ itself to: a)* zich (goed) lenen tot; *b)* vatbaar zijn voor
length [lengθ] **1** lengte, omvang, (lichaams)lengte, grootte, gestalte: *~ of a book* omvang van een boek; *three centimetres in ~* drie centimeter lang **2** lengte, duur: *for the ~ of our stay* voor de duur van ons verblijf **3** eind(je), stuk(je): *~ of rope* eindje touw || *go to considerable* (of: *great*) *~s* erg z'n best doen, zich veel moeite getroosten; *at ~: a)* langdurig; *b)* uitvoerig; *c)* ten slotte; *go to* (of: *all*) *~s/any ~(s)* er alles voor over hebben; *at some ~* uitvoerig
lengthen [lengθen] verlengen, langer maken: *~ a dress* een jurk langer maken
lengthy [lengθie] **1** langdurig **2** langdradig
lenience [lie:niens] toegevendheid, mildheid
lenient [lie:nient] **1** tolerant, toegevend **2** mild, genadig: *~ verdict* mild vonnis
lens [lenz] lens
lent [lent] *ovt en volt dw van* lend
lentil [lentl] linze
leopard [lepped] luipaard, panter
leotard [lie:eta:d] tricot, balletpakje, gympakje
leper [leppe] lepralijder, melaatse
leprosy [lepresie] lepra, melaatsheid
[1]**lesbian** [lezbien] *zn* lesbienne
[2]**lesbian** [lezbien] *bn* lesbisch
[1]**less** [les] *bn* kleiner: *no ~ a person than* niemand minder dan
[2]**less** [les] *bw, vnw (vergr trap van little)* minder:

~ money minder geld; *he couldn't care ~* het kon hem geen barst schelen; *more or ~* min of meer || *none the ~* niettemin

[3]**less** [les] *vz* zonder, verminderd met, op ... na: *a year ~ one month* een jaar min één maand

lessen [lesn] (ver)minderen, (doen) afnemen

lesser [lesse] minder, kleiner, onbelangrijker: *to a ~ extent* in mindere mate

lesson [lesn] **1** les, leerzame ervaring: *let this be a ~ to you* laat dit een les voor je zijn **2** leerstof **3** lesuur **4** Schriftlezing, Bijbellezing || *teach s.o. a ~* iem een lesje leren

lest [lest] (voor het geval, uit vrees) dat, opdat niet: *she was afraid ~ he leave her* ze vreesde dat hij haar zou verlaten

[1]**let** [let] *zn* **1** *(sport, vnl. tennis)* let(bal), overgespeelde bal **2** beletsel, belemmering: *without ~ or hindrance* vrijelijk, zonder (enig) beletsel

[2]**let** [let] *intr (let, let)* **1** verhuurd worden **2** uitbesteed worden || *(inform) ~ on (about, that)* verklappen, doorvertellen (dat); *(inform) ~ on (that)* net doen (alsof)

[3]**let** [let] *tr (let, let)* **1** laten, toestaan: *~ sth. be known* iets laten weten; *please, ~ me buy this round* laat mij nu toch dit rondje aanbieden **2** *(geb w)* laten: *~ me hear* (of: *know*) hou me op de hoogte; *~ me see* eens kijken; *~'s not talk about it* laten we er niet over praten **3** *(wisk)* stellen, geven: *~ x be y+z* stel x is y+z, gegeven x is y+z **4** verhuren, in huur geven **5** aanbesteden || *~ s.o. be* iem met rust laten; *~ fly (at)* uithalen (naar); *~ s.o. get on with it* iem zijn gang laten gaan; *~ go (of)* loslaten, uit zijn hoofd zetten, ophouden (over); *~ oneself go* zich laten gaan; *~ s.o. have it* iem de volle laag geven, iem ervan langs geven; *~ slip: a)* laten uitlekken; *b)* missen, voorbij laten gaan *(kans); ~ through* laten passeren, doorlaten; *~ into: a)* binnenlaten in, toelaten tot; *b)* in vertrouwen nemen over, vertellen

let down **1** neerlaten, laten zakken, laten vallen **2** teleurstellen, in de steek laten: *don't let me down* laat me niet in de steek **3** leeg laten lopen *(band)*

let-down afknapper, teleurstelling

lethal [lie:θl] dodelijk, fataal

lethargy [leθedzjie] lethargie, (s)loomheid

let in binnenlaten, toelaten: *let oneself in* zich toegang verschaffen || *~ for* opschepen met, laten opdraaien voor; *let oneself in for* zich op de hals halen; *~ on: a)* in vertrouwen nemen over, inlichten over; *b)* laten meedoen met

let off **1** afvuren, afsteken, af laten gaan: *~ fireworks* vuurwerk afsteken **2** excuseren, vrijuit laten gaan, vrijstellen van: *the judge let him off* de rechter liet hem vrijuit gaan; *be ~ with* er afkomen met

[1]**let out** *intr* **1** uithalen, van leer trekken: *~ at s.o.* naar iem uithalen, tegen iem uitvaren **2** dichtgaan, sluiten; uitgaan *(van school e.d.)*

[2]**let out** *tr* **1** uitnemen; wijder maken *(kleding)* **2** laten uitlekken, verklappen, openbaar maken, bekendmaken **3** laten ontsnappen, vrijlaten, laten gaan: *let the air out of a balloon* een ballon laten leeglopen **4** geven *(gil)* **5** de laan uitsturen, ontslaan, (van school) sturen

let's [lets] *samentr van let us*

letter [lette] **1** letter: *to the ~* naar de letter, tot in detail, tot de kleinste bijzonderheden **2** brief: *~ to the editor* ingezonden brief; *~ of introduction* aanbevelingsbrief; *covering ~* begeleidend schrijven; *by ~* per brief, schriftelijk **3** *~s* letteren, literatuur

letterhead **1** briefhoofd **2** postpapier met briefhoofd

lettuce [lettis] sla, salade: *a head of ~* een krop sla

let up **1** minder worden, afnemen, gaan liggen: *I hope the wind's going to ~ a little* ik hoop dat de wind wat gaat liggen **2** het kalm aan doen, gas terugnemen **3** pauzeren, ophouden (met werken)

leukaemia [loe:kie:mie] leukemie, bloedkanker

levee [levvie] *(Am)* (rivier)dijk, waterkering

[1]**level** [levl] *zn* **1** peil, niveau, hoogte, natuurlijke plaats: *~ of achievement* (of: *production*) prestatiepeil, productiepeil; *find one's ~* zijn plaats vinden **2** vlak, (vlak) oppervlak, vlakte, vlak land **3** horizontaal **4** *(Am)* waterpas: *(inform) on the ~* rechtdoorzee, goudeerlijk **5** niveau: *at ministerial ~* op ministerieel niveau

[2]**level** [levl] *bn* **1** waterpas, horizontaal **2** vlak, egaal, zonder oneffenheden: *~ teaspoon* afgestreken theelepel **3** (op) gelijk(e hoogte), even hoog: *~ crossing* gelijkvloerse kruising, overweg; *draw ~ with* op gelijke hoogte komen met **4** gelijkmatig, evenwichtig, regelmatig: *in a ~ voice* zonder stemverheffing **5** bedaard, kalm: *keep a ~ head* zijn verstand erbij houden **6** gelijkwaardig, op gelijke voet **7** strak *(van blik);* doordringend: *give s.o. a ~ look* iem strak aankijken || *(do) one's ~ best* zijn uiterste best (doen)

[3]**level** [levl] *tr* **1** egaliseren, effenen **2** nivelleren, op gelijk niveau brengen; opheffen *(onderscheid): ~ down* tot hetzelfde niveau omlaag brengen; *~ up* tot hetzelfde niveau omhoog brengen

[4]**level** [levl] *tr, intr* (horizontaal) richten, aanleggen, afvuren; uitbrengen *(kritiek e.d.): ~ a charge against* (of: *at*) *s.o.* een beschuldiging tegen iem uitbrengen

[5]**level** [levl] *bw* vlak, horizontaal, waterpas

level-headed nuchter, afgewogen

[1]**lever** [lie:ve] *zn* **1** hefboom, koevoet, breekijzer **2** werktuig *(alleen fig);* pressiemiddel, instrument **3** hendel, handgreep, handvat

[2]**lever** [lie:ve] *tr* opheffen d.m.v. hefboom, tillen, (los)wrikken: *~ s.o. out of his job* iem wegmanoeuvreren

leverage [lie:veridzj] **1** hefboomwerking, hefboomkracht **2** macht, invloed, pressie: *even small groups can exert enormous political ~* zelfs kleine groeperingen kunnen enorme politieke pressie uitoefenen

levity [levvittie] lichtzinnigheid, lichtvaardigheid, oneerbiedigheid
[1]**levy** [levvie] *zn* heffing, vordering, belastingheffing: *make a ~ on* een heffing instellen op
[2]**levy** [levvie] *tr* **1** heffen, opleggen: *~ a fine* een boete opleggen **2** vorderen, innen **3** (aan)werven, rekruteren
lewd [ljoe:d] **1** wellustig **2** obsceen, schunnig
lexicography [leksikkokrefie] lexicografie, het samenstellen van woordenboeken
lexicology [leksikkolledzjie] lexicologie *(studie van woorden)*
lexicon [leksikken] woordenboek
liability [lajjebillittie] **1** (wettelijke ver)plicht(ing): *~ to pay taxes* belastingplichtigheid **2** *-ies* passiva, lasten, schulden **3** blok aan het been
liable [lajjebl] **1** (wettelijk) verplicht: *~ for tax* belastingplichtig **2** (met *for*) aansprakelijk (voor), (wettelijk) verantwoordelijk (voor) **3** vatbaar, vaak lijdend: *~ to colds* vaak verkouden **4** de neiging hebbend, het risico lopend: *it isn't ~ to happen* dat zal niet zo gauw gebeuren
liaison [lie·eezn] **1** liaison *(ook mil)*; verbinding; *(bij uitbr)* samenwerkingsverband **2** buitenechtelijke verhouding
liana [lie:anne] liaan
liar [lajje] leugenaar
[1]**libel** [lajbl] *zn* **1** smaadschrift **2** smaad, laster, belastering
[2]**libel** [lajbl] *tr* **1** belasteren, valselijk beschuldigen **2** een smaadschrift publiceren tegen
[1]**liberal** [libberel] *zn* liberaal, ruimdenkend iem
[2]**liberal** [libberel] *bn* **1** ruimdenkend, onbevooroordeeld, liberaal **2** royaal, vrijgevig **3** overvloedig, welvoorzien || *~ arts* vrije kunsten
liberate [libbereet] bevrijden
liberated [libbereetid] bevrijd; geëmancipeerd *(maatschappelijk, seksueel)*
liberation [libbereesjen] bevrijding, vrijlating
libero [libberoo] *(voetbal)* vrije verdediger
liberty [libbetie] **1** vrijheid, onafhankelijkheid: *~ of conscience* gewetensvrijheid; *at ~: a)* in vrijheid, op vrije voeten; *b)* vrij, onbezet; *c)* ongebruikt, werkloos **2** vrijheid, vrijmoedigheid: *take liberties with s.o.* zich vrijheden veroorloven tegen iem
librarian [lajbreerien] bibliothecaris
library [lajbrerie] bibliotheek, (openbare) leeszaal; uitleenverzameling *(van films, cd's e.d.)*
Libya [libbie] Libië
lice [lajs] *mv van* louse
[1]**licence** [lajsns] *zn* **1** vergunning, licentie, verlof **2** verlof, permissie, toestemming **3** vrijheid **4** losbandigheid, ongebondenheid **5** (artistieke) vrijheid
[2]**licence** [lajsns] *tr* (een) vergunning verlenen (aan), een drankvergunning verlenen (aan), (officieel) toestemming geven voor: *he will only stay at ~d hotels* hij logeert alleen in hotels met een drankvergunning; *~d to sell tobacco* met tabaksvergunning
licensee [lajsnsie:] vergunninghouder; licentiehouder *(ve drank-, tabaksvergunning)*
license plate *(Am)* nummerbord
licentious [lajsensjes] wellustig
[1]**lick** [lik] *zn* **1** lik, veeg; *(bij uitbr)* ietsje; klein beetje: *a ~ of paint* een kwastje (verf) **2** (vliegende) vaart: *(at) full ~, at a great ~* met een noodgang
[2]**lick** [lik] *tr* **1** likken **2** *(inform)* een pak slaag geven *(ook fig)*; ervan langs geven, overwinnen: *~ a problem* een probleem uit de wereld helpen
[3]**lick** [lik] *tr, intr* lekken; (licht) spelen (langs) *(van golven, vlammen)*: *the flames ~ed (at) the walls* de vlammen lekten (aan) de muren
licking [likking] pak rammel: *the team got a ~* het team werd ingemaakt
lid [lid] **1** deksel, klep **2** (oog)lid || *take the ~ off* onthullingen doen; *that puts the ~ on* dat doet de deur dicht
[1]**lie** [laj] *zn* **1** leugen: *tell a ~* liegen **2** ligging, situering, positie: *the ~ of the land* de natuurlijke ligging van het gebied, *(fig)* de stand van zaken || *give the ~ to* weerleggen
[2]**lie** [laj] *intr* liegen, jokken
[3]**lie** [laj] *intr (lay, lain)* **1** (plat, uitgestrekt, vlak) liggen, rusten **2** (begraven) liggen, rusten: *here ~s …* hier ligt … **3** gaan liggen, zich neerleggen **4** zich bevinden *(op een plaats, in een toestand)*; liggen, gelegen zijn: *~ fallow* braak liggen; *my sympathy ~s with …* mijn medeleven gaat uit naar … || *I don't know what ~s in store for me* ik weet niet wat me te wachten staat
lie about **1** luieren, niksen **2** (slordig) in het rond liggen; rondslingeren *(van voorwerpen)*
lie down (gaan) liggen: *(fig) we won't take this lying down* we laten dit niet over onze kant gaan
liege [lie:dzj] **1** leenheer **2** leenman, vazal
lie in *(inform)* uitslapen, lang in bed blijven liggen
lie over overstaan, blijven liggen, uitgesteld worden: *let sth. ~* iets uitstellen
lieu [ljoe:]: *in ~ of* in plaats van
lie up **1** zich schuilhouden, onderduiken **2** het bed houden, platliggen
lieutenant [leftennent] *(mil)* luitenant
lie with zijn aan, de verantwoordelijkheid zijn van, afhangen van: *the choice lies with her* de keuze is aan haar
life [lajf] *(mv: lives)* **1** levend wezen, leven: *several lives were lost* verscheidene mensen kwamen om het leven **2** leven, bestaan, levendigheid, bedrijvigheid, levensduur, levensbeschrijving: *a matter of ~ and death* een zaak van leven of dood; *make ~ easy* niet moeilijk doen; *you (can) bet your ~* nou en of!, wat dacht je!; *bring to ~* (weer) bijbrengen, *(fig)* tot leven wekken; *come to ~: a)* bijkomen, tot leven komen; *b) (fig)* geïnteresseerd raken; *save s.o.'s ~* iemands leven redden; *take one's (own)*

~ zelfmoord plegen; *for* ~ voor het leven, levenslang; *for the* ~ *of me I couldn't remember it* al sla je me dood, ik weet het echt niet meer; *this is the* ~*!* dit noem ik nog eens leven! **3** levenslang(e gevangenisstraf) || *take one's* ~ *in one's (own) hands* zijn leven in de waagschaal stellen; *the* ~ *(and soul) of the party* de gangmaker van het feest; *start* ~ zijn carrière beginnen; *not on your* ~ nooit van zijn leven

lifebelt redding(s)gordel

lifebuoy redding(s)boei

life-course savings scheme levenslooppregeling

lifeguard **1** badmeester, strandmeester **2** lijfwacht

life jacket redding(s)vest

lifeline **1** redding(s)lijn **2** vitale verbindingslijn; navelstreng *(fig)*

life-raft redding(s)vlot

lifespan (potentiële) levensduur

lifestyle levensstijl

lifetime levensduur, mensenleven: *the chance of a* ~ een unieke kans

[1]**lift** [lift] *zn* **1** lift **2** lift, gratis (auto)rit **3** (ver)heffing

[2]**lift** [lift] *intr* **1** (op)stijgen, opgaan, opkomen, omhooggaan, omhoogkomen: ~ *off* opstijgen, starten **2** optrekken *(van mist enz.)*

[3]**lift** [lift] *tr* **1** (omhoog-, op)tillen, omhoog-, optrekken, (op)hijsen: *not* ~ *a hand* (of: *finger*) geen hand (*of:* vinger) uitsteken **2** opheffen, afschaffen: ~ *a blockade* een blokkade opheffen **3** verheffen, op een hoger plan brengen: *this news will* ~ *his spirits* dit nieuws zal hem opbeuren **4** rooien, uit de grond halen **5** verheffen, luider doen klinken: ~ *up one's voice* zijn stem verheffen

ligament [likəmənt] gewrichtsband

[1]**light** [lajt] *zn* **1** licht, verlichting, openbaarheid: *bring* (of: *come*) *to* ~ aan het licht brengen (*of:* komen); *reversing* ~ achteruitrijlicht; *see the* ~ het licht zien, tot inzicht komen; *shed* (of: *throw*) ~ *(up)on* licht werpen op, klaarheid brengen in **2** vuurtje, vlammetje: *can you give me a* ~*, please?* heeft u misschien een vuurtje voor me? || *set (a)* ~ *to sth.* iets in de fik steken; *see the* ~ *at the end of the tunnel* licht in de duisternis zien; *a shining* ~ een lichtend voorbeeld; *in (the)* ~ *of this statement* gezien deze verklaring

[2]**light** [lajt] *bn* **1** licht, niet zwaar: ~ *clothing* lichte kleding; ~ *food* licht (verteerbaar) voedsel, light, dieetproducten; ~ *of heart* licht-, luchthartig; *(sport)* ~ *heavyweight* halfzwaargewicht; ~ *opera* operette; *make* ~ *work of* zijn hand niet omdraaien voor; *make* ~ *of* niet zwaar tillen aan **2** licht, verlicht, helder

[3]**light** [lajt] *intr (ook lit, lit)* **1** ontbranden, vlam vatten **2** aan gaan; gaan branden *(van lamp enz.)* **3** opklaren; oplichten *(ook van gezicht, ogen)*

[4]**light** [lajt] *tr (ook lit, lit)* **1** aansteken: ~ *a fire* (of: *lamp*) een vuur (*of:* lamp) aansteken **2** verlichten, beschijnen: ~*ed* (of: *lit*) *by electricity* elektrisch verlicht

[5]**light** [lajt] *bw* licht: *sleep* ~ licht slapen; *travel* ~ weinig bagage bij zich hebben

[1]**lighten** [lajtn] *intr* **1** lichter worden, afnemen in gewicht **2** opleven, opfleuren **3** ophelderen, opklaren **4** klaren, dagen **5** bliksemen, (weer)lichten

[2]**lighten** [lajtn] *tr* **1** verlichten, ontlasten; *(fig)* opbeuren **2** verlichten, verhelderen

lighter [lajtə] aansteker

light-headed licht-, warhoofdig

light-hearted luchthartig

lighthouse vuurtoren

lighting [lajting] verlichting

lightly [lajtlie] **1** licht(jes), een ietsje **2** licht(jes), gemakkelijk **3** luchtig, lichtvaardig

lightning [lajtning] bliksem, weerlicht: *forked* ~ vertakte bliksem(straal); *like (greased)* ~ als de (gesmeerde) bliksem; ~ *conductor* bliksemafleider

[1]**light up** *intr* **1** (ver)licht(ing) aansteken, de lamp(en) aandoen **2** *(inform)* (een sigaar, sigaret, pijp) opsteken

[2]**light up** *tr* **1** aansteken, ontsteken **2** verlichten

[1]**like** [lajk] *zn* **1** ~*s* voorkeuren: ~*s and dislikes* sympathieën en antipathieën **2** soortgenoot, (soort)gelijke: *(inform) the* ~*s of us* mensen als wij, ons soort (mensen) || *I've never seen* (of: *heard*) *the* ~ *of it* zoiets heb ik nog nooit meegemaakt (*of:* gehoord)

[2]**like** [lajk] *bn* soortgelijk, (soort)verwant: *they are as* ~ *as two peas (in a pod)* ze lijken op elkaar als twee druppels water

[3]**like** [lajk] *intr* willen, wensen: *if you* ~ zo u wilt, als je wilt

[4]**like** [lajk] *tr* houden van, (prettig) vinden, (graag) willen: *would you* ~ *a cup of tea?* wilt u een kopje thee?; *I'd* ~ *to do that* dat zou ik best willen; *how do you* ~ *your egg?* hoe wilt u uw ei?

[5]**like** [lajk] *bw* **1** *(inform)* weet je, wel: *he thinks he's clever* ~ hij vindt zichzelf best wel slim **2** *(inform)* nou, zoiets als: *her request was ...* ~ *... unusual, you know* haar verzoek was ... nou ja ... ongebruikelijk, weet je

[6]**like** [lajk] *vz* **1** als, zoals, gelijk aan: *cry* ~ *a baby* huilen als een kind; *it is just* ~ *John to forget it* echt iets voor John om het te vergeten; ~ *that* zo, op die wijze; *just* ~ *that* zo maar (even); *what is he* ~*?* wat voor iemand is hij?; *what is it* ~*?* hoe voelt dat nou?; *more* ~ *ten pounds than nine* eerder tien pond dan negen **2** (zo)als: *take a science* ~ *chemistry* neem nou scheikunde || *it hurts* ~ *anything* het doet erg veel pijn; *that's more* ~ *it* dat begint er op te lijken; *there's nothing* ~ *a holiday* er gaat niets boven een vakantie; *something* ~ *five days* om en nabij vijf dagen

[7]**like** [lajk] *vw* **1** (zo)als, op dezelfde wijze als: *(inform) they ran* ~ *crazy* ze liepen zo hard zij konden; *it was* ~ *in the old days* het was zoals vroeger **2** *(inform)* alsof: *it looks* ~ *he will win* het ziet ernaar uit dat hij zal winnen

likeable [lajkebl] innemend, aardig, sympathiek
[1]**likely** [lajklie] *bn* waarschijnlijk, aannemelijk; *(bij uitbr)* kansrijk: *he is the most ~ candidate for the job* hij komt het meest in aanmerking voor de baan; *he is ~ to become suspicious* hij wordt allicht achterdochtig
[2]**likely** [lajklie] *bw* waarschijnlijk: *not ~!* kun je net denken!; *as ~ as not* eerder wel dan niet
like-minded gelijkgestemd
likeness [lajknes] gelijkenis, overeenkomst: *it's a good ~* het lijkt er goed op *(bijv. van foto)*
likewise [lajkwajz] **1** evenzo, insgelijks **2** evenzeer
liking [lajking] voorkeur, voorliefde: *have a ~ for* houden van, gek zijn op || *is your room to your ~?* is uw kamer naar wens?
lilac [lajlek] **1** sering **2** lila
lily [lillie] lelie
limb [lim] **1** lid(maat) *(mv: ledematen);* arm, been **2** (dikke, grote) tak || *out on a ~* op zichzelf aangewezen
limbo [limboo] **1** voorportaal (der hel) **2** vergetelheid **3** opsluiting **4** onzekerheid, twijfel: *be in ~* in onzekerheid verkeren
lime [lajm] **1** limoen **2** linde **3** gebrande kalk
limelight kalklicht: *in the ~* in de schijnwerpers
limestone kalksteen
limey [lajmie] *(Am; inform)* Brit, Engelsman
[1]**limit** [limmit] *zn* limiet, (uiterste) grens: *(Am) go the ~* tot het uiterste gaan; *(Am; vnl. mil) off ~s (to)* verboden terrein (voor); *within ~s* binnen bepaalde grenzen; *you're the ~* je bent onmogelijk
[2]**limit** [limmit] *tr* begrenzen, beperken: *~ing factors* beperkende factoren; *~ to* beperken tot
limitation [limmitteesjen] beperking, begrenzing: *he has* (of: *knows*) *his ~s* hij heeft (*of:* kent) zijn beperkingen
limited [limmittid] beperkt, gelimiteerd || *~ (liability) company* naamloze vennootschap
[1]**limp** [limp] *zn* kreupele (slepende) gang, mankheid: *he walks with a ~* hij trekt met zijn been
[2]**limp** [limp] *bn* (ver)slap(t)
[3]**limp** [limp] *intr* **1** mank lopen, slecht ter been zijn **2** haperen, horten
limpid [limpid] (glas)helder
[1]**line** [lajn] *zn* **1** lijn, snoer, koord: *the ~ is bad* de verbinding is slecht *(telefoon)* **2** smalle streep, lijn: *we must draw the ~ somewhere* we moeten ergens een grens trekken; *in ~ with* in het verlengde van, *(fig)* in overeenstemming met **3** rij (naast, achter elkaar); *(mil)* linie; stelling: *come* (of: *fall*) *into ~* op één lijn gaan zitten, zich schikken; *read between the ~s* tussen de regels door lezen; *all along the ~: a)* over de (ge)hele linie; *b) (ook fig)* van begin tot eind **4** kort briefje, krabbeltje: *drop s.o. a ~* iem een briefje schrijven **5** beleidslijn, gedragslijn: *~ of thought* zienswijze, denkwijze **6** koers, route; weg *(ook fig): ~ of least resistance* weg van de minste weerstand **7** lijndienst **8** spoorweglijn, spoor **9** terrein *(fig);* vlak, branche: *banking is his ~* hij zit in het bankwezen **10** assortiment, soort artikel **11** lint, lont, band **12** *~s* (straf)regels, strafwerk **13** *~s* trouwakte **14** *~s* methode, aanpak: *do sth. along* (of: *on*) *the wrong ~s* iets verkeerd aanpakken || *lay* (of: *put*) *it on the ~: a)* betalen; *b)* open kaart spelen; *sign on the dotted ~: a)* (een contract) ondertekenen; *b) (inform)* niet tegenstribbelen; *c)* in het huwelijksbootje stappen; *toe the ~* in het gareel blijven; *on ~* aan het werk, functionerend; *out of ~* uit de pas, over de schreef
[2]**line** [lajn] *tr* **1** liniëren: *~d paper* gelinieerd papier **2** flankeren: *a road ~d with trees* een weg met (rij-en) bomen erlangs **3** voeren, (van binnen) bekleden: *~d with fur* met bont gevoerd || *~ one's nest* (of: *pocket, purse*) zijn zakken vullen, zijn beurs spekken
lineage [linnie·idzj] **1** geslacht, nageslacht **2** afkomst
linear [linnie] lineair, lengte-, recht(lijnig): *~ measure* lengtemaat
linen [linnin] **1** linnen, lijnwaad **2** linnengoed
liner [lajne] **1** lijnboot **2** lijntoestel
linesman [lajnzmen] **1** *(sport)* grensrechter, lijnrechter **2** lijnwerker
[1]**line up** *intr* in de rij gaan staan: *(fig) ~ alongside* (of: *with*) zich opstellen naast
[2]**line up** *tr* **1** opstellen in (een) rij(en) **2** op een rij zetten, samenbrengen
linger [lingke] **1** treuzelen, dralen: *~ over details* lang stilstaan bij details **2** (zwakjes) voortleven: *the memory ~s on* de herinnering leeft voort
lingo [lingkoo] *(mv: ~es)* taal(tje), (vak)jargon: *at least I master the commercial ~ they use over there* in elk geval beheers ik het handelstaaltje dat ze daar spreken
linguist [lingkwist] **1** talenkenner, talenwonder **2** taalkundige, linguïst
linguistic [lingkwistik] taalkundig, linguïstisch
linguistics [lingkwistiks] taalkunde, linguïstiek: *applied ~* toegepaste taalkunde
lining [lajning] voering(stof), (binnen)bekleding
[1]**link** [lingk] *zn* **1** schakel *(ook fig);* verbinding, verband: *missing ~* ontbrekende schakel **2** presentator **3** *~s (sport)* (golf)links, golfbaan
[2]**link** [lingk] *intr* een verbinding vormen, zich verbinden, samenkomen: *~ up* zich aaneensluiten
[3]**link** [lingk] *tr* verbinden, koppelen: *~ hands* de handen ineenslaan
linkman [lingkmen] **1** presentator **2** middenvelder **3** bemiddelaar, tussenpersoon
link-up verbinding, koppeling
linoleum [linnooliem] linoleum
lion [lajjen] **1** leeuw **2** idool
lioness [lajjenis] leeuwin
lip [lip] **1** lip: *(fig) hang on s.o.'s ~s* aan iemands lippen hangen; *my ~s are sealed* ik zwijg als het graf **2** rand **3** praatjes, grote mond: *we don't want any of your ~* hou jij je praatjes maar voor je
lip-service lippendienst: *give* (of: *pay*) *~ to* lip-

pendienst bewijzen aan

lipstick lippenstift

liquefy [likwiffaj] smelten, vloeibaar worden (maken)

liqueur [likjoee] likeur(tje)

[1]**liquid** [likwid] *zn* vloeistof, vocht

[2]**liquid** [likwid] *bn* **1** vloeibaar **2** *(handel)* liquide, vlottend: *~ assets* liquide middelen

liquidate [likwiddeet] elimineren, uit de weg ruimen

liquidity [likwiddittie] **1** vloeibaarheid **2** *(handel)* liquiditeit

liquidizer [likwiddajze] mengbeker, sapcentrifuge

liquor [likke] alcoholische drank, alcohol; *(Am)* sterkedrank

liquorice [likkeris] **1** zoethout, zoethoutwortel **2** drop

[1]**lisp** [lisp] *zn* slissende uitspraak, geslis: *he speaks with a ~* hij slist

[2]**lisp** [lisp] *ww* **1** brabbelen; krompraten *(van kind)* **2** lispelen, slissen

[1]**list** [list] *zn* **1** lijst, tabel **2** *(scheepv)* slagzij **3** *~s* strijdperk, ring: *enter the ~s (against)* in het krijt treden (tegen)

[2]**list** [list] *intr (scheepv)* slagzij maken

[3]**list** [list] *tr* **1** een lijst maken van, rangschikken in een lijst **2** op een lijst zetten: *~ed buildings* op de monumentenlijst geplaatste gebouwen

listen [lisn] luisteren: *~ in (to)* (mee)luisteren (naar), afluisteren; *~ to* luisteren naar

listener [lissene] luisteraar

listless [listles] lusteloos, futloos

[1]**lit** [lit] *bn* **1** aan(gestoken), brandend **2** verlicht, beschenen

[2]**lit** [lit] *ovt en volt dw van* light

lite [lajt] light, dieet-: *~ ice cream* halfvol ijs

literacy [litteresie] alfabetisme, het kunnen lezen en schrijven

literal [litrel] letterlijk, letter-

literary [littererie] **1** literair, letterkundig **2** geletterd: *~ man* geletterd man, letterkundige

literate [litret] geletterd: *only half the children in this group are ~* niet meer dan de helft van de kinderen in deze groep kan lezen en schrijven

literature [litteretsje] **1** literatuur, letterkunde: *the ~ of* (of: *on*) *a subject* de literatuur over een onderwerp **2** *(inform)* voorlichtingsmateriaal

Lithuania [liθjjoe·eenie] Litouwen

litigation [littikeesjen] proces, procesvoering, rechtszaak

litmus paper lakmoespapier(tje)

litre [lie:te] liter

litter [litte] **1** rommel, rotzooi, troep **2** (stal)stro; afdekstro *(voor planten);* stalmest **3** nest (jongen), worp: *have a ~ of kittens* jongen, jongen krijgen

litterbin afvalbak, prullenmand

[1]**little** [litl] *bn* **1** klein: *a ~ bit* een (klein) beetje; *~ finger* pink; *his ~ sister* zijn jongere zusje; *her ~ ones* haar kinderen; *its ~ ones* haar jongen **2** klein(zielig), kleintjes: *~ minds* kleingeestigen; *~ things please ~ minds* kleine mensen, kleine wensen

[2]**little** [litl] *vnw* weinig, beetje: *he got ~ out of it* het bracht hem maar weinig op; *make ~ of sth.* ergens weinig van begrijpen; *~ or nothing* weinig of niets; *~ by ~* beetje bij beetje; *every ~ helps* alle beetjes helpen

[3]**little** [litl] *bw* **1** weinig, amper, gering: *~ more than an hour* iets meer dan een uur **2** volstrekt niet: *~ did he know that ...* hij had er geen flauw benul van dat ...

liturgy [littedzjie] liturgie

[1]**live** [lajv] *bn* **1** levend, in leven (zijnd): *~ bait* levend aas; *a real ~ horse!* een heus paard! **2** direct, rechtstreeks: *~ broadcast* directe uitzending **3** levendig, actief: *a ~ topic* een actueel onderwerp **4** onder spanning staand: *~ wire* onder spanning staande draad, *(fig)* energieke figuur || *~ ammunition* (of: *cartridges*) scherpe munitie (*of:* patronen)

[2]**live** [liv] *intr* **1** leven, bestaan: *~ and let ~* leven en laten leven; *long ~ the Queen!* (lang) leve de koningin!; *~ together* samenleven, samenwonen; *~ above* (of: *beyond*) *one's means* boven zijn stand leven; *~ for: a)* leven voor; *b)* toeleven naar; *~ with a situation* (hebben leren) leven met een situatie **2** wonen: *~ in* inwonen, intern zijn; *~ on one's own* op zichzelf wonen **3** voortleven: *you haven't ~d yet!* je hebt nog helemaal niet van het leven genoten!

[3]**live** [liv] *tr* **1** leven: *~ a double life* een dubbelleven leiden **2** beleven, doormaken, meemaken || *~ it up* het ervan nemen, de bloemetjes buiten zetten

liveable [livvebl] **1** bewoonbaar **2** leefbaar

livelihood [lajvliehoed] levensonderhoud: *earn* (of: *gain*) *one's ~* de kost verdienen

lively [lajvlie] levendig: *~ colours* sprekende kleuren

liven [lajvn] verlevendigen, opfleuren: *~ up* opfleuren, opvrolijken

liver [livve] lever

livery [livverie] livrei, uniform

lives [lajvz] *mv van* life

livestock [lajvstok] vee, levende have

live up to naleven, waarmaken: *~ one's reputation* zijn naam eer aan doen

livid [livvid] **1** hels, des duivels: *~ at* razend op **2** lijkbleek, asgrauw **3** loodgrijs, blauwgrijs

[1]**living** [livving] *zn* **1** inkomen, kostwinning: *earn/ gain* (of: *get, make*) *a ~ (as, out of, by)* de kost verdienen (als) **2** leven, levensonderhoud

[2]**living** [livving] *bn* **1** levend, bestaand: *(with)in ~ memory* bij mensenheugenis **2** levendig || *he's the ~ image of his father* hij is het evenbeeld van zijn vader

lizard [lizzed] hagedis

llama [la:me] lama(wol)
LL B *afk van Bachelor of Laws* bachelor (in de rechten)
[1]**load** [lood] *zn* 1 lading; last *(ook fig): that takes a ~ off my mind* dat is een pak van mijn hart 2 belasting, massa 3 (elektrisch) vermogen, kracht 4 *(inform)* hoop, massa's: *they have ~s of money* ze barsten van het geld
[2]**load** [lood] *tr* laden *(vuurwapens, camera)*
[3]**load** [lood] *tr, intr* laden, geladen worden, bevrachten: *the table was ~ed with presents* de tafel stond vol met cadeaus
loaded [loodid] 1 geladen, emotioneel geladen 2 *(inform)* stomdronken 3 *(Am; inform)* stoned 4 venijnig, geniepig: *a ~ question* een strikvraag
loaf [loof] *(mv: loaves)* 1 brood: *a ~ of brown bread* een bruin brood 2 brood(suiker) 3 kop, hersens: *use your ~ for once* denk nu eens een keer na
loaf about rondhangen, lummelen
loafer [loofe] 1 leegloper, lanterfanter 2 *(Am)* lage schoen, loafer
loam [loom] leem
[1]**loan** [loon] *zn* 1 lening: *apply for a ~ with a bank* een lening bij een bank aanvragen 2 leen, tijdelijk gebruik: *have sth. on ~ from s.o.* iets van iem te leen hebben; *thank you for the ~ of your car* bedankt voor het lenen van je auto
[2]**loan** [loon] *tr* (uit)lenen: *~ money to a friend* geld aan een vriend lenen
loanword leenwoord
loath [looθ] ongenegen, afkerig: *the elderly couple were ~ to leave the house at night* het oudere echtpaar ging 's avonds niet graag de deur uit
loathe [looð] verafschuwen
loathing [looðing] afkeer
loathsome [looðsem] walgelijk, weerzinwekkend
loaves [loovz] *mv van* loaf
lob [lob] 1 *(tennis)* lobben 2 *(inform)* gooien, smijten
[1]**lobby** [lobbie] *zn* 1 hal, portaal 2 foyer 3 lobby, pressiegroep
[2]**lobby** [lobbie] *intr* lobbyen, druk uitoefenen op de politieke besluitvorming
[3]**lobby** [lobbie] *tr* in de wandelgangen bewerken; onder druk zetten *(parlementsleden)*
lobe [loob] 1 (oor)lel 2 kwab; lob *(van hersenen, longen)*
lobster [lobste] zeekreeft
[1]**local** [lookl] *zn* 1 plaatselijke bewoner, inboorling 2 *(inform)* stamcafé, stamkroeg
[2]**local** [lookl] *bn* plaatselijk, lokaal, buurt-, streek-: *~ authority* plaatselijke overheid; *~ call* lokaal gesprek; *~ government* plaatselijk bestuur
locality [lookelittie] plaats, district, buurt
localize [lookelajz] lokaliseren, tot een bepaalde plaats beperken, een plaats toekennen: *they hoped to ~ the outbreak of polio* ze hoopten de uitbarsting van polio tot een klein gebied te beperken
[1]**locate** [lookeet] *intr (Am)* zich vestigen, gaan wonen, een zaak opzetten
[2]**locate** [lookeet] *tr* 1 de positie bepalen van, opsporen: *I can't ~ that village anywhere* ik kan dat dorp nergens vinden 2 vestigen, plaatsen, stationeren: *the estate was ~d on the bank of a river* het landgoed was gelegen aan de oever van een rivier
location [lookeesjen] 1 plaats, ligging, positie 2 terrein, afgebakend land 3 locatie: *filmed on ~ in Australia* op locatie gefilmd in Australië
loch [loch] 1 meer 2 smalle (ingesloten) zeearm
[1]**lock** [lok] *zn* 1 (haar)lok 2 slot *(ook van vuurwapens);* sluiting: *under ~ and key* achter slot en grendel, *(fig)* in de gevangenis 3 vergrendeling 4 (schut)sluis 5 houdgreep || *~, stock, and barrel* in zijn geheel, alles inbegrepen
[2]**lock** [lok] *intr* sluiten, vergrendeld (kunnen) worden: *the doors wouldn't ~* de deuren wilden niet sluiten
[3]**lock** [lok] *tr* 1 (af)sluiten, op slot doen 2 wegsluiten; opsluiten *(ook fig): don't forget to ~ away your valuables* vergeet niet je kostbaarheden op te bergen
locker [lokke] kast(je); kluis *(bijv. voor kleding, bagage)*
locksmith slotenmaker
[1]**lock up** *intr* afsluiten, alles op slot doen
[2]**lock up** *tr* 1 op slot doen, afsluiten 2 opbergen, wegsluiten: *~ one's gold and silver* zijn goud en zilver veilig opbergen 3 opsluiten; wegstoppen *(in gevang, gekkenhuis)*
lock-up 1 arrestantenhok, cachot, nor, bajes 2 afsluitbare ruimte, kiosk, dagwinkel, opbergbox
locomotion [lookemoosjen] (voort)beweging(svermogen)
locomotive [lookemootiv] locomotief
locust [lookest] 1 sprinkhaan 2 *(Am)* cicade
lodestar leidster *(ook fig);* poolster
[1]**lodge** [lodzj] *zn* 1 (schuil)hut 2 personeelswoning, portierswoning 3 afdeling, (vrijmetselaars)loge
[2]**lodge** [lodzj] *intr* 1 verblijven, (tijdelijk) wonen, logeren: *~ at a friend's, ~ with a friend* bij een vriend wonen 2 vast komen te zitten, blijven steken: *the bullet ~d in the ceiling* de kogel bleef in het plafond steken
[3]**lodge** [lodzj] *tr* 1 onderdak geven, logeren, (tijdelijk) huisvesten 2 indienen, voorleggen: *~ a complaint* een aanklacht indienen
lodger [lodzje] kamerbewoner, (kamer)huurder
lodgings [lodzjingz] (gehuurde) kamer(s)
loft [loft] zolder(kamer), vliering, hooizolder
lofty [loftie] 1 torenhoog 2 verheven, edel: *~ ideals* hooggestemde idealen 3 hooghartig, arrogant: *behave loftily to s.o.* (erg) uit de hoogte doen tegen iem
[1]**log** [lok̂] *zn* 1 blok(hout), boomstronk, boomstam 2 logboek, scheepsjournaal || *sleep like a ~* slapen als een os

[2]**log** [lok] *tr* in het logboek opschrijven || ~ *off* uitloggen; *the truck driver had ~ged up 700 miles* de vrachtrijder had er 700 mijl op zitten; ~ *into a computer system* inloggen
logarithm [lokeriðm] logaritme
logbook **1** logboek, scheepsjournaal, journaal ve vliegtuig, werkverslag, dagboek, reisjournaal **2** registratiebewijs *(van auto)*
log cabin blokhut
logger [loke] *(Am)* houthakker
loggerhead: *they are always at ~s with each other* ze liggen altijd met elkaar overhoop
logic [lodzjik] logica, redeneerkunde
logical [lodzjikl] logisch, steekhoudend, vanzelfsprekend (volgend uit)
logistics [ledzjistiks] logistiek
logo [lookoo] **1** logotype, woordmerk **2** logo, beeldmerk, firma-embleem
loin [lojn] lende
[1]**loiter** [lojte] *intr* treuzelen: ~ *about* (of: *around*) rondhangen; ~ *with intent* zich verdacht ophouden
[2]**loiter** [lojte] *tr* verdoen, verlummelen: ~ *away one's time* zijn tijd verdoen
loll [lol] (rond)hangen, lummelen, leunen
lollipop [lolliepop] (ijs)lolly: ~ *man* klaar-over
lolly [lollie] **1** lolly **2** *(plat)* poen
lone [loon] alleen, verlaten, eenzaam: *be* (of: *play*) *a ~ hand (fig)* met niemand rekening houden; ~ *wolf* iem die zijn eigen weg gaat
lonely [loonlie] eenzaam, verlaten, alleen
loner [loone] eenzame, eenling
lonesome [loonsem] eenzaam, alleen: *by* (of: *on*) *his* ~ in zijn (dooie) eentje
[1]**long** [long] *bn* lang, langgerekt, langdurig, ver, langlopend: *a ~ haul: a)* een hele ruk *(bijv. lange reis); b)* een lange tijd (*of:* termijn); *to cut a ~ story short* om kort te gaan, samengevat; *in the ~ term* op den duur, op de lange duur; ~ *vacation* zomervakantie; *it won't take* ~ het zal niet lang duren; *before* ~ binnenkort, spoedig; *he won't stay for* ~ hij zal niet (voor) lang blijven || *the ~ arm of the law* de lange arm der wet; *not by a ~ chalk* op geen stukken na, bijlange (na) niet; *make* (of: *pull*) *a ~ face* ongelukkig kijken, *(ongev)* een lang gezicht trekken; *in the ~ run* uiteindelijk; ~ *shot: a)* kansloos deelnemer; *b)* gok, waagstuk; *(Am) by a ~ shot* veruit, met gemak; *(Am) not by a ~ shot* op geen stukken na, bijlange na niet; ~ *in the tooth* lang in de mond, aftands; *take a ~ view* dingen op de lange termijn bekijken; *go a ~ way (towards)* voordelig (in het gebruik) zijn, veel helpen, het ver schoppen
[2]**long** [long] *intr (*ook met *for)* hevig verlangen (naar), hunkeren: *after two weeks we were ~ing for the city again* na twee weken verlangden we alweer naar de stad
[3]**long** [long] *bw* lang, lange tijd: *all night* ~ de hele nacht; *be ~ in doing sth.* lang over iets doen
longevity [londzjevvittie] lang leven, lange levensduur
[1]**longing** [longing] *zn* verlangen, hunkering
[2]**longing** [longing] *bn* vol verlangen, smachtend
longitude [londzjitjoe:d] (geografische) lengte, longitude
long-life **1** met een lange levensduur **2** langer houdbaar || ~ *batteries* batterijen met een lange levensduur
long-lived van lange duur, hardnekkig
long-sighted **1** verziend **2** vooruitziend
long-tailed tit staartmees
long-term langlopend, op lange termijn
long-winded langdradig
loo [loe:] wc, plee
[1]**look** [loek] *zn* **1** blik, kijkje: *let's have a* ~ laten we even een kijkje nemen **2** (gelaats)uitdrukking, blik **3** uiterlijk, (knap) voorkomen, aanzien: *by the ~ of it* (of: *things*) zo te zien **4** mode **5** uitzicht **6** *~s* uiterlijk, schoonheid: *lose one's ~s* minder mooi worden
[2]**look** [loek] *intr* **1** kijken, (proberen te) zien, aandachtig kijken: ~ *about* (of: *around*) om zich heen kijken, rondkijken; ~ *ahead* vooruitzien *(ook fig);* ~ *on* toekijken; ~ *at* kijken naar, beschouwen, onderzoeken; *not ~ at* niet in overweging nemen, niets willen weten van; ~ *beyond* verder kijken dan; ~ *down the road* de weg af kijken; ~ *round the town* een kijkje in de stad nemen; ~ *before you leap* bezint eer gij begint **2** uitkijken, uitzien, liggen: ~ *to the south* op het zuiden liggen **3** wijzen *(in bepaalde richting);* (bepaalde kant) uitgaan || ~ *down (up)on* neerkijken op; ~ *forward to* tegemoet zien, verlangen naar; ~ *here!* kijk eens (even hier)!, luister eens!; ~ *in* aanlopen, aanwippen, *(inform)* tv kijken; ~ *in on s.o.* bij iem langskomen; ~ *after* passen op, toezien op; ~ *after oneself,* ~ *after one's own interests* voor zichzelf zorgen; ~ *for* zoeken (naar); ~ *for trouble* om moeilijkheden vragen; ~ *into: a)* even bezoeken; *b)* onderzoeken; ~ *(up)on s.o. as* iem beschouwen als
[3]**look** [loek] *tr* **1** zijn blik richten op, kijken (naar), zien: ~ *what you've done* kijk nou (eens) wat je gedaan hebt **2** eruitzien als: ~ *one's age* aan iem zijn leeftijd afzien
[4]**look** [loek] *koppelww* lijken (te zijn), uitzien, de indruk wekken te zijn: *(Am) ~ good* goed lijken te gaan, er goed uitzien; *it ~s like snow* er is sneeuw op komst; *he ~s as if he has a hangover* hij ziet eruit alsof hij een kater heeft
lookalike evenbeeld, dubbelganger
looker-on toeschouwer, kijker
looking-glass spiegel
lookout **1** het uitkijken: *keep a* ~ een oogje in het zeil houden; *be on the ~ for* op zoek zijn naar **2** uitkijkpost **3** uitzicht
look over doornemen *(brieven bijv.);* doorkijken
look through goed bekijken; (grondig, een voor een, helemaal) doornemen *(documenten bijv.)*

look to **1** zorgen voor, bekommeren over: ~ *it that ...* zorg ervoor, dat ... **2** vertrouwen op, rekenen op: *don't ~ her for help* (of: *to help you*) verwacht van haar geen hulp

[1]**look up** *intr* **1** opkijken, de ogen opslaan **2** beter worden *(van handel bijv.)*; vooruitgaan: *prices are looking up* de prijzen stijgen || ~ *to* opkijken naar, bewonderen

[2]**look up** *tr* **1** opzoeken, naslaan **2** raadplegen **3** (kort) bezoeken, opzoeken

[1]**loom** [loe:m] *zn* weefgetouw

[2]**loom** [loe:m] *intr* opdoemen *(ook fig)*; dreigend verschijnen, zich flauw aftekenen: ~ *large* onevenredig belangrijk lijken, nadrukkelijk aanwezig zijn

[1]**loony** [loe:nie] *zn* gek, dwaas

[2]**loony** [loe:nie] *bn* geschift, gek, getikt

loony-bin gekkenhuis

[1]**loop** [loe:p] *zn* **1** lus, strop, bocht **2** beugel, handvat **3** spiraaltje

[2]**loop** [loe:p] *intr* een lus vormen

[3]**loop** [loe:p] *tr* **1** een lus maken in, met een lus vastmaken **2** door een lus halen

loophole uitvlucht, uitweg: ~*s in the law* mazen in de wet(geving)

[1]**loose** [loe:s] *zn* (staat van) vrijheid, losbandigheid: *there's a killer on the* ~ er loopt een moordenaar vrij rond

[2]**loose** [loe:s] *bn* **1** los, slap, open: ~ *ends* losse eindjes, *(fig)* onvolkomenheden, onafgewerkte zaken **2** vrij, bevrijd, ongehinderd: *break* (of: *get*) ~ uitbreken, ontsnappen; *cut ~: a)* (met moeite) weggaan, zich losmaken; *b)* op gang komen; *let* ~ vrij laten, de vrije hand laten, ontketenen **3** wijd, ruim, soepel **4** ongedisciplineerd, lichtzinnig: *have a ~ tongue* loslippig zijn || *be at a ~ end* niets omhanden hebben; *have a screw* ~ ze zien vliegen, een beetje geschift zijn

[3]**loose** [loe:s] *tr* losmaken, bevrijden

[4]**loose** [loe:s] *bw* losjes

loosely [loe:slie] losjes, vaag, in het wilde weg

[1]**loosen** [loe:sn] *intr* losgaan, ontspannen, verslappen: ~ *up* een warming-up doen, de spieren losmaken

[2]**loosen** [loe:sn] *tr* los(ser) maken, laten verslappen: *drink ~s the tongue* drank maakt spraakzaam; ~ *up* doen ontspannen

[1]**loot** [loe:t] *zn* **1** (oorlogs)buit, gestolen goed, prooi **2** poet, poen, geld

[2]**loot** [loe:t] *ww* plunderen, roven

lop [lop] afsnoeien, afkappen

lopsided **1** scheef, overhellend **2** ongebalanceerd, eenzijdig

[1]**lord** [lo:d] *zn* **1** heer, vorst, koning **2** lord, edelachtbare, excellentie: *live like a* ~ als een vorst leven; *My Lord* edelachtbare, heer **3** *the Lords* het Hogerhuis, de leden vh Hogerhuis

[2]**lord** [lo:d] *tr* de baas spelen: ~ *it over s.o.* over iem de baas spelen

Lord [lo:d] (de) Heer, God: *the ~'s Prayer* het Onze Vader

lordship [lo:dsjip] Lord *(aanspreektitel van lord en rechter)*; edele heer, edelachtbare

lore [lo:] traditionele kennis, overlevering

lorry [lorrie] vrachtauto

[1]**lose** [loe:z] *intr (lost, lost)* **1** verliezen, verlies lijden, er op achteruit gaan: *you can't* ~ daar heb je niets bij te verliezen; ~ *out on sth.* er (geld) bij inschieten **2** achterlopen *(van horloge e.d.)*

[2]**lose** [loe:z] *tr (lost, lost)* **1** verliezen, kwijtraken, verspelen: *(inform)* ~ *one's cool* z'n kalmte verliezen; ~ *count* de tel kwijtraken; ~ *sight of* uit het oog verliezen; ~ *one's temper* boos worden; ~ *no time in (doing sth.)* geen tijd verspillen met (iets); ~ *oneself in* geheel opgaan in **2** doen verliezen, kosten: *her stupid mistake lost us a major customer* haar stomme fout kostte ons een grote klant **3** missen, niet winnen

loser [loe:zə] verliezer: *born* ~ geboren verliezer; *a good* (of: *bad*) ~ een goede (*of:* slechte) verliezer

loss [los] **1** verlies **2** nadeel, schade **3** achteruitgang, teruggang || *be at a ~ (what to do)* niet weten wat men doen moet; *be at a ~ for words* met de mond vol tanden staan

[1]**lost** [lost] *bn* **1** verloren, weg, kwijt: ~ *property (department, office)* (afdeling, bureau) gevonden voorwerpen **2** gemist: ~ *chance* gemiste kans **3** in gedachten verzonken, afwezig, er niet bij: ~ *in thought* in gedachten verzonken **4** verspild: *sarcasm is ~ (up)on him* sarcasme raakt hem niet || *get ~!* donder op!

[2]**lost** [lost] *ovt en volt dw van* lose

lot [lot] **1** portie, aandeel **2** kavel, perceel, partij, (veiling)nummer **3** lot, loterijbriefje: *cast* (of: *draw*) ~*s* loten **4** (nood)lot, levenslot: *cast* (of: *throw*) *in one's ~ with* mee gaan doen met **5** *(Am)* stuk grond, terrein: *parking* ~ parkeerterrein **6** groep, aantal dingen (mensen), een hoop, een heleboel: ~*s and ~s* ontzettend veel, hopen; *a ~ of books, ~s of books* een heleboel boeken; *that's the* ~ dat is alles; *things have changed quite a* ~ er is nogal wat veranderd

lotion [loosjən] lotion, haarwater, gezichtswater

lottery [lotterie] loterij

[1]**loud** [laud] *bn* **1** luid(ruchtig), hard **2** opzichtig; schreeuwend *(van kleur)*

[2]**loud** [laud] *bw* luid(ruchtig), hard, schreeuwerig: ~ *and clear* erg duidelijk, overduidelijk; *out* ~ hardop

loudspeaker luidspreker, box

[1]**lounge** [laundzj] *zn* **1** lounge, hal, foyer **2** zitkamer, conversatiezaal

[2]**lounge** [laundzj] *intr* **1** luieren, (rond)hangen: ~ *about* (of: *around*) rondhangen **2** slenteren, kuieren

louse [laus] *(mv: lice)* luis

louse up grondig bederven, verpesten

lousy [lauzie] **1** vol luizen **2** *(inform)* waardeloos,

vuil, beroerd **3** *(inform)* armzalig *(van hoeveelheid, aantal e.d.)*
lout [laut] lummel, hufter
[1]**love** [luv] *zn* **1** liefde, verliefdheid: *mother sends her ~* moeder laat je groeten; *fall in ~ with s.o.* verliefd worden op iem **2** plezier, genoegen: *music is a great ~ of his* muziek is een van zijn grote liefdes **3** liefje **4** *(inform)* snoes; geliefd persoon *(ook man)* **5** groeten **6** *(tennis)* love, nul: *~ all* nul-nul || *not for ~ or money* niet voor geld of goeie woorden; *there is no ~ lost between them* ze kunnen elkaar niet luchten of zien
[2]**love** [luv] *intr* liefde voelen, verliefd zijn
[3]**love** [luv] *tr* **1** houden van, liefhebben, graag mogen: *~ dearly* innig houden van **2** dol zijn op, heerlijk vinden: *he ~s (to go) swimming* hij is dol op zwemmen
lovely [luvlie] **1** mooi, lieftallig, aantrekkelijk **2** *(inform)* leuk, prettig, fijn, lekker
love potion liefdesdrank(je)
lover [luvve] **1** (be)minnaar **2** liefhebber, enthousiast **3** *~s* verliefd paar **4** *~s* minnaars, stel
lover boy loverboy
lovesick [luvsik] smachtend van liefde, smoorverliefd
lovey [luvvie] liefje, schatje
[1]**low** [loo] *zn* **1** laag terrein, laagte **2** dieptepunt, laag punt: *an all-time ~* een absoluut dieptepunt **3** geloei, gebulk **4** lagedrukgebied
[2]**low** [loo] *bn* **1** laag, niet hoog, niet intensief: *the Low Countries* de lage landen; *~est common denominator* kleinste gemene deler; *~est common multiple* kleinste gemene veelvoud; *~ point* minimum, dieptepunt; *~ tide* laagwater, eb **2** laag(hartig): *~ trick* rotstreek **3** plat, ordinair: *~ expression* ordinaire uitdrukking **4** zacht, stil, niet luid; laag *(toon)*: *speak in a ~ voice* zacht praten **5** ongelukkig, depressief: *~ spirits* neerslachtigheid **6** verborgen, onopvallend: *lie ~* zich gedeisd houden **7** zwak, slap, futloos || *keep a ~ profile* zich gedeisd houden; *bring ~: a)* aan lagerwal brengen; *b)* uitputten; *c)* ziek maken
[3]**low** [loo] *ww* loeien
[4]**low** [loo] *bw* **1** laag, diep: *aim ~* laag mikken **2** zacht, stil **3** diep *(van geluid)*; laag **4** bijna uitgeput: *run ~* opraken, bijna op zijn
[1]**low-down** *zn* fijne vd zaak, feiten, inzicht: *have the ~ on* het fijne weten over
[2]**low-down** *bn* laag, gemeen
[1]**lower** [looe] *bn (vergr trap van low)* **1** lager (gelegen), onder-, van lage(r) orde: *~ classes* lagere stand(en); *~ deck* benedendek **2** neder-, beneden-: *the Lower Rhine* de Neder-Rijn || *Lower Chamber* (of: *House*) Lagerhuis *(Britse Tweede Kamer)*
[2]**lower** [looe] *intr* afnemen, minder worden, dalen, zakken
[3]**lower** [looe] *tr* **1** verlagen, doen zakken **2** neerlaten, laten zakken: *~ one's eyes* de ogen neerslaan **3** verminderen, doen afnemen: *~ one's voice* zachter praten
low-fat met laag vetgehalte, mager, halva-, halfvol: *~ margarine* halvarine; *~ milk* magere melk
low-key rustig, ingehouden
lowland [loolend] mbt (het) laagland
Lowland [loolend] mbt de Schotse Laaglanden
lowly [loolie] **1** bescheiden; laag *(in rang)* **2** eenvoudig, nederig
loyal [lojjel] trouw, loyaal
loyalist [lojjelist] (regerings)getrouwe, loyalist
loyalty [lojjeltie] **1** loyaliteit, trouw: *customer ~* klantentrouw; *~ card* klantenpas **2** *-ies* banden, binding
lozenge [lozzindzj] **1** ruit, ruitvormig iets **2** (hoest)tablet
LP *afk van long-playing record* lp, elpee
Lt *afk van Lieutenant* lt., luitenant
Ltd *afk van limited (ongev)* nv; naamloze vennootschap
lubricant [loe:brikkent] **1** smeermiddel **2** glijmiddel
lubricate [loe:brikkeet] (door)smeren, oliën
lucid [loe:sid] **1** helder; duidelijk *(ook fig)* **2** bij zijn verstand
luck [luk] geluk, toeval, succes: *bad* (of: *hard*) *~* pech; *good ~* succes; *push one's ~* te veel risico's nemen, overmoedig worden; *try one's ~* zijn geluk beproeven; *let's do it once more for ~* laten we het nog een keer doen, misschien brengt dat geluk; *be out of ~, be down on one's ~* pech hebben; *with ~* als alles goed gaat; *no such ~* helaas niet; *as ~ would have it* (on)gelukkig, toevallig
luckily [lukkillie] gelukkig: *~ for you, I found your keys* je hebt geluk dat ik je sleutels heb gevonden
lucky [lukkie] **1** gelukkig, fortuinlijk, toevallig juist: *a ~ thing no-one got hurt* gelukkig raakte er niemand gewond **2** gelukbrengend, geluks-: *~ charm* talisman; *~ dip* grabbelton, *(fig)* loterij; *~ star* geluksster || *strike ~* boffen
lucrative [loe:kretiv] winstgevend, lucratief
lucre [loe:ke] gewin: *filthy ~* vuil gewin
ludicrous [loe:dikres] belachelijk, bespottelijk
[1]**lug** [luk̂] *zn* uitsteeksel, handvat, oor
[2]**lug** [luk̂] *tr* (voort)trekken, (voort)zeulen: *~ sth. along* iets meesleuren
luggage [luk̂idzj] bagage: *left ~* afgegeven bagage, bagage in depot
lugubrious [loe:k̂oe:bries] luguber, naargeestig, treurig
lukewarm [loe:kwo:m] **1** lauw **2** niet erg enthousiast
[1]**lull** [lul] *zn* korte rust: *a ~ in the storm* een korte windstilte tijdens de storm
[2]**lull** [lul] *tr* **1** sussen, kalmeren: *~ to sleep* in slaap sussen **2** in slaap brengen
lullaby [lullebaj] slaapliedje
[1]**lumber** [lumbe] *zn* **1** rommel, afgedankt meubi-

lair **2** *(Am)* half bewerkt hout, timmerhout, planken
²lumber [lumbe] *intr* sjokken, zich log voortbewegen: ~ *along* voortsjokken
³lumber [lumbe] *tr (inform)* (met iets vervelends, moeilijks) opzadelen: ~ *(up) with* opzadelen met
lumberjack *(Am)* bosbouwer, houthakker
lumber-room rommelkamer
luminous [loe:minnes] lichtgevend; *(fig)* helder; duidelijk
¹lump [lump] *zn* **1** klont, klomp, brok: *(fig) with a ~ in my throat* met een brok in mijn keel **2** bult, knobbel
²lump [lump] *intr* klonteren
³lump [lump] *tr* **1** tot een geheel samenvoegen, bij elkaar gooien: ~ *together* onder één noemer brengen **2** slikken: *you'll have to like it or ~ it* je hebt het maar te slikken
lump sum bedrag ineens, ronde som
lunacy [loe:nesie] waanzin
lunar [loe:ne] van de maan, maan-: ~ *eclipse* maansverduistering
¹lunatic [loe:netik] *zn* krankzinnige
²lunatic [loe:netik] *bn* krankzinnig, gestoord || *the ~ fringe* het extremistische deel *(ve groepering)*
¹lunch [luntsj] *zn* lunch
²lunch [luntsj] *intr* lunchen
luncheon [luntsjen] **1** lunch **2** *(Am)* lichte maaltijd
lung [lung] long
¹lunge [lundzj] *zn* stoot, uitval
²lunge [lundzj] *intr* (met *at*) uitvallen (naar), een uitval doen
³lunge [lundzj] *tr* stoten
¹lurch [le:tsj] *zn* ruk, plotselinge slingerbeweging || *(inform) leave s.o. in the ~* iem in de steek laten
²lurch [le:tsj] *intr* slingeren, strompelen
¹lure [ljoee] *zn* **1** lokmiddel, lokaas **2** aantrekking, verleiding, aantrekkelijkheid
²lure [ljoee] *tr* (ver)lokken, meetronen: ~ *away (from)* weglokken (van); ~ *into* verlokken tot
lurid [ljoerid] **1** schril, zeer fel (gekleurd), vlammend **2** luguber, choquerend
lurk [le:k] **1** op de loer liggen, zich schuilhouden **2** latent (aanwezig) zijn, verborgen zijn
luscious [lusjes] **1** heerlijk: *a ~ peach* een overheerlijke perzik **2** weelderig
lust [lust] **1** sterk verlangen, lust, aandrift: *a ~ for power* een verlangen naar macht **2** wellust(igheid), (zinnelijke) lust: *his eyes, full of ~* zijn ogen, vol wellust
lustre [luste] glans, schittering, luister, roem: *add ~ to* glans geven aan
lustrous [lustres] glanzend, schitterend: ~ *eyes* stralende ogen
lusty [lustie] **1** krachtig, flink, gezond **2** wellustig
lute [loe:t] luit
luxuriance [lukzjoeeriens] overvloed, weelderigheid
luxuriant [lukzjoeerient] **1** weelderig, overdadig: ~ *flora* weelderige flora **2** vruchtbaar *(ook fig)*: ~ *imagination* rijke verbeelding
luxurious [lukzjoeeries] luxueus, weelderig; duur *(bijv. van gewoontes)*
luxury [luksjerie] **1** weelde, luxe, overvloed: *a life of ~* een luxueus leven **2** luxe(artikel) **3** weelderigheid
lymph [limf] lymfe, weefselvocht
lynch [lintsj] lynchen
lyre [lajje] lier
¹lyric [lirrik] *zn* **1** lyrisch gedicht **2** *~s* tekst *(van lied)*
²lyric [lirrik] *bn* lyrisch *(van gedicht, dichter)*
lyrical [lirrikl] lyrisch

m 1 *afk van married* geh., gehuwd 2 *afk van masculine* m., mannelijk 3 *afk van metre(s)* m, meter(s) 4 *afk van mile(s)* mijl(en) 5 *afk van million(s)* mln., miljoen(en) 6 *afk van minute(s)* min, minuut, minuten
'm *samentr van am, zie* be
ma [ma:] ma
MA *afk van Master of Arts* Master of Arts, drs., doctorandus
ma'am [mem, ma:m] *verk van madam* mevrouw
mac [mek] *verk van mackintosh* regenjas
macabre [meka:bre] macaber, griezelig
macaroon [mekeroe:n] bitterkoekje
mace [mees] 1 goedendag, strijdknots, knuppel 2 scepter; staf *(van spreker in Brits Lagerhuis)* 3 foelie
machine [mesjie:n] 1 machine *(ook fig);* werktuig, apparaat 2 aandrijfmechanisme
machine gun machinegeweer
machinery [mesjie:nerie] machinerie *(ook fig);* machinepark, systeem, apparaat
machinist [mesjie:nist] monteur, werktuigkundige, machinebankwerker, vakman voor werktuigmachines
mackerel [mekerel] makreel
mackintosh [mekintosj] regenjas
macrobiotic [mekroobajjottik] macrobiotisch
mad [med] 1 gek, krankzinnig: *go ~* gek worden; *drive s.o. ~* iem gek maken 2 dwaas, onzinnig: *~ project* dwaze onderneming 3 wild, razend; hevig *(bijv. van wind): make a ~ run for ...* als een gek rennen naar ... 4 hondsdol 5 (met *about, after, for, on*) verzot (op) 6 (met *at, about sth.; at, with s.o.*) boos (op), woedend (op, om) || *~ as a hatter, ~ as a March hare* stapelgek
madam [medem] mevrouw, juffrouw: *excuse me, ~, can I help you?* pardon, mevrouw, kan ik u van dienst zijn?
mad cow disease gekkekoeienziekte
madden [medn] gek worden (maken), woedend worden (maken), irriteren
maddening [medening] erg vervelend: *~ waste of time* ergerlijk tijdverlies
made [meed] *ovt en volt dw van* make
madhouse gekkenhuis *(ook fig)*
madly [medlie] 1 als een bezetene 2 heel (erg): *~ in love* waanzinnig verliefd
madman [medmen] gek
madness [mednes] 1 krankzinnigheid, waanzin(nigheid) 2 dwaasheid, gekte: *millennium ~* millenniumgekte 3 enthousiasme
maelstrom [meelstrem] 1 (enorme) draaikolk 2 maalstroom *(ook fig)*
mafia [mefie] maffia
mag [mek] *verk van magazine* tijdschrift
magazine [mekezie:n] 1 magazine, tijdschrift; radio-, tv-magazine *(rubriek)* 2 magazijn *(van geweer)*
maggot [meket] made
[1]**magic** [medzjik] *zn* magie *(ook fig);* toverkunst, betovering: *as if by ~, like ~* als bij toverslag
[2]**magic** [medzjik] *bn* 1 magisch, tover- 2 betoverend || *~ carpet* vliegend tapijt
magical [medzjikl] wonderbaarlijk, magisch
magician [medzjisjen] 1 tovenaar 2 goochelaar *(ook fig);* kunstenaar
magisterial [medzjistierie l] 1 gezaghebbend *(ook fig)* 2 autoritair 3 magistraal
magistrate [medzjistreet] 1 magistraat, (rechterlijk) ambtenaar 2 politierechter, vrederechter
magnanimity [meknenimmittie] grootmoedigheid
magnate [mekneet] magnaat
magnet [meknit] magneet *(ook fig)*
magnetism [meknetizm] 1 magnetisme 2 aantrekkingskracht
magnificence [mekniffisns] 1 pracht, weelde 2 grootsheid
magnificent [mekniffisnt] 1 prachtig, groots 2 weelderig 3 prima
[1]**magnify** [mekniffaj] *tr* overdrijven, opblazen
[2]**magnify** [mekniffaj] *tr, intr* 1 vergroten *(van lens enz.);* uitvergroten 2 versterken *(geluid)*
magnifying glass vergrootglas
magnitude [meknitjoe:d] 1 belang, belangrijkheid 2 omvang, grootte 3 *(sterrenk)* helderheid
magnum [meknem] anderhalveliterfles
magpie [mekpaj] 1 ekster 2 verzamelaar, hamsteraar
mahogany [mehokenie] mahonie
maid [meed] 1 hulp, dienstmeisje 2 meisje, juffrouw 3 maagd || *~ of honour* (ongehuwde) hofdame
[1]**maiden** [meedn] *zn* 1 meisje, juffrouw 2 maagd
[2]**maiden** [meedn] *bn* 1 maagdelijk, ve meisje 2 ongetrouwd *(van vrouw): ~ name* meisjesnaam 3 eerste *(van reis, vlucht bijv.): the Titanic sank on her ~ voyage* de Titanic zonk tijdens haar eerste reis
[1]**mail** [meel] *zn* 1 post, brieven 2 maliënkolder
[2]**mail** [meel] *tr* 1 posten, per post versturen 2 (be)pantseren
mailman *(Am)* postbode
maim [meem] verminken *(ook fig);* kreupel maken
[1]**main** [meen] *zn* 1 hoofdleiding, hoofdbuis, hoofd-

kabel **2** *~s* (elektriciteits)net, elektriciteit, lichtnet: *connected to the ~s* (op het elektriciteitsnet) aangesloten **3** (open) zee || *in the ~* voor het grootste gedeelte, in het algemeen

²main [meen] *bn* hoofd-, belangrijkste, voornaamste: *~ course* hoofdgerecht; *~ line: a)* hoofdlijn *(van spoorwegen); b) (Am)* hoofdstraat; *~ street* hoofdstraat

mainland [meenlend] vasteland

mainstay steunpilaar, pijler

mainstream **1** heersende stroming **2** hoofdstroom *(van rivier)* **3** mainstream *(jazz)*

maintain [meenteen] **1** handhaven, in stand houden: *he ~ed his calm attitude* hij bleef rustig; *~ order* de orde bewaren **2** onderhouden *(huis, gezin bijv.)*; zorgen voor, een onderhoudsbeurt geven **3** beweren, stellen: *the suspect ~s his innocence* de verdachte zegt dat hij onschuldig is **4** verdedigen, opkomen voor: *~ an opinion* een mening verdedigen

maintenance [meentenens] **1** handhaving *(van wet bijv.)* **2** onderhoud *(van huis, machine)* **3** levensonderhoud, levensbehoeften **4** toelage *(aan vrouw, kind)*; alimentatie

maisonette [meezenet] **1** huisje, flatje **2** maisonnette

maize [meez] mais

majestic [medzjestik] majestueus, verheven

Majesty [medzjistie] Majesteit, Koninklijke Hoogheid || *on Her* (of: *His*) *~'s service* dienst *(op enveloppe)*

¹major [meedzje] *zn* **1** meerderjarige **2** majoor **3** *(Am)* hoofdvak *(van studie)* **4** *(Am)* hoofdvakstudent

²major [meedzje] *bn* **1** groot, groter, voornaamste: *a ~ breakthrough* een belangrijke doorbraak; *the ~ part of* de meerderheid van; *~ road* hoofdweg **2** ernstig, zwaar: *~ operation* zware operatie **3** meerderjarig, volwassen **4** *(muz)* in majeur: *C ~* C grote terts **5** senior, de oudere: *Rowland ~* Rowland senior

major in *(Am)* als hoofdvak(ken) hebben, (als hoofdvak) studeren

majority [medzjorrittie] **1** meerderheid: *the ~ of people* de meeste mensen **2** meeste: *in the ~* in de meerderheid

¹make [meek] *zn* **1** merk **2** fabricage, vervaardiging || *on the ~: a)* op (eigen) voordeel uit, op winst uit; *b)* op de versiertoer

²make [meek] *intr (made, made)* **1** doen, zich gedragen, handelen: *~ as if* (of: *though*): *a)* doen alsof; *b)* op het punt staan **2** gaan, zich begeven: *we were making toward(s) the woods* wij gingen naar de bossen || *you'll have to ~ do with this old pair of trousers* je zult het met deze oude broek moeten doen; *~ away* (of: *off*) 'm smeren, ervandoor gaan; *~ away with oneself* zich van kant maken; *~ off with* wegnemen, meenemen, jatten

³make [meek] *tr (made, made)* **1** maken, bouwen, fabriceren, scheppen, veroorzaken, bereiden; opstellen *(wet, testament)*: *~ coffee* (of: *tea*) koffie (*of:* thee) zetten; *God made man* God schiep de mens; *~ over a dress* een jurk vermaken; *show them what you are made of* toon wat je waard bent **2** maken, vormen, maken tot, benoemen tot: *the workers made him their spokesman* de arbeiders maakten hem tot hun woordvoerder **3** (ver)krijgen, (be)halen; binnenhalen *(winst)*; hebben *(succes)*; lijden *(verlies)*; verdienen, scoren; maken *(punt enz.)*: *~ a lot of money* veel geld verdienen; *(kaartspel) ~ a trick* een slag maken; *he made a lot on this deal* hij verdiende een hoop aan deze transactie **4** laten, ertoe brengen, doen, maken dat: *don't ~ me laugh* laat me niet lachen; *she made the food go round* ze zorgde ervoor dat er genoeg eten was voor iedereen; *you can't ~ me* je kunt me niet dwingen **5** schatten (op), komen op: *what time do you ~ it?* hoe laat heeft u het? **6** worden, maken, zijn: *three and four ~ seven* drie en vier is zeven **7** (geschikt) zijn (voor), (op)leveren, worden: *this student will never ~ a good doctor* deze student zal nooit een goede arts worden; *the man is made for this job* de man is perfect voor deze baan **8** bereiken, komen tot; halen *(snelheid)*; gaan; pakken *(trein)*; zien; in zicht krijgen *(land)*; worden, komen in: *~ an appointment* op tijd zijn voor een afspraak; *~ the front pages* de voorpagina's halen; *~ it* op tijd zijn, het halen, *(fig)* succes hebben, slagen; *have it made* geslaagd zijn, op rozen zitten **9** doen, verrichten; uitvoeren *(onderzoek)*; geven *(belofte)*; nemen *(proef)*; houden *(redevoering)*: *~ an effort* een poging doen, pogen; *~ a phone call* opbellen **10** opmaken *(bed)* **11** tot een succes maken, het hem doen, de finishing touch geven: *~ sth. of oneself* succes hebben *(in het leven)* || *this fool can ~ or break the project* deze gek kan het project maken of breken; *~ sth. do* zich met iets behelpen; *let's ~ it next week* (of: *Wednesday*) laten we (voor) volgende week (*of:* woensdag) afspreken; *~ the most of: a)* er het beste van maken; *b)* zoveel mogelijk profiteren van; *~ much of: a)* belangrijk vinden; *b)* veel hebben aan; *c)* veel begrijpen van; *~ nothing of: a)* gemakkelijk doen (over), geen probleem maken van; *b)* niets begrijpen van; *they couldn't ~ anything of my notes* ze konden niets met mijn aantekeningen beginnen

make-believe schijn, fantasie, het doen alsof: *this fight is just ~* dit gevecht is maar spel

make for **1** gaan naar, zich begeven naar: *we made for the nearest pub* we gingen naar de dichtstbijzijnde kroeg **2** bevorderen, bijdragen tot, zorgen voor

¹make out *intr* klaarspelen, het maken, zich redden: *the European industry is not making out as bad as everybody says* met de Europese industrie gaat het niet zo slecht als iedereen zegt

²make out *tr* **1** uitschrijven, invullen: *~ a cheque to* (of: *in favour of*) een cheque uitschrijven op naam van (*of:* ten gunste van) **2** beweren, verkondigen: *she makes herself out to be very rich* zij beweert dat ze erg rijk is **3** onderscheiden, zien **4** ontcijferen *(bijv. handschrift)* **5** begrijpen, snappen, hoogte krijgen van: *I can't ~ this message* ik snap dit bericht niet

maker [meeke] maker, fabrikant || *meet one's ~* sterven, dood gaan

[1]**makeshift** *zn* tijdelijke vervanging, noodoplossing

[2]**makeshift** *bn* voorlopig, tijdelijk, nood-

[1]**make up** *intr* **1** zich opmaken, zich schminken **2** zich verzoenen, weer goedmaken || *~ for* weer goedmaken, vergoeden; *~ to s.o.* bij iem in de gunst zien te komen; *~ to s.o. for sth.: a)* iem iets vergoeden; *b)* iets goedmaken met (*of:* bij) iem

[2]**make up** *tr* **1** opmaken, schminken **2** bijleggen; goedmaken *(ruzie): make it up (with s.o.)* het weer goedmaken (met iem) **3** volledig maken, aanvullen: *father made up the difference of three pounds* vader legde de ontbrekende drie pond bij **4** vergoeden, goedmaken, teruggeven, terugbetalen: *~ lost ground* de schade inhalen **5** verzinnen: *~ an excuse* een excuus verzinnen **6** vormen, samenstellen: *the group was made up of four musicians* de groep bestond uit vier muzikanten **7** maken, opstellen; klaarmaken *(medicijn);* bereiden, maken tot (pakje), (kleren) maken (van), naaien **8** opmaken *(bed)*

make-up [meekup] **1** make-up, schmink **2** aard, karakter, natuur **3** samenstelling, opbouw

making [meeking] **1** *~s* verdiensten **2** *~s* ingrediënten *(ook fig);* (juiste) kwaliteiten: *have the ~s of a surgeon* het in zich hebben om chirurg te worden || *in the ~* in de maak, in voorbereiding

malady [meledie] kwaal, ziekte: *a social ~* een sociale plaag

malaria [meleerie] malaria

malcontent [melkentent] ontevredene, ontevreden mens

[1]**male** [meel] *zn* **1** mannelijk persoon **2** mannetje *(dier)*

[2]**male** [meel] *bn* **1** mannelijk *(ook fig): ~ chauvinism* (mannelijk) seksisme; *~ choir* mannenkoor **2** mannetjes-

malefactor [melifekte] boosdoener

malevolence [melevvelens] kwaadwilligheid, boosaardigheid

malformed [melfo:md] misvormd

malfunction [melfungksjen] storing, defect

malice [melis] **1** kwaadwilligheid, boosaardigheid: *bear ~ towards* (of: *to, against*) *s.o.* (een) wrok tegen iem koesteren **2** boos opzet

malignant [meliknent] **1** schadelijk, verderfelijk **2** kwaadwillig, boosaardig **3** kwaadaardig *(van ziekte): a ~ tumour* een kwaadaardig gezwel

mall [mo:l] **1** wandelgalerij, promenade **2** winkelpromenade, groot winkelcentrum **3** *(Am)* middenberm

malleable [meliebl] *(fig)* kneedbaar

mall rat *(ongev)* hangjongere

malnutrition [melnjoetrisjen] slechte voeding, ondervoeding

malt [mo:lt] mout, malt

maltreatment [meltrie:tment] mishandeling

malversation [melveseesjen] malversatie, verduistering, wanbeheer

mam [mem] *verk van mammy* mam(s)

mammal [meml] zoogdier

mammoth [memeθ] mammoet

[1]**man** [men] *zn (mv: men)* **1** man, de man, echtgenoot, minnaar, partner: *~ of letters* schrijver, geleerde; *~ of means* (of: *property*) bemiddeld (*of:* vermogend) man; *the ~ in the street* de gewone man, jan met de pet; *~ about town* man van de wereld, playboy; *~ and wife* man en vrouw; *~ of the world* iem met mensenkennis; *the very ~* de persoon die men nodig heeft, net wie men zocht; *be ~ enough to* mans genoeg zijn om **2** mens, het mensdom: *the rights of Man* de mensenrechten; *to the last ~* tot op de laatste man; *every ~ for himself* ieder voor zich; *as a ~* als één man; *one ~, one vote* enkelvoudig stemrecht **3** ondergeschikte, soldaat: *men* manschappen; *officers and men* officieren en manschappen; *I'm your ~* op mij mag (*of:* kan) je rekenen || *be enough of a ~ to* wel zo flink zijn om te; *(all) to a ~* eensgezind

[2]**man** [men] *tr* **1** bemannen, bezetten: *~ned crossing* bewaakte overweg **2** vermannen: *~ oneself* zich vermannen

[3]**man** [men] *tw (Am)* sjonge!

[1]**manacle** [menekl] *zn* **1** handboei **2** belemmering

[2]**manacle** [menekl] *tr* in de boeien slaan, aan elkaar vastketenen

[1]**manage** [menidzj] *intr* **1** rondkomen, zich behelpen **2** slagen, het klaarspelen: *can you ~?* gaat het?, lukt het (zo)?; *I'll ~* het lukt me wel **3** als beheerder optreden

[2]**manage** [menidzj] *tr* **1** slagen in, weten te, kunnen, kans zien te: *the ~d to escape* hij wist te ontsnappen **2** leiden, besturen; beheren *(zaak);* hoeden *(vee)* **3** beheersen, weten aan te pakken, manipuleren **4** hanteren **5** aankunnen, aandurven, in staat zijn tot: *I cannot ~ another mouthful* ik krijg er geen hap meer in

management [menidzjment] **1** beheer, management, bestuur, administratie **2** overleg, beleid: *more luck than (good) ~* meer geluk dan wijsheid **3** werkgevers

manager [menidzje] **1** bestuurder, chef; directeur *(van onderneming);* manager *(van sportploeg);* impresario *(van zanger)* **2** manager, bedrijfsleider

mandarin [menderin] **1** mandarijntje **2** bureaucraat

Mandarin [menderin] Mandarijns *(taal);* Chinees

mandate [mendeet] mandaat, machtiging om namens anderen te handelen

mandatory [mendeterie] 1 bevel-: ~ *sign* gebodsbord 2 verplicht: ~ *subject* verplicht (school)vak
mandolin [mendelin] mandoline
mane [meen] manen
manège [meneezj] 1 manege, (paard)rijschool 2 rijkunst
manger [meendzje] trog, krib
mange-tout [mãnzjtoe:] peul(tje)
[1]**mangle** [mengkl] *zn* 1 mangel 2 wringer
[2]**mangle** [mengkl] *tr* 1 mangelen, door de mangel draaien 2 verscheuren, verminken, havenen; *(fig)* verknoeien: *~d bodies* verminkte lichamen
mango [mengkoo] *(mv: ook ~es)* mango
mangy [meendzjie] 1 schurftig 2 sjofel
manhandle [menhendl] 1 toetakelen, afranselen 2 door mankracht verplaatsen
manhood [menhoed] 1 mannelijkheid 2 volwassenheid
mania [meenie] 1 manie, waanzin, zucht: *Beatle ~* Beatlemania, Beatlegekte 2 (met *for*) rage (om, voor)
maniac [meenie·ek] maniak, waanzinnige
manic [menik] 1 manisch 2 erg opgewonden, bezeten
[1]**manicure** [menikjoee] *zn* manicure
[2]**manicure** [menikjoee] *tr* manicuren
[1]**manifest** [meniffest] *bn* zichtbaar, duidelijk, klaarblijkelijk
[2]**manifest** [meniffest] *ww* zichtbaar maken, vertonen: ~ *one's interest* blijk geven van belangstelling
manifestation [meniffesteesjen] 1 manifestatie 2 verkondiging, openbaring 3 uiting
manifesto [meniffestoo] *(mv: ook ~es)* manifest
manifold [meniffoold] veelvuldig, verscheiden
manipulate [menipjoeleet] 1 hanteren *(toestel)* 2 manipuleren *(ook med)* 3 knoeien met *(tekst, cijfers)*
manipulation [menipjoeleesjen] manipulatie
mankind [menkajnd] het mensdom, de mensheid
manly [menlie] mannelijk, manhaftig
mannequin [menikkin] 1 mannequin 2 etalagepop
manner [mene] 1 manier, wijze: *in a ~* in zekere zin; *in a ~ of speaking* bij wijze van spreken 2 houding, gedrag 3 stijl, trant 4 soort, slag: *all ~ of* allerlei 5 *~s* manieren, goed gedrag: *bad ~s* slechte manieren; *it's bad ~s* dat is onbeleefd 6 *~s* zeden, sociale gewoonten
mannerism [menerizm] 1 aanwensel 2 gekunsteldheid
mannish [menisj] manachtig; mannelijk *(van vrouwen)*
[1]**manoeuvre** [menoe:ve] *zn* manoeuvre
[2]**manoeuvre** [menoe:ve] *ww* manoeuvreren; *(fig)* slinks handelen: ~ *s.o. into a good job* een goed baantje voor iem versieren
manor [mene] manor, groot (heren)huis met omliggende gronden
manpower [menpaue] 1 arbeidskrachten 2 beschikbare strijdkrachten
mansion [mensjen] herenhuis
manslaughter [menslo:te] doodslag
mantelpiece schoorsteenmantel
[1]**manual** [menjoeel] *zn* 1 handboek, handleiding 2 *(muz)* manuaal
[2]**manual** [menjoeel] *bn* hand-: ~ *labour* handenarbeid; ~ *worker* handarbeider
[1]**manufacture** [menjoefektsje] *zn* 1 fabricaat, product, goederen 2 vervaardiging, fabricage, productie(proces), makelij
[2]**manufacture** [menjoefektsje] *tr* 1 vervaardigen, verwerken, produceren 2 verzinnen
manufacturer [menjoefektsjere] fabrikant
[1]**manure** [menjoee] *zn* mest
[2]**manure** [menjoee] *tr* bemesten, gieren
manuscript [menjoeskript] manuscript, handschrift
many [mennie] *(more, most)* 1 vele(n), menigeen: *~'s the time* vaak; *a good* (of: *great*) ~ vele(n), menigeen; *and as ~ again* (of: *more*) en nog eens zoveel; *have had one too ~* een glaasje te veel op hebben; *~ of the pages were torn* veel bladzijden waren gescheurd; *as ~ as thirty* wel dertig 2 veel, een groot aantal: *a good ~ raisins* een flinke hoeveelheid rozijnen; *ten mistakes in as ~ lines* tien fouten in tien regels 3 (met *a(n)*) menig(e): *~ a time* vaak
[1]**map** [mep] *zn* 1 kaart 2 plan, grafische voorstelling || *put on the ~* de aandacht vestigen op
[2]**map** [mep] *tr* in kaart brengen: ~ *out* in kaart brengen, *(fig)* plannen, indelen; *I've got my future ~ped out for me* mijn toekomst is al uitgestippeld
maple [meepl] esdoorn
mar [ma:] bederven, verstoren: *make* (of: *mend*) *or ~ a plan* een plan doen slagen of mislukken
[1]**marathon** [mereθen] *zn* marathon(loop)
[2]**marathon** [mereθen] *bn* marathon, ellenlang
maraud [mero:d] plunderen, roven
[1]**marble** [ma:bl] *zn* 1 marmer 2 knikker: *play (at) ~s* knikkeren || *he has lost his ~s* er zit bij hem een steekje los
[2]**marble** [ma:bl] *bn* marmeren, gemarmerd
[1]**march** [ma:tsj] *zn* 1 mars 2 opmars: *on the ~* in opmars || *steal a ~ on s.o.* iem te vlug af zijn
[2]**march** [ma:tsj] *intr* (op)marcheren, aanrukken: *quick ~!* voorwaarts mars!
[3]**march** [ma:tsj] *tr* 1 doen marcheren 2 leiden; voeren *(te voet)*: *be ~ed away* (of: *off*) weggeleid worden
March [ma:tsj] maart
march past defilé, parade
mare [mee] merrie
margarine [ma:dzjerie:n] margarine
margin [ma:dzjin] 1 marge; *(beurs)* surplus: ~ *of error* foutenmarge 2 kantlijn
marginal [ma:dzjinl] 1 in de kantlijn geschreven: ~ *notes* kanttekeningen 2 miniem, onbedui-

dend, bijkomstig: *of ~ importance* van ondergeschikt belang
marguerite [ma:ƙerie:t] margriet
marigold [meriƙoold] **1** goudsbloem **2** afrikaantje
marijuana [meriwwa:ne] marihuana
marina [merie:ne] jachthaven
[1]**marine** [merie:n] *zn* **1** marine, vloot **2** marinier
[2]**marine** [merie:n] *bn* zee-: *~ biology* mariene biologie
mariner [merinne] zeeman, matroos
marionette [merienet] marionet
marital [meritl] echtelijk, huwelijks-: *~ status* burgerlijke staat
maritime [merittajm] maritiem: *~ law* zeerecht
marjoram [ma:dzjerem] marjolein
[1]**mark** [ma:k] *zn* **1** teken, leesteken; *(fig)* blijk: *as a ~ of my esteem* als blijk van mijn achting **2** teken, spoor, vlek; *(fig)* indruk: *bear the ~s of* de sporen dragen van; *make one's ~* zich onderscheiden **3** (rapport)cijfer, punt **4** peil, niveau: *above* (of: *below*) *the ~* boven (*of:* beneden) peil; *I don't feel quite up to the ~* ik voel me niet helemaal fit **5** start(streep): *not quick off the ~* niet vlug (van begrip); *on your ~s, get set, go!* op uw plaatsen! klaar? af! **6** doel, doelwit: *(fig) hit the ~* in de roos schieten; *(fig) miss* (of: *overshoot*) *the ~* het doel missen, te ver gaan, de plank misslaan || *keep s.o. up to the ~* zorgen dat iem zijn uiterste best doet; *overstep the ~* over de schreef gaan
[2]**mark** [ma:k] *intr* **1** vlekken (maken, krijgen) **2** cijfers geven
[3]**mark** [ma:k] *tr* **1** merken, tekenen, onderscheiden: *~ the occasion* de gelegenheid luister bijzetten **2** beoordelen, nakijken; cijfers geven voor *(schoolwerk)* **3** letten op *(woorden bijv.)*: *~ how it is done* let op hoe het gedaan wordt **4** te kennen geven, vertonen **5** bestemmen, opzijzetten **6** vlekken; tekenen *(dier)* **7** *(sport)* dekken
Mark [ma:k] model, type, rangnummer
mark down **1** noteren, opschrijven **2** afprijzen **3** een lager cijfer geven
marked [ma:kt] **1** duidelijk: *a ~ preference* een uitgesproken voorkeur **2** gemarkeerd; gemerkt *(geld bijv.)* **3** bestemd, uitgekozen
marker [ma:ke] **1** teller **2** teken, merk, kenteken, mijlpaal, kilometerpaal, baken, boekenlegger, scorebord **3** markeerstift
[1]**market** [ma:kit] *zn* **1** markt, handel, afzetgebied: *be in the ~ for sth.* iets willen kopen; *price oneself out of the ~* zich uit de markt prijzen **2** marktprijs **3** markt, beurs
[2]**market** [ma:kit] *intr* inkopen doen, winkelen
[3]**market** [ma:kit] *tr* **1** op de markt brengen **2** verkopen, verhandelen
market garden moestuin
marketing [ma:keting] **1** markthandel **2** marketing, marktonderzoek
marking [ma:king] **1** tekening *(van dier e.d.)* **2** (ken)teken
mark out **1** afbakenen, markeren **2** uitkiezen, bestemmen: *marked out as a candidate for promotion* uitgekozen als promotiekandidaat
marksman [ma:ksmen] scherpschutter
mark up in prijs verhogen
marmalade [ma:meleed] marmelade
marmot [ma:met] marmot
[1]**maroon** [meroe:n] *zn* **1** vuurpijl, lichtsein **2** kastanjebruin
[2]**maroon** [meroe:n] *tr* **1** achterlaten; *(fig)* aan zijn lot overlaten **2** isoleren, afsnijden: *~ed by the floods* door de overstromingen ingesloten
marquis [ma:kwis] markies
marriage [meridzj] huwelijk, echt(verbintenis): *~ of convenience* verstandshuwelijk; *her ~ to* haar huwelijk met; *~ settlement* huwelijksvoorwaarden
marriageable [meridzjebl] huwbaar
married [meried] gehuwd: *a ~ couple* een echtpaar
marrow [meroo] **1** (eetbare) pompoen: *vegetable ~* eetbare pompoen **2** merg **3** kern, pit
marry [merie] trouwen (met), in het huwelijk treden (met): *~ money* (of: *wealth*) een rijk huwelijk sluiten; *get married* trouwen || *married to* verknocht aan; *he is married to his work* hij is met zijn werk getrouwd; *he is married with three children* hij is getrouwd en heeft drie kinderen
marsh [ma:sj] moeras
[1]**marshal** [ma:sjl] *zn* **1** (veld)maarschalk **2** hofmaarschalk **3** hoofd van ordedienst **4** *(Am)* hoofd van politie; *(ongev)* sheriff **5** *(Am)* brandweercommandant
[2]**marshal** [ma:sjl] *tr* **1** (zich) opstellen **2** leiden, (be)geleiden
[1]**marsupial** [ma:s·joe:piel] *zn* buideldier
[2]**marsupial** [ma:s·joe:piel] *bn* buideldragend
mart [ma:t] handelscentrum
marten [ma:tin] **1** *(dier)* marter **2** *(bont)* marter(bont)
martial [ma:sjl] **1** krijgs-: *~ arts* (oosterse) vechtkunsten *(karate, judo e.d.)* **2** krijgshaftig
[1]**martyr** [ma:te] *zn* martelaar *(ook fig)*: *make a ~ of oneself* zich als martelaar opwerpen
[2]**martyr** [ma:te] *tr* de marteldood doen sterven; martelen *(ook fig)*; kwellen
martyrdom [ma:tedem] **1** martelaarschap **2** marteldood **3** marteling, lijdensweg
[1]**marvel** [ma:vl] *zn* wonder: *do* (of: *work*) *~s* wonderen verrichten
[2]**marvel** [ma:vl] *intr* (met *at*) zich verwonderen (over), zich verbazen (over)
marvellous [ma:veles] prachtig, fantastisch
marzipan [ma:zipen] marsepein(tje)
masc *afk van masculine* mnl., mannelijk
mascot [mesket] mascotte
masculine [meskjoelin] **1** mannelijk **2** manachtig
[1]**mash** [mesj] *zn* (warm) mengvoer
[2]**mash** [mesj] *tr* **1** fijnstampen, fijnmaken: *~ed po-*

tatoes (aardappel)puree **2** mengen, hutselen
[1]**mask** [ma:sk] *zn* masker *(ook fig)*; mom
[2]**mask** [ma:sk] *intr* zich vermommen, een masker opzetten; *(fig)* zijn (ware) gelaat verbergen
[3]**mask** [ma:sk] *tr* **1** maskeren, vermommen **2** verbergen, verhullen
masked [ma:skt] gemaskerd
masking tape [ma:sking teep] afplakband
mason [meesn] **1** metselaar **2** vrijmetselaar
[1]**masquerade** [meskereed] *zn* **1** maskerade **2** vermomming
[2]**masquerade** [meskereed] *intr* (met *as*) zich vermommen (als), zich voordoen (als)
[1]**mass** [mes] *zn* massa, hoop, menigte: *in the ~* in massa; *a ~ of* één en al; *the ~es* de massa
[2]**mass** [mes] *zn (r-k)* mis
[3]**mass** [mes] *ww* (zich) verzamelen: *~ troops* troepen concentreren
[1]**massacre** [meseke] *zn* **1** bloedbad **2** *(fig)* afslachting
[2]**massacre** [meseke] *tr* **1** uitmoorden **2** in de pan hakken
[1]**massage** [mesa:zj] *zn* massage
[2]**massage** [mesa:zj] *tr* **1** masseren **2** manipuleren; knoeien met *(gegevens e.d.)*
massive [mesiv] **1** massief, zwaar **2** groots, indrukwekkend **3** massaal **4** aanzienlijk, enorm
mast [ma:st] mast
[1]**master** [ma:ste] *zn* **1** meester, heer, baas, schoolmeester: *~ of the house* heer des huizes **2** origineel, matrijs, master(tape) || *Master of Arts (ongev)* doctorandus, Master of Arts, Master of Science; *Master of Ceremonies* ceremoniemeester
[2]**master** [ma:ste] *bn* hoofd-, voornaamste
[3]**master** [ma:ste] *tr* overmeesteren; de baas worden *(ook fig)*; te boven komen
masterful [ma:stefoel] **1** meesterachtig **2** meesterlijk
mastermind uitdenken: *he ~ed the project* hij was het brein achter het project
masterpiece meesterstuk, meesterwerk
mastery [ma:sterie] **1** meesterschap: *the ~ over* de overhand op **2** beheersing, kennis
masticate [mestikkeet] kauwen
masturbate [mestebeet] masturberen
[1]**mat** [met] *zn* **1** mat(je) *(ook fig; sport)*; deurmat **2** tafelmatje, onderzettertje **3** klit: *a ~ of hair* een wirwar van haren
[2]**mat** [met] *bn* mat, dof
[3]**mat** [met] *intr* klitten, in de war raken
[4]**mat** [met] *tr* verwarren, doen samenklitten
[1]**match** [metsj] *zn* **1** gelijke: *find* (of: *meet*) *one's ~* zijns gelijke vinden; *be more than a ~ for s.o.* iem de baas zijn **2** wedstrijd **3** lucifer **4** huwelijk
[2]**match** [metsj] *intr* (bij elkaar) passen: *~ing clothes* (of: *colours*) bij elkaar passende kleren (*of:* kleuren)
[3]**match** [metsj] *tr* **1** evenaren, niet onderdoen voor: *can you ~ that?* kan je dat net zo goed doen?; *they are well ~ed* zij zijn aan elkaar gewaagd **2** passen bij: *they are well ~ed* ze passen goed bij elkaar **3** doen passen; aanpassen *(kleur)*: *~ jobs and applicants* het juiste werk voor de juiste kandidaten uitzoeken
matchbox lucifersdoosje
matchless [metsjles] weergaloos, niet te evenaren
matchmaking het koppelen, het tot stand brengen van huwelijken
[1]**mate** [meet] *zn* **1** maat, kameraad **2** (huwelijks)partner, gezel(lin), mannetje; wijfje *(van vogels)* **3** helper *(van ambachtsman)*; gezel **4** stuurman **5** *(schaken)* mat
[2]**mate** [meet] *intr* paren, huwen, zich voortplanten
[3]**mate** [meet] *tr* **1** koppelen, doen paren **2** schaken, mat zetten
[1]**material** [metieriel] *zn* **1** materiaal, grondstof; *(fig)* gegevens; stof **2** soort
[2]**material** [metieriel] *bn* **1** materieel, lichamelijk: *~ damage* materiële schade **2** belangrijk, wezenlijk: *a ~ witness* een belangrijke getuige
materialist(ic) [metierielist(ik)] materialistisch
[1]**materialize** [metierielajz] *intr* **1** werkelijkheid worden: *his dreams never ~d* zijn dromen werden nooit werkelijkheid **2** tevoorschijn komen *(van geest)*
[2]**materialize** [metierielajz] *tr* **1** verwezenlijken, realiseren, uitvoeren **2** materialiseren
maternal [mete:nl] moeder-: *~ love* moederliefde || *~ grandfather* grootvader van moederszijde
maternity [mete:nittie] moederschap: *~ home* kraamkliniek
matey [meetie] vriendschappelijk: *be ~ with s.o.* beste maatjes met iem zijn
mathematical [meθemetikl] **1** wiskundig **2** precies, exact
mathematics [meθemetiks] wiskunde
maths [meθs] *verk van mathematics* wiskunde
mating season paartijd, bronst
matrices [meetrissie:z] *mv van* matrix
matricide [metrissajd] moedermoord(enaar)
matriculation [metrikjoeleesjen] inschrijving, toegang tot universiteit
matrimony [metrimmenie] huwelijk, echt(elijke staat)
matrix [meetriks] **1** matrijs, gietvorm **2** matrix
matron [meetren] **1** matrone **2** directrice, hoofdverpleegster || *~ of honour* getrouwd bruidsmeisje
matt [met] mat, niet glanzend
[1]**matter** [mete] *zn* **1** materie, stof **2** stof, materiaal, inhoud **3** stof *(in, van lichaam)* **4** belang: *no ~* (het) maakt niet uit, laat maar **5** kwestie: *just a ~ of time* slechts een kwestie van tijd; *no laughing ~* niets om te lachen; *for that ~, for the ~ of that* wat dat betreft || *as a ~ of course* vanzelfsprekend; *as a ~ of fact* eigenlijk; *what is the ~ with him?* wat scheelt hem?

²matter [mete] *intr* van belang zijn, betekenen: *it doesn't ~* het geeft niet, het doet er niet toe; *what does it ~?* wat zou het?
matter-of-fact zakelijk, nuchter
matting [meting] matwerk; matten *(als vloerbedekking e.d.)*
mattress [metres] matras
¹mature [metsjoee] *bn* **1** rijp, volgroeid **2** volwassen: *behave ~ly* zich gedragen als een volwassene **3** weloverwogen **4** belegen *(kaas, wijn)*
²mature [metsjoee] *intr* **1** rijpen, tot rijpheid komen: *~d cheese* belegen kaas **2** volgroeien, zich volledig ontwikkelen, volwassen worden **3** vervallen *(van wissel e.d.)*
maturity [metsjoeerittie] **1** rijpheid **2** volgroeidheid, volwassenheid
maul [mo:l] **1** verscheuren; aan stukken scheuren *(ook fig)* **2** ruw behandelen
maw [mo:] **1** pens; maag *(van dier)* **2** krop *(van vogel)* **3** muil; bek *(fig)*
mawkish [mo:kisj] **1** walgelijk; flauw *(van smaak)* **2** overdreven sentimenteel
maxim [meksim] spreuk
maximally [meksimmelie] hoogstens, maximaal
¹maximum [meksimmem] *zn* maximum: *at its ~* op het hoogste punt
²maximum [meksimmem] *bn* maximaal, hoogste: *~ speed* topsnelheid
may [mee] *(might)* **1** mogen: *~ I ask why you think so?* mag ik vragen waarom je dat denkt?; *you ~ not leave yet* je mag nog niet vertrekken **2** *(mogelijkheid)* kunnen: *they ~ arrive later* ze komen misschien later; *come what ~* wat er ook gebeurt; *~ I help you?* kan ik u helpen?; *I hope he ~ recover, but I fear he ~ not* ik hoop dat hij beter wordt, maar ik vrees van niet **3** *(in wensen e.d.)* mogen: *~ you stay forever young* moge jij altijd jong blijven
May [mee] mei
maybe [meebie] misschien, wellicht: *as soon as ~* zo vlug mogelijk
mayday mayday, noodsignaal
May Day 1 mei, dag vd arbeid
mayfly eendagsvlieg
mayhem [meehem] rotzooi: *cause* (of: *create*) *~* herrie schoppen
mayonnaise [meeeneez] mayonaise
mayor [mee] burgemeester
maze [meez] doolhof *(ook fig)*
me [mie:] mij, voor mij, ik: *he liked her better than me* hij vond haar aardiger dan mij; *poor me* arme ik; *it is me* ik ben het
meadow [meddoo] wei(de), grasland
meagre [mie:ĝe] schraal *(maaltijd, resultaat e.d.)*
meal [mie:l] **1** maal, maaltijd **2** meel
mealy [mie:lie] **1** melig **2** bleek *(gelaatskleur)*
¹mean [mie:n] *zn* **1** *~s* middel: *by ~s of* door middel van; *by no ~s, not by any (manner of) ~s* in geen geval; *a ~s to an end* een middel om een doel te bereiken **2** *~s* middelen (van bestaan): *live beyond one's ~s* boven zijn stand leven **3** middelmaat; *(fig)* middenweg **4** gemiddelde (waarde)
²mean [mie:n] *bn* **1** gemeen, laag, ongemanierd: *~ tricks* ordinaire trucs **2** gierig **3** armzalig, armoedig **4** *(Am)* kwaadaardig, vals **5** gemiddeld, doorsnee- **6** gebrekkig, beperkt: *no ~ cook* een buitengewone kok, geen doorsneekok **7** laag; gering *(afkomst)*
³mean [mie:n] *intr* het bedoelen: *~ ill* (of: *well*) *(to, towards, by s.o.)* het slecht (*of:* goed) menen (met iem)
⁴mean [mie:n] *tr (meant, meant)* **1** betekenen, willen zeggen: *it ~s nothing to me* het zegt me niets **2** bedoelen: *what do you ~ by that?* wat bedoel je daarmee? **3** de bedoeling hebben: *~ business* vastberaden zijn, zeer serieus zijn; *I ~ to leave tomorrow* ik ben van plan morgen te vertrekken **4** menen **5** bestemmen **6** betekenen, neerkomen op: *those clouds ~ rain* die wolken voorspellen regen
meander [mie·ende] **1** zich (in bochten) slingeren; kronkelen *(van rivier)* **2** (rond)dolen *(ook fig)*
meanderings [mie·enderingz] slingerpad, kronkelpad, gekronkel
¹meaning [mie:ning] *zn* **1** betekenis, zin, inhoud: *(afkeurend) what's the ~ of this?* wat heeft dit te betekenen? **2** bedoeling, strekking
²meaning [mie:ning] *bn* veelbetekenend, veelzeggend
meaningful [mie:ningfoel] **1** van (grote) betekenis, gewichtig **2** zinvol
means test inkomensonderzoek
means-tested inkomensafhankelijk
meant [ment] *ovt en volt dw van* mean
meantime tussentijd: *in the ~* ondertussen
meanwhile ondertussen
measles [mie:zlz] **1** mazelen **2** rodehond
¹measure [mezje] *zn* **1** maatregel, stap: *take strong ~s* geen halve maatregelen nemen **2** maat *(ook muz);* maateenheid, maat(beker); maat(streep) *(muz);* mate, gematigdheid: *a ~ of wheat* een maat tarwe; *in (a) great* (of: *large*) *~* in hoge (*of:* ruime) mate; *made to ~* op maat gemaakt **3** maatstaf **4** maatstok, maatlat, maatlint **5** ritme, melodie
²measure [mezje] *tr* **1** beoordelen, taxeren **2** opnemen, met de ogen afmeten **3** letten op, overdenken: *~ one's words* zijn woorden wegen
³measure [mezje] *tr, intr* meten, af-, op-, toe-, uitmeten, de maat nemen: *the room ~s three metres by four* de kamer is drie bij vier (meter); *~ off* (of: *out*) afmeten *(stof enz.); ~ out* toemeten
measured [mezjed] weloverwogen, zorgvuldig
measurement [mezjement] **1** afmeting, maat **2** meting
measure up voldoen: *~ to: a)* voldoen aan; *b)* berekend zijn op (*of:* voor), opgewassen zijn tegen
meat [mie:t] **1** vlees: *white ~* wit vlees *(bijv. gevogelte)* **2** *(Am)* eetbaar gedeelte *(van vrucht, schaaldier, ei);* (vrucht)vlees **3** essentie: *there is no real*

~ *in the story* het verhaal heeft weinig om het lijf **4** fort, sterke kant || *one man's ~ is another man's poison* de een traag, de ander graag

meatball gehaktbal

meaty [mie:tie] **1** lijvig **2** vleesachtig **3** stevig: *a ~ discussion* een pittige discussie

mechanic [mikenik] mecanicien, technicus, monteur

mechanical [mikenikl] **1** mechanisch, machinaal; *(fig)* ongeïnspireerd **2** ambachtelijk, handwerk- **3** werktuig(bouw)kundig: *~ engineering* werktuig(bouw)kunde

mechanics [mikeniks] **1** mechanica, werktuigkunde **2** mechanisme **3** techniek

mechanism [mekkenizm] **1** mechanisme, mechaniek **2** werking **3** techniek

mechanization [mekkenajzeesjen] mechanisering

medal [medl] medaille

medallion [midelien] **1** (grote) medaille **2** medaillon

meddle in [medl in] zich bemoeien met, zich inlaten met: *don't ~ my affairs* bemoei je met je eigen zaken

meddlesome [medlsem] bemoeiziek

media [mie:die] media

median [mie:dien] middel-, midden-, middelst: *~ point* zwaartepunt

[1]**mediate** [mie:die·eet] *tr* overbrengen

[2]**mediate** [mie:die·eet] *tr, intr* bemiddelen, bijleggen: *~ between* bemiddelen tussen

mediator [mie:die·eete] bemiddelaar, tussenpersoon

[1]**medical** [meddikl] *zn* (medisch) onderzoek, keuring

[2]**medical** [meddikl] *bn* medisch: *~ certificate* doktersverklaring

medicament [middikkement] medicijn

medication [meddikkeesjen] **1** medicament, medicijn, medicijnen **2** medicatie

medicine [medsin] **1** geneesmiddel: *she takes too much ~* ze slikt te veel medicijnen **2** tovermiddel **3** geneeskunde, medicijnen

medieval [meddie·ie:vl] middeleeuws

mediocre [mie:die·ooke] middelmatig

[1]**meditate** [medditteet] *intr* **1** diep nadenken, in gedachten verzonken zijn: *~ (up)on* overpeinzen **2** mediteren

[2]**meditate** [medditteet] *tr* van plan zijn: *~ revenge* zinnen op wraak

Mediterranean [meddittereenien] mbt de Middellandse Zee, mbt het Middellandse Zeegebied

[1]**medium** [mie:diem] *zn* **1** middenweg, compromis **2** gemiddelde, midden **3** medium, middel: *through the ~ of* door middel van **4** tussenpersoon **5** (natuurlijke) omgeving, milieu **6** uitingsvorm, kunstvorm **7** *(spiritisme)* medium

[2]**medium** [mie:diem] *bn* gemiddeld, doorsnee-: *in the ~ term* op middellange termijn; *(radio) ~ wave* middengolf

medlar [medle] mispel

medley [medlie] **1** mengelmoes(je) **2** *(muz)* potpourri, medley

meek [mie:k] **1** gedwee **2** bescheiden **3** zachtmoedig

[1]**meet** [mie:t] *zn* **1** samenkomst; trefpunt *(voor de jacht)* **2** jachtgezelschap **3** *(Am; atletiek)* ontmoeting, wedstrijd

[2]**meet** [mie:t] *intr (met, met)* **1** elkaar ontmoeten, elkaar tegenkomen: *~ up* elkaar (toevallig) treffen; *~ up with* tegen het lijf lopen **2** samenkomen, bijeenkomen **3** kennismaken **4** sluiten; dicht gaan *(van kledingstuk)*

[3]**meet** [mie:t] *tr (met, met)* **1** ontmoeten, treffen, tegenkomen: *run to ~ s.o.* iem tegemoet rennen; *(fig) ~ s.o. halfway: a)* iem tegemoetkomen; *b)* het verschil (samen) delen **2** (aan)raken **3** kennismaken met: *pleased to ~ you* aangenaam **4** afhalen: *I'll ~ your train* ik kom je van de trein afhalen **5** behandelen, het hoofd bieden: *~ criticism* kritiek weerleggen **6** tegemoetkomen (aan), voldoen (aan), vervullen: *~ the bill* de rekening voldoen **7** beantwoorden, (onvriendelijk) bejegenen **8** ondervinden, ondergaan, dragen: *~ one's death* de dood vinden

meeting [mie:ting] **1** ontmoeting *(ook sport);* wedstrijd **2** bijeenkomst, vergadering, bespreking: *meeting-house* kerk

meet with **1** ondervinden, ondergaan: *~ approval* instemming vinden **2** tegen het lijf lopen **3** *(Am)* een ontmoeting hebben met

megabyte [mekebajt] megabyte *(1 miljoen bytes)*

megalomania [mekeloomeenie] grootheidswaanzin

megaphone [mekefoon] megafoon

[1]**melancholy** [mellenkelie] *zn* melancholie, zwaarmoedigheid

[2]**melancholy** [mellenkelie] *bn* **1** melancholisch, zwaarmoedig **2** droevig, triest

mellow [melloo] **1** rijp; sappig *(van fruit)* **2** zacht, warm; vol *(van geluid, kleur, smaak)* **3** gerijpt, zacht(moedig), mild

melodious [milloodies] melodieus, welluidend

melodrama [melledra:me] melodrama *(ook fig)*

melody [melledie] melodie

melon [mellen] meloen

melt [melt] smelten: *~ in the mouth* smelten op de tong; *~ down* omsmelten

meltdown het afsmelten *(bij kernreactor)*

melting pot smeltkroes *(ook fig): in the ~* onstabiel

member [membe] lid, lidmaat, (onder)deel, element, zinsdeel, lichaamsdeel: *~ of Parliament* parlementslid; *~ state* lidstaat

membership [membesjip] **1** lidmaatschap **2** ledental, de leden

membrane [membreen] membraan

memo [memmoo] *verk van memorandum* memo

memoir [memwa:] **1** biografie **2** verhandeling

memorable [memmerebl] gedenkwaardig
memorial [mimmo:riel] gedenkteken, monument
memorize [memmerajz] **1** uit het hoofd leren **2** onthouden
memory [memmerie] **1** geheugen, herinnering: *to the best of my ~* voor zover ik mij kan herinneren; *within living ~* bij mensenheugenis; *from ~* van buiten, uit het hoofd **2** herinnering, aandenken: *in ~ of, to the ~ of* ter (na)gedachtenis aan
men [men] *mv van* man
[1]**menace** [mennes] *zn* **1** (be)dreiging: *filled with ~* vol dreiging **2** lastpost, gevaar
[2]**menace** [mennes] *ww* (be)dreigen
[1]**mend** [mend] *zn* herstelling, reparatie || *he's on the ~* hij is aan de beterende hand
[2]**mend** [mend] *intr* er weer bovenop komen, herstellen, zich (ver)beteren
[3]**mend** [mend] *tr* **1** herstellen, repareren: *~ stockings* kousen stoppen **2** goedmaken **3** verbeteren
mendicant [mendikkent] **1** bedelmonnik **2** bedelaar
[1]**menial** [mie:niel] *zn (vaak min)* dienstbode, knecht, meid
[2]**menial** [mie:niel] *bn (vaak min)* ondergeschikt, oninteressant: *a ~ job* een min baantje
menopause [mennepo:z] menopauze
men's room *(Am)* herentoilet
menstruation [menstroe·eesjen] menstruatie, ongesteldheid
mental [mentl] **1** geestelijk, mentaal, psychisch: *~ illness* zenuwziekte; *~ly defective* (of: *deficient, handicapped*) geestelijk gehandicapt; *~ly retarded* achterlijk **2** hoofd-, met het hoofd: *~ arithmetic* hoofdrekenen; *~ gymnastics* hersengymnastiek; *make a ~ note of sth.* iets in zijn oren knopen **3** psychiatrisch: *~ hospital* psychiatrische inrichting
mentality [mentelittie] mentaliteit
[1]**mention** [mensjen] *zn* vermelding, opgave: *honourable ~* eervolle vermelding; *make ~ of* vermelden
[2]**mention** [mensjen] *tr* vermelden: *not to ~* om (nog maar) niet te spreken van || *don't ~ it* geen dank
mentor [mento:] mentor
menu [menjoe:] menu, (menu)kaart, maaltijd
mercantile [me:kentajl] handels-, koopmans-
[1]**mercenary** [me:senerie] *zn* huurling
[2]**mercenary** [me:senerie] *bn* **1** op geld belust **2** gehuurd: *~ troops* huurtroepen
merchandise [me:tsjendajz] koopwaar, artikelen, producten
[1]**merchant** [me:tsjent] *zn* groothandelaar, koopman
[2]**merchant** [me:tsjent] *bn* **1** koopvaardij-: *~ shipping* koopvaardij **2** handels-, koopmans-
merciful [me:siefoel] genadig
mercury [me:kjoerie] kwik(zilver)
mercy [me:sie] **1** genade, barmhartigheid **2** daad van barmhartigheid, weldaad: *be thankful for small mercies* wees maar blij dat het niet erger is **3** vergevensgezindheid: *throw oneself on a person's ~* een beroep doen op iemands goedheid; *(vaak iron) left to the (tender) ~ of* overgeleverd aan de goedheid van || *at the ~ of* in de macht van
mere [mie] louter, puur: *by the ~st chance* door stom toeval; *at the ~ thought of it* alleen al de gedachte eraan
merely [mielie] slechts, enkel, alleen
merge [me:dzj] **1** (met *with*) opgaan (in), samengaan (met), fuseren (met) **2** (geleidelijk) overgaan (in elkaar): *the place where the rivers ~* de plaats waar de rivieren samenvloeien
merger [me:dzje] **1** samensmelting **2** *(econ)* fusie
meridian [meriddien] meridiaan, middaglijn
[1]**merit** [merrit] *zn* **1** verdienste, waarde: *the ~s and demerits of sth.* de voors en tegens van iets; *reward each according to his ~s* elk naar eigen verdienste belonen; *judge sth. on its (own) ~s* iets op zijn eigen waarde beoordelen **2** *~s* intrinsieke waarde
[2]**merit** [merrit] *tr* verdienen, waard zijn
mermaid [me:meed] (zee)meermin
merriment [merriement] **1** vrolijkheid **2** pret, plezier, hilariteit
merry [merrie] **1** vrolijk, opgewekt: *Merry Christmas* Vrolijk kerstfeest **2** aangeschoten || *lead s.o. a ~ dance: a)* iem het leven zuur maken; *b)* iem voor de gek houden; *make ~* pret maken; *make ~ over* zich vrolijk maken over
merry-go-round draaimolen, carrousel; *(fig)* maalstroom; roes
merrymaking **1** pret(makerij), feestvreugde **2** feestelijkheid
[1]**mesh** [mesj] *zn* **1** maas, steek; *(fig ook)* strik **2** net(werk): *a ~ of lies* een netwerk van leugens
[2]**mesh** [mesj] *intr* **1** (met *with*) ineengrijpen, ingeschakeld zijn; *(fig)* harmoniëren (met) **2** verstrikt geraken
mesmerize [mezmerajz] *(vnl. volt dw)* magnetiseren, (als) verlammen: *~d at his appearance* gebiologeerd door zijn verschijning
[1]**mess** [mes] *zn* **1** puinhoop, troep, (war)boel, knoeiboel: *his life was a ~* zijn leven was een mislukking; *clear up the ~* de rotzooi opruimen **2** vuile boel **3** moeilijkheid: *get oneself into a ~* zichzelf in moeilijkheden brengen **4** mess, kantine
[2]**mess** [mes] *intr* zich bemoeien met iets, tussenkomen: *~ in other people's business* z'n neus in andermans zaken steken || *no ~ing* echt waar
[1]**mess about** *intr* prutsen, (lui) rondhangen: *don't ~ with people like him* laat je met mensen zoals hij niet in; *he spent the weekend messing about* hij lummelde wat rond tijdens het weekend
[2]**mess about** *tr* **1** rotzooien met: *stop messing my daughter about* blijf met je poten van mijn dochter af **2** belazeren

[1]message [messidzj] *zn* **1** boodschap: *the ~ of a book* de kerngedachte van een boek; *(I) got the ~* begrepen, ik snap het al; *send s.o. on a ~* iem om een boodschap sturen **2** bericht **3** sms
[2]message [messidzj] *ww* sms'en
messenger [messindzje] boodschapper, bode, koerier
Messrs [messez] **1** (de) Heren **2** Fa., Firma: *~ Smith & Jones* de Firma Smith & Jones
mess up **1** in de war sturen, verknoeien: *mess things up* ergens een potje van maken **2** smerig maken **3** ruw aanpakken, toetakelen **4** in moeilijkheden brengen
mess with lastigvallen: *don't ~ me* laat me met rust
messy [messie] **1** vuil, vies **2** slordig, verward
met [met] *ovt en volt dw van* meet
metabolism [mitebelizm] metabolisme, stofwisseling
[1]metal [metl] *zn* **1** metaal **2** steenslag *(voor weg)*
[2]metal [metl] *bn* metalen
metallic [mitelik] **1** metalen: *~ lustre* metaalglans **2** metaalhoudend
metamorphosis [mettemo:fesis] metamorfose, gedaanteverwisseling
metaphor [mettefe] metafoor, beeld, beeldspraak
metaphysical [mettefizzikl] **1** metafysisch, bovennatuurlijk **2** *(vaak min)* abstract, te subtiel
meteor [mie:tie] meteoor
meteorite [mie:tierajt] meteoriet
meteorologist [mie:tierolledzjist] weerkundige
mete out [mie:t aut] toedienen: *~ rewards and punishments* beloningen en straffen uitdelen
meter [mie:te] meter, meettoestel
method [meθed] methode, procedure: *~s of payment* wijzen van betaling
methodical [miθodikl] methodisch, zorgvuldig
meticulous [mittikjoeles] uiterst nauwgezet, pietepeuterig
metre [mie:te] **1** meter **2** metrum
metric [metrik] metriek: *~ system* metriek stelsel
metrical [metrikl] metrisch, ritmisch
metro [metroo] metro, ondergrondse
metropolis [mitroppelis] metropool
[1]metropolitan [metrepollitten] *zn* bewoner ve metropool
[2]metropolitan [metrepollitten] *bn* hoofdstedelijk
mettle [metl] **1** moed, kracht: *a man of ~* een man met pit; *show* (of: *prove*) *one's ~* zijn karakter tonen **2** temperament, aard
mg *afk van milligram(s)*
mice [majs] *mv van* mouse
microbe [majkroob] microbe
microfilm [majkrefilm] microfilm
micrometer [majkrommitte] micrometer
micron [majkron] micron, micrometer
microphone [majkrefoon] microfoon
microprocessor [majkroopproosesse] microprocessor *(centrale verwerkingseenheid van computer)*
microscope [majkreskoop] microscoop: *put* (of: *examine*) *under the ~* onder de loep nemen *(ook fig)*
microscopic [majkreskoppik] microscopisch (klein)
microwave [majkrooweev] microgolf
mid(-) [mid] midden, het midden van: *in mid-air* in de lucht; *from mid-June to mid-August* van half juni tot half augustus; *in mid-ocean* in volle zee
midday [middee] middag
midden [midn] mesthoop, afvalhoop
[1]middle [midl] *zn* **1** midden, middelpunt, middellijn, middelvlak: *in the ~ (of)* middenin; *be caught in the ~* tussen twee vuren zitten **2** middel, taille || *keep to the ~ of the road* de (gulden) middenweg nemen
[2]middle [midl] *bn* middelst, midden, tussen-: *~ age* middelbare leeftijd; *Middle Ages* middeleeuwen; *~ class: a)* bourgeoisie; *b)* kleinburgerlijk; *~ finger* middelvinger || *~ distance (atletiek)* middenafstand; *Middle East* Midden-Oosten
middle-class kleinburgerlijk
middleman tussenpersoon, bemiddelaar, makelaar
middle-of-the-road gematigd
middling [midling] middelmatig, tamelijk (goed), redelijk; *(inform)* tamelijk gezond
midge [midzj] mug
[1]midget [midzjit] *zn* dwerg, lilliputter
[2]midget [midzjit] *bn* lilliputachtig, mini-: *~ golf* midgetgolf
midland [midlend] binnenland, centraal gewest
Midlands [midlendz] Midden-Engeland: *a ~ town* een stad in Midden-Engeland
midlife middelbare leeftijd: *a ~ crisis* een crisis op middelbare leeftijd
midnight middernacht: *at ~* om middernacht
midriff [midrif] **1** middenrif **2** maagstreek
midst [midst] midden: *in the ~ of the fight* in het heetst van de strijd
midway halverwege: *stand ~ between* het midden houden tussen
midwife vroedvrouw
miffed [mift] op de tenen getrapt
[1]might [majt] *zn* macht, kracht: *with ~ and main* met man en macht
[2]might [majt] *hulpww* **1** mocht(en), zou(den) mogen: *~ I ask you a question?* zou ik u een vraag mogen stellen? **2** *(mogelijkheid)* kon(den), zou(den) (misschien) kunnen: *he told her he ~ arrive later* hij zei dat hij misschien later kwam; *it ~ be a good idea to ...* het zou misschien goed zijn te ...; *you ~ have warned us* je had ons wel even kunnen waarschuwen
[3]might [majt] *ovt van* may
mighty [majtie] **1** machtig, krachtig **2** indrukwekkend, kolossaal **3** geweldig

me

migraine [mie:ƙreen] migraine(aanval)
[1]**migrant** [majƙrent] *zn* seizoenarbeider
[2]**migrant** [majƙrent] *bn* migrerend, trek-: ~ *seasonal workers* rondtrekkende seizoenarbeiders
migrate [majƙreet] trekken, verhuizen
migration [majƙreesjen] migratie, volksverhuizing
migratory [majƙreterie] zwervend: ~ *bird* trekvogel
[1]**mild** [majld] *zn* licht bier
[2]**mild** [majld] *bn* **1** mild, zacht(aardig), welwillend: *only ~ly interested* maar matig geïnteresseerd; *to put it ~ly* om het zachtjes uit te drukken **2** zwak, licht, flauw: ~ *flavoured tobacco* tabak met een zacht aroma
mildew [mildjoe:] **1** schimmel(vorming) **2** meeldauw(schimmel)
mile [majl] mijl *(1609,34 m); (fig)* grote afstand: *she is feeling ~s better* ze voelt zich stukken beter; *stick out a ~* in het oog springen; *my thoughts were ~s away* ik was met mijn gedachten heel ergens anders; *recognize s.o. a ~ off* iem van een kilometer afstand herkennen || *run a ~ from s.o.* met een boog om iem heenlopen
mileage [majlidzj] **1** totaal aantal afgelegde mijlen **2** profijt: *he has got a lot of political ~ out of his proposal* met dat voorstel heeft hij heel wat politiek voordeel gehaald
milestone mijlpaal
milieu [mie:lje:] milieu, sociale omgeving
militant [millittent] militant, strijdlustig
militarism [millitterizm] militarisme
[1]**military** [millitterie] *zn* leger, soldaten, strijdkrachten
[2]**military** [millitterie] *bn* militair, krijgs- || ~ *service* (leger)dienst; ~ *tribunal* krijgsraad
militate [millitteet] pleiten: ~ *against* pleiten tegen; ~ *for* (of: *in favour of*) pleiten voor (*of:* ten gunste van)
militia [millisje] militie(leger), burgerleger
[1]**milk** [milk] *zn* melk; *(plantk)* melk(sap): *attested* ~ kiemvrije melk; *semi-skimmed* ~ halfvolle melk; *skim(med)* ~ magere, afgeroomde melk || ~ *run* routineklus, makkie; ~ *and honey* melk en honing *(overvloed)*; *(it's no use) cry(ing) over spilt* ~ gedane zaken nemen geen keer
[2]**milk** [milk] *tr* **1** melken **2** (ont)trekken; sap aftappen van *(boom, slang e.d.)* **3** exploiteren, uitbuiten **4** ontlokken *(informatie)*; (uit)melken
milkman [milkmen] melkboer
milksop bangerik, huilebalk
milky [milkie] **1** melkachtig, troebel **2** melkhoudend || *the Milky Way* de Melkweg
[1]**mill** [mil] *zn* **1** molen, pers **2** fabriek || *put s.o. through the* ~ iem flink onder handen nemen; *have been through the* ~ het klappen van de zweep kennen
[2]**mill** [mil] *ww* **1** malen **2** (metaal) pletten, walsen
mill about krioelen, wemelen
millennium [millenniem] millennium, periode van duizend jaar
miller [mille] molenaar
milligram(me) [milliƙrem] milligram
millimetre [millimmie:te] millimeter
million [millien] miljoen; *(fig)* talloos: *(Am) thanks a* ~ reuze bedankt; *a chance in a* ~ een kans van één op duizend || *feel like a ~ (dollars)* zich kiplekker voelen
millionaire [milliene] miljonair
millionth [millienθ] miljoenste, miljoenste deel
millipede [millippi:d] duizendpoot
millstone molensteen *(ook fig)*
milometer [majlommitte] mijlenteller, kilometerteller
[1]**mime** [majm] *zn* **1** mime, (panto)mimespeler, mimekunst **2** nabootsing
[2]**mime** [majm] *intr* mimen, optreden in mimespel
[1]**mimic** [mimmik] *zn* **1** mime, mimespeler **2** naaper *(ook dieren)*
[2]**mimic** [mimmik] *bn* **1** mimisch: ~ *art* mimiek **2** nabootsend, na-apend
[3]**mimic** [mimmik] *tr* nabootsen, na-apen
mimicry [mimmikrie] **1** nabootsing **2** mimiek
min **1** *afk van minimum* **2** *afk van Ministry* min., ministerie **3** *afk van minute(s)* min
minaret [minneret] minaret
[1]**mince** [mins] *zn* **1** gehakt, gehakt vlees **2** *(Am)* gehakt voedsel
[2]**mince** [mins] *intr* **1** aanstellerig spreken **2** trippelen
[3]**mince** [mins] *tr* **1** fijnhakken: *~d meat* gehakt (vlees) **2** aanstellerig uitspreken: *she didn't ~ her words* zij nam geen blad voor de mond, ze zei waar het op stond **3** vergoelijken: *not the matter* er geen doekjes om winden
mincemeat pasteivulling || *make ~ of* in de pan hakken, geen stukje heel laten van *(een argument)*
mincer [minse] gehaktmolen
[1]**mind** [majnd] *zn* **1** geest, gemoed: *set s.o.'s ~ at ease* iem geruststellen; *have sth. on one's* ~ iets op zijn hart hebben **2** verstand: *be clear in one's ~ about sth.* iets ten volle beseffen **3** mening, opinie: *have a ~ of one's own* er zijn eigen ideeën op na houden; *speak one's* ~ zijn mening zeggen, zeggen wat je op je hart hebt; *be in two ~s (about)* het met zichzelf oneens zijn over; *to my* ~ volgens mij **4** bedoeling: *nothing is further from my ~!: a)* ik denk er niet aan!, ik pieker er niet over!; *b)* dat is helemaal niet mijn bedoeling; *have half a ~ to* min of meer geneigd zijn om, *(iron)* veel zin hebben om; *change one's* ~ zich bedenken; *make up one's* ~ tot een besluit komen, een beslissing nemen **5** wil, zin(nen): *have sth. in ~: a)* iets van plan zijn; *b)* iets in gedachten hebben **6** aandacht, gedachte(n): *bear in* ~ in gedachten houden; *cross* (of: *enter*) *one's* ~ bij iem opkomen; *give* (of: *put, turn*) *one's ~ to* zijn aandacht richten op; *set one's ~ to sth.* zich er-

gens op concentreren; *it'll take my ~ off things* het zal mij wat afleiden **7** denkwijze **8** herinnering: *bring* (of: *call*) *sth. to ~: a)* zich iets herinneren; *b)* doen denken aan; *come* (of: *spring*) *to ~, come into one's ~* te binnen schieten; *keep in ~* niet vergeten; *it slipped my ~* het is mij ontschoten; *who do you have in ~?* aan wie denk je?

[2]**mind** [majnd] *intr* opletten, oppassen: *~ (you), I would prefer not to* maar ik zou het liever niet doen

[3]**mind** [majnd] *tr* **1** denken aan, bedenken, letten op: *~ one's own business* zich met zijn eigen zaken bemoeien; *never ~* maak je geen zorgen, het geeft niet; *never ~ the expense* de kosten spelen geen rol; *never ~ what your father said* ongeacht wat je vader zei; *(bij vertrek) ~ how you go* wees voorzichtig **2** zorgen voor, oppassen, bedienen: *he couldn't walk, never ~ run* hij kon niet lopen, laat staan rennen || *~ you go to the dentist* denk erom dat je nog naar de tandarts moet

[4]**mind** [majnd] *tr, intr* **1** bezwaren hebben (tegen), erop tegen zijn, zich storen aan: *he doesn't ~ the cold weather* het koude weer deert hem niet; *would you ~?* zou je 't erg vinden?, vindt u het erg? **2** gehoorzamen

mind-blowing fantastisch, duizelingwekkend

mind-boggling verbijsterend

minded [majndid] geneigd: *he could do it if he were so ~* hij zou het kunnen doen als hij er (maar) zin in had

minder [majnde] **1** kinderoppas **2** bodyguard

mindful [majndfoel] **1** bedachtzaam **2** opmerkzaam **3** denkend aan: *~ of one's duties* zijn plichten indachtig

mindless [majndles] **1** dwaas, dom **2** niet lettend op: *~ of danger* zonder oog voor gevaar || *~ violence* zinloos geweld

mind out (met *for*) oppassen (voor)

mind's eye **1** geestesoog, verbeelding **2** herinnering

[1]**mine** [majn] *zn* mijn; *(fig)* goudmijn: *a ~ of information* een rijke bron van informatie

[2]**mine** [majn] *intr* **1** in een mijn werken, een mijn aanleggen: *~ for gold* naar goud zoeken **2** mijnen leggen

[3]**mine** [majn] *tr* uitgraven

[4]**mine** [majn] *bez vnw* **1** van mij: *that box is ~* die doos is van mij **2** de mijne(n), het mijne: *a friend of ~* een vriend van me

minefield mijnenveld *(ook fig)*

miner [majne] mijnwerker

[1]**mineral** [minnerel] *zn* **1** mineraal **2** *~s* mineraalwater

[2]**mineral** [minnerel] *bn* delfstoffen-, mineraal-: *~ ores* mineraalertsen

mineralogy [minnereledzjie] mineralogie

minesweeper mijnenveger

mingle [mingkl] **1** zich (ver)mengen **2** zich mengen onder: *they didn't feel like mingling* ze hadden geen zin om met de anderen te gaan praten *(op een feest)*

mingy [mindzjie] krenterig

miniature [minnetsje] miniatuur

minibar minibar

minimal [minniml] minimaal

minimize [minnimmajz] minimaliseren, zo klein mogelijk maken, vergoelijken

minimum [minnimmem] minimum: *keep sth. to a ~* iets tot het minimum beperkt houden; *~ wage* minimumloon

mining [majning] mijnbouw

minion [minnien] gunsteling, slaafs volgeling, hielenlikker

miniscooter scootmobiel

minister [minniste] **1** minister: *Minister of the Crown* minister (van het Britse kabinet); *Minister of State* onderminister **2** geestelijke, predikant **3** gezant

ministerial [minnistieriel] **1** ministerieel **2** geestelijk

ministry [minnistrie] **1** ministerie **2** dienst, verzorging **3** geestelijk ambt *(priester, dominee): enter the ~* geestelijke worden

mink [mingk] **1** nertsbont **2** nertsmantel

[1]**minor** [majne] *zn* **1** minderjarige **2** bijvak *(aan Am universiteit)*

[2]**minor** [majne] *bn* **1** minder, kleiner, vrij klein **2** minder belangrijk, lager, ondergeschikt: *~ poet* minder belangrijke dichter; *~ road* secundaire weg **3** minderjarig **4** *(muz)* mineur: *in a ~ key* in mineur *(ook fig)*

minority [majnorrittie] **1** minderheid **2** minderjarigheid

minstrel [minstrel] minstreel

[1]**mint** [mint] *zn* **1** munt *(gebouw)*; *(inform)* bom duiten; smak geld; *(fig)* bron **2** pepermuntje **3** *(plantk)* munt

[2]**mint** [mint] *tr* munten, tot geld slaan; *(fig)* smeden: *~ a new expression* een nieuwe uitdrukking creëren

mint condition perfecte staat: *in ~* puntgaaf

minuet [minjoe·et] menuet

[1]**minus** [majnes] *zn* **1** minteken **2** minus, tekort; *(fig)* nadeel

[2]**minus** [majnes] *bn* **1** negatief *(wisk, nat)* **2** *(ond)* -min, iets minder goed dan: *a B-minus (ongev)* een 8 min

[3]**minus** [majnes] *vz* **1** min(us), min, onder nul: *wages ~ taxes* loon na aftrekking van belastingen; *~ six (degrees centigrade)* zes graden onder nul **2** minder dan: *~ two cm in diameter* minder dan twee cm doorsnede **3** *(inform)* zonder: *a teapot ~ a spout* een theepot zonder tuit

[1]**minute** [minnit] *zn* **1** minuut, ogenblik: *~ hand* grote wijzer; *wait a ~* wacht eens even; *I won't be a ~* ik ben zo klaar, ik ben zo terug; *just a ~!* moment!, ogenblik(je)!; *in a ~* zo dadelijk; *the ~ (that) I saw him* zodra ik hem zag **2** aantekening,

notitie **3** nota, memorandum **4** *~s* notulen

[2]**minute** [majnjoe:t] *bn* **1** onbeduidend **2** minutieus, gedetailleerd

minx [mingks] brutale meid

miracle [mirrekl] mirakel, wonder

miraculous [mirekjoeles] miraculeus, wonderbaarlijk

mirage [mirra:zj] **1** luchtspiegeling, fata morgana **2** droombeeld, hersenschim

[1]**mirror** [mirre] *zn* spiegel; *(fig)* weerspiegeling

[2]**mirror** [mirre] *tr* (weer)spiegelen, afspiegelen, weerkaatsen

mirth [me:θ] vrolijkheid, lol

misadventure tegenspoed, ongeluk: *death by ~* dood door ongeluk

misanthrope [miznθroop] misantroop, mensenhater

misapply **1** verkeerd toepassen **2** verduisteren *(geld)*

misapprehension misverstand, misvatting: *under the ~ that ...* in de waan dat ...

misbehave zich misdragen, zich slecht gedragen

[1]**miscalculate** *intr* zich misrekenen

[2]**miscalculate** *tr* verkeerd schatten, onjuist berekenen: *I had ~d the distance* ik had de afstand fout geschat

miscarriage [miskeridzj] **1** mislukking *(ve plan): ~ of justice* rechterlijke dwaling **2** miskraam

miscellaneous [misseleenies] **1** gemengd, gevarieerd: *~ articles* artikelen over uiteenlopende onderwerpen **2** veelzijdig

miscellany [missellenie] mengeling, mengelwerk

mischance ongeluk, tegenslag: *by ~, through a ~* bij ongeluk

mischief [mistsjif] **1** kattenkwaad: *her eyes were full of ~* haar ogen straalden ondeugd uit; *get into ~* kattenkwaad uithalen **2** ondeugendheid **3** onheil, schade: *the ~ had been done* het kwaad was al geschied

misconception verkeerde opvatting

misconduct **1** wangedrag, onfatsoenlijkheid **2** ambtsmisdrijf, ambtsovertreding

misconstrue verkeerd interpreteren

misdemeanour misdrijf

miser [majze] vrek

miserable [mizzerebl] **1** beroerd, ellendig **2** armzalig: *live on a ~ pension* van een schamel pensioentje rondkomen **3** waardeloos

misery [mizzerie] **1** ellende, nood: *put an animal out of its ~* een dier uit zijn lijden helpen **2** tegenslag, beproeving **3** pijn, ziekte

misfortune [misfo:tsjoe:n] ongeluk, tegenspoed

misgiving onzekerheid, bang vermoeden: *they had serious ~s about employing him* ze twijfelden er ernstig aan of ze hem in dienst konden nemen

misguided [miskajdid] **1** misleid, verblind **2** ondoordacht

mishandle verkeerd behandelen, slecht regelen

mishap [mishep] ongeluk(je), tegenvaller(tje): *a journey without ~* een reis zonder incidenten

mishmash [misjmesj] mengelmoes, rommeltje

misinterpret [missinte:prit] verkeerd interpreteren, verkeerd begrijpen

misinterpretation [missinte:pritteesjen] verkeerde interpretatie: *open to ~* voor verkeerde uitleg vatbaar

misjudge [misdzjudzj] verkeerd (be)oordelen: *~ s.o.* zich in iem vergissen

mislaid [misleed] *ovt en volt dw van* mislay

mislay [mislee] *(mislaid, mislaid)* zoekmaken, verliezen: *I've mislaid my glasses* ik kan mijn bril niet vinden

mislead [mislie:d] *(misled, misled)* misleiden, bedriegen, op 't verkeerde spoor brengen

misleading [mislie:ding] misleidend, bedrieglijk

misled [misled] *ovt en volt dw van* mislead

mismanagement [mismenidzjment] wanbeheer, wanbestuur, -beleid

mismatch [mismetsj] verkeerde combinatie, verkeerd huwelijk

misplace [mispless] misplaatsen: *a ~d remark* een misplaatste opmerking

[1]**misread** [misrie:d] *tr (misread, misread)* verkeerd lezen: *~ s.o.'s feelings* zich in iemands gevoelens vergissen

[2]**misread** [misred] *ovt en volt dw van* [1]misread

misrepresent [misreprizzent] **1** verkeerd voorstellen **2** slecht vertegenwoordigen

[1]**miss** [mis] *zn* misser, misslag: *give sth. a ~* iets laten voorbijgaan; *I think I'll give it a ~ this year* ik denk dat ik het dit jaar maar eens oversla

[2]**miss** [mis] *intr* **1** missen: *his shots all ~ed* hij schoot er telkens naast **2** *(in -ing vorm)* ontbreken: *the book is ~ing* het boek is zoek **3** mislopen, falen

[3]**miss** [mis] *tr* **1** missen, niet raken **2** mislopen, te laat komen voor: *~ s.o.* een afspraak mislopen **3** ontsnappen aan: *he narrowly ~ed the accident* hij ontsnapte ternauwernood aan het ongeluk **4** vermissen, afwezigheid opmerken: *they'll never ~ it* ze zullen nooit merken dat het verdwenen is

Miss [mis] **1** Mejuffrouw, Juffrouw: *the ~es Brown* de (jonge)dames Brown **2** *(ook 'miss')* jongedame

missile [missajl] **1** raket **2** projectiel

missing [missing] **1** ontbrekend: *the ~ link* de ontbrekende schakel **2** vermist: *killed, wounded or ~* gesneuveld, gewond of vermist **3** verloren, weg

mission [misjen] **1** afvaardiging, legatie: *(Am) foreign ~* gezantschap **2** roeping, zending: *her ~ in life* haar levenstaak **3** opdracht: *~ accomplished* taak volbracht, opdracht uitgevoerd

[1]**missionary** [misjenerie] *zn* missionaris, zendeling

[2]**missionary** [misjenerie] *bn* **1** zendings- **2** zendelings-

[1]**miss out** *intr* over het hoofd gezien worden: *she always misses out* ze vist altijd achter het net || *~ on the fun* de pret mislopen

²miss out *tr* **1** vergeten **2** overslaan
¹mist [mist] *zn* **1** mist *(ook fig)*; nevel: *lost in the ~ of antiquity* verloren in de nevelen der oudheid **2** waas: *see things through a ~* alles in een waas zien
²mist [mist] *intr* **1** misten **2** (met *over, up*) beslaan **3** beneveld worden, wazig worden
¹mistake [misteek] *zn* fout, dwaling: *and make no ~: a)* en vergis je niet; *b)* en houd jezelf niet voor de gek; *my ~* ik vergis me, mijn fout; *by ~* per ongeluk; *and no ~, there's no ~ about it* daar kun je van op aan, en dat is zeker
²mistake [misteek] *tr (mistook, mistaken)* **1** verkeerd begrijpen **2** verkeerd kiezen **3** niet herkennen: *there's no mistaking him with his orange hat* je kunt hem eenvoudig niet mislopen met zijn oranje hoed **4** (met *for*) verwarren (met)
¹mistaken [misteeken] *bn* verkeerd (begrepen), mis: *~ identity* persoonsverwisseling; *be ~ about* zich vergissen omtrent
²mistaken [misteeken] *volt dw van* mistake
mister [miste] *(zonder familienaam)* meneer: *what's the time, ~?* hoe laat is het, meneer?
mistletoe [misltoo] maretak
mistook [mistoek] *ovt van* mistake
mistress [mistris] **1** meesteres; bazin *(bijv. van hond, winkel): she is her own ~* zij is haar eigen baas; *~ of the house* vrouw des huizes **2** lerares **3** maîtresse
¹mistrust [mistrust] *zn* wantrouwen
²mistrust [mistrust] *ww* wantrouwig zijn (over), wantrouwen
misty [mistie] mistig, nevelig
misunderstand [missundestend] *(misunderstood, misunderstood)* **1** niet begrijpen: *a misunderstood artist* een onbegrepen kunstenaar **2** verkeerd begrijpen
misunderstood [missundestoed] *ovt en volt dw van* misunderstand
¹misuse [misjoe:s] *zn* **1** misbruik: *~ of funds* verduistering van gelden **2** verkeerd gebruik
²misuse [misjoe:z] *tr* **1** misbruiken **2** verkeerd gebruiken
mitigate [mittikeet] **1** lenigen, verlichten **2** tot bedaren brengen
mitt [mit] **1** want **2** *(honkbal)* (vang)handschoen
¹mix [miks] *zn* **1** mengeling, mix **2** mengsel
²mix [miks] *intr* zich (laten) (ver)mengen: *~ with* omgaan met
³mix [miks] *tr* **1** (ver)mengen **2** bereiden, mixen: *he was ~ing a salad* hij was een slaatje aan het klaarmaken **3** mixen *(geluid)* || *~ it (up)* elkaar in de haren zitten, knokken
mixed [mikst] gemengd, vermengd: *~ bag* allegaartje, ratjetoe, een bonte verzameling; *technology is a ~ blessing* de technologie heeft voor- en nadelen; *(tennis) ~ doubles* gemengd dubbel
mixed up **1** in de war, versuft **2** betrokken, verwikkeld
mixer [mikse] mengtoestel, (keuken)mixer || *a good ~* een gezellig mens
mixture [mikstsje] mengsel, mengeling
mix up **1** verwarren: *I kept mixing up the names of those twins* ik haalde steeds de namen van die tweeling door elkaar **2** in de war brengen
mm *afk van millimetre(s)* mm
mnemonic [nimmonnik] ezelsbruggetje, geheugensteuntje
¹moan [moon] *zn* **1** gekreun, gekerm **2** geklaag, gejammer
²moan [moon] *intr* **1** kermen, kreunen **2** klagen, jammeren: *what's he ~ing about now?* waarover zit ie nu weer te zeuren?
¹mob [mob] *zn* **1** gepeupel **2** menigte **3** bende
²mob [mob] *intr* samenscholen
³mob [mob] *tr* **1** in bende aanvallen, lastigvallen **2** omstuwen, drommen rondom
¹mobile [moobajl] *zn* **1** mobile **2** mobieltje || *~ phone* mobieltje, gsm
²mobile [moobajl] *bn* **1** beweeglijk, mobiel, los, levendig **2** rondtrekkend *(van wagen, winkel): a ~ home* een stacaravan
mobility [moobillittie] beweeglijkheid, mobiliteit
mobility scooter scootmobiel
mobilize [moobillajz] mobiliseren: *he ~d all his forces* hij verzamelde al zijn krachten
¹mock [mok] *bn* onecht, nagemaakt: *~ trial* schijnproces
²mock [mok] *intr* spotten, zich vrolijk maken
³mock [mok] *tr* **1** bespotten **2** (minachtend) trotseren, tarten
mod cons [modkonz] *verk van modern conveniences* modern comfort: *house with all ~* huis dat van alle gemakken is voorzien
mode [mood] **1** wijze, manier, methode **2** gebruik, procedure
¹model [modl] *zn* **1** model, maquette, evenbeeld **2** type *(van auto bijv.)* **3** exclusief model *(kledingstuk)* **4** toonbeeld, voorbeeld
²model [modl] *bn* **1** model- **2** perfect: *a ~ husband* een modelechtgenoot
³model [modl] *intr* mannequin zijn
⁴model [modl] *tr* **1** modelleren, boetseren **2** vormen naar een voorbeeld: *he ~led his main character on one of his teachers* voor de hoofdpersoon gebruikte hij een van zijn leraren als voorbeeld
modem [moodem] *verk van modulator-demodulator* modem
¹moderate [modderet] *zn* gematigde
²moderate [modderet] *bn* gematigd, matig: *~ prices* redelijke prijzen
³moderate [moddereet] *ww* **1** (zich) matigen: *the strikers have ~d their demands* de stakers hebben hun eisen bijgesteld **2** afnemen, verminderen
modern [modden] modern: *~ history* nieuwe geschiedenis; *~ languages* levende talen
modernize [moddenajz] moderniseren, (zich) vernieuwen

modest [moddist] 1 bescheiden 2 niet groot 3 redelijk
modification [moddiffikkeesjen] 1 wijziging 2 verzachting
modify [moddiffaj] 1 wijzigen 2 verzachten
module [modjoe:l] 1 module; *(bouwk)* bouwelement 2 modulus, maat(staf)
moist [mojst] vochtig, klam
moisten [mojsn] bevochtigen, natmaken
moisture [mojstsje] vocht, vochtigheid
molar [moole] kies
mole [mool] 1 mol 2 (kleine) moedervlek, vlekje 3 pier, golfbreker 4 spion, mol
molecule [mollikjoe:l] molecule
molehill molshoop
molest [melest] lastigvallen, molesteren
mollify [molliffaj] 1 bedaren 2 vertederen, vermurwen: *be mollified by s.o.'s flatteries* zich laten vermurwen door iemands vleierij 3 matigen, verzachten
mollusc [mollesk] weekdier
molten [moolten] gesmolten
mom [mom] mamma
moment [mooment] 1 (geschikt) ogenblik, moment: *for the ~* voorlopig; *in a ~* ogenblikkelijk; *just a ~, please* een ogenblikje alstublieft 2 tijdstip: *at the ~* op het ogenblik 3 belang, gewicht: *of (great) ~* van (groot) belang
momentarily [moomenterelie] *(Am)* zo meteen, spoedig
momentary [moomenterie] kortstondig, vluchtig
momentous [moomentes] gewichtig, ernstig
momentum [moomentem] 1 impuls, hoeveelheid van beweging 2 vaart *(ook fig)*; (stuw)kracht: *gain* (of: *gather*) ~ aan stootkracht winnen
monarchy [monnekie] monarchie
monastery [monnestrie] (mannen)klooster
Monday [mundee] maandag
monetary [munnitterie] monetair
money [munnie] 1 geld: *one's ~'s worth* waar voor je geld; *made of ~* stinkend rijk; *I'm not made of ~* het geld groeit me niet op de rug; *there is ~ in it* er valt geld aan te verdienen 2 welstand, rijkdom: *~ talks* met geld open je (alle) deuren || *for my ~* wat mij betreft
money-grubber geldwolf
moneylender financier, geldschieter
mongrel [mungkrel] 1 bastaard(hond) 2 mengvorm
[1]**monitor** [monnitte] *zn* 1 monitor, leraarshulpje 2 controleapparaat, monitor
[2]**monitor** [monnitte] *tr* controleren, meekijken (meeluisteren) met, afluisteren, toezicht houden op
monk [mungk] (klooster)monnik
monkey [mungkie] 1 aap 2 deugniet
monkey-nut apennoot(je)
monkey-puzzle apenboom
monogamous [menokemes] monogaam
monogram [monnekrem] monogram, naamteken
monologue [monnelok] monoloog, alleenspraak
mononucleosis [monnoonjoe:kli·oosis] (ziekte van) Pfeiffer
monopolize [menoppelajz] monopoliseren
monopoly [menoppelie] monopolie, alleenrecht
monosyllable [monnoosillebl] eenlettergrepig woord: *speak in ~s* kortaf spreken
monotonous [menotnes] monotoon, eentonig, slaapverwekkend
monsoon [monsoe:n] 1 moesson(wind), passaatwind 2 (natte) moesson, regenseizoen
monster [monste] 1 monster, gedrocht 2 onmens, beest 3 bakbeest, kanjer: *~ potatoes* enorme aardappelen
monstrosity [monstrossittie] monstruositeit, wanproduct
monstrous [monstres] 1 monsterlijk 2 enorm
month [munθ] maand || *I won't do it in a ~ of Sundays* ik doe het in geen honderd jaar
[1]**monthly** [munθlie] *zn* maandblad
[2]**monthly** [munθlie] *bn, bw* maandelijks
monument [monjoement] monument, gedenkteken
monumental [monjoementl] 1 monumentaal 2 kolossaal
[1]**moo** [moe:] *zn* boe(geluid) *(ve koe)*
[2]**moo** [moe:] *intr* loeien
mooch [moe:tsj] 1 jatten, gappen 2 *(Am)* bietsen, schooien
mood [moe:d] 1 stemming, bui: *in no ~ for* (of: *to*) niet in de stemming voor (*of:* om) 2 wijs: *imperative ~* gebiedende wijs
moody [moe:die] 1 humeurig, wispelturig 2 slechtgehumeurd
moon [moe:n] maan, satelliet (van andere planeten) || *promise s.o. the ~* iem gouden bergen beloven; *be over the ~* in de wolken zijn, in de zevende hemel zijn
moonbeam manestraal
[1]**moonlight** *zn* maanlicht
[2]**moonlight** *intr* 1 een bijbaantje hebben, bijverdienen, klussen 2 zwartwerken
moonlighter iem die een bijbaantje heeft, schnabbelaar
moonlit [moe:nlit] maanbeschenen, met maanlicht overgoten
moon over dagdromen over, mijmeren
moonshine 1 maneschijn 2 geklets, dromerij 3 *(vooral Am)* illegaal gestookte sterkedrank
moonstruck 1 maanziek 2 warhoofdig, geschift
[1]**moor** [moee] *zn* 1 hei(de), woeste grond 2 *(Am)* veenmoeras
[2]**moor** [moee] *ww* (aan-, af-, vast)meren, vastleggen
mooring [moeering] ligplaats, ankerplaats || *lose*

one's ~s zijn houvast verliezen
Moorish [moeerisj] Moors, Saraceens
moorland [moeelend] heide(landschap)
moose [moe:s] *(mv: ~)* eland *(Noord-Am)*
moot [moe:t] onbeslist, onuitgemaakt: *a ~ point* (of: *question*) een onopgeloste kwestie
[1]**mop** [mop] *zn* **1** zwabber, stokdweil **2** haarbos, ragebol
[2]**mop** [mop] *tr* **1** (aan)dweilen, zwabberen **2** droogwrijven, (af)vegen: *~ one's brow* zich het zweet van het voorhoofd wissen **3** betten, opnemen
[1]**mope** [moop] *zn* **1** kniesoor, brompot **2** kniesbui: *have a ~* klagerig zeuren **3** *the ~s* neerslachtigheid
[2]**mope** [moop] *intr* kniezen, chagrijnen: *~ about, ~ (a)round* lusteloos rondhangen
moped [mooped] bromfiets, brommertje, snorscooter
mop up **1** opdweilen, opnemen **2** opslokken **3** zuiveren, verzetshaarden opruimen: *mopping-up operations* zuiveringsacties
[1]**moral** [morrel] *zn* **1** moraal, (zeden)les: *the ~ of the story* de moraal van het verhaal **2** stelregel, principe **3** *~s* zeden
[2]**moral** [morrel] *bn* **1** moreel, zedelijk, ethisch: *it's a ~ certainty* het is zogoed als zeker **2** deugdzaam, kuis
morale [mera:l] moreel, mentale veerkracht: *the ~ of the troops was excellent* het moreel van de soldaten was uitstekend
morality [merelittie] zedenleer, moraal
morass [meres] moeras; *(fig)* poel; *(fig)* uitzichtloze situatie
morbid [mo:bid] **1** morbide, ziekelijk: *a ~ imagination* een ziekelijke fantasie **2** zwartgallig, somber
[1]**more** [mo:] *vnw (vergr trap van much en many)* meer: *$50, ~ or less* ongeveer vijftig dollar; *a few ~* nog een paar; *there was much ~* er was nog veel meer; *there were many ~* er waren er nog veel meer; *one ~ try* nog een poging; *the ~ people there are the happier he feels* hoe meer mensen er zijn, hoe gelukkiger hij zich voelt; *I was just one ~ candidate* ik was niet meer dan de zoveelste kandidaat || *and what's ~* en daarbij komt nog dat
[2]**more** [mo:] *bw (vergr trap van much)* **1** meer, veeleer, eerder: *~ or less* min of meer, zo ongeveer; *once ~* nog eens, nog een keer; *that's ~ like it* dat begint er al op te lijken, dat is al beter; *I will be ~ than happy to help you* ik zal je met alle liefde en plezier helpen **2** -er, meer: *~ difficult* moeilijker; *~ easily* makkelijker **3** bovendien
moreover [mo:roove] bovendien, daarnaast
morgue [mo:k̂] mortuarium
morning [mo:ning] ochtend, morgen; *(fig)* begin: *good ~* goedemorgen; *he works ~s* hij werkt 's morgens; *in the ~: a)* 's morgens; *b)* morgenochtend; *at two o'clock in the ~* 's nachts om twee uur; *~!* morgen!
moron [mo:ron] *(inform)* **1** zwakzinnige, debiel **2** imbeciel, zakkenwasser
morose [meroos] **1** chagrijnig **2** somber
morphine [mo:fie:n] morfine
morsel [mo:sl] hap, mondvol, stuk(je): *he hasn't got a ~ of sense* hij heeft geen greintje hersens
mortal [mo:tl] **1** sterfelijk: *the ~ remains* het stoffelijk overschot **2** dodelijk, moordend; fataal *(ook fig)* **3** doods-, dodelijk, zeer hevig (groot): *~ enemy* aartsvijand, doodsvijand; *it's a ~ shame* het is een grof schandaal **4** (op aarde) voorstelbaar: *she did every ~ thing to please him* ze wrong zich in de gekste bochten om het hem naar de zin te maken
mortality [mo:telittie] **1** sterftecijfer **2** sterfelijkheid
mortally [mo:telie] **1** dodelijk **2** doods-, enorm: *~ wounded* dodelijk gewond
[1]**mortar** [mo:te] *zn* **1** vijzel **2** mortier **3** mortel, (metsel)specie
[2]**mortar** [mo:te] *tr* (vast)metselen
mortar bomb mortiergranaat
[1]**mortgage** [mo:k̂idzj] *zn* hypotheek(bedrag)
[2]**mortgage** [mo:k̂idzj] *tr* (ver)hypothekeren; *(ook fig)* verpanden
mortgage interest relief hypotheekrenteaftrek
mortification [mo:tiffikkeesjen] **1** zelfkastijding, versterving **2** gekwetstheid: *to his ~* tot zijn schande
mortify [mo:tiffaj] **1** tuchtigen, kastijden: *~ the flesh* het vlees doden **2** krenken, kwetsen
mortuary [mo:tjoeerie] lijkenhuis, mortuarium
mosaic [moozeeik] mozaïek
mosque [mosk] moskee
mosquito [meskie:too] mug, muskiet: *~ net* klamboe, muskietennet
moss [mos] mos
[1]**most** [moost] *vnw (overtr trap van much en many)* meeste(n), grootste gedeelte van: *twelve at (the) ~* (of: *at the very ~*) hoogstens twaalf; *this is the ~ I can do* meer kan ik niet doen; *for the ~ part* grotendeels
[2]**most** [moost] *bw (overtr trap van much)* **1** meest, hoogst, zeer: *~ complicated* zeer ingewikkeld; *~ of all I like music* voor alles houd ik van muziek **2** -st(e), meest: *the ~ difficult problem* het moeilijkste probleem **3** *(Am)* bijna, haast: *~ every evening* bijna elke avond
mostly [moostlie] grotendeels, voornamelijk, meestal
motel [mootel] motel
moth [moθ] **1** mot: *this sweater has got the ~ in it* de mot zit in deze trui **2** nachtvlinder
[1]**mother** [muðe] *zn* **1** moeder *(ook fig)*; bron, oorsprong: *expectant* (of: *pregnant*) *~* aanstaande moeder **2** moeder(-overste) || *shall I be ~?* zal ik (even) opscheppen?
[2]**mother** [muðe] *tr* (be)moederen, betuttelen
mother-in-law schoonmoeder
mother tongue moedertaal
motif [mootie:f] (leid)motief, (grond)thema

[1]**motion** [moosjen] *zn* **1** beweging, gebaar, wenk **2** beweging(swijze), gang, loop: *the film was shown in slow* ~ de film werd vertraagd afgedraaid; *put* (of: *set*) *sth. in* ~ iets in beweging zetten **3** motie **4** mechaniek, bewegend mechanisme || *go through the ~s* plichtmatig verrichten, net doen alsof

[2]**motion** [moosjen] *ww* wenken, door een gebaar te kennen geven: *the policeman ~ed the crowd to keep moving* de agent gebaarde de mensen door te lopen

motivate [mootivveet] motiveren

motivation [mootivveesjen] **1** motivering **2** motivatie

motive [mootiv] **1** motief, beweegreden: *without* ~ ongegrond, zonder reden(en) **2** leidmotief

motley [motlie] **1** samengeraapt **2** bont, (veel)kleurig: *a ~ collection* een bonte verzameling

motor [moote] **1** motor **2** auto

motorbike **1** motor(fiets) **2** *(Am)* bromfiets, brommer

motorcycle motor(fiets)

motor home kampeerauto, camper

motorist [mooterist] automobilist

motorman [mootemen] **1** wagenbestuurder **2** chauffeur

motor scooter scooter

motortruck *(Am)* vrachtwagen

motorway autosnelweg

MOT-test verplichte jaarlijkse keuring *(voor auto's ouder dan 3 jaar);* apk

mottled [motld] gevlekt, gespikkeld

motto [mottoo] *(mv: ook ~es)* lijfspreuk

[1]**mould** [moold] *zn* **1** vorm, mal, matrijs, pudding(vorm); *(fig)* aard; karakter: *cast in one* (of: *the same*) ~ uit hetzelfde hout gesneden **2** afgietsel **3** schimmel **4** teelaarde, bladaarde

[2]**mould** [moold] *tr* vormen, kneden: ~ *a person's character* iemands karakter vormen

moulder [moolde] (tot stof) vergaan, vermolmen, verrotten

moulding [moolding] **1** afgietsel, afdruk **2** lijstwerk, profiel

mouldy [mooldie] **1** beschimmeld, schimmelig **2** muf **3** afgezaagd

[1]**moult** [moolt] *zn* rui

[2]**moult** [moolt] *ww* ruien, verharen, vervellen

mound [maund] **1** hoop aarde, (graf)heuvel; *(fig)* berg; hoop **2** wal, dam, dijk

[1]**mount** [maunt] *zn* **1** berg, heuvel **2** rijdier **3** plateautje; zetting *(van juwelen);* opplakkarton, opzetkarton *(van foto, plaatje)*

[2]**mount** [maunt] *intr* **1** (op)stijgen, (op)klimmen: *the expenses kept ~ing up* de uitgaven liepen steeds hoger op **2** een paard bestijgen

[3]**mount** [maunt] *tr* **1** bestijgen, beklimmen, opgaan: *he ~ed the stairs* hij liep de trap op **2** te paard zetten, laten rijden: *~ed police* bereden politie **3** zetten op; opplakken *(foto's)* **4** organiseren, in stelling brengen: ~ *an exhibition* een tentoonstelling organiseren

mountain [mauntin] berg, heuvel, hoop: ~ *bike* mountainbike; ~ *range* bergketen || *make a ~ out of a molehill* van een mug een olifant maken

mountaineer [mauntinnie] **1** bergbeklimmer **2** bergbewoner

mountainous [mauntinnes] **1** bergachtig, berg- **2** gigantisch, reusachtig

mountebank [mauntibengk] **1** kwakzalver **2** charlatan

[1]**mourn** [mo:n] *intr* **1** (met *for, over*) rouwen (om), in de rouw zijn, treuren **2** rouw dragen

[2]**mourn** [mo:n] *tr* betreuren, bedroefd zijn over

mournful [mo:nfoel] bedroefd, triest

mourning [mo:ning] **1** rouw, rouwdracht **2** rouwtijd

mouse [maus] *(mv: mice)* muis

moustache [mesta:sj] snor

[1]**mouth** [mauθ] *zn* **1** mond, muil, bek: *a big* ~ een grote bek; *keep one's ~ shut* niets verklappen; *it makes my ~ water* het is om van te watertanden; *out of s.o.'s own* ~ met iemands eigen woorden; *mouth-to-mouth* mond op mond **2** opening, ingang, toegang; (uit)monding *(van rivier);* mond *(van haven enz.)* || *shoot one's ~ off* zijn mond voorbijpraten; *down in the* ~ terneergeslagen, ontmoedigd

[2]**mouth** [mauð] *ww* **1** declameren, geaffecteerd (uit)spreken **2** (voor zich uit) mompelen

mouthpiece [mauθpie:s] **1** mondstuk **2** spreekbuis, woordvoerder

mouthwash [mauθwosj] mondspoeling

movable [moe:vebl] **1** beweegbaar, beweeglijk, los: ~ *scene* coulisse **2** verplaatsbaar, verstelbaar || ~ *property* roerend goed

[1]**move** [moe:v] *zn* **1** beweging: *get a ~ on: a)* in beweging komen, aanpakken; *b)* opschieten; *large forces were on the* ~ grote strijdkrachten waren op de been **2** verhuizing, trek: *be on the* ~ op reis zijn, aan het zwerven zijn, op trek zijn *(van vogels)* **3** zet, beurt, slag: *make a* ~ een zet doen; *it's your* ~ jij bent aan zet **4** stap, maatregel, manoeuvre: *make a ~: a)* opstaan *(van tafel); b)* opstappen, het initiatief nemen; *c)* maatregelen treffen, in actie komen

[2]**move** [moe:v] *intr* **1** (zich) bewegen, zich verplaatsen, van positie veranderen: *it's time to be moving* het is tijd om te vertrekken; ~ *along* doorlopen, opschieten; ~ *over* inschikken, opschuiven **2** vooruitkomen, opschieten: *suddenly things began to* ~ plotseling kwam er leven in de brouwerij; *keep moving!* blijf doorgaan!, doorlopen! **3** *(bordspel)* een zet doen, zetten, aan zet zijn **4** verkeren, zich bewegen: *he ~s in the highest circles* hij beweegt zich in de hoogste kringen **5** verhuizen, (weg)trekken, zich verzetten: *they ~d into a flat* ze betrokken een flat **6** een voorstel doen: ~ *for adjournment* verdaging voorstellen

[3]**move** [moe:v] *tr* **1** bewegen, (ver)roeren, in beweging brengen: *the police ~d them along* de politie dwong hen door te lopen **2** verplaatsen; *(bordspel)* zetten; verschuiven **3** opwekken, (ont)roeren, raken, aangrijpen: *he is ~d to tears* hij is tot tranen toe geroerd **4** aanzetten, aansporen: *be ~d to* zich geroepen voelen om te

[1]**move about** *intr* **1** zich (voortdurend) bewegen, rondlopen, ronddrentelen **2** dikwijls verhuizen

[2]**move about** *tr* **1** vaak laten verhuizen, vaak verplanten **2** vaak verplaatsen, rondsjouwen

move in 1 intrekken, gaan wonen; betrekken *(huis, flat enz.)*: *~ with s.o.* bij iem intrekken **2** binnenvallen, optrekken, aanvallen, tussenbeide komen: *the police moved in on the crowd* de politie reed op de menigte in

movement [moe:vment] **1** beweging, voortgang, ontwikkeling, impuls, trend, tendens; *(med)* stoelgang; ontlasting **2** beweging, organisatie: *the feminist ~* de vrouwenbeweging **3** mechaniek **4** *(muz)* beweging; deel *(van symfonie enz.)*

[1]**move on** *intr* **1** verder gaan, opschieten, doorgaan **2** vooruitkomen, promotie maken

[2]**move on** *tr* iem gebieden door te gaan

move out verhuizen, vertrekken

move up 1 in een hogere klas komen, in rang opklimmen **2** stijgen, toenemen

movie [moe:vie] **1** film: *go to the ~s* naar de film gaan **2** bioscoop **3** *the ~s* filmindustrie

moving [moe:ving] **1** ontroerend **2** bewegend: *(Am) ~ picture* film

mow [moo] *(ook mown)* maaien: *~ down soldiers* soldaten neermaaien

mower [mooe] **1** maaier **2** maaimachine, grasmaaier

mown [moon] *volt dw van* mow

MP *afk van Member of Parliament, military police(man)*

mpg *afk van miles per gallon* mijlen per gallon

mph *afk van miles per hour* mijlen per uur

Mr [miste] *(mv: Messrs) afk van mister* dhr., de heer

Mrs [missiz] *(mv: Mmes)* Mevr.

Ms [miz] *(mv: Mses, Mss)* Mw. *(i.p.v. Miss of Mrs)*

Mt *afk van Mount* Berg

[1]**much** [mutsj] *vnw (more, most)* veel: *how ~ is it?* hoeveel kost het?; *it's not up to ~* het is niet veel soeps; *her contribution didn't amount to ~* haar bijdrage stelde niet veel voor; *that's not ~ use to me now* daar heb ik nu niet veel aan || *there isn't ~ in it* het maakt niet veel uit; *I thought as ~* zoiets dacht ik al; *it was as ~ as I could do to keep from laughing* ik had de grootst mogelijke moeite om niet te lachen; *he's not ~ of a singer* als zanger stelt hij niet veel voor; *well, so ~ for that* dat was dan dat

[2]**much** [mutsj] *bw (more, most)* **1** *(graad)* veel, zeer, erg: *she was ~ the oldest* zij was verreweg de oudste; *as ~ as $2 million* (maar) liefst 2 miljoen dollar; *~ as he would have liked to go* hoe graag hij ook was gegaan; *~ to my surprise* tot mijn grote verrassing **2** veel, vaak, dikwijls, lang: *she didn't stay ~* ze bleef niet lang **3** ongeveer, bijna: *they were ~ the same size* ze waren ongeveer even groot

muchness [mutsjnes] hoeveelheid, grootte

[1]**muck** [muk] *zn* **1** troep, rommel, rotzooi: *make a ~ of a job* niets terecht brengen van een klus, er niets van bakken **2** (natte) mest, drek **3** slijk; viezigheid *(ook fig)*

[2]**muck** [muk] *tr* bemesten || *~ out* uitmesten; *~ up* verknoeien

[1]**muck about** *intr* **1** niksen, lummelen **2** vervelen, klieren: *~ with* knoeien met

[2]**muck about** *tr* **1** pesten **2** knoeien met

muckraking vuilspuiterij

mud [mud] modder, slijk; *(fig)* roddel; laster: *drag s.o.'s name through the ~* iem door het slijk halen; *fling* (of: *sling, throw*) *~ at s.o.* iem door de modder sleuren

[1]**muddle** [mudl] *zn* verwarring, warboel: *in a ~* in de war

[2]**muddle** [mudl] *intr* wat aanknoeien, wat aanmodderen: *~ along* (of: *on*) voortmodderen; *~ through* met vallen en opstaan het einde halen

[3]**muddle** [mudl] *tr* **1** (ook met *up*) door elkaar gooien, verwarren **2** in de war brengen: *a bit ~d* een beetje in de war

muddle-headed warrig, dom

muddy [muddie] **1** modderig **2** troebel, ondoorzichtig **3** vaal, dof

mudguard spatbord

muesli [mjoe:zlie] muesli

[1]**muff** [muf] *zn* **1** mof **2** misser *(oorspr bij balspel)*; fiasco

[2]**muff** [muf] *tr* **1** *(sport)* missen: *~ an easy catch* een makkelijke bal missen **2** verknoeien: *I know I'll ~ it* ik weet zeker dat ik het verpest

muffle [mufl] **1** warm inpakken, warm toedekken: *~ up* goed inpakken **2** dempen *(geluid)*: *~d curse* gedempte vloek

muffler [mufle] **1** das, sjaal **2** geluiddemper; *(Am)* knalpot

[1]**mug** [muǩ] *zn* **1** mok, beker **2** kop, smoel **3** sufferd, sul

[2]**mug** [muǩ] *tr* aanvallen en beroven

mugger [muǩe] straatrover

muggins [muǩinz] sul, sufferd

muggy [muǩie] benauwd, drukkend

mugshot portretfoto *(voor politiedossier)*

mug up uit je hoofd leren, erin stampen

mule [mjoe:l] **1** muildier, muilezel: *obstinate* (of: *stubborn*) *as a ~* koppig als een ezel **2** stijfkop, dwarskop

multicultural [multikkultsjrel] multicultureel

multidimensional [multiddajmensjenel] gecompliceerd; met veel kanten *(bijv. probleem)*

multilateral [multiletrel] **1** veelzijdig **2** multilateraal

mo

multinational [multinesjenel] multinationaal
[1]**multiple** [multipl] *zn (wisk)* veelvoud: *least* (of: *lowest*) *common* ~ kleinste gemene veelvoud
[2]**multiple** [multipl] *bn* **1** veelvoudig: ~ *choice* meerkeuze-; ~ *shop* (of: *store*) grootwinkelbedrijf **2** divers, veelsoortig **3** *(plantk)* samengesteld
multiplex [multipleks] megabioscoop
multiplication [multiplikkeesjen] vermenigvuldiging
multiplicity [multiplissittie] **1** veelheid, massa **2** veelsoortigheid: *a* ~ *of ideas* een grote verscheidenheid aan ideeën
[1]**multiply** [multiplaj] *intr* **1** zich vermeerderen, aangroeien **2** zich vermenigvuldigen **3** een vermenigvuldiging uitvoeren
[2]**multiply** [multiplaj] *tr* **1** vermenigvuldigen: ~ *three by four* drie met vier vermenigvuldigen **2** vergroten: ~ *one's chances* zijn kansen doen stijgen
multipurpose [multippe:pes] veelzijdig, voor meerdere doeleinden geschikt
multiracial [multirreesjl] multiraciaal
multistorey car park parkeergarage
multitude [multitjoe:d] **1** massa: *a* ~ *of ideas* een grote hoeveelheid ideeën **2** menigte
[1]**mum** [mum] *zn* mamma
[2]**mum** [mum] *bn* stil: *keep* ~ zijn mondje dicht houden
[3]**mum** [mum] *tw* mondje dicht!, sst!, niets zeggen!: *~'s the word!* mondje dicht!, niks zeggen!
mumble [mumbl] **1** mompelen **2** knauwen op, mummelen op
mummify [mummiffaj] mummificeren, balsemen
mummy [mummie] **1** mummie **2** mammie, mam(s)
mumps [mumps] de bof
munch [muntsj] kauwen (op): ~ *(away at) an apple* aan een appel knagen
mundane [mundeen] gewoon: ~ *matters* routinezaken
Munich [mjoe:nik] München
municipal [mjoe:nissipl] gemeentelijk
municipality [mjoe:nissipelittie] **1** gemeente **2** gemeentebestuur
[1]**mural** [mjoeerel] *zn* muurschildering, fresco
[2]**mural** [mjoeerel] *bn* muur-, wand-: ~ *painting* muurschildering
[1]**murder** [me:de] *zn* **1** moord: *get away with ~: a)* alles kunnen maken; *b)* precies kunnen doen wat men wil **2** beroerde toestand
[2]**murder** [me:de] *tr* **1** vermoorden, ombrengen **2** verknoeien, ruïneren
murderer [me:dre] moordenaar
murky [me:kie] **1** duister, donker **2** vunzig, kwalijk: ~ *affairs* weinig verheffende zaken
[1]**murmur** [me:me] *zn* **1** gemurmel; geruis *(van beekje)* **2** gemopper **3** gemompel
[2]**murmur** [me:me] *ww* **1** mompelen **2** ruisen, suizen **3** mopperen: ~ *against* (of: *at*) mopperen op, klagen over

muscle [musl] **1** spier: *flex one's ~s* de spieren losmaken **2** (spier)kracht, macht
muscular [muskjoele] **1** spier-: ~ *dystrophy* spierdystrofie **2** gespierd, krachtig
[1]**muse** [mjoe:z] *zn* muze; *(fig ook)* inspiratie: *The Muses* de (negen) muzen, kunsten en wetenschappen
[2]**muse** [mjoe:z] *intr* (met *about, over, on)* peinzen (over), mijmeren
museum [mjoe:ziem] museum
mush [musj] **1** moes, brij **2** sentimenteel geklets, kletspraat **3** *(reclame)* geruis
[1]**mushroom** [musjroe:m] *zn* **1** champignon **2** (eetbare) paddenstoel
[2]**mushroom** [musjroe:m] *intr* **1** zich snel ontwikkelen, als paddenstoelen uit de grond schieten **2** paddenstoelvormig uitwaaieren *(van rook)*
music [mjoe:zik] **1** muziek: ~ *hall* variété(theater) **2** bladmuziek, partituur || *face the* ~ de consequenties aanvaarden; *piped* ~ ingeblikte muziek *(in restaurant enz.)*
[1]**musical** [mjoe:zikl] *zn* musical
[2]**musical** [mjoe:zikl] *bn* **1** muzikaal **2** welluidend **3** muziek-: ~ *sound* klank *(i.t.t. geluid)* || ~ *chairs* stoelendans
musician [mjoe:zisjen] musicus, muzikant
musk [musk] **1** muskus **2** muskusdier **3** muskusplant
muskrat muskusrat
Muslim [muzlim] **1** moslim **2** moslim
[1]**muss** [mus] *zn (Am)* wanorde
[2]**muss** [mus] *tr (Am)* in de war maken; verknoeien *(haar, kleding):* ~ *up one's suit* zijn pak ruïneren
mussel [musl] mossel
[1]**must** [must] *zn* noodzaak, vereiste, must: *the Millennium Dome is a* ~ je moet beslist naar de Millennium Dome toe
[2]**must** [must] *hulpww* **1** *(gebod, verplichting en noodzakelijkheid)* moeten; *(in indirecte rede ook)* moest(en); *(voorwaarde)* zou(den) zeker: *you ~ come and see us* je moet ons beslist eens komen opzoeken; *if you ~ have your way, then do* als je per se je eigen gang wil gaan, doe dat dan; ~ *you have your way again?* moet je nu weer met alle geweld je zin krijgen? **2** *(verbod; met ontkenning)* mogen: *you ~ not go near the water* je mag niet dicht bij het water komen **3** *(onderstelling)* moeten; *(Am ook, met ontkenning)* kunnen: *you ~ be out of your mind to say such things* je moet wel gek zijn om zulke dingen te zeggen; *someone ~ have seen something, surely?* er moet toch iemand iets gezien hebben?
mustard [musted] mosterd
[1]**muster** [muste] *zn* **1** inspectie: *pass* ~ ermee door kunnen **2** verzameling
[2]**muster** [muste] *intr* zich verzamelen; bijeenkomen *(voor inspectie)*
[3]**muster** [muste] *tr* **1** verzamelen, bijeenroepen **2** bijeenrapen; verzamelen *(moed, krachten):* ~ *up*

one's courage al zijn moed bijeenrapen

musty [mustie] **1** muf: ~ *air* bedompte lucht **2** schimmelig

mutation [mjoe:teesjen] **1** verandering, wijziging **2** mutatie

[1]**mute** [mjoe:t] *zn* (doof)stomme

[2]**mute** [mjoe:t] *bn* **1** stom **2** zwijgend, stil, sprakeloos || ~ *swan* knobbelzwaan

mutilate [mjoe:tilleet] verminken; toetakelen *(ook fig)*

mutilation [mjoe:tilleesjen] verminking

mutineer [mjoe:tinnie] muiter

[1]**mutiny** [mjoe:tinnie] *zn* muiterij, opstand

[2]**mutiny** [mjoe:tinnie] *intr* muiten

mutt [mut] halvegare, idioot

[1]**mutter** [mutte] *zn* **1** gemompel **2** gemopper

[2]**mutter** [mutte] *ww* **1** mompelen: *he ~ed an oath* hij vloekte zachtjes **2** mopperen: ~ *against* (of: *at*) mopperen over

mutton [mutn] schapenvlees

muttonhead stomkop

mutual [mjoe:tsjoeel] **1** wederzijds, wederkerig: ~ *consent* wederzijds goedvinden **2** gemeenschappelijk, onderling: ~ *interests* gemeenschappelijke belangen

muzak [mjoe:zek] achtergrondmuziek, muzak

[1]**muzzle** [muzl] *zn* **1** snuit; muil *(van dier)* **2** mond; tromp *(van geweer)* **3** muilkorf

[2]**muzzle** [muzl] *tr* muilkorven *(ook fig);* de mond snoeren

muzzy [muzzie] **1** duf, saai, dof **2** wazig, vaag **3** beneveld, verward

[1]**my** [maj] *vnw* mijn: *my dear boy* beste jongen; *he disapproved of my going out* hij vond het niet goed dat ik uitging

[2]**my** [maj] *tw* **1** o jee **2** wel: *my, my* welwel

myopic [majjoppik] **1** bijziend, kippig **2** kortzichtig

myself [majself] **1** mij, me, mezelf: *I am not ~ today* ik voel me niet al te best vandaag **2** zelf: *I'll go ~* ik zal zelf gaan

mysterious [mistieries] geheimzinnig, mysterieus

mystery [mistrie] **1** geheim, mysterie, raadsel **2** geheimzinnigheid

[1]**mystic** [mistik] *zn* mysticus

[2]**mystic** [mistik] *bn* **1** mystiek **2** occult, esoterisch, alleen voor ingewijden **3** raadselachtig

mystification [mistiffikkeesjen] mystificatie, misleiding

mystify [mistiffaj] verbijsteren, verwarren, voor een raadsel stellen: *her behaviour mystified me* ik begreep niets van haar gedrag

myth [miθ] **1** mythe, mythologie **2** fabel, allegorie **3** verzinsel, fictie

mythological [miθelodzjikl] **1** mythologisch **2** mythisch

mythology [miθoledzjie] mythologie

n

N *afk van North* N., Noord(en)
n/a *afk van not applicable* n.v.t., niet van toepassing
nab [neb] (op)pakken, inrekenen
naff [nef] niks waard, waardeloos
[1]**nag** [nek̂] *zn* **1** klein paard(je), pony **2** knol, slecht renpaard **3** zeurpiet
[2]**nag** [nek̂] *ww* **1** zeuren: *a ~ging headache* een zeurende hoofdpijn; *~ (at) s.o.* iem aan het hoofd zeuren **2** treiteren
[1]**nail** [neel] *zn* **1** nagel **2** spijker: *hit the ~ on the head* de spijker op de kop slaan || *pay on the ~* contant betalen
[2]**nail** [neel] *tr* **1** (vast)spijkeren **2** vastnagelen: *he was ~ed to his seat* hij zat als vastgenageld op zijn stoel **3** te pakken krijgen: *he ~ed me as soon as I came in* hij schoot me direct aan toen ik binnenkwam **4** betrappen
nail-biter razend spannende film, razend spannend boek
nail up **1** dichtspijkeren **2** (op)hangen
naïve [najjie:v] naïef, onnozel, dom
naivety [najjie:vetie] naïviteit, onschuld, onnozelheid
naked [neekid] **1** naakt, bloot **2** onbedekt, kaal || *the ~ eye* het blote oog; *~ truth* naakte waarheid
[1]**name** [neem] *zn* **1** naam, benaming: *enter* (of: *put down) one's ~ for* zich opgeven voor; *what's-his-name?* hoe heet hij ook alweer?, dinges; *I only know him by ~* ik ken hem alleen van naam; *a man by* (of: *of) the ~ of Jones* iem die Jones heet, een zekere Jones; *he hasn't a penny to his ~* hij heeft geen cent; *I can't put a ~ to it* ik weet niet precies hoe ik het moet zeggen; *first ~* voornaam; *second ~* achternaam **2** reputatie, naam: *make* (of: *win) a ~ for oneself, win oneself a ~* naam maken || *the ~ of the game is ...* waar het om gaat is ...; *call s.o. ~s* iem uitschelden; *lend one's ~ to* zijn naam lenen aan; *in the ~ of* in (de) naam van
[2]**name** [neem] *tr* **1** noemen, benoemen, een naam geven: *she was ~d after her mother, (Am ook) she was named for her mother* ze was naar haar moeder genoemd **2** dopen *(schip)* **3** (op)noemen: *~ your price* noem je prijs **4** benoemen, aanstellen **5** vaststellen: *~ the day* de trouwdag vaststellen || *you ~ it* noem maar op
namedropping opschepperij, indruk willen maken door met namen te strooien
namely [neemlie] namelijk
namesake [neemseek] naamgenoot
nan [nen] *(kindertaal)* oma
nanny [nenie] kinderjuffrouw
[1]**nap** [nep] *zn* **1** dutje, tukje **2** vleug *(van weefsel)*
[2]**nap** [nep] *intr* dutten, dommelen: *catch s.o. ~ping* iem betrappen
nape [neep] (achterkant vd) nek
napkin [nepkin] **1** servet, doekje **2** luier
nappy [nepie] luier
narcissus [na:sisses] (witte) narcis
[1]**narcotic** [na:kottik] *zn* verdovend middel, slaapmiddel
[2]**narcotic** [na:kottik] *bn* verdovend, slaapverwekkend
[1]**nark** [na:k] *zn* verklikker, tipgever
[2]**nark** [na:k] *tr* kwaad maken, irriteren: *she felt ~ed at* (of: *by) his words* zijn woorden ergerden haar
narrate [nereet] vertellen, beschrijven
narration [nereesjen] verhaal, vertelling, verslag
narrator [nereete] verteller
[1]**narrow** [neroo] *zn* engte, zee-engte, bergengte
[2]**narrow** [neroo] *bn* **1** smal, nauw, eng: *by a ~ margin* nog net, op het nippertje **2** beperkt, krap: *a ~ majority* een kleine meerderheid **3** bekrompen **4** nauwgezet, precies: *a ~ examination* een zorgvuldig onderzoek || *it was a ~ escape* het was op het nippertje; *in the ~est sense* strikt genomen
narrow down beperken, terugbrengen: *it narrowed down to this* het kwam (ten slotte) hierop neer
narrowly [neroolie] **1** net, juist: *the sailor ~ escaped drowning* de zeeman ontkwam maar net aan de verdrinkingsdood **2** zorgvuldig
nasal [neezl] neus-, nasaal: *~ spray* neusspray
nasality [neezelittie] neusgeluid, nasaliteit
nasturtium [neste:sjm] Oost-Indische kers
nasty [na:stie] **1** smerig, vuil, vies **2** onaangenaam, onprettig: *the bill was a ~ shock* de rekening zorgde voor een onaangename verrassing **3** lastig, hinderlijk, vervelend **4** gemeen, hatelijk: *a ~ look* een boze blik; *he turned ~ when I refused to leave* hij werd giftig toen ik niet wilde weggaan **5** ernstig, hevig: *a ~ accident* een ernstig ongeluk; *a ~ blow: a)* een flinke klap; *b)* een tegenvaller
nation [neesjen] **1** natie, volk **2** land, staat
[1]**national** [nesjenel] *zn* **1** landgenoot **2** staatsburger, onderdaan
[2]**national** [nesjenel] *bn* **1** nationaal, rijks-, staats-, volks-: *~ anthem* volkslied; *~ debt* staatsschuld; *~ monument* historisch monument; *~ service* militaire dienst; *National Trust (ongev)* monumentenzorg **2** landelijk, nationaal
nationalism [nesjenelizm] nationalisme
nationalist(ic) [nesjenelist(ik)] nationalistisch
nationality [nesjenelittie] nationaliteit

nationalize [nesjenelajz] **1** nationaliseren **2** naturaliseren **3** tot een natie maken
nationwide landelijk, door het hele land
¹native [neetiv] *zn* **1** inwoner, bewoner: *a ~ of Dublin* een geboren Dubliner **2** *(vaak min)* inboorling, inlander **3** inheemse diersoort, plantensoort
²native [neetiv] *bn* **1** geboorte-: *Native American* indiaan; *a ~ speaker of English* iem met Engels als moedertaal **2** natuurlijk **3** autochtoon, inheems, binnenlands; *(vaak min)* inlands: *go ~* zich aanpassen aan de plaatselijke bevolking
nativity [netivvittie] geboorte
Nativity [netivvittie] *(altijd met the)* geboorte(feest) van Christus, Kerstmis
nativity play kerstspel
NATO [neetoo] *afk van North Atlantic Treaty Organization* NAVO, Noord-Atlantische Verdragsorganisatie
natty [netie] **1** sjiek, netjes, keurig **2** handig, bedreven
¹natural [netsjerel] *zn* natuurtalent, favoriet, meest geschikte persoon: *John's a ~ for the job* John is geknipt voor die baan
²natural [netsjerel] *bn* **1** natuurlijk, natuur-: *~ forces* natuurkrachten; *~ gas* aardgas; *~ history* natuurlijke historie, biologie **2** geboren, van nature: *he's a ~ linguist* hij heeft een talenknobbel **3** aangeboren **4** normaal **5** ongedwongen
naturalist [netsjerelist] **1** naturalist **2** natuurkenner
naturalization [netsjrelajzeesjen] **1** naturalisatie **2** inburgering **3** het inheems maken *(planten, dieren)*
naturalize [netsjerelajz] **1** naturaliseren **2** doen inburgeren, overnemen **3** inheems maken; uitzetten *(planten, dieren): rabbits have become ~d in Australia* konijnen zijn in Australië een inheemse diersoort geworden
naturally [netsjerelie] **1** natuurlijk, vanzelfsprekend, uiteraard **2** van nature || *it comes ~ to her* het gaat haar gemakkelijk af
nature [neetsje] **1** wezen, natuur, karakter: *he is stubborn by ~* hij is koppig van aard; *in the (very) ~ of things* uit de aard der zaak **2** soort, aard: *sth. of that ~* iets van dien aard **3** de natuur: *~ reserve* natuurreservaat; *(fig) let ~ take its course* de zaken op hun beloop laten; *contrary to ~* wonderbaarlijk, onnatuurlijk
nature conservation natuurbeheer
naturism [neetsjerizm] naturisme, nudisme
naught [no:t] nul, niets: *come to ~* op niets uitlopen
naughty [no:tie] **1** ondeugend, stout **2** slecht, onfatsoenlijk
nausea [no:zie] **1** misselijkheid **2** walging, afkeer
nautical [no:tikl] nautisch, zee(vaart)-: *~ mile: a)* (Engelse) zeemijl *(1853,18 m); b)* internationale zeemijl *(1852 m)*
naval [neevl] **1** zee-, scheeps-: *~ architect* scheepsbouwkundig ingenieur **2** marine-, vloot-: *~ battle* zeeslag; *~ officer* marineofficier; *~ power* zeemacht
nave [neev] **1** schip *(van kerk)* **2** naaf *(van wiel)*
navel [neevl] **1** navel **2** middelpunt
navigable [nevikebl] **1** bevaarbaar **2** zeewaardig **3** bestuurbaar
¹navigate [nevikeet] *intr* navigeren, een schip (vliegtuig) besturen
²navigate [nevikeet] *tr* **1** bevaren **2** oversteken, vliegen over **3** besturen **4** loodsen *(fig);* (ge)leiden
navigation [nevikeesjen] navigatie, stuurmanskunst, scheepvaart: *inland ~* binnen(scheep)vaart
navvy [nevie] **1** grondwerker **2** graafmachine
navy [neevie] **1** marine **2** oorlogsvloot, zeemacht
nay [nee] **1** nee(n) **2** tegenstemmer, stem tegen **3** weigering
NE *afk van north-east* N.O., noordoost
¹near [nie] *bn* **1** dichtbij(gelegen): *Near East* Nabije Oosten **2** kort *(weg)* **3** nauw verwant **4** intiem; persoonlijk *(vriend)* **5** krenterig, gierig || *he had a ~ escape, (inform) it was a near thing* het was maar op het nippertje; *it was a ~ miss* het was bijna raak *(ook fig)*
²near [nie] *ww* naderen
³near [nie] *bw* dichtbij, nabij: *from far and ~* van heinde en ver; *nowhere ~ as clever* lang niet zo slim; *she was ~ to tears* het huilen stond haar nader dan het lachen
⁴near [nie] *vz* dichtbij, nabij, naast: *he lived ~ his sister* hij woonde niet ver van zijn zuster; *go* (of: *come*) *~ to doing sth.* iets bijna doen, op het punt staan iets te doen
nearby dichtbij, nabij gelegen
nearly [nielie] **1** bijna, vrijwel: *is his book ~ finished?* is zijn boek nu al bijna af? **2** nauw, na, van nabij: *~ related* nauw verwant || *not ~* (nog) lang niet, op geen stukken na
nearside linker: *the ~ wheel* het linker wiel
near-sighted bijziend
neat [nie:t] **1** net(jes), keurig, proper **2** puur; zonder ijs *(van drank)* **3** handig, vaardig, slim **4** sierlijk, smaakvol **5** *(Am)* schoon, netto **6** *(Am)* gaaf, prima **7** kernachtig
nebulous [nebjoeles] nevelig *(ook fig);* troebel, vaag
¹necessary [nesseserrie] *zn* **1** behoefte: *the ~: a)* het benodigde; *b)* geld **2** *-ies* benodigdheden, vereisten **3** *-ies* (levens)behoeften
²necessary [nesseserrie] *bn* noodzakelijk, nodig, vereist, essentieel: *~ evil* noodzakelijk kwaad
necessitate [nissessitteet] **1** noodzaken **2** vereisen, dwingen tot
necessity [nissessittie] **1** noodzaak, dwang: *in case of ~* in geval van nood **2** noodzakelijkheid **3** behoefte, vereiste **4** nood, armoede
¹neck [nek] *zn* **1** hals, nek: *(sport) ~ and ~* nek aan nek **2** hals(vormig voorwerp); *(bijv.)* flessenhals

na

3 (zee-, land-, berg)engte: *a ~ of land* een landengte || *(Am) ~ of the woods* buurt, omgeving; *breathe down s.o.'s ~: a)* iem op de hielen zitten; *b)* iem op de vingers kijken; *get it in the ~* het voor zijn kiezen krijgen; *risk one's ~* zijn leven wagen; *stick one's ~ out* zijn nek uitsteken; *up to one's ~ in (debt)* tot zijn nek in (de schuld)

[2]**neck** [nek] *ww* vrijen (met), kussen

necklace [neklis] halsband, halssnoer, (hals)-ketting

nectar [nekte] nectar, godendrank

née [nee] geboren

[1]**need** [nie:d] *zn* **1** noodzaak: *there's no ~ for you to leave yet* je hoeft nog niet weg (te gaan) **2** behoefte, nood: *as* (of: *if, when*) *the ~ arises* als de behoefte zich voordoet; *have ~ of* behoefte hebben aan; *people in ~ of help* hulpbehoevenden **3** armoede: *a friend in ~* een echte vriend || *if ~ be* desnoods, als het moet

[2]**need** [nie:d] *tr* nodig hebben, behoefte hebben aan, vereisen: *they ~ more room to play* ze hebben meer speelruimte nodig; *this ~s to be done urgently* dit moet dringend gedaan worden

[3]**need** [nie:d] *hulpww* hoeven, moeten; *(met ontkenning)* had (niet) hoeven: *all he ~ do is ...* al wat hij moet doen is ...; *we ~ not have worried* we hadden ons geen zorgen hoeven te maken

needful [nie:dfoel] noodzakelijk

[1]**needle** [nie:dl] *zn* **1** naald, breinaald, magneetnaald, injectienaald, dennennaald: *look for a ~ in a haystack* een speld in een hooiberg zoeken **2** sterke rivaliteit: *~ match* wedstrijd op het scherp van de snede || *(plat) get the ~* pissig worden

[2]**needle** [nie:dl] *ww* **1** naaien, een naald halen door, (door)prikken **2** zieken, pesten

needless [nie:dles] onnodig: *~ to say ...* overbodig te zeggen ...

needlework naaiwerk, handwerk(en)

needn't [nie:dnt] *samentr van need not*

needs [nie:dz] noodzakelijkerwijs: *he ~ must* hij kan niet anders; *at a moment like this, he must ~ go* uitgerekend op een moment als dit moet hij zo nodig weg

needy [nie:die] arm, noodlijdend

nefarious [niffeeries] misdadig, schandelijk

negate [nikeet] **1** tenietdoen **2** ontkennen

negation [nikeesjen] ontkenning

[1]**negative** [neketiv] *zn* **1** afwijzing, ontkenning: *the answer is in the ~* het antwoord luidt nee **2** weigering **3** *(foto)* negatief

[2]**negative** [neketiv] *bn* **1** negatief: *the ~ sign* het minteken **2** ontkennend, afwijzend: *~ criticism* afbrekende kritiek

[1]**neglect** [niklekt] *zn* **1** verwaarlozing **2** verzuim: *~ of duty* plichtsverzuim

[2]**neglect** [niklekt] *tr* **1** verwaarlozen **2** verzuimen, nalaten

negligence [neklidzjens] nalatigheid, slordigheid

negligible [neklidzjibl] verwaarloosbaar, niet noemenswaardig

[1]**negotiate** [nikoosjie·eet] *intr* onderhandelen

[2]**negotiate** [nikoosjie·eet] *tr* **1** (na onderhandeling) sluiten, afsluiten **2** nemen, passeren, doorkomen, tot een goed einde brengen: *~ a sharp bend* een scherpe bocht nemen

negotiation [nikoosjie·eesjen] **1** onderhandeling, bespreking: *enter into* (of: *open, start*) *~s with* in onderhandeling gaan met **2** (af)sluiting

negress [nie:kres] negerin

negro [nie:kroo] *(mv: ~es)* neger

[1]**neigh** [nee] *zn* (ge)hinnik

[2]**neigh** [nee] *ww* hinniken

neighbour [neebe] **1** buurman, buurvrouw: *my ~ at dinner* mijn tafelgenoot **2** medemens, naaste: *duty to one's ~* (ver)plicht(ing) t.o.v. zijn naaste

neighbourhood [neebehoed] **1** buurt, wijk **2** nabijheid, omgeving || *I paid a sum in the ~ of 150 dollars* ik heb rond de 150 dollar betaald

[1]**neither** [najðe] *vnw* geen van beide(n): *~ of us wanted him to come* we wilden geen van beiden dat hij kwam; *~ candidate* geen van beide kandidaten

[2]**neither** [najðe] *bw* evenmin, ook niet: *she cannot play and ~ can I* zij kan niet spelen en ik ook niet

[3]**neither** [najðe] *vw* noch: *she could ~ laugh nor cry* ze kon (noch) lachen noch huilen

neon [nie:on] neon

nephew [nevjoe:] neef(je), zoon van broer of zus

nepotism [neppetizm] nepotisme, vriendjespolitiek, begunstiging van familieleden en vrienden

nerd [ne:d] sul, klungel, nerd

nerve [ne:v] **1** zenuw: *(fig) hit* (of: *touch*) *a ~* een zenuw raken **2** moed, durf, lef, brutaliteit: *you've got a ~!* jij durft, zeg!; *lose one's ~* de moed verliezen **3** *~s* zenuwen, zelfbeheersing: *get on s.o.'s ~s* op iemands zenuwen werken

nervous [ne:ves] **1** zenuwachtig, gejaagd **2** nerveus, zenuw-: *~ breakdown* zenuwinstorting, zenuwinzinking; *(central) ~ system* (centraal) zenuwstelsel **3** angstig, bang: *~ of* bang voor

nervy [ne:vie] **1** *(inform)* zenuwachtig, schrikkerig **2** *(Am; inform)* koel(bloedig), onverschillig

nest [nest] **1** nest: *a ~ of robbers* een roversnest **2** broeinest, haard || *feather one's ~* zijn zakken vullen

nest egg appeltje voor de dorst

[1]**nestle** [nesl] *intr* **1** zich nestelen, lekker (gaan) zitten (liggen) **2** (half) verscholen liggen **3** schurken, (dicht) aankruipen: *~ up against* (of: *to*) *s.o.* dicht tegen iem aankruipen

[2]**nestle** [nesl] *tr* **1** neerleggen **2** tegen zich aan drukken, in zijn armen nemen

[1]**net** [net] *zn* **1** net; *(fig)* web; (val)strik **2** netmateriaal, mousseline, tule || *surf the Net* internetten, surfen op internet

[2]**net** [net] *zn* nettobedrag

[3]**net** [net] *bn* netto, schoon, zuiver: *~ profit* nettowinst

[4]**net** [net] *tr* (in een net) vangen; *(ook fig)* (ver)strikken
[5]**net** [net] *tr* **1** (als winst) opleveren, (netto) opbrengen **2** winnen, opstrijken, (netto) verdienen
Netherlands [neðelendz] Nederland
netting [netting] net(werk)
[1]**nettle** [netl] *zn* (brand)netel || *grasp the ~* de koe bij de hoorns vatten
[2]**nettle** [netl] *tr* irriteren, ergeren
network **1** net(werk) **2** radio- en televisiemaatschappij, omroep **3** computernetwerk
networking [netwe:king] **1** het werken met een netwerk(systeem) **2** *(Am)* het netwerken *(het gebruikmaken van kruiwagens ten behoeve van zijn carrière)*
neurology [njoeerolledzjie] neurologie
[1]**neurotic** [njoeerottik] *zn* neuroot, zenuwlijder
[2]**neurotic** [njoeerottik] *bn* neurotisch
[1]**neuter** [njoe:te] *bn* onzijdig *(van woord, plant, dier)*
[2]**neuter** [njoe:te] *tr* helpen, castreren; steriliseren *(dier)*
neutral [njoe:trel] **1** neutraal *(ook chem)*; onpartijdig **2** onzijdig, geslachtloos || *in ~ gear* in z'n vrij
neutralize [njoe:trelajz] neutraliseren
never [nevve] nooit: *never-ending* altijddurend, oneindig (lang); *never-to-be-forgotten* onvergetelijk || *this'll ~ do* dit is niks, hier kun je niks mee; *he ~ so looked!* hij keek niet eens!
nevermore [nevvemo:] nooit meer
nevertheless [nevveðeles] niettemin, desondanks, toch
new [njoe:] nieuw, ongebruikt, recent: *~ bread* vers brood; *~ moon* (eerste fase van de) wassende maan, nieuwemaan; *~ town* nieuwbouwstad; *the New World* de Nieuwe Wereld, Noord- en Zuid-Amerika; *~ year: a)* jaarwisseling; *b)* nieuw jaar || *~ broom* frisse wind; *turn over a ~ leaf* met een schone lei beginnen; *break ~ ground (fig)* nieuwe wegen banen; *that's ~ to me* dat is nieuw voor me; *I'm ~ to the job* ik werk hier nog maar pas
newborn **1** pasgeboren **2** herboren
newcomer [njoe:kumme] nieuwkomer, beginner
news [njoe:z] **1** nieuws: *break the ~ to s.o.* (als eerste) iem het (slechte) nieuws vertellen; *that is ~ to me* dat is nieuw voor mij **2** nieuws, nieuwsberichten, journaal, journaaluitzending
newsagent krantenverkoper, tijdschriftenverkoper
newscast nieuwsuitzending, journaal
newsletter nieuwsbrief, mededelingenblad
newspaper [njoe:speepe] krant, dagblad
newsprint krantenpapier
newsreader nieuwslezer
newsstand kiosk
New Year's Day nieuwjaarsdag
New Year's Eve oudejaarsdag, oudejaarsavond
New Zealand [njoe: zie:lend] Nieuw-Zeeland
[1]**next** [nekst] *bn* **1** volgend *(van plaats)*; na, naast, dichtstbijzijnd: *she lives ~ door* ze woont hiernaast; *the ~ turn past the traffic lights* de eerste afslag na de verkeerslichten; *the ~ best* het beste op één na, de tweede keus; *the ~ but one* de volgende op één na **2** volgend *(van tijd)*; aanstaand: *the ~ day* de volgende dag, de dag daarop; *~ Monday* aanstaande maandag; *the ~ few weeks* de komende weken
[2]**next** [nekst] *aanw vnw* (eerst)volgende: *~, please* volgende graag || *~ of kin* (naaste) bloedverwant(en), nabestaande(n)
[3]**next** [nekst] *bw* **1** daarnaast: *what ~?: a)* wat (krijgen we) nu?; *b) (min)* kan het nog gekker? **2** *(tijd; ook fig)* daarna, daaropvolgend, de volgende keer: *the ~ best thing* op één na het beste || *~ to impossible* bijna onmogelijk; *for ~ to nothing* bijna voor niks
next-door aangrenzend: *we are ~ neighbours* we wonen naast elkaar
NHS *afk van National Health Service* nationaal ziekenfonds
nib [nib] pen, kroontjespen
[1]**nibble** [nibl] *zn* hapje
[2]**nibble** [nibl] *ww* knabbelen (aan), knagen (aan): *~ away* (of: *off*) weg-, afknabbelen, weg-, afknagen
nice [najs] **1** aardig, vriendelijk: *you're a ~ friend!* mooie vriend ben jij! **2** mooi, goed: *~ work!* goed zo! **3** leuk, prettig: *have a ~ day* nog een prettige dag, tot ziens **4** genuanceerd, verfijnd **5** kies(keurig), precies || *~ and warm* (of: *fast*) lekker warm (*of:* hard)
nicety [najsetie] **1** detail, subtiliteit, nuance **2** nauwkeurigheid, precisie || *to a ~* precies, tot in de puntjes
niche [nie:sj] **1** nis **2** stek, plek(je), hoekje: *he has found his ~* hij heeft zijn draai gevonden
[1]**nick** [nik] *zn* **1** kerf, keep **2** snee(tje), kras **3** bajes, nor **4** politiebureau **5** staat, vorm: *in good ~* in prima conditie, in goede staat || *in the ~ of time* op het nippertje
[2]**nick** [nik] *tr* **1** inkepen, inkerven, krassen **2** jatten **3** in de kraag grijpen, arresteren
nickel [nikl] **1** vijfcentstuk *(in Canada en Am)*; stuiver **2** nikkel
[1]**nickname** [nikneem] *zn* **1** bijnaam **2** roepnaam
[2]**nickname** [nikneem] *tr* een bijnaam geven (aan)
nicotine [nikketie:n] nicotine
niece [nie:s] nicht(je), oom-, tantezegster, dochter van broer of zus
niff [nif] lucht, stank
nifty [niftie] **1** jofel, tof **2** handig
niggard [niĝed] vrek
nigger [niĝe] *(min)* nikker, neger
[1]**niggle** [niĝl] *intr* muggenziften, vitten
[2]**niggle** [niĝl] *tr* **1** knagen aan, irriteren **2** vitten op
night [najt] nacht, avond: *~ and day* dag en nacht; *stay the ~* blijven logeren; *at* (of: *by*) *~* 's nachts, 's avonds; *first ~* première(avond); *last ~*

gisteravond, vannacht; ~ *owl* nachtbraker, nachtmens || *make a ~ of it* nachtbraken, doorhalen
nightcap slaapmuts(je) *(ook drankje)*
nightclub nachtclub
nightingale [najtingkeel] nachtegaal
nightly [najtlie] nachtelijk, elke nacht (avond), 's nachts, 's avonds
nightmare nachtmerrie
night shift **1** nachtdienst **2** nachtploeg
night-time nacht(elijk uur)
nightwear nachtkleding, nachtgoed
nighty [najtie] nachthemd, -japon
nil [nil] nihil, niets, nul: *three-nil* drie-nul
nimble [nimbl] **1** behendig, vlug **2** alert, gevat, spits
nine [najn] negen || *he was dressed (up) to the ~s* hij was piekfijn gekleed
ninepins kegelen, kegelspel
nineteen [najntie:n] negentien
nineteenth [najntie:nθ] negentiende, negentiende deel
ninetieth [najntieeθ] negentigste, negentigste deel
ninety [najntie] negentig
ninny [ninnie] imbeciel, sukkel
ninth [najnθ] negende, negende deel
[1]**nip** [nip] *zn* **1** stokje, borreltje **2** kneep **3** (bijtende) kou: *there was a ~ in the air* het was nogal fris(jes)
[2]**nip** [nip] *ww* nippen, in kleine teugjes nemen
[3]**nip** [nip] *intr* (met *out)* eventjes (weg)gaan, vliegen, rennen: *~ in: a)* binnenwippen; *b)* naar links (*of:* rechts) schieten *(in verkeer)*
[4]**nip** [nip] *tr* **1** knijpen, beknellen; bijten *(ook van dier)* **2** in de groei stuiten: *~ in the bud* in de kiem smoren
nipper [nippe] **1** peuter **2** *~s* tang, nijptang, buigtang
nipple [nipl] **1** tepel **2** *(Am)* speen *(van zuigfles)* **3** (smeer)nippel
nippy [nippie] **1** vlug, rap **2** fris(jes), koud
niqab [nika:b] (gezichts)sluier, nikab
nit [nit] **1** neet, luizenei **2** stommeling
[1]**nitpicking** [nitpikking] *zn* muggenzifterij
[2]**nitpicking** [nitpikking] *bn* muggenzifterig
nitrogen [najtredzjen] stikstof
nitwit [nitwit] idioot, stommeling
[1]**nix** [niks] *zn* niks, niets, nop
[2]**nix** [niks] *ww* een streep halen door, niet toestaan
[1]**no** [noo] *zn (mv: noes)* **1** neen, weigering **2** tegenstemmer: *I won't take no for an answer* ik sta erop, je kunt niet weigeren, ik wil geen nee horen
[2]**no** [noo] *vnw* **1** geen, geen enkele, helemaal geen: *on no account* onder geen enkele voorwaarde; *there's no milk* er is geen melk in huis; *I'm no expert* ik ben geen deskundige **2** haast geen, bijna geen, heel weinig, een minimum van: *it's no distance* het is vlakbij; *in no time* in een mum van tijd
[3]**no** [noo] *bw* **1** nee(n): *oh no!* 't is niet waar!; *did you tell her? no I didn't* heb je het tegen haar gezegd? neen; *no!* neen toch! **2** niet, in geen enkel opzicht: *he told her in no uncertain terms* hij zei het haar in duidelijke bewoordingen; *let me know whether or no you are coming* laat me even weten of je komt of niet; *the mayor himself, no less* niemand minder dan de burgemeester zelf
nob [nob] **1** kop, hoofd **2** hoge ome
nobble [nobl] **1** *(sport)* uitschakelen *(paard, hond; vnl. door doping)* **2** omkopen; bepraten *(persoon)* **3** (weg)kapen; jatten *(geld, prijs)*
nobility [noobillittie] **1** adel, adelstand **2** adeldom **3** edelmoedigheid, nobelheid
[1]**noble** [noobl] *zn* edele, edelman, edelvrouw
[2]**noble** [noobl] *bn* **1** adellijk, van adel **2** edel, nobel
nobleman [nooblmen] edelman, lid vd adel
nobody [noobedie] niemand, onbelangrijk persoon, nul
nocturnal [nokte:nl] nachtelijk, nacht-
[1]**nod** [nod] *zn* knik(je), wenk(je): *give (s.o.) a ~* (iem toe)knikken || *on the ~: a)* op de lat, op krediet; *b)* zonder discussie (*of:* formele) stemming
[2]**nod** [nod] *intr* **1** knikken *(als groet, bevel);* ja knikken *(als goedkeuring): have a ~ding acquaintance with s.o. (sth.)* iem (iets) oppervlakkig kennen **2** (met *off*) indutten, in slaap vallen **3** (zitten te) suffen, niet opletten, een fout maken
[3]**nod** [nod] *tr* **1** knikken met *(hoofd)* **2** door knikken te kennen geven *(goedkeuring, groet, toestemming): ~ approval* goedkeurend knikken
no-frill(s) zonder franje, eenvoudig
nohow op geen enkele manier, helemaal niet, van geen kant: *we couldn't find it ~* we konden het helemaal nergens vinden
noise [nojz] **1** geluid **2** lawaai, rumoer **3** *(techn)* geruis, ruis, storing
noise nuisance geluidshinder, geluidsoverlast
noisy [nojzie] lawaaierig, luidruchtig, gehorig
nomad [noomed] **1** nomade **2** zwerver *(ook fig)*
nominal [nomminl] **1** in naam (alléén), theoretisch, niet echt **2** zogoed als geen, niet noemenswaardig; symbolisch *(bijv. bedrag): at (a) ~ price* voor een spotprijs
nominate [nomminneet] **1** (met *as, for*) kandidaat stellen (als, voor), (als kandidaat) voordragen, nomineren **2** benoemen: *~ s.o. to be* (of: *as*) iem benoemen tot
nomination [nomminneesjen] **1** kandidaatstelling, voordracht, nominatie **2** benoeming
nominee [nomminnie:] **1** kandidaat **2** benoemde
non-aggression [nonnekresjen] non-agressie, (belofte van) het niet aanvallen: *~ pact* (of: *agreement*) niet-aanvalsverdrag
non-aligned [nonnelajnd] niet-gebonden; neutraal *(land, politiek)*
nonchalant [nonsjelent] nonchalant, onverschillig
non-commissioned [nonkemisjend] zonder officiersaanstelling: *~ officer* onderofficier
non-committal [nonkemitl] neutraal; vrijblijvend *(antwoord)*

¹none [nun] *vnw* geen (enkele), niemand, niets: *I'll have ~ of your tricks* ik pik die streken van jou niet; *there is ~ left* er is niets meer over; *~ other than the President* niemand anders dan de president; *~ of the students* niemand van de studenten
²none [nun] *bw* helemaal niet, niet erg, niet veel: *she was ~ the wiser* ze was er niets wijzer op geworden; *she is ~ too bright* ze is niet al te slim
nonentity [nonnentittie] onbelangrijk persoon (ding)
nonetheless [nunðeles] niettemin, echter, toch
non-event [nonnivvent] afknapper
non-existent [nonnikzistent] niet-bestaand
non-iron [nonnajjen] zelfstrijkend
no-nonsense 1 zakelijk, no-nonsense **2** zonder franjes *(bijv. jurk)*
nonplussed [nonplust] verbijsterd
nonproliferation [nonprelifferεesjen] non-proliferatie
non-returnable [nonritte:nebl] zonder statiegeld
nonsense [nonsns] onzin, nonsens, flauwekul: *make (a) ~ of* tenietdoen, het effect bederven van; *stand no ~* geen flauwekul dulden; *what ~* wat een flauwekul
nonsensical [nonsensikl] onzinnig, absurd
non-smoking rookvrij
non-stick [nonstik] antiaanbak-, met een antiaanbaklaag
non-stop [nonstop] non-stop, zonder te stoppen; doorgaand *(trein);* zonder tussenlandingen *(vlucht);* direct *(verbinding);* doorlopend *(voorstelling)*
noodles [noe:dlz] (soort eier)vermicelli, (soort) mi, noedels
nook [noek] (rustig) hoekje, veilige plek: *search every ~ and cranny* in elk hoekje en gaatje zoeken, overal zoeken
noon [noe:n] middag(uur), twaalf uur 's middags
no-one [noowun] niemand
noose [noe:s] lus, strik, strop
nootropic [noe(e)troppik] smartdrug
nor [no:] **1** evenmin, ook niet: *you don't like melon? ~ do I* je houdt niet van meloen? ik ook niet **2** *(vaak na neither)* noch, en ook niet, en evenmin: *neither Jill ~ Sheila* noch Jill noch Sheila; *she neither spoke ~ smiled* ze sprak noch lachte
Nordic [no:dik] noords, Noord-Europees, Scandinavisch
¹normal [no:ml] *zn* het normale, gemiddelde, normale toestand: *above* (of: *below*) ~ boven (*of:* onder) normaal
²normal [no:ml] *bn* normaal, gewoon, standaard
normalization [no:melajzeesjen] **1** normalisatie **2** het normaal worden
normalize [no:melajz] normaal worden (maken), herstellen, normaliseren
Norman [no:men] Normandisch
Norseman [no:smen] Noorman
¹north [no:θ] *zn* het noorden *(windrichting);* noord: *face (the) ~* op het noorden liggen; *the North* het Noordelijk gedeelte
²north [no:θ] *bn* noordelijk: *the North Pole* de noordpool; *the North Sea* de Noordzee
³north [no:θ] *bw* van, naar, in het noorden: *face ~* op het noorden liggen
northbound iem die, iets dat naar het noorden gaat *(verkeer, weg)*
north-east noordoostelijk
northeastern uit het noordoosten, noordoostelijk
¹northerly [no:ðelie] *zn* noordenwind
²northerly [no:ðelie] *bn* noordelijk
northern [no:ðen] noordelijk, noorden-, noord(-): *the ~ lights* het noorderlicht
northward [no:θwed] noord(waarts), noordelijk
north-west noordwestelijk
northwestern noordwest(elijk)
Norway [no:wee] Noorwegen
¹Norwegian [no:wie:dzjen] *zn* Noor, Noorse
²Norwegian [no:wie:dzjen] *bn* Noors
nos *afk van numbers* nummers
¹nose [nooz] *zn* **1** neus, reukorgaan; *(fig)* reukzin; speurzin: *(right) under s.o.'s (very) ~* vlak voor zijn neus **2** punt; neus *(van vliegtuig, auto, schoen)* || *cut off one's ~ to spite one's face* woedend zijn eigen glazen ingooien; *follow one's ~* zijn instinct volgen; *have a ~ for sth.* ergens een fijne neus voor hebben; *keep one's ~ to the grindstone* zwoegen, voortdurend hard werken; *keep one's ~ out of s.o.'s affairs* zich met zijn eigen zaken bemoeien; *look down one's ~ at s.o.* de neus voor iem ophalen, neerkijken op iem; *pay through the ~ (for)* zich laten afzetten (voor); *poke one's ~ into s.o.'s affairs* zijn neus in andermans zaken steken; *put s.o.'s ~ out of joint: a)* iem voor het hoofd stoten; *b)* iem jaloers maken; *rub s.o.'s ~ in it* (of: *the dirt*) iem iets onder de neus wrijven; *turn up one's ~ at sth. (s.o.)* zijn neus ophalen voor iets (iem); *(win) by a ~* een neuslengte vóór zijn
²nose [nooz] *intr* zich (voorzichtig) een weg banen *(van schip, auto)*
nose about rondneuzen (in), rondsnuffelen (in)
nosebleed bloedneus
¹nosedive *zn* **1** duikvlucht **2** plotselinge (prijs)-daling
²nosedive *intr* **1** een duikvlucht maken **2** plotseling dalen, vallen
nosegay ruiker(tje), boeketje
nose out ontdekken, erachter komen
¹nosh [nosj] *zn* eten
²nosh [nosj] *ww* bikken, eten
nosiness [noozienes] bemoeizucht, nieuwsgierigheid
nostalgia [nosteldzjie] nostalgie, verlangen (naar het verleden)
nostril [nostril] **1** neusgat **2** neusvleugel
nosy [noozie] nieuwsgierig: *Nosey Parker* bemoei-

al, nieuwsgierig aagje
not [not] niet, geen, helemaal niet: ~ *a thing* helemaal niets; *I hope* ~ ik hoop van niet; ~ *to say* misschien zelfs, om niet te zeggen; ~ *at all* helemaal niet; ~ *least* vooral; *as likely as* ~ waarschijnlijk; ~ *only ... but (also)* niet alleen ..., maar (ook); ~ *a bus but a tram* geen bus maar een tram; ~ *that I care* niet (om)dat het mij iets kan schelen
[1]**notable** [nootebl] *zn* belangrijk persoon
[2]**notable** [nootebl] *bn* opmerkelijk, merkwaardig, opvallend
notary [nooterie] notaris: ~ *public* notaris
notation [nooteesjen] **1** notatie *(muziek, schaakspel e.d.);* schrijfwijze: *chemical* ~ chemische symbolen **2** *(Am)* aantekening, noot
[1]**notch** [notsj] *zn* keep *(ook fig, op kerfstok);* kerf, inkeping
[2]**notch** [notsj] *tr* **1** (in)kepen, (in)kerven, insnijden **2** (ook met *up*) (be)halen *(overwinning, punten);* binnenhalen
[1]**note** [noot] *zn* **1** aantekening, notitie: *make ~s* aantekeningen maken; *make a ~ of your expenses* houd bij wat voor onkosten je maakt **2** briefje, berichtje, (diplomatieke) nota, memorandum **3** (voet)noot, annotatie **4** (bank)biljet, briefje **5** *(muz)* toon, noot **6** (onder)toon, klank: *sound* (of: *strike) a ~ of warning* een waarschuwend geluid laten horen **7** aanzien, belang, gewicht: *of ~* van belang, met een reputatie, algemeen bekend **8** aandacht, nota: *take ~ of* notitie nemen van || *compare ~s* ervaringen uitwisselen
[2]**note** [noot] *tr* **1** nota nemen van, aandacht schenken aan, letten op **2** (op)merken, waarnemen **3** aandacht vestigen op, opmerken **4** (met *down*) opschrijven, noteren
notebook **1** notitieboekje **2** notebook
noted [nootid] *(met for)* beroemd (om, wegens), bekend
notepaper postpapier
noteworthy vermeldenswaardig, opmerkelijk
[1]**nothing** [nuθing] *vnw* niets; *(persoon)* nul; waardeloos iem; *(zaak)* kleinigheid; niemendalletje: *she did ~ but grumble* ze zat alleen maar te mopperen || *there was ~ for it but to call a doctor* er zat niets anders op dan een dokter te bellen; *for ~: a)* tevergeefs; *b)* gratis, voor niets; *there's ~ to it* er is niets aan, het is een makkie; *(sport) there's ~ in it* zij zijn gelijk
[2]**nothing** [nuθing] *bw* helemaal niet, lang niet: *my painting is ~ like* (of: *near) as good as yours* mijn schilderij is bij lange na niet zo goed als het jouwe
[1]**notice** [nootis] *zn* **1** aankondiging, waarschuwing; opzegging *(van contract): give one's ~* zijn ontslag indienen; *we received three month's ~* de huur is ons met drie maanden opgezegd; *at a moment's ~* direct, zonder bericht vooraf **2** aandacht, belangstelling, attentie: *I'd like to bring this book to your ~* ik zou dit boek onder uw aandacht willen brengen; *take (no) ~ of* (geen) acht slaan op **3** mededeling, bericht
[2]**notice** [nootis] *tr* (op)merken, zien, waarnemen: *she didn't ~ her friend in the crowd* zij zag haar vriendin niet in de menigte
noticeable [nootissebl] **1** merkbaar, zichtbaar, waarneembaar **2** opmerkelijk, opvallend, duidelijk
notification [nootiffikkeesjen] **1** aangifte **2** informatie, mededeling
notify [nootiffaj] informeren, bekendmaken, op de hoogte stellen
notion [noosjen] **1** begrip **2** idee, mening, veronderstelling: *she had no ~ of what I was talking about* ze had geen benul waar ik het over had; *the ~ that the earth is flat* het denkbeeld dat de aarde plat is
notoriety [nooterajjetie] beruchtheid
notorious [nooto:ries] algemeen (ongunstig) bekend, berucht
[1]**notwithstanding** [notwiθstending] *bw* desondanks, ondanks dat, toch
[2]**notwithstanding** [notwiθstending] *vz* ondanks, in weerwil van: *the road was built ~ fierce opposition* de verkeersweg werd gebouwd ondanks de felle tegenstand
nougat [noe:ĝa:] noga
nought [no:t] nul || *~s and crosses* boter, kaas en eieren, kruisje nulletje
noun [naun] zelfstandig naamwoord
nourish [nurrisj] **1** voeden *(ook fig): ~ing food* voedzaam eten **2** koesteren: ~ *the hope to* de hoop koesteren om te
nourishment [nurrisjment] **1** voeding *(ook fig);* het voeden, het gevoed worden **2** voedsel, eten
[1]**novel** [novl] *zn* roman
[2]**novel** [novl] *bn* nieuw, onbekend: ~ *ideas* verrassende ideeën
novelist [novvelist] romanschrijver, schrijver
novelty [novveltie] nieuwigheid, nieuws, iets onbekends, aardigheidje: *the ~ soon wore off* het nieuwe, de nieuwigheid was er al gauw af
November [noovembe] november
novice [novvis] **1** novice **2** beginneling, nieuweling
[1]**now** [nau] *zn* nu, dit moment: *before ~* vroeger, tot nu toe; *by ~* ondertussen, inmiddels; *for ~* voorlopig; *as from ~, from ~ on* van nu af aan; *until ~, up till ~, up to ~* tot nu toe
[2]**now** [nau] *bw* **1** nu, tegenwoordig, onder deze omstandigheden: *they'll be here any minute ~* ze kunnen nu elk ogenblik aankomen; ~ *what do you mean?* maar wat bedoel je nu eigenlijk?; *(every) ~ and again* (of: *then*) zo nu en dan, af en toe, van tijd tot tijd; *just ~: a)* zo-even, daarnet; *b)* nu, op dit ogenblik; ~ *then, where do you think you're going?* zo, en waar dacht jij heen te gaan? **2** nu (dat), gezien (dat): ~ *you are here I will show you* nu je hier (toch) bent zal ik het je laten zien
nowadays [nauedeez] tegenwoordig, vandaag de dag

nowhere [noowee] nergens *(ook fig);* nergens heen: *it got him ~* het leverde hem niets op; *she is ~ near as bright as him* ze is lang niet zo intelligent als hij; *he started from ~ but became famous* hij kwam uit het niets maar werd beroemd
noxious [noksjes] *(ook fig)* schadelijk, ongezond
nozzle [nozl] **1** tuit, pijp **2** (straal)pijp, mondstuk, straalbuis
nub [nub] **1** brok, klompje, stomp(je) **2** *(ev)* kern(punt), essentie: *the ~ of the matter* de kern van de zaak
nuclear [njoe:klie] **1** mbt de kern(en), kern- **2** nucleair, kern-, atoom-: *~ disarmament* nucleaire ontwapening; *~ waste* kernafval
nucleus [njoe:klies] kern *(ook fig)*
[1]**nude** [njoe:d] *zn* naakt iem: *in the ~* naakt, in zijn nakie
[2]**nude** [njoe:d] *bn* naakt
[1]**nudge** [nudzj] *zn* stoot(je), por, duwtje
[2]**nudge** [nudzj] *tr* **1** (zachtjes) aanstoten *(met de elleboog)* **2** zachtjes duwen, schuiven
nudist [njoe:dist] nudist, naturist
nudity [njoe:dittie] naaktheid
nugget [nuǩit] **1** (goud)klompje **2** juweel(tje) *(alleen fig): ~ of information* informatie die goud waard is
nuisance [njoe:sens] **1** lastig iem (iets), lastpost, lastpak: *make a ~ of oneself* vervelend zijn **2** (over)last, hinder: *what a ~* wat vervelend
null [nul]: *~ and void* van nul en gener waarde
nullify [nulliffaj] **1** nietig verklaren, ongeldig verklaren **2** opheffen, tenietdoen
[1]**numb** [num] *bn* (met *with*) verstijfd (van), verdoofd, verkleumd
[2]**numb** [num] *tr* **1** verlammen *(ook fig);* doen verstijven **2** verdoven: *medicines ~ed the pain* medicijnen verzachtten de pijn
[1]**number** [numbe] *zn* **1** getal: *~ 10 bus* (bus)lijn 10 **2** aantal: *a ~ of problems* een aantal problemen; *in ~* in aantal, in getal; *any ~ of* ontelbaar veel **3** nummer: *published in ~s* in afleveringen verschenen **4** gezelschap, groep **5** *~s* aantallen, hoeveelheid, grote aantallen: *win by ~s* winnen door getalsterkte || *have s.o.'s ~* iem doorhebben; *always think of ~ one* altijd alleen maar aan zichzelf denken; *my ~ one problem* mijn grootste probleem
[2]**number** [numbe] *tr* nummeren, nummers geven
[3]**number** [numbe] *tr, intr* **1** tellen **2** vormen *(aantal);* bedragen: *we ~ed eleven* we waren met ons elven **3** tellen, behoren tot: *I ~ him among my best friends* hij behoort tot mijn beste vrienden || *his days are ~ed* zijn dagen zijn geteld
numberless [numbeles] ontelbaar, talloos
num(b)skull [numskul] sufferd, stomkop
[1]**numeral** [njoe:merel] *zn* **1** cijfer: *Roman ~s* Romeinse cijfers **2** telwoord
[2]**numeral** [njoe:merel] *bn* getal(s)-, van getallen
numerate [njoe:meret] met een wiskundige basiskennis, gecijferd: *some of my students are hardly ~* enkele van mijn studenten kunnen nauwelijks rekenen
numerical [njoe:merrikl] **1** getallen-, rekenkundig **2** numeriek, in aantal, getals-
numerous [njoe:meres] talrijk(e), groot, vele
nun [nun] non
nuptial [nupsjl] huwelijks-
[1]**nurse** [ne:s] *zn* **1** verpleegster, verpleger, verpleegkundige: *male ~* verpleger, ziekenbroeder; *~!* zuster! **2** kindermeisje **3** voedster
[2]**nurse** [ne:s] *intr* zuigen, aan de borst zijn: *be nursing at one's mother's breast* de borst krijgen
[3]**nurse** [ne:s] *tr* **1** verplegen, verzorgen **2** zogen, borstvoeding geven: *nursing mother* zogende moeder **3** behandelen, genezen: *~ s.o. back to health* door verpleging iem weer gezond krijgen **4** bevorderen, koesteren: *~ a grievance* (of: *grudge) against s.o.* een grief (*of:* wrok) tegen iem koesteren
nursemaid **1** kindermeisje **2** verzorgster
nursery [ne:serie] **1** kinderkamer **2** crèche, kinderdagverblijf **3** kwekerij
nurseryman [ne:seriemen] kweker
nursery rhyme kinderversje
nursery school peuterklas
nursing [ne:sing] verpleging, verzorging, verpleegkunde
nursing home **1** verpleegtehuis **2** particulier ziekenhuis
nut [nut] **1** noot **2** moer **3** fanaat, gek || *~s and bolts* grondbeginselen, hoofdzaken; *do one's ~* woedend zijn; *she can't sing for ~s* ze kan totaal niet zingen; *off one's ~* niet goed bij zijn hoofd
nutcase mafkees
nutcracker notenkraker: *(a pair of) ~s* een notenkraker
nutmeg [nutmeǩ] **1** muskaatnoot **2** nootmuskaat
[1]**nutrient** [njoe:trient] *zn* voedingsstof, bouwstof
[2]**nutrient** [njoe:trient] *bn* voedend, voedings-
nutrition [njoe:trisjen] **1** voeding **2** voedingsleer
nutritious [njoe:trisjes] voedzaam
nuts [nuts] gek, getikt: *go ~* gek worden
nutshell notendop *(ook fig)*
nutty [nuttie] **1** met (veel) noten, vol noten **2** naar noten smakend **3** gek, getikt, gestoord
nuzzle [nuzl] **1** (be)snuffelen **2** (zich) nestelen
nylon [najlon] nylon: *~s* nylonkousen
nymph [nimf] nimf

O

o' [e] *verk van of* van: *five o'clock* vijf uur
oaf [oof] klungel, lomperd
[1]**oak** [ook] *zn* eik
[2]**oak** [ook] *bn* eiken, eikenhout
oak-apple galappel, galnoot
OAP *afk van old age pension* AOW, Algemene Ouderdomswet
oar [o:] roeispaan, (roei)riem || *put* (of: *shove*) *one's ~ in* zich ermee bemoeien, zijn neus erin steken
oarsman [o:zmen] roeier
oasis [ooeesis] oase *(ook fig)*
oat [oot] haver, haverkorrel || *feel one's ~s* bruisen van energie, *(Am ook)* zelfgenoegzaam doen; *off one's ~s* zonder eetlust
oath [ooθ] **1** eed: *make* (of: *take, swear*) *an ~* een eed afleggen; *under ~* onder ede **2** vloek
oatmeal **1** havermeel, havervlokken **2** havermout(pap)
obdurate [obdjoeret] **1** onverbeterlijk **2** onverzettelijk
obedient [ebie:dient] **1** gehoorzaam **2** onderworpen
obeisance [oobeesns] **1** buiging **2** eerbied, respect
obese [oobie:s] zwaarlijvig
obesity [oobie:sittie] obesitas, zwaarlijvigheid
obey [ebee] gehoorzamen (aan), opvolgen, toegeven aan
obituary [ebitjoeerie] overlijdensbericht *(met korte levensbeschrijving)*
[1]**object** [obdzjikt] *zn* **1** voorwerp, object **2** doel **3** *(taalk)* voorwerp: *direct ~ (of a verb)* lijdend voorwerp; *indirect ~ (of a verb)* meewerkend voorwerp || *money is no ~* geld speelt geen rol
[2]**object** [ebdzjekt] *intr* bezwaar hebben (maken): *he ~ed to being called a coward* hij wou niet voor lafaard doorgaan
objection [ebdzjeksjen] bezwaar: *raise ~s* bezwaren maken
objectionable [ebdzjeksjnebl] **1** bedenkelijk **2** ongewenst, onaangenaam
[1]**objective** [ebdzjektiv] *zn* doel, doelstelling, doelwit, operatiedoel
[2]**objective** [ebdzjektiv] *bn* objectief, onpartijdig
obligation [oblikeesjen] **1** plicht, (zware) taak **2** verplichting, verbintenis: *lay* (of: *place, put*) *s.o. under an ~* iem aan zich verplichten
obligatory [ebliketerie] verplicht
[1]**oblige** [eblajdzj] *intr* het genoegen doen, ten beste geven: *~ with a song* een lied ten beste geven
[2]**oblige** [eblajdzj] *tr* **1** aan zich verplichten: *(I'm) much ~d (to you)* dank u zeer **2** verplichten; (ver)binden *(door belofte, contract)*: *I feel ~d to say that ...* ik voel me verplicht te zeggen dat ...
obliging [eblajdzjing] attent, voorkomend, behulpzaam
oblique [eblie:k] **1** schuin, scheef: *~ stroke* schuine streep **2** indirect, ontwijkend
obliterate [eblittereet] uitwissen, wegvagen
obliteration [eblittereesjen] **1** uitroeiing, vernietiging **2** uitwissing, verwijdering **3** afstempeling *(van postzegels)*
oblivion [eblivvien] vergetelheid: *fall* (of: *sink*) *into ~* in vergetelheid raken
[1]**oblong** [oblong] *zn* rechthoek, langwerpige figuur
[2]**oblong** [oblong] *bn* rechthoekig
oboe [ooboo] hobo
obscene [ebsie:n] obsceen, onzedelijk
[1]**obscure** [ebskjoee] *bn* **1** obscuur, onduidelijk, onbekend **2** verborgen, onopgemerkt
[2]**obscure** [ebskjoee] *tr* **1** verduisteren **2** overschaduwen **3** verbergen
obscurity [ebskjoeerittie] **1** duister, duisternis **2** onbekendheid: *live in ~* een obscuur leven leiden **3** onduidelijkheid, onbegrijpelijkheid
obsequious [ebsie:kwies] kruiperig, onderdanig
observable [ebze:vebl] waarneembaar, merkbaar
observant [ebze:vent] opmerkzaam, oplettend
observation [obzeveesjen] **1** waarneming, observatie: *keep s.o. under ~* iem in de gaten (blijven) houden **2** opmerking, commentaar
observatory [ebze:veterie] sterrenwacht
observe [ebze:v] **1** opmerken, zeggen **2** naleven, in acht nemen **3** waarnemen, observeren
observer [ebze:ve] **1** toeschouwer **2** waarnemer *(ook luchtv)*; observeerder, observator
obsession [ebsesjen] **1** obsessie, dwanggedachte: *have an ~ about sth.* bezeten zijn door iets **2** bezetenheid, het bezeten-zijn
obsolete [obselie:t] verouderd, in onbruik (geraakt), achterhaald
obstacle [obstekl] obstakel, belemmering: *form an ~ to sth.* een beletsel vormen voor iets
obstetrician [obstitrisjn] verloskundige
obstetrics [ebstetriks] obstetrie, verloskunde
obstinate [obstinnet] **1** halsstarrig **2** hardnekkig
obstruct [ebstrukt] **1** versperren, blokkeren **2** belemmeren, hinderen **3** *(sport, vnl. voetbal)* obstructie plegen tegen
obstruction [ebstruksjen] **1** belemmering, hindernis **2** versperring, obstakel **3** obstructie *(ook sport, med)*
obtain [ebteen] (ver)krijgen, behalen

[1]**obtrude** [ebtroe:d] *intr* opdringerig zijn, zich opdringen
[2]**obtrude** [ebtroe:d] *tr (*met *(up)on)* opdringen (aan), ongevraagd naar voren brengen
obtuse [ebtjoe:s] **1** stomp: *an ~ angle* een stompe hoek **2** traag van begrip
obviate [obvie·eet] ondervangen, voorkomen: *~ the necessity* (of: *need) of sth.* iets overbodig maken
obvious [obvies] **1** duidelijk, zonneklaar: *an ~ lie* een aperte leugen **2** voor de hand liggend, doorzichtig **3** aangewezen, juist: *the ~ man for the job* de aangewezen man voor het karweitje
obviously [obvieslie] duidelijk, kennelijk
[1]**occasion** [ekeezjen] *zn* **1** gebeurtenis, voorval **2** evenement, gelegenheid, feest: *he seemed to be equal to the ~* hij leek tegen de situatie opgewassen te zijn; *we'll make an ~ of it* we zullen het vieren; *on the ~ of your birthday* ter gelegenheid van je verjaardag **3** aanleiding, reden: *give ~ to* aanleiding geven tot; *you have no ~ to leave* jij hebt geen reden om weg te gaan
[2]**occasion** [ekeezjen] *tr* veroorzaken, aanleiding geven tot
occasional [ekeezjnel] **1** incidenteel, nu en dan voorkomend: *~ showers* verspreide buien **2** gelegenheids-
occidental [oksiddentl] westers
occult [ekult] occult, geheim, verborgen
occupant [okjoepent] **1** bezitter, landbezitter **2** bewoner **3** inzittende *(van auto)* **4** bekleder *(van ambt)*
occupation [okjoepeesjen] **1** beroep **2** bezigheid, activiteit **3** bezetting (door vijand)
occupational [okjoepeesjenel] mbt een beroep, beroeps-: *~ hazard* beroepsrisico
occupy [okjoepaj] **1** bezetten, bezit nemen van: *~ a building* een gebouw bezetten **2** in beslag nemen: *it will ~ a lot of his time* het zal veel van zijn tijd in beslag nemen **3** bezighouden: *~ oneself with* zich bezighouden met **4** bewonen, betrekken
occur [eke:] **1** voorkomen, aangetroffen worden **2** opkomen, invallen: *it simply did not ~ to him* het kwam eenvoudigweg niet bij hem op **3** gebeuren
occurrence [ekurrens] **1** voorval, gebeurtenis **2** het voorkomen
ocean [oosjn] oceaan: *Pacific Ocean* Stille Zuidzee; *~s of time* zeeën van tijd
ochre [ooke] oker
o'clock [eklok] uur: *ten ~* tien uur
octagon [okteken] achthoek
octave [oktiv] octaaf
October [oktoobe] oktober
octogenarian [oktoodzjinneerien] tachtigjarige
octopus [oktepes] inktvis
oculist [okjoelist] oogarts
odd [od] **1** oneven: *~ and even numbers* oneven en even getallen **2** vreemd, ongewoon: *an ~ habit* een gekke gewoonte **3** overblijvend: *the ~ man at the table* de man die aan tafel overschiet *(nadat de anderen paren hebben gevormd)* **4** toevallig, onverwacht: *he drops in at ~ times* hij komt zo nu en dan eens langs **5** los, niet behorend tot een reeks: *an ~ glove* een losse handschoen; *~ job* klusje **6** *(na het zn, telwoord)* iets meer dan: *five pounds ~* iets meer dan vijf pond; *60-odd persons* ruim 60 personen || *~ man out* vreemde eend; *which is the ~ man out in the following list?* welke hoort in het volgende rijtje niet thuis?
oddball *(Am)* gekke vent, rare
oddity [odditie] **1** eigenaardigheid, vreemde eigenschap **2** gekke vent **3** iets vreemds, vreemd voorwerp, vreemde gebeurtenis **4** curiositeit
odd-job man manusje-van-alles, klusjesman
oddment [odment] overschot, overblijfsel, restant
odds [odz] **1** ongelijkheid, verschil: *that makes no ~* dat maakt niets uit; *what's the ~?* wat doet dat ertoe? **2** onenigheid: *be at ~ with* in onenigheid leven met **3** (grote) kans, waarschijnlijkheid: *the ~ are that she will do it* de kans is groot dat ze het doet **4** verhouding tussen de inzetten bij weddenschap: *take ~ of one to ten* een inzet accepteren van één tegen tien || *~ and ends* prullen; *~ and sods* rommel; *against all (the) ~* tegen alle verwachtingen in; *over the ~* meer dan verwacht
odious [oodies] hatelijk, weerzinwekkend
odour [oode] **1** geur, stank, lucht(je): *an ~ of sanctity* een geur van heiligheid **2** reputatie, naam: *be in good ~ with* goed aangeschreven staan bij
of [ev] **1** van, van ... vandaan: *go wide of the mark* ver naast het doel schieten **2** (afkomstig) van, uit, (veroorzaakt, gemaakt) door: *a colour of your own choice* een kleur die u zelf kunt kiezen; *that's too much to ask of Jane* dat is te veel van Jane gevraagd; *of necessity* uit noodzaak **3** *(samenstelling, inhoud, hoeveelheid)* bestaande uit, van: *a box of chocolates* een doos chocola **4** over, van, met betrekking tot: *quick of understanding* snel van begrip **5** van, te, bij, met: *men of courage* mannen met moed; *be of importance* (of: *value*) van belang (*of:* waarde) zijn **6** van, behorend tot: *it's that dog of hers again* het is die hond van haar weer **7** van, tot, naar, voor: *fear of spiders* angst voor spinnen **8** van, onder: *a pound of flour* een pond bloem; *five of us* vijf mensen van onze groep || *the month of May* de maand mei; *an angel of a husband* een engel van een man
[1]**off** [of] *bn* **1** vrij: *my husband is ~ today* mijn man heeft vandaag vrij **2** minder (goed), slecht(er): *her singing was a bit ~ tonight* ze zong niet zo best vanavond **3** verder (gelegen), ver(ste) **4** rechter(-) *(van kant ve paard, voertuig);* rechts **5** rustig, stil: *during the ~ season* buiten het (hoog)seizoen **6** (hoogst) onwaarschijnlijk: *~ chance* kleine kans **7** bedorven *(van voedsel);* zuur: *this sausage is ~* dit worstje is bedorven **8** vd baan, afgelast, uit-

gesteld: *the meeting is* ~ de bijeenkomst gaat niet door **9** weg, vertrokken, gestart: *get* ~ *to a good start* goed beginnen **10** uit(geschakeld), buiten werking, niet aan: *the water is* ~ het water is afgesloten **11** mis, naast: *his guess was slightly* ~ hij zat er enigszins naast

²off [of] *bw* **1** verwijderd, weg, (er)af, ver, hiervandaan: *three miles* ~ drie mijl daarvandaan; *send* ~ *a letter* een brief versturen **2** af, uit, helemaal, ten einde: *a day* ~ een dagje vrij; *kill* ~ uitroeien; *turn* ~ *the radio* zet de radio af **3** ondergeschikt, minder belangrijk: *5%* ~ met 5% korting || ~ *and on* af en toe, nu en dan; *be well* (of: *badly*) ~ rijk (*of:* arm) zijn

³off [of] *vz* **1** van, van af: *he got* ~ *the bus* hij stapte uit de bus **2** van de baan, van ... af, afgestapt van: ~ *duty* vrij (van dienst), buiten dienst; *I've gone* ~ *fish* ik lust geen vis meer **3** van ... af, naast, opzij van, uit: *it was* ~ *the mark* het miste zijn doel *(ook fig); an alley* ~ *the square* een steegje dat op het plein uitkomt **4** onder, beneden, achter zijn, minder dan: *a year or two* ~ *sixty* een jaar of wat onder de zestig

offal [ofl] afval, vuil, vuilnis, slachtafval; *(fig)* uitschot

off-colour onwel, niet lekker

off day ongeluksdag

offence [efens] **1** overtreding, misdrijf, delict, misdaad: *commit an* ~ een overtreding begaan **2** belediging: *cause* (of: *give*) ~ *to s.o.* iem beledigen; *take* ~ *at* aanstoot nemen aan, zich ergeren aan; *he is quick to take* ~ hij is gauw op z'n teentjes getrapt

¹offend [efend] *intr* kwaad doen: *the verdict* ~*s against all principles of justice* het vonnis is een aanfluiting van alle rechtsprincipes

²offend [efend] *tr* beledigen *(ook fig);* boos maken

offender [efende] overtreder, zondaar

¹offensive [efensiv] *zn* aanval, offensief; *(fig)* campagne; beweging: *take* (of: *go into*) *the* ~ aanvallen, in het offensief gaan

²offensive [efensiv] *bn* **1** offensief, aanvallend **2** beledigend, aanstootgevend

¹offer [offe] *zn* aanbod, aanbieding, offerte, voorstel: *be on* ~ in de aanbieding zijn, te koop zijn; *this house is under* ~ op dit huis is een bod gedaan

²offer [offe] *intr* voorkomen, gebeuren, optreden: *as occasion* ~*s* wanneer de gelegenheid zich voordoet

³offer [offe] *tr* **1** (aan)bieden, geven, schenken: ~ *one's hand* zijn hand uitsteken; *he* ~*ed to drive me home* hij bood aan me naar huis te brengen **2** te koop aanbieden, tonen, laten zien

offhand 1 onvoorbereid, geïmproviseerd: *avoid making* ~ *remarks* maak geen ondoordachte opmerkingen **2** nonchalant

office [offis] **1** ambt, openbare betrekking, functie: *hold* ~ een ambt bekleden **2** dienst, hulp, zorg: *good* ~*s* goede diensten **3** kantoor, bureau || *the Foreign* ~ het ministerie van Buitenlandse Zaken

office manager officemanager

officer [offisse] **1** ambtenaar, functionaris, medewerker: *policy* ~ beleidsmedewerker **2** iem die een belangrijke functie bekleedt, directeur, voorzitter: *clerical* (of: *executive*) ~ (hoge) regeringsfunctionaris **3** politieagent **4** officier

¹official [efisjl] *zn* beambte, functionaris, (staats)ambtenaar; *(sport)* official; wedstrijdcommissaris

²official [efisjl] *bn* **1** officieel, ambtelijk **2** officieel, ambtelijk

officialese [efisjelie:z] stadhuistaal, ambtenarenlatijn

officiate [efisjie·eet] **1** officieel optreden: ~ *as chairman* (officieel) als voorzitter dienstdoen **2** *(sport)* arbitreren

officious [efisjes] bemoeiziek, opdringerig

off-key vals; uit de toon *(ook fig)*

off-licence 1 slijtvergunning **2** slijterij, drankzaak

off-line offline, niet-gekoppeld

offload 1 lossen *(voertuig, vnl. vliegtuig)* **2** dumpen

off-peak buiten het hoogseizoen, de spits *(van gebruik, verkeer);* goedkoop, rustig: *in the* ~ *hours* tijdens de daluren

offprint overdruk

off-putting ontmoedigend

offset [ofset] compenseren, opwegen tegen, tenietdoen: ~ *against* zetten tegenover

offshoot uitloper *(ook fig);* scheut, zijtak

offshore 1 in zee, voor de kust, buitengaats: ~ *fishing* zeevisserij **2** aflandig: ~ *wind* aflandige wind

¹offside *zn* **1** *(sport)* buitenspel, buitenspelpositie **2** rechterkant *(van auto, paard, weg enz.)* **3** verste kant

²offside *bn (sport)* buitenspel-: *the* ~ *rule* de buitenspelregel

offspring kroost, nakomeling(en)

offstage 1 achter (de schermen) **2** onzichtbaar

off-the-record onofficieel, binnenskamers

often [of(t)en] vaak: *as* ~ *as not* de helft van de keren, vaak; *he was late once too* ~ hij kwam één keer te veel te laat || *every so* ~ nu en dan

ogre [ooȓe] menseneter

oh [oo] o!, och! ach!: *oh no!* dat niet!, o nee!; *oh yes!* o ja!, jazeker!; *oh yes?* zo?, o ja?; *oh well* och, och kom

¹oil [ojl] *zn* **1** (aard)olie; *(Belg)* petroleum **2** petroleum, kerosine, stookolie, diesel(brandstof), smeerolie **3** olieverf || ~ *and vinegar* (of: *water*) water en vuur; *strike* ~ olie aanboren, *(fig)* plotseling rijk worden

²oil [ojl] *tr* smeren, oliën, insmeren, invetten

oilcake lijnkoek(en), oliekoek(en)

oilcloth wasdoek

oil-fired met olie gestookt

oil rig booreiland

oilskin 1 oliejas **2** ~*s* oliepak **3** geolied doek, wasdoek

oil slick olievlek *(op water)*
oily [ojlie] **1** olieachtig, geolied, vettig **2** kruiperig, vleiend
ointment [ojntment] zalf, smeersel
¹OK [ookee] *zn* goedkeuring, akkoord, fiat
²OK [ookee] *bn, bw* oké, OK, in orde, voldoende, akkoord, afgesproken: *it looks OK now* nu ziet het er goed uit
³OK [ookee] *tr* goedkeuren, akkoord gaan met
¹old [oold] *zn* vroeger tijden, het verleden: *heroes of ~* helden uit het verleden
²old [oold] *bn* **1** oud, bejaard, antiek, verouderd, ouderwets, in onbruik geraakt: *~ age* ouderdom, hoge leeftijd; *~ maid* oude vrijster; *as ~ as the hills* zo oud als de weg naar Rome **2** voormalig, ex-: *the good ~ days* (of: *times*) de goede oude tijd; *pay off ~ scores* een oude rekening vereffenen **3** lang bekend: *good ~ John* die beste Jan **4** oud, vd leeftijd van: *a 17-year-old girl* een zeventienjarig meisje **5** ervaren, bekwaam: *an ~ hand at shoplifter* een doorgewinterde winkeldief || *a chip off the ~ block* helemaal haar moeder; *money for ~ rope* iets voor niets, gauw verdiend geld; *~ country: a)* land in de Oude Wereld; *b) (the)* moederland, geboorteland; *the ~ man: a)* de ouwe *(ook scheepskapitein); b)* de baas *(ook echtgenoot); c)* mijn ouweheer; *in any ~ place* waar je maar kan denken; *any ~ thing will do* alles is goed; *the Old World* de Oude Wereld, *(Am)* (continentaal) Europa, de Oude Wereld
old-fashioned ouderwets, verouderd, conservatief
oldie [ooldie] **1** oude grap (grammofoonplaat): *a golden ~* een gouwe ouwe **2** oudje *(persoon)*
oldish [ooldisj] ouwelijk, nogal oud
oldster [ooldste] oudje, ouder lid
old-time [ooltajm] oud, van vroeger, ouderwets
old-timer *(Am)* **1** oudgediende, oude rot **2** oude bewoner **3** iets ouds, oude auto
old-world ouderwets, verouderd, van vroeger
Old-World vd Oude Wereld
O level *afk van ordinary level* Brits (examenvak op) eindexamenniveau *(ongev havo)*
¹olive [olliv] *zn* olijf(boom), olijfhout
²olive [olliv] *bn* **1** olijfkleurig **2** olijfgroen; olijfbruin *(huidskleur)*
Olympic [elimpik] olympisch: *the ~ Games* de Olympische Spelen
ombudsman [omboedzmen] ombudsman
omelet(te) [omlit] omelet
omen [oomen] voorteken
ominous [omminnes] **1** veelbetekenend **2** onheilspellend, dreigend
omission [emisjen] weglating, verzuim
omit [emit] **1** weglaten, overslaan **2** verzuimen, nalaten, verwaarlozen
omnibus [omnibbes] **1** (auto)bus **2** omnibus(uitgave)
omnipotent [omnippetent] almachtig
omniscient [omnisjent] alwetend
omnivorous [omnivveres] allesetend: *an ~ reader* iem die alles wat los en vast zit leest
¹on [on] *bn* **1** aan(gesloten), ingeschakeld; open *(apparaat, kraan e.d.)* **2** aan de gang, gaande: *the match is on* de wedstrijd is aan de gang **3** op *(toneel): you're on in five minutes* je moet over vijf minuten op **4** aan de beurt, dienstdoend || *I'm on!* oké, ik doe mee; *the wedding is on* het huwelijk gaat door
²on [on] *bw* **1** in werking, aan, in functie: *the music came on* de muziek begon; *have you anything on tonight?* heb je plannen voor vanavond?; *leave the light on* het licht aan laten **2** *(van kledingstukken)* aan: *put on your new dress* trek je nieuwe jurk aan **3** verder, later, voort, door: *five years on* vijf jaar later; *send on* doorsturen, nazenden; *later on* later; *and so on* enzovoort; *(talk) on and on* zonder onderbreking (praten); *from that moment on* vanaf dat ogenblik **4** *(plaats- of richtingaanduidend; ook fig)* op, tegen, aan, toe: *they collided head on* ze botsten frontaal
³on [on] *vz* **1** *(plaats of richting; ook fig)* op, in, aan, bovenop: *I have it on good authority* ik heb het uit betrouwbare bron; *hang on the wall* aan de muur hangen **2** bij, nabij, aan, verbonden aan: *on your right* aan de rechterkant; *just on sixty people* amper zestig mensen **3** *(tijd)* op, bij: *arrive on the hour* op het hele uur aankomen; *come on Tuesday* kom dinsdag; *on opening the door* bij het openen van de deur **4** *(toestand)* in, met: *the patient is on antibiotics* de patiënt krijgt antibiotica; *be on duty* dienst hebben; *on trial* op proef **5** over: *take pity on the poor* medelijden hebben met de armen **6** ten koste van, op kosten van: *this round is on me* dit rondje is voor mij, ik betaal dit rondje
on-board aan boord: *~ computer* boordcomputer
¹once [wuns] *bw* **1** eenmaal, eens, één keer: *~ again* (of: *more*) opnieuw, nog eens; *~ too often* één keer te veel; *~ or twice* zo nu en dan, van tijd tot tijd; *(all) at ~* tegelijk(ertijd), samen; *(just) for (this) ~* (voor) deze ene keer; *~ and for all* voorgoed, definitief, voor de laatste keer; *~ in a while* een enkele keer; *he only said it the ~* hij zei het maar één keer **2** vroeger, (ooit) eens: *the ~ popular singer* de eens zo populaire zanger; *~ upon a time there was ...* er was eens ... || *at ~* onmiddellijk, meteen; *all at ~* plots(eling), ineens, opeens
²once [wuns] *vw* eens (dat), als eenmaal, zodra: *~ you are ready, we'll leave* zodra je klaar bent, zullen we gaan
once-over kijkje, vluchtig overzicht: *give s.o. the ~* iem globaal opnemen, iem vluchtig bekijken
oncoming [ongkumming] **1** naderend, aanstaand **2** tegemoetkomend *(ook fig): ~ traffic* tegenliggers
¹one [wun] *zn* één: *the figure ~* het cijfer één; *by ~s and twos* alleen of in groepjes van twee, *(fig)* heel geleidelijk

[2]**one** [wun] *vnw* **1** (er) een, (er) eentje: *the best ~s* de beste(n); *you are a fine ~* jij bent me d'r eentje; *give him ~* geef hem er een van, geef hem een knal; *let's have (a quick) ~* laten we er (gauw) eentje gaan drinken; *the ~ that I like best* degene die ik het leukst vind; *he was ~ up on me* hij was me net de baas; *this ~'s on me* ik trakteer!; *this ~* deze hier **2** men: *~ must never pride oneself on ~'s achievements* men mag nooit prat gaan op zijn prestaties **3** een zeker(e), één of ander(e), ene: *~ day he left* op een goeie dag vertrok hij; *~ Mr Smith called for you* een zekere meneer Smith heeft voor jou gebeld **4** één, enig; *(fig)* dezelfde, hetzelfde; *(als versterker)* hartstikke: *this is ~ good book* dit is een hartstikke goed boek; *from ~ chore to another* van het ene klusje naar het andere; *they are all ~ colour* ze hebben allemaal dezelfde kleur; *~ day out of six* één op de zes dagen, om de zes dagen; *my ~ and only friend* mijn enige echte vriend || *for ~ thing: a)* ten eerste; *b)* (al was het) alleen maar omdat; *neither ~ thing nor the other* vlees noch vis, halfslachtig

[3]**one** [wun] *telw* één: *~ after another* een voor een, de een na de andere; *~ by ~* een voor een, de een na de ander; *~ to ~* één op één, één tegen één || *~ and all* iedereen, jan en alleman; *I was ~ too many for him* ik was hem te slim af; *like ~ o'clock* als een gek, energiek; *I, for ~, will refuse* ik zal in ieder geval weigeren

one another elkaar, mekaar: *they loved ~* ze hielden van elkaar

one-armed eenarmig: *~ bandit* eenarmige bandiet *(gokautomaat)*

one-horse **1** met één paard *(rijtuig e.d.)* **2** derderangs, slecht (toegerust): *~ town* gat

oneliner oneliner

one-man eenmans-: *~ show* solovoorstelling

one-off exclusief, uniek, eenmalig

one-on-one **1** *(sport)* één tegen één **2** *(Am)* individueel *(bijv. mbt onderwijs)*

one-parent family eenoudergezin

onerous [onneres] lastig, moeilijk

oneself [wunself] **1** zich(zelf): *be ~* zichzelf zijn; *by ~* in z'n eentje, alleen **2** zelf: *one should do it ~* men zou het zelf moeten doen

one-sided **1** eenzijdig **2** bevooroordeeld, partijdig

one-time voormalig, vroeger, oud-

one-track beperkt *(fig)*; eenzijdig: *he has a ~ mind* hij denkt altijd maar aan één ding

one-upmanship slagvaardigheid, kunst de ander steeds een slag voor te zijn

one-way in één richting: *~ street* straat met eenrichtingsverkeer

ongoing voortdurend, doorgaand: *~ research* lopend onderzoek

onion [unjen] ui || *know one's ~s* zijn vak verstaan, van wanten weten

on-line aangesloten, online

onlooker toeschouwer, (toe)kijker

[1]**only** [oonlie] *bn* **1** enig: *an ~ child* een enig kind; *we were the ~ people wearing hats* we waren de enigen met een hoed (op) **2** best, (meest) geschikt, juist

[2]**only** [oonlie] *bw* **1** slechts, alleen (maar): *she was ~ too glad* ze was maar al te blij; *~ five minutes more* nog vijf minuten, niet meer; *if ~* als ... maar, ik wou dat ...; *if ~ to, if ~ because* al was het alleen maar om **2** *(bij tijdsbepalingen)* pas, (maar) eerst, nog: *the train has ~ just left* de trein is nog maar net weg; *he arrived ~ yesterday* hij is gisteren pas aangekomen; *I like it, ~ I cannot afford it* ik vind het mooi, maar ik kan het niet betalen

onrush [onrusj] **1** toeloop, toestroming **2** aanval, bestorming

onset [onset] **1** aanval, (plotselinge) bestorming **2** begin, aanvang, aanzet: *the ~ of scarlet fever* de eerste symptomen van roodvonk

[1]**onshore** *bn* **1** aanlandig, zee-: *~ breeze* zeebries **2** kust-, aan, op de kust gelegen, binnenlands: *~ fishing* kustvisserij

[2]**onshore** *bw* **1** land(in)waarts, langs de kust **2** aan land

onside *(sport)* niet buitenspel

on-site plaatselijk, ter plekke

onslaught [onslo:t] (hevige) aanval, (scherpe) uitval, aanslag

onus [oones] **1** last, plicht: *the ~ of proof rests with the plaintiff* de bewijslast ligt bij de eiser **2** blaam, schuld: *put* (of: *shift*) *the ~ onto* de blaam werpen op

onward [onwed] voorwaarts, voortgaand: *the ~ course of events* het verdere verloop van de gebeurtenissen

onwards [onwedz] voorwaarts, vooruit: *move ~* voortgaan, verder gaan

oompah [oe:mpa:] hoempageluid, (eentonig) gehoempapa

oops [oeps] oei, jee(tje), nee maar, pardon

oops-a-daisy hup(sakee), hoepla(la), hop

[1]**ooze** [oe:z] *zn* modder, slijk, drab

[2]**ooze** [oe:z] *intr* **1** (binnen-, door-, in)sijpelen, druipen, druppelen: *~ out of* (of: *from*) sijpelen uit **2** (uit)zweten, vocht afscheiden, lekken, bloed opgeven || *his courage ~d away* de moed zonk hem in de schoenen

[3]**ooze** [oe:z] *tr* afscheiden, uitwasemen; *(fig)* druipen van; doortrokken zijn van, uitstralen: *her voice ~d sarcasm* er klonk sarcasme in haar stem

op [op] *verk van operation* operatie

opacity [oopesittie] **1** onduidelijkheid, ondoorgrondelijkheid **2** ondoorschijnendheid

opal [oopl] **1** opaal, opaalsteen **2** opaalglas, melkglas

opaque [oopeek] **1** ondoorschijnend, ondoorzichtig; dekkend *(van verf, kleur)* **2** onduidelijk, onbegrijpelijk **3** *(fig)* stompzinnig, dom, traag van begrip

[1]**open** [oopen] *zn* (de) open ruimte, openlucht,

open veld, open zee; *(fig)* openbaarheid: *bring into the ~* aan het licht brengen, bekendmaken; *come (out) into the ~: a)* open kaart spelen *(van iem); b)* aan het licht komen, ruchtbaarheid krijgen *(van iets)*

[2]**open** [oopen] *bn* **1** open, geopend, met openingen, onbedekt, niet (af)gesloten, vrij: *keep one's eyes ~* goed opletten; *(fig) with one's eyes ~* bij zijn volle verstand, weloverwogen; *~ prison* open gevangenis; *~ to the public* toegankelijk voor het publiek **2** open(staand), beschikbaar, onbeslist, onbepaald: *~ cheque* ongekruiste cheque; *it is ~ to you to* het staat je vrij te; *lay oneself (wide) ~ to* zich (helemaal) blootstellen aan **3** openbaar, (algemeen) bekend, duidelijk, openlijk: *~ hostilities* openlijke vijandigheden; *~ secret* publiek geheim **4** open(hartig), oprecht, mededeelzaam: *admit ~ly* eerlijk uitkomen voor; *be ~ with* open kaart spelen met **5** open(baar), vrij toegankelijk || *keep ~ house* erg gastvrij zijn; *have* (of: *keep) an ~ mind on* openstaan voor; *lay oneself ~ to ridicule* zich belachelijk maken

[3]**open** [oopen] *intr* **1** opengaan, (zich) openen, geopend worden: *~ into* (of: *onto) the garden* uitkomen in (*of:* op) de tuin **2** openen, beginnen; van wal steken *(van spreker)* **3** opendoen, (een boek) openslaan

[4]**open** [oopen] *tr* **1** openen: *~ a tin* een blik opendraaien **2** openen, voor geopend verklaren, starten: *~ the bidding* het eerste bod doen *(op veiling, bij kaartspel); ~ fire at* (of: *on)* het vuur openen op

open-air openlucht-, buiten-, in de openlucht

open-and-shut (dood)eenvoudig: *an ~ case* een uitgemaakte zaak

opencast bovengronds, in dagbouw: *~ mining* dagbouw

open-ended open, met een open einde: *~ discussion* vrije discussie

openhanded gul, vrijgevig

open-hearted **1** openhartig, eerlijk **2** hartelijk, open

opening [oopening] **1** opening, begin(fase), inleiding; *(schaakspel, damspel)* opening(szet); beginspel **2** opening, kans, (gunstige) gelegenheid: *new ~s for trade* nieuwe afzetgebieden **3** vacature **4** opening, het opengaan, geopend worden, bres, gat, uitweg: *hours of ~ are Tuesdays 1 to 5* openingsuren dinsdag van 1 tot 5

open-minded onbevooroordeeld, ruimdenkend

open-mouthed met de mond wijd open(gesperd); *(ook fig)* sprakeloos *(van verbazing)*

[1]**open out** *intr* **1** verbreden, breder worden, zich uitbreiden: *~ into* uitmonden in *(van rivier)* **2** opengaan, (naar buiten) openslaan

[2]**open out** *tr* openvouwen, openleggen

open-plan met weinig tussenmuren: *an ~ office* een kantoortuin

open season open seizoen, jachtseizoen, hengelseizoen

[1]**open up** *intr* **1** opengaan, zich openen, zich ontplooien; *(fig)* loskomen; vrijuit (gaan) spreken: *in the second half the game opened up* in de tweede helft werd er aantrekkelijker gespeeld **2** (de deur) opendoen

[2]**open up** *tr* openen, openmaken, toegankelijk maken, opensnijden

opera [opre] opera

operable [oprebl] **1** opereerbaar **2** uitvoerbaar, realiseerbaar

opera glasses toneelkijker

opera house opera(gebouw)

[1]**operate** [oppereet] *intr* **1** in werking zijn, functioneren; lopen *(ook van trein);* draaien *(van motor);* te werk gaan **2** (de juiste) uitwerking hebben, werken; (het gewenste) resultaat geven *(van tarief, verdrag, wet): the new cutbacks will not ~ till next month* de nieuwe bezuinigingsmaatregelen gaan pas volgende maand in **3** te werk gaan, opereren; *(med ook)* een operatie doen; ingrijpen

[2]**operate** [oppereet] *tr* **1** bewerken **2** bedienen *(machine, toestel);* besturen *(ook auto, schip): be ~d by* werken op, (aan)gedreven worden door *(stoom, elektriciteit)* **3** *(Am; med)* opereren

operating theatre operatiekamer

operation [oppereesjen] **1** operatie, handeling, onderneming, campagne, militaire actie, chirurgische ingreep **2** werking: *bring* (of: *put) sth. into ~* iets in werking brengen (*of:* zetten); *come into ~* in werking treden, ingaan *(van wet)* **3** bediening

operational [oppereesjenel] operationeel, gebruiksklaar, bedrijfsklaar, gevechtsklaar: *~ costs* bedrijfskosten

operations room controlekamer *(bij manoeuvres);* commandopost, hoofdkwartier

operative [opretiv] **1** werkzaam, in werking, van kracht: *the ~ force* de drijvende kracht; *become ~* in werking treden, ingaan *(van wet)* **2** meest relevant, voornaamste

operator [oppereete] **1** iem die een machine bedient, operateur, telefonist(e), telegrafist(e), bestuurder **2** gladjanus

operetta [opperette] operette

ophthalmic [ofθelmik] oogheelkundig

ophthalmologist [ofθelmolledzjist] oogheelkundige, oogarts

ophthalmology [ofθelmolledzjie] oogheelkunde

opiate [oopiet] opiaat, slaapmiddel, pijnstiller

opinion [epinjen] **1** mening, oordeel, opinie, opvatting: *a matter of ~* een kwestie van opvatting; *in the ~ of most people* naar het oordeel van de meeste mensen; *in my ~* naar mijn mening; *be of (the) ~ that* van oordeel zijn dat **2** (hoge) dunk, waardering, (gunstig) denkbeeld: *have a high ~ of* een hoge dunk hebben van **3** advies, oordeel; mening *(van deskundige): have a second ~* advies van een tweede deskundige inwinnen

opinionated [epinjeneetid] koppig, eigenwijs

opinion poll opinieonderzoek, opiniepeiling

opium [oopiem] opium

opponent [epoonent] opponent, tegenstander, tegenspeler

opportune [oppetjoe:n] geschikt, gunstig (gekozen)

opportunism [oppetjoe:nizm] opportunisme, het steeds handelen naar de omstandigheden

[1]**opportunist** [oppetjoe:nist] *zn* opportunist, iem die steeds van gunstige gelegenheden gebruik probeert te maken

[2]**opportunist** [oppetjoe:nist] *bn* opportunistisch

opportunity [oppetjoe:nittie] (gunstige, geschikte) gelegenheid, kans: *take* (of: *seize*) *the ~ to* van de gelegenheid gebruikmaken om; *she had ample ~ for doing that* ze had ruimschoots de gelegenheid (om) dat te doen

oppose [epooz] **1** tegen(over)stellen, contrasteren, tegenover elkaar stellen **2** zich verzetten tegen, bestrijden

opposed [epoozd] **1** tegen(over)gesteld: *be ~ to* tegen(over)gesteld zijn aan **2** tegen, afkerig: *be ~ to* (gekant) zijn tegen, afkeuren || *as ~ to* in tegenstelling met

opposing [epoozing] **1** tegenoverliggend **2** tegenwerkend; *(sport)* vijandig: *the ~ team* de tegenpartij

[1]**opposite** [oppezit] *zn* tegen(over)gestelde, tegendeel: *be ~s* elkaars tegenpolen zijn

[2]**opposite** [oppezit] *bn* **1** tegen(over)gesteld, tegenover elkaar gelegen, tegen-: *~ number* ambtgenoot, collega **2** *(na het zn)* tegenover, aan de overkant: *the houses ~* de huizen hier tegenover

[3]**opposite** [oppezit] *bw* tegenover (elkaar), aan de overkant: *she lives ~* ze woont hiertegenover; *~ to* tegenover

[4]**opposite** [oppezit] *vz* tegenover: *she sat ~ a fat boy* ze zat tegenover een dikke jongen

opposition [oppezisjen] **1** oppositie, het tegen(over)stellen: *in ~ to* tegen(over), verschillend van, in strijd met **2** oppositie, verzet: *meet with strong ~* op hevig verzet stuiten **3** oppositie(groep), oppositiepartij

oppress [epres] **1** onderdrukken **2** benauwen: *~ed by anxiety* doodsbenauwd

oppression [epresjen] **1** benauwing, neerslachtigheid **2** onderdrukking(smaatregel), verdrukking

oppressive [epressiv] **1** onderdrukkend, tiranniek **2** benauwend, deprimerend

oppressor [epresse] onderdrukker, tiran

opt [opt] *(met for)* opteren (voor), kiezen, besluiten

optic [optik] gezichts-, oog-, optisch

optical [optikl] **1** optisch: *~ illusion* optisch bedrog, gezichtsbedrog **2** gezichtkundig || *~ fibre* glasvezel

optician [optisjn] opticien

optics [optiks] optica

optimal [optiml] optimaal, best, gunstigst

optimism [optimmizm] optimisme

optimist [optimmist] optimist

optimistic [optimmistik] optimistisch

optimum [optimmem] optimum

option [opsjen] keus, keuze, alternatief: *have no ~ but to go* geen andere keus hebben dan te gaan

optional [opsjenel] keuze-, facultatief, vrij

opt out niet meer (willen) meedoen, zich terugtrekken: *~ of: a)* niet meer (willen) meedoen aan *(idee, plan); b)* afschuiven *(verantwoordelijkheid); c)* opzeggen *(contract)*

opulence [opjoelens] (enorme) rijkdom, overvloed, weelde

opulent [opjoelent] overvloedig, (schat)rijk

or [o:] **1** of, en, ofwel, anders gezegd, of misschien, nog, ook: *would you like tea or coffee* wil je thee of koffie **2** of (anders): *tell me or I'll kill you!* vertel het mij of ik vermoord je!

oracle [orrekl] orakel

[1]**oral** [o:rel] *zn* mondeling, mondeling examen

[2]**oral** [o:rel] *bn* mondeling, oraal, gesproken: *~ agreement* mondelinge overeenkomst; *~ tradition* mondelinge overlevering

[1]**orange** [orrindzj] *zn* sinaasappel

[2]**orange** [orrindzj] *bn* oranje(kleurig)

orang-utan [o:rengoe:ten] orang-oetan(g)

oration [o:reesjen] (hoogdravende) rede(voering): *a funeral ~* een grafrede

orator [orrete] (begaafd) redenaar

oratorical [orretorrikl] retorisch; *(soms min)* hoogdravend

oratory [orreterie] **1** oratorium **2** redenaarskunst

orb [o:b] bolvormig iets, globe, hemellichaam

[1]**orbit** [o:bit] *zn* **1** kring *(alleen fig)*; (invloeds)sfeer, interessesfeer **2** baan *(van planeet e.d.)*; omloop, kring(loop)

[2]**orbit** [o:bit] *ww* een (cirkel)baan beschrijven (rond)

orchard [o:tsjed] boomgaard

orchestra [o:kistre] orkest

orchestral [o:kestrel] orkestraal

orchestrate [o:kistreet] orkestreren, voor orkest arrangeren; *(fig)* (harmonieus, ordelijk) samenbrengen; organiseren

orchestration [o:kestreesjen] orkestratie

orchid [o:kid] orchidee

ordain [o:deen] **1** (tot geestelijke of priester) wijden **2** (voor)beschikken *(van God, noodlot)* **3** verordenen

ordeal [o:die:l] **1** beproeving, bezoeking; *(fig)* vuurproef; pijnlijke ervaring **2** godsoordeel: *~ by fire* vuurproef

[1]**order** [o:de] *zn* **1** orde, stand, rang, (sociale) klasse, soort, aard: *~ of magnitude* orde (van grootte); *in the ~ of* in de orde (van grootte) van, ongeveer, om en (na)bij **2** (rang)orde, volgorde, op(een)volging: *in alphabetical ~* alfabetisch gerangschikt; *in ~ of importance* in volgorde van belangrijkheid **3** ordelijke inrichting, orde(lijkheid), ordening, geregeldheid, netheid; *(mil)* opstelling;

stelsel, (maatschappij)structuur: *in good ~* piekfijn in orde; *out of ~* defect, buiten gebruik **4** (dag)orde, agenda; reglement *(van vergadering, bijeenkomst enz.): call s.o. to ~* iem tot de orde roepen; *be out of ~: a)* buiten de orde gaan *(van spreker); b)* (nog) niet aan de orde zijn **5** orde, tucht, gehoorzaamheid: *keep ~* de orde bewaren **6** (klooster)orde, ridderorde **7** bevel, order, opdracht, instructie: *on doctor's ~s* op doktersvoorschrift **8** bedoeling, doel: *in ~ to* om, teneinde **9** bestelling, order: *be on ~* in bestelling zijn, besteld zijn **10** *(fin)* (betalings)opdracht, order(briefje): *postal ~* postwissel || *~s are ~s* (een) bevel is (een) bevel; *made to ~* op bestelling gemaakt, *(fig)* perfect

[2]**order** [o:de] *intr* **1** bevelen, het bevel hebben **2** bestellen, een order plaatsen

[3]**order** [o:de] *tr* **1** ordenen, in orde brengen, (rang)schikken **2** (een) opdracht geven (om), het bevel geven (tot), verzoeken om; voorschrijven *(van dokter): he ~ed the troops to open fire* hij gaf de troepen bevel het vuur te openen **3** bestellen, een order plaatsen voor || *~ s.o. about* (of: *around*) iem (steeds) commanderen, iem voortdurend de wet voorschrijven

order book orderboek, bestel(lingen)boek

ordered [o:ded] geordend, ordelijk

order form bestelformulier

[1]**orderly** [o:delie] *zn* **1** ordonnans **2** (zieken)oppasser, hospitaalsoldaat

[2]**orderly** [o:delie] *bn* ordelijk, geordend, geregeld

order out wegsturen, de deur wijzen

[1]**ordinal** [o:dinl] *zn* rangtelwoord

[2]**ordinal** [o:dinl] *bn* rang-: *~ numbers* rangtelwoorden

ordinance [o:dinnens] verordening, bepaling, voorschrift

[1]**ordinary** [o:dnerie] *zn* het gewone: *out of the ~* ongewoon, bijzonder

[2]**ordinary** [o:dnerie] *bn* **1** gewoon, gebruikelijk, normaal, vertrouwd **2** ordinair, middelmatig

ordination [o:dinneesjen] *(godsd)* wijding

ordnance [o:dnens] **1** (zwaar) geschut **2** militaire voorraden en materieel, oorlogsmateriaal

ordnance survey map topografische kaart, stafkaart

ore [o:] erts

organ [o:ǩen] **1** orgel **2** orgaan: *~s of speech* spraakorganen **3** orgaan, instrument, instelling

organ grinder orgeldraaier

organic [o:ǩenik] **1** wezenlijk, essentieel **2** (organisch-)biologisch, natuurlijk: *~ food* natuurvoeding; *~ waste (ongev)* gft-afval

organism [o:ǩenizm] organisme

organist [o:ǩenist] organist, orgelspeler

organization [o:ǩenajzeesjen] organisatie, structuur, vereniging

[1]**organize** [o:ǩenajz] *intr* zich organiseren, zich verenigen

[2]**organize** [o:ǩenajz] *tr* **1** organiseren, regelen, tot stand brengen, oprichten **2** lid worden van *(vakbond);* zich verenigen in

orgasm [o:ǩezm] orgasme

orgy [o:dzjie] orgie, uitspatting; *(fig)* overdaad

oriel (window) [o:riel] erker, erkervenster

orient [o:ri·ent] **1** richten **2** oriënteren, situeren: *~ oneself* zich oriënteren

Orient [o:rient] Oriënt, Oosten

oriental [o:rie·entl] oosters, oostelijk, oriëntaal: *~ rug* (of: *carpet*) oosters tapijt

orientation [o:rienteesjen] **1** oriëntatie **2** oriënteringsvermogen

origin [orridzjin] oorsprong, origine, ontstaan, bron, afkomst, herkomst, oorzaak: *country of ~* land van herkomst

[1]**original** [eridzjinnel] *zn* (het) origineel, oorspronkelijke versie

[2]**original** [eridzjinnel] *bn* origineel, oorspronkelijk, authentiek

originality [eridzjinelittie] originaliteit, oorspronkelijkheid

originate [eridzjinneet] ontstaan, beginnen, voortkomen: *~ from* (of: *in*) *sth.* voortkomen uit iets

[1]**ornament** [o:nement] *zn* **1** ornament, sieraad **2** versiering, decoratie

[2]**ornament** [o:nement] *tr* (ver)sieren

ornate [o:neet] sierlijk

ornithology [o:niθoledzjie] vogelkunde

[1]**orphan** [o:fen] *zn* wees

[2]**orphan** [o:fen] *tr* tot wees maken

orphanage [o:fenidzj] weeshuis

orthodontics [o:θedontiks] orthodontie

orthodox [o:θedoks] **1** orthodox, rechtgelovig **2** conservatief, ouderwets

orthography [o:θoǩrefie] spellingleer

orthopaedic [o:θepie:dik] orthopedisch

oscillate [ossilleet] **1** trillen, (heen en weer) slingeren: *oscillating current* wisselstroom **2** weifelen

oscillation [ossilleesjen] **1** schommeling, trilling **2** besluiteloosheid

ossify [ossiffaj] (doen) verbenen; *(fig)* verharden; afstompen

ostentation [ostenteesjen] vertoon

osteopath [ostiepeθ] orthopedist

ostracize [ostresajz] verbannen; *(fig)* uitstoten

ostrich [ostritsj] struisvogel *(ook fig)*

other [uðe] **1** ander(e), nog een, verschillend(e): *every ~ week* om de (andere) week, eens in de twee weken; *on the ~ hand* daarentegen **2** (nog, weer) andere(n), overige(n), nieuwe: *someone or ~* iemand; *one after the ~* na elkaar; *among ~s* onder andere **3** anders, verschillend: *none ~ than John* niemand anders dan John || *the ~ week* een paar weken geleden

other than behalve, buiten: *there was no-one else ~ his sister* er was niemand behalve zijn zuster

[1]**otherwise** [uðewajz] *bn* anders, verschillend, tegengesteld: *mothers, married and* (of: *or*) *~* moe-

ders, al dan niet gehuwd
[2]**otherwise** [uðewajz] *bw* anders, overigens: *be ~ engaged* andere dingen te doen hebben; *go now; ~ it'll be too late* ga nu, anders wordt het te laat
otter [otte] (vis)otter
ought to [o:t toe:] **1** *(gebod, verbod, verplichting)* (eigenlijk) moeten, zou (eigenlijk) moeten: *you ~ be grateful* je zou dankbaar moeten zijn **2** *(onderstelling)* moeten, zullen, zou moeten: *this ~ do the trick* dit zou het probleem moeten oplossen, hiermee zou het moeten lukken
ounce [auns] (Engels, Amerikaans) ons; *(fig)* klein beetje: *an ~ of common sense* een greintje gezond verstand
our [aue] ons, onze, van ons
ours [auez] van ons, de (het) onze: *the decision is ~* de beslissing ligt bij ons; *a friend of ~* een vriend van ons
ourselves [aueselvz] **1** ons, onszelf: *we busied ~ with organizing the party* we hielden ons bezig met het organiseren van het feestje **2** zelf, wij zelf, ons zelf: *we went ~* we gingen zelf
oust [aust] **1** verdrijven, uitdrijven, ontzetten, afzetten: *~ s.o. from* (of: *of*) iem ontheffen van **2** verdringen, vervangen
[1]**out** [aut] *bn* **1** uit *(van apparatuur)* **2** voor uitgaande post: *~ box* (of: *tray*) brievenbak voor uitgaande post
[2]**out** [aut] *bw* **1** *(plaats, richting; ook fig; ook sport)* uit, buiten, weg: *inside ~* binnenste buiten; *~ in Canada* daarginds in Canada **2** buiten bewustzijn, buiten gevecht, in slaap, dronken **3** niet (meer) in werking, uit **4** uit, openbaar, tevoorschijn: *the sun is ~* de zon schijnt; *~ with it!* vertel op!, zeg het maar!, voor de dag ermee! **5** ernaast *(bij schattingen)* || *~ and about* (weer) op de been, in de weer; *~ and away* veruit; *she is ~ for trouble* ze zoekt moeilijkheden
[3]**out** [aut] *vz (geeft richting aan)* uit, naar buiten: *from ~ the window* vanuit het raam
outback [autbek] *(Austr)* binnenland
outbalance zwaarder wegen dan, belangrijker zijn dan
outbreak [autbreek] uitbarsting, het uitbreken
outburst [autbe:st] uitbarsting, uitval
outcast [autka:st] verschoppeling, verworpene
outclass overtreffen
outcome [autkum] resultaat, gevolg, uitslag
outcry [autkraj] **1** schreeuw, kreet **2** (publiek) protest, tegenwerping: *public ~ against* (of: *over*) publiek protest tegen
outdated achterhaald, ouderwets
outdo **1** overtreffen **2** overwinnen, de loef afsteken
outdoors [autdo:z] buiten(shuis), in de openlucht
outer [aute] buitenste: *~ garments* (of: *wear*) bovenkleding; *~ space* de ruimte; *the ~ world* de buitenwereld
outermost [autemoost] buitenste, uiterste
outfit [autfit] **1** uitrusting, toerusting **2** groep, (reis)gezelschap, team, ploeg
outflow **1** uitloop, afvoer **2** uitstroming, uitvloeiing, afvloeiing
outgoing [autĝooing] **1** hartelijk, vlot **2** vertrekkend, uitgaand: *~ tide* aflopend tij **3** uittredend, ontslag nemend
outgoings [autĝooingz] uitgaven, onkosten
outgrow **1** ontgroeien (aan), afleren, te boven komen: *~ one's strength* uit zijn krachten groeien **2** boven het hoofd groeien, groter worden dan
outing [auting] **1** uitstapje, excursie **2** wandeling, ommetje
outlast langer duren (meegaan) dan, overleven
[1]**outlaw** [autlo:] *zn* vogelvrijverklaarde, bandiet
[2]**outlaw** [autlo:] *tr* verbieden, buiten de wet stellen, vogelvrij verklaren
outlet [autlet] **1** uitlaat(klep), afvoerkanaal **2** afzetgebied, markt **3** vestiging, verkooppunt **4** *(Am)* (wand)contactdoos, stopcontact
[1]**outline** [autlajn] *zn* **1** omtrek(lijn), contour **2** schets, samenvatting, overzicht, ontwerp: *in broad ~* in grote trekken **3** *~s* (hoofd)trekken, hoofdpunten
[2]**outline** [autlajn] *tr* **1** schetsen, samenvatten **2** omlijnen, de contouren tekenen van
outlive overleven, langer leven dan
outlook [autloek] **1** uitkijk(post): *be on the ~ for* uitzien, uitkijken naar **2** uitzicht, gezicht **3** vooruitzicht, verwachting **4** kijk, oordeel: *a narrow ~ on life* een bekrompen levensopvatting
outmatch overtreffen
outmoded [autmoodid] **1** uit de mode **2** verouderd
outnumber in aantal overtreffen, talrijker zijn dan: *be ~ed* in de minderheid zijn
out of **1** *(plaats en richting; ook fig)* buiten, uit (... weg): *turned ~ doors* de straat opgejaagd, op straat gezet; *~ the ordinary* ongewoon; *feel ~ it* zich buitengesloten voelen; *one ~ four* een op vier **2** uit, vanuit, komende uit: *act ~ pity* uit medelijden handelen **3** zonder, -loos: *~ breath* buiten adem
out-of-date achterhaald, ouderwets
out-patient poliklinisch patient
out-patient clinic polikliniek
out-patient treatment poliklinische behandeling
outperform overtreffen, beter doen dan
outpost [autpoost] **1** voorpost **2** buitenpost
output [autpoet] opbrengst, productie, prestatie, nuttig effect, vermogen, uitgangsvermogen, uitgangsspanning, uitvoer, output
[1]**outrage** [autreedzj] *zn* **1** geweld(daad), wandaad, misdaad, misdrijf, aanslag, belediging, schandaal **2** *(Am)* verontwaardiging
[2]**outrage** [autreedzj] *tr* **1** geweld aandoen, zich vergrijpen aan, schenden, overtreden, beledigen

ou

2 *(Am)* verontwaardigd maken
outrageous [autreedzjes] 1 buitensporig 2 gewelddadig 3 schandelijk, schaamteloos, afschuwelijk
[1]**outright** [autrajt] *bn* 1 totaal, volledig, grondig 2 volstrekt: ~ *nonsense* volslagen onzin 3 onverdeeld, onvoorwaardelijk 4 direct
[2]**outright** [autrajt] *bw* 1 helemaal, voor eens en altijd 2 ineens: *kill* ~ ter plaatse afmaken 3 openlijk
outrun 1 harder (verder) lopen dan, inhalen 2 ontlopen, ontsnappen aan
outset [autset] begin, aanvang: *from the (very)* ~ van meet af aan, vanaf het (allereerste) begin
[1]**outside** [autsajd] *zn* 1 buitenkant, buitenste, uiterlijk 2 buitenwereld 3 uiterste, grens: *at the (very)* ~ uiterlijk, op zijn laatst
[2]**outside** [autsajd] *bn* 1 buiten-, van buiten(af), buitenstaand 2 gering, klein: *an* ~ *chance* een hele kleine kans
[3]**outside** [autsajd] *bw* buiten, buitenshuis
outsider [autsajde] 1 buitenstaander 2 zonderling 3 *(sport)* outsider *(paard)*
outsize extra groot
outskirts [autske:ts] buitenwijken, randgebied: *on the* ~ *of town* aan de rand van de stad
outsmart te slim af zijn
outsourcing outsourcing
outspoken open(hartig), ronduit
outstanding [autstending] 1 opmerkelijk, voortreffelijk 2 onbeslist, onbetaald
outstay langer blijven dan: ~ *one's welcome* langer blijven dan men welkom is
outstrip 1 achter zich laten, inhalen 2 overtreffen
outward [autwed] 1 buitenwaarts, naar buiten (gekeerd), uitgaand: ~ *passage* (of: *journey*) heenreis 2 uitwendig, lichamelijk: *to all* ~ *appearances* ogenschijnlijk
outwardly [autwedlie] klaarblijkelijk, ogenschijnlijk
outwards [autwedz] naar buiten, buitenwaarts: ~ *bound* uitgaand, op de uitreis
outweigh 1 zwaarder wegen dan 2 belangrijker zijn dan
outwit te slim af zijn, beetnemen
outwork 1 thuiswerk 2 buitenwerk
outworn 1 versleten, uitgeput 2 verouderd, afgezaagd
[1]**oval** [oovl] *zn* ovaal
[2]**oval** [oovl] *bn* ovaal(vormig), eivormig
ovary [ooverie] eierstok; *(plantk)* vruchtbeginsel
ovation [ooveesjen] ovatie, hulde(betoon)
oven [uvn] (bak)oven, fornuis: *like an* ~ snikheet
oven glove ovenwant
oven mitt ovenwant
[1]**over** [oove] *bw* 1 *(richting; ook fig)* over-, naar de overkant, omver: *he called her* ~ hij riep haar bij zich 2 *(plaats)* daarover, aan de overkant, voorbij: ~ *in France* (daarginds) in Frankrijk; ~ *here* hier, in dit land; ~ *there* daarginds; ~ *against* tegenover; ~ *(to you) (fig)* jouw beurt 3 *(graad)* boven, meer, te: *some apples were left* ~ er bleven enkele appelen over 4 *(plaats)* boven, bedekt: *he's mud all* ~ hij zit onder de modder 5 ten einde, af, over 6 ten einde, helemaal, volledig: *they talked the matter* ~ de zaak werd grondig besproken 7 opnieuw: ~ *and* ~ *again* telkens weer || *that's him all* ~ dat is typisch voor hem
[2]**over** [oove] *vz* 1 *(plaats)* over, op, boven ... uit: *chat* ~ *a cup of tea* (even) (bij)kletsen bij een kopje thee; *buy nothing* ~ *fifty francs* koop niets boven de vijftig frank; ~ *and above these problems there are others* behalve deze problemen zijn er nog andere 2 *(lengte, oppervlakte enz.)* doorheen, door, over: *speak* ~ *the phone* over de telefoon spreken; ~ *the past five weeks* gedurende de afgelopen vijf weken 3 *(richting)* naar de overkant van, over 4 *(plaats)* aan de overkant van, aan de andere kant van 5 betreffende, met betrekking tot, over, om: *all this fuss* ~ *a trifle* zo'n drukte om een kleinigheid 6 *(wisk)* gedeeld door: *eight* ~ *four equals two* acht gedeeld door vier is twee
overact overdrijven, overacteren
[1]**overall** [oovero:l] *zn* 1 ~*s* overal 2 (werk)kiel
[2]**overall** [oovero:l] *bn* 1 totaal, geheel, alles omvattend: ~ *efficiency* totaal rendement 2 globaal, algemeen
[3]**overall** [oovero:l] *bw* 1 in totaal, van kop tot teen 2 globaal
[1]**overbalance** *intr* het evenwicht verliezen, kapseizen, omslaan
[2]**overbalance** *tr* uit het evenwicht brengen
overboard overboord: *throw* ~ overboord gooien *(ook fig)*
overburden *(ook fig)* overbelasten, overladen
overcame [oovekeem] *ovt van* overcome
[1]**overcharge** *intr* overvragen, te veel vragen
[2]**overcharge** *tr* 1 overdrijven: ~*d with emotion* te emotioneel geladen 2 overvragen, te veel in rekening brengen (voor): ~ *a person* iem te veel laten betalen
overcoat overjas
[1]**overcome** [oovekum] *bn* overwonnen, overmand: ~ *by the heat* door de warmte bevangen; ~ *by* (of: *with*) *grief* door leed overmand
[2]**overcome** [oovekum] *ww (overcame, overcome)* overwinnen, zegevieren (over), te boven komen: ~ *a temptation* een verleiding weerstaan
overcrowded 1 overvol, stampvol 2 overbevolkt
overdo 1 overdrijven, te veel gebruiken: ~ *things* (of: *it*) te hard werken, overdrijven 2 te gaar koken, overbakken: ~*ne meat* overgaar vlees
overdress (zich) te netjes kleden, (zich) opzichtig kleden
overdrive overversnelling, overdrive
overdue te laat, over (zijn) tijd, achterstallig
overestimate overschatten
[1]**overflow** *zn* 1 overstroming 2 overschot, overvloed

[2]**overflow** *ww* overstromen, (doen) overlopen: *full to ~ing* boordevol
[1]**overhang** *zn* overhang(end gedeelte), uitsteeksel
[2]**overhang** *intr* overhangen, uitsteken
[3]**overhang** *tr* boven het hoofd hangen, voor de deur staan, dreigen
[1]**overhaul** *zn* revisie, controlebeurt
[2]**overhaul** *tr* **1** grondig nazien, reviseren; *(bij uitbr)* repareren **2** *(scheepv)* inhalen, voorbijsteken, voorbijvaren
overhead 1 hoog (aangebracht), in de lucht: *~ railway* luchtspoorweg **2** algemeen, vast: *~ charges* (of: *expenses*) vaste bedrijfsuitgaven
overheads algemene onkosten
overhear 1 toevallig horen **2** afluisteren
overjoyed *(met at)* in de wolken (over)
[1]**overlap** *zn* overlap(ping)
[2]**overlap** *intr* elkaar overlappen, gedeeltelijk samenvallen
[3]**overlap** *tr* overlappen, gedeeltelijk bedekken
overlay 1 bekleding, bedekking, (bedden)overtrek **2** deklaagje
overleaf aan ommezijde
overload te zwaar (be)laden, overbelasten
overlook 1 overzien, uitkijken op **2** over het hoofd zien, voorbijzien **3** door de vingers zien
overly [oovelie] *(Am, Sch)* (al) te, overdreven: *~ protective* overdreven beschermend
[1]**overnight** *bn* **1** van de vorige avond **2** nachtelijk: *~ journey* nachtelijke reis **3** plotseling *(bijv. succes)*
[2]**overnight** *bw* **1** de avond tevoren **2** tijdens de nacht: *stay ~* overnachten **3** in één nacht, zomaar ineens: *become famous ~* van de ene dag op de andere beroemd worden
overpass viaduct
overpower 1 bedwingen, onderwerpen **2** overweldigen **3** bevangen
overrate overschatten, overwaarderen
[1]**overreach** *intr* te ver reiken
[2]**overreach** *tr* verder reiken dan, voorbijschieten, voorbijstreven: *~ oneself* te veel hooi op zijn vork nemen
overreaction te sterke reactie
overriding doorslaggevend, allergrootst
overrule 1 verwerpen, afwijzen; terzijde schuiven *(bezwaar bijv.)* **2** herroepen, intrekken, nietig verklaren: *~ a decision* een beslissing herroepen
[1]**overrun** *intr* **1** overstromen **2** *(fig)* uitlopen
[2]**overrun** *tr* **1** overstromen *(ook fig)* **2** onder de voet lopen, veroveren **3** overschrijden *(tijdslimiet)* **4** overgroeien
[1]**overseas** *bn* overzees, buitenlands
[2]**overseas** *bw* overzee, in (de) overzeese gebieden
oversee toezicht houden (op)
overseer opzichter, voorman
overshadow overschaduwen; *(fig)* domineren
overshoot voorbijschieten, verder gaan dan: *~ the runway* doorschieten op de landingsbaan
oversight 1 onoplettendheid, vergissing **2** supervisie
oversize(d) bovenmaats, te groot
oversleep (zich) verslapen, te lang slapen
overspill 1 overloop, gemorst water **2** surplus **3** overloop; migratie *(van bevolkingsoverschot)*
overstay langer blijven dan: *~ one's welcome* langer blijven dan de gastvrouw of gastheer lief is
overstep overschrijden
overt [oove:t] open(lijk): *~ hostility* openlijke vijandigheid
overtake inhalen
overthrow 1 om(ver)werpen, omgooien **2** omverwerpen, ten val brengen
[1]**overtime** *zn* **1** (loon voor) overuren, overwerk(geld) **2** *(Am; sport)* (extra) verlenging: *go into ~* verlengd worden
[2]**overtime** *bw* over-: *work ~* overuren maken
overtone 1 *(muz)* boventoon **2** *(fig)* ondertoon, suggestie
overture [oovetsjoee] *(muz)* ouverture, inleiding, voorstel: *(fig) make ~s (to)* toenadering zoeken (tot)
[1]**overturn** *intr* omslaan, verslagen worden
[2]**overturn** *tr* doen omslaan, ten val brengen
overview overzicht, samenvatting
[1]**overweight** *zn* over(ge)wicht; te zware last *(ook fig)*
[2]**overweight** *bn* te zwaar, te dik
[3]**overweight** *tr* **1** overladen **2** te zeer benadrukken
overwhelm [oovewelm] bedelven, verpletteren: *~ed with grief* door leed overmand
overwhelming [oovewelming] overweldigend, verpletterend: *~ majority* overgrote meerderheid
[1]**overwork** *intr* te hard werken
[2]**overwork** *tr* **1** te hard laten werken, uitputten **2** te vaak gebruiken, tot cliché maken: *an ~ed expression* een afgesleten uitdrukking
ovulate [ovjoeleet] ovuleren
[1]**owe** [oo] *intr* schuld(en) hebben: *~ for everything one has* voor alles wat men heeft nog (ten dele) moeten betalen
[2]**owe** [oo] *tr* **1** schuldig zijn, verplicht zijn, verschuldigd zijn **2** (met *to*) te danken hebben (aan), toeschrijven (aan)
owing [ooing] **1** verschuldigd, schuldig, onbetaald: *how much is ~ to you?* hoeveel heeft u nog te goed? **2** (met *to*) te danken (aan), te wijten (aan)
owing to wegens, ten gevolge van
owl [aul] uil *(ook fig)*
[1]**own** [oon] *bn* eigen, van … zelf, eigen bezit (familie): *an ~ goal* een doelpunt in eigen doel; *be one's ~ man* (of: *master*) heer en meester zijn, onafhankelijk zijn; *not have a moment* (of: *minute, second*) *to call one's ~* geen moment voor zichzelf hebben; *you'll have a room of your ~* je krijgt een eigen kamer || *beat s.o. at his ~ game* iem met zijn eigen wapens verslaan; *in his ~ (good) time* wanneer het hem zo uitkomt; *hold one's ~: a)* stand-

houden; *b)* niet achteruitgaan *(mbt gezondheid); on one's ~* in zijn eentje, op eigen houtje

[2]**own** [oon] *intr* bekennen, toegeven: *~ up (to)* opbiechten

[3]**own** [oon] *tr* bezitten, eigenaar zijn van

owner [oone] eigenaar

ox [oks] *(mv: oxen)* os, rund

oxen [oksn] *mv van* ox

oxidation [oksiddeesjen] oxidatie

oxygen [oksidzjen] zuurstof

oyster [ojste] oester

oz *afk van ounce(s)* ons

ozone [oozoon] **1** ozon **2** frisse lucht

p

[1]**p** [pie:] *zn* p, P || *mind one's p's and q's* op zijn woorden passen
[2]**p** [pie:] **1** *afk van page* p., blz., pagina, bladzijde **2** *afk van penny, pence* penny: *the apples are 12p each* de appels kosten 12 pence per stuk
[1]**pa** [pa:] *zn* pa
[2]**pa** [pa:] *afk van per annum* p.j., per jaar
[1]**pace** [pees] *zn* **1** pas, stap, schrede, gang **2** tempo, gang, tred: *force the ~* het tempo opdrijven; *keep ~ (with)* gelijke tred houden (met) || *put s.o. through his ~s* iem uittesten, iem laten tonen wat hij kan
[2]**pace** [pees] *intr* stappen, kuieren: *~ up and down* ijsberen
[3]**pace** [pees] *tr (*ook met *off, out)* afstappen, afpassen, met stappen afmeten
pacemaker **1** *(sport)* haas **2** *(med)* pacemaker
pacific [pesiffik] vreedzaam, vredelievend || *the Pacific Ocean* de Grote Oceaan
pacifier [pesiffaje] *(Am)* fopspeen
pacifist [pesiffist] pacifist
pacify [pesiffaj] kalmeren, de rust herstellen in
[1]**pack** [pek] *zn* **1** pak, (rug)zak, last, verpakking, pakket **2** pak, hoop, pak kaarten; *(Am)* pakje *(sigaretten)*: *~ of lies* pak leugens; *~ of nonsense* hoop onzin **3** (veld van) pakijs **4** kompres **5** troep, bende, horde, meute; *(sport)* peloton *(rugby)*
[2]**pack** [pek] *intr* **1** (in)pakken, zijn koffer pakken **2** inpakken, zich laten inpakken || *~ into* zich verdringen in; *~ up* ermee uitscheiden
[3]**pack** [pek] *tr* **1** (in)pakken, verpakken; inmaken *(fruit enz.)*: *(fig) ~ one's bags* zijn biezen pakken; *~ed lunch* lunchpakket **2** samenpakken, samenpersen: *the theatre was ~ed with people* het theater was afgeladen **3** wegsturen: *~ s.o. off* iem (ver) wegsturen **4** bepakken, volproppen: *~ed out* propvol **5** *(Am)* op zak hebben *(pistool bijv.)*; bij de hand hebben || *~ it in* (of: *up*) ermee ophouden
[1]**package** [pekidzj] *zn* **1** pakket, pak(je), bundel; *(comp)* programmapakket; standaardprogramma **2** verpakking
[2]**package** [pekidzj] *tr* **1** verpakken, inpakken **2** groeperen, ordenen
package holiday pakketreis, geheel verzorgde reis
packet [pekit] **1** pak(je), stapeltje: *a ~ of cigarettes* een pakje sigaretten; *~ soup* soep uit een pakje **2** bom geld
packing [peking] **1** verpakking **2** pakking, dichtingsmiddel
pact [pekt] verdrag
[1]**pad** [ped] *zn* **1** kussen(tje), vulkussen, opvulsel, stootkussen, onderlegger, stempelkussen; *(sport)* beenbeschermer **2** schrijfblok, blocnote **3** (lanceer)platform **4** bed, verblijf, huis
[2]**pad** [ped] *intr* **1** draven, trippelen **2** lopen, stappen
[3]**pad** [ped] *tr (*ook met *out)* (op)vullen: *~ded envelope* luchtkussenenveloppe
padding [peding] opvulling, (op)vulsel
[1]**paddle** [pedl] *zn* **1** peddel, roeispaan, schoep **2** vin *(bijv. van zeehond)*; zwempoot
[2]**paddle** [pedl] *intr* **1** pootje baden **2** (voort)peddelen
paddle boat rader(stoom)boot
paddling pool pierenbad, kinder(zwem)bad
paddock [pedek] kraal; omheinde weide *(bij stal of renbaan)*
paddy [pedie] woedeaanval
Paddy [pedie] Ier
paddy field rijstveld
padlock [pedlok] hangslot
padre [pa:drie] aal(moezenier)
[1]**pagan** [peeken] *zn* heiden
[2]**pagan** [peeken] *bn* heidens
[1]**page** [peedzj] *zn* **1** pagina, bladzijde **2** page, (schild)knaap
[2]**page** [peedzj] *tr* oproepen, oppiepen
pageant [pedzjent] **1** vertoning, spektakelstuk **2** historisch schouwspel
pager [peedzje] pieper, semafoon
[1]**paid** [peed] *bn* betaald, voldaan || *put ~ to* afrekenen met, een eind maken aan
[2]**paid** [peed] *ovt en volt dw van* pay
[1]**pain** [peen] *zn* **1** pijn, leed, lijden: *be in ~* pijn hebben **2** lastpost: *he's a real ~ (in the neck)* hij is werkelijk onuitstaanbaar **3** *~s* (barens)weeën, pijnen **4** *~s* moeite, last: *be at ~s (to do sth.)* zich tot het uiterste inspannen (om iets te doen)
[2]**pain** [peen] *ww* pijn doen, leed doen
pained [peend] pijnlijk, bedroefd
painkiller pijnstiller
painstaking [peenzteeking] nauwgezet, ijverig
[1]**paint** [peent] *zn* kleurstof, verf: *wet ~!* pas geverfd!
[2]**paint** [peent] *ww* **1** verven, (be)schilderen **2** (af)schilderen, beschrijven, portretteren **3** (zich) verven, (zich) opmaken: *~ a picture of* een beeld schetsen van
painter [peente] **1** (kunst)schilder, huisschilder **2** vanglijn, meertouw
painting [peenting] **1** schilderij **2** schilderkunst, schilderwerk
paintwork lak, verfwerk; verflaag *(van auto enz.)*
[1]**pair** [pee] *zn* **1** paar, twee(tal): *a ~ of gloves* een

paar handschoenen; *the ~ of them* allebei; *in ~s* twee aan twee **2** tweespan || *~ of scissors* schaar; *~ of spectacles* bril; *~ of trousers* broek

²pair [pee] *ww* paren, een paar (doen) vormen, (zich) verenigen, koppelen, huwen, in paren rangschikken: *~ off* in paren plaatsen, koppelen; *~ up* paren (doen) vormen *(bij werk, sport enz.)*

pal [pel] makker

palace [pelis] **1** paleis **2** het hof

palatable [peletebl] **1** smakelijk, eetbaar **2** aangenaam, aanvaardbaar: *a ~ solution* een bevredigende oplossing

palate [pelet] **1** gehemelte, verhemelte **2** smaak, tong

palatial [peleesjl] paleisachtig, schitterend

palaver [pela:ve] gewauwel

¹pale [peel] *zn* **1** (schutting)paal, staak **2** (omheind) gebied, omsloten ruimte; grenzen *(ook fig)*

²pale [peel] *bn* **1** (ziekelijk) bleek, licht-, flets: *~ blue* lichtblauw **2** zwak, minderwaardig

³pale [peel] *ww* (doen) bleek worden, (doen) verbleken

¹Palestinian [pelistinnien] *zn* Palestijn

²Palestinian [pelistinnien] *bn* Palestijns

palette [pelit] (schilders)palet

palisade [pelisseed] **1** palissade, (paal)heining **2** *~s* (steile) kliffen

¹pall [po:l] *zn* **1** lijkkleed **2** *(Am)* doodkist **3** mantel *(alleen fig)*; sluier: *~ of smoke* rooksluier

²pall [po:l] *intr* vervelend worden, zijn aantrekkelijkheid verliezen: *his stories began to ~ on us* zijn verhaaltjes begonnen ons te vervelen

pall-bearer slippendrager

pallet [pelit] **1** strozak **2** spatel; strijkmes *(van pottenbakker)* **3** pallet, laadbord, stapelbord

¹palliative [pelietiv] *zn* pijnstiller

²palliative [pelietiv] *bn* **1** verzachtend, pijnstillend **2** vergoelijkend

pallid [pelid] **1** (ziekelijk) bleek, flets **2** mat, flauw

pallor [pele] (ziekelijke) bleekheid, bleke gelaatskleur

pally [pelie] vriendschappelijk, vertrouwelijk: *be ~ with* beste maatjes zijn met

¹palm [pa:m] *zn* **1** palm(boom), palm(tak); *(bij uitbr)* overwinning; verdienste **2** (hand)palm || *have* (of: *hold*) *s.o. in the ~ of one's hand* iem geheel in zijn macht hebben; *grease* (of: *oil*) *s.o.'s ~* iem omkopen

²palm [pa:m] *tr* (in de hand) verbergen, wegpikken, achteroverdrukken

palmistry [pa:mistrie] handlijnkunde, handleeskunst

palm off **1** aansmeren, aanpraten: *palm sth. off on s.o.* iem iets aansmeren **2** afschepen, zoet houden: *~ s.o. with some story* iem zoet houden met een verhaaltje

palmy [pa:mie] **1** palmachtig, vol palmbomen **2** voorspoedig, bloeiend: *(fig) ~ days* bloeitijd

palpable [pelpebl] tastbaar, voelbaar; *(fig)* duidelijk

palpitation [pelpitteesjen] hartklopping, klopping; het bonzen *(van hart)*

paltry [po:ltrie] **1** waardeloos, onbetekenend: *two ~ dollars* twee armzalige dollars **2** verachtelijk, walgelijk: *~ trick* goedkoop trucje

pal up vriendjes worden: *~ with s.o.* goede maatjes worden met iem

pamper [pempe] (al te veel) toegeven aan, verwennen

pamphlet [pemflit] pamflet, folder, boekje

¹pan [pen] *zn* pan, braadpan, koekenpan, vat, ketel; schaal *(van weegschaal)*; toiletpot

²pan [pen] *intr* **1** (goud)erts wassen **2** *(film)* pannen; laten meedraaien *(camera)*

³pan [pen] *tr* **1** wassen in goudzeef **2** afkammen, (af)kraken **3** *(film)* pannen; doen meedraaien *(de camera)*

panacea [penesie:e] wondermiddel

pancake [penkeek] pannenkoek, flensje: *as flat as a ~* zo plat als een dubbeltje

pandemonium [pendimmoeniem] **1** hel, hels spektakel **2** heksenketel, chaos, tumult

pane [peen] (venster)ruit, glasruit

panel [penel] **1** paneel, vlak, (muur)vak, (wand)plaat **2** (gekleurd) inzetstuk *(van kleed)* **3** controlebord, controlepaneel **4** naamlijst **5** panel, comité, jury

panelling [peneling] lambrisering, paneelwerk

pang [peng] plotselinge pijn, steek, scheut: *~s of remorse* hevige gewetenswroeging

¹panic [penik] *zn* paniek: *get into a ~ (about)* in paniek raken (over)

²panic [penik] *ww (panicked)* in paniek raken (brengen), angstig worden (maken)

pannier [penie] **1** (draag)mand, (draag)korf **2** fietstas

panorama [penera:me] panorama, vergezicht

¹pant [pent] *zn* hijgende beweging, snak

²pant [pent] *intr* **1** hijgen **2** snakken, hunkeren **3** snuiven, blazen; puffen *(van stoomtrein)*

³pant [pent] *tr* hijgend uitbrengen, uitstoten: *~ out a few words* enkele woorden uitbrengen

panther [penθe] panter, luipaard, poema

panties [pentiez] slipje, (dames)broekje: *a pair of ~* een (dames)slipje

pantomime [pentemajm] **1** (panto)mime, gebarenspel **2** (humoristische) kindermusical, sprookjesvoorstelling

pantry [pentrie] provisiekast, voorraadkamer

pants [pents] **1** *(Am)* (lange) broek: *(fig) wear the ~* de broek aanhebben; *wet one's ~* het in zijn broek doen, doodsbenauwd zijn **2** damesonderbroek, kinderbroek(je), panty's || *scare s.o.'s ~ off* iem de stuipen op het lijf jagen; *with one's ~ down* onverhoeds, met de broek op de enkels

pantyhose *(Am)* panty

pap [pep] **1** pap, brij, moes **2** leesvoer

papa [pepa:] papa, vader

papal [peepl] **1** pauselijk, vd paus: *~ bull* pauselijke bul **2** rooms-katholiek

[1]**paper** [peepe] *zn* **1** (blad, vel) papier, papiertje: *on ~* op papier, in theorie **2** dagblad, krant(je) **3** (schriftelijke) test: *set a ~* een test opgeven **4** verhandeling, voordracht: *read* (of: *deliver*) *a ~* een lezing houden **5** document: *your ~s, please* uw papieren, alstublieft

[2]**paper** [peepe] *tr* behangen, met papier beplakken: *~ over: a)* (met papier) overplakken; *b)* verdoezelen

paperback paperback, pocket(boek)

paperclip paperclip

paperhanger behanger

paperweight presse-papier

papist [peepist] pausgezinde

pappy [pepie] pappie

paprika [peprikke] paprika(poeder)

par [pa:] **1** gelijkheid, gelijkwaardigheid: *be on* (of: *to*) *a ~ (with)* gelijk zijn (aan), op één lijn staan (met); *put (up)on a ~* gelijkstellen, op één lijn stellen **2** gemiddelde toestand: *be up to ~* zich goed voelen, voldoende zijn || *~ for the course* de gebruikelijke procedure, wat je kunt verwachten

parable [perebl] parabel, gelijkenis

parabola [perebele] parabool

[1]**parachute** [peresjoe:t] *zn* parachute

[2]**parachute** [peresjoe:t] *ww* aan een parachute neerkomen, parachuteren, aan een parachute neerlaten

[1]**parade** [pereed] *zn* **1** parade, (uiterlijk) vertoon, show: *make a ~ of* paraderen met **2** stoet, optocht, defilé, modeshow **3** paradeplaats

[2]**parade** [pereed] *intr* **1** paraderen, een optocht houden **2** *(fig)* paraderen: *old ideas parading as new ones* verouderde ideeën opgepoetst tot nieuwe **3** aantreden, parade houden

paradigm [peredajm] voorbeeld, model

paradise [peredajs] paradijs

paradox [peredoks] paradox, (schijnbare) tegenstrijdigheid

paragon [pereĸen] toonbeeld, voorbeeld, model: *~ of virtue* toonbeeld van deugd

paragraph [pereĸra:f] **1** paragraaf, alinea; *(jur)* lid **2** krantenbericht(je)

parakeet [perekie:t] parkiet

[1]**parallel** [perelel] *zn* **1** parallel, evenwijdige lijn; *(fig)* gelijkenis; overeenkomst: *draw a ~ (between)* een vergelijking maken (tussen); *without (a) ~* zonder weerga **2** parallel, breedtecirkel

[2]**parallel** [perelel] *bn* parallel, evenwijdig; *(fig)* overeenkomend; vergelijkbaar: *(gymnastiek) ~ bars* brug met gelijke leggers; *~ to* (of: *with*): *a)* parallel met, evenwijdig aan; *b)* vergelijkbaar met

paralyse [perelajz] verlammen *(ook fig)*; lamleggen

paralysis [perelissis] verlamming; *(fig)* machteloosheid; onmacht

paramedic [peremeddik] paramedicus

paramount [peremaunt] opperst, voornaamst: *of ~ importance* van het grootste belang

paranoia [perenojje] *(med)* paranoia, vervolgingswaanzin, (abnormale) achterdochtigheid

paranoid [perenojd] paranoïde

parapet [perepit] balustrade, (brug)leuning, muurtje

paraphernalia [perefeneelie] uitrusting, toebehoren, accessoires: *photographic ~* fotospullen

[1]**paraphrase** [perefreez] *zn* omschrijving, parafrase

[2]**paraphrase** [perefreez] *tr* omschrijven, in eigen woorden weergeven

[1]**paraplegic** [pereplie:dzjik] *zn* iem die gedeeltelijk verlamd is

[2]**paraplegic** [pereplie:dzjik] *bn* verlamd in de onderste ledematen

parasite [peresajt] **1** parasiet, woekerdier, woekerplant, woekerkruid **2** klaploper, profiteur

parasol [peresol] parasol, zonnescherm

paratroops [peretroe:ps] para(chute)troepen, parachutisten

parcel [pa:sl] **1** pak(je), pakket, bundel **2** perceel, lap grond: *a ~ of land* een lap grond

parcel up inpakken

parch [pa:tsj] verdorren, uitdrogen: *~ed with thirst* uitgedroogd (van de dorst)

parchment [pa:tsjment] perkament(papier)

[1]**pardon** [pa:dn] *zn* **1** vergeving, pardon **2** kwijtschelding (van straf), gratie(verlening), amnestie: *free ~* gratie(verlening); *general ~* amnestie || *(I) beg (your) ~* neemt u mij niet kwalijk *(ook iron)*; *~* pardon, wat zei u?

[2]**pardon** [pa:dn] *tr* **1** vergeven, genade schenken, een straf kwijtschelden **2** verontschuldigen: *~ me for coming too late* neemt u mij niet kwalijk dat ik te laat kom

pare [pee] **1** (af)knippen, schillen, afsnijden **2** reduceren, besnoeien: *~ down the expenses* de uitgaven beperken

parent [peerent] **1** ouder, vader, moeder **2** moederdier, moederplant

parental [perentl] ouderlijk, ouder-

parenthesis [perenθissis] **1** uitweiding, tussenzin **2** ronde haak, haakje(s): *in ~* tussen (twee) haakjes *(ook fig)*

parenthetic [perenθettik] tussen haakjes

pariah [perajje] **1** paria *(lid van de laagste klasse in Indië)* **2** verschoppeling

parish [perisj] **1** parochie, kerkelijke gemeente **2** gemeente, dorp, district

parishioner [perisjene] parochiaan, gemeentelid

[1]**Parisian** [perizzien] *zn* Parijzenaar, Parisienne

[2]**Parisian** [perizzien] *bn* Parijs, mbt Parijs

parity [perittie] **1** gelijkheid, gelijkwaardigheid **2** overeenkomst, gelijkenis **3** pari(teit), omrekeningskoers, wisselkoers

[1]**park** [pa:k] *zn* **1** (natuur)park, domein, natuurreservaat: *national ~* nationaal park, natuurreservaat **2** parkeerplaats

[2]**park** [pa:k] *ww* **1** parkeren **2** (tijdelijk) plaatsen, deponeren, (achter)laten: ~ *oneself* gaan zitten
parka [pa:ke] parka, anorak
parking [pa:king] het parkeren, parkeergelegenheid: *no* ~ verboden te parkeren
parking lot parkeerterrein
parking meter parkeermeter
parkland 1 open grasland *(met bomen bezaaid)* **2** parkgrond
parkway *(Am)* snelweg *(door fraai landschap)*
parley [pa:lie] onderhandelen
parliament [pa:lement] parlement, volksvertegenwoordiging
parliamentary [pa:lementerie] parlementair, parlements-: ~ *party* kamerfractie
parlour [pa:le] salon, woonkamer, zitkamer: *ice cream* ~ ijssalon
parlour game gezelschapsspel, woordspel
parlous [pa:les] gevaarlijk, hachelijk
parochial [perookiel] **1** parochiaal, parochie-, gemeentelijk, dorps- **2** bekrompen, provinciaal
[1]**parody** [peredie] *zn* parodie, karikatuur, nabootsing: *this trial is a* ~ *of justice* dit proces is een karikatuur van rechtvaardigheid
[2]**parody** [peredie] *tr* imiteren, nadoen, navolgen
parole [perool] **1** erewoord, parool, woord **2** voorwaardelijke vrijlating, parooltijd: *on* ~ voorwaardelijk vrijgelaten
paroxysm [pereksizm] (gevoels)uitbarsting, uitval: ~ *of anger* woedeaanval; ~ *of laughter* hevige lachbui
parquet [pa:kee] parket, parketvloer
parricide [perissajd] **1** vadermoordenaar, moedermoordenaar **2** vadermoord, moedermoord
[1]**parrot** [peret] *zn* papegaai *(ook fig)*; naprater
[2]**parrot** [peret] *tr* papegaaien, napraten: ~ *the teacher's explanation* als een papegaai de uitleg van de leraar opzeggen
[1]**parry** [perie] *intr* een aanval afwenden *(ook fig)*
[2]**parry** [perie] *tr* **1** afwenden, (af)weren: ~ *a blow* een stoot afwenden **2** ontwijken, (ver)mijden: ~ *a question* zich van een vraag afmaken
[1]**parse** [pa:z] *intr* (zich laten) ontleden, (zich laten) analyseren: *the sentence did not* ~ *easily* de zin was niet makkelijk te ontleden
[2]**parse** [pa:z] *tr* taalkundig ontleden *(woord, zin)*
parsimonious [pa:simmoonies] spaarzaam, krenterig
parsley [pa:slie] peterselie
parson [pa:sn] predikant *(in anglicaanse kerk)*; dominee, pastoor
parsonage [pa:snidzj] pastorie
[1]**part** [pa:t] *zn* **1** (onder)deel, aflevering, gedeelte, stuk, deel, verzameling: *two ~s of flour* twee delen bloem **2** rol: *play a* ~ een rol spelen, doen alsof **3** aandeel, part, functie: *have a* ~ *in* iets te maken hebben met, een rol spelen in **4** houding, gedragslijn **5** zijde, kant: *take the* ~ *of* de zijde kiezen van **6** *~s* streek, gebied, gewest **7** *~s* bekwaamheid, talent, talenten || ~ *and parcel of* een essentieel onderdeel van; *in ~(s)* gedeeltelijk, ten dele; *for the most ~: a)* meestal, in de meeste gevallen; *b)* vooral
[2]**part** [pa:t] *intr* van elkaar gaan, scheiden: ~ *(as) friends* als vrienden uit elkaar gaan
[3]**part** [pa:t] *tr* **1** scheiden, (ver)delen, breken **2** scheiden, afzonderen: *he wouldn't be ~ed from his money* hij wilde niet betalen
[4]**part** [pa:t] *bw* deels, gedeeltelijk, voor een deel
partake [pa:teek] *(partook, partaken)* (met *of*) deelnemen (aan), deelhebben (aan): ~ *in the festivities* aan de festiviteiten deelnemen
partaken [pa:tkeeken] *volt dw van* partake
partial [pa:sjl] **1** partijdig, bevooroordeeld **2** gedeeltelijk, deel-, partieel **3** (met *to*) verzot (op), gesteld (op)
participant [pa:tissippent] deelnemer
participate [pa:tissippeet] (met *in*) deelnemen (aan), betrokken zijn (bij)
participle [pa:tissipl] deelwoord: *past* ~ voltooid deelwoord; *present* ~ onvoltooid deelwoord
particle [pa:tikl] **1** deeltje, partikel **2** beetje, greintje
[1]**particular** [petikjoele] *zn* **1** bijzonderheid, detail: *in* ~ in het bijzonder, vooral **2** *~s* feiten, (volledig) verslag **3** *~s* personalia, persoonlijke gegevens
[2]**particular** [petikjoele] *bn* **1** bijzonder, afzonderlijk, individueel: *this* ~ *case* dit specifieke geval **2** (met *about, over*) nauwgezet (in), kieskeurig (in, op): *he's not over* ~ hij neemt het niet zo nauw **3** bijzonder, uitzonderlijk: *of* ~ *importance* van uitzonderlijk belang; *for no* ~ *reason* zomaar, zonder een bepaalde reden **4** intiem, persoonlijk: ~ *friend* intieme vriend
particularly [petikjoelelie] (in het) bijzonder, vooral, voornamelijk: *not* ~ *smart* niet bepaald slim
parting [pa:ting] scheiding *(ook: in haar)*
partisan [pa:tizen] **1** partijganger, aanhanger **2** partizaan
[1]**partition** [pa:tisjen] *zn* **1** (ver)deling, scheiding **2** scheid(ing)smuur, tussenmuur
[2]**partition** [pa:tisjen] *tr* (ver)delen, indelen: ~ *off* afscheiden *(d.m.v. scheidsmuur)*
partly [pa:tlie] gedeeltelijk: ~ ..., ~ ... *(ook)* enerzijds ..., anderzijds ...
partner [pa:tne] partner, huwelijkspartner, vennoot, compagnon: *silent* (of: *sleeping*) ~ stille vennoot || ~ *in crime* medeplichtige
partnership [pa:tnesjip] **1** partnerschap: *enter into* ~ *with* met iem in zaken gaan **2** vennootschap
partook [pa:toek] *ovt van* partake
partridge [pa:tridzj] patrijs
part-time in deeltijd
part with 1 afstand doen van, opgeven **2** verlaten
party [pa:tie] **1** partij, medeplichtige: *be a* ~ *to* deelnemen aan, medeplichtig zijn aan; *third* ~ der-

de **2** (politieke) partij **3** gezelschap, groep: *a coach ~* een busgezelschap **4** feest(je), partijtje

party piece vast nummer *(bij feestjes e.d.)*

[1]**pass** [pa:s] *zn* **1** passage, (berg)pas, doorgang, vaargeul **2** geslaagd examen, voldoende **3** (kritische) toestand: *it* (of: *things*) *had come to such a ~ that ...* het was zo ver gekomen dat ... **4** pas, toegangsbewijs **5** *(voetbal)* pass **6** *(honkbal)* vrije loop **7** *(tennis)* passeerslag **8** *(kaartspel)* pas || *make a ~ at a girl* een meisje proberen te versieren

[2]**pass** [pa:s] *intr* **1** (verder) gaan, (door)lopen, voortgaan: *~ along* doorlopen; *~ to other matters* overgaan naar andere zaken **2** voorbijgaan, passeren, voorbijkomen, overgaan, eindigen: *~ unnoticed* niet opgemerkt worden **3** passeren, er door(heen) raken **4** circuleren; gangbaar zijn *(van munten bijv.)*; algemeen bekendstaan (als): *~ by* (of: *under*) *the name of* bekendstaan als; *~ as* (of: *for*) doorgaan voor, dienen als **5** aanvaard worden; slagen *(voor examen(onderdeel))*; door de beugel kunnen *(grove taal bijv.)* **6** gebeuren, plaatsvinden: *come to ~* gebeuren **7** *(kaartspel)* passen **8** overgemaakt worden: *the estate ~ed to the son* het landgoed werd aan de zoon vermaakt **9** *(sport)* passeren, een pass geven; *(tennis)* een passeerslag geven

[3]**pass** [pa:s] *tr* **1** passeren, voorbijlopen: *~ a car* een auto inhalen **2** (door)geven, overhandigen; uitgeven *(geld)*: *could you ~ me ~ that book, please?* kun je mij even dat boek aangeven?; *~ in* inleveren **3** slagen in: *~ an exam* voor een examen slagen **4** komen door, aanvaard worden door: *the bill ~ed the senate* het wetsvoorstel werd door de senaat bekrachtigd **5** overschrijden, te boven gaan; overtreffen *(verwachtingen bijv.)*: *this ~es my comprehension* dit gaat mijn petje te boven **6** laten glijden, (doorheen) laten gaan: *~ one's hand across* (of: *over*) *one's forehead* met zijn hand over zijn voorhoofd strijken **7** *(sport)* passeren, toespelen, doorspelen **8** uiten; leveren *(kritiek)*: *~ judgement (up)on* een oordeel vellen over **9** vermaken, overdragen **10** doorbrengen *(tijd bijv.)*; spenderen

passable [pa:sebl] **1** passabel, begaanbaar, doorwaadbaar **2** redelijk, tamelijk, vrij goed

passage [pesidzj] **1** (het) voorbijgaan, doortocht, verloop **2** (recht op) doortocht, vrije doorgang **3** passage, kanaal, doorgang, (zee)reis, overtocht **4** gang, corridor **5** passage; plaats *(bijv. in boek)*

passageway gang, corridor

[1]**pass away** *intr* **1** sterven, heengaan **2** voorbijgaan, eindigen: *the storm passed away* het onweer ging voorbij

[2]**pass away** *tr* verdrijven *(tijd)*

[1]**pass by** *intr* voorbijgaan; voorbijvliegen *(tijd)*

[2]**pass by** *tr* over het hoofd zien, geen aandacht schenken aan: *life passes her by* het leven gaat aan haar voorbij

pass down overleveren, doorgeven

passenger [pesindzje] **1** passagier, reiziger **2** profiteur *(in groep)*; klaploper

passer-by (toevallige) voorbijganger

[1]**passing** [pa:sing] *zn* het voorbijgaan, het verdwijnen: *in ~* terloops

[2]**passing** [pa:sing] *bn* **1** voorbijgaand, voorbijtrekkend **2** vluchtig, oppervlakkig, terloops

passion [pesjen] **1** passie, (hartstochtelijke) liefde, enthousiasme **2** (hevige) gevoelsuitbarsting, woedeaanval

Passion [pesjen] *(altijd met the)* passie(verhaal)

passionate [pesjenet] **1** hartstochtelijk, vurig: *~ plea* vurig pleidooi **2** begerig **3** opvliegend

passive [pesiv] **1** passief: *~ resistance* lijdelijk verzet; *~ smoker* meeroker, passieve roker **2** *(taalk)* passief, lijdend: *the active and ~ voices* de bedrijvende en lijdende vorm

passkey **1** privésleutel, huissleutel **2** loper

[1]**pass off** *intr* (geleidelijk) voorbijgaan, weggaan, verlopen || *~ as* doorgaan voor

[2]**pass off** *tr* **1** negeren **2** uitgeven: *pass s.o. off as* (of: *for*) iem laten doorgaan voor

[1]**pass on** *intr* **1** verder lopen, doorlopen: *~ to* overgaan tot **2** sterven, heengaan

[2]**pass on** *tr* doorgeven, (verder)geven: *~ the decreased costs to the consumer* de verlaagde prijzen ten goede laten komen aan de consument; *pass it on* zegt het voort

[1]**pass out** *intr* **1** flauw vallen, van zijn stokje gaan **2** promoveren *(aan mil academie)*; zijn diploma behalen

[2]**pass out** *tr* verdelen, uitdelen, verspreiden

[1]**pass over** *intr* sterven, heengaan

[2]**pass over** *tr* **1** laten voorbijgaan, overslaan: *~ an opportunity* een kans laten schieten **2** voorbijgaan aan, over het hoofd zien **3** overhandigen, aanreiken

Passover [pa:soove] Pascha *(joods paasfeest)*

passport [pa:spo:t] **1** paspoort **2** vrijgeleide

pass through **1** ervaren, doormaken: *~ police training* de politieopleiding doorlopen **2** passeren, reizen door

pass up **1** laten voorbijgaan, laten schieten **2** (naar boven) aangeven

password wachtwoord

[1]**past** [pa:st] *zn* verleden (tijd): *in the ~* in het verleden, vroeger

[2]**past** [pa:st] *bn* **1** voorbij(gegaan), over, gepasseerd **2** vroeger, gewezen **3** verleden: *~ participle* voltooid deelwoord; *~ tense* verleden tijd **4** voorbij(gegaan), geleden: *in times ~* in vroegere tijden **5** voorbij, vorig, laatst: *for some time ~* al enige tijd || *that is all ~ history now* dat is nu allemaal voltooid verleden tijd

[3]**past** [pa:st] *bw* voorbij, langs: *a man rushed ~* een man kwam voorbijstormen

[4]**past** [pa:st] *vz* voorbij, verder dan, later dan: *he cycled ~ our house* hij fietste langs ons huis; *it is*

pa

~ *my understanding* het gaat mijn begrip te boven; *he is ~ it* hij is er te oud voor, hij kan het niet meer; *half ~ three* half vier

[1]**paste** [peest] *zn* **1** deeg *(voor gebak)* **2** pastei, paté, puree **3** stijfsel, stijfselpap, plaksel **4** pasta, brij- (achtige massa)

[2]**paste** [peest] *tr* **1** kleven; plakken *(ook comp)* **2** uitsmeren **3** pasta maken van

pastel [pestl] pastel, pastelkleur

paste up aanplakken, dichtplakken

pasteurize [pestsjerajz] pasteuriseren

pastille [pestiel] pastille

pastime [pa:stajm] tijdverdrijf

pastor [pa:ste] predikant, dominee, pastoor

pastoral [pa:strel] **1** herders- **2** uiterst lieflijk **3** pastoraal, herderlijk: ~ *care* zielzorg, geestelijke (gezondheids)zorg

pastry [peestrie] **1** (korst)deeg **2** gebak, gebakjes, taart **3** gebakje

pasture [pa:stsje] weiland, grasland

[1]**pat** [pet] *zn* **1** klopje **2** stukje; klontje *(boter)* **3** geklop, getik || ~ *on the back* (goedkeurend) (schouder)klopje, *(fig)* aanmoedigend woordje

[2]**pat** [pet] *bn* **1** passend: *a ~ solution* een pasklare oplossing **2** ingestudeerd, (al te) gemakkelijk

[3]**pat** [pet] *intr* tikken

[4]**pat** [pet] *tr* **1** tikken op, (zachtjes) kloppen op, aaien **2** (zacht) platslaan

[5]**pat** [pet] *bw* **1** paraat, gereed: *have one's answer ~* zijn antwoord klaar hebben **2** perfect (aangeleerd), exact (juist): *have* (of: *know*) *sth. (off) ~* iets uit het hoofd kennen

patch [petsj] **1** lap(je), stuk (stof), ooglap, (hecht)pleister, schoonheidspleister(tje) **2** vlek **3** lapje grond, veldje **4** stuk(je), flard: *~es of fog* mistbanken, flarden mist || *not a ~ on* helemaal niet te vergelijken met

patch pocket opgenaaide zak

patch up **1** (op)lappen, verstellen **2** (haastig) bijleggen *(ruzie e.d.)* **3** in elkaar flansen, aan elkaar lappen

patchwork **1** lapjeswerk: *a ~ of fields* een bonte lappendeken van velden **2** lapwerk, knoeiwerk

pate [peet] kop, hersens: *bald ~* kale knikker

[1]**patent** [peetnt] *zn* patent, octrooi: ~ *law* octrooiwet, octrooirecht; ~ *medicine: a)* patentgeneesmiddel(en); *b)* wondermiddel

[2]**patent** [peetnt] *bn* **1** open(baar) **2** duidelijk || ~ *leather* lakleer

patentee [peetntie:] patenthouder

paternal [pete:nl] **1** vaderlijk *(ook fig)* **2** van vaderszijde: ~ *grandmother* grootmoeder van vaders kant

paternity [pete:nittie] vaderschap

paternity leave vaderschapsverlof

path [pa:θ] **1** pad, weg, paadje: *beat* (of: *clear*) *a ~* zich een weg banen *(ook fig)* **2** baan *(bijv. van kogel, komeet)*; route; *(fig)* weg; pad

pathetic [peθettik] zielig, erbarmelijk: ~ *sight* treurig gezicht

pathfinder **1** verkenner, padvinder **2** pionier, baanbreker

pathological [peθelodzjikl] pathologisch; ziekelijk *(ook fig)*

pathos [peeθos] aandoenlijkheid

pathway pad

patience [peesjens] geduld: ~ *of Job* jobsgeduld; *lose one's ~* zijn geduld verliezen

[1]**patient** [peesjent] *zn* patiënt

[2]**patient** [peesjent] *bn* geduldig, verdraagzaam

patio [petie·oo] patio, terras

patriarch [peetrie·a:k] patriarch; *(fig)* grondlegger

[1]**patrician** [petrisjen] *zn* patriciër, aanzienlijk burger

[2]**patrician** [petrisjen] *bn* patricisch, aanzienlijk, vooraanstaand

patricide [petrissajd] **1** vadermoordenaar **2** vadermoord

patrimony [petrimmenie] patrimonium, erfdeel

patriot [petriet] patriot

patriotism [petrietizm] patriottisme, vaderlandsliefde

[1]**patrol** [petrool] *zn* **1** (verkennings)patrouille **2** patrouille, (inspectie)ronde

[2]**patrol** [petrool] *intr* patrouilleren, de ronde doen

[3]**patrol** [petrool] *tr* afpatrouilleren, de ronde doen van

patrolman [petroolmen] **1** wegenwachter **2** *(Am)* politieagent

patron [peetren] **1** patroon: ~ *of the arts* iemand die kunst of kunstenaars ondersteunt **2** (vaste) klant

patronage [petrenidzj] **1** steun, bescherming **2** klandizie, clientèle

patronize [petrenajz] **1** beschermen **2** klant zijn van, vaak bezoeken **3** uit de hoogte behandelen, kleineren

patronizing [petrenajzing] neerbuigend

[1]**patter** [pete] *zn* **1** jargon, taaltje: *salesman's ~* verkoperspraat **2** geklets, gekakel **3** gekletter; getrippel *(van voeten)*

[2]**patter** [pete] *intr* **1** kletsen **2** kletteren **3** trippelen

[1]**pattern** [petn] *zn* **1** model, prototype **2** patroon, dessin, (giet)model, mal, plan, schema: *geometric(al) ~s* geometrische figuren **3** staal, monster

[2]**pattern** [petn] *intr* een patroon vormen

[3]**pattern** [petn] *tr* vormen, maken, modelleren: ~ *after* (of: *on*) modelleren naar; ~ *oneself on s.o.* iem tot voorbeeld nemen

paucity [po:sittie] geringheid, schaarste

paunch [po:ntsj] **1** buik(je), maag **2** pens

pauper [po:pe] arme

[1]**pause** [po:z] *zn* pauze, onderbreking, rust(punt), weifeling: ~ *to take a breath* adempauze

[2]**pause** [po:z] *intr* **1** pauzeren, pauze houden **2** talmen, blijven hangen **3** aarzelen, nadenken over

paved [peevd] **1** bestraat, geplaveid **2** vol (van), vergemakkelijkt (door)

pavement [peevment] **1** bestrating, wegdek, plaveisel **2** trottoir, voetpad, stoep **3** *(Am)* rijweg, straat
pavement café terrasje: *we spent all afternoon at a ~* we zaten de hele middag op een terrasje
pavilion [pevillien] paviljoen, cricketpaviljoen, clubhuis
¹**paw** [po:] *zn* **1** poot, klauw **2** *(inform)* hand
²**paw** [po:] *intr* **1** krabben **2** onhandig rondtasten
³**paw** [po:] *tr* **1** ruw aanpakken, betasten **2** bekrabben
¹**pawn** [po:n] *zn* **1** (onder)pand: *at* (of: *in*) *~* verpand **2** *(schaakspel)* pion; *(fig)* marionet: *he was only a ~ in their game* hij was niet meer dan een pion in hun spel
²**pawn** [po:n] *tr* verpanden, in pand geven; *(fig)* op het spel zetten *(leven)*: *~ one's word* (of: *honour*) plechtig beloven op zijn woord van eer
pawnbroker pandjesbaas
pawnshop pandjeshuis, bank van lening
¹**pay** [pee] *zn* **1** betaling **2** loon, salaris: *on full ~* met behoud van salaris
²**pay** [pee] *intr (paid, paid)* **1** betalen; *(fig)* boeten: *make s.o. ~* iem laten boeten; *~ down* contant betalen **2** lonend zijn: *it ~s to be honest* eerlijk duurt het langst
³**pay** [pee] *tr (paid, paid)* **1** betalen, afbetalen, vergoeden: *~ cash* contant betalen; *~ over* (uit)betalen **2** belonen *(fig)*; vergoeden, schadeloosstellen, betaald zetten: *~ s.o. for his loyalty* iem voor zijn trouw belonen **3** schenken, verlenen: *~ attention* opletten, aandacht schenken **4** lonend zijn (voor): *it didn't ~ him at all* het bracht hem niets op || *~ as you earn* loonbelasting
payable [peeebl] betaalbaar, verschuldigd: *make ~* betaalbaar stellen *(wissel)*; *~ to* ten gunste van
pay-as-you-go prepaid
pay back terugbetalen, vergoeden; *(fig)* betaald zetten: *she paid him back his infidelities* ze zette hem zijn avontuurtjes betaald
paycheck *(Am)* looncheque, salaris
PAYE *afk van pay as you earn* loonbelasting
payee [peeie:] begunstigde; ontvanger *(van wissel e.d.)*
payer [peee] betaler
pay for betalen (voor), de kosten betalen van; *(fig)* boeten voor
paying [peeing] lonend, rendabel
payload **1** betalende vracht *(in schip, vliegtuig)* **2** nuttige last; springlading *(in bom, raket)* **3** netto lading
payment [peement] **1** (uit)betaling, honorering, loon, (af)betaling **2** vergoeding, beloning, (verdiende) loon **3** betaalde som, bedrag, storting: *make monthly ~s on the car* de auto maandelijks afbetalen || *deferred ~, ~ on deferred terms* betaling in termijnen, afbetaling
¹**pay off** *intr* renderen, (de moeite) lonen
²**pay off** *tr* **1** betalen en ontslaan **2** (af)betalen, vereffenen, aflossen
pay-off **1** *(fig)* afrekening, vergelding **2** resultaat, inkomsten, winst **3** climax, ontknoping
payola [peeoole] *(Am)* **1** omkoperij **2** steekpenning(en)
¹**pay out** *tr* **1** terugbetalen, met gelijke munt betalen **2** vieren *(touw, kabel)*
²**pay out** *tr, intr* **1** uitbetalen **2** (met *on*) (geld) uitgeven (voor)
payroll **1** loonlijst **2** loonkosten
payslip loonstrookje
pay station *(Am)* (publieke) telefooncel
pay train trein met kaartverkoop (en onbemande stations)
pay up betalen, (helemaal) afbetalen; volstorten *(aandelen)*: *paid-up capital* gestort kapitaal
PC **1** *afk van Personal Computer* pc **2** *afk van police constable* politieagent
PE *afk van physical education* gymnastiek
pea [pie:] erwt: *green ~s* erwtjes || *as like as two ~s (in a pod)* (op elkaar lijkend) als twee druppels water
peace [pie:s] **1** vrede, periode van vrede **2** openbare orde: *keep the ~* de openbare orde handhaven **3** rust, kalmte, tevredenheid, harmonie: *~ of mind* gemoedsrust; *hold* (of: *keep*) *one's ~* zich koest houden; *make one's ~ with* zich verzoenen met || *be at ~* de eeuwige rust genieten
peaceful [pie:sfoel] **1** vredig **2** vreedzaam
peacemaker vredestichter
peace operation vredesoperatie
¹**peach** [pie:tsj] *zn* **1** perzik *(ook kleur)* **2** perzikboom **3** prachtexemplaar, prachtmeid: *a ~ of a dress* een schattig jurkje
²**peach** [pie:tsj] *intr* klikken, een klikspaan zijn: *~ against* (of: *on*) *an accomplice* een medeplichtige verraden
peacock [pie:kok] (mannetjes)pauw *(ook fig)*; dikdoener
peak [pie:k] **1** piek, spits, punt; *(fig)* hoogtepunt; toppunt **2** (berg)piek, (hoge) berg, top **3** klep *(van pet)*
peak hour spitsuur
peaky [pie:kie] ziekelijk
¹**peal** [pie:l] *zn* **1** klokkengelui, klokkenspel, carillon **2** luide klank: *~s of laughter* lachsalvo's; *a ~ of thunder* een donderslag
²**peal** [pie:l] *ww* **1** luiden **2** galmen, (doen) klinken, luid verkondigen: *~ out* weergalmen
peanut [pie:nut] **1** pinda; *(ook)* pindaplant **2** *~s* onbeduidend iets, kleinigheid, een schijntje
peanut butter pindakaas
pear [pee] peer
pearl [pe:l] **1** parel **2** paarlemoer || *cast ~s before swine* paarlen voor de zwijnen werpen
peasant [peznt] **1** (kleine) boer **2** plattelander **3** lomperik, (boeren)kinkel
peasantry [pezntrie] **1** plattelandsbevolking **2** boerenstand
pea soup erwtensoep

peat [pie:t] turf, (laag)veen
pebble [pebl] kiezelsteen, grind
pebble-dash grindpleister, grindsteen
[1]**peck** [pek] *zn* **1** pik (met snavel) **2** vluchtige zoen
[2]**peck** [pek] *intr (*met *at)* pikken (in, naar): *~ at: a)* vitten op; *b)* met lange tanden eten van
[3]**peck** [pek] *tr* **1** oppikken, wegpikken **2** vluchtig zoenen
pecking order pikorde, hiërarchie: *be at the bottom of the ~* niets in te brengen hebben
peckish [pekkisj] **1** hongerig **2** *(Am)* vitterig
peculiar [pikjoe:lie] **1** vreemd, eigenaardig, excentriek, raar: *I feel rather ~* ik voel me niet zo lekker **2** bijzonder: *of ~ interest* van bijzonder belang **3** (met *to*) eigen (aan), typisch (voor): *a habit ~ to the Dutch* een gewoonte die Nederlanders eigen is
peculiarity [pikjoe:lie·erittie] **1** eigenaardigheid, bijzonderheid, merkwaardigheid **2** eigenheid, (typisch) kenmerk
pedagogic(al) [peddek̂odzjik(l)] **1** opvoedkundig, pedagogisch **2** schoolmeesterachtig
[1]**pedal** [pedl] *zn* pedaal, trapper
[2]**pedal** [pedl] *ww* **1** peddelen, fietsen **2** trappen, treden
pedant [peddent] **1** muggenzifter, betweter **2** boekengeleerde **3** geleerddoener
pedantic [pidentik] pedant, schoolmeesterachtig, frikkerig
[1]**peddle** [pedl] *intr* leuren, venten
[2]**peddle** [pedl] *tr* **1** (uit)venten, aan de man brengen: *~ dope* (of: *drugs*) drugs verkopen **2** verspreiden, verkondigen: *~ gossip* roddel(praatjes) verkopen
pedestal [peddistl] voetstuk, sokkel: *(fig) knock s.o. off his ~* iem van zijn voetstuk stoten
pedestrian [piddestrien] voetganger: *~ crossing* voetgangersoversteekplaats; *~ precinct* autovrij gebied
pediatrician [pie:dietrisjen] kinderarts
pedicure [peddikjoee] pedicure
pedigree [peddik̂rie:] **1** stamboom, afstamming, goede komaf **2** stamboek *(van dieren): ~ cattle* stamboekvee
pedlar [pedle] **1** venter, straathandelaar **2** drugsdealer **3** verspreider *(van praatjes)*
[1]**pee** [pie:] *zn* plas, urine: *go for* (of: *have*) *a ~* een plasje gaan doen
[2]**pee** [pie:] *intr* plassen, een plas(je) doen
[1]**peek** [pie:k] *zn* (vluchtige) blik, kijkje: *have a ~ at* een (vlugge) blik werpen op
[2]**peek** [pie:k] *intr* **1** gluren **2** (met *at*) vluchtig kijken (naar)
[1]**peel** [pie:l] *zn* schil
[2]**peel** [pie:l] *intr* **1** (ook met *off*) afpellen; afbladderen *(van verf);* vervellen: *my nose ~ed* mijn neus vervelde; *~ off* afschilferen van **2** (met *off*) zich uitkleden
[3]**peel** [pie:l] *tr* schillen, pellen: *~ off: a)* lostrekken, losmaken; *b)* uittrekken *(kleren); ~ the skin off a banana* de schil van een banaan afhalen
peeling [pie:ling] (aardappel)schil
[1]**peep** [pie:p] *zn* **1** piep, tjilp(geluid) **2** *(kindertaal)* toeter, claxon **3** kik, woord, nieuws **4** (vluchtige) blik, kijkje: *take a ~ at* vluchtig bekijken
[2]**peep** [pie:p] *intr* **1** (met *at*) gluren (naar), loeren (naar), (be)spieden **2** (met *at*) vluchtig kijken (naar), een kijkje nemen (bij) **3** tevoorschijn komen: *~ out* opduiken; *the flowers are already ~ing through the soil* de bloemen steken hun kopjes al boven de grond uit **4** piepen, tjirpen || *~ing Tom* voyeur, gluurder
peephole kijkgaatje
[1]**peer** [pie] *zn* **1** gelijke, collega **2** edelman || *~ of the realm* edelman die lid is van het Hogerhuis
[2]**peer** [pie] *intr* turen, staren, spieden
peerage [pieridzj] **1** adel, adeldom **2** adelstand
peer group (groep van) gelijken, leeftijdgenoten, collega's
peerless [pieles] weergaloos, ongeëvenaard
peer pressure groepsdruk
peeve [pie:v] ergeren, irriteren
peevish [pie:visj] **1** chagrijnig, slechtgehumeurd **2** weerbarstig, dwars
[1]**peg** [pek̂] *zn* **1** pin, pen, plug **2** schroef *(ve snaarinstrument)* **3** (tent)haring **4** kapstok *(ook fig): buy clothes off the ~* confectiekleding kopen **5** wasknijper || *take s.o. down a ~ (or two)* iem een toontje lager laten zingen
[2]**peg** [pek̂] *tr* **1** vastpennen, vastpinnen: *he is hard to ~ down* je krijgt moeilijk vat op hem **2** stabiliseren, bevriezen
[1]**peg out** *intr* zijn laatste adem uitblazen, het hoekje omgaan
[2]**peg out** *tr* afbakenen: *~ a claim* (een stuk land) afbakenen
pelican [pellikken] pelikaan
pellet [pellit] **1** balletje, bolletje, prop(je) **2** kogeltje, hagelkorrel: *~s* hagel
pellucid [pilloe:sid] doorzichtig; helder *(ook fig)*
[1]**pelt** [pelt] *zn* vacht, huid, vel
[2]**pelt** [pelt] *intr* **1** (neer)kletteren, (neer)plenzen: *~ing rain* kletterende regen; *it is ~ing (down) with rain* het regent dat het giet **2** hollen: *~ down a hill* een heuvel afrennen
[3]**pelt** [pelt] *tr* bekogelen, beschieten; bestoken *(ook fig)*
pelvis [pelvis] bekken, pelvis
[1]**pen** [pen] *zn* **1** pen, balpen, vulpen **2** hok, kooi, cel
[2]**pen** [pen] *tr* **1** op papier zetten, (neer)pennen **2** opsluiten *(ook fig);* afzonderen
penal [pie:nl] **1** strafbaar: *~ offence* strafbaar feit **2** zwaar, (heel) ernstig: *~ taxes* zware belastingen **3** straf-: *~ code* wetboek van strafrecht || *~ servitude* dwangarbeid
penalize [pie:nelajz] **1** straffen **2** een achterstand geven, benadelen **3** een strafschop toekennen **4** strafbaar stellen, verbieden
penalty [penltie] **1** (geld-, gevangenis)straf,

(geld)boete: *on* (of: *under*) *~ of* op straffe van **2** (nadelig) gevolg, nadeel, schade: *pay the ~ of* de gevolgen dragen van **3** handicap, achterstand, strafpunt **4** strafschop
penalty area *(voetbal)* strafschopgebied
penalty box *(ijshockey)* strafbank, strafhok(je)
penalty kick *(voetbal)* strafschop
penance [pennens] boete(doening), straf
pence [pens] *mv van* penny
[1]**pencil** [pensl] *zn* **1** potlood, vulpotlood, stift **2** (maquilleer)stift
[2]**pencil** [pensl] *tr* **1** (met potlood) kleuren, met potlood merken: *~led eyebrows* zwartgemaakte wenkbrauwen **2** schetsen; tekenen *(ook fig)*
pencil sharpener puntenslijper
pendant [pendent] hanger(tje), oorhanger
pendent [pendent] **1** (neer)hangend **2** overhangend, uitstekend
[1]**pending** [pending] *bn* hangend, onbeslist, in behandeling: *patent ~* octrooi aangevraagd
[2]**pending** [pending] *vz* in afwachting van *(bijv. aankomst)*
pendulum [pendjoelem] slinger, slingerbeweging: *a clock with a ~* een slingeruurwerk
[1]**penetrate** [pennitreet] *intr* doordringen, penetreren, binnendringen, indringen
[2]**penetrate** [pennitreet] *tr* **1** doordringen, dringen door, zich boren in, (ver)vullen **2** doorgronden, penetreren **3** dringen door, zien door: *our eyes couldn't ~ the darkness* onze ogen konden niet door de duisternis heendringen
penetrating [pennitreeting] doordringend, scherp(zinnig); snijdend *(van wind);* scherp; luid *(van geluid)*
penguin [pengkwin] pinguïn
penicillin [pennissillin] penicilline
peninsula [pinnins·joele] schiereiland
penis [pie:nis] penis
penitence [pennittens] **1** boete(doening) **2** berouw
penitent [pennittent] berouwvol || *be ~* boete doen
[1]**penitentiary** [pennittensjerie] *zn* federale gevangenis
[2]**penitentiary** [pennittensjerie] *bn* **1** straf-, boet(e)- **2** heropvoedings-, verbeterings-
penknife zak(knip)mes
penmanship [penmensjip] kalligrafie, schoonschrijfkunst
pen-name schrijversnaam, pseudoniem
penniless [pennieles] **1** zonder geld, blut, platzak **2** arm, behoeftig
penny [pennie] *(mv: ook pence)* penny, stuiver, cent, duit: *it costs 30 pence* het kost 30 penny || *not have* (of: *be without*) *a ~ to one's name* geen rooie duit bezitten; *a ~ for your thoughts* waar zit jij met je gedachten?; *the ~ has dropped* het kwartje is gevallen, ik snap 't; *spend a ~* een kleine boodschap doen *(naar de wc); ten a ~* dertien in een dozijn; *in for a ~, in for a pound* wie A zegt, moet ook B zeggen
penny-wise op de kleintjes lettend || *~ and pound-foolish* zuinig met muntjes maar kwistig met briefjes
pension [pensjen] pensioen: *retire on a ~* met pensioen gaan
pensioner [pensjene] gepensioneerde
pension off **1** pensioneren, met pensioen sturen **2** afdanken, afschaffen
pensive [pensiv] **1** peinzend, (diep) in gedachten **2** droefgeestig, zwaarmoedig
pentagon [pentekon] vijfhoek
Pentagon [pentekon] *(altijd met the)* ministerie van defensie vd USA
pentathlon [penteθlen] vijfkamp
Pentecost [pentikkost] **1** *(Am)* pinksterzondag, Pinksteren **2** *(jodendom)* pinksterfeest, Wekenfeest
penthouse [penthaus] dakappartement, penthouse
pent-up **1** opgesloten, ingesloten, vastzittend **2** opgekropt, onderdrukt: *~ emotions* opgekropte gevoelens
penultimate [pinnultimmet] voorlaatst, op één na laatst
penury [penjoerie] grote armoede, (geld)nood
[1]**people** [pie:pl] *zn* **1** volk, gemeenschap, ras, stam: *nomadic ~s* nomadische volken **2** staat, natie **3** mensen, personen, volk, lui **4** de mensen, ze, men: *~ say …* men zegt … **5** (gewone) volk, massa **6** huisgenoten, ouwelui, (naaste) familie
[2]**people** [pie:pl] *tr* bevolken *(ook fig);* voorzien van (inwoners), bewonen
pep [pep] *(inform)* fut, vuur, energie
[1]**pepper** [peppe] *zn* **1** peper *(poeder, plant, vrucht)* **2** paprika *(plant, vrucht)*
[2]**pepper** [peppe] *tr* **1** (in)peperen, flink kruiden: *~ a speech with witty remarks* een toespraak doorspekken met grappige opmerkingen **2** bezaaien, bespikkelen: *~ed with* bezaaid met **3** bekogelen; bestoken *(ook fig)*
peppercorn peperkorrel, peperbol
peppermint pepermunt(je)
pepper spray pepperspray
pep up oppeppen, opkikkeren, doen opleven; pikanter maken *(gerecht)*
per [pe] **1** via, per, door **2** per, voor, elk(e): *60 km ~ hour* zestig km per uur
perceive [pesie:v] **1** waarnemen, bespeuren, (be)merken **2** bemerken, beseffen
per cent [pesent] procent, percent || *I'm one hundred ~ in agreement with you* ik ben het volledig met je eens
percentage [pesentidzj] **1** percentage **2** procent, commissie(loon)
perceptible [peseptibl] waarneembaar, merkbaar: *he worsened perceptibly* hij ging zienderogen achteruit

perception [pesepsjen] **1** waarneming, gewaarwording **2** voorstelling **3** (in)zicht, besef, visie: *a clear ~ of* een duidelijk inzicht in
perceptive [peseptiv] **1** opmerkzaam, oplettend **2** scherp(zinnig), verstandig
[1]**perch** [pe:tsj] *zn* **1** stok(je), stang; staaf *(voor vogel)* **2** baars || *knock s.o. off his ~* iem op zijn nummer zetten
[2]**perch** [pe:tsj] *ww* **1** neerstrijken; neerkomen *(van vogels)*; plaatsnemen, zich neerzetten **2** (neer)zetten, (neer)plaatsen, (neer)leggen: *the boy was ~ed on the wall* de jongen zat (hoog) bovenop de muur
percolator [pe:keleete] koffiezetapparaat
percussion [pekusjen] slagwerk, percussie, slaginstrumenten
perdition [pedisjen] verdoemenis, hel
[1]**perennial** [perenniel] *zn* overblijvende plant
[2]**perennial** [perenniel] *bn* **1** het hele jaar durend **2** vele jaren durend, langdurig, eeuwig, blijvend **3** *(plantk)* overblijvend
[1]**perfect** [pe:fikt] *bn* **1** perfect, volmaakt, uitstekend, volledig, (ge)heel, onberispelijk: *have a ~ set of teeth* een volkomen gaaf gebit hebben; *~ly capable of* heel goed in staat om **2** zuiver, puur: *~ blue* zuiver blauw **3** *(taalk)* voltooid: *~ participle* voltooid deelwoord; *~ tense* (werkwoord in de) voltooide tijd **4** volslagen, volledig, totaal: *a ~ stranger* een volslagen onbekende || *have a ~ right (to do sth.)* het volste recht hebben (om iets te doen)
[2]**perfect** [pefekt] *tr* **1** perfectioneren, vervolmaken **2** voltooien, beëindigen **3** verbeteren: *~ one's English* zijn Engels verbeteren
perfection [pefeksjen] **1** perfectie, volmaaktheid: *the dish was cooked to ~* het gerecht was voortreffelijk klaargemaakt **2** hoogtepunt, toonbeeld
perfidious [pefiddies] trouweloos, verraderlijk
perforate [pe:fereet] doorprikken: *stamps with ~d edges* postzegels met tandjes
[1]**perform** [pefo:m] *intr* **1** optreden, een uitvoering geven, spelen **2** presteren, werken; functioneren *(van machines)*: *the car ~s well* de auto loopt goed **3** presteren, het goed doen **4** doen, handelen
[2]**perform** [pefo:m] *tr* **1** uitvoeren, volbrengen, ten uitvoer brengen: *~ miracles* wonderen doen **2** uitvoeren, opvoeren, (ver)tonen, presenteren
performance [pefo:mens] **1** voorstelling, opvoering, uitvoering, tentoonstelling: *theatrical ~* toneelopvoering **2** prestatie, succes: *a peak ~* een topprestatie **3** uitvoering, volbrenging, vervulling **4** prestaties, werking: *a car's ~* de prestaties van een auto
performer [pefo:me] **1** uitvoerder **2** artiest
[1]**perfume** [pe:fjoe:m] *zn* parfum, (aangename) geur
[2]**perfume** [pefjoe:m] *tr* parfumeren
perfunctory [pefungkterie] plichtmatig (handelend): *a ~ visit* een routinebezoek, een verplicht bezoekje

perhaps [peheps] misschien, mogelijk(erwijs), wellicht
peril [perril] (groot) gevaar, risico: *you do it at your ~* je doet het op eigen verantwoordelijkheid
perilous [perrilles] (levens)gevaarlijk, riskant
perimeter [perimmitte] omtrek
[1]**period** [pieried] *zn* **1** periode, tijdperk, fase: *bright ~s* opklaringen **2** lestijd, les(uur) **3** (menstruatie)periode, ongesteldheid: *she is having her ~* ze is ongesteld **4** punt *(leesteken)*: *I won't do it, ~!* ik doe het niet, punt uit!
[2]**period** [pieried] *bn* historisch, stijl-: *~ costumes* historische klederdrachten; *~ furniture* stijlmeubelen
periodical [pierie·oddikl] tijdschrift
periodic(al) [pierie·oddik(l)] periodiek, regelmatig terugkerend, cyclisch, kring-
peripatetic [perrippetettik] rondreizend, rondzwervend, (rond)trekkend
periphery [periffeerie] (cirkel)omtrek, buitenkant, rand
periscope [perriskoop] periscoop
perish [perrisj] **1** omkomen **2** vergaan, verteren
[1]**perishable** [perrisjebl] *zn* beperkt houdbaar (voedsel)product: *~s* snel bedervende goederen
[2]**perishable** [perrisjebl] *bn* **1** kortstondig **2** (licht) bederfelijk, beperkt houdbaar
perishing [perrisjing] beestachtig, moordend: *~ cold* beestachtige kou
perjury [pe:dzjerie] meineed
perk [pe:k] extra verdienste: *~s* extraatjes, (extra) voordeel
perk up opleven, herleven, opfleuren
perky [pe:kie] **1** levendig, opgewekt, geestdriftig **2** verwaand
perm [pe:m] **1** permanent **2** combinatie; selectie *(bij voetbaltoto)*
permanence [pe:menens] **1** duurzaamheid **2** permanent iem (iets), vast element: *is your new address a ~ or merely temporary?* is je nieuwe adres permanent of slechts tijdelijk?
permanent [pe:menent] blijvend, duurzaam: *~ address* vast adres; *~ wave* permanent
permeate [pe:mie·eet] (door)dringen, (door)trekken, zich (ver)spreiden (over): *a revolt ~d the country* een opstand verspreidde zich over het land
permission [pemisjen] toestemming, vergunning, goedkeuring: *without* (of: *with*) *my ~* zonder (*of:* met) mijn toestemming
permissive [pemissiv] verdraagzaam, tolerant: *the ~ society* de tolerante maatschappij
[1]**permit** [pe:mit] *zn* **1** verlofbrief, pasje, permissiebriefje; geleidebiljet *(van goederen)* **2** (schriftelijke) vergunning, toestemming, machtiging
[2]**permit** [pemit] *ww* toestaan, toelaten, veroorloven: *weather ~ting* als het weer het toelaat
pernicious [penisjes] **1** schadelijk, kwaadaardig **2** dodelijk, fataal

[1]**perpendicular** [pe:pendikjoele] *zn* loodlijn, verticaal, loodrechte lijn: *be out of (the)* ~ niet in het lood staan
[2]**perpendicular** [pe:pendikjoele] *bn* loodrecht, heel steil: ~ *to* loodrecht op
perpetrate [pe:pitreet] plegen, begaan: ~ *a crime* een misdaad plegen
perpetration [pe:pitreesjen] het plegen, het uitvoeren
perpetual [pepetsjoeel] eeuwig(durend), blijvend, permanent, langdurig, onafgebroken: ~ *check* eeuwig schaak
perplex [pepleks] **1** verwarren, van zijn stuk brengen, van streek brengen **2** ingewikkeld(er) maken, bemoeilijken, compliceren: *a ~ing task* een hoofdbrekend karwei
perquisite [pe:kwizzit] **1** faciliteit, (extra, meegenomen) voordeel **2** extra verdienste
persecute [pe:sikjoe:t] vervolgen, achtervolgen; *(fig)* kwellen; vervelen: ~ *s.o. with questions* iem voortdurend lastigvallen met vragen
persecution [pe:sikjoe:sjen] vervolging; *(fig)* kwelling
perseverance [pe:sivvierens] volharding, doorzetting(svermogen)
persevere [pe:sivvie] volhouden, doorzetten: ~ *at* (of: *in, with*) volharden in; ~ *in doing sth.* volharden in iets, iets doorzetten
Persian [pe:zjen] Perzisch, Iraans: ~ *cat* Perzische kat, pers
persist [pesist] **1** (koppig) volhouden, (hardnekkig) doorzetten: ~ *in* (of: *with*) (koppig) volharden in, (hardnekkig) doorgaan met **2** (blijven) duren, voortduren, standhouden: *the rain will ~ all day* de regen zal de hele dag aanhouden
persistence [pesistens] **1** volharding, vasthoudendheid **2** hardnekkigheid
persistent [pesistent] **1** vasthoudend **2** voortdurend, blijvend, aanhoudend: ~ *rain* aanhoudende regen
person [pe:sn] **1** persoon, individu, mens: *you are the ~ I am looking for* jij bent degene die ik zoek; *in* ~ in eigen persoon **2** persoonlijkheid, karakter, persoon
personable [pe:senebl] knap, voorkomend
personage [pe:senidzj] **1** personage, belangrijk persoon **2** personage, rol, karakter
personal [pe:senel] **1** persoonlijk, individueel: *from ~ experience* uit eigen ervaring **2** persoonlijk, vertrouwelijk, beledigend: ~ *remarks* persoonlijke opmerkingen
personality [pe:senelittie] **1** persoonlijkheid, karakter, sterk karakter **2** persoonlijkheid, bekende figuur, beroemdheid
personalize [pe:senelajz] **1** verpersoonlijken **2** merken *(met een teken): ~d stationery* postpapier voorzien van de naam van de eigenaar
personally [pe:senelie] **1** persoonlijk, in (eigen) persoon, zelf **2** voor mijn part, wat mij betreft **3** van persoon tot persoon: *speak ~ to s.o. about sth.* iets onder vier ogen met iem bespreken
personal organizer agenda, palmtop (computer)
personification [pesonniffikkeesjen] verpersoonlijking, personificatie
personify [pesonniffaj] verpersoonlijken, belichamen, symboliseren
personnel [pe:senel] **1** personeel, staf, werknemers: *most of the ~ work* (of: *works*) *from 9 to 6* het meeste personeel werkt van 9 tot 6 **2** personele hulpmiddelen, troepen, manschappen
perspective [pespektiv] **1** perspectief *(ook fig)*; verhouding, dimensie **2** vergezicht, uitzicht, perspectief **3** gezichtspunt *(ook fig)*; standpunt: *see* (of: *look*) *at sth. in its/the right* ~ een juiste kijk op iets hebben **4** toekomstperspectief, vooruitzicht **5** perspectief, perspectivisch tekenen; dieptezicht *(ook fig)*: *see* (of: *look*) *at sth. in* ~ iets relativeren, iets in het juiste perspectief zien
perspex [pe:speks] plexiglas
perspicuous [pespikjoees] doorzichtig, helder, duidelijk
perspiration [pe:spereesjen] transpiratie, zweet
perspire [pespajje] transpireren, zweten
persuade [pesweed] overreden, overtuigen, bepraten: ~ *s.o. to do sth.* iem tot iets overhalen; ~ *oneself of sth.: a)* zich met eigen ogen van iets overtuigen; *b)* zichzelf iets wijsmaken
persuasion [pesweezjen] **1** overtuiging, mening, geloof: *people of different ~s* mensen met verschillende (geloofs)overtuiging **2** overtuiging(skracht), overreding(skracht)
persuasive [pesweesiv] overtuigend
pert [pe:t] vrijpostig, brutaal
pertain to **1** behoren tot, deel uitmaken van **2** eigen zijn aan, passend zijn voor **3** betrekking hebben op, verband houden met
pertinent [pe:tinnent] relevant, toepasselijk: ~ *to* betrekking hebbend op
perturb [pete:b] in de war brengen *(ook fig)*; van streek brengen
peruse [peroe:z] **1** doorlezen, nalezen, (grondig) doornemen **2** bestuderen, analyseren
Peruvian [peroe:vieen] Peruaans
pervade [peveed] doordringen *(ook fig)*; zich verspreiden in, vervullen: *the author ~s the entire book* de auteur is in het hele boek aanwezig
perverse [peve:s] **1** pervers, verdorven, tegennatuurlijk **2** eigenzinnig, koppig, dwars
[1]**pervert** [pe:ve:t] *zn* pervers persoon *(seksueel)*; viezerik
[2]**pervert** [peve:t] *tr* **1** verkeerd gebruiken, misbruiken: ~ *the course of justice* verhinderen dat het recht zijn loop heeft **2** verdraaien, vervormen: *his ideas had been ~ed* zijn opvattingen waren verkeerd voorgesteld **3** perverteren, corrumperen, bederven
pessimism [pessimmizm] pessimisme, zwartkijkerij

pessimist [pessimmist] pessimist, zwartkijker
pest [pest] 1 lastpost 2 schadelijk dier, schadelijke plant: *~s* ongedierte; *~ control* ongediertebestrijding
pester [peste] kwellen, lastigvallen, pesten: *~ s.o. into doing sth.* iem door te blijven zeuren dwingen tot het doen van iets
pesticide [pestissajd] pesticide, verdelgingsmiddel, bestrijdingsmiddel
pestiferous [pestifferes] 1 schadelijk 2 verderfelijk 3 vervelend, irriterend
pestilence [pestillens] pest, (pest)epidemie
pestilent [pestillent] (dood)vervelend, irriterend
pestle [pesl] stamper
[1]**pet** [pet] *zn* 1 huisdier, troeteldier 2 lieveling, favoriet
[2]**pet** [pet] *bn* 1 tam, huis-: *~ snake* huisslang 2 favoriet, lievelings-: *politicians are my ~ aversion* (of: *hate*) aan politici heb ik een hartgrondige hekel; *~ topic* stokpaardje
[3]**pet** [pet] *intr* vrijen: *heavy ~ting* stevige vrijpartij
petal [petl] bloemblad, kroonblad
peter out [pie:teraut] 1 afnemen, slinken 2 uitgeput raken, opraken, uitgaan, doven
petite [petie:t] klein en tenger, fijn; sierlijk *(van vrouw)*
[1]**petition** [pittisjen] *zn* 1 verzoek, smeekbede 2 petitie, smeekschrift, verzoek(schrift) 3 verzoek(schrift), aanvraag
[2]**petition** [pittisjen] *tr* een verzoek richten tot
[1]**petrify** [petriffaj] *intr* verstenen; tot steen worden *(ook fig)*
[2]**petrify** [petriffaj] *tr* 1 (doen) verstenen, tot steen maken 2 doen verstijven, verlammen: *be petrified by* (of: *with*) *terror* verstijfd zijn van schrik
petrol [petrel] benzine
petroleum [pitrooliem] aardolie
petticoat [pettiekoot] onderrok
pettifogging [pettiefoǩing] 1 muggenzifterig 2 nietig, onbelangrijk
pettish [pettisj] humeurig
petty [pettie] 1 onbetekenend, onbelangrijk: *~ details* onbelangrijke details 2 klein, tweederangs, ondergeschikt: *the ~ bourgeoisie* de lagere middenstand; *(scheepv) ~ officer* onderofficier 3 klein, gering: *~ larceny* gewone diefstal, kruimeldiefstal
petulant [petsjoelent] prikkelbaar, humeurig
petunia [pitjoe:nie] petunia
pew [pjoe:] kerkbank
pewit [pie:wit] kieviet
[1]**pewter** [pjoe:te] *zn* tin, tinnegoed
[2]**pewter** [pjoe:te] *bn* tinnen: *~ mugs* tinnen kroezen
[1]**phantom** [fentem] *zn* spook *(ook fig)*; geest(verschijning)
[2]**phantom** [fentem] *bn* 1 spook-, spookachtig, schimmig: *~ ship* spookschip 2 schijn-, denkbeeldig: *~ withdrawals* spookopnames
pharisee [ferissie:] 1 een vd farizeeën 2 farizeeër, schijnheilige
pharmaceutical [fa:mes·joe:tikl] farmaceutisch: *~ chemist* apotheker
pharmacy [fa:mesie] apotheek
phase [feez] fase, stadium, tijdperk: *the most productive ~ in the artist's life* de meest productieve periode in het leven van de kunstenaar; *in ~: a)* in fase; *b)* corresponderend; *out of ~* niet in fase
phase in geleidelijk introduceren
phase out geleidelijk uit de productie nemen, geleidelijk opheffen
Ph D *afk van Doctor of Philosophy* dr., doctor in de menswetenschappen
pheasant [fezzent] fazant
phenomenon [finnomminnen] fenomeen, (natuur)verschijnsel
philanthropist [filenθrepist] mensenvriend
philatelist [filetelist] postzegelverzamelaar
philharmonic [filha:monnik] filharmonisch
[1]**philistine** [fillistajn] *zn* cultuurbarbaar
[2]**philistine** [fillistajn] *bn* acultureel
philosopher [fillossefe] filosoof, wijsgeer
philosophy [fillossefie] filosofie, levensbeschouwing, opvatting
phlegm [flem] 1 slijm, fluim 2 flegma, onverstoorbaarheid 3 onverschilligheid, apathie
phlegmatic [fleǩmetik] flegmatisch, onverstoorbaar
phobia [foobie] fobie, (ziekelijke) vrees
phoenix [fie:niks] feniks
[1]**phone** [foon] *zn* telefoon: *on the ~* aan de telefoon
[2]**phone** [foon] *ww* (op)bellen: *~ back* terugbellen; *~ up* opbellen
phonetics [fenettiks] fonetiek
[1]**phoney** [foonie] *zn (inform)* 1 onecht persoon, bedrieger 2 namaak(sel), nep, bedrog
[2]**phoney** [foonie] *bn* vals, onecht, nep
phosphorus [fosferes] fosfor
photo [footoo] foto
photocopier [footookoppie] fotokopieerapparaat
photocopy [footookoppie] fotokopie
photogenic [footoodzjennik] fotogeniek
[1]**photograph** [footeǩra:f] *zn* foto
[2]**photograph** [footeǩra:f] *ww* fotograferen, foto's maken, een foto nemen van
photographer [fetoǩrefe] fotograaf
photography [fetoǩrefie] fotografie
[1]**phrase** [freez] *zn* 1 gezegde, uitdrukking, woordgroep, zinsdeel 2 uitdrukkingswijze, bewoordingen: *a turn of ~* een uitdrukking; *he has quite a turn of ~* hij kan zich heel goed uitdrukken || *coin a ~* een uitdrukking bedenken
[2]**phrase** [freez] *tr* uitdrukken, formuleren, onder woorden brengen
phraseology [freezie·olledzjie] idioom, woordkeus: *scientific ~* wetenschappelijk jargon

physical [fizzikl] **1** fysiek, natuurlijk, lichamelijk: ~ *education* lichamelijke oefening, gymnastiek; ~ *exercise* lichaamsbeweging **2** materieel **3** natuurkundig, fysisch || *a* ~ *impossibility* absolute onmogelijkheid
physician [fizzisjen] arts; geneesheer *(vaak i.t.t. chirurg);* internist
physicist [fizzissist] natuurkundige
physics [fizziks] natuurkunde
physio [fizzie·oo] **1** fysiotherapeut(e) **2** fysio(therapie)
physiognomy [fizzie·onnemie] **1** gezicht **2** kenmerk, kenteken
physiology [fizzi·olledzjie] **1** fysiologie, leer van de lichaamsfuncties van mensen en dieren **2** levensfuncties
physiotherapist [fizzie·ooθerrepist] fysiotherapeut(e)
physique [fizzie:k] lichaamsbouw
pi [paj] pi *(ook wisk)*
pianist [pienist] pianist(e)
piano [pie·enoo] piano
pic [pik] *verk van picture* **1** foto, plaatje, illustratie **2** film
[1]**pick** [pik] *zn* **1** pikhouweel **2** keus: *take your* ~ zoek maar uit, kies maar welke je wilt; *the* ~ het beste, het puikje; *the* ~ *of the bunch* het neusje van de zalm
[2]**pick** [pik] *tr* **1** hakken (in), prikken; opensteken *(slot):* ~ *a hole in* een gat maken in **2** peuteren in *(tanden bijv.);* wroeten in; pulken in *(neus)* **3** afkluiven, kluiven op; ontdoen van *(vlees)* || ~ *off* één voor één neerschieten
[3]**pick** [pik] *tr, intr* **1** (zorgvuldig) kiezen, selecteren, uitzoeken: ~ *one's words* zijn woorden zorgvuldig kiezen; ~ *and choose* kieskeurig zijn **2** plukken, oogsten **3** pikken *(van vogels)* **4** met kleine hapjes eten, peuzelen (aan): ~ *at a meal* zitten te kieskauwen || ~ *over: a)* de beste halen uit; *b)* doorzeuren; ~ *at: a)* plukken aan; *b)* vitten (*of:* hakken) op; ~ *on* vitten op
[1]**picket** [pikkit] *zn* **1** paal, staak **2** post(er), een staker die werkwilligen tegenhoudt
[2]**picket** [pikkit] *ww* posten, postend bewaken: ~ *a factory* (of: *people*) een bedrijf (*of:* mensen) posten
picket line groep posters *(bij een staking)*
pickle [pikl] **1** pekel *(ook fig);* moeilijk parket, knoei: *be in a sorry* (of: *fine*) ~ zich in een moeilijk parket bevinden **2** zuur, azijn: *vegetables in* ~ groenten in het zuur **3** ~*s* tafelzuur, zoetzuur
pickled [pikld] **1** ingelegd (in zuur, zout) **2** in de olie, lazarus
pick out **1** (uit)kiezen, eruit halen, uitpikken **2** onderscheiden, zien, ontdekken **3** doen uitkomen, afsteken
pickpocket zakkenroller
[1]**pick up** *intr* vaart krijgen; aanwakkeren *(van wind)*
[2]**pick up** *tr* **1** oppakken, opnemen, oprapen: ~ *your feet* til je voeten op; *pick oneself up* overeind krabbelen **2** opdoen, oplopen, oppikken: ~ *speed* vaart vermeerderen; *he picked her up in a bar* hij heeft haar in een bar opgepikt; *where did you pick that up?* waar heb je dat geleerd? **3** ontvangen; opvangen *(radio-, lichtsignalen)* **4** ophalen, een lift geven, meenemen: *I'll pick you up at seven* ik kom je om zeven uur ophalen **5** (terug)vinden, terugkrijgen: ~ *the trail* het spoor terugvinden **6** (bereid zijn te) betalen *(rekening)* **7** weer beginnen, hervatten: ~ *the threads* de draad weer opvatten **8** beter worden, opknappen, er bovenop komen; *(econ)* opleven; aantrekken: *the weather is picking up* het weer wordt weer beter
pick-up **1** (taxi)passagier, lifter; *(inform)* scharreltje **2** open bestelauto
pick-up truck open bestelauto
picky [pikkie] kieskeurig
[1]**picnic** [piknik] *zn* picknick || *it is no* ~ het valt niet mee, het is geen pretje
[2]**picnic** [piknik] *intr* picknicken
[1]**picture** [piktsje] *zn* **1** afbeelding, schilderij, plaat, prent, schets, foto **2** plaatje, iets beeldschoons **3** toonbeeld: *he is the (very)* ~ *of health* hij blaakt van gezondheid **4** (speel)film: *go to the* ~*s* naar de bioscoop gaan **5** beeld *(op tv)* || *come into the* ~ een rol gaan spelen; *put s.o. in the* ~ iem op de hoogte brengen
[2]**picture** [piktsje] *tr* **1** afbeelden, schilderen, beschrijven: ~ *to oneself* zich voorstellen **2** zich voorstellen, zich inbeelden
picture gallery schilderijenkabinet, galerie voor schilderijen
picturesque [piktsjeresk] schilderachtig
piddle [pidl] een plasje doen || *stop piddling around* schiet toch eens op
piddling [pidling] belachelijk (klein), onbenullig, te verwaarlozen
pidgin [pidzjin] mengtaal *(op basis vh Engels)*
pie [paj] **1** pastei **2** taart
[1]**piebald** [pajbo:ld] *zn* gevlekt dier, bont paard
[2]**piebald** [pajbo:ld] *bn* gevlekt *(vnl. zwart en wit);* bont
[1]**piece** [pie:s] *zn* **1** stuk, portie, brok, onderdeel; deel *(ook techn);* stukje (land), lapje, eindje, schaakstuk, damschijf, muntstuk, geldstuk, artikel, muziekstuk, toneelstuk; *(mil)* kanon; geweer: *five cents a* ~ vijf cent per stuk; *a good* ~ *of advice* een goede raad; ~ *of (good) luck* buitenkansje; *that is a fine* ~ *of work* dat ziet er prachtig uit; *come* (of: *go*) *(all) to* ~*s* (helemaal) kapot gaan, instorten, in (*of:* uit) elkaar vallen; *say* (of: *speak, state*) *one's* ~ zijn zegje doen, zeggen wat men te zeggen heeft; *in* ~*s* in stukken; *be all of a* ~ *with* ... helemaal van hetzelfde slag zijn als ..., uit hetzelfde hout gesneden zijn als ...; *of a* ~ in één stuk **2** staaltje, voorbeeld || *(nasty)* ~ *of work* (gemene) vent (*of:* griet); *give s.o. a* ~ *of one's mind* iem

flink de waarheid zeggen; *pick up the ~s* de stukken lijmen

²**piece** [pie:s] *tr* samenvoegen, in elkaar zetten: *~ together* aaneenhechten, aaneenvoegen, in elkaar zetten *(verhaal)*

piecemeal [pie:smie:l] stuksgewijs, geleidelijk, bij stukjes en beetjes

pie chart cirkeldiagram, taartdiagram

pied [pajd] bont, gevlekt || *the Pied Piper (of Hamelin)* de rattenvanger van Hameln

pier [pie] **1** pier, havenhoofd **2** pijler, brugpijler

pierce [pies] doordringen, doorboren: *~d ears* gaatjes in de oren

¹**piercing** [piesing] *zn* piercing, gaatje

²**piercing** [piesing] *bn* **1** doordringend; onderzoekend *(ook van blik)* **2** scherp; snijdend *(wind, kou)*; stekend *(pijn)*; snerpend *(geluid)*

piety [pajjetie] vroomheid; trouw *(aan ouders, familie)*

piffling [pifling] belachelijk (klein), waardeloos, onbenullig

pig [pik] **1** varken, (wild) zwijn **2** *(inform)* varken *(scheldwoord)*; gulzigaard, hufter **3** *(Am)* big **4** smeris || *be ~(gy) in the middle* tussen twee vuren zitten; *bleed like a (stuck) ~* bloeden als een rund; *buy a ~ in a poke* een kat in de zak kopen; *and ~s might fly!* ja, je kan me nog meer vertellen!; *make a ~ of oneself* overdadig eten (en drinken), schranzen

pigeon [pidzjin] **1** duif **2** kleiduif || *it is not my ~* het zijn mijn zaken niet

¹**pigeon-hole** *zn* loket, hokje, (post)vakje

²**pigeon-hole** *tr* **1** in een vakje leggen *(document)*; opbergen **2** in de ijskast stoppen, opzijleggen, op de lange baan schuiven **3** in een hokje stoppen, een etiket opplakken

piggery [pikerie] **1** varkensfokkerij **2** varkensstal, zwijnerij

piggy [pikie] big, varkentje || *be ~ in the middle* tussen twee vuren zitten

piggyback [pikiebek] ritje op de rug

pig-headed koppig, eigenwijs

pigment [pikment] pigment

pigmentation [pikmenteesjen] **1** huidkleuring **2** kleuring

pigtail (haar)vlecht, staartje

pike [pajk] **1** piek, spies **2** snoek

¹**pile** [pajl] *zn* **1** (hei)paal, staak, pijler **2** stapel, hoop: *~s of books* stapels boeken **3** hoop geld, fortuin: *he has made his ~* hij is binnen **4** aambei **5** (kern)reactor **6** pool *(op fluweel, tapijt)*; pluis

²**pile** [pajl] *intr* zich ophopen: *~ in* binnenstromen, binnendrommen; *~ up* zich opstapelen

³**pile** [pajl] *tr* (op)stapelen, beladen || *~ it on (thick)* overdrijven

pile driver **1** heimachine **2** harde slag *(in boksen)*; (harde) trap

pile-up **1** opeenstapeling, op(een)hoping **2** kettingbotsing

pilfer [pilfe] stelen, pikken

pilferer [pilfere] kruimeldief

pilgrim [pilkrim] pelgrim

pilgrimage [pilkrimmidzj] bedevaart, pelgrimstocht

pill [pil] **1** pil *(ook fig)*; bittere pil: *sweeten the ~* de pil vergulden **2** (anticonceptie)pil: *be on the ~* aan de pil zijn **3** bal

¹**pillage** [pillidzj] *zn* **1** plundering, roof **2** buit

²**pillage** [pillidzj] *ww* plunderen, (be)roven

pillar [pille] **1** (steun)pilaar; zuil *(ook fig)* **2** zuil; kolom *(rook, water, lucht)* || *driven from ~ to post* van het kastje naar de muur gestuurd

pillar box brievenbus *(vd PTT)*

pillbox **1** pillendoosje **2** klein rond (dames)hoedje **3** *(mil)* bunker

¹**pillory** [pillerie] *zn* blok, schandpaal: *in the ~* aan de schandpaal

²**pillory** [pillerie] *tr* aan de kaak stellen, hekelen

pillow [pilloo] (hoofd)kussen

pillowcase kussensloop

¹**pilot** [pajlet] *zn* **1** loods **2** piloot, vlieger: *on automatic ~* op de automatische piloot **3** gids, leider

²**pilot** [pajlet] *tr* loodsen, (be)sturen, vliegen; (ge)leiden *(ook fig)*: *~ a bill through Parliament* een wetsontwerp door het parlement loodsen

pilot light **1** waakvlam(metje) **2** controlelamp(je)

pilot project proefproject

pilot scheme proefproject

pimp [pimp] pooier

pimple [pimpl] puist(je), pukkel

¹**pin** [pin] *zn* **1** speld, sierspeld, broche **2** pin, pen, stift; *(techn)* splitpen; bout, spie, nagel **3** kegel *(bowling)* **4** vlaggenstok *(in een hole bij golf)* || *I have ~s and needles in my arm* mijn arm slaapt

²**pin** [pin] *tr* **1** (vast)spelden; vastmaken *(met speld, pin)* **2** doorboren, doorsteken **3** vasthouden, knellen, drukken: *~ s.o. down* iem neerdrukken, iem op de grond houden || *~ s.o. down on sth.* iem ergens op vastpinnen, iem ergens aan ophangen

PIN [pin] *afk van personal identification number* persoonlijk identificatienummer, pincode

pinball flipper(spel)

pincers [pinsez] **1** (nijp)tang: *a pair of ~* een nijptang **2** schaar *(van kreeft)*

¹**pinch** [pintsj] *zn* **1** kneep **2** klem, nood(situatie): *feel the ~* de nood voelen **3** snuifje, klein beetje: *take sth. with a ~ of salt* iets met een korreltje zout nemen || *at a ~* desnoods, in geval van nood

²**pinch** [pintsj] *ww* **1** knijpen, dichtknijpen, knellen, klemmen: *~ed with anxiety* door zorgen gekweld **2** verkleumen, verschrompelen: *~ed with cold* verkleumd van de kou **3** jatten, pikken, achterover drukken **4** inrekenen, in de kraag grijpen **5** knellen, pijn doen: *these shoes ~ my toes* mijn tenen doen pijn in deze schoenen **6** krenterig zijn, gierig zijn: *~ and save* (of: *scrape*) kromliggen

¹**pine** [pajn] *zn* **1** pijn(boom) **2** vurenhout, grenenhout, dennenhout

pi

²pine [pajn] *intr* **1** kwijnen, treuren: ~ *away (from sth.)* wegkwijnen (van iets) **2** (met *after*) smachten (naar), verlangen, hunkeren: ~ *to do sth.* ernaar hunkeren iets te doen
pineapple ananas
pine cone dennenappel, pijnappel
¹ping [ping] *zn* ping, kort tinkelend geluid
²ping [ping] *intr* 'ping' doen *(een kort tinkelend geluid maken)*
ping-pong pingpong, tafeltennis
pinhead **1** speldenkop **2** kleinigheid **3** sufferd
¹pinion [pinniеn] *zn* **1** vleugelpunt **2** *(techn)* rondsel, klein(ste) tandwiel
²pinion [pinniеn] *tr* **1** kortwieken **2** binden; vastbinden *(armen);* boeien *(handen)*
¹pink [pingk] *zn* **1** anjelier, anjer **2** roze(rood) **3** puikje, toppunt, toonbeeld: *in the ~ (of health)* in blakende gezondheid
²pink [pingk] *bn* **1** roze: ~ *elephants* witte muizen, roze olifanten *(dronkenmanshallucinaties)* **2** gematigd links **3** homoseksueel: *the ~ pound* koopkracht van homoseksuelen || *be tickled ~* bijzonder in zijn schik zijn
pinnacle [pinnеkl] **1** pinakel, siertorentje **2** (berg)top, spits, piek; *(fig)* toppunt
pinny [pinnie] schort
¹pinpoint *zn* **1** speldenpunt **2** stipje, kleinigheid, puntje
²pinpoint *tr* uiterst nauwkeurig aanduiden
pinstripe(d) met dunne streepjes *(op stof, pak);* krijtstreep
pint [pajnt] **1** pint *(voor vloeistof 0,568 l, (Am) 0,473 l)* **2** pint, grote pils
pint-size(d) nietig, klein, minuscuul
pin-up pin-up; *(Belg)* prikkelpop
¹pioneer [pajjеnie] *zn* pionier, voortrekker
²pioneer [pajjеnie] *ww* pionieren, pionierswerk verrichten (voor), de weg bereiden (voor)
pious [pajjеs] **1** vroom **2** hypocriet, braaf **3** vroom, onvervulbaar, ijdel: ~ *hope* (of: *wish*) ijdele hoop, vrome wens
¹pip [pip] *zn* **1** oog *(op dobbelsteen e.d.)* **2** pit *(van fruit)* **3** b(l)iep, tikje, toontje **4** ster *(op uniform)* **5** aanval van neerslachtigheid, humeurigheid: *she gives me the ~* ze werkt op mijn zenuwen
²pip [pip] *tr* **1** neerknallen, raken **2** verslaan
¹pipe [pajp] *zn* **1** pijp, buis, leiding(buis), orgelpijp, tabakspijp: ~ *of peace* vredespijp **2** *~s* doedelzak(ken) || *put that in your ~ and smoke it* die kun je in je zak steken
²pipe [pajp] *ww* **1** fluiten, op de doedelzak spelen **2** door buizen leiden **3** door kabelverbinding overbrengen *(muziek, radioprogramma): ~d music* muziek in blik || ~ *down* zijn mond houden; ~ *up* beginnen te zingen
pipe dream droombeeld, luchtkasteel
pipeline **1** pijpleiding, oliepijpleiding **2** toevoerkanaal, informatiebron || *in the ~* onderweg, op komst
piper [pajpе] fluitspeler, doedelzakspeler || *pay the ~* het gelag betalen
¹piping [pajping] *zn* **1** pijpleiding, buizennet **2** het fluitspelen, fluitspel
²piping [pajping] *bn* schril *(stem)* || ~ *hot* kokend heet
piquant [pie:kеnt] pikant, prikkelend
¹pique [pie:k] *zn* gepikeerdheid, wrevel: *in a fit of ~* in een kwaaie bui
²pique [pie:k] *tr* kwetsen *(trots);* irriteren || ~ *oneself (up)on sth.* op iets prat gaan
piracy [pajjеrеsie] zeeroverij; piraterij *(ook fig)*
¹pirate [pajjеrеt] *zn* **1** piraat *(ook fig);* zeerover **2** zeeroversschip
²pirate [pajjеrеt] *intr* aan zeeroverij doen
³pirate [pajjеrеt] *tr* **1** plunderen **2** plagiëren, nadrukken, illegale kopieën maken van: *~d edition* roofdruk
Pisces [pajsie:z] *(astrol)* (de) Vissen
¹piss [pis] *zn (plat)* pis || *take the ~ out of s.o.* iem voor de gek houden; *are you taking the ~?* zit je mij nou in de maling te nemen?
²piss [pis] *ww (plat)* (be)pissen || ~ *about* (of: *around*) rotzooien; *it is ~ing (down)* het stortregent; ~ *off* oprotten
pissed [pist] **1** bezopen **2** kwaad: *be ~ off at s.o.* woest zijn op iem
pistil [pistil] *(plantk)* stamper
pistol [pistl] pistool
piston [pistеn] *(techn)* zuiger
¹pit [pit] *zn* **1** kuil, put, (kolen)mijn(schacht) **2** dierenkuil **3** kuiltje, putje **4** werkkuil; pits *(op autocircuit)* **5** orkestbak; parterre *(theater)* **6** nest *(bed)* **7** *(Am)* pit; steen *(van vrucht)* **8** *the ~s* (een) ramp, (een) verschrikking: *do you know that town? it's the ~s!* ken je die stad? erger kan niet!
²pit [pit] *tr* als tegenstander opstellen, uitspelen: ~ *one's strength against s.o.* zijn krachten met iem meten
¹pitch [pitsj] *zn* **1** worp: *(fig) make a ~ for sth.* een gooi naar iets doen **2** hoogte, intensiteit, top(punt); *(muz)* toon(hoogte): *perfect ~* absoluut gehoor **3** *(sport)* (sport)terrein, veld; *(cricket)* grasmat **4** (slim) verkoopverhaal, verkooppraat(je) **5** standplaats, stalletje, stek **6** schuinte, (dak)helling **7** pek
²pitch [pitsj] *intr* **1** afhellen; aflopen *(van dak)* **2** strompelen, slingeren || ~ *in(to)* aan het werk gaan
³pitch [pitsj] *tr* **1** opslaan *(tent, kamp)* **2** doen afhellen *(dak): ~ed roof* schuin dak **3** op toon stemmen, (toon) aangeven
pitch-dark pikdonker
pitcher [pitsjе] **1** grote (aarden) kruik; *(Am)* kan **2** *(honkbal)* werper
pitchfork hooivork
piteous [pittiеs] meelijwekkend, zielig
pitfall valkuil; *(fig)* valstrik
pitiful [pittiffoel] **1** zielig **2** armzalig

pittance [pittens] hongerloon: *a mere ~* een bedroevend klein beetje

[1]**pity** [pittie] *zn* **1** medelijden **2** betreurenswaardig feit: *it is a thousand pities* het is ontzettend jammer; *what a ~!* wat jammer!; *more's the ~* jammer genoeg

[2]**pity** [pittie] *tr* medelijden hebben met: *she is much to be pitied* zij is zeer te beklagen

[1]**pivot** [pivvet] *zn* spil, draaipunt; *(fig)* centrale figuur

[2]**pivot** [pivvet] *intr* om een spil draaien; *(fig)* draaien: *~ (up)on sth.* om iets draaien

pix [piks] **1** foto's **2** film, de filmindustrie

pixie [piksie] fee, elf

pizza [pie:tse] pizza

pizzazz [pezez] pit, lef

pl 1 *afk van place* plaats **2** *afk van plural* mv., meervoud

placard [pleka:d] plakkaat, aanplakbiljet; protestbord *(van demonstrant)*

placate [plekeet] tot bedaren brengen, gunstig stemmen

[1]**place** [plees] *zn* **1** plaats, ruimte: *change ~s with s.o.* met iem van plaats verwisselen; *fall into ~* duidelijk zijn; *lay* (of: *set*) *a ~ for s.o.* voor iem dekken; *put* (of: *keep*) *s.o. in his ~* iem op zijn plaats zetten (*of:* houden); *take ~* plaatsvinden; *take s.o.'s ~* iemands plaats innemen; *out of ~* misplaatst, niet passend (*of:* geschikt); *all over the ~* overal (rondslingerend); *in the first ~* in de eerste plaats **2** (woon)plaats, woning, plein: *come round to my ~ some time* kom eens (bij mij) langs **3** gelegenheid *(café e.d.)*: *~ of worship* kerk, kapel, e.d. **4** passage *(in boek)* **5** stand, rang, positie: *know one's ~* zijn plaats kennen **6** taak, functie

[2]**place** [plees] *tr* **1** plaatsen, zetten: *~ an order for goods* goederen bestellen **2** aanstellen, een betrekking geven **3** thuisbrengen, identificeren

placebo [plesie:boo] *(mv: ook ~es)* placebo, nepgeneesmiddel, zoethoudertje

placement [pleesment] plaatsing

placid [plesid] vreedzaam, kalm

plagiarism [pleedzjierizm] plagiaat

[1]**plague** [pleeĝ] *zn* **1** plaag, teistering **2** pest: *avoid s.o. (sth.) like the ~* iem (iets) schuwen als de pest **3** lastpost

[2]**plague** [pleeĝ] *tr* **1** teisteren, treffen **2** (met *with*) lastigvallen (met), pesten

plaice [plees] **1** schol **2** *(Am)* platvis

[1]**plaid** [pled] *zn* plaid

[2]**plaid** [pled] *bn* plaid-, met Schots patroon

[1]**plain** [pleen] *zn* vlakte, prairie

[2]**plain** [pleen] *bn* **1** duidelijk: *in ~ language* in duidelijke taal **2** simpel, onvermengd; puur *(water, whisky e.d.)*: *~ flour* bloem *(zonder bakpoeder)* **3** ronduit, oprecht: *~ dealing* eerlijk(heid) **4** vlak, effen **5** recht *(breisteek)* **6** volslagen; totaal *(onzin)*: *it's ~ foolishness* het is je reinste dwaasheid || *it was ~ sailing all the way* het liep allemaal van een leien dakje

[3]**plain** [pleen] *bw* **1** duidelijk **2** ronduit

plain-clothes in burger(kleren)

plainly [pleenlie] **1** ronduit: *speak ~* ronduit spreken **2** zonder meer: *it is ~ clear* het is zonder meer duidelijk

plaintiff [pleentif] aanklager, eiser

plaintive [pleentiv] **1** klagend **2** treurig, triest

[1]**plait** [plet] *zn* vlecht

[2]**plait** [plet] *tr* vlechten

[1]**plan** [plen] *zn* **1** plan: *what are your ~s for tonight?* wat ga je vanavond doen? **2** plattegrond **3** ontwerp, opzet: *~ of action* (of: *campaign, battle*) plan de campagne **4** schema, ontwerp

[2]**plan** [plen] *intr* plannen maken: *he hadn't ~ned for* (of: *on*) *so many guests* hij had niet op zoveel gasten gerekend; *~ on doing sth.* er op rekenen iets te (kunnen) doen

[3]**plan** [plen] *tr* **1** in kaart brengen, schetsen, ontwerpen **2** plannen, van plan zijn: *he had it all ~ned out* hij had alles tot in de details geregeld

[1]**plane** [pleen] *zn* **1** plataan **2** schaaf **3** vlak, draagvlak; vleugel *(van vliegtuig)* **4** niveau; plan *(alleen fig)* **5** vliegtuig

[2]**plane** [pleen] *bn* vlak, plat: *~ geometry* vlakke meetkunde

[3]**plane** [pleen] *ww* **1** glijden; zweven *(van vliegtuig)* **2** schaven, effen maken

planet [plenit] planeet

planetarium [plenitteeriem] planetarium

plank [plengk] (zware) plank

plankton [plengkten] plankton

planner [plene] ontwerper; *(stadsontwikkeling)* planoloog

planning [plening] planning, ordening

[1]**plant** [pla:nt] *zn* **1** plant, gewas **2** fabriek, bedrijf; *(elektr)* centrale **3** machinerie, uitrusting, installatie **4** doorgestoken kaart, vals bewijsmateriaal

[2]**plant** [pla:nt] *tr* **1** planten; poten *(ook vis)*; aanplanten **2** (met kracht) neerzetten *(voeten)*; plaatsen: *with one's feet ~ed (firmly) on the ground* met beide voeten (stevig) op de grond **3** zaaien *(alleen fig)* **4** onderschuiven; verbergen *(gestolen goederen)*; laten opdraaien voor: *~ false evidence* vals bewijsmateriaal onderschuiven

plantain [plentin] weegbree

plantation [plenteesjen] **1** beplanting, aanplant **2** plantage

planter [pla:nte] **1** planter, plantagebezitter **2** bloembak, bloempot

plaque [pla:k] **1** plaat, gedenkplaat **2** vlek *(op huid)* **3** tandaanslag

plasma [plezme] plasma

plasma screen plasmascherm

plasma TV plasma-tv

[1]**plaster** [pla:ste] *zn* **1** (hecht)pleister **2** pleister(kalk) **3** gips: *~ of Paris* (gebrande) gips

[2]**plaster** [pla:ste] *tr* **1** (be)pleisteren, bedekken: *~ make-up on one's face* zich zwaar opmaken, z'n gezicht plamuren; *~ over* (of: *up*) dichtpleisteren

2 verpletteren, inmaken
plasterer [pla:stere] stukadoor
[1]**plastic** [plestik] *zn* plastic, kunststof
[2]**plastic** [plestik] *bn* **1** plastisch **2** plastic, synthetisch **3** kunstmatig || ~ *money* plastic geld *(via betaalpas, creditcard); ~ surgery* plastische chirurgie
plate [pleet] **1** plaat(je), naambordje, nummerbord, nummerplaat; *(geol)* plaat *(groot stuk aardkorst)* **2** bord; bordvol *(eten)* **3** collecteschaal **4** zilveren (gouden) bestek, verzilverd bestek, pleet || *give s.o. sth. on a* ~ iem iets in de schoot werpen; *have enough on one's* ~ genoeg omhanden hebben
plateau [pletoo] plateau, tafelland; *(fig ook)* stilstand *(in groei)*
plateful [pleetfoel] bordvol
platform [pletfo:m] **1** platform **2** podium **3** balkon *(van bus, tram)* **4** perron **5** partijprogramma, politiek programma
platinum [pletinnem] platina
platitude [pletitjoe:d] open deur, afgezaagde waarheid
platoon [pletoe:n] peloton
platter [plete] plat bord, platte schotel || *on a* ~ op een gouden schotel
plausible [plo:zibl] **1** plausibel, aannemelijk **2** bedrieglijk overtuigend
[1]**play** [plee] *zn* **1** spel: ~ *(up)on words* woordspeling; *allow full* (of: *free*) ~ *to sth.* iets vrij spel laten **2** toneelstuk: *the ~s of Shakespeare* de stukken van Shakespeare **3** beurt, zet; *(Am; vnl. sport)* manoeuvre: *make a ~ for sth.* iets proberen te krijgen **4** actie, activiteit, beweging: *bring* (of: *call*) *into* ~ erbij betrekken **5** *(techn)* speling || *make great* ~ *of* erg de nadruk leggen op, sterk benadrukken
[2]**play** [plee] *intr* **1** spelen: *a smile ~ed on her lips* een glimlach speelde om haar lippen; ~ *hide-and-seek*, ~ *at soldiers* verstoppertje (*of:* soldaatje) spelen; ~ *by ear* op het gehoor spelen, *(fig)* op zijn gevoel afgaan **2** werken; spuiten *(fontein)* **3** zich vermaken **4** aan zet zijn *(schaak)* **5** glinsteren; flikkeren *(licht)* || ~ *about* (of: *around*) stoeien, aanklooien; *what on earth are you ~ing at?* wat heeft dit allemaal te betekenen?; ~ *(up)on s.o.'s feelings* op iemands gevoelens werken
[3]**play** [plee] *tr* **1** spelen, bespelen; opvoeren *(toneelstuk);* draaien *(grammofoonplaat, cd):* ~ *back a tape* een band afspelen **2** richten; spuiten *(water)* **3** uitvoeren; uithalen *(grap):* ~ *s.o. a trick* iem een streek leveren **4** verwedden, inzetten **5** *(sport)* opstellen *(speler)* || ~ *s.o. along* iem aan het lijntje houden; ~ *sth. down* iets als minder belangrijk voorstellen
play-act doen alsof, toneelspelen
playback **1** opname op tape **2** weergavetoets
playbill affiche *(voor theatervoorstelling)*
playboy playboy
player [pleee] speler
playful [pleefoel] speels, vrolijk
playgoer [pleekooe] schouwburgbezoeker
playground speelplaats
playgroup peuterklasje
playhouse **1** schouwburg **2** poppenhuis
playmate **1** speelkameraad **2** pin-up
[1]**play off** *intr* de beslissingsmatch spelen
[2]**play off** *tr* uitspelen: *he played his parents off (against each other)* hij speelde zijn ouders tegen elkaar uit
play-off beslissingsmatch
play out **1** beëindigen *(spel; ook fig):* ~ *time* op veilig spelen, geen risico's nemen **2** helemaal uitspelen **3** uitbeelden || *played out* afgedaan, uitgeput
playpen box *(voor kleine kinderen)*
play up **1** last bezorgen: *my leg is playing up again* ik heb weer last van mijn been **2** benadrukken || ~ *to s.o.* iem vleien, iem naar de mond praten
playwright toneelschrijver
PLC *afk van Public Limited Company* nv, naamloze vennootschap
plea [plie:] **1** smeekbede **2** verweer, pleidooi
[1]**plead** [plie:d] *intr* **1** pleiten, zich verdedigen: ~ *guilty* (of: *not guilty*) schuld bekennen (*of:* ontkennen) **2** smeken, dringend verzoeken: ~ *with s.o. for sth.* (of: *to do sth.*) iem dringend verzoeken iets te doen
[2]**plead** [plie:d] *tr* **1** bepleiten **2** aanvoeren *(als verdediging, verontschuldiging);* zich beroepen op: ~ *ignorance* onwetendheid voorwenden
pleasant [pleznt] **1** aangenaam: ~ *room* prettige kamer **2** aardig, sympathiek **3** mooi *(weer)*
[1]**please** [plie:z] *ww* **1** naar de zin maken, tevredenstellen **2** wensen: *do as you ~!* doe zoals je wilt!; ~ *yourself!* ga je gang!
[2]**please** [plie:z] *tw* **1** alstublieft: *may I come in, ~?* mag ik alstublieft binnenkomen? **2** alstublieft, wees zo goed: *do come in, ~!* komt u toch binnen, alstublieft! **3** graag (dank u): *'A beer?' 'Yes, ~'* 'Een biertje?' 'Ja, graag'
pleased [plie:zd] tevreden, blij: *he was ~ as Punch* hij was de koning te rijk
pleasing [plie:zing] **1** aangenaam, innemend **2** bevredigend
pleasure [plezje] genoegen, plezier: *take great ~ in sth.* plezier hebben in iets; *with ~* met genoegen, graag
[1]**pleat** [plie:t] *zn* platte plooi, vouw
[2]**pleat** [plie:t] *tr* plooien: *~ed skirt* plooirok
[1]**plebeian** [plibbie:en] *zn* proleet
[2]**plebeian** [plibbie:en] *bn* proleterig, onbeschaafd
[1]**pledge** [pledzj] *zn* **1** pand, onderpand **2** plechtige belofte, gelofte
[2]**pledge** [pledzj] *tr* **1** verpanden, belenen **2** een toost uitbrengen op, toosten op **3** plechtig beloven, (ver)binden: ~ *allegiance to* trouw zweren aan; ~ *oneself* zich (op erewoord) verbinden
plenary [plie:nerie] **1** volkomen, volledig: *with ~ powers* met volmacht(en) **2** plenair, voltallig: ~

assembly (of: *session*) plenaire vergadering (*of: zitting*)

plentiful [plentiffoel] overvloedig

[1]plenty [plentie] *zn* overvloed || *he has ~ going for him* alles loopt hem mee

[2]plenty [plentie] *bn* overvloedig, genoeg

[3]plenty [plentie] *bw* ruimschoots

pliable [plajjebl] buigzaam, plooibaar; *(fig)* gedwee

pliant [plajjent] buigzaam, soepel; *(fig)* gedwee

plied [plajd] *ovt en volt dw van* ply

pliers [plajjez] buigtang, combinatietang: *a pair of ~* een buigtang

plight [plajt] (benarde) toestand: *a sorry* (of: *hopeless*) *~* een hopeloze toestand

plimsoll [plimsl] gymschoen, gympie

[1]plod [plod] *intr* ploeteren, zwoegen: *~ away at one's work all night* de hele nacht door zwoegen

[2]plod [plod] *tr* afsjokken: *~ one's way* zich voortslepen

plodding [plodding] moeizaam

[1]plop [plop] *zn* plons, floep; plof *(in water)*

[2]plop [plop] *ww* met een plons (doen) neervallen, (laten) plonzen

[3]plop [plop] *bw* met een plons

[1]plot [plot] *zn* **1** stuk grond, perceel **2** intrige; plot *(van toneelstuk, roman)*; complot **3** *(Am)* plattegrond, kaart, diagram

[2]plot [plot] *intr* samenzweren, plannen smeden

[3]plot [plot] *tr* **1** in kaart brengen, intekenen; uitzetten *(grafiek, diagram)* **2** (ook met *out*) in percelen indelen *(land)* **3** beramen; smeden *(complot)*

[1]plough [plau] *zn* ploeg

[2]plough [plau] *intr* ploegen; *(fig)* ploeteren; zwoegen: *~ through the snow* zich door de sneeuw heen worstelen

[3]plough [plau] *tr* (om)ploegen: *~ one's way through sth.* zich (moeizaam) een weg banen door iets || *~ back profits into equipment* winsten in apparatuur (her)investeren

plow [plau] *(Am)* ploeg

ploy [ploj] truc(je), list

[1]pluck [pluk] *zn* **1** moed, durf, lef **2** het plukken *(van kip e.d.)*

[2]pluck [pluk] *intr* **1** (met *at*) rukken (aan), trekken (aan) **2** tokkelen

[3]pluck [pluk] *tr* **1** plukken *(kip e.d.; ook bloemen)*; trekken **2** tokkelen op

plucky [plukkie] dapper, moedig

[1]plug [pluk] *zn* **1** stop, prop, pen **2** stekker **3** pruim, pluk tabak **4** aanbeveling, reclame, spot; gunstige publiciteit *(op radio, tv)* || *pull the ~ on sth.* iets niet laten doorgaan, een eind maken aan iets

[2]plug [pluk] *tr* **1** (ook met *up*) (op)vullen, dichtstoppen **2** neerknallen, neerschieten, beschieten **3** pluggen, reclame maken voor; populair maken *(op radio, tv)*; voortdurend draaien *(grammofoonplaten)* || *~ in* aansluiten, de stekker insteken

plughole afvoer, gootsteengat

plum [plum] **1** pruim **2** pruimenboom **3** donkerrood, donkerpaars **4** iets heel goeds, iets begerenswaardigs, het neusje van de zalm

plumage [ploe:midzj] veren(kleed) *(van vogel)*

[1]plumb [plum] *zn* (loodje van) schietlood, paslood: *off* (of: *out*) *of ~* niet loodrecht, niet in het lood

[2]plumb [plum] *bn* **1** loodrecht **2** *(Am)* uiterst: *~ nonsense* je reinste onzin

[3]plumb [plum] *tr* **1** loden, peilen met dieplood, meten met schietlood **2** verticaal zetten, loodrecht maken **3** (trachten te) doorgronden, peilen

[4]plumb [plum] *bw* **1** loodrecht, precies in het lood: *~ in the middle* precies in het midden **2** *(Am)* volkomen

plumber [plumme] loodgieter, gas- en waterfitter

plumbing [plumming] loodgieterswerk, (het aanleggen ve) systeem van afvoerbuizen

plumcake rozijnencake, krentencake

plume [ploe:m] **1** pluim, (sier)veer, vederbos **2** pluim, sliert, wolkje: *a ~ of smoke* een rookpluim

[1]plummet [plummit] *zn* (loodje van) loodlijn, (gewicht van) dieplood, schietlood

[2]plummet [plummit] *intr* (ook met *down*) pijlsnel vallen, scherp dalen, instorten, neerstorten: *prices ~ed* de prijzen kelderden

plummy [plummie] **1** (zeer) goed, begerenswaardig: *a ~ job* een vet baantje **2** vol *(van stem)*; te vol, geaffecteerd

plump stevig *(vaak euf)*; rond, mollig

[1]plump down *intr* neerploffen, neervallen, neerzakken

[2]plump down *tr* (plotseling) neergooien, neerploffen, neerkwakken, laten vallen

[1]plunder [plunde] *zn* **1** plundering, roof, beroving **2** buit

[2]plunder [plunde] *ww* (be)stelen, (be)roven, plunderen

[1]plunge [plundzj] *zn* duik, sprong || *take the ~* de knoop doorhakken, de sprong wagen

[2]plunge [plundzj] *intr* **1** zich werpen, duiken, zich storten **2** (plotseling) neergaan, dalen, steil aflopen **3** (met *into*) binnenvallen

[3]plunge [plundzj] *tr* werpen, (onder)dompelen, storten: *he was ~d into grief* hij werd door verdriet overmand

[1]plunk [plungk] *ww* neerploffen, luidruchtig (laten) vallen: *~ down* neersmijten, neergooien

[2]plunk [plungk] *bw* **1** met een plof **2** precies, juist: *~ in the middle* precies in het midden

[1]plural [ploeerel] *zn* meervoud, meervoudsvorm

[2]plural [ploeerel] *bn* meervoudig, meervouds-

[1]plus [plus] *zn (mv: Am ook ~ses)* **1** plus, plusteken **2** pluspunt, voordeel

[2]plus [plus] *bn* **1** *(wisk)* plus, groter dan nul **2** *(elektr)* plus, positief **3** ten minste, minimaal, meer (ouder) dan: *she has got beauty ~* ze is meer dan knap; *you have to be twelve ~ for this* hier moet je twaalf of ouder voor zijn

[3]**plus** [plus] *vz* plus, (vermeerderd) met, en, boven nul: *he paid back the loan ~ interest* hij betaalde de lening terug met de rente; *~ six (degrees centigrade)* zes graden boven nul

[1]**plush** [plusj] *zn* pluche

[2]**plush** [plusj] *bn* **1** pluchen, van pluche **2** sjiek, luxueus

plus sign plus, plusteken, het symbool +

[1]**ply** [plaj] *zn* **1** *(vaak in samenstellingen)* laag *(van hout of dubbele stof)*; vel *(van dun hout)*: *three-ply wood* triplex **2** streng, draad *(van touw, wol)*

[2]**ply** [plaj] *intr* (met *between*) een bepaalde route regelmatig afleggen *(van bus, schip e.d.)*; pendelen (tussen), geregeld heen en weer rijden (varen) (tussen) || *~ for hire* passagiers opzoeken *(van taxi)*

[3]**ply** [plaj] *tr* geregeld bevaren, pendelen over

ply with (voortdurend) volstoppen met *(voedsel, drank)*; (doorlopend) voorzien van || *they plied the MP with questions* ze bestookten het kamerlid met vragen

plywood triplex, multiplex

p.m. *afk van post meridiem* nm., 's middags

PM *afk van Prime Minister* MP, minister-president

pneumatic [njoe:metik] pneumatisch, lucht(druk)-: *~ drill* lucht(druk)boor

pneumonia [njoe:moonie] longontsteking

po [poo] po

[1]**poach** [pootsj] *intr* stropen, illegaal vissen (jagen): *~ on s.o.'s preserve(s)* zich op andermans gebied begeven, *(fig)* aan iemands bezit (*of:* zaken, werk) komen

[2]**poach** [pootsj] *tr* **1** pocheren *(ei, vis)* **2** stropen *(wild, vis)* **3** *(sport)* afpakken *(bal)*

PO Box *afk van Post Office Box* postbus

[1]**pocket** [pokkit] *zn* **1** zak **2** (opberg)vak, voorvakje, map **3** financiële middelen, portemonnee, inkomen **4** ertsader, olieader **5** klein afgesloten gebied; *(mil)* haard **6** zakformaat || *have s.o. in one's ~* iem volledig in zijn macht hebben; *have sth. in one's ~* ergens (bijna) in geslaagd zijn; *I was twenty dollars out of ~* ik ben twintig dollar kwijtgeraakt

[2]**pocket** [pokkit] *tr* **1** in zijn zak steken, in eigen zak steken **2** opstrijken; (op oneerlijke wijze) ontvangen *(geld)*

pocketbook **1** zakboekje, notitieboekje **2** portefeuille **3** *(Am)* pocket(boek), paperback **4** *(Am)* (dames)handtas

pocket money zakgeld

pockmark [pokma:k] **1** pokput **2** put, gat, holte

pockmarked [pokmaa:kt] **1** pokdalig **2** vol gaten, met kuilen of holen

pod [pod] peul(enschil), (peul)dop, huls

podgy [podzjie] rond, klein en dik, propperig

podium [poodiem] podium, (voor)toneel

poem [pooim] gedicht, vers

poet [pooit] dichter

poetess [pooittes] dichteres

poetic(al) [pooettik(l)] dichterlijk, poëtisch: *poetic licence* dichterlijke vrijheid

poetry [pooitrie] poëzie, dichtkunst

poignant [pojnjent] **1** scherp *(van smaak, gevoelens)*; schrijnend **2** aangrijpend, ontroerend, gevoelig

[1]**point** [pojnt] *zn* **1** punt, stip, plek, decimaalteken, komma: *in English a decimal ~ is used to indicate a fraction: 8.5* in het Engels wordt een decimaalpunt gebruikt om een breuk aan te geven: 8.5 **2** (waarderings)punt, cijfer: *be beaten on ~s* op punten verliezen **3** (puntig) uiteinde, (land)punt; tak *(gewei)*; uitsteeksel **4** punt, kwestie: *the main ~* de hoofdzaak **5** karakteristiek, eigenschap: *that's his strong ~* dat is zijn sterke kant **6** zin, bedoeling, effect: *get* (of: *see*) *the ~ of sth.* iets snappen **7** (kompas)streek **8** punt *(precieze plaats, tijd enz.)*; kern, essentie: *the ~ of the joke* de clou van de grap; *~ of view* gezichtspunt, standpunt; *come* (of: *get*) *to the ~* ter zake komen; *you have a ~ there* daar heb je gelijk in, daar zit iets in; *I always make a ~ of being in time* ik zorg er altijd voor op tijd te zijn; *I take your ~, ~ taken* ik begrijp wat je bedoelt; *that's beside the ~* dat heeft er niets mee te maken, dat staat er buiten; *on the ~ of* op het punt van; *that's (not) to the ~* dat is (niet) relevant; *up to a (certain) ~* tot op zekere hoogte **9** *~s (spoorwegen)* wissel **10** contactpunt, stopcontact || *in ~ of fact: a)* in werkelijkheid; *b)* bovendien, zelfs; *stretch a ~* niet al te nauw kijken, van de regel afwijken

[2]**point** [pojnt] *intr* **1** (met *at, towards*) gericht zijn (op), aandachtig zijn (op) **2** (met *at, to*) wijzen (naar), bewijzen: *~ to sth.* ergens naar wijzen, iets suggereren, iets bewijzen

[3]**point** [pojnt] *tr* **1** scherp maken **2** (met *at, towards*) richten (op), (aan)wijzen: *~ out a mistake* een fout aanwijzen, een fout onder de aandacht brengen **3** voegen *(metselwerk)*

point-blank **1** van vlakbij, korte afstands-, regelrecht: *fire ~ at s.o.* van dichtbij op iem schieten **2** rechtstreeks, (te) direct, bot: *a ~ refusal* een botte weigering

pointed [pojntid] **1** puntig, puntvormig **2** scherp, venijnig: *a ~ answer* een bits antwoord **3** nadrukkelijk, duidelijk, opvallend

pointer [pojnte] **1** wijzer *(van weegschaal e.d.)* **2** aanwijsstok **3** aanwijzing, suggestie, advies **4** pointer, staande hond

pointless [pojntles] zinloos, onnodig, onbelangrijk

point out **1** wijzen naar: *~ sth. to s.o.* iem op iets attenderen **2** naar voren brengen, in het midden ter sprake brengen: *~ s.o.'s responsibilities* iem zijn plichten voorhouden

poise [pojz] evenwicht; *(fig)* zelfverzekerdheid; zelfvertrouwen

poised [pojzd] 1 evenwichtig, stabiel, verstandig 2 zwevend; *(fig)* in onzekerheid; balancerend: *he was ~ between life and death* hij zweefde tussen leven en dood 3 stil (in de lucht hangend) 4 klaar, gereed: *be ~ for victory* op het punt staan om te winnen
[1]**poison** [pojzn] *zn* vergif, gif; *(fig)* schadelijke invloed
[2]**poison** [pojzn] *tr* 1 vergiftigen 2 bederven *(sfeer, mentaliteit)*; verzieken: *their good relationship was ~ed by jealousy* hun goede verhouding werd door jaloezie verpest
[1]**poke** [pook] *zn* 1 por, prik, duw 2 vuistslag
[2]**poke** [pook] *intr* 1 (met *out, through*) tevoorschijn komen, uitsteken 2 (met *about*) (rond)lummelen 3 (met *about*) zoeken, snuffelen, (rond)-neuzen, zich bemoeien met iets
[3]**poke** [pook] *tr* 1 porren, prikken, stoten: *~ one's nose into sth.* zijn neus ergens insteken 2 (op)poken; (op)porren *(vuur)*
poker [pooke] 1 kachelpook, pook 2 poker *(kaartspel)*
poky [pookie] benauwd, klein
Poland [poolend] Polen
polar [poole] pool-, van de poolstreken: *~ bear* ijsbeer
pole [pool] 1 pool; *(fig)* tegenpool 2 paal, mast, stok, vaarboom || *drive s.o. up the ~* iem razend maken; *be ~s apart* onverzoenlijk zijn
Pole [pool] Pool, iem van Poolse afkomst
polecat 1 bunzing *(in Europa)* 2 stinkdier; skunk *(in Amerika)*
polemic [pelemmik] woordenstrijd, pennenstrijd, twist
pole star Poolster
pole vault polsstoksprong, het polsstok(hoog)-springen
[1]**police** [pelie:s] *zn (ww steeds mv)* politie, politiekorps, politieapparaat
[2]**police** [pelie:s] *tr* 1 onder politiebewaking stellen 2 controleren, toezicht uitoefenen op
policeman [pelie:smen] politieagent || *sleeping ~* verkeersdrempel
police station politiebureau
policy [pollissie] 1 beleid, gedragslijn, politiek 2 polis, verzekeringspolis 3 tactiek, verstand
policy day heidedag, beleidsdag
polio [poolie·oo] polio, kinderverlamming
[1]**polish** [pollisj] *zn* 1 poetsmiddel 2 glans, glimmend oppervlak 3 beschaving, verfijning
[2]**polish** [pollisj] *intr* gaan glanzen, glanzend worden
[3]**polish** [pollisj] *tr* (ook met *up*) (op)poetsen; polijsten *(ook fig)*; bijschaven: *a ~ed performance* een perfecte voorstelling
polish off wegwerken, afraffelen
polite [pelajt] 1 beleefd, goed gemanierd 2 verfijnd, elegant
politic [pollittik] diplomatiek, verstandig
political [pelittikl] 1 politiek, staatkundig 2 overheids-, rijks-, staats-
politician [pollittisjen] (partij)politicus
politics [pollittiks] 1 politiek 2 politieke wetenschappen, politicologie 3 politieke overtuiging
[1]**poll** [pool] *zn* 1 stemming, het stemmen: *go to the ~s* stemmen 2 aantal (uitgebrachte) stemmen, opkomst 3 opiniepeiling 4 *~s* stembureau
[2]**poll** [pool] *intr* zijn stem uitbrengen
[3]**poll** [pool] *tr* 1 krijgen; behalen *((voorkeur)stemmen)*: *he ~ed thirty per cent of the votes* hij kreeg dertig procent van de stemmen 2 ondervragen, een opiniepeiling houden
pollard [polled] 1 geknotte boom 2 *(veeteelt)* hoornloos dier
pollen [pollen] stuifmeel
pollination [pollinneesjen] bestuiving
polling booth stemhokje
pollster [poolste] enquêteur
poll tax personele belasting
pollute [peloe:t] 1 vervuilen, verontreinigen 2 verderven *(fig)*; verpesten *(sfeer)*
pollution [peloe:sjen] 1 vervuiling, (milieu)verontreiniging 2 bederf, verderf
polo [pooloo] *(sport)* polo
poltergeist [poltekajst] klopgeest
poly [pollie] *(mv: ~s), verk van polytechnic* school voor hoger beroepsonderwijs
polygamy [peligemie] veelwijverij
polygon [polliegen] veelhoek, polygoon
polysyllabic [polliesilebik] veellettergrepig
polytechnic [pollieteknik] *(vero)* hogeschool
polythene [polliθie:n] polyethyleen, plastic: *~ bag* plastic tasje
pomegranate [pommigrenit] granaatappel-(boom)
pomp [pomp] prachtvertoon, praal: *~ and circumstance* pracht en praal
pomposity [pompossittie] gewichtigdoenerij, hoogdravendheid
pompous [pompes] gewichtig, hoogdravend
ponce [pons] 1 pooier, souteneur 2 verwijfd type
pond [pond] vijver
[1]**ponder** [ponde] *intr* (met *on, over*) nadenken (over), piekeren (over)
[2]**ponder** [ponde] *tr* overdenken, overwegen
ponderous [ponderes] 1 zwaar, massief, log 2 zwaar op de hand, moeizaam, langdradig
[1]**pong** [pong] *zn* stank, ruft
[2]**pong** [pong] *intr* stinken, ruften
pontiff [pontif] paus
pontifical [pontiffikl] 1 pauselijk 2 *(fig)* autoritair, plechtig
pontoon [pontoe:n] 1 ponton, brugschip 2 eenentwintigen
pony [poonie] 1 pony, ponypaardje 2 renpaard 3 *(Am)* klein model
ponytail paardenstaart
[1]**poo** [poe:] *zn (plat)* poep

²poo [poe:] *ww (plat)* poepen
poodle [poe:dl] poedel(hond)
poof(ter) [poe:f(te)] *(plat, scheldw)* **1** nicht, flikker, poot **2** slappeling, zijig ventje
¹pool [poe:l] *zn* **1** poel, plas **2** (zwem)bassin, zwembad **3** pot *(bij gokspelen);* (gezamenlijke) inzet **4** poulespel *(Amerikaanse vorm van biljarten)* **5** *the ~s* (voetbal)toto, voetbalpool
²pool [poe:l] *tr* samenvoegen, bij elkaar leggen; verenigen *(geld, ideeën, middelen)*
pool room biljartgelegenheid, biljartlokaal, goklokaal
poop [poe:p] achtersteven, achterdek
pooped [poe:pt] uitgeput, vermoeid: *~ out* uitgeteld, uitgeput
poor [poee] **1** arm **2** slecht, schraal, matig: *~ results* slechte resultaten **3** armzalig, bedroevend: *cut a ~ figure* een armzalig figuur slaan **4** zielig, ongelukkig: *~ fellow!* arme kerel!
¹poorly [poeelie] *bn* niet lekker, ziek || *~ off: a)* in slechte doen; *b)* slecht voorzien
²poorly [poeelie] *bw* **1** arm, armoedig **2** slecht, matig, onvoldoende: *think ~ of* geen hoge pet ophebben van
¹pop [pop] *zn* **1** knal, plof **2** pop(muziek): *top of the ~s* (tophit) nummer één **3** pap, pa, papa **4** prik(limonade), frisdrank
²pop [pop] *ww* **1** knallen, klappen, ploffen **2** plotseling, onverwacht bewegen, snel komen, gaan: *~ off* opstappen *(ook inform, in betekenis van sterven); ~ open* uitpuilen *(van ogen); ~ out: a)* tevoorschijn schieten; *b)* uitpuilen; *~ up* opduiken, (weer) boven water komen, omhoog komen *(van illustraties, wenskaarten e.d.)* **3** (neer)schieten, (af)vuren: *~ off: a)* afschieten; *b)* afgeschoten worden **4** laten knallen, laten klappen **5** snel zetten, leggen, brengen, steken: *I'll just ~ this letter into the post* ik gooi deze brief even op de bus **6** plotseling stellen; afvuren *(vragen)* **7** slikken, spuiten *(drugs, pillen)*
popcorn popcorn, gepofte mais
pope [poop] paus
pop-eyed met uitpuilende ogen, met grote ogen, verbaasd
popgun speelgoedpistooltje
poplar [pople] populier, populierenhout
popper [poppe] drukknoop(je)
poppet [poppit] schatje
poppy [poppie] papaver, klaproos
poppycock klets(praat)
Poppy Day *(Eng)* herdenkingsdag voor de gevallenen
poppy seed maanzaad
popsy [popsie] liefje, schatje
populace [popjoeles] (gewone) volk, massa
popular [popjoele] **1** geliefd, populair, gezien: *~ with* geliefd bij **2** algemeen, veel verbreid **3** volks-, van, voor het volk: *~ belief* volksgeloof; *~ front* volksfront
popularity [popjoelerittie] populariteit, geliefdheid
popularization [popjoelerajzeesjen] popularisering
popularly [popjoelelie] **1** geliefd **2** algemeen, gewoon(lijk): *~ known as* in de wandeling bekend als
populate [popjoeleet] bevolken, bewonen: *densely ~d* dichtbevolkt
population [popjoeleesjen] **1** bevolking, inwoners, bewoners **2** bevolkingsdichtheid
porcelain [po:selin] porselein
porch [po:tsj] **1** portaal, portiek **2** *(Am)* veranda
porcupine [po:kjoepajn] stekelvarken
pore [po:] porie
pore over zich verdiepen in, aandachtig bestuderen
pork [po:k] varkensvlees
porn [po:n] *verk van pornography* porno
pornography [po:noĝrefie] porno(grafie)
porous [po:res] poreus, waterdoorlatend
porpoise [po:pes] **1** bruinvis **2** dolfijn
porridge [porridzj] **1** (havermout)pap **2** bajes: *do ~* in de bak zitten
port [po:t] **1** haven, havenstad; *(fig)* veilige haven; toevluchtsoord **2** bakboord, links **3** port(wijn) || *any ~ in a storm* nood breekt wet(ten)
portable [po:tebl] **1** draagbaar **2** overdraagbaar: *~ pension* meeneempensioen
portal [po:tl] (ingangs)poort, portaal, ingang
portent [po:tent] voorteken, voorbode || *a matter of great ~* een gewichtige zaak
porter [po:te] **1** kruier, sjouwer, drager **2** portier
portfolio [po:tfoolie·oo] portefeuille
porthole patrijspoort
portico [po:tikkoo] *(mv: ook ~es)* portiek, zuilengang
portion [po:sjen] gedeelte, (aan)deel, portie
portion out verdelen, uitdelen
portrait [po:trit] portret, foto; schildering *(ook in woorden)*
portray [po:tree] portretteren, (af)schilderen, beschrijven
portrayal [po:treeel] portrettering, afbeelding, beschrijving
Portugal [po:tsjoeĝel] Portugal
Portuguese [po:tsjoeĝie:z] Portugees
¹pose [pooz] *zn* houding, vertoon
²pose [pooz] *intr* poseren, doen alsof, een pose aannemen: *~ as* zich voordoen als, zich uitgeven voor
³pose [pooz] *tr* **1** stellen, voorleggen: *~ a question* een vraag stellen **2** vormen: *~ a threat* (of: *problem*) een bedreiging (*of:* probleem) vormen
poser [pooze] moeilijke vraag, lastig vraagstuk
¹posh [posj] *bn* chic, modieus
²posh [posj] *bw* bekakt, kakkineus: *talk ~* bekakt
position [pezisjen] **1** positie, plaats(ing), ligging, situatie: *be in a ~ to do sth.* in staat zijn iets te

po

doen **2** positie, juiste plaats **3** standpunt, houding, mening: *define one's ~* zijn standpunt bepalen **4** rang, (maatschappelijke) positie, stand **5** betrekking, baan

[1]**positive** [pozzittiv] *zn* **1** positief *(van foto)* **2** positief getal

[2]**positive** [pozzittiv] *bn* **1** positief **2** duidelijk, nadrukkelijk: *a ~ assertion* een uitspraak die niets aan duidelijkheid te wensen overlaat **3** overtuigd, absoluut zeker: *'Are you sure?' 'Positive'* 'Weet je het zeker?' 'Absoluut' **4** echt, volslagen, compleet: *a ~ nuisance* een ware plaag **5** zelfbewust, (te) zelfverzekerd **6** wezenlijk, (duidelijk) waarneembaar: *a ~ change for the better* een wezenlijke verbetering || *~ sign* plusteken

posse [possie] troep, (politie)macht; groep *(met gemeenschappelijk doel)*

possess [pezes] **1** bezitten, hebben, beschikken (over) **2** beheersen, meester zijn van, zich meester maken van: *what could have ~ed him?* wat kan hem toch bezield hebben?

possession [pezesjen] **1** bezit, eigendom, bezitting: *take ~ of* in bezit nemen, betrekken **2** (bal)bezit **3** bezetenheid

possessive [pezessiv] **1** bezitterig, hebberig **2** dominerend, alle aandacht opeisend || *~ (pronoun)* bezittelijk voornaamwoord

possessor [pezesse] eigenaar, bezitter

possibility [possibbillittie] mogelijkheid, kans, vooruitzicht: *there is no ~ of his coming* het is uitgesloten dat hij komt

possible [possibl] **1** mogelijk, denkbaar, eventueel: *do everything ~* al het mogelijke doen; *if ~* zo mogelijk **2** acceptabel, aanvaardbaar, redelijk

possibly [possiblie] **1** mogelijk, denkbaar, eventueel: *I cannot ~ come* ik kan onmogelijk komen **2** misschien, mogelijk(erwijs), wellicht: *'Are you coming too?' 'Possibly'* 'Ga jij ook mee?' 'Misschien'

possum [possem] opossum, buidelrat || *play ~* doen alsof je slaapt

[1]**post** [poost] *zn* **1** paal, stijl, post **2** *(paardensport)* start-, finishpaal, vertrekpunt, eindpunt **3** (doel)paal **4** post(bestelling), postkantoor, brievenbus: *by return of ~* per kerende post, per omgaande **5** post, (stand)plaats, (leger)kamp: *be at one's ~* op zijn post zijn **6** betrekking, baan, ambt

[2]**post** [poost] *tr* **1** (ook met *up*) aanplakken, beplakken **2** posteren, plaatsen, uitzetten **3** (over)plaatsen, stationeren, aanstellen tot **4** (ook met *off*) posten, op de post doen, (ver)sturen **5** op de hoogte brengen, inlichten: *keep s.o. ~ed* iem op de hoogte houden

postage [poostidzj] porto

postcard briefkaart, ansichtkaart

poster [pooste] affiche, aanplakbiljet, poster

posterior [postierie] later, volgend: *~ to* komend na, volgend op, later dan

posterity [posterrittie] nageslacht

[1]**postgraduate** [poostkredjoeet] *zn* afgestudeerde *(die verder studeert aan de universiteit)*; masterstudent

[2]**postgraduate** [poostkredjoeet] *bn* postuniversitair, na de universitaire opleiding komend, postdoctoraal

posthumous [postjoemes] postuum, (komend, verschijnend) na de dood

posting [poosting] stationering, (over)plaatsing

post-it (note) memobriefje, geeltje

postman [poostmen] postbode

postmark poststempel, postmerk

post-mortem [poostmo:tem] **1** lijkschouwing, sectie **2** nabespreking *(vnl. om na te gaan wat fout ging)*

post office **1** postkantoor **2** post, posterijen, PTT

postpone [poostpoon] *(met until, to)* uitstellen (tot), opschorten (tot)

postscript [poostskript] postscriptum; naschrift *(in brief)*

postulate [postjoeleet] (zonder bewijs) als waar aannemen, vooronderstellen

[1]**posture** [postsje] *zn* **1** (lichaams)houding, postuur, pose **2** houding, standpunt

[2]**posture** [postsje] *intr* **1** poseren, een gemaakte houding aannemen **2** (met *as*) zich uitgeven (voor)

posy [poozie] boeket(je)

[1]**pot** [pot] *zn* **1** pot, (nacht)po, potvormig voorwerp (van aardewerk), (gemeenschappelijke) pot, gezamenlijk (gespaard) bedrag **2** hoop *(geld)*; bom *(duiten)* **3** hasj(iesj), marihuana **4** aardewerk || *keep the ~ boiling* de kost verdienen, het zaakje draaiende houden; *go (all) to ~* op de fles gaan, in de vernieling zijn

[2]**pot** [pot] *intr* schieten: *~ at* (zonder mikken) schieten op

[3]**pot** [pot] *tr* **1** (met *up*) potten, in een bloempot planten **2** in de zak stoten *(biljartbal)* **3** op het potje zetten *(kind)*

potato [peteetoo] *(mv: ~es)* aardappel(plant): *mashed ~(es)* aardappelpuree

potato crisp chips

pot-belly dikke buik, buikje, dikzak

potency [pootensie] invloed, kracht

potent [pootent] **1** krachtig, sterk, effectief **2** (seksueel) potent **3** machtig, invloedrijk

potentate [pootenteet] absoluut heerser; *(fig)* iem die zich zeer laat gelden

[1]**potential** [petensjl] *zn* mogelijkheid: *he hasn't realized his full ~ yet* hij heeft de grens van zijn kunnen nog niet bereikt

[2]**potential** [petensjl] *bn* potentieel, mogelijk, in aanleg aanwezig

pothole **1** gat, put; kuil *(in wegdek)* **2** grot

potion [poosjen] drankje *(medicijn, toverdrankje, gif)*

pot-roast smoren, stoven, braden

pot-shot schot op goed geluk af, schot in het wilde weg; *(fig)* schot in het duister

potted [pottid] **1** pot-: ~ *plant* kamerplant, potplant **2** ingemaakt, in een pot bewaard **3** (erg) kort samengevat

[1]**potter** [potte] *zn* pottenbakker

[2]**potter** [potte] *intr* **1** (met *about*) rondscharrelen, rondslenteren, aanrommelen, prutsen **2** (met *away*) je tijd verdoen, rondlummelen, lanterfanten

pottery [potterie] **1** pottenbakkerij **2** aardewerk, keramiek

[1]**potty** [pottie] *zn* (kinder)po, potje

[2]**potty** [pottie] *bn* **1** knetter, niet goed snik, dwaas: ~ *about* helemaal wég van **2** onbenullig, pietluttig

potty trained zindelijk

pouch [pautsj] **1** zak(je) **2** (zakvormige) huidplooi, buidel, wangzak: *she had ~es under her eyes* zij had wallen onder haar ogen

pouf [poe:f] **1** poef, zitkussen **2** *(plat)* flikker, homo

poulterer [pooltere] poelier

poultry [pooltrie] gevogelte, pluimvee

[1]**pounce** [pauns] *zn* het stoten *(van roofvogel);* het zich plotseling (neer)storten; *(fig)* plotselinge aanval: *make a ~ at* (of: *on*) zich storten op

[2]**pounce** [pauns] *intr* **1** zich naar beneden storten; (op)springen *(om iets te grijpen)* **2** plotseling aanvallen; *(fig)* kritiek uitbrengen

pounce (up)on 1 (weg)graaien, inpikken, begerig grijpen **2** plotseling aanvallen; zich storten op *(ook fig)*

[1]**pound** [paund] *zn* **1** pond *(mbt gewicht, munteenheid)* **2** depot; *(mbt in beslag genomen goederen, weggesleepte auto's)* asiel; omheinde ruimte

[2]**pound** [paund] *intr* **1** hard (toe)slaan, flinke klappen uitdelen **2** (herhaaldelijk) zwaar bombarderen, een spervuur aanleggen **3** bonzen *(van hart)*

[3]**pound** [paund] *tr* **1** (fijn)stampen, verpulveren **2** beuken op, stompen op

pound symbol pondteken; *(ook)* hekje

[1]**pour** [po:r] *intr* **1** stromen; (rijkelijk) vloeien *(ook fig): the money kept ~ing in* het geld bleef binnenstromen **2** stortregenen, gieten **3** (thee, koffie) inschenken

[2]**pour** [po:r] *tr* (uit)gieten, doen (neer)stromen

pout [paut] (de lippen) tuiten, pruilen (over)

poverty [povvetie] armoede, behoeftigheid

poverty-stricken straatarm

powder [paude] **1** poeder, (kool)stof **2** talkpoeder, gezichtspoeder **3** (bus)kruit

powdered [paudeđ] **1** gepoederd, met poeder bedekt **2** in poedervorm (gemaakt, gedroogd): ~ *milk* melkpoeder; ~ *sugar* poedersuiker

powder keg kruitvat *(ook fig);* tijdbom, explosieve situatie

powder puff poederdonsje, poederkwastje

powdery [pauderie] **1** poederachtig, kruimelig, brokkelig **2** (als) met poeder bedekt, gepoederd

power [paue] **1** macht, vermogen, mogelijkheid **2** kracht, sterkte **3** invloed, macht, controle: *come in* (of: *into*) ~ aan het bewind komen **4** (vol)macht, recht, bevoegdheid: ~ *of attorney* volmacht **5** invloedrijk iem (iets), mogendheid, autoriteit: *the Great Powers* de grote mogendheden **6** ~*s* (boze) macht(en), (hemelse) kracht(en) **7** (drijf)kracht, (elektrische) energie, stroom: *electric* ~ elektrische stroom **8** macht: *to the ~ (of)* tot de ... macht **9** grote hoeveelheid, groot aantal, hoop: *it did me a ~ of good* het heeft me ontzettend goed gedaan || *a ~ behind the throne* een man achter de schermen; *more ~ to your elbow* veel geluk, succes

powerboat motorboot

power brakes rembekrachtiging

power cut stroomonderbreking, stroomuitval

powerful [pauefoel] **1** krachtig, machtig, invloedrijk **2** effectief, met een sterke (uit)werking: *a ~ speech* een indrukwekkende toespraak

power nap hazenslaap

power point stopcontact

powwow [pauwau] **1** indianenbijeenkomst **2** *(inform)* lange conferentie, rumoerige bespreking, overleg

pp 1 *afk van pianissimo* pp **2** *afk van pages* pp., bladzijden **3** *afk van per pro(curationem)* p.p., bij volmacht, namens

PR *afk van public relations* pr

practicable [prektikkebl] **1** uitvoerbaar, haalbaar **2** bruikbaar; begaanbaar *(van weg)*

[1]**practical** [prektikl] *zn* practicum, praktijkles, praktijkexamen

[2]**practical** [prektikl] *bn* **1** praktisch, in de praktijk, handig **2** haalbaar, uitvoerbaar **3** zinnig, verstandig || *for all ~ purposes* feitelijk, alles welbeschouwd

practically [prektikkelie] **1** bijna, praktisch, zogoed als **2** in de praktijk, praktisch gesproken

practice [prektis] **1** praktijk, toepassing: *put sth. in(to) ~* iets in praktijk brengen **2** oefening, training, ervaring: *be out of ~* uit vorm zijn, het verleerd zijn **3** gewoonte, gebruik, normale gang van zaken: *make a ~ of sth.* ergens een gewoonte van maken **4** uitoefening, beoefening, het praktiseren; praktijk *(van advocaat, arts e.d.)*

practise [prektis] **1** praktiseren, uitoefenen, beoefenen: ~ *black magic* zwarte magie bedrijven; *he ~s as a lawyer* hij werkt als advocaat **2** in de praktijk toepassen, uitvoeren **3** oefenen, instuderen, repeteren

practitioner [prektisjene] beoefenaar, beroeps(kracht): *medical ~s* de artsen

pragmatic [prekmetik] zakelijk, praktisch

Prague [pra:ĥ] Praag

prairie [preerie] prairie, grasvlakte

[1]**praise** [preez] *zn* **1** lof, het prijzen, aanbeveling **2** glorie, eer, lof || ~ *be (to God)!* God zij geloofd!

[2]**praise** [preez] *tr* prijzen, vereren

praiseworthy [preezwe:ðie] loffelijk, prijzenswaardig

pr

pram [prem] kinderwagen
prance [pra:ns] **1** steigeren **2** (vrolijk) springen, huppelen, dansen: ~ *about* (of: *around*) rondspringen, rondlopen
prank [prengk] streek, grap
prat [pret] *(inform)* idioot, zak, eikel
[1]**prattle** [pretl] *zn* kinderpraat, gebabbel
[2]**prattle** [pretl] *ww* babbelen, kleppen, keuvelen
prawn [pro:n] (steur)garnaal
pray [pree] **1** bidden, (God) aanroepen **2** hopen, wensen: *we're ~ing for a peaceful day* we hopen op een rustige dag || *he is past ~ing for* hij is niet meer te redden
prayer [pree] **1** gebed, het bidden **2** (smeek)bede, verzoek || *he doesn't have a ~* hij heeft geen schijn van kans
preach [prie:tsj] preken; *(fig)* een zedenpreek houden
preacher [prie:tsje] predikant
preamble [prie·embl] inleiding, voorwoord
pre-arrange [prie:ereendzj] vooraf regelen, vooraf overeenkomen
precarious [prikkeeries] **1** onzeker, onbestendig: *he made a ~ living* hij had een ongewis inkomen **2** onveilig, gevaarlijk **3** twijfelachtig, niet op feiten gebaseerd
precaution [prikko:sjen] voorzorgsmaatregel, voorzorg: *take ~s* voorzorgsmaatregelen treffen
precede [prissie:d] voorgaan, vooraf (laten) gaan, de voorrang hebben: *the years preceding his marriage* de jaren voor zijn huwelijk
precedence [pressiddens] voorrang, prioriteit, het voorgaan: *give ~ to* laten voorgaan, voorrang verlenen aan
precedent [pressiddent] **1** precedent, vroegere beslissing waarom men zich kan beroepen: *create* (of: *establish, set*) *a ~* een precedent scheppen; *without ~* zonder precedent, ongekend **2** traditie, gewoonte, gebruik
preceding [prissie:ding] voorafgaand
precept [prie:sept] **1** voorschrift, principe, grondregel **2** het voorschrijven
precinct [prie:singkt] **1** *~s* omsloten ruimte *(om kerk, universiteit)*; (grond)gebied, terrein **2** stadsgebied: *pedestrian ~* voetgangersgebied; *shopping ~* winkelcentrum **3** *(Am)* district
[1]**precious** [presjes] *bn* **1** kostbaar, waardevol: *~ metals* edele metalen **2** dierbaar: *her family is very ~ to her* haar familie is haar zeer dierbaar **3** gekunsteld, gemaakt **4** kostbaar, waardeloos
[2]**precious** [presjes] *bw* bar: *he had ~ little money* hij had nauwelijks een rooie cent
precipice [pressippis] steile rotswand, afgrond
[1]**precipitate** [prissippitteet] *bn* overhaast, plotseling
[2]**precipitate** [prissippitteet] *tr* **1** (neer)storten *(ook fig)*; (neer)werpen **2** versnellen, bespoedigen
precipitous [prissippittes] **1** (vreselijk) steil **2** als een afgrond, duizelingwekkend hoog
precise [prissajs] nauwkeurig, precies: *at the ~ moment that* juist op het moment dat
precisely [prissajslie] **1** precies: *we'll arrive at 10.30 ~* we komen precies om half elf aan **2** inderdaad, juist, precies
precision [prissizjen] nauwkeurigheid, juistheid
preclude [prikloe:d] uitsluiten, voorkomen; *(met 'from')* verhinderen; beletten
precocious [prikkoosjes] vroeg(rijp), vroeg wijs
preconceived [prie:kensie:vd] vooraf gevormd, zich vooraf voorgesteld: *a ~ opinion* een vooropgezette mening
precondition [prie:kendisjen] eerste vereiste, allereerste voorwaarde
precursor [prikke:se] voorloper, voorganger
predator [preddete] roofdier
predecessor [prie:dissesse] **1** voorloper, voorganger **2** voorvader
predestination [priddestinneesjen] voorbeschikking
predetermine [prie:ditte:min] vooraf bepalen, voorbeschikken: *the colour of s.o.'s eyes is ~d by that of his parents* de kleur van iemands ogen wordt bepaald door die van zijn ouders
predicament [priddikkement] hachelijke situatie, kritieke toestand
predicate [preddikket] *(taalk)* gezegde
predict [priddikt] voorspellen, als verwachting opgeven
predictable [priddiktebl] voorspelbaar, zonder verrassing, saai
predisposition [prie:dispezisjen] neiging, vatbaarheid, aanleg
predominant [priddomminnent] overheersend, belangrijkst
predominate [priddomminneet] heersen, regeren, overheersen, de overhand hebben, beheersen
pre-eminent [prie:emminnent] uitstekend, superieur
pre-empt [prie:empt] **1** beslag leggen op, zich toe-eigenen, de plaats innemen van **2** overbodig maken, ontkrachten
pre-emptive [prie:emptiv] preventief, voorkomend
preen [prie:n] **1** gladstrijken *(veren)* **2** (zich) opknappen, (zich) mooi maken || *he ~ed himself on his intelligence* hij ging prat op zijn intelligentie
prefab [prie:feb] montagewoning, geprefabriceerd gebouw
prefabricate [prie:febrikkeet] in onderdelen gereedmaken, volgens systeembouw maken
[1]**preface** [preffes] *zn* voorwoord, inleiding
[2]**preface** [preffes] *tr* **1** van een voorwoord voorzien, inleiden **2** leiden tot, het begin zijn van
prefect [prie:fekt] *(Eng ond)* oudere leerling als ordehandhaver
prefer [priffe:] **1** (met *to*) verkiezen (boven), de voorkeur geven (aan), prefereren: *she ~s tea to*

coffee ze drinkt liever thee dan koffie; *he ~red to leave rather than to wait* hij wilde liever weggaan dan nog wachten **2** promoveren, bevorderen
preferable [prefferebl] verkieslijk, te prefereren: *everything is ~ to* alles is beter dan
preference [prefferens] voorkeur, voorliefde: *in ~ to* liever dan
preferment [priffe:ment] bevordering, promotie
prefix [prie:fiks] voorvoegsel
pregnancy [preknensie] zwangerschap
pregnant [preknent] **1** zwanger; drachtig *(van dieren)* **2** vindingrijk, vol ideeën **3** vruchtbaar, vol **4** veelbetekenend: *a ~ silence* een veelbetekenende stilte
prehistoric [prie:historrik] prehistorisch
prejudge [prie:dzjudzj] veroordelen *(zonder proces of verhoor);* vooraf beoordelen
[1]**prejudice** [predzjoedis] *zn* **1** vooroordeel, vooringenomenheid: *without ~* onbevooroordeeld **2** nadeel
[2]**prejudice** [predzjoedis] *tr* **1** schaden, benadelen: *~ a good cause* afbreuk doen aan een goede zaak **2** innemen, voorinnemen
prelate [prellet] kerkvorst, prelaat
prelim [prillim] *verk van preliminary examination* tentamen
[1]**preliminary** [prillimminnerie] *zn* voorbereiding, inleiding: *the preliminaries* de voorronde(s)
[2]**preliminary** [prillimminnerie] *bn* inleidend, voorbereidend
prelude [preljoe:d] **1** voorspel, inleiding **2** prelude; ouverture *(van opera)*
premarital [prie:meritl] voorechtelijk, voordat het huwelijk gesloten is: *~ sex* seks voor het huwelijk
premature [premmetsjoee] **1** te vroeg, voortijdig: *a ~ baby* een te vroeg geboren baby; *his ~ death* zijn vroegtijdige dood **2** voorbarig, overhaast
premeditated [prie:medditteetid] opzettelijk, beraamd: *~ murder* moord met voorbedachten rade
premeditation [primmedditteesjen] opzet
[1]**premier** [premmie] *zn* eerste minister, minister-president, premier
[2]**premier** [premmie] *bn* eerste, voornaamste
premiership [premmiesjip] eredivisie
premise [premmis] **1** vooronderstelling **2** *~s* huis (en erf), zaak: *licensed ~s* café; *the shopkeeper lives on the ~s* de winkelier woont in het pand
premium [prie:miem] **1** beloning, prijs **2** (verzekerings)premie **3** toeslag, extra, meerprijs **4** *(fig)* hoge waarde: *put s.o.'s work at a ~* iemands werk hoog aanslaan
premonition [premmenisjen] voorgevoel
prenatal [prie:neetl] prenataal, voor de geboorte
preoccupation [prie·okjoepeesjen] **1** hoofdbezigheid, (voornaamste) zorg **2** het volledig in beslag genomen zijn
preoccupied [prie·okjoepajd] in gedachten verzonken, volledig in beslag genomen
[1]**prep** [prep] *zn* huiswerk, voorbereiding(stijd)
[2]**prep** [prep] *bn* voorbereidend: *~ school* voorbereidingsschool
prepaid [prie:peed] *ovt en volt dw van* prepay
preparation [preppereesjen] **1** voorbereiding: *make ~s for* voorbereidingen treffen voor **2** preparaat **3** voorbereiding(stijd), huiswerk, studie
[1]**prepare** [prippee] *intr* voorbereidingen treffen
[2]**prepare** [prippee] *tr* **1** voorbereiden, gereedmaken, prepareren, bestuderen, instuderen **2** klaarmaken, (toe)bereiden
prepared [prippeed] **1** voorbereid, gereed **2** bereid: *be ~ to do sth.* bereid zijn iets te doen
prepay [prie:pee] *(prepaid, prepaid)* vooruitbetalen
preponderant [pripponderent] overwegend, overheersend, belangrijkst
preposition [preppezisjen] voorzetsel
prepossess [prie:pezes] **1** inspireren **2** in beslag nemen, bezighouden **3** bevooroordeeld maken, gunstig stemmen
preposterous [pripposteres] onredelijk, absurd
prerequisite [prie:rekwizzit] eerste vereiste: *a ~ of* (of: *for, to*) een noodzakelijke voorwaarde voor
[1]**Presbyterian** [prezbittierien] *zn* presbyteriaan
[2]**Presbyterian** [prezbittierien] *bn* presbyteriaans
presbytery [prezbitterie] **1** priesterkoor **2** (gebied bestuurd door) raad van ouderlingen *(presbyteriaanse kerk)* **3** pastorie
pre-schooler [prie:skoe:le] peuter, kleuter, (nog) niet schoolgaand kind
[1]**prescribe** [priskrajb] *intr* **1** voorschriften geven, richtlijnen geven **2** (met *for*) een advies geven (over), een remedie voorschrijven (tegen)
[2]**prescribe** [priskrajb] *tr* voorschrijven, opleggen, bevelen
prescription [priskripsjen] **1** voorschrift *(ook fig)* **2** recept, geneesmiddel
presence [prezns] **1** aanwezigheid, tegenwoordigheid: *~ of mind* tegenwoordigheid van geest **2** nabijheid, omgeving: *in the ~ of* in tegenwoordigheid van **3** presentie, (indrukwekkende) verschijning, bovennatuurlijk iem (iets) **4** persoonlijkheid
[1]**present** [preznt] *zn* **1** geschenk, cadeau, gift **2** het heden: *at ~* op dit ogenblik, tegenwoordig; *for the ~* voorlopig
[2]**present** [preznt] *bn* **1** onderhavig, in kwestie: *in the ~ case* in dit geval **2** huidig, tegenwoordig **3** *(taalk)* tegenwoordig: *~ participle* onvoltooid deelwoord; *~ tense* tegenwoordige tijd **4** tegenwoordig, aanwezig
[3]**present** [prizzent] *tr* **1** voorstellen, introduceren, voordragen **2** opvoeren, vertonen: *~ a show* een show presenteren **3** (ver)tonen: *~ no difficulties* geen problemen bieden **4** aanbieden, schenken, uitreiken: *~ s.o. with a prize* iem een prijs uitreiken **5** presenteren: *~ arms!* presenteer geweer!

presentable [prizzentebl] toonbaar, fatsoenlijk
presentation [prezntεesjen] 1 voorstelling 2 schenking, gift, geschenk: *make a ~ of* aanbieden
present-day huidig, modern, gangbaar
presenter [prizzente] presentator
presentiment [prizzentimment] (angstig) voorgevoel
presently [prezntlie] 1 dadelijk, binnenkort 2 *(Am)* nu, op dit ogenblik
preservation [prezzeveesjen] 1 behoud, bewaring 2 staat
preservationist [prezzeveesjenist] milieubeschermer, natuurbeschermer
preservative [prizze:vetiv] 1 bewaarmiddel, conserveringsmiddel 2 voorbehoedmiddel
[1]**preserve** [prizze:v] *zn* 1 *ook ~s* jam 2 (natuur)reservaat, wildpark || *poach on another's ~* in iemands vaarwater zitten
[2]**preserve** [prizze:v] *tr* 1 bewaren; levend houden *(voor nageslacht): only two copies have been ~d* slechts twee exemplaren zijn bewaard gebleven 2 behouden, in stand houden: *well ~d* goed geconserveerd 3 inmaken: *~d fruits* gekonfijt fruit 4 in leven houden, redden
pre-set [prie:set] vooraf instellen, afstellen
preside [prizzajd] 1 als voorzitter optreden 2 (met *over*) de leiding hebben (van)
presidency [prezziddensie] presidentschap, presidentstermijn
president [prezziddent] 1 voorzitter 2 president 3 *(Am)* leidinggevende, directeur
[1]**press** [pres] *zn* 1 pers, het drukken, journalisten: *freedom* (of: *liberty*) *of the ~* persvrijheid; *get a good ~* een goede pers krijgen 2 drukpers: *at* (of: *in*) *(the) ~* ter perse 3 drukkerij 4 pers(toestel) 5 menigte, gedrang
[2]**press** [pres] *intr* 1 druk uitoefenen: *~ ahead with* onverbiddelijk doorgaan met 2 persen, strijken 3 dringen, haast hebben: *time ~es* de tijd dringt 4 zich verdringen
[3]**press** [pres] *tr* 1 drukken, duwen, klemmen 2 platdrukken 3 bestoken *(ook fig);* op de hielen zitten: *~ s.o. hard* iemand het vuur na aan de schenen leggen 4 druk uitoefenen op, aanzetten: *~ for an answer* aandringen op een antwoord; *be ~ed for money* (of: *time*) in geldnood (*of:* tijdnood) zitten 5 persen, strijken || *~ home one's point of view* zijn zienswijze doordrijven
Press [pres] uitgeverij
press gallery perstribune
pressie [prezzie] cadeau(tje), geschenk
pressing [pressing] 1 dringend, urgent 2 (aan)dringend, opdringerig
pressman [presmen] journalist
press-stud drukknoopje
[1]**pressure** [presje] *zn* 1 druk, gewicht: *the ~ of taxation* de belastingdruk 2 stress, spanning: *work under ~* werken onder druk 3 dwang: *a promise made under ~* een afgedwongen belofte
[2]**pressure** [presje] *tr* onder druk zetten
pressurize [presjerajz] 1 onder druk zetten *(ook fig)* 2 de (lucht)druk regelen van: *~d cabin* drukcabine
prestige [prestie:zj] prestige, aanzien
presto [prestoo] presto, onmiddellijk: *hey ~!* hocus pocus pas!
presumable [prizjoe:mebl] aannemelijk, vermoedelijk
[1]**presume** [prizjoe:m] *intr* zich vrijheden veroorloven
[2]**presume** [prizjoe:m] *tr* 1 zich veroorloven, de vrijheid nemen 2 veronderstellen, vermoeden, aannemen
presume (up)on misbruik maken van: *~ s.o.'s kindness* misbruik maken van iemands vriendelijkheid
presumption [prizzumpsjen] 1 (redelijke) veronderstelling 2 reden om te veronderstellen 3 arrogantie, verwaandheid
presumptuous [prizzumptsjoees] aanmatigend, arrogant
presupposition [prie:suppezisjen] vooronderstelling, voorwaarde, vereiste
pretence [prittens] 1 aanspraak, pretentie: *~ to* aanspraak op 2 valse indruk, schijn: *she made a ~ of laughing* ze deed alsof ze lachte 3 uiterlijk vertoon, aanstellerij: *devoid of all ~* zonder enige pretentie 4 huichelarij
[1]**pretend** [prittend] *tr* 1 voorgeven, (ten onrechte) beweren 2 voorwenden
[2]**pretend** [prittend] *tr, intr* doen alsof, komedie spelen
pretender [prittende] 1 (troon)pretendent 2 huichelaar, schijnheilige
pretension [prittensjen] 1 aanspraak 2 pretentie, aanmatiging
pretentious [prittensjes] 1 pretentieus, aanmatigend 2 opzichtig
pretext [prie:tekst] voorwendsel, excuus: *under the ~ of* onder voorwendsel van
[1]**pretty** [prittie] *bn* 1 aardig *(ook iron);* mooi, aantrekkelijk: *a ~ mess* een mooie boel 2 groot, aanzienlijk, veel: *it cost him a ~ penny* het heeft hem een flinke duit gekost || *a ~ kettle of fish* een mooie boel
[2]**pretty** [prittie] *bw* 1 nogal, vrij: *~ nearly* zogoed als; *I have ~ well finished my essay* ik heb mijn opstel bijna af 2 erg, zeer 3 *(Am)* aardig, behoorlijk
prevail [privveel] 1 de overhand krijgen, zegevieren 2 wijd verspreid zijn, heersen, gelden
prevailing [privveeling] gangbaar, heersend
prevalent [prevvelent] 1 heersend, gangbaar, wijd verspreid 2 (over)heersend
prevarication [priverikkeesjen] draaierij, uitvlucht
[1]**prevent** [privvent] *intr* in de weg staan
[2]**prevent** [privvent] *tr* voorkomen, verhinderen

pr

[1]**preventive** [privventiv] *zn* 1 obstakel, hindernis 2 voorbehoedmiddel
[2]**preventive** [privventiv] *bn* preventief, voorkomend: ~ *detention* voorlopige hechtenis
preview [prie:vjoe:] voorvertoning
previous [prie:vies] voorafgaand, vorig, vroeger
pre-war [prie:wo:] vooroorlogs
[1]**prey** [pree] *zn* prooi *(ook fig);* slachtoffer: *beast* (of: *bird*) *of* ~ roofdier, roofvogel; *become* (of: *fall*) *(a)* ~ *to* ten prooi vallen aan
[2]**prey** [pree] *intr:* ~ *(up)on: a)* uitzuigen; *b)* aantasten; *c)* jagen op; *it ~s on his mind* hij wordt erdoor gekweld
[1]**price** [prajs] *zn* 1 prijs *(ook fig);* som: *set a* ~ *on* een prijs vaststellen voor; *at a low* ~ voor weinig geld; *at any* ~ tot elke prijs 2 notering 3 waarde || *every man has his* ~ iedereen is te koop
[2]**price** [prajs] *tr* prijzen, de prijs vaststellen van: ~ *oneself out of the market* zich uit de markt prijzen
priceless [prajsles] onbetaalbaar, onschatbaar; *(fig)* kostelijk
pricey [prajsie] prijzig, duur
[1]**prick** [prik] *zn* 1 prik 2 *(inform)* lul, eikel, schoft
[2]**prick** [prik] *intr* prikken, steken
[3]**prick** [prik] *tr* prikken, (door)steken; prikkelen *(ook fig)*
[1]**prickle** [prikl] *zn* stekel, doorn, prikkel
[2]**prickle** [prikl] *ww* prikkelen, steken, kriebelen
pride [prajd] 1 trots, verwaandheid, hoogmoed: *take (a)* ~ *in* fier zijn op 2 eergevoel: *false* ~ misplaatste trots, ijdelheid 3 troep *(leeuwen)*
pride (up)on prat gaan op, trots zijn op
pried [prajd] *ovt en volt dw van* pry
priest [prie:st] priester, pastoor
prig [prik̂] verwaande kwast
prim [prim] 1 keurig: ~ *and proper* keurig netjes 2 preuts
primacy [prajmesie] voorrang, vooraanstaande plaats
prim(a)eval [prajmie:vl] 1 oorspronkelijk, oer-: ~ *forest* ongerept woud 2 oeroud
primarily [prajmerelie] hoofdzakelijk, voornamelijk
[1]**primary** [prajmerie] *zn* 1 hoofdzaak 2 *(Am)* voorverkiezing
[2]**primary** [prajmerie] *bn* 1 voornaamste: *of* ~ *importance* van het allergrootste belang 2 primair, eerst 3 elementair, grond-: ~ *care* eerstelijnsgezondheidszorg; ~ *colour* primaire kleur; ~ *education* (of: *school*) basisonderwijs, basisschool
primate [prajmeet] primaat
Primate [prajmet] aartsbisschop
[1]**prime** [prajm] *zn* 1 hoogste volmaaktheid, bloei, hoogtepunt, puikje: *in the* ~ *of life* in de kracht van zijn leven; *she is well past her* ~ ze is niet meer zo jong, ze heeft haar beste jaren achter de rug 2 priemgetal
[2]**prime** [prajm] *bn* 1 eerst, voornaamst: ~ *suspect* hoofdverdachte 2 uitstekend, prima: *(radio, tv)* ~ *time* primetime; ~ *quality* topkwaliteit 3 oorspronkelijk, fundamenteel || ~ *number* priemgetal
[3]**prime** [prajm] *tr* 1 klaarmaken, prepareren 2 laden *(vuurwapen)* 3 op gang brengen *(door ingieten van water of olie);* injecteren *(motor)*
[1]**primer** [prajme] *zn* 1 eerste leesboek, abc 2 beknopte handleiding, inleiding
[2]**primer** [prajme] *zn* grondverf
primitive [primmetiv] 1 primitief 2 niet comfortabel, ouderwets
primrose [primrooz] 1 sleutelbloem 2 lichtgeel
primula [primjoele] primula, sleutelbloem
prince [prins] 1 prins 2 vorst *(ook fig);* heerser
princedom [prinsdem] 1 prinsdom, vorstendom 2 prinselijke waardigheid
princess [prinses] prinses
[1]**principal** [prinsipl] *zn* 1 directeur, directrice 2 hoofd, hoofdpersoon: ~*s* hoofdrolspelers 3 schoolhoofd 4 *(fin)* kapitaal, hoofdsom, geleende som
[2]**principal** [prinsipl] *bn* voornaamste
principality [prinsipelittie] prinsdom, vorstendom
Principality [prinsipelittie] *(altijd met the)* Wales
principally [prinsippelie] voornamelijk, hoofdzakelijk
principle [prinsipl] 1 (grond)beginsel, uitgangspunt: *in* ~ in principe 2 principe, beginsel || *live up* (of: *stick to*) *one's ~s* aan zijn principes vasthouden
prink [pringk] (zich) mooi maken, (zich) optutten: ~ *up* zich chic kleden
[1]**print** [print] *zn* 1 afdruk; *(fig)* spoor: *a* ~ *of a tyre* een bandenspoor 2 *(kunst)* prent 3 (foto)afdruk, druk: *in* ~ gedrukt, verkrijgbaar 4 stempel 5 gedrukt exemplaar, krant, blad 6 patroon
[2]**print** [print] *tr* 1 (met *off*) een afdruk maken van; afdrukken *(ook foto)* 2 inprenten || ~*ed circuit* gedrukte bedrading
[3]**print** [print] *tr, intr* 1 (af)drukken: ~*ed papers* drukwerk; ~ *out* een uitdraai maken (van) 2 publiceren 3 in blokletters (op)schrijven 4 (be)stempelen
printer [printe] 1 (boek)drukker 2 printer
printing [printing] oplage, druk
printout uitdraai
print preview *(comp)* afdrukvoorbeeld
prior [prajje] vroeger, voorafgaand
priority [prajjorrittie] prioriteit, voorrang: *get one's priorities right* de juiste prioriteiten stellen
prior to vóór, voorafgaande aan
prism [prizm] prisma
prison [prizn] 1 gevangenis 2 gevangenisstraf
prisoner [prizzene] gevangene, gedetineerde: ~ *of war* krijgsgevangene
prissy [prissie] preuts, stijf
privacy [privvesie] 1 persoonlijke levenssfeer 2 ge-

pr

heimhouding, stilte, beslotenheid **3** afzondering
[1]**private** [prajvet] *zn* soldaat, militair
[2]**private** [prajvet] *bn* **1** besloten, afgezonderd: ~ *celebration* viering in familiekring; ~ *hotel* familiehotel **2** vertrouwelijk, geheim: ~ *conversation* gesprek onder vier ogen; *in* ~ in het geheim **3** particulier, niet openbaar: ~ *enterprise* particuliere onderneming, *(fig)* ondernemingslust; ~ *life* privéleven; ~ *property* privé-eigendom, particulier eigendom; ~ *school* particuliere school **4** persoonlijk, eigen: ~ *detective* privédetective || ~ *eye* privédetective; ~ *means: a)* inkomsten anders dan uit loon; *b)* eigen middelen; ~ *practice* particuliere praktijk; ~ *parts* geslachtsdelen
privation [prajveesjen] ontbering, gebrek
privatize [prajvetajz] privatiseren
privet [privvit] liguster(heg)
[1]**privilege** [privvillidzj] *zn* **1** voorrecht, privilege **2** onschendbaarheid, immuniteit: *breach of* ~ inbreuk op de parlementaire gedragsregels **3** bevoorrechting
[2]**privilege** [privvillidzj] *tr* **1** bevoorrechten, een privilege verlenen **2** machtigen, toestaan **3** vrijstellen
[1]**prize** [prajz] *zn* **1** prijs, beloning **2** prijs(schip), (oorlogs)buit
[2]**prize** [prajz] *tr* **1** waarderen, op prijs stellen **2** openen *(met een werktuig): ~ a crate open* een krat openbreken
[1]**pro** [proo] *zn* **1** *verk van professional* prof, beroeps **2** argument, stem vóór iets: *the ~s and cons* de voor- en nadelen
[2]**pro** [proo] *bn* **1** pro, voor **2** beroeps-
[3]**pro** [proo] *bw* (er)vóór, pro
[4]**pro** [proo] *vz* vóór, ter verdediging van
probable [probbebl] waarschijnlijk, aannemelijk
probably [probbeblie] **1** waarschijnlijk **2** ongetwijfeld, vast wel: ~ *the greatest singer of all* misschien wel de grootste zanger van allemaal
probation [prebeesjen] proef(tijd), onderzoek, onderzoeksperiode: *on ~: a)* op proef; *b)* voorwaardelijk in vrijheid gesteld
[1]**probe** [proob] *zn* **1** sonde **2** ruimtesonde **3** (diepgaand) onderzoek
[2]**probe** [proob] *ww* **1** (met een sonde) onderzoeken **2** (goed) onderzoeken, diep graven (in): ~ *into* graven naar
problem [problem] **1** probleem, vraagstuk, kwestie **2** opgave, vraag
problematic(al) [problemetik(l)] **1** problematisch **2** twijfelachtig
procedure [presie:dzje] procedure, methode, werkwijze
proceed [presie:d] **1** beginnen, van start gaan **2** verder gaan, doorgaan: *work is ~ing steadily* het werk vordert gestaag **3** te werk gaan, handelen: *how shall we* ~ welke procedure zullen we volgen? **4** plaatsvinden, aan de gang zijn **5** zich bewegen, gaan, rijden **6** ontstaan: ~ *from* voortkomen uit
proceeding [presie:ding] **1** handeling, maatregel **2** optreden, handelwijze **3** *~s* gebeurtenissen, voorvallen **4** *~s* notulen; handelingen *(van genootschap enz.)*; verslag **5** *~s* gerechtelijke actie: *take* (of: *start*) *legal ~s* gerechtelijke stappen ondernemen
proceeds [proosie:dz] opbrengst
proceed to overgaan tot, verder gaan met
[1]**process** [prooses] *zn* **1** proces, ontwikkeling **2** methode **3** (serie) verrichting(en), handelwijze, werkwijze **4** (voort)gang, loop, verloop: *in the* ~ en passant; *in (the) ~ of* doende met
[2]**process** [preses] *intr* (als) in processie gaan, een optocht houden
[3]**process** [prooses] *tr* **1** bewerken, verwerken **2** ontwikkelen (en afdrukken)
procession [presesjen] **1** stoet, optocht, processie: *walk in* ~ in optocht lopen **2** opeenvolging
proclaim [prekleem] **1** afkondigen, verklaren **2** kenmerken: *his behaviour ~ed him a liar* uit zijn gedrag bleek duidelijk dat hij loog
proclamation [proklemeesjen] afkondiging
procrastination [prekrestinneesjen] uitstel, aarzeling
procurable [prekjoeerebl] verkrijgbaar, beschikbaar
[1]**procure** [prekjoee] *intr* koppelen, tot ontucht overhalen
[2]**procure** [prekjoee] *tr* verkrijgen, verwerven
[1]**prod** [prod] *zn* **1** por, steek **2** zet *(ook fig)*; duwtje
[2]**prod** [prod] *ww* **1** porren, prikken, duwen **2** aansporen, opporren
[1]**prodigal** [proddikl] *zn* verkwister: *the ~ has returned* de verloren zoon is teruggekeerd
[2]**prodigal** [proddikl] *bn* **1** verkwistend: *the ~ son* de verloren zoon **2** vrijgevig
prodigious [predidzjes] wonderbaarlijk
prodigy [proddidzjie] **1** wonder, bovennatuurlijk verschijnsel **2** wonderkind
[1]**produce** [prodjoe:s] *zn* opbrengst, productie: *agricultural* ~ landbouwproducten
[2]**produce** [predjoe:s] *ww* **1** produceren, voortbrengen, opbrengen **2** produceren, vervaardigen **3** tonen, produceren, tevoorschijn halen, voor de dag komen met: ~ *evidence* (of: *reasons*) bewijzen (*of:* redenen) aanvoeren **4** uitbrengen, het licht doen zien: ~ *a play* een toneelstuk op de planken brengen **5** veroorzaken, teweegbrengen
producer [predjoe:se] **1** producent, fabrikant **2** *(film; tv)* producer, productieleider **3** regisseur **4** *(radio, tv)* samensteller
product [proddukt] **1** product, voortbrengsel: *agricultural ~s* landbouwproducten **2** resultaat, gevolg **3** product, uitkomst ve vermenigvuldiging
production [preduksjen] **1** product, schepping **2** *(theat; film)* productie **3** productie, vervaardiging, opbrengst **4** het tonen: *on ~ of your tickets* op vertoon van uw kaartje
productive [preduktiv] productief, vruchtbaar
prof [prof] *verk van professor* prof, professor

[1]**profane** [prefeen] *bn* niet kerkelijk, werelds
[2]**profane** [prefeen] *tr* ontheiligen
profess [prefes] **1** beweren, voorwenden **2** verklaren, betuigen: *he ~ed his ignorance on the subject* hij verklaarde dat hij niets van het onderwerp afwist **3** aanhangen
professed [prefest] **1** voorgewend, zogenaamd **2** openlijk, verklaard, naar eigen zeggen
profession [prefesjen] **1** verklaring, uiting **2** beroep, vak, alle beoefenaren vh vak
[1]**professional** [prefesjenel] *zn* **1** beroeps, deskundige **2** professional, prof: *turn ~* beroeps worden
[2]**professional** [prefesjenel] *bn* **1** professioneel, beroeps-, prof-: *~ jealousy* broodnijd **2** vakkundig, bekwaam **3** met een hogere opleiding **4** professioneel; opzettelijk *(van overtreding)*
professor [prefesse] professor, hoogleraar; *(Am ook)* docent: *~ of chemistry* hoogleraar in de scheikunde
proffer [proffe] aanbieden, aanreiken
proficiency [prefisjensie] vakkundigheid, bekwaamheid
proficient [prefisjent] vakkundig, bekwaam
[1]**profile** [proofajl] *zn* **1** profiel, zijaanzicht **2** silhouet, doorsnede **3** profiel, karakterschets
[2]**profile** [proofajl] *tr* **1** van opzij weergeven, aftekenen, in silhouet weergeven, een dwarsdoorsnede geven van **2** een karakterschets geven van
[1]**profit** [proffit] *zn* **1** winst, opbrengst **2** rente **3** nut, voordeel, profijt: *I read the book much to my ~* ik heb veel aan het boek gehad
[2]**profit** [proffit] *intr* **1** nuttig zijn **2** (met *by, from*) profiteren (van), profijt trekken
profitable [proffittebl] **1** nuttig, voordelig **2** winstgevend
[1]**profiteer** [proffittie] *zn* woekeraar
[2]**profiteer** [proffittie] *ww* woekerwinst maken
profligacy [profliǩesie] **1** losbandigheid **2** verkwisting
[1]**profligate** [profliǩet] *zn* **1** losbol **2** verkwister
[2]**profligate** [profliǩet] *bn* **1** losbandig, lichtzinnig **2** verkwistend
profound [prefaund] **1** wijs, wijsgerig, diepzinnig: *a ~ thinker* een groot denker **2** diepgaand, moeilijk te doorgronden **3** diep, grondig: *silence* diepe stilte
profundity [prefundittie] **1** diepzinnigheid, wijsgerigheid **2** ondoorgrondelijkheid
profuse [prefjoe:s] **1** gul, kwistig: *be ~ in one's apologies* zich uitputten in verontschuldigingen **2** overvloedig, overdadig: *bleed ~ly* hevig bloeden
progenitor [proodzjennitte] voorvader
progeny [prodzjenie] **1** nageslacht, kinderen **2** volgelingen
prognosis [proǩnoosis] prognose, voorspelling
[1]**program** [prooǩrem] *zn* (computer)programma
[2]**program** [prooǩrem] *ww* programmeren
[1]**programme** [prooǩrem] *zn* programma
[2]**programme** [prooǩrem] *tr* programmeren, een schema opstellen voor
programmer [prooǩreme] programmeur
[1]**progress** [prooǩres] *zn* voortgang, vooruitgang; *(fig)* vordering: *the patient is making ~* de patiënt gaat vooruit; *in ~* in wording, aan de gang, in uitvoering
[2]**progress** [preǩres] *intr* vorderen, vooruitgaan, vooruitkomen; *(fig ook)* zich ontwikkelen
progression [preǩresjen] **1** opeenvolging, aaneenschakeling **2** voortgang, vooruitgang
[1]**progressive** [preǩressiv] *zn* vooruitstrevend persoon
[2]**progressive** [preǩressiv] *bn* **1** toenemend, voortschrijdend, voorwaarts; progressief *(belasting)* **2** progressief, vooruitstrevend **3** *(taalk)* progressief, duratief: *the ~ (form)* de duurvorm, de bezigheidsvorm
prohibit [proohibbit] verbieden: *smoking ~ed* verboden te roken
prohibition [proohibbisjen] verbod, drankverbod
[1]**project** [prodzjekt] *zn* **1** plan, ontwerp **2** project, onderneming **3** project, onderzoek
[2]**project** [predzjekt] *intr* vooruitspringen, uitsteken: *~ing shoulder blades* uitstekende schouderbladen
[3]**project** [predzjekt] *tr* **1** ontwerpen, uitstippelen **2** werpen, projecteren: *~ slides* dia's projecteren **3** afbeelden, tonen **4** schatten
projectile [predzjektajl] projectiel, raket
projection [predzjeksjen] **1** uitstekend deel, uitsprong **2** projectie, beeld **3** raming, plan, projectie
projector [predzjekte] projector, filmprojector, diaprojector
[1]**proletarian** [proolitteerien] *zn* proletariër
[2]**proletarian** [proolitteerien] *bn* proletarisch
proliferation [prelifffereesjen] **1** woekering, snelle groei **2** verspreiding
prolific [preliffik] vruchtbaar; *(fig)* met overvloedige resultaten; rijk: *a ~ writer* een productief schrijver
prologue [proolǒǩ] proloog, voorwoord, inleiding
prolong [prelong] **1** verlengen, langer maken **2** verlengen, aanhouden: *a ~ed silence* langdurige stilte
prom [prom] **1** promenadeconcert; *(Am)* schoolbal, universiteitsbal; dansfeest **2** promenade, boulevard
[1]**promenade** [prommena:d] *zn* **1** wandeling, het flaneren **2** promenade, boulevard
[2]**promenade** [prommena:d] *ww* **1** wandelen (langs), flaneren **2** wandelen met, lopen te pronken met
prominence [promminnens] **1** verhoging, uitsteeksel **2** het uitsteken **3** opvallendheid, bekendheid, belang: *bring sth. into ~* iets bekendheid geven
prominent [promminnent] **1** uitstekend, uitsprin-

pr

gend: ~ *teeth* vooruitstekende tanden **2** opvallend **3** vooraanstaand, prominent: *a ~ scholar* een eminent geleerde

promiscuity [prommiskjoe:ittie] **1** willekeurige vermenging **2** onzorgvuldigheid **3** vrij seksueel verkeer, promiscuïteit

[1]**promise** [prommis] *zn* belofte, toezegging: *break one's ~* zich niet aan zijn belofte houden

[2]**promise** [prommis] *intr* **1** een belofte doen, (iets) beloven **2** verwachtingen wekken, veelbelovend zijn

[3]**promise** [prommis] *tr* **1** beloven, toezeggen; *(inform)* verzekeren: *the ~d land* het Beloofde Land **2** beloven, doen verwachten: *it ~d to be a severe winter* het beloofde een strenge winter te worden

promising [prommissing] veelbelovend

promontory [prommenterie] kaap, klip, voorgebergte

promote [premoot] **1** bevorderen, in rang verhogen **2** bevorderen, stimuleren **3** steunen *(bijv. wetsontwerp)* **4** ondernemen, in gang zetten **5** reclame maken voor

promoter [premoote] **1** begunstiger, bevorderaar **2** organisator, financier ve manifestatie

promotion [premoosjen] **1** bevordering, promotie **2** aanbieding, reclame

[1]**prompt** [prompt] *zn* geheugensteuntje, het voorzeggen, hulp vd souffleur

[2]**prompt** [prompt] *bn* prompt, onmiddellijk, vlug, alert: *~ payment* prompte betaling

[3]**prompt** [prompt] *tr* **1** bewegen, drijven: *what ~ed you to do that?* hoe kwam je erbij dat te doen? **2** opwekken, oproepen **3** herinneren, voorzeggen, souffleren

[4]**prompt** [prompt] *bw* precies, stipt: *at twelve o' clock ~* om twaalf uur precies

prone [proon] **1** voorover, voorovergebogen **2** vooroverliggend, uitgestrekt **3** geneigd, vatbaar: *he is ~ to tactlessness* hij is geneigd tot tactloosheid

prong [prong] **1** punt, piek, vorktand **2** tak, vertakking

pronoun [proonaun] *(taalk)* voornaamwoord

[1]**pronounce** [prenauns] *intr* **1** spreken, articuleren **2** oordelen, zijn mening verkondigen: *~ (up)on* uitspraken doen over, commentaar leveren op

[2]**pronounce** [prenauns] *tr* **1** uitspreken **2** verklaren, verkondigen: *~ judgement* (of: *verdict*) uitspraak doen

pronounced [prenaunst] **1** uitgesproken **2** uitgesproken, onmiskenbaar

pronto [prontoo] meteen, onmiddellijk

pronunciation [prenunsie·eesjen] uitspraak

[1]**proof** [proe:f] *zn* **1** toets, proefneming: *bring* (of: *put*) *to the ~* op de proef stellen **2** bewijs: *in ~ of his claim* om zijn stelling te bewijzen **3** drukproef **4** proefafdruk

[2]**proof** [proe:f] *bn* bestand *(ook fig);* opgewassen: *~ against water* waterdicht, waterbestendig

-proof [proe:f] -bestendig, -vast, -dicht: *bulletproof* kogelvrij; *childproof* onverwoestbaar *(van speelgoed)*

[1]**prop** [prop] *zn* **1** stut, pijler, steun, steunpilaar **2** rekwisiet, benodigd voorwerp bij toneelvoorstelling

[2]**prop** [prop] *tr* ondersteunen *(ook fig);* stutten

propaganda [proppekende] propaganda, propagandamateriaal, propagandacampagne

[1]**propagate** [proppekeet] *tr* **1** verspreiden, bekendmaken **2** voortzetten; doorgeven *(aan volgende generatie)* **3** fokken, telen

[2]**propagate** [proppekeet] *tr, intr* (zich) voortplanten

propel [prepel] voortbewegen, aandrijven || *~ling pencil* vulpotlood

[1]**propellant** [prepellent] *zn* **1** drijfgas **2** *(ruimtev)* aandrijfbrandstof

[2]**propellant** [prepellent] *bn* voortdrijvend *(ook fig);* stuwend

propeller [prepelle] propeller

propensity [prepensittie] neiging

proper [proppe] **1** gepast, fatsoenlijk **2** juist, passend: *the ~ treatment* de juiste behandeling **3** juist, precies: *the ~ time* de juiste tijd **4** geweldig, eersteklas: *a ~ spanking* een geweldig pak slaag **5** behorend *(tot);* eigen *(aan): ~ to* behorend tot, eigen aan **6** eigenlijk, strikt: *London ~* het eigenlijke Londen || *~ noun* (of: *name*) eigennaam

properly [proppelie] **1** goed, zoals het moet **2** eigenlijk, strikt genomen **3** correct, fatsoenlijk **4** volkomen, volslagen

property [proppetie] **1** eigenschap, kenmerk **2** perceel, onroerend goed **3** rekwisiet, benodigd voorwerp bij een toneelvoorstelling **4** bezit, eigendom: *lost ~* gevonden voorwerpen **5** bezit, vermogen, onroerend goed

prophecy [proffesie] **1** voorspelling **2** profetie

[1]**prophesy** [proffesaj] *intr* **1** voorspellingen doen **2** als een profeet spreken

[2]**prophesy** [proffesaj] *tr* **1** voorspellen, voorzeggen **2** aankondigen

prophet [proffit] profeet

proponent [prepoonent] voorstander, verdediger

[1]**proportion** [prepo:sjen] *zn* **1** deel, gedeelte, aandeel **2** verhouding, relatie: *bear no ~ to* in geen verhouding staan tot **3** proportie, evenredigheid: *out of all ~* buiten alle verhoudingen

[2]**proportion** [prepo:sjen] *tr* **1** aanpassen, in de juiste verhouding brengen **2** proportioneren: *well ~ed* goed geproportioneerd

proportional [prepo:sjenel] verhoudingsgewijs, proportioneel, evenredig

proposal [prepoozl] **1** voorstel **2** huwelijksaanzoek

[1]**propose** [prepooz] *intr* **1** een voorstel doen **2** een huwelijksaanzoek doen

[2]**propose** [prepooz] *tr* **1** voorstellen, voorleggen: ~

a motion een motie indienen **2** van plan zijn, zich voornemen **3** een dronk uitbrengen (op)
[1]**proposition** [proppezisjen] *zn* **1** bewering **2** voorstel, plan **3** probleem, moeilijk geval: *he's a tough ~* hij is moeilijk te hanteren
[2]**proposition** [proppezisjen] *tr* oneerbare voorstellen doen aan
propound [prepaund] voorstellen
proprietary [prepraјjeterie] **1** eigendoms-, vd eigenaar, particulier: *~ name* (of: *term*) gedeponeerd handelsmerk **2** bezittend, met bezittingen **3** als een eigenaar, bezittend: *he always has this ~ air* hij gedraagt zich altijd alsof alles van hem is
proprietor [preprajjete] eigenaar
propriety [preprajjetie] **1** juistheid, geschiktheid **2** correctheid, fatsoen, gepastheid
propulsion [prepulsjen] **1** drijfkracht **2** voortdrijving, voortstuwing
prop up overeind houden, ondersteunen
prosaic [proozeeik] **1** zakelijk **2** alledaags
proscribe [prooskrajb] **1** verbieden, als gevaarlijk verwerpen **2** verbannen *(ook fig);* verstoten
prose [prooz] proza
prosecute [prossikjoe:t] **1** voortzetten, volhouden **2** (gerechtelijk) vervolgen, procederen tegen: *trespassers will be ~d* verboden voor onbevoegden
prosecutor [prossikjoe:te] **1** eiser, eisende partij **2** *(Am)* openbare aanklager: *public ~* openbare aanklager
[1]**prospect** [prospekt] *zn* **1** vergezicht, panorama **2** idee, denkbeeld **3** ligging, uitzicht **4** hoop, verwachting, kans, vooruitzicht **5** potentiële klant, prospect
[2]**prospect** [prespekt] *intr* naar bodemschatten zoeken
prospective [prespektiv] **1** voor de toekomst, nog niet in werking **2** toekomstig: *a ~ buyer* een gegadigde, een mogelijke koper; *~ student* aspirant-student
prospector [prespekte] goudzoeker
prosper [prospe] bloeien, slagen, succes hebben
prosperity [prosperrittie] voorspoed, succes
[1]**prostitute** [prostitjoe:t] *zn* prostitué *(man);* prostituee
[2]**prostitute** [prostitjoe:t] *tr* **1** prostitueren, tot prostitué (prostituee) maken: *~ oneself* zich prostitueren **2** vergooien, verlagen, misbruiken: *~ one's honour* zich verlagen, z'n eer te grabbel gooien
prostitution [prostitjoe:sjen] prostitutie
[1]**prostrate** [prostreet] *bn* **1** ter aarde geworpen **2** liggend, uitgestrekt, languit **3** verslagen, gebroken: *~ with grief* gebroken van verdriet
[2]**prostrate** [prostreet] *tr* neerwerpen, neerslaan: *~ oneself* zich ter aarde werpen, in het stof knielen
prosy [proozie] saai, vervelend
protect [pretekt] **1** beschermen **2** beveiligen, beveiligingen aanbrengen
protection [preteksjen] **1** beschermer, bescherming, beschutting **2** vrijgeleide
protective [pretektiv] beschermend, beschermings-: *~ colouring* schutkleur; *~ sheath* condoom
protector [pretekte] **1** beschermer, beschermheer **2** beschermend middel
protectorate [pretekteret] protectoraat, land dat onder bescherming ve ander land staat
protein [prootie:n] proteïne, eiwit
[1]**protest** [prootest] *zn* protest, bezwaar: *enter* (of: *lodge, make*) *a ~ against sth.* ergens protest tegen aantekenen
[2]**protest** [pretest] *intr* protesteren, bezwaar maken
[3]**protest** [pretest] *tr* **1** bezweren, betuigen: *~ one's innocence* zijn onschuld betuigen **2** *(Am)* protesteren tegen: *they are ~ing nuclear weapons* ze protesteren tegen kernwapens
Protestant [prottistent] protestant(s)
protocol [prootekol] **1** protocol **2** officieel verslag, akte, verslag van internationale onderhandelingen
prototype [prootetajp] prototype, oorspronkelijk model
protract [pretrekt] voortzetten, verlengen, rekken
protractor [pretrekte] gradenboog, hoekmeter
protrude [pretroe:d] uitpuilen, uitsteken: *protruding eyes* uitpuilende ogen
protuberant [pretjoe:berent] gezwollen, uitpuilend
proud [praud] **1** trots, fier, zelfverzekerd, hoogmoedig, arrogant **2** trots, vereerd: *I'm ~ to know her* ik ben er trots op dat ik haar ken **3** imposant *(van ding)*
[1]**prove** [proe:v] *intr* **1** blijken: *our calculations ~d incorrect* onze berekeningen bleken onjuist te zijn **2** *(cul)* rijzen
[2]**prove** [proe:v] *tr* bewijzen, (aan)tonen: *of ~n authenticity* waarvan de echtheid is bewezen
proven [proe:vn] *(Am) volt dw van* prove
provenance [provvenens] herkomst
proverb [provve:b] gezegde, spreekwoord, spreuk
[1]**provide** [prevajd] *intr* **1** voorzieningen treffen: *~ against flooding* maatregelen nemen tegen overstromingen **2** in het onderhoud voorzien, verzorgen: *~ for children* kinderen onderhouden
[2]**provide** [prevajd] *tr* **1** bepalen, eisen, vaststellen: *~ that ...* bepalen dat ... **2** voorzien, uitrusten, verschaffen: *they ~d us with blankets and food* zij voorzagen ons van dekens en voedsel
provided [prevajdid] op voorwaarde dat, (alleen) indien, mits: *~ that* op voorwaarde dat, mits
providence [provviddens] voorzorg, zorg voor de toekomst, spaarzaamheid
Providence [provviddens] de Voorzienigheid, God
provident [provvident] **1** vooruitziend **2** zuinig, spaarzaam

providential [provviddensjl] wonderbaarlijk
provider [prevajde] **1** leverancier **2** kostwinner
providing [prevajding] op voorwaarde dat, (alleen) indien, mits: ~ *(that) it is done properly* mits het goed gebeurt
province [provvins] **1** provincie, gewest **2** vakgebied, terrein: *outside one's* ~ buiten zijn vakgebied **3** *~s* platteland, provincie
[1]**provincial** [previnsjl] *zn* **1** provinciaal, iem uit de provincie **2** provinciaaltje, bekrompen mens
[2]**provincial** [previnsjl] *bn* provinciaal, van de provincie; *(min)* bekrompen
provision [previzjen] **1** bepaling, voorwaarde **2** voorraad, hoeveelheid, rantsoen **3** levering, toevoer, voorziening **4** voorzorg, voorbereiding, maatregelen: *make ~ for the future* voor zijn toekomst zorgen **5** *~s* levensmiddelen, provisie, proviand
provisional [previzjenel] tijdelijk, voorlopig
proviso [prevajzoo] voorwaarde, beperkende bepaling
provocation [provvekeesjen] provocatie, uitdaging: *he did it under* ~ hij is ertoe gedreven
provoke [prevook] **1** tergen, prikkelen: *his behaviour ~d me into beating him* door zijn gedrag werd ik zo kwaad dat ik hem een pak slaag gaf **2** uitdagen, provoceren, ophitsen **3** veroorzaken, uitlokken
prow [prau] voorsteven
prowess [prauis] **1** dapperheid **2** bekwaamheid
[1]**prowl** [praul] *zn* jacht, roof(tocht), het rondsluipen
[2]**prowl** [praul] *intr* **1** jagen, op roof uit zijn **2** lopen loeren, rondsluipen, rondsnuffelen: *s.o. is ~ing about* (of: *around*) *on the staircase* er sluipt iem rond in het trappenhuis
prowl car *(Am)* surveillancewagen *(vd politie)*
proximity [proksimmittie] nabijheid: *in the* ~ in de nabijheid, in de nabije toekomst
proxy [proksie] **1** gevolmachtigde, afgevaardigde: *stand ~ for s.o.* als iemands gemachtigde optreden **2** (bewijs van) volmacht, volmachtbrief: *marry by* ~ bij volmacht trouwen
prude [proe:d] preuts mens
prudence [proe:dens] **1** voorzichtigheid, omzichtigheid: *fling* (of: *throw*) *~ to the winds* alle voorzichtigheid overboord gooien **2** beleid, wijsheid
prudent [proe:dent] voorzichtig, met inzicht, verstandig
[1]**prune** [proe:n] *zn* pruimedant, gedroogde pruim
[2]**prune** [proe:n] *tr* (be)snoeien *(ook fig)*; korten, reduceren
prurient [proeerient] **1** wellustig **2** obsceen, pornografisch
[1]**pry** [praj] *intr* **1** gluren: ~ *about* rondneuzen **2** nieuwsgierig zijn: *I wish you wouldn't ~ into my affairs* ik wou dat je je niet met mijn zaken bemoeide
[2]**pry** [praj] *tr (Am)* (open)wrikken: ~ *open a chest* een kist openbreken
PS *afk van postscript* PS, post scriptum
psalm [sa:m] psalm, hymne, kerkgezang
psyche [sajkie] psyche, ziel
psychiatrist [sajkajjetrist] psychiater
psychiatry [sajkajjetrie] psychiatrie
psychic [sajkik] **1** psychisch, geestelijk **2** paranormaal, bovennatuurlijk **3** paranormaal begaafd
psychologist [sajkolledzjist] psycholoog
psychology [sajkolledzjie] **1** karakter, aard, psyche **2** (wetenschap der) psychologie **3** mensenkennis
psychopath [sajkepeθ] psychopaat, geestelijk gestoorde
psychosis [sajkoosis] psychose
[1]**psych out** *intr (Am)* in de war raken
[2]**psych out** *tr (Am)* **1** analyseren, hoogte krijgen van **2** doorkrijgen, begrijpen: *I couldn't psych him out* ik kon er niet achter komen wat voor iem hij was **3** intimideren *(de tegenstander)*
PTO *afk van please turn over* z.o.z., zie ommezijde
pub [pub] *verk van public house* café, bar, pub, kroeg
puberty [pjoe:betie] puberteit
pubescence [pjoe:besns] **1** beharing **2** begin van de puberteit
pubic [pjoe:bik] van de schaamstreek, schaam-
[1]**public** [publik] *zn* publiek, mensen, geïnteresseerden: *in* ~ in het openbaar
[2]**public** [publik] *bn* **1** openbaar, publiek, voor iedereen toegankelijk, algemeen bekend: ~ *bar* zaaltje in Brits café met goedkoop bier; ~ *conveniences* openbare toiletten; ~ *footpath* voetpad, wandelpad; ~ *house* café, bar, pub; ~ *transport* openbaar vervoer; ~ *utility* nutsbedrijf **2** algemeen, gemeenschaps-, nationaal, maatschappelijk: ~ *holiday* nationale feestdag; ~ *interest* het algemeen belang; ~ *opinion* publieke opinie; ~ *school* particuliere kostschool, *(Sch, Am)* gesubsidieerde lagere school **3** overheids-, regerings-, publiek-, staats-: ~ *assistance* sociale steun, uitkering; ~ *spending* overheidsuitgaven
publication [publikkeesjen] **1** uitgave, publicatie, boek, artikel **2** publicatie, bekendmaking
publicity [publissittie] **1** publiciteit, bekendheid, openbaarheid **2** publiciteit, reclame
publicize [publissajz] bekendmaken, adverteren
publish [publisj] **1** publiceren, schrijven **2** uitgeven, publiceren **3** bekendmaken, aankondigen, afkondigen
publisher [publisje] uitgever(ij)
puck [puk] **1** kwelduivel **2** ondeugend kind **3** *(ijshockey)* puck
[1]**pucker** [pukke] *zn* vouw, plooi, rimpel
[2]**pucker** [pukke] *tr* samentrekken, rimpelen
pudding [poeding] **1** pudding *(ook fig)* **2** dessert, toetje
puddle [pudl] plas, (modder)poel
pudgy [pudzjie] kort en dik, mollig
puerile [pjoeerajl] **1** kinder-, kinderlijk **2** kinderachtig

[1]**puff** [puf] *zn* **1** ademstoot, puf **2** rookwolk **3** trek, haal; puf *(aan sigaret e.d.)* **4** puf, puffend geluid **5** (poeder)dons

[2]**puff** [puf] *intr* **1** puffen, hijgen, blazen **2** roken, dampen: ~ *(away) at* (of: *on*) *a cigarette* een sigaret roken **3** puffen, in wolkjes uitgestoten worden **4** (ook met *out*) opzwellen, zich opblazen

[3]**puff** [puf] *tr* **1** uitblazen, uitstoten: ~ *smoke into s.o.'s eyes* iem rook in de ogen blazen **2** roken; trekken *(aan sigaret e.d.)* **3** (ook met *out*) opblazen, doen opzwellen: *~ed up with pride* verwaand, opgeblazen

puffy [puffie] opgezet, gezwollen, opgeblazen

pug [puk] **1** mopshond **2** klei(mengsel)

pugnacious [pukneesjes] strijdlustig

puke [pjoe:k] overgeven, (uit)braken, kotsen: *it makes me* ~ ik word er kotsmisselijk van

[1]**pull** [poel] *zn* **1** ruk, trek, stoot; *(fig)* klim; inspanning, moeite: *a long ~ across the hills* een hele klim over de heuvels **2** trekkracht **3** teug; slok *(drank);* trek *(van sigaar)* **4** (trek)knop, trekker, handvat **5** invloed, macht: *have a ~ on s.o.* invloed over iem hebben **6** het trekken, het rukken

[2]**pull** [poel] *intr* **1** trekken, getrokken worden, plukken, rukken: ~ *at* (of: *on*) *a pipe* aan een pijp trekken **2** zich moeizaam voortbewegen: ~ *away from* achter zich laten **3** gaan *(van voertuig, roeiboot);* gedreven worden, roeien, rijden: *the car ~ed ahead of us* de auto ging voor ons rijden; *the train ~ed into Bristol* de trein liep Bristol binnen

[3]**pull** [poel] *tr* **1** trekken (aan), (uit)rukken, naar zich toetrekken, uit de grond trekken, tappen, zich verzekeren van, (eruit) halen: ~ *customers* klandizie trekken; *he ~ed a gun on her* hij richtte een geweer op haar; *the current ~ed him under* de stroming sleurde hem mee **2** doen voortgaan, voortbewegen **3** verrekken *(spier)* **4** (be)roven || ~ *the other one* maak dat een ander wijs

pulley [poelie] **1** katrol **2** riemschijf

[1]**pull-in** *intr* **1** aankomen, binnenlopen, binnenvaren **2** naar de kant gaan (en stoppen) *(van voertuig)*

[2]**pull-in** *tr* **1** binnenhalen *(geld);* opstrijken **2** aantrekken, lokken: *Paul Simon always pulls in many people* Paul Simon trekt altijd veel mensen **3** inhouden: ~ *your stomach* houd je buik in **4** in zijn kraag grijpen *(bijv. dief);* inrekenen

pull off **1** uittrekken, uitdoen **2** bereiken, slagen in: ~ *a deal* in een transactie slagen; *he has pulled it off again* het is hem weer gelukt, hij heeft het weer klaargespeeld

[1]**pull out** *intr* **1** (zich) terugtrekken; *(fig)* terugkrabbelen: ~ *of politics* uit de politiek gaan **2** vertrekken, wegrijden **3** gaan inhalen, uithalen: *the driver who pulled out had not seen the oncoming lorry* de bestuurder die zijn baan verliet had de naderende vrachtauto niet gezien

[2]**pull out** *tr* verwijderen, uitdoen, uittrekken: ~ *a tooth* een kies trekken

pullover pullover

[1]**pull over** *intr* **1** opzijgaan, uit de weg gaan **2** *(Am)* (naar de kant rijden en) stoppen

[2]**pull over** *tr* **1** naar de kant rijden **2** stoppen *(voertuig)*

pull round **1** bij bewustzijn komen **2** zich herstellen

pull through erdoor getrokken worden, erdoor komen: *the patient pulls through* de patiënt komt er doorheen

pull together **1** samentrekken **2** samenwerken || *pull yourself together* beheers je

[1]**pull up** *intr* stoppen: *the car pulled up* de auto stopte

[2]**pull up** *tr* **1** uittrekken **2** (doen) stoppen: ~ *your car at the side* zet je auto aan de kant **3** tot de orde roepen, op zijn plaats zetten

pull-up **1** rustplaats, wegrestaurant **2** optrekoefening *(aan gymnastiekbalk)*

pulp [pulp] **1** moes, pap **2** vruchtvlees **3** pulp, houtpap **4** rommel **5** sensatieblad, sensatieboek, sensatieverhaal || *beat s.o. to a* ~ iem tot moes slaan

pulpit [poelpit] preekstoel, kansel

pulp magazine sensatieblad, pulpblad

pulsate [pulseet] kloppen, ritmisch bewegen, trillen

pulse [puls] **1** hartslag, pols(slag): *feel* (of: *take*) *s.o.'s* ~ iemands hartslag opnemen, *(fig)* iem polsen **2** (afzonderlijke) slag, stoot, trilling **3** ritme *(bijv. in muz)* **4** peul(vrucht) **5** peulen, peulvruchten

[1]**pulverize** [pulverajz] *intr* verpulveren, verpulverd worden

[2]**pulverize** [pulverajz] *tr* verpulveren; *(fig)* vernietigen; niets heel laten van

puma [pjoe:me] poema

[1]**pump** [pump] *zn* **1** pomp **2** dansschoen; *(Am)* galaschoen

[2]**pump** [pump] *intr* **1** pompen, pompend bewegen **2** bonzen *(van hart)*

[3]**pump** [pump] *tr* **1** pompen: ~ *money into an industry* geld investeren in een industrie **2** (krachtig) schudden *(hand)* **3** met moeite gedaan krijgen, (erin) pompen, (eruit) stampen: ~ *a witness* een getuige uithoren

pumpkin [pumpkin] pompoen

[1]**pun** [pun] *zn* woordspeling

[2]**pun** [pun] *intr* woordspelingen maken

[1]**punch** [puntsj] *zn* **1** werktuig om gaten te slaan, ponsmachine, ponstang, perforator, kniptang **2** (vuist)slag: *(boksen) pull one's ~es* zich inhouden *(ook fig)* **3** slagvaardigheid, kracht, pit: *his speech lacks* ~ er zit geen pit in zijn toespraak **4** punch, bowl(drank)

[2]**punch** [puntsj] *intr* **1** ponsen **2** slaan: ~ *up* op de vuist gaan **3** *(Am)* klokken, een prikklok gebruiken: ~ *in* (of: *out*) klokken bij binnenkomst (*of:* vertrek)

[3]**punch** [puntsj] *tr* **1** slaan, een vuistslag geven

2 gaten maken in, perforeren; knippen *(kaartje);* ponsen
Punch [puntsj] Jan Klaassen: ~ *and Judy* Jan Klaassen en Katrijn
punchbag *(boksen)* stootzak, zandzak, stootkussen
punchball boksbal
punch-drunk versuft; *(fig)* verward
punch-up knokpartij
punchy [puntsjie] *(inform)* versuft, bedwelmd
punctilious [pungktillies] zeer precies, plichtsgetrouw, nauwgezet
punctual [pungktsjoeel] punctueel, stipt, nauwgezet
[1]**punctuate** [pungktsjoe·eet] *tr* onderbreken: *a speech ~d by* (of: *with*) *jokes* een toespraak doorspekt met grappen
[2]**punctuate** [pungktsjoe·eet] *tr, intr* leestekens aanbrengen
punctuation [pungktsjoe·eesjen] interpunctie(tekens)
punctuation mark leesteken
[1]**puncture** [pungktsje] *zn* gaatje *(bijv. in band);* lek, lekke band
[2]**puncture** [pungktsje] *tr* lek maken, doorboren; *(fig)* vernietigen
pungent [pundzjent] **1** scherp: ~ *remarks* stekelige opmerkingen **2** prikkelend, pikant: *a ~ smell* een doordringende geur
punish [punnisj] **1** (be)straffen **2** zijn voordeel doen met *(zwakte van ander);* afstraffen
punishing [punnisjing] slopend, erg zwaar: *a ~ climb* een dodelijk vermoeiende beklimming
punishment [punnisjment] **1** straf, bestraffing: *corporal ~* lijfstraf **2** ruwe behandeling, afstraffing
punitive [pjoe:nittiv] **1** straf- **2** zeer hoog *(bijv. van belasting)*
[1]**punk** [pungk] *zn* **1** punk(er) **2** (jonge) boef, relschopper
[2]**punk** [pungk] *bn* **1** waardeloos **2** punk-, van (een) punk(s)
punnet [punnit] (spanen) mand(je) *(voor fruit, groente);* (plastic) doosje
[1]**punt** [punt] *zn* punter, platte rivierschuit
[2]**punt** [punt] *intr* **1** bomen, varen in een punter **2** gokken *(bijv. bij paardenrennen)*
puny [pjoe:nie] nietig, miezerig, onbetekenend
[1]**pup** [pup] *zn* **1** pup(py), jong hondje **2** jong *(bijv. van otter, zeehond)*
[2]**pup** [pup] *intr* jongen; werpen *(van hond)*
pupil [pjoe:pil] **1** leerling **2** pupil *(van oog)*
puppet [puppit] marionet *(ook fig);* (houten) pop
puppy [puppie] **1** puppy, jong hondje **2** snotneus
[1]**purchase** [pe:tsjes] *zn* **1** (aan)koop: *~s* inkoop, aanschaf; *make ~s* inkopen doen **2** vat, greep: *get a ~ on a rock* houvast vinden aan een rots
[2]**purchase** [pe:tsjes] *tr* zich aanschaffen, (in)kopen
purchasing power koopkracht
pure [pjoee] **1** puur, zuiver, onvervalst: *a ~ Arab horse* een rasechte arabier; *~ and simple* niets dan, eenvoudigweg **2** volkomen, zuiver, puur
purebred rasecht *(van dieren);* volbloed-
purée [pjoeeree] moes, puree
purely [pjoeelie] uitsluitend, volledig, zonder meer: *a ~ personal matter* een zuiver persoonlijke aangelegenheid
purgation [pe:keesjen] zuivering, reiniging
purgatory [pe:keterie] vagevuur, (tijdelijke) kwelling
[1]**purge** [pe:dzj] *zn* **1** zuivering **2** laxeermiddel
[2]**purge** [pe:dzj] *tr* zuiveren, louteren, verlossen
purification [pjoeeriffikkeesjen] zuivering, verlossing, bevrijding
[1]**purify** [pjoeeriffaj] *intr* zuiver worden
[2]**purify** [pjoeeriffaj] *tr* zuiveren, louteren
purism [pjoeerizm] purisme, (taal)zuivering
[1]**puritan** [pjoeeritten] *zn* puritein, streng godsdienstig persoon
[2]**puritan** [pjoeeritten] *bn* puriteins, moraliserend, streng van zeden
purity [pjoeerittie] zuiverheid, puurheid, onschuld
purler [pe:le] smak, harde val: *come* (of: *take*) *a ~* een flinke smak maken
purple [pe:pl] **1** purper, donkerrood, paarsrood: *he became ~ with rage* hij liep rood aan van woede **2** (te) sierlijk, bombastisch: *a ~ passage* (of: *patch*) een briljant gedeelte *(in saaie verhandeling)*
purport [pe:po:t] strekking, bedoeling
purpose [pe:pes] **1** doel, bedoeling, plan, voornemen: *accidentally on ~* per ongeluk expres; *he did it on ~* hij deed het met opzet **2** zin, (beoogd) effect, resultaat, nut: *all your help will be to no ~* al je hulp zal tevergeefs zijn **3** de zaak waarom het gaat: *his remark is (not) to the ~* zijn opmerking is (niet) ter zake **4** vastberadenheid
purposeful [pe:pesfoel] **1** vastberaden **2** met een doel, opzettelijk
[1]**purr** [pe:] *zn* **1** spinnend geluid; gespin *(van kat)* **2** zoemend geluid; gesnor *(van machine)*
[2]**purr** [pe:] *intr* **1** spinnen *(van kat)* **2** gonzen; zoemen *(van machine)*
[1]**purse** [pe:s] *zn* **1** portemonnee **2** *(Am)* damestas(je)
[2]**purse** [pe:s] *tr* samentrekken, rimpelen, tuiten: *indignantly, she ~d her lips* ze tuitte verontwaardigd de lippen
pursuance [pes·joe:ens] uitvoering, voortzetting: *in (the) ~ of his duty* tijdens het vervullen van zijn plicht
pursue [pes·joe:] **1** jacht maken op, achtervolgen **2** volgen; achternalopen *(ook fig);* lastigvallen: *this memory ~d him* deze herinnering liet hem niet los **3** doorgaan met, vervolgen: *it is wiser not to ~ the matter* het is verstandiger de zaak verder te laten rusten

pu

pursuit [pe·joe:t] **1** achtervolging; jacht *(ook fig): in ~ of happiness* op zoek naar het geluk **2** bezigheid, hobby
purvey [pe:vee] bevoorraden met; leveren *(voedsel)*
pus [pus] pus, etter
[1]**push** [poesj] *zn* **1** duw, stoot, zet, ruk: *give that door a ~* geef die deur even een zetje **2** grootscheepse aanval *(van leger)*; offensief; *(fig)* energieke poging **3** energie, doorzettingsvermogen, fut **4** druk, nood, crisis: *if* (of: *when*) *it comes to the ~* als het erop aankomt || *give s.o. the ~: a)* iem ontslaan; *b)* iem de bons geven; *at a ~* als het echt nodig is, in geval van nood
[2]**push** [poesj] *intr* **1** duwen, stoten, dringen **2** vorderingen maken, vooruitgaan, verder gaan: *~ ahead* (of: *forward, on*) (rustig) doorgaan; *~ ahead/along* (of: *forward, on*) *with* vooruitgang boeken met **3** pushen, dealen
[3]**push** [poesj] *tr* **1** (weg)duwen, een zet geven, voortduwen; *(fig)* beïnvloeden; dwingen: *~ the button* op de knop drukken; *he ~es the matter too far* hij drijft de zaak te ver door; *~ s.o. about* (of: *around*) iem ruw behandelen, iem commanderen, iem met minachting behandelen; *~ back the enemy* de vijand terugdringen; *~ oneself forward* zich op de voorgrond dringen; *that ~ed prices up* dat joeg de prijzen omhoog **2** druk uitoefenen op, lastigvallen, aandringen bij: *don't ~ your luck (too far)!* stel je geluk niet te veel op de proef!; *he ~ed his luck and fell* hij werd overmoedig en viel **3** pushen *(drugs)*
pushchair wandelwagen, buggy
pusher [poesje] **1** (te) ambitieus iem, streber **2** (illegale) drugsverkoper, (drugs)dealer
push in **1** een gesprek ruw onderbreken, ertussen komen, iem in de rede vallen **2** voordringen
pushing [poesjing] **1** opdringerig **2** vol energie, ondernemend
push off **1** ervandoor gaan, weggaan, ophoepelen: *now ~, will you* hoepel nu alsjeblieft eens op **2** uitvaren, van wal steken
push through doordrukken, er doorheen slepen: *we'll push this matter through* we zullen deze zaak erdoor krijgen
pushy [poesjie] opdringerig
puss [poes] **1** poes *(vnl. als roepnaam)*: *Puss in boots* de Gelaarsde Kat **2** poesje, liefje, schatje
pussy [poesie] poes(je), kat(je)
pustule [pustjoe:l] puistje
[1]**put** [poet] *intr (put, put)* varen, koers zetten: *the ship ~ into the port* het schip voer de haven binnen || *his sickness ~ paid to his plans* zijn ziekte maakte een eind aan zijn plannen; *~ (up)on s.o.* iem last bezorgen
[2]**put** [poet] *tr (put, put)* **1** zetten, plaatsen, leggen, steken; stellen *(ook fig)*; brengen *(in een toestand)*: *~ pressure (up)on* pressie uitoefenen op; *~ a price on sth.* een prijskaartje hangen aan; *~ sth. behind oneself* zich over iets heen zetten, met iets breken; *~ the children to bed* de kinderen naar bed brengen; *~ to good use* goed gebruikmaken van **2** onderwerpen *(aan)*; dwingen, drijven: *~ s.o. through it* iem een zware test afnemen, iem zwaar op de proef stellen **3** (in)zetten, verwedden: *~ money on* geld zetten op, *(fig)* zeker zijn van **4** voorleggen, ter sprake brengen: *~ a proposal before* (of: *to*) *a meeting* een vergadering een voorstel voorleggen **5** uitdrukken, zeggen, stellen: *how shall I ~ it?* hoe zal ik het zeggen || *you'll be hard ~ to think of a second example* het zal je niet meevallen om een tweede voorbeeld te bedenken; *~ it* (of: *one, sth.*) *across s.o.* het iem flikken, iem beetnemen; *not ~ it past s.o. to do sth.* iem ertoe in staat achten iets te doen; *stay ~* blijven waar je bent, op zijn plaats blijven
[1]**put about** *intr* laveren, van richting veranderen
[2]**put about** *tr* **1** van richting doen veranderen *(schip)* **2** verspreiden *(gerucht, leugens)*
put across overbrengen *(ook fig)*; aanvaardbaar maken, aan de man brengen: *know how to put one's ideas across* zijn ideeën weten over te brengen
put aside opzijzetten, wegzetten; opzijleggen *(ook mbt geld)*; sparen
put back **1** terugzetten, terugdraaien: *put the clock back* de klok terugzetten *(ook fig)* **2** vertragen, tegenhouden: *production has been ~ by a strike* de productie is door een staking vertraagd
put by opzijzetten; wegzetten *(geld)*
[1]**put down** *intr* landen *(van vliegtuig)*
[2]**put down** *tr* **1** neerzetten, neerleggen **2** onderdrukken *(opstand, misdaad e.d.)* **3** opschrijven, noteren: *put sth. down to ignorance* iets toeschrijven aan onwetendheid **4** een spuitje geven *(ziek dier)*; uit zijn lijden helpen **5** afzetten; uit laten stappen *(passagiers)* **6** aanbetalen **7** kleineren, vernederen; *(fig)* op zijn plaats zetten
[1]**put in** *intr* **1** een verzoek indienen, solliciteren: *~ for* zich kandidaat stellen voor; *~ for leave* verlof (aan)vragen **2** binnenlopen: *~ at a port* een haven binnenlopen
[2]**put in** *tr* **1** (erin) plaatsen, zetten, inlassen, invoegen: *~ an appearance* zich (eens) laten zien **2** opwerpen: *~ a (good) word for s.o.* een goed woordje voor iem doen **3** besteden *(tijd, werk, geld)*; doorbrengen *(tijd)*: *he ~ a lot of hard work on the project* hij heeft een boel werk in het project gestopt **4** indienen, klacht, document: *~ a claim for damages* een eis tot schadevergoeding indienen
put off **1** uitstellen, afzeggen **2** afzetten; uit laten stappen *(passagiers)* **3** afschrikken, (van zich) afstoten: *the smell of that food put me off* de reuk van dat eten deed me walgen **4** afschepen, ontmoedigen **5** van de wijs brengen: *the speaker was ~ by the noise* de spreker werd door het lawaai van zijn stuk gebracht **6** uitdoen, uitdraaien; afzetten *(licht, gas, radio e.d.)*

put on **1** voorwenden; aannemen *(houding)*: ~ *a brave face* flink zijn **2** toevoegen, verhogen: ~ *weight* aankomen, zwaarder worden; *put it on: a)* aankomen *(in gewicht)*; *b)* overdrijven **3** opvoeren, op de planken brengen: ~ *a play* een toneelstuk op de planken brengen; *put it on* doen alsof **4** aantrekken *(kleding)*; opzetten *(bril, hoed)* **5** inzetten; inleggen *(extra trein e.d.)* **6** in werking stellen; aandoen *(licht)*; aanzetten *(radio e.d.)*; opzetten *(plaat, fluitketel)*: ~ *a brake* (of: *the brakes*) afremmen *(fig)* **7** in contact brengen, doorverbinden: *who put the police on to me?* wie heeft de politie op mijn spoor gezet?
[1]**put out** *intr* uitvaren: ~ *to sea* zee kiezen
[2]**put out** *tr* **1** uitsteken, tonen: ~ *feelers* zijn voelhoorns uitsteken **2** aanwenden, inzetten, gebruiken **3** uitdoen, doven, blussen: ~ *the fire* (of: *light*) het vuur (*of:* licht) doven **4** van zijn stuk brengen **5** storen: *put oneself out* zich moeite getroosten, moeite doen **6** buiten zetten *(huisvuil)*; eruit gooien, de deur wijzen **7** uitvaardigen, uitgeven; uitzenden *(bericht)*: ~ *an official statement* een communiqué uitgeven **8** uitbesteden *(werk)*: ~ *a job to a subcontractor* een werk aan een onderaannemer uitbesteden
[1]**put over** *intr* overvaren
[2]**put over** *tr* **1** overbrengen *(ook fig)*; aan de man brengen: *put (a fast) one* (of: *sth.*) *over on s.o.* iem iets wijsmaken **2** *(Am)* uitstellen
putrefy [pjoe:triffaj] (doen) (ver)rotten, (doen) bederven
putrid [pjoe:trid] (ver)rot, vergaan, verpest
put through (door)verbinden *(telefoongesprek)*
put together **1** samenvoegen, samenstellen, combineren: *more than all the others* ~ meer dan alle anderen bij elkaar **2** verzamelen, verenigen || *put two and two together: a)* zijn conclusies trekken; *b)* logisch nadenken
putty [puttie] **1** stopverf **2** plamuur || *be ~ in s.o.'s hands* als was in iemands handen zijn
[1]**put up** *intr* logeren: ~ *at an inn* in een herberg logeren || *I wouldn't ~ with it any longer* ik zou het niet langer meer slikken
[2]**put up** *tr* **1** opzetten, oprichten; bouwen *(tent, standbeeld e.d.)*: ~ *a smokescreen* een rookgordijn leggen **2** opsteken, hijsen, ophangen: *put one's hands up* de handen opsteken *(om zich over te geven)* **3** bekendmaken, ophangen: ~ *a notice* een bericht ophangen **4** verhogen, opslaan: ~ *the rent* de huurprijs verhogen **5** huisvesten, logeren **6** beschikbaar stellen *(gelden)*; voorschieten: *who will ~ money for new research?* wie stelt geld beschikbaar voor nieuw onderzoek? **7** bieden, tonen: *the rebels ~ strong resistance* de rebellen boden hevig weerstand **8** (te koop) aanbieden: *they ~ their house for sale* zij boden hun huis te koop aan **9** kandidaat stellen, voordragen: *they put him up for chairman* zij droegen hem als voorzitter voor || *put s.o. up to sth.: a)* iem opstoken tot iets; *b)* iem op de hoogte brengen van iets
put-up afgesproken: *it's a ~ job* het is een doorgestoken kaart
[1]**puzzle** [puzl] *zn* **1** raadsel, probleem **2** puzzel: *crossword ~* kruiswoordraadsel
[2]**puzzle** [puzl] *intr* peinzen, piekeren
[3]**puzzle** [puzl] *tr* **1** voor een raadsel zetten, verbazen, verbijsteren **2** in verwarring brengen **3** overpeinzen: ~ *one's brains (about, over)* zich het hoofd breken (over); ~ *sth. out* iets uitpluizen
puzzled [puzld] in de war, perplex
puzzler [puzle] **1** puzzelaar(ster) **2** probleem, moeilijke vraag
[1]**pygmy** [pikmie] *zn* pygmee, dwerg; *(fig)* nietig persoon
[2]**pygmy** [pikmie] *bn* heel klein, dwerg-
pyjamas [pedzja:mez] pyjama: *four pairs of ~* vier pyjama's
pyramid [pirremid] piramide
pyromaniac [pajjeroomeenie·ek] pyromaan
pyrotechnic [pajjerooteknik] vuurwerk-: *a ~ display* een vuurwerk(show)
python [pajθn] python

pu

q

[1]**quack** [kwek] *zn* **1** kwakzalver, charlatan **2** kwak *(van eend);* gekwaak

[2]**quack** [kwek] *intr* **1** kwaken *(van eend)* **2** zwetsen, kletsen

quadrangle [kwodrengkl] **1** vierhoek, vierkant, rechthoek **2** (vierhoekige) binnenplaats, vierkant plein (met de gebouwen eromheen)

[1]**quadrilateral** [kwodrileterel] *zn* vierhoek

[2]**quadrilateral** [kwodrileterel] *bn* vierzijdig

quadruped [kwodroeped] viervoeter, (als) ve viervoeter

[1]**quadruple** [kwodroe:pl] *zn* viervoud

[2]**quadruple** [kwodroe:pl] *bn* vierdelig, viervoudig

quadruplet [kwodroeplit] één ve vierling: *~s* vierling

quagmire [kwekmajje] moeras *(ook fig);* poel

[1]**quail** [kweel] *zn* kwartel

[2]**quail** [kweel] *intr* (terug)schrikken, bang worden

quaint [kweent] **1** apart, curieus, ongewoon: *a ~ old building* een bijzonder, oud gebouw **2** vreemd, grillig

[1]**quake** [kweek] *zn* **1** schok **2** aardbeving

[2]**quake** [kweek] *intr* schokken, trillen, bibberen

qualification [kwolliffikkeesjen] **1** beperking, voorbehoud: *a statement with many ~s* een verklaring met veel kanttekeningen **2** kwaliteit, verdienste, kwalificatie **3** (bewijs van) geschiktheid: *a medical ~* een medische bevoegdheid **4** beschrijving, kenmerking

qualified [kwolliffajd] **1** beperkt, voorwaardelijk, voorlopig: *~ optimism* gematigd optimisme **2** bevoegd, geschikt: *a ~ nurse* een gediplomeerde verpleegster

[1]**qualify** [kwolliffaj] *intr* zich kwalificeren, zich bekwamen, geschikt zijn, worden: *~ for membership* in aanmerking komen voor lidmaatschap

[2]**qualify** [kwolliffaj] *tr* **1** beperken, kwalificeren, (verder) bepalen: *a ~ing exam* een akte-examen **2** geschikt maken, het recht geven **3** verzachten, matigen

qualitative [kwollittetiv] kwalitatief

quality [kwollittie] **1** kwaliteit, deugd, capaciteit: *~ of life* leefbaarheid, kwaliteit van het bestaan **2** eigenschap, kenmerk, karakteristiek **3** kwaliteit, waarde, gehalte: *~ newspaper* kwaliteitskrant; *~ time* kwaliteitstijd *(tijd die men reserveert om met partner, gezin door te brengen)*

qualm [kwa:m] **1** (gevoel van) onzekerheid, ongemakkelijk gevoel: *she had no ~s about going on her own* ze zag er niet tegenop om alleen te gaan **2** (gewetens)wroeging

quandary [kwonderie] moeilijke situatie, dilemma, onzekerheid: *we were in a ~ about how to react* we wisten niet goed hoe we moesten reageren

quantify [kwontiffaj] kwantificeren, in getallen uitdrukken, meten, bepalen

quantity [kwontittie] **1** hoeveelheid, aantal, som, portie **2** grootheid; *(fig)* persoon; ding: *an unknown ~* een onbekende (grootheid), een nog niet doorgronde (*of:* berekenbare) persoon **3** kwantiteit, hoeveelheid, omvang

[1]**quantum** [kwontem] *zn* kwantum, (benodigde, wenselijke) hoeveelheid

[2]**quantum** [kwontem] *bn* spectaculair: *~ leap* spectaculaire stap vooruit, doorbraak, omwenteling

[1]**quarantine** [kworrentie:n] *zn* quarantaine, isolatie

[2]**quarantine** [kworrentie:n] *ww* in quarantaine plaatsen; *(fig ook)* isoleren

[1]**quarrel** [kworrel] *zn* **1** ruzie, onenigheid: *start* (of: *pick) a ~ (with s.o.)* ruzie zoeken (met iem) **2** kritiek, reden tot ruzie: *I have no ~ with him* ik heb niets tegen hem

[2]**quarrel** [kworrel] *intr* **1** ruzie maken, onenigheid hebben **2** kritiek hebben, aanmerkingen hebben

quarrelsome [kworrelsem] ruziezoekend

quarry [kworrie] **1** (nagejaagde) prooi, wild **2** (steen)groeve

quart [kwo:t] quart, kwart gallon; twee pints *(inhoudsmaat)* || *put a ~ into a pint pot* het onmogelijke proberen

quarter [kwo:te] **1** kwart, vierde deel: *a ~ of an hour* een kwartier; *three ~s of the people voted* driekwart van de mensen stemde **2** kwart dollar, kwartje **3** kwartaal; *(Am)* collegeperiode; academisch kwartaal **4** kwartier *(van tijd, maan): for an hour and a ~* een uur en een kwartier (lang); *it's a ~ past* (of: *to) eight* het is kwart over (*of:* voor) acht **5** quarter; kwart *(gewicht, maat)* **6** (wind)richting; windstreek *(van kompas);* hoek, kant: *I expect no help from that ~* ik verwacht geen hulp uit die hoek **7** (stads)deel, wijk, gewest **8** genade, clementie: *ask for* (of: *cry) ~* om genade smeken **9** *~s (vaak mil)* kwartier, verblijf, woonplaats, legerplaats, kamer(s); *(fig)* kring: *this information comes from the highest ~s* deze inlichtingen komen uit de hoogste kringen

quarterdeck *(scheepv)* **1** (officiers)halfdek **2** (marine)officieren

quarter-final kwartfinale

[1]**quarterly** [kwo:telie] *zn* driemaandelijks tijdschrift, kwartaalblad

[2]**quarterly** [kwo:telie] *bn* driemaandelijks, viermaal per jaar, kwartaalsgewijs

quartet [kwo:tet] kwartet, viertal

quarto [kwo:too] kwarto
quartz [kwo:ts] kwarts
quasi [kweezaj] quasi, zogenaamd
[1]**quaver** [kweeve] *zn* **1** trilling **2** *(muz)* achtste (noot)
[2]**quaver** [kweeve] *ww* trillen, beven, sidderen: *in a ~ing voice* met bevende stem
quay [kie:] kade
queasy [kwie:zie] **1** misselijk, onpasselijk **2** overgevoelig, kieskeurig: *he has a ~ conscience* hij neemt het erg nauw
[1]**queen** [kwie:n] *zn* **1** koningin **2** *(schaakspel)* koningin, dame **3** *(kaartspel)* vrouw, dame: *~ of hearts* hartenvrouw **4** nicht, verwijfde flikker
[2]**queen** [kwie:n] *tr: ~ it over s.o.* de mevrouw spelen t.o.v. iem
Queen's English standaard Engels, BBC-Engels
[1]**queer** [kwie] *zn* homo, flikker
[2]**queer** [kwie] *bn* **1** vreemd, raar, zonderling: *a ~ customer* een rare snuiter **2** verdacht, onbetrouwbaar **3** onwel, niet lekker **4** homoseksueel || *be in Queer Street: a)* in moeilijkheden zitten; *b)* schulden hebben
quell [kwel] onderdrukken, een eind maken aan, onderwerpen
quench [kwentsj] **1** doven, blussen **2** lessen *(dorst)*
querulous [kwerroeles] **1** klagend **2** klagerig
[1]**query** [kwierie] *zn* vraag, vraagteken
[2]**query** [kwierie] *tr* **1** vragen (naar), informeren (naar) **2** in twijfel trekken; een vraagteken plaatsen bij *(ook lett);* betwijfelen
quest [kwest] zoektocht: *the ~ for the Holy Grail* de zoektocht naar de Heilige Graal
[1]**question** [kwestsjen] *zn* **1** vraag: *a leading ~* een suggestieve vraag **2** vraagstuk, probleem, kwestie: *that is out of the ~* er is geen sprake van, daar komt niets van in; *that is not the ~* daar gaat het niet om **3** twijfel, onzekerheid, bezwaar: *call sth. into ~* iets in twijfel trekken; *beyond (all)* (of: *without) ~* ongetwijfeld, stellig || *beg the ~* het punt in kwestie als bewezen aanvaarden; *pop the ~ (to her)* (haar) ten huwelijk vragen
[2]**question** [kwestsjen] *tr* **1** vragen, ondervragen, uithoren: *~ s.o. about* (of: *on) his plans* iem over zijn plannen ondervragen **2** onderzoeken **3** betwijfelen, zich afvragen: *I ~ whether* (of: *if) …* ik betwijfel het of …
questionable [kwestsjenebl] **1** twijfelachtig **2** verdacht
question mark vraagteken *(ook fig);* mysterie, onzekerheid
questionnaire [kwestsjenee] vragenlijst
[1]**queue** [kjoe:] *zn* rij, file || *jump the ~* voordringen, voor je beurt gaan
[2]**queue** [kjoe:] *intr* een rij vormen, in de rij (gaan) staan
[1]**quibble** [kwibl] *zn* spitsvondigheid, haarkloverij
[2]**quibble** [kwibl] *intr* uitvluchten zoeken, bekvechten: *we don't have to ~ about the details* we hoeven niet over de details te harrewarren
quiche [kie:sj] quiche, hartige taart
[1]**quick** [kwik] *zn* **1** levend vlees *(onder de huid, nagel)* **2** hart, kern, essentie: *cut s.o. to the ~* iemands gevoelens diep kwetsen **3** *(Am)* kwik
[2]**quick** [kwik] *bn* **1** snel, gauw, vlug: *be as ~ as lightning* bliksemsnel zijn; *~ march!* voorwaarts mars!; *in ~ succession* snel achter elkaar; *he is ~ to take offence* hij is gauw beledigd **2** gevoelig, vlug (van begrip), scherp **3** levendig, opgewekt
quicken [kwikken] **1** levend worden, (weer) tot leven komen: *his pulse ~ed* zijn polsslag werd weer sterker **2** leven beginnen te vertonen; tekenen van leven geven *(van kind in buik)*
quickie [kwikkie] vluggertje, haastwerk, prutswerk
quicksand drijfzand
quicksilver kwik(zilver); *(fig)* levendig temperament
quickstep quickstep, snelle foxtrot
quick-witted vlug van begrip, gevat, scherp
quid [kwid] **1** pond *(sterling)* **2** (tabaks)pruim
quiescence [kwajjesns] rust, stilte
[1]**quiet** [kwajjet] *zn* **1** stilte **2** rust, kalmte: *they lived in peace and ~* zij leefden in rust en vrede
[2]**quiet** [kwajjet] *bn* **1** stil, rustig: *~ as a mouse* muisstil **2** heimelijk, geheim: *keep ~ about last night* hou je mond over vannacht **3** zonder drukte, ongedwongen: *a ~ dinner party* een informeel etentje
[1]**quieten** [kwajjetn] *tr (*ook met *down)* tot bedaren brengen, kalmeren, tot rust brengen: *my reassurance didn't ~ her fear* mijn geruststelling verminderde haar angst niet
[2]**quieten** [kwajjetn] *tr, intr (*ook met *down)* rustig worden, bedaren, kalmeren
quietude [kwajjetjoe:d] kalmte, (gemoeds)rust, vrede
quilt [kwilt] **1** gewatteerde deken, dekbed: *a continental ~* een dekbed **2** sprei
quinine [kwinnie:n] kinine
quintessence [kwintesns] **1** kern, hoofdzaak **2** het beste, het fijnste
quintet [kwintet] vijftal, (groep van) vijf musici, kwintet
quip [kwip] **1** schimpscheut, steek **2** geestigheid, woordspeling
quirk [kwe:k] **1** spitsvondigheid, uitvlucht **2** geestigheid, spotternij **3** gril, nuk: *a ~ of fate* een gril van het lot **4** (rare) kronkel, eigenaardigheid
[1]**quit** [kwit] *bn* vrij, verlost, bevrijd: *we are well ~ of those difficulties* goed, dat we van die moeilijkheden af zijn
[2]**quit** [kwit] *intr* **1** ophouden, stoppen: *I've had enough, I ~* ik heb er genoeg van, ik kap ermee **2** opgeven **3** vertrekken, ervandoor gaan, zijn baan opgeven: *the neighbours have already had notice to ~* de buren is de huur al opgezegd
[3]**quit** [kwit] *tr* **1** ophouden met, stoppen met: ~

qu

complaining about the cold! hou op met klagen over de kou! **2** verlaten, vertrekken van, heengaan van

quite [kwajt] **1** helemaal, geheel, volledig, absoluut: *~ possible* best mogelijk; *you're ~ right* je hebt volkomen gelijk; *that's ~ another matter* dat is een heel andere zaak **2** nogal, enigszins, tamelijk: *it's ~ cold today* het is nogal koud vandaag **3** werkelijk, echt, in feite: *they seem ~ happy together* zij lijken echt gelukkig samen **4** erg, veel: *there were ~ a few people* er waren flink wat mensen; *that was ~ a* (Am: *some*) *party* dat was me het feestje wel

quits [kwits] quitte: *now we are ~* nu staan we quitte

[1]**quiver** [kwivve] *zn* **1** pijlkoker **2** trilling, siddering, beving

[2]**quiver** [kwivve] *ww* (doen) trillen, (doen) beven, sidderen

[1]**quiz** [kwiz] *zn (mv: ~zes)* **1** ondervraging, verhoor **2** test, kort examen **3** quiz

[2]**quiz** [kwiz] *tr* **1** ondervragen, uithoren **2** mondeling examineren

quizzical [kwizzikl] **1** komisch, grappig **2** spottend, plagerig **3** vorsend, vragend: *she gave me a ~ look* ze keek me met een onderzoekende blik aan

quota [kwoote] **1** quota, evenredig deel, aandeel **2** (maximum) aantal

quotation [kwooteesjen] **1** citaat, aanhaling, het citeren **2** notering *(van beurs, koers, prijs)* **3** prijsopgave

quotation mark aanhalingsteken

[1]**quote** [kwoot] *zn* **1** citaat, aanhaling **2** notering *(van beurs enz.)* **3** aanhalingsteken: *in ~s* tussen aanhalingstekens

[2]**quote** [kwoot] *ww* **1** citeren, aanhalen **2** opgeven *(prijs)*

quotient [kwoosjent] quotiënt

r

rabbi [rebaj] rabbi, rabbijn
[1]**rabbit** [rebit] *zn* konijn, konijnenbont, konijnenvlees
[2]**rabbit** [rebit] *intr* **1** op konijnen jagen **2** kletsen, zeuren
rabbit warren **1** konijnenveld **2** doolhof, wirwar van straatjes
rabble [rebl] kluwen, troep, bende: *the ~* het gepeupel
rabid [rebid] **1** razend, woest **2** fanatiek **3** dol, hondsdol
rabies [reebie:z] hondsdolheid
[1]**race** [rees] *zn* **1** wedren, wedloop, race: *~ against time* race tegen de klok; *the ~s* de (honden)rennen, de paardenrennen **2** sterke stroom **3** ras **4** volk, natie, stam, slag, klasse
[2]**race** [rees] *intr* **1** wedlopen, aan een wedloop deelnemen, een wedstrijd houden **2** rennen, hollen, snellen **3** doorslaan *(van schroef, wiel);* doordraaien *(van motor)*
[3]**race** [rees] *tr* **1** een wedren houden met, om het hardst lopen met: *I'll ~ you to that tree* laten we doen wie het eerst bij die boom is **2** (zeer) snel vervoeren: *they ~d the child to hospital* ze vlogen met het kind naar het ziekenhuis **3** laten doordraaien *(motor)*
racecourse renbaan
racehorse renpaard
racer [reese] **1** renner, hardloper **2** renpaard **3** racefiets **4** renwagen **5** raceboot **6** wedstrijdjacht **7** renschaats: *~s* noren
racetrack (ovale) renbaan, circuit
racial [reesjl] raciaal: *~ discrimination* ras(sen)-discriminatie
racing [reesing] **1** het wedrennen, het deelnemen aan wedstrijden **2** rensport
racism [reesizm] **1** racisme **2** rassenhaat
[1]**racist** [reesist] *zn* racist
[2]**racist** [reesist] *bn* racistisch
[1]**rack** [rek] *zn* **1** rek, (bagage)rek **2** ruif **3** pijnbank: *(fig) be on the ~* op de pijnbank liggen, in grote spanning (*of:* onzekerheid) verkeren **4** kwelling, marteling **5** verwoesting, afbraak, ondergang: *go to ~ and ruin* geheel vervallen, instorten
[2]**rack** [rek] *tr* kwellen, pijnigen, teisteren: *~ one's brains* zijn hersens pijnigen; *~ed with jealousy* verteerd door jaloezie
racket [rekit] **1** *(sport)* racket **2** sneeuwschoen **3** lawaai, herrie, kabaal: *kick up a ~* een rel (*of:* herrie) schoppen **4** bedriegerij, bedrog, zwendel **5** *(inform)* gangsterpraktijken, misdadige organisatie, afpersing, intimidatie
racketeer [rekittie] gangster, misdadiger, afperser
racoon [rekoe:n] **1** wasbeer **2** wasberenbont
racy [reesie] **1** markant; krachtig *(stijl, persoon(lijkheid))* **2** pittig, kruidig, geurig **3** pikant; gewaagd *(verhaal)*
radar [reeda:] radar
radial [reediel] radiaal, stervormig, straal-: *~ tyre* radiaalband
radiance [reediens] straling, schittering, pracht
radiant [reedient] **1** stralend, schitterend: *he was ~ with joy* hij straalde van vreugde **2** stervormig **3** stralings-: *~ heat* stralingswarmte
[1]**radiate** [reedie·eet] *intr* **1** stralen, schijnen **2** een ster vormen: *streets radiating from a square* straten die straalsgewijs vanaf een plein lopen
[2]**radiate** [reedie·eet] *tr* **1** uitstralen, (naar alle kanten) verspreiden: *~ confidence* vertrouwen uitstralen **2** bestralen
radiation [reedie·eesjen] **1** straling **2** bestraling
radiator [reedie·eete] radiator, radiatorkachel, radiateur; koeler *(van motor)*
[1]**radical** [redikl] *zn* **1** basis(principe) **2** wortel(teken) **3** radicaal
[2]**radical** [redikl] *bn* **1** radicaal, drastisch **2** fundamenteel, wezenlijk, essentieel **3** wortel-: *~ sign* wortelteken
radio [reedie·oo] radio(toestel)
radioactive [reedie·ooektiv] radioactief
radiogram [reedie·ookrem] röntgenfoto
radiography [reedie·okrefie] radiografie
radiologist [reedie·olledzjist] radioloog
radiotherapy *(med)* bestraling
radish [redisj] radijs
radium [reediem] radium
radius [reedies] straal, radius; halve middellijn *(van cirkel): within a ~ of four miles* binnen een straal van vier mijl
raffish [refisj] liederlijk, losbandig, wild
[1]**raffle** [refl] *zn* loterij, verloting
[2]**raffle** [refl] *tr* (ook met *off*) verloten
raft [ra:ft] **1** vlot, drijvende steiger **2** reddingvlot **3** grote verzameling: *he worked his way through a whole ~ of letters* hij werkte zich door een hele berg brieven heen
rafter [ra:fte] dakspant
[1]**rag** [rek] *zn* **1** versleten kledingstuk, lomp, vod: *from ~s to riches* van armoede naar rijkdom **2** lap(je), vodje, stuk, flard: *I haven't a ~ to put on* ik heb niets om aan te trekken **3** vlag, gordijn, krant, blaadje: *the local ~* het plaatselijke blaadje **4** herrie, keet, (studenten)lol || *chew the ~* mopperen, kankeren

²**rag** [reǩ] *tr* **1** pesten, plagen: *they ~ged the teacher* zij schopten keet bij de leraar **2** te grazen nemen, een poets bakken
ragamuffin [reǩemuffin] schooiertje
ragbag allegaartje
¹**rage** [reedzj] *zn* **1** manie, passie, bevlieging: *short hair is (all) the ~ now* kort haar is nu een rage **2** woede(-uitbarsting), razernij: *be in a ~* woedend zijn
²**rage** [reedzj] *intr* woeden, tieren, razen; *(fig)* tekeergaan: *a raging fire* een felle brand
ragged [reǩid] **1** haveloos, gescheurd, gerafeld: *~ trousers* een kapotte broek **2** ruig, onverzorgd: *a ~ beard* een ruige baard **3** ongelijk, getand, knoestig: *~ rocks* scherpe rotsen
ragtag [reǩteǩ] gepeupel, grauw || *~ and bobtail* uitschot, schorem
¹**raid** [reed] *zn* **1** inval, (verrassings)overval **2** rooftocht, roofoverval: *a ~ on a bank* een bankoverval **3** politieoverval, razzia
²**raid** [reed] *tr* **1** overvallen, binnenvallen **2** (be)roven, plunderen, leegroven: *they have been ~ing the fridge as usual* ze hebben zoals gewoonlijk de koelkast geplunderd
raider [reede] **1** overvaller **2** kaper(schip) **3** rover
¹**rail** [reel] *zn* **1** lat, balk, stang **2** leuning **3** omheining, hek(werk), slagboom **4** rail, spoorstaaf; *(fig)* trein; spoorwegen: *travel by ~* sporen, per trein reizen **5** reling || *run off the ~s* uit de band springen, ontsporen
²**rail** [reel] *intr* (met *against, at)* schelden (op), uitvaren (tegen), tekeergaan (tegen)
railcard treinabonnement
railing [reeling] **1** traliewerk; spijlen *(van hek)* **2** leuning, reling, hek, balustrade **3** gescheld
raillery [reelerie] scherts, grap(pen), gekheid
railroad **1** *(Am)* per trein vervoeren **2** jagen, haasten, drijven: *~ a bill through Congress* een wetsvoorstel erdoor jagen in het Congres
railway **1** spoorweg, spoorlijn **2** spoorwegmaatschappij, de spoorwegen
¹**rain** [reen] *zn* **1** regen, regenbui, regenval: *it looks like ~* het ziet er naar uit dat het gaat regenen **2** (stort)vloed, stroom: *a ~ of blows* een reeks klappen **3** *the ~s* regentijd, regenseizoen
²**rain** [reen] *intr* **1** regenen **2** neerstromen **3** doen neerdalen, laten neerkomen: *the father ~ed presents upon his only daughter* de vader overstelpte zijn enige dochter met cadeaus || *it ~s invitations* het regent uitnodigingen
rainbow [reenboo] regenboog
raincoat regenjas
rain down neerkomen, neerdalen (in groten getale): *blows rained down (up)on his head* een regen van klappen kwam neer op zijn hoofd
rainfall regen(val), neerslag
rain forest regenwoud
rainproof regendicht, tegen regen bestand
rainstorm stortbui
rainy [reenie] regenachtig, regen-: *save (up)/provide* (of: *put away, keep) sth. for a ~ day* een appeltje voor de dorst bewaren
raise [reez] **1** wekken; opwekken *(uit de dood);* wakker maken: *~ expectations* verwachtingen wekken **2** opzetten, tot opstand bewegen **3** opwekken, opbeuren: *the news of her arrival ~d his hopes* het nieuws van haar aankomst gaf hem weer hoop **4** bouwen, opzetten, stichten **5** kweken, produceren, verbouwen **6** grootbrengen, opvoeden: *~ a family* kinderen grootbrengen **7** uiten, aanheffen, ter sprake brengen, opperen: *~ objections to sth.* bezwaren tegen iets naar voren brengen **8** doen ontstaan, beginnen, in het leven roepen: *his behaviour ~s doubts* zijn gedrag roept twijfels op **9** (op)heffen, opnemen; opslaan *(ogen);* omhoog doen **10** bevorderen, promoveren **11** versterken, vergroten; verheffen *(stem);* vermeerderen, verhogen: *~ the temperature* de verwarming hoger zetten, *(fig)* de spanning laten oplopen **12** heffen; innen *(geld);* bijeenbrengen, inzamelen: *~ taxes* belastingen heffen **13** op de been brengen; werven *(bijv. leger)* **14** opheffen, beëindigen: *~ a blockade* een blokkade opheffen **15** *(wisk)* verheffen tot *(macht)*
raisin [reezn] rozijn
¹**rake** [reek] *zn* **1** hark, riek: *as lean as a ~* zo mager als een lat **2** losbol **3** schuinte; val *(van mast, steven, schoorsteen);* helling **4** hellingshoek
²**rake** [reek] *intr* **1** harken **2** zoeken, snuffelen: *the customs officers ~d through my luggage* de douanebeambten doorzochten mijn bagage van onder tot boven **3** oplopen, hellen
³**rake** [reek] *tr* **1** (bijeen)harken *(ook fig);* vergaren, bijeenhalen: *you must be raking it in* je moet wel scheppen geld verdienen **2** rakelen, poken; *(fig)* oprakelen: *~ over old ashes* oprakelen, oude koeien uit de sloot halen **3** doorzoeken, uitkammen: *~ one's memory* zijn geheugen pijnigen
rake up **1** bijeenharken, aanharken **2** *(inform)* optrommelen, opscharrelen **3** oprakelen *(ook fig): ~ old stories* oude koeien uit de sloot halen
rakish [reekisj] **1** liederlijk, losbandig **2** zwierig, vlot **3** smalgebouwd, snel, snelvarend
¹**rally** [relie] *zn* **1** bijeenkomst, vergadering **2** opleving, herstel **3** *(tennis)* rally **4** rally, sterrit **5** herstel *(van beursprijzen)*
²**rally** [relie] *intr* **1** bijeenkomen, zich verzamelen **2** zich aansluiten: *~ round the flag* zich om de vlag scharen **3** (zich) herstellen, opleven, weer bijkomen **4** weer omhooggaan; zich herstellen *(van beursnoteringen)*
³**rally** [relie] *tr* **1** verzamelen, ordenen, herenigen **2** bijeenbrengen, verenigen, op de been brengen **3** doen opleven, nieuw leven inblazen **4** plagen, voor de gek houden
rally (a)round te hulp komen, helpen, bijspringen
¹**ram** [rem] *zn* **1** ram *(mannelijk schaap)* **2** stormram

[2]ram [rem] *tr* **1** aanstampen, vaststampen **2** heien **3** doordringen, overduidelijk maken **4** persen, proppen **5** rammen, bonken, beuken, botsen op
[1]ramble [rembl] *zn* zwerftocht, wandeltocht, uitstapje
[2]ramble [rembl] *intr* **1** dwalen, zwerven, trekken **2** afdwalen, bazelen **3** wild groeien; woekeren *(van planten)* **4** kronkelen *(van pad, rivier)*
rambler [remble] **1** wandelaar, trekker, zwerver **2** klimroos
rambling [rembling] **1** rondtrekkend, ronddolend **2** onsamenhangend, verward: *he made a few ~ remarks* hij maakte een paar vage opmerkingen **3** wild groeiend; kruipend *(van planten)* **4** onregelmatig, grillig: *~ passages* gangetjes die alle kanten op gaan
rambunctious [rembungksjes] *(Am; inform)* **1** onstuimig, onbesuisd, luidruchtig **2** (lekker) eigenzinnig
ramification [remiffikkeesjen] afsplitsing, vertakking, onderverdeling, implicaties: *all ~s of the plot were not yet known* alle vertakkingen van de samenzwering waren nog niet bekend
ramp [remp] **1** helling, glooiing **2** oprit; afrit *(ook van vrachtwagens e.d.);* hellingbaan **3** verkeersdrempel
[1]rampage [rempeedzj] *zn* dolheid, uitzinnigheid: *be on the ~* uitzinnig tekeergaan
[2]rampage [rempeedzj] *intr* (uitzinnig) tekeergaan, razen
rampant [rempent] **1** wild, woest, verwoed **2** (te) weelderig, welig tierend
rampart [rempa:t] **1** borstwering, wal **2** verdediging, bolwerk
ramrod [remrod] laadstok *(voor het aanstampen van kruit): as stiff as a ~* kaarsrecht
ramshackle [remsjekl] bouwvallig, vervallen
ran [ren] *ovt van* run
ranch [ra:ntsj] boerderij, ranch
rancid [rensid] ranzig
rancour [rengke] wrok, haat
[1]random [rendem] *zn: at ~* op goed geluk af; *fill in answers at ~* zomaar wat antwoorden invullen
[2]random [rendem] *bn* willekeurig, toevallig, op goed geluk: *~ check* steekproef
random-access *(comp)* directe toegang *(vh geheugen): ~ file* direct toegankelijk bestand
randy [rendie] *(plat)* geil, wellustig
rang [reng] *ovt van* ring
[1]range [reendzj] *zn* **1** rij, reeks, keten: *a ~ of mountains* een bergketen **2** woeste (weide)grond **3** schietterrein; testgebied *(van raketten, projectielen)* **4** gebied, kring, terrein **5** sortering, collectie, assortiment **6** groot keukenfornuis **7** bereik, draagkracht, draagwijdte: *the man had been shot at close ~* de man was van dichtbij neergeschoten; *(with)in ~* binnen schootsafstand, binnen bereik
[2]range [reendzj] *intr* **1** zich uitstrekken **2** voorkomen *(van plant, dier);* aangetroffen worden **3** verschillen, variëren: *ticket prices ~ from three to eight pound* de prijzen van de kaartjes liggen tussen de drie en acht pond **4** zwerven, zich bewegen, gaan: *his new book ~s over too many subjects* zijn nieuwe boek omvat te veel onderwerpen
[3]range [reendzj] *tr* **1** rangschikken, ordenen, (op)stellen **2** doorkruisen, zwerven over, aflopen; *(fig)* afzoeken; gaan over: *his eyes ~d the mountains* zijn ogen zochten de bergen af **3** weiden, hoeden, houden
ranger [reendzje] **1** boswachter **2** gids; padvindster *(14-17 jaar)* **3** *(Am)* commando *(soldaat)*
[1]rank [rengk] *zn* **1** rij, lijn, reeks **2** gelid, rij: *the ~ and file* de manschappen, *(fig)* de gewone man; *close (the) ~s* de gelederen sluiten **3** taxistandplaats **4** rang, positie, graad, de hogere stand: *raised to the ~ of major* tot (de rang van) majoor bevorderd; *pull ~* op zijn strepen gaan staan || *pull ~ on s.o.* misbruik maken van zijn macht ten opzichte van iem
[2]rank [rengk] *bn* **1** (te) weelderig, (te) welig: *~ weeds* welig tierend onkruid **2** te vet *(van bodem)* **3** stinkend **4** absoluut: *(fig) ~ injustice* schreeuwende onrechtvaardigheid
[3]rank [rengk] *intr* **1** zich bevinden *(in bepaalde positie);* staan, behoren: *this book ~s among* (of: *with) the best* dit boek behoort tot de beste; *~ as* gelden als **2** *(Am)* de hoogste positie bekleden
[4]rank [rengk] *tr* **1** opstellen, in het gelid plaatsen **2** plaatsen, neerzetten, rangschikken: *~ s.o. with Stan Laurel* iem op één lijn stellen met Stan Laurel
ranking [rengking] classificatie, (positie in een) rangorde
rankle [rengkl] steken, knagen, woekeren
ransack [rensek] **1** doorzoeken, doorsnuffelen **2** plunderen, leegroven, beroven
[1]ransom [rensem] *zn* **1** losgeld, losprijs, afkoopsom **2** vrijlating *(tegen losgeld)* || *hold s.o. to ~* een losgeld voor iem eisen *(onder bedreiging van geweld)*
[2]ransom [rensem] *tr* **1** vrijkopen **2** vrijlaten *(tegen losgeld)* **3** losgeld voor iem eisen
[1]rant [rent] *zn* bombast, holle frasen
[2]rant [rent] *ww* **1** bombast uitslaan **2** tieren, tekeergaan
[1]rap [rep] *zn* **1** tik, slag: *get a ~ over the knuckles* een tik op de vingers krijgen, *(fig)* op de vingers getikt worden **2** geklop, klop **3** zier, beetje: *he doesn't give a ~ for her* hij geeft helemaal niets om haar **4** schuld, straf: *I don't want to take the ~ for this* ik wil hier niet voor opdraaien **5** *(inform; muz)* rap *(ritmische tekst op muziek)*
[2]rap [rep] *intr* **1** kloppen, tikken: *~ at a door* op een deur kloppen **2** praten, erop los kletsen
[3]rap [rep] *tr* **1** slaan, een tik geven **2** bekritiseren, op de vingers tikken
rapacity [repesittie] hebzucht, roofzucht
[1]rape [reep] *zn* **1** verkrachting **2** koolzaad, raapzaad

[2]**rape** [reep] *tr* verkrachten, onteren
[1]**rapid** [repid] *zn* stroomversnelling
[2]**rapid** [repid] *bn* snel, vlug: *~ fire* snelvuur; *in ~ succession* snel achter elkaar; *(Am) ~ transit* snelverkeer *(trein, tram, metro)*
rapidity [repidittie] vlugheid
rapist [reepist] verkrachter
rap out **1** eruit gooien, er uitflappen **2** door kloppen meedelen, door kloppen te kennen geven: *~ an SOS* met klopsignalen een SOS doorgeven
rapt [rept] **1** verrukt, in vervoering **2** verdiept, verzonken
rapture [reptsje] **1** vervoering, verrukking, extase **2** *~s* extase, vervoering: *she was in ~s about* (of: *over*) *her meeting with the poet* zij was lyrisch over haar ontmoeting met de dichter
rapturous [reptsjeres] hartstochtelijk, meeslepend
rare [ree] **1** ongewoon, ongebruikelijk, vreemd **2** zeldzaam **3** halfrauw, niet gaar; kort gebakken *(van vlees)*
rarefied [reeriffajd] **1** ijl, dun **2** verheven
rarely [reelie] **1** zelden: *he ~ comes home before eight* hij komt zelden voor achten thuis **2** zeldzaam, ongewoon, uitzonderlijk: *we caught a very ~ specimen* wij vingen een zeer zeldzaam exemplaar
raring [reering] dolgraag, enthousiast
rarity [reerittie] zeldzaamheid, rariteit, schaarsheid
rascal [ra:skl] **1** schoft, schurk **2** schavuit, deugniet, rakker
[1]**rash** [resj] *zn* (huid)uitslag
[2]**rash** [resj] *bn* **1** overhaast, te snel **2** onstuimig **3** ondoordacht: *in a ~ moment* op een onbewaakt ogenblik
[1]**rasp** [ra:sp] *zn* **1** rasp **2** raspgeluid, gerasp
[2]**rasp** [ra:sp] *intr* schrapen, krassen: *with ~ing voice* met krakende stem
[3]**rasp** [ra:sp] *tr* raspen, vijlen, schuren
raspberry [ra:zberie] **1** frambozenstruik **2** framboos **3** *(inform)* afkeurend pf!
rat [ret] **1** rat **2** deserteur, overloper **3** *(Am)* verrader, klikspaan || *smell a ~* lont ruiken, iets in de smiezen hebben
[1]**rate** [reet] *zn* **1** snelheid, vaart, tempo **2** prijs, tarief, koers: *~ of exchange* wisselkoers; *~ of interest* rentevoet **3** (sterfte)cijfer, geboortecijfer **4** (kwaliteits)klasse, rang, graad **5** *~s* gemeentebelasting, onroerendgoedbelasting || *at any ~* in ieder geval, ten minste; *at this ~* in dit geval, op deze manier
[2]**rate** [reet] *intr* gerekend worden, behoren, gelden: *he ~s as one of the best writers* hij geldt als een van de beste schrijvers
[3]**rate** [reet] *tr* **1** schatten, bepalen; waarderen *(ook fig): ~ s.o.'s income at* iemands inkomen schatten op **2** beschouwen, tellen, rekenen: *~ among* (of: *with*) rekenen onder (*of:* tot)
rateable [reetebl] **1** te schatten, taxeerbaar **2** belastbaar, schatbaar
ratepayer **1** belastingbetaler **2** huiseigenaar
rather [ra:ðe] **1** liever, eerder: *I would ~ not invite your brother* ik nodig je broer liever niet uit **2** juister (uitgedrukt), liever gezegd: *she is my girlfriend, or ~ she was my girlfriend* zij is mijn vriendin, of liever: ze was mijn vriendin **3** enigszins, tamelijk, nogal, wel: *a ~ shocking experience, ~ a shocking experience* een nogal schokkende ervaring **4** meer, sterker, in hogere mate: *they depend ~ on Paul's than on their own income* zij zijn meer van Pauls inkomen afhankelijk dan van het hunne **5** *(inform)* jazeker, nou en of
ratify [retiffaj] bekrachtigen; goedkeuren *(verdrag)*
rating [reeting] **1** taxering *(taxatiewaarde, aanslag)* **2** waarderingscijfer *(van tv-programma)*; kijkcijfer **3** naam, positie, status
ratio [reesjie·oo] (evenredige) verhouding
[1]**ration** [resjen] *zn* **1** rantsoen; portie *(ook fig)* **2** *~s* proviand, voedsel, rantsoenen
[2]**ration** [resjen] *tr* rantsoeneren, op rantsoen stellen, distribueren, uitdelen: *petrol is ~ed* de benzine is op de bon
rational [resjenel] **1** rationeel, redelijk **2** (wel)doordacht, logisch **3** verstandig: *man is a ~ being* de mens is een redelijk wezen
rationale [resjena:l] grond(reden), grondgedachte(n), beweegreden(en)
[1]**rationalist** [resjenelist] *zn* rationalist
[2]**rationalist** [resjenelist] *bn* rationalistisch
[1]**rationalize** [resjenelajz] *tr* rationaliseren; efficiënter inrichten *(bedrijven enz.)*
[2]**rationalize** [resjenelajz] *tr, intr* rationaliseren, aannemelijk maken, verklaren, achteraf beredeneren
rat on laten vallen, verraden, in de steek laten
rat race moordende competitie, carrièrejacht
rattan [reten] **1** rotan, Spaans riet **2** rotting, wandelstok
[1]**rattle** [retl] *zn* **1** geratel, gerammel, gerinkel **2** rammelaar, ratel
[2]**rattle** [retl] *intr* **1** rammelen, ratelen, kletteren **2** (met *away, on*) (door)ratelen, (blijven) kletsen || *~ through sth.* iets afraffelen, iets gauw afmaken
[3]**rattle** [retl] *tr* **1** heen en weer rammelen, schudden, rinkelen met **2** *(inform)* op stang jagen, opjagen, van streek maken
rattlesnake ratelslang
[1]**rattling** [retling] *bn* levendig, stevig, krachtig: *a ~ trade* een levendige handel
[2]**rattling** [retling] *bw* uitzonderlijk, uitstekend: *a ~ good match* een zeldzaam mooie wedstrijd
ratty [retie] **1** ratachtig, vol ratten, rat(ten)- **2** geïrriteerd
raucous [ro:kes] rauw, schor
raunchy [ro:ntsjie] *(inform)* **1** geil, wellustig **2** rauw, ruig, ordinair **3** *(Am)* vies, smerig, goor
[1]**ravage** [revidzj] *zn* **1** verwoesting(en), vernietiging **2** *~s* vernietigende werking: *the ~s of time* de tand des tijds

²ravage [revidzj] *tr* **1** verwoesten, vernietigen, teisteren: *she came from a country ~d by war* zij kwam uit een door oorlog verwoest land **2** leegplunderen, leegroven
¹rave [reev] *zn* **1** juichende bespreking **2** wild feest, dansfeest || *be in a ~ about* helemaal weg zijn van
²rave [reev] *intr* **1** (met *against, at*) razen (tegen, op), ijlen, (als een gek) tekeergaan (tegen) **2** (met *about*) opgetogen zijn, raken (over), lyrisch worden (over), dwepen (met)
³rave [reev] *tr* wild uiting geven aan, zich gek maken
raven [reevn] raaf
ravenous [revenes] uitgehongerd, begerig, roofzuchtig
ravine [revie:n] ravijn
¹raving [reeving] *bn* malend, raaskallend
²raving [reeving] *bw* stapel-: *stark ~ mad* knotsknettergek
ravish [revisj] **1** verrukken, in vervoering brengen, betoveren **2** verkrachten, onteren
ravishing [revisjing] verrukkelijk, betoverend
raw [ro:] **1** rauw; ongekookt *(van groente, vlees)* **2** onuitgewerkt *(cijfers e.d.)*; grof, onaf(gewerkt), onrijp: *~ material* grondstof; *~ silk* ruwe zijde **3** groen, onervaren, ongetraind **4** ontveld, rauw, open **5** guur, ruw; rauw *(van weer)* || *~ deal* oneerlijke behandeling; *touch s.o. on the ~* iem tegen het zere been schoppen; *in the ~* ongeciviliseerd, primitief, naakt
rawboned broodmager, vel over been
rawhide **1** ongelooide huid **2** zweep
ray [ree] **1** straal *(van licht e.d.)* **2** sprankje, glimp, lichtpuntje: *a ~ of hope* een sprankje hoop **3** *(dierk)* rog, vleet
raze [reez] met de grond gelijk maken, volledig verwoesten
razor [reeze] (elektrisch) scheerapparaat, scheermes
razor-billed auk [reezebildo:k] alk
razor blade (veiligheids)scheermesje
razzle [rezl] braspartij, lol, stappen: *go on the ~* aan de rol gaan, de bloemetjes buiten zetten
RC **1** *afk van Red Cross* Rode Kruis **2** *afk van Roman Catholic* r.-k.
Rd [rood] *afk van road* str., straat
¹reach [rie:tsj] *zn* **1** bereik *(van arm, macht enz.; ook fig)*; reikwijdte: *above* (of: *beyond, out of*) *~* buiten bereik, onbereikbaar, onhaalbaar, niet te realiseren; *within easy ~ of* gemakkelijk bereikbaar van(af) **2** recht stuk rivier *(tussen twee bochten)*
²reach [rie:tsj] *ww* **1** reiken, (zich) (uit)strekken, (een hand) uitsteken, bereiken; dragen *(van geluid)*; halen: *the forests ~ down to the sea* de bossen strekken zich uit tot aan de zee **2** pakken, (ergens) bij kunnen, grijpen: *~ down sth. from a shelf* iets van een plank afpakken **3** aanreiken, geven, overhandigen **4** komen tot *(ook fig)*; bereiken, arriveren: *~ a decision* tot een beslissing komen
react [rie·ekt] **1** reageren *(ook fig)*; ingaan (op) **2** (met *(up)on*) uitwerking hebben (op), z'n weerslag hebben (op), veranderen
reaction [rie·eksjen] **1** reactie, antwoord, reflex **2** terugslag, weerslag, terugkeer
¹reactionary [rie·eksjenerie] *zn* reactionair, behoudend persoon
²reactionary [rie·eksjenerie] *bn* reactionair, behoudend
reactor [rie·ekte] **1** atoomreactor, kernreactor **2** reactievat, reactor
¹read [red] *intr (read, read)* **1** studeren, leren: *~ for a degree in Law* rechten studeren **2** zich laten lezen, lezen, klinken: *your essay ~s like a translation* je opstel klinkt als een vertaling || *he ~ more into her words than she'd ever meant* hij had meer in haar woorden gelegd dan zij ooit had bedoeld
²read [red] *tr, intr (read, read)* **1** lezen, kunnen lezen, begrijpen, weten te gebruiken: *~ over* (of: *through*) doorlezen, overlezen; *~ up on sth.: a)* zijn kennis over iets opvijzelen; *b)* zich op de hoogte stellen van iets; *widely ~* zeer belezen; *~ up* bestuderen **2** oplezen, voorlezen: *~ out the instructions* de instructies voorlezen **3** uitleggen, interpreteren; voorspellen *(toekomst)*; *(fig)* doorgronden; doorzien **4** aangeven, tonen, laten zien: *the thermometer ~s twenty degrees* de thermometer geeft twintig graden aan **5** studeren: *~ Economics* economie studeren
readability [rie:debillittie] leesbaarheid
readable [rie:debl] **1** lezenswaard(ig), leesbaar **2** leesbaar, te lezen
reader [rie:de] **1** lezer *(ook fig)* **2** leesboek, bloemlezing **3** lector *(aan universiteit)*; *(in België ongev)* docent
readership [rie:desjip] lezerspubliek; aantal lezers *(van krant e.d.)*: *a newspaper with a ~ of ten million* een krant met tien miljoen lezers
readily [reddillie] **1** graag, bereidwillig **2** gemakkelijk, vlug, dadelijk: *his motives will be ~ understood* zijn motivatie is zonder meer duidelijk
readiness [reddienes] **1** bereid(willig)heid, gewilligheid **2** vlugheid, vaardigheid, gemak: *~ of tongue* rapheid van tong **3** gereedheid: *all is in ~* alles staat klaar
reading [rie:ding] **1** het (voor)lezen **2** belezenheid **3** (voor)lezing, voordracht **4** stand; waarde *(zoals afgelezen op meetinstrument)*: *the ~s on the thermometer* de afgelezen temperaturen **5** lectuur, leesstof: *these novels are required ~* deze romans zijn verplichte lectuur
¹readjust [rie:edzjust] *intr* zich weer aanpassen, weer wennen
²readjust [rie:edzjust] *tr* weer aanpassen, opnieuw instellen, bijstellen
¹ready [reddie] *zn: at the ~* klaar om te vuren *(van vuurwapen)*
²ready [reddie] *bn* **1** klaar, gereed, af: *~, steady, go!*

klaar? af! **2** bereid(willig), graag: *I am ~ to pay for it* ik wil er best voor betalen **3** vlug, gevat || *~ cash* (of: *money*) baar geld, klinkende munt; *find a ~ sale* goed verkocht worden
ready-made kant-en-klaar, confectie-
ready meal kant-en-klaarmaaltijd
¹real [riel] *zn: for ~* in werkelijkheid, echt, gemeend
²real [riel] *bn* echt, werkelijk, onvervalst: *(inform) the ~ thing* het echte, je ware || *in ~ terms* in concrete termen, in de praktijk
real estate **1** onroerend goed **2** *(Am)* huizen in verkoop
realism [rielizm] realisme, werkelijkheidszin
realist [rielist] realist
realistic [rielistik] **1** realistisch, mbt realisme, natuurgetrouw **2** realistisch, praktisch, werkelijkheidsbewust
reality [rie-elittie] werkelijkheid, realiteit, werkelijk bestaan: *in ~* in werkelijkheid, in feite
realization [rielajzeesjen] **1** bewustwording, besef, begrip **2** realisatie, realisering, verwezenlijking
realize [rielajz] **1** beseffen, zich bewust zijn of worden, zich realiseren: *don't you ~ that ...?* zie je niet in dat ...? **2** realiseren, verwezenlijken, uitvoeren **3** realiseren, verkopen, te gelde maken
¹really [rielie] *bw* **1** werkelijk, echt, eigenlijk: *I don't ~ feel like it* ik heb er eigenlijk geen zin in; *(O) ~?* O ja?, Echt (waar)? **2** werkelijk, echt, zeer: *it is ~ cold today* het is ontzettend koud vandaag
²really [rielie] *tw* waarachtig!, nou, zeg!: *~, Mike! Mind your manners!* Mike toch! Wat zijn dat voor manieren!; *well ~!* nee maar!
realm [relm] **1** koninkrijk, rijk **2** rijk, sfeer; gebied *(fig): the ~ of science* het domein van de wetenschap
reanimation [rie:enimmeesjen] reanimatie
reap [rie:p] maaien, oogsten, verwerven; opstrijken *(winst)*
reappear [rie:epie] weer verschijnen, opnieuw tevoorschijn komen, weer komen opdagen
¹rear [rie] *zn* achtergedeelte, achterstuk; *(fig)* achtergrond || *at* (Am: *in*) *the ~* achteraan, aan de achterkant
²rear [rie] *bn* achter-, achterste: *~ door* achterdeur
³rear [rie] *intr (*ook met *up)* steigeren
⁴rear [rie] *tr* grootbrengen, fokken, kweken
rear-admiral schout-bij-nacht
rearguard achterhoede
rearmament [rie:a:mement] herbewapening
rearmost [riemoost] achterste, allerlaatste
rearrange [rie:ereendzj] herschikken, herordenen, anders rangschikken
¹reason [rie:zen] *zn* **1** reden, beweegreden, oorzaak: *by ~ of* wegens; *with (good) ~* terecht **2** redelijkheid, gezond verstand: *it stands to ~ that* het spreekt vanzelf dat; *anything (with)in ~* alles wat redelijk is
²reason [rie:zen] *intr* **1** redeneren, logisch denken **2** (met *with*) redeneren (met), argumenteren (met)
³reason [rie:zen] *tr* door redenering afleiden, beredeneren, veronderstellen: *~ sth. out* iets beargumenteren
reasonable [rie:zenebl] **1** redelijk, verstandig **2** redelijk, schappelijk, billijk
reasonably [rie:zneblie] vrij, tamelijk, nogal: *it is in a ~ good state* het is in vrij behoorlijke staat
reassure [rie:esjoee] geruststellen, weer (zelf)vertrouwen geven
reassuring [rie:esjoeering] geruststellend
rebate [rie:beet] korting: *tax ~* belastingteruggave
¹rebel [rebl] *zn* rebel, opstandeling
²rebel [ribbel] *intr (*met *against)* rebelleren (tegen), zich verzetten (tegen), in opstand komen (tegen)
rebellion [ribbellien] opstand, opstandigheid, rebellie
rebellious [ribbellies] opstandig
rebirth [rie:be:θ] **1** wedergeboorte **2** herleving, wederopleving
¹rebound [rie:baund] *zn* **1** terugkaatsing *(van bal)* **2** terugwerking, reactie: *on the ~* van de weeromstuit, als reactie
²rebound [ribbaund] *intr* terugkaatsen, terugspringen, terugstuiten
¹rebuff [ribbuf] *zn* afwijzing; weigering *(van hulp, voorstel e.d.): he met with* (of: *suffered*) *a ~* hij kwam van een koude kermis thuis
²rebuff [ribbuf] *tr* afwijzen, weigeren, afschepen
rebuild [rie:bild] opnieuw bouwen, verbouwen, opknappen
¹rebuke [ribjoe:k] *zn* berisping, standje
²rebuke [ribjoe:k] *tr (*met *for)* berispen (om, voor), een standje geven (voor)
¹recalcitrant [rikelsitrent] *zn* weerspannige, tegenstribbelaar, ongehoorzame
²recalcitrant [rikelsitrent] *bn* opstandig, weerspannig
¹recall [rikko:l] *zn* **1** rappel; terugroeping *(van officieren, gezant e.d.)* **2** herinnering, geheugen: *total ~* absoluut geheugen; *beyond* (of: *past*) *~* onmogelijk te herinneren
²recall [rikko:l] *tr* **1** terugroepen; rappelleren *(gezant)* **2** terugnemen *(geschenk, koopwaar e.d.)*; terugroepen *(product, door fabrikant): millions of cans of soft drink have been ~ed* er zijn miljoenen blikjes frisdrank teruggehaald
³recall [rikko:l] *tr, intr* zich herinneren
¹recap [rie:kep] *zn* recapitulatie, korte opsomming
²recap [rie:kep] *ww* recapituleren, kort samenvatten, samenvattend herhalen
recapitulate [rie:kepitjoeleet] recapituleren, kort samenvatten
recede [rissie:d] achteruitgaan, zich terugtrek-

ken, terugwijken; *(ook fig)* teruglopen *(in waarde e.d.): a receding forehead* een terugwijkend voorhoofd; *a receding hairline* een kalend hoofd

[1]**receipt** [rissie:t] *zn* reçu, ontvangstbewijs, kwitantie

[2]**receipt** [rissie:t] *tr* kwiteren; voor ontvangst tekenen *(rekening e.d.)*

receive [rissie:v] **1** ontvangen, verwelkomen, gasten ontvangen **2** ontvangen, krijgen, in ontvangst nemen **3** opvangen, toelaten, opnemen: *be at* (of: *on*) *the receiving end* al de klappen krijgen

received [rissie:vd] algemeen aanvaard, standaard-: *Received Standard English* Algemeen Beschaafd Engels

receiver [rissie:ve] **1** ontvanger *(persoon, toestel)* **2** hoorn *(van telefoon)* **3** bewindvoerder **4** heler **5** tuner-versterker

recent [rie:sent] **1** recent, van de laatste tijd: *in ~ years* de laatste jaren; *a ~ book* een onlangs verschenen boek **2** nieuw, modern: *~ fashion* nieuwe mode

recently [rie:sntlie] **1** onlangs, kort geleden **2** de laatste tijd: *he has been moody, ~* hij is de laatste tijd humeurig (geweest)

receptacle [risseptekl] vergaarbak, container, vat, kom

reception [rissepsjen] **1** ontvangst *(ook fig)*; onthaal, welkom: *the ~ of his book was mixed* zijn boek werd met gemengde gevoelens ontvangen **2** receptie *(bij feest; in hotel e.d.)* **3** opname *(in ziekenhuis)*

reception centre opvangcentrum

reception desk balie *(van hotel, bibliotheek e.d.)*

receptionist [rissepsjenist] **1** receptionist(e) *(bijv. in hotel)* **2** assistent(e) *(bij dokter e.d.)*

receptive [risseptiv] ontvankelijk, vatbaar, open

recess [risses] **1** vakantie; onderbreking *(parlement e.d.)* **2** *(Am)* (school)vakantie **3** *(Am)* pauze *(tussen lesuren)* **4** nis, uitsparing, holte

recession [rissesjen] **1** recessie, economische teruggang **2** terugtrekking, terugtreding

recharge [rie:tsja:dzj] herladen; weer opladen *(batterij e.d.)*

recipe [ressippie] recept, keukenrecept

reciprocal [rissiprekl] wederkerig, wederzijds: *~ action* wisselwerking

reciprocate [rissiprekeet] **1** beantwoorden *(gevoelens)*; vergelden, op gelijke manier behandelen **2** uitwisselen

recital [rissajtl] **1** relaas, verhaal **2** recital *(muziek)* **3** voordracht *(gedicht, tekst)*

recite [rissajt] **1** reciteren, opzeggen: *Simon can already ~ the alphabet* Simon kan het alfabet al opzeggen **2** opsommen

reckless [rekles] **1** roekeloos **2** zorgeloos: *~ of danger* zonder zich zorgen te maken over gevaar

[1]**reckon** [rekken] *intr* **1** (met *on*) rekenen (op), afgaan (op) **2** (met *with*) rekening houden (met): *she is a woman to be ~ed with* dat is een vrouw met wie je rekening moet houden **3** (met *with*) afrekenen (met)

[2]**reckon** [rekken] *tr* **1** berekenen, (op)tellen **2** meerekenen, meetellen, rekening houden met **3** beschouwen, aanzien (voor), houden (voor): *I ~ him among my friends* ik beschouw hem als één van mijn vrienden **4** aannemen, vermoeden, gissen: *I ~ that he'll be home soon* ik neem aan dat hij gauw thuiskomt

reckoner [rekkene] rekenaar: *ready ~* rekentabel

reckoning [rekkening] **1** berekening, schatting **2** afrekening: *day of ~* dag van de afrekening, *(fig)* dag des oordeels

[1]**reclaim** [rikleem] *zn: he is beyond ~* hij is onverbeterlijk

[2]**reclaim** [rikleem] *tr* **1** terugwinnen, recupereren, regenereren: *~ed paper* kringlooppapier **2** drooggleggen *(land): land ~ed from the sea* op de zee teruggewonnen land **3** terugvorderen

reclamation [reklemeesjen] **1** terugwinning **2** terugvordering

[1]**recline** [riklajn] *intr* achterover leunen, (uit)rusten, op de rug liggen

[2]**recline** [riklajn] *tr* doen leunen, doen rusten

recluse [rikloe:s] kluizenaar

recognition [rekkeknisjen] **1** erkenning **2** waardering, erkentelijkheid **3** herkenning: *change beyond* (of: *out of*) *all ~* onherkenbaar worden

recognizable [rekkeknajzebl] herkenbaar

recognize [rekkeknajz] **1** herkennen **2** erkennen **3** inzien

[1]**recoil** [rie:kojl] *zn* terugslag, terugloop, terugsprong; terugstoot *(van vuurwapen)*

[2]**recoil** [rikkojl] *intr* **1** (met *from*) terugdeinzen (voor), terugschrikken (voor), zich terugtrekken **2** terugslaan, teruglopen, terugspringen; terugstoten *(van vuurwapen)*

recollect [rekkelekt] zich (moeizaam) herinneren, zich voor de geest halen

recollection [rekkeleksjen] herinnering: *to the best of my ~* voor zover ik mij herinner

recommend [rekkemend] **1** aanbevelen, aanraden, adviseren: *I can ~ the self-service in this hotel* ik kan u de zelfbediening in dit hotel aanbevelen; *~ed price* adviesprijs **2** tot aanbeveling strekken **3** toevertrouwen, overgeven, (aan)bevelen

recommendation [rekkemendeesjen] **1** aanbeveling, aanprijzing, advies **2** aanbevelingsbrief

[1]**recompense** [rekkempens] *zn* vergoeding, schadeloosstelling, beloning: *in ~ for* als vergoeding voor

[2]**recompense** [rekkempens] *tr* vergoeden, schadeloosstellen: *~ s.o. for sth.* iem iets vergoeden

reconcile [rekkensajl] verzoenen, in overeenstemming brengen, verenigen: *become ~d to sth.* zich bij iets neerleggen

reconciliation [rekkensillie·eesjen] verzoening, vereniging

reconnaissance [rikkonnissens] verkenning

re

reconnoitre [rekke:nojte] op verkenning uitgaan, verkennen
reconsider [rie:kensidde] **1** opnieuw bekijken, opnieuw in overweging nemen: *may I ask you to ~ the matter?* mag ik u vragen er nog eens over na te denken? **2** herroepen, herzien, terugkomen op
reconstruct [rie:kenstrukt] **1** opnieuw opbouwen, herbouwen **2** reconstrueren *(gebeurtenissen)*
¹**record** [rekko:d] *zn* **1** verslag, rapport, aantekening: *for the ~* openbaar, officieel; *off the ~* vertrouwelijk, onofficieel; *all this is off the ~* dit alles blijft tussen ons **2** document, archiefstuk, officieel afschrift **3** vastgelegd feit, het opgetekend zijn **4** staat van dienst, antecedenten, verleden **5** plaat, opname
²**record** [rekko:d] *bn* record-: *a ~ amount* een recordbedrag
³**record** [rikko:d] *ww* **1** zich laten opnemen, opnamen maken **2** optekenen, noteren, te boek stellen: *~ed delivery* aangetekend *(poststuk)* **3** vastleggen; opnemen *(op band, plaat)*
recorder [rikko:de] **1** rechter; voorzitter van Crown Court *(ongev arrondissementsrechtbank)* **2** (tape)recorder **3** blokfluit
recording [rikko:ding] opname, opgenomen programma: *a studio ~* een studio-opname
record-player platenspeler, grammofoon
recount [rikkaunt] (uitvoerig) vertellen, weergeven
recoup [rikkoe:p] **1** vergoeden, compenseren, schadeloosstellen **2** terugwinnen, inhalen: *~ expenses from a company* onkosten verhalen op een maatschappij
recourse [rikko:s] toevlucht, hulp: *have ~ to* zijn toevlucht nemen tot
¹**recover** [rikkuvve] *intr* herstellen, genezen, er weer bovenop komen
²**recover** [rikkuvve] *tr* terugkrijgen, terugvinden: *~ consciousness* weer bijkomen
recovery [rikkuvverie] **1** herstel, recuperatie, genezing: *make a quick ~ from an illness* vlug van een ziekte herstellen **2** het terugvinden, het terugwinnen, het terugkrijgen, herwinning
recreation [rekrie·eesjen] recreatie, ontspanning, hobby
recreational [rekrie·eesjenl] recreatief, recreatie-, ontspannings-
recreation ground speelterrein, recreatieterrein
recrimination [rikrimminneesjen] tegenbeschuldiging, recriminatie, tegeneis: *mutual ~s* beschuldigingen over en weer
¹**recruit** [rikroe:t] *zn* **1** rekruut **2** nieuw lid
²**recruit** [rikroe:t] *intr* rekruten (aan)werven
³**recruit** [rikroe:t] *tr* rekruteren, (aan)werven, aantrekken
recruiter [rikroe:te] recruiter
rectangle [rektengkl] rechthoek
rectification [rektiffikkeesjen] rectificatie
rectify [rektiffaj] rectificeren, rechtzetten, verbeteren
rectitude [rektitjoe:d] **1** rechtschapenheid **2** oprechtheid, eerlijkheid
rector [rekte] **1** *(anglicaanse kerk)* predikant, dominee **2** rector *(hoofd ve universiteit)*
rectum [rektem] rectum, endeldarm
recuperate [rikjoe:pereet] herstellen, opknappen, er weer bovenop komen
recur [rikke:] terugkomen, terugkeren, zich herhalen: *a ~ring dream* een steeds terugkerende droom; *~ring decimal* repeterende breuk
recurrent [rikkurrent] terugkomend, terugkerend
recycle [rie:sajkl] recyclen, weer bruikbaar maken: *~d paper* kringlooppapier
¹**red** [red] *zn* **1** rood, rode kleur **2** iets roods **3** rode, communist || *be in the ~* rood staan
²**red** [red] *bn* **1** rood: *~ currant* rode aalbes; *like a ~ rag to a bull* als een rode lap op een stier **2** rood, communistisch || *~ herring* bokking, *(fig)* vals spoor, afleidingsmanoeuvre; *Red Indian* indiaan, roodhuid; *~ lead* (rode) menie; *~ tape* bureaucratie, ambtenarij, papierwinkel; *paint the town ~* de bloemetjes buiten zetten; *see ~* buiten zichzelf raken (van woede)
redden [redn] rood worden (maken), (doen) blozen
reddish [reddisj] roodachtig, rossig
redeem [riddie:m] **1** terugkopen, afkopen, inlossen; *(fig)* terugwinnen: *~ a mortgage* een hypotheek aflossen **2** vrijkopen, loskopen **3** goedmaken, vergoeden: *a ~ing feature* een verzoenende trek **4** verlossen, bevrijden, redden
Redeemer [riddie:me] Verlosser, Heiland
redemption [riddempsjen] **1** redding, verlossing, bevrijding: *beyond* (of: *past*) *~* reddeloos (verloren) **2** afkoop, aflossing
redevelop [rie:divvellep] renoveren: *~ a slum district* een krottenwijk renoveren
redevelopment [rie:divvellepment] **1** nieuwe ontwikkeling **2** renovatie
red-handed op heterdaad
redhead roodharige, rooie
red-hot **1** roodgloeiend; *(fig)* enthousiast **2** heet van de naald, zeer actueel: *~ news* allerlaatste nieuws
redo [rie:doe:] **1** overdoen, opnieuw doen **2** opknappen
redouble [rie:dubl] verdubbelen
redress [ridres] herstellen, vergoeden, goedmaken: *~ the balance* het evenwicht herstellen
redskin roodhuid
reduce [ridjoe:s] **1** verminderen, beperken, verkleinen, verlagen, reduceren **2** herleiden, reduceren, omzetten, omsmelten **3** (met *to*) terugbrengen (tot), degraderen (tot): *be ~d to tears* alleen nog maar kunnen huilen **4** (met *to*) verpulveren (tot), fijnmalen; klein maken *(ook fig)*: *his accusa-*

tions were ~d to nothing van zijn beschuldigingen bleef niets overeind

reduction [ridduksjen] reductie, vermindering, korting

redundancy [riddundensie] **1** overtolligheid, overbodigheid **2** ontslag; *(bij uitbr)* werkloosheid

redundant [riddundent] **1** overtollig, overbodig **2** werkloos: *all the workers were made ~* al de werknemers moesten afvloeien

reduplicate [ridjoe:plikkeet] **1** verdubbelen **2** (steeds) herhalen

reduplication [ridjoe:plikkeesjen] **1** verdubbeling **2** herhaling

reed [rie:d] **1** riet, rietsoort **2** riet; tong *(in blaasinstrument of orgelpijp)*

[1]reef [rie:f] *zn* **1** rif **2** klip **3** *(zeilen)* reef, rif

[2]reef [rie:f] *tr (zeilen)* reven, inhalen, inbinden

reefer [rie:fe] **1** jekker **2** marihuanasigaret

[1]reek [rie:k] *zn* stank

[2]reek [rie:k] *intr* **1** (slecht) ruiken; *(fig)* stinken: *his statement ~s of corruption* zijn verklaring riekt naar corruptie **2** roken, dampen, wasemen

[1]reel [rie:l] *zn* **1** haspel, klos, spoel, (garen)klosje **2** (film)rol

[2]reel [rie:l] *intr* **1** duizelen, draaien **2** wervelen, warrelen **3** wankelen, waggelen: *~ back* terugdeinzen, terugwijken

re-entry [rie:entrie] terugkeer, terugkomst: *the ~ of a spacecraft into the atmosphere* de terugkeer van een ruimtevaartuig in de atmosfeer

refer [riffe:] **1** (met *to*) verwijzen (naar), doorsturen (naar) **2** (met *to*) toeschrijven (aan), terugvoeren (tot)

[1]referee [refferie:] *zn* **1** scheidsrechter; *(fig)* bemiddelaar **2** (vak)referent, expert **3** referentie *(persoon die referentie geeft)*

[2]referee [refferie:] *ww* als scheidsrechter optreden (bij)

reference [refferens] **1** referentie, getuigschrift, pers die referentie geeft **2** verwijzing: *be outside our terms of ~* buiten onze competentie vallen **3** zinspeling: *make no ~ to* geen toespeling maken op **4** raadpleging: *make ~ to a dictionary* een woordenboek naslaan **5** betrekking, verband: *in* (of: *with*) *~ to* in verband met

reference work naslagwerk

referendum [refferendem] referendum, volksstemming

refer to 1 verwijzen naar, betrekking hebben op, van toepassing zijn op **2** zinspelen op, refereren aan, vermelden **3** raadplegen, naslaan: *~ a dictionary* iets opzoeken in een woordenboek; *she kept referring to her home town* ze had het steeds weer over haar geboorteplaats

[1]refill [rie:fil] *zn* (nieuwe) vulling, (nieuw) (op)vulsel, inktpatroon: *would you like a ~?* zal ik je nog eens inschenken?

[2]refill [rie:fil] *tr* opnieuw vullen, (opnieuw) aan-, bij-, opvullen

refine [riffajn] zuiveren, raffineren; *(fig)* verfijnen; verbeteren

refined [riffajnd] verfijnd, geraffineerd; *(fig)* verzorgd; beschaafd: *~ manners* goede manieren; *~ sugar* geraffineerde suiker

refinement [riffajnment] **1** verbetering, uitwerking **2** raffinage **3** verfijning, raffinement, (over)beschaafdheid

refinery [riffajnerie] raffinaderij

[1]refit [rie:fit] *zn* herstel, nieuwe uitrusting

[2]refit [rie:fit] *intr* hersteld worden, opnieuw uitgerust worden

[3]refit [rie:fit] *tr* herstellen, opnieuw uitrusten

reflect [riflekt] **1** nadenken, overwegen: *he ~ed that ...* hij bedacht dat ... **2** weerspiegelen, weerkaatsen, reflecteren; *(fig)* weergeven; getuigen van

reflection [rifleksjen] **1** weerspiegeling, weerkaatsing, reflectie **2** overdenking, overweging: *on ~* bij nader inzien

reflective [riflektiv] **1** weerspiegelend, reflecterend **2** bedachtzaam

reflector [riflekte] reflector

reflect (up)on 1 nadenken over, overdenken **2** zich ongunstig uitlaten over, een ongunstig licht werpen op: *your impudent behaviour reflects only on yourself* je brutale gedrag werkt alleen maar in je eigen nadeel

[1]reflex [rie:fleks] *zn* **1** weerspiegeling: *~es* afspiegeling **2** reflex, reflexbeweging: *~es* reactievermogen

[2]reflex [rie:fleks] *bn* weerkaatst, gereflecteerd: *~ camera* spiegelreflexcamera || *~ action* reflexbeweging

reflexive [rifleksiv] *(taalk)* reflexief, wederkerend: *~ pronoun* (of: *verb*) wederkerend voornaamwoord (*of:* werkwoord)

[1]refloat [rie:floot] *intr* weer vlot raken

[2]refloat [rie:floot] *tr* vlot krijgen

[1]reform [riffo:m] *zn* hervorming, verbetering

[2]reform [riffo:m] *tr* verbeteren, hervormen: *Reformed Church* hervormde kerk

reformation [reffemeesjen] hervorming, verbetering

Reformation [reffemeesjen] *(altijd met the)* de Reformatie

reformer [riffo:me] hervormer

refract [rifrekt] breken *(stralen)*

refraction [rifreksjen] (straal)breking: *angle of ~* brekingshoek

refractory [rifrekterie] (stijf)koppig, halsstarrig

[1]refrain [rifreen] *zn* refrein

[2]refrain [rifreen] *intr* (met *from)* zich onthouden (van), ervan afzien, het nalaten: *kindly ~ from smoking* gelieve niet te roken

[1]refresh [rifresj] *intr* zich verfrissen, zich opfrissen

[2]refresh [rifresj] *tr* **1** verfrissen: *~ s.o.'s memory* iemands geheugen opfrissen **2** aanvullen, herbevoorraden

refresher course herhalingscursus, bijscholingscursus
refreshing [rifresjing] **1** verfrissend, verkwikkend: *a ~ breeze* een lekker koel briesje **2** aangenaam, verrassend
refreshment [rifresjment] **1** verfrissing *(ook fig)*; verkwikking, verademing **2** *~s* iets te drinken met een hapje daarbij
[1]**refrigerate** [rifridzjereet] *tr* invriezen
[2]**refrigerate** [rifridzjereet] *tr, intr* koelen
refrigeration [rifridzjereesjen] **1** invriezing, het diepvriezen **2** afkoeling
refrigerator [rifridzjereete] **1** koelruimte, koelkast, ijskast **2** koeler
refuge [refjoe:dzj] **1** toevlucht(soord) *(ook fig)*; schuilplaats, toeverlaat: *~ from* bescherming tegen **2** vluchtheuvel
refugee [refjoedzjie:] vluchteling
[1]**refund** [rie:fund] *zn* terugbetaling, geld terug
[2]**refund** [riffund] *ww* terugbetalen, restitueren: *~ the cost of postage* de verzendkosten vergoeden
refurbish [rie:fe:bisj] opknappen; *(fig)* opfrissen: *~ the office* het kantoor opknappen
refusal [rifjoe:zl] **1** weigering, afwijzing **2** optie, (recht van) voorkeur: *have (the) first ~ of a house* een optie op een huis hebben
[1]**refuse** [refjoe:s] *zn* afval, vuil, vuilnis
[2]**refuse** [rifjoe:z] *ww* weigeren, afslaan, afwijzen: *~ a request* op een verzoek niet ingaan
refuse collector vuilnisophaler, vuilnisman
refutation [refjoeteesjen] weerlegging
refute [rifjoe:t] weerleggen
regain [rikeen] **1** herwinnen, terugwinnen: *~ consciousness* weer tot bewustzijn komen **2** opnieuw bereiken: *I helped him ~ his footing* ik hielp hem weer op de been *(ook fig)*
regal [rie:kl] koninklijk
regale [rikeel] *(met on, with)* vergasten (op), onthalen (op), trakteren (op): *~ oneself on* (of: *with*) zich te goed doen aan
regalia [rikeelie] **1** rijksinsigniën, regalia **2** onderscheidingstekenen: *the mayor in full ~* de burgemeester in vol ornaat **3** staatsiegewaad
[1]**regard** [rika:d] *zn* **1** achting, respect: *hold s.o. in high ~* iem hoogachten **2** betrekking, verband, opzicht: *in this ~* op dit punt **3** aandacht, zorg: *give* (of: *pay*) *no ~ to* zich niet bekommeren om; *have little ~ for* weinig rekening houden met **4** *~s* groeten, wensen || *kind ~s to you all* ik wens jullie allemaal het beste
[2]**regard** [rika:d] *tr* **1** beschouwen, aanzien: *~ s.o. as* iem aanzien voor **2** betreffen, betrekking hebben op, aangaan: *as ~s* met betrekking tot
regarding [rika:ding] betreffende, aangaande
regardless [rika:dles] hoe dan ook || *they did it ~* ze hebben het toch gedaan
regardless of ongeacht, zonder rekening te houden met: *~ expense* zonder op een cent te letten
regency [rie:dzjensie] regentschap
[1]**regenerate** [ridzjenneret] *bn* **1** herboren, bekeerd **2** geregenereerd, hernieuwd
[2]**regenerate** [ridzjennereet] *tr* **1** verbeteren, bekeren, vernieuwen **2** nieuw leven inblazen, doen herleven
regent [rie:dzjent] **1** regent(es) **2** *(Am)* curator; bestuurslid *(van universiteit)*
reggae [rekee] reggae
regicide [redzjissajd] **1** koningsmoord **2** koningsmoordenaar
regime [reezjie:m] regime
regimen [redzjimmen] **1** regime, verloop **2** regime, kuur
regiment [redzjimment] regiment; *(fig)* groot aantal
region [rie:dzjen] **1** streek, gebied: *~s* sfeer, terrein; *the Arctic ~s* de Arctica; *in the ~ of* in de buurt van *(ook fig)* **2** gewest: *~s* provincie, regio
regional [rie:dzjenel] vd streek, regionaal
[1]**register** [redzjiste] *zn* **1** register, (naam)lijst, rol, gastenboek, kiezerslijst: *the Parliamentary Register* de kiezerslijst **2** (kas)register
[2]**register** [redzjiste] *intr* **1** zich (laten) inschrijven: *~ at a hotel* inchecken; *~ with the police* zich aanmelden bij de politie **2** doordringen tot, (in zich) opnemen
[3]**register** [redzjiste] *tr* **1** (laten) registreren, (laten) inschrijven; *(fig)* nota nemen van: *~ a protest against* protest aantekenen tegen **2** registreren; aanwijzen *(bijv. graden)* **3** uitdrukken, tonen: *her face ~ed surprise* op haar gezicht viel verwondering af te lezen **4** (laten) aantekenen; aangetekend versturen *(post)*
registered [redzjisted] **1** geregistreerd, ingeschreven: *~ trademark* (wettig) gedeponeerd handelsmerk **2** gediplomeerd, erkend, bevoegd: *(Am) ~ nurse* gediplomeerd verpleegkundige; *State Registered nurse* gediplomeerd verpleegkundige **3** aangetekend *(van brief)*
register office **1** registratiebureau **2** (bureau vd) burgerlijke stand
registrar [redzjistra:] **1** registrator, ambtenaar vd burgerlijke stand **2** archivaris **3** administratief hoofd *(van universiteit)* **4** *(jur)* gerechtssecretaris, griffier **5** *(med)* stagelopend specialist
registration [redzjistreesjen] registratie, inschrijving, aangifte
registry [redzjistrie] **1** archief, registratiekantoor **2** (bureau vd) burgerlijke stand **3** register **4** registratie
registry office (bureau vd) burgerlijke stand: *married at a ~* getrouwd voor de wet
regress [rikres] achteruitgaan, teruggaan
regressive [rikressiv] regressief, teruglopend
[1]**regret** [rikret] *zn* **1** spijt, leed(wezen), berouw: *greatly* (of: *much*) *to my ~* tot mijn grote spijt **2** *~s* (betuigingen van) spijt, verontschuldigingen: *have no ~s* geen spijt hebben
[2]**regret** [rikret] *tr* betreuren, spijt hebben van, be-

rouw hebben over: *we ~ to inform you* tot onze spijt moeten wij u meedelen
regretful [riǩretfoel] bedroefd, vol spijt
regrettable [riǩrettebl] betreurenswaardig, te betreuren
regrettably [riǩretteblie] **1** bedroevend, teleurstellend: *~ little response* bedroevend weinig respons **2** helaas, jammer genoeg
[1]**regular** [reǩjoele] *zn* **1** beroeps(militair): *the ~s* de geregelde troepen **2** vaste klant, stamgast
[2]**regular** [reǩjoele] *bn* **1** regelmatig: *a ~ customer* een vaste klant; *a ~ job* vast werk; *keep ~ hours* zich aan vaste uren houden **2** *(Am)* gewoon, standaard-: *the ~ size* het gewone formaat **3** professioneel: *the ~ army* het beroepsleger **4** echt, onvervalst: *a ~ fool* een volslagen idioot
regularity [reǩjoelerittie] regelmatigheid
regularize [reǩjoelerajz] regulariseren, regelen
regulate [reǩjoeleet] regelen, reglementeren, ordenen
regulation [reǩjoeleesjen] regeling, reglement, reglementering, (wettelijk) voorschrift, bepaling: *rules and ~s* regels en voorschriften
regulator [reǩjoeleete] regelaar; kompassleutel *(van uurwerk)*
rehabilitation [rie:hebillitteesjen] **1** rehabilitatie, eerherstel **2** herstelling: *economic ~* economisch herstel
[1]**rehash** [rie:hesj] *zn* herbewerking; *(fig)* opgewarmde kost: *his latest book is a ~ of one of his earlier ones* zijn jongste boek is een herbewerking van een van zijn eerdere boeken
[2]**rehash** [rie:hesj] *tr* herwerken, opnieuw bewerken
rehearsal [rihhe:sl] repetitie: *dress ~* generale repetitie
[1]**rehearse** [rihhe:s] *tr* herhalen
[2]**rehearse** [rihhe:s] *tr, intr* repeteren, (een) repetitie houden
[1]**reign** [reen] *zn* regering: *~ of terror* schrikbewind; *in the ~ of Henry* toen Hendrik koning was
[2]**reign** [reen] *intr* regeren; heersen *(ook fig): the ~ing champion* de huidige kampioen
reiki [reekie] reiki
reimburse [rie:imbe:s] terugbetalen, vergoeden
[1]**rein** [reen] *zn* teugel: *(fig) give free ~ to s.o. (sth.)* iem (iets) de vrije teugel laten; *(fig) keep a tight ~ on s.o.* bij iem de teugels stevig aanhalen
[2]**rein** [reen] *tr* inhouden *(ook fig)*; beteugelen, in bedwang houden: *~ back* (of: *in, up*) halt doen houden
reincarnation [rie:inka:neesjen] reïncarnatie, wedergeboorte
reindeer [reendie] rendier
reinforce [rie:info:s] versterken: *~d concrete* gewapend beton
reinforcement [rie:info:sment] versterking
reinstate [rie:insteet] herstellen
reiterate [rie:ittereet] herhalen
reiteration [rie:ittereesjen] herhaling
[1]**reject** [rie:dzjekt] *zn* afgekeurd persoon (voorwerp); afgekeurde *(voor militaire dienst)*; uitschot: *~s are sold at a discount* tweedekeusartikelen worden met korting verkocht
[2]**reject** [ridzjekt] *tr* **1** verwerpen, afwijzen, weigeren **2** uitwerpen
rejection [ridzjeksjen] **1** verwerping, afkeuring, afwijzing **2** uitwerping
reject shop winkel met tweedekeusartikelen
rejoice [ridzjojs] *(met at, over)* zich verheugen (over): *I ~ to hear* het verheugt me te vernemen
rejoicing [ridzjojsing] vreugde, feestviering
[1]**rejoin** [rie:dzjojn] *ww* **1** (zich) weer verenigen **2** weer lid worden (van) **3** zich weer voegen bij: *I thought he would ~ his friends, but he went to sit by himself* ik dacht dat hij weer bij zijn vrienden zou gaan staan, maar hij ging apart zitten
[2]**rejoin** [ridzjojn] *tr* antwoorden
rejoinder [ridzjojnde] repliek, (vinnig) antwoord
rekindle [rie:kindl] opnieuw ontsteken, opnieuw aanwakkeren
[1]**relapse** [rileps] *zn* instorting; terugval *(tot kwaad): have a ~* opnieuw achteruitgaan
[2]**relapse** [rileps] *intr* terugvallen; weer vervallen *(tot kwaad)*; (weer) instorten: *~ into poverty* weer tot armoede vervallen
[1]**relate** [rilleet] *intr (*met *to)* in verband staan (met), betrekking hebben (op)
[2]**relate** [rilleet] *tr* **1** verhalen, berichten: *strange to ~ …* hoe onwaarschijnlijk het ook moge klinken, maar … *(bij begin van ongelofelijk verhaal)* **2** (met elkaar) in verband brengen, relateren
related [rilleetid] verwant, samenhangend, verbonden: *drug-related crime* misdaad waarbij drugs een rol spelen; *I'm ~ to her by marriage* zij is aangetrouwde familie van me
relation [rilleesjen] **1** bloedverwant, familielid **2** bloedverwantschap, verwantschap **3** betrekking, relatie, verband: *bear no ~ to* geen verband houden met, geen betrekking hebben op; *in* (of: *with*) *~ to* met betrekking tot, in verhouding tot
relationship [rilleesjensjip] **1** betrekking, verhouding **2** bloedverwantschap, verwantschap
[1]**relative** [relletiv] *zn* familielid, (bloed)verwant(e)
[2]**relative** [relletiv] *bn* **1** betrekkelijk, relatief: *~ pronoun* betrekkelijk voornaamwoord **2** toepasselijk, relevant
relativity [relletivvittie] betrekkelijkheid, relativiteit
[1]**relax** [rileks] *intr* **1** verslappen, verminderen; *(fig)* ontdooien **2** zich ontspannen, relaxen
[2]**relax** [rileks] *tr* ontspannen, verslappen, verminderen: *~ one's efforts* zich minder inspannen
relaxation [rie:lekseesjen] ontspanning(svorm)
relaxing [rileksing] rustgevend, ontspannend
[1]**relay** [rie:lee] *zn* **1** aflossing, verse paarden, nieuwe ploeg, verse voorraad **2** estafettewedstrijd
[2]**relay** [rie:lee] *tr* heruitzenden; doorgeven *(informatie)*

relay race estafettewedstrijd
[1]**release** [rillie:s] *zn* **1** bevrijding, vrijgeving, verlossing **2** ontslag; ontheffing *(van verplichting);* vrijspreking **3** nieuwe film, video, cd, release; het uitbrengen *(van film, video, cd): on general ~* in alle bioscopen (te zien) **4** (artikel voor) publicatie
[2]**release** [rillie:s] *tr* **1** (met *from*) bevrijden (uit), vrijlaten, vrijgeven **2** (met *from*) ontslaan (van), vrijstellen; ontheffen (van) *(verplichting)* **3** uitbrengen *(film, video);* in de handel brengen *(cd)*
relegate [rellikeet] **1** (met *to*) verwijzen (naar) **2** overplaatsen **3** *(sport)* degraderen
relent [rillent] minder streng worden, toegeven; *(fig)* afnemen; verbeteren
relentless [rillentles] **1** meedogenloos, zonder medelijden **2** gestaag, aanhoudend
relevance [rellevens] relevantie
relevant [rellevent] *(met to)* relevant (voor): *I've marked the ~ passages* ik heb de desbetreffende passages aangegeven
reliability [rillajjebillittie] betrouwbaarheid
reliable [rillajjebl] betrouwbaar, te vertrouwen, geloofwaardig
reliance [rillajjens] vertrouwen
reliant [rillajjent] vertrouwend: *be ~ on s.o.* vertrouwen stellen in iem
relic [rellik] **1** relikwie **2** overblijfsel, souvenir
relief [rillie:f] **1** reliëf; *(fig)* levendigheid; contrast: *bring* (of: *throw*) *into ~* doen contrasteren *(ook fig)* **2** verlichting, opluchting, ontlasting: *it was a great ~* het was een pak van mijn hart **3** afwisseling, onderbreking: *provide a little light ~* voor wat afwisseling zorgen **4** ondersteuning, steun, hulp **5** ontzet; bevrijding *(van belegerde stad)*
relief fund ondersteuningsfonds, hulpfonds
relief map reliëfkaart
relieve [rillie:v] **1** verlichten, opluchten, ontlasten: *~ one's feelings* zijn hart luchten; *~ oneself* zijn behoefte doen; *~ of: a)* ontlasten van, afhelpen van; *b) (inform)* afhandig maken; *c)* ontslaan uit, ontheffen van **2** afwisselen, onderbreken: *a dress ~d with lace* een jurk met kant afgezet **3** ondersteunen, helpen, troosten, bemoedigen **4** aflossen, vervangen **5** *(mil)* ontzetten, bevrijden
relieved [rillie:vd] opgelucht
religion [rillidzjen] **1** godsdienst **2** vroomheid **3** gewetenszaak, heilige plicht: *make a ~ of sth.* van iets een erezaak maken
religious [rillidzjes] godsdienstig, religieus, vroom
religiously [rillidzjeslie] **1** godsdienstig **2** gewetensvol, nauwgezet
relinquish [rillingkwisj] **1** opgeven; prijsgeven *(bijv. geloof)* **2** afstand doen van *(aanspraak, recht)* **3** loslaten
[1]**relish** [rellisj] *zn* **1** genoegen, lust, plezier, zin: *read with great ~* met veel plezier lezen **2** smaak *(ook fig);* trek: *add* (of: *give*) *(a) ~ to* prikkelen; *eat with (a) ~* met smaak eten **3** saus **4** pikant smaakje
[2]**relish** [rellisj] *tr* **1** smakelijk maken, kruiden **2** genieten van, genoegen scheppen in, zich laten smaken **3** tegemoet zien, verlangen naar: *~ the prospect* (of: *idea*) het een prettig vooruitzicht (*of:* idee) vinden; *I do not exactly ~ the idea of going on my own* ik kijk er niet echt naar uit om alleen te gaan
relocation [rie:lookeesjen] vestiging elders, verhuizing naar elders
reluctance [rilluktens] tegenzin, weerzin, onwil: *with great ~* met grote tegenzin
reluctant [rilluktent] onwillig, aarzelend
rely (up)on [rillaj (ep)on] vertrouwen (op), zich verlaten op, steunen op: *can he be relied upon?* kun je op hem rekenen?
remain [rimmeen] **1** blijven, overblijven: *it ~s to be seen* het staat te bezien; *~ behind* achterblijven, nablijven **2** verblijven, zich ophouden **3** voortduren, blijven bestaan
[1]**remainder** [rimmeende] *zn* **1** rest, overblijfsel, restant **2** ramsj *(van boeken)* **3** verschil *(bij aftrekking)*
[2]**remainder** [rimmeende] *tr* opruimen; uitverkopen *(boeken tegen lage prijs)*
remains [rimmeenz] **1** overblijfselen, ruïnes, resten **2** stoffelijk overschot
[1]**remake** [rie:meek] *zn* remake, nieuwe versie
[2]**remake** [rie:meek] *tr* opnieuw maken, omwerken, een nieuwe versie maken
[1]**remand** [rimma:nd] *zn* **1** terugzending *(in voorlopige hechtenis)* **2** voorarrest: *on ~* in voorarrest
[2]**remand** [rimma:nd] *tr* **1** terugzenden **2** terugzenden in voorlopige hechtenis: *~ into custody* terugzenden in voorlopige hechtenis
remand centre observatiehuis; *(ongev)* huis van bewaring *(voor voorlopige hechtenis)*
[1]**remark** [rimma:k] *zn* opmerking: *make a ~* een opmerking maken
[2]**remark** [rimma:k] *intr* (met *(up)on)* opmerkingen maken (over)
[3]**remark** [rimma:k] *tr* opmerken, bemerken
remarkable [rimma:kebl] **1** merkwaardig, opmerkelijk **2** opvallend
remedial [rimmie:diel] beter makend, genezend, herstellend, verbeterend
[1]**remedy** [remmedie] *zn* remedie, (genees)middel, hulpmiddel
[2]**remedy** [remmedie] *tr* verhelpen *(ook fig);* voorzien in, genezen
[1]**remember** [rimmembe] *tr* **1** bedenken *(in testament; met fooi)* **2** gedenken *(de doden; in gebeden)* **3** (met *to*) de groeten doen (aan)
[2]**remember** [rimmembe] *tr, intr* (zich) herinneren, onthouden, van buiten kennen, denken aan
remembrance [rimmembrens] **1** herinnering: *in ~ of* ter herinnering aan **2** herinnering, aandenken, souvenir **3** *~s* groet
Remembrance Day dodenherdenking
remind [rimmajnd] herinneren, doen denken:

will you ~ me? help me eraan denken, wil je?
reminder [rimmajnde] **1** herinnering **2** betalingsherinnering **3** geheugensteuntje
reminisce [remminnis] herinneringen ophalen
reminiscence [remminnisns] herinnering: *~s* memoires
remiss [rimmis] nalatig: *be ~ in one's duties* in zijn plichten tekortschieten
remission [rimmisjen] **1** vergeving **2** kwijtschelding **3** vermindering *(van straf, bijv.)*
[1]**remit** [rimmit] *intr* afnemen
[2]**remit** [rimmit] *tr* **1** vergeven *(zonden)* **2** kwijtschelden; schenken *(schuld, straf);* vrijstellen van **3** doen afnemen, verminderen; laten verslappen *(aandacht);* verzachten; verlichten *(pijn)* **4** terugzenden, zenden, sturen **5** overmaken; doen overschrijven *(geld)*
remittance [rimmittens] overschrijving *(van geld);* overmaking, betalingsopdracht, overgemaakt bedrag
remnant [remnent] **1** restant, rest, overblijfsel **2** coupon *(stof)*
remorse [rimmo:s] **1** wroeging **2** medelijden
remorseless [rimmo:sles] meedogenloos
remote [rimmoot] **1** ver (weg), ver uiteen: *~ control* afstandsbediening; *the ~ past* het verre verleden **2** afgelegen **3** gereserveerd, terughoudend **4** gering, flauw: *I haven't the ~st idea* ik heb er geen flauw benul van
removal [rimmoe:vl] **1** verwijdering **2** verplaatsing **3** afzetting, overplaatsing **4** verhuizing
removal van verhuiswagen
[1]**remove** [rimmoe:v] *intr* verhuizen, vertrekken
[2]**remove** [rimmoe:v] *tr* **1** verwijderen, wegnemen; opheffen *(twijfel, vrees);* afnemen *(hoed);* uitwissen *(sporen);* schrappen; afvoeren *(ve lijst);* uitnemen, uittrekken **2** afzetten, ontslaan, wegzenden: *~ s.o. from office* iem uit zijn ambt ontslaan **3** verhuizen, verplaatsen, overplaatsen
removed [rimmoe:vd] verwijderd, afgelegen, ver: *far ~ from the truth* ver bezijden de waarheid || *a first cousin once ~* een achterneef
remover [rimmoe:ve] verhuizer
remuneration [rimjoe:nereesjen] **1** beloning **2** vergoeding
remunerative [rimjoe:neretiv] winstgevend
renaissance [rinneesens] renaissance, herleving
rename [rie:neem] herdopen, een andere naam geven
rend [rend] *(rent, rent)* **1** scheuren, verscheuren: *~ apart* vaneenscheuren **2** doorklieven, kloven, splijten: *(fig) a cry rent the skies* (of: *air*) een gil doorkliefde de lucht **3** kwellen; verdriet doen *(hart)*
render [rende] **1** (terug)geven, geven, vergelden, verlenen; verschaffen *(hulp);* bewijzen *(dienst);* betuigen *(dank);* uitbrengen *(verslag);* uitspreken *(vonnis): ~ good for evil* kwaad met goed vergelden; *services ~ed* bewezen diensten **2** overgeven, overleveren **3** vertalen, omzetten, overzetten: *~ into German* in het Duits vertalen **4** maken, veranderen in
rendering [rendering] **1** vertolking, weergave **2** vertaling
renegade [renniǩeed] afvallige, overloper
renege [rinnie:ǩ] **1** een belofte verbreken: *~ on one's word* zijn woord breken **2** *(kaartspel)* verzaken
renew [rinjoe:] **1** vernieuwen, hernieuwen; oplappen *(jas);* verversen; bijvullen *(water);* vervangen *(banden)* **2** doen herleven, verjongen **3** hervatten; weer opnemen *(conversatie);* herhalen **4** verlengen *(contract)*
renewable [rinjoe:ebl] **1** vernieuwbaar, herwinbaar, recycleerbaar: *~ energy* zonne- en windenergie **2** verlengbaar
renewal [rinjoe:el] **1** vernieuwing, vervanging **2** verlenging
renounce [rinnauns] afstand doen van, opgeven, laten varen
renovate [renneveet] **1** vernieuwen, opknappen, renoveren, verbouwen **2** doen herleven
renovation [renneveesjen] vernieuwing, renovatie
renown [rinnaun] faam, roem
[1]**rent** [rent] *zn* **1** huur, pacht: *(Am) for ~* te huur **2** (meer)opbrengst van landbouwgrond **3** scheur(ing), kloof, barst
[2]**rent** [rent] *tr* **1** huren **2** (ook met *out*) verhuren
[3]**rent** [rent] *ovt en volt dw van* rend
rental [rentl] **1** huuropbrengst **2** huur(penningen), pacht(geld) **3** *(Am)* het gehuurde; het verhuurde *(bijv. huurhuis)*
renunciation [rinnunsie·eesjen] **1** afstand, verwerping, verstoting **2** zelfverloochening
reopen [rie:oopen] **1** opnieuw opengaan, opnieuw openen, weer beginnen; heropenen *(van winkel e.d.)* **2** hervatten *(discussie)*
reorganize [rie:o:ǩenajz] reorganiseren
[1]**repair** [rippe:] *zn* herstelling, reparatie, herstel: *in (a) good (state of) ~* in goede toestand, goed onderhouden; *under ~* in reparatie
[2]**repair** [rippe:] *tr* **1** herstellen, repareren **2** vergoeden, (weer) goedmaken
repairer [rippe:re] hersteller, reparateur
reparation [repperesjen] **1** herstel, herstelling, reparatie **2** vergoeding, schadeloosstelling: *~s* herstelbetaling
repatriation [rie:petrie·eesjen] repatriëring
repay [rippee] **1** terugbetalen, aflossen **2** beantwoorden: *~ kindness by* (of: *with*) *ingratitude* goedheid met ondankbaarheid beantwoorden **3** vergoeden, goedmaken **4** betaald zetten
repayment [rippeement] **1** terugbetaling, aflossing **2** vergoeding, vergelding, beloning
[1]**repeal** [rippie:l] *zn* herroeping, afschaffing, intrekking
[2]**repeal** [rippie:l] *tr* herroepen, afschaffen, intrekken

[1]**repeat** [rippie:t] *zn* **1** herhaling **2** heruitzending: *in summer there are endless ~s of American soaps* in de zomer krijg je eindeloze herhalingen van Amerikaanse soaps
[2]**repeat** [rippie:t] *intr* **1** zich herhalen, terugkeren: *history ~s itself* de geschiedenis herhaalt zich **2** repeteren *(bijv. uurwerk, vuurwapen)*: *~ing decimal* repeterende breuk
[3]**repeat** [rippie:t] *tr* **1** herhalen: *~ a course* (of: *year*) blijven zitten *(op school)* **2** nazeggen, navertellen: *his words will not bear ~ing* zijn woorden laten zich niet herhalen
repeatedly [rippie:tidlie] herhaaldelijk, steeds weer, telkens
repeater [rippie:te] zittenblijver
[1]**repel** [rippel] *intr* afkeer opwekken
[2]**repel** [rippel] *tr* afweren, terugdrijven; afslaan *(aanbod, aanval(ler))*; afstoten *(vocht)*
[1]**repellent** [rippellent] *zn* **1** afweermiddel, insectenwerend middel **2** waterafstotend middel
[2]**repellent** [rippellent] *bn* **1** afwerend, afstotend **2** weerzinwekkend, walgelijk **3** onaantrekkelijk
repent [rippent] berouw hebben (over), berouwen
repentance [rippentens] berouw
repercussion [rie:pekusjen] **1** terugslag, (onaangename) reactie, repercussie **2** weerkaatsing, echo **3** terugstoot
repetition [reppittisjen] herhaling, repetitie
repetitive [rippettittiv] (zich) herhalend, herhaald, herhalings-
repine [rippajn] morren, klagen
replace [riplees] **1** terugplaatsen, terugleggen, terugzetten **2** vervangen, in de plaats stellen **3** de plaats innemen van, verdringen
replacement [ripleesment] **1** vervanging **2** vervanger, plaatsvervanger, opvolger **3** vervangstuk, nieuwe aanvoer; versterking *(mil)*
replay [rie:plee] **1** opnieuw spelen, overspelen **2** terugspelen, herhalen
replenish [riplennisj] weer vullen, aanvullen, bijvullen
replete [riplie:t] (met *with*) vol (van), gevuld, volgepropt
replica [replikke] **1** replica, kopie **2** reproductie; *(fig)* evenbeeld
[1]**reply** [riplaj] *zn* antwoord, repliek
[2]**reply** [riplaj] *ww* antwoorden: *~ to* antwoorden op, beantwoorden
[1]**report** [rippo:t] *zn* **1** rapport, verslag, bericht, schoolrapport **2** knal, slag, schot **3** gerucht, praatje, praatjes: *the ~ goes that ..., ~ has it that ...* het gerucht doet de ronde dat ...
[2]**report** [rippo:t] *ww* **1** rapporteren, berichten, melden: *~ progress* over de stand van zaken berichten **2** opschrijven, noteren; samenvatten *(verslagen, handelingen)* **3** rapporteren, doorvertellen: *~ s.o. to the police* iem bij de politie aangeven **4** verslag uitbrengen, verslag doen, rapport opstellen: *~ back* verslag komen uitbrengen; *~ (up)on sth.* over iets verslag uitbrengen **5** zich aanmelden, verantwoording afleggen: *~ to s.o. for duty* (of: *work*) zich bij iem voor de dienst (*of:* het werk) aanmelden
reportedly [rippo:tidlie] naar verluidt, naar men zegt
reporter [rippo:te] reporter, verslaggever
[1]**repose** [rippooz] *zn* **1** rust, slaap, ontspanning **2** kalmte
[2]**repose** [rippooz] *intr* **1** rusten, uitrusten **2** (met *on*) berusten (op), steunen
[3]**repose** [rippooz] *tr* stellen; vestigen *(vertrouwen, hoop)*: *~ confidence* (of: *trust*) *in sth.* vertrouwen stellen in iets
repository [rippozzitterie] **1** magazijn, pakhuis, opslagplaats **2** schatkamer *(fig)*; bron; centrum *(van informatie)*
represent [reprizzent] **1** voorstellen, weergeven, afbeelden **2** voorhouden, onder het oog brengen **3** aanvoeren, beweren: *~ oneself as* zich uitgeven voor **4** verklaren, uitleggen, duidelijk maken **5** symboliseren, staan voor, betekenen **6** vertegenwoordigen
representation [reprizzenteesjen] **1** voorstelling, af-, uitbeelding, opvoering **2** vertegenwoordiging **3** protest
[1]**representative** [reprizzentetiv] *zn* **1** vertegenwoordiger, agent **2** afgevaardigde, gedelegeerde, gemachtigde **3** volksvertegenwoordiger: *(Am) House of Representatives* Huis van Afgevaardigden
[2]**representative** [reprizzentetiv] *bn* **1** representatief, typisch **2** voorstellend, symboliserend || *be ~ of* typisch zijn voor
repress [ripres] **1** onderdrukken *(ook fig)*; verdrukken, in bedwang houden, smoren **2** verdringen
repression [ripresjen] **1** onderdrukking, verdrukking **2** verdringing
repressive [ripressiv] onderdrukkend; hardvochtig en wreed *(van regime)*
[1]**reprieve** [riprie:v] *zn* **1** (bevel tot) uitstel; opschorting *(van doodstraf)* **2** kwijtschelding, gratie; omzetting *(van doodstraf)* **3** respijt, verlichting, verademing: *temporary ~* (voorlopig) uitstel van executie
[2]**reprieve** [riprie:v] *tr* **1** uitstel, gratie verlenen *(van doodstraf)* **2** respijt geven *(fig)*; een adempauze geven
[1]**reprimand** [reprimma:nd] *zn* (officiële) berisping, uitbrander
[2]**reprimand** [reprimma:nd] *tr* (officieel) berispen
[1]**reprint** [rie:print] *zn* **1** overdruk(je) **2** herdruk
[2]**reprint** [rie:print] *tr* herdrukken
reprisal [riprajzl] represaille, vergelding(smaatregel)
[1]**reproach** [riprootsj] *zn* **1** schande, smaad, blaam: *above* (of: *beyond*) *~* onberispelijk, perfect **2** ver-

wijt, uitbrander, berisping: *a look of ~* een verwijtende blik

²**reproach** [riprootsj] *tr* verwijten, berispen, afkeuren: *I have nothing to ~ myself with* ik heb mezelf niets te verwijten

reprocess [rie:prooses] recyclen, terugwinnen; opwerken *(splijtstof)*

¹**reproduce** [rie:predjoe:s] *intr* zich voortplanten, zich vermenigvuldigen

²**reproduce** [rie:predjoe:s] *tr* **1** weergeven, reproduceren, vermenigvuldigen **2** voortbrengen **3** opnieuw voortbrengen, herscheppen; *(biol)* regenereren

reproduction [rie:preduksjen] **1** reproductie, weergave, afbeelding **2** voortplanting

reprove [riproe:v] berispen, terechtwijzen

reptile [reptajl] **1** reptiel **2** (lage) kruiper *(fig)*

republic [rippublik] republiek *(ook fig)*

¹**republican** [rippublikken] *zn* republikein

²**republican** [rippublikken] *bn* republikeins

repudiate [ripjoe:die·eet] **1** verstoten *(vrouw, kind)* **2** verwerpen; niet erkennen *(schuld e.d.)*; afwijzen; ontkennen *(beschuldiging)*

repudiation [ripjoe:die·eesjen] **1** verstoting **2** verwerping, (ver)loochening

repugnant [rippuknent] weerzinwekkend

repulse [rippuls] **1** terugdrijven; terugslaan *(vijand)*; afslaan *(aanval)*; *(fig)* verijdelen **2** afslaan; afwijzen *(hulp, aanbod)*

repulsive [rippulsiv] afstotend, weerzinwekkend, walgelijk

reputable [repjoetebl] achtenswaardig, fatsoenlijk

reputation [repjoeteesjen] reputatie, (goede) naam, faam: *have the ~ for* (of: *of) being corrupt* de naam hebben corrupt te zijn

¹**repute** [ripjoe:t] *zn* reputatie, (goede) naam, faam: *know s.o. by ~* iem kennen van horen zeggen

²**repute** [ripjoe:t] *tr* beschouwen (als), houden voor: *be highly ~d* een zeer goede naam hebben

reputed [ripjoe:tid] **1** befaamd **2** vermeend

reputedly [ripjoe:tidlie] naar men zegt, naar het heet

¹**request** [rikwest] *zn* verzoek, (aan)vraag, verzoeknummer: *at the ~ of* op verzoek van; *on ~* op verzoek

²**request** [rikwest] *tr* verzoeken, vragen (om)

request programme verzoekprogramma

require [rikwajje] **1** nodig hebben, behoeven **2** vereisen, eisen, vorderen: *two signatures are ~d* er zijn twee handtekeningen nodig; *~ sth. from* (of: *of) s.o.* iets van iem vereisen

requirement [rikwajjement] **1** eis, (eerste) vereiste: *meet* (of: *fulfil) the ~s* aan de voorwaarden voldoen **2** behoefte, benodigdheid

¹**requisite** [rekwizzit] *zn* **1** vereiste **2** rekwisiet, benodigdheid

²**requisite** [rekwizzit] *bn* vereist, essentieel, nodig

requisition [rekwizzisjen] (op)vorderen

requite [rikwajt] **1** vergelden, betaald zetten, wreken **2** belonen **3** beantwoorden: *~ s.o.'s love* iemands liefde beantwoorden

¹**rerun** [rie:run] *zn* herhaling *(van film, toneelstuk e.d.)*

²**rerun** [rie:run] *tr* opnieuw (laten) spelen; herhalen *(film, tv-programma)*

¹**rescue** [reskjoe:] *zn* **1** redding, verlossing, bevrijding **2** hulp, bijstand, steun

²**rescue** [reskjoe:] *tr* redden, verlossen, bevrijden

rescuer [reskjoe:e] redder

¹**research** [risse:tsj] *zn* (wetenschappelijk) onderzoek

²**research** [risse:tsj] *ww* onderzoekingen doen, wetenschappelijk werk verrichten, wetenschappelijk onderzoeken: *this book has been well ~ed* dit boek berust op gedegen onderzoek

researcher [risse:tsje] onderzoeker

resemblance [rizzemblens] gelijkenis, overeenkomst: *show great ~ to s.o.* een grote gelijkenis met iem vertonen

resemble [rizzembl] lijken op

resent [rizzent] kwalijk nemen, verontwaardigd zijn over, zich storen aan: *I ~ that remark* ik neem je die opmerking wel kwalijk

resentful [rizzentfoel] **1** boos, verontwaardigd, ontstemd **2** wrokkig, haatdragend

resentment [rizzentment] **1** verontwaardiging **2** wrok, haat

reservation [rezzeveesjen] **1** middenberm; middenstrook *(van autoweg)*: *central ~* middenberm **2** *(Am)* reservaat *(voor indianen)* **3** gereserveerde plaats **4** reserve, voorbehoud, bedenking: *without ~(s)* zonder voorbehoud **5** reservering, plaatsbespreking: *do you have a ~?* heeft u gereserveerd?

¹**reserve** [rizze:v] *zn* **1** reserve, (nood)voorraad: *have* (of: *keep) sth. in ~* iets in reserve hebben (*of:* houden) **2** reservaat: *nature ~* natuurreservaat **3** reservespeler, invaller **4** reservist **5** reserve, voorbehoud, bedenking: *without ~* zonder enig voorbehoud **6** gereserveerdheid, reserve, terughoudendheid

²**reserve** [rizze:v] *tr* **1** reserveren, achterhouden, in reserve houden **2** (zich) voorbehouden *(recht)*: *all rights ~d* alle rechten voorbehouden **3** bespreken *(plaats)*; openhouden, laten vrijhouden

reserved [rizze:vd] **1** gereserveerd, terughoudend, gesloten **2** gereserveerd; besproken *(van plaats)*

reservoir [rezzevwa:] (water)reservoir, stuwmeer

reshape [rie:sjeep] een nieuwe vorm geven

reside [rizzajd] wonen, zetelen

residence [rezziddens] **1** residentie, verblijf, verblijfplaats, woonplaats: *take up ~ in* gaan wonen in **2** (voorname) woning, villa, herenhuis **3** ambtswoning *(van gouverneur)*

residence permit verblijfsvergunning

¹**resident** [rezziddent] *zn* ingezetene, (vaste) inwoner, bewoner

²resident [rezziddent] *bn* **1** woonachtig, inwonend, intern: *(Am) ~ alien* vreemdeling met een verblijfsvergunning **2** vast *(van inwoner)*
residential [rezziddensjl] woon-, ve woonwijk: *~ area* (of: *district, quarter*) (deftige, betere) woonwijk; *~ hotel* familiehotel
residue [rezzidjoe:] residu, overblijfsel, rest(ant)
¹resign [rizzajn] *intr* **1** berusten, zich schikken **2** afstand doen ve ambt, aftreden, ontslag nemen; bedanken *(voor betrekking);* opgeven *(schaakspel)*
²resign [rizzajn] *tr* **1** berusten in, zich schikken in, zich neerleggen bij: *~ oneself to sth., be ~ed to sth.* zich bij iets neerleggen **2** afstaan; afstand doen van *(recht, eis, eigendom);* overgeven **3** opgeven *(hoop)*
resignation [rezziknees jen] **1** ontslag, ontslagbrief, aftreding, ontslagneming: *hand in/offer* (of: *send in, tender*) *one's ~* zijn ontslag indienen **2** afstand **3** berusting, overgave
resigned [rizzajnd] gelaten, berustend
resilience [rizzilliens] veerkracht *(ook fig);* herstellingsvermogen
resin [rezzin] (kunst)hars: *synthetic ~* kunsthars
resist [rizzist] **1** weerstaan, weerstand bieden (aan), tegenhouden; bestand zijn tegen *(kou, hitte, vocht);* resistent zijn tegen *(ziekte, infectie): ~ temptation* de verleiding weerstaan **2** zich verzetten (tegen), bestrijden: *this novel ~s interpretation* deze roman laat zich niet interpreteren
resistance [rizzistens] **1** weerstand, tegenstand, verzet: *make* (of: *offer*) *no ~* geen weerstand bieden; *(fig) take the line of least ~* de weg van de minste weerstand kiezen **2** weerstandsvermogen
Resistance [rizzistens] *(altijd met the)* verzetsbeweging, verzet
resistant [rizzistent] weerstand biedend, resistent, bestand: *heat-resistant* hittebestendig
¹resit [rie:sit] *zn* herexamen
²resit [rie:sit] *tr* opnieuw afleggen *(examen)*
resolute [rezzeloe:t] resoluut, vastberaden, beslist
resolution [rezzeloe:sjen] **1** resolutie, motie, voorstel, plan **2** besluit, beslissing, voornemen: *good ~s* goede voornemens **3** oplossing, ontbinding, ontleding **4** vastberadenheid, beslistheid, vastbeslotenheid
¹resolve [rizzolv] *zn* **1** besluit, beslissing, voornemen: *a firm ~ to stay* een vast voornemen om te blijven **2** *(Am)* resolutie, motie, voorstel **3** vastberadenheid, beslistheid
²resolve [rizzolv] *intr* **1** een besluit nemen, besluiten, zich voornemen: *they ~d (up)on doing sth.* zij besloten iets te doen **2** zich oplossen, zich ontbinden, uiteenvallen
³resolve [rizzolv] *tr* **1** beslissen, besluiten: *he ~d to leave* hij besloot weg te gaan **2** oplossen, een oplossing vinden voor **3** opheffen; wegnemen *(twijfel)* **4** ontbinden, (doen) oplossen **5** ertoe brengen, doen beslissen: *that ~d us to ...* dat deed ons besluiten om ... **6** besluiten, beëindigen; bijleggen *(geschil)*
resolved [rizzolvd] vastbesloten, beslist
resonance [rezzenens] resonantie, weerklank, weergalm
resonant [rezzenent] **1** resonerend, weerklinkend, weergalmend **2** vol; diep *(van stem)*
resort [rizzo:t] **1** hulpmiddel, redmiddel, toevlucht: *in the last ~, as a last ~* in laatste instantie, in geval van nood **2** druk bezochte plaats, (vakantie)oord: *without ~ to* zonder zijn toevlucht te nemen tot
resort to zijn toevlucht nemen tot: *~ violence* zijn toevlucht nemen tot geweld
resound [rizzaund] weerklinken *(ook fig);* weergalmen
resounding [rizzaunding] **1** (weer)klinkend **2** zeer groot, onmiskenbaar: *a ~ success* een daverend succes
resource [rizzo:s] **1** hulpbron, redmiddel: *left to one's own ~s* aan zijn lot overgelaten **2** toevlucht, uitweg **3** vindingrijkheid: *he is full of ~* (of: *a man of ~*) hij is (zeer) vindingrijk **4** *~s* rijkdommen, (geld)middelen, voorraden: *natural ~s* natuurlijke rijkdommen
resourceful [rizzo:sfoel] vindingrijk
¹respect [rispekt] *zn* **1** opzicht, detail, (oog)punt: *in all* (of: *many*) *~s* in alle (*of:* vele) opzichten; *in some ~* in zeker opzicht, enigermate **2** betrekking, relatie: *with ~ to* met betrekking tot, wat betreft **3** aandacht, zorg, inachtneming: *without ~ to* zonder te letten op, ongeacht **4** eerbied, achting, ontzag: *be held in the greatest ~* zeer in aanzien zijn; *with (all due) ~* als u mij toestaat **5** *~s* eerbetuigingen, groeten, complimenten: *give her my ~s* doe haar de groeten; *pay one's last ~s to s.o.* iem de laatste eer bewijzen *(bij overlijden)*
²respect [rispekt] *tr* **1** respecteren, eerbiedigen, (hoog)achten **2** ontzien, ongemoeid laten
respectability [rispektebillittie] fatsoen, fatsoenlijkheid
respectable [rispektebl] **1** achtenswaardig, eerbiedwaardig **2** respectabel, (tamelijk) groot, behoorlijk: *a ~ income* een behoorlijk inkomen **3** fatsoenlijk *(ook iron)*
respectful [rispektfoel] eerbiedig
respectively [rispektivlie] respectievelijk
respiration [respirreesjen] ademhaling
respirator [respirreete] **1** ademhalingstoestel **2** gasmasker, rookmasker, stofmasker
respiratory [rispirreterie] ademhalings-
respite [respajt] respijt, uitstel, opschorting
resplendent [risplendent] schitterend, prachtig
respond [rispond] **1** antwoorden **2** (met *to*) reageren (op), gehoor geven (aan), gevoelig zijn (voor)
respondent [rispondent] **1** gedaagde *(in beroep of echtscheidingsproces)* **2** ondervraagde, geënquêteerde
response [rispons] **1** antwoord, repliek, tegenzet

2 reactie, gehoor, weerklank, respons: *meet with no ~* geen weerklank vinden
responsibility [risponsibbillittie] verantwoordelijkheid, aansprakelijkheid: *on one's own ~* op eigen verantwoordelijkheid
responsible [risponsibl] **1** betrouwbaar, degelijk, solide **2** verantwoordelijk; belangrijk *(van baan)* **3** (met *for*) verantwoordelijk (voor), aansprakelijk (voor): *be ~ to* verantwoording verschuldigd zijn aan
responsive [risponsiv] *(met to)* ontvankelijk (voor), gevoelig (voor), vlug reagerend (op)
[1]**rest** [rest] *zn* **1** rustplaats, verblijf, tehuis **2** steun, standaard, houder, statief; *(biljart)* bok **3** *(muz)* rust(teken) **4** rust, slaap, pauze: *come to ~* tot stilstand komen; *set s.o.'s mind at ~* iem geruststellen **5** de rest, het overige, de overigen: *and the ~ of it, all the ~ of it* en de rest
[2]**rest** [rest] *intr* **1** rusten, stil staan, slapen, pauzeren: *I feel completely ~ed* ik voel me helemaal uitgerust **2** blijven *(in een bepaalde toestand): ~ assured* wees gerust, wees ervan verzekerd **3** braak liggen
[3]**rest** [rest] *tr* **1** laten (uit)rusten, rust geven **2** doen rusten, leunen, steunen
restaurant [resteron̄] restaurant
restful [restfoel] **1** rustig, kalm, vredig **2** rustgevend, kalmerend
restitution [restitjoe:sjen] restitutie, teruggave, schadeloosstelling
restive [restiv] **1** weerspannig, onhandelbaar, dwars; koppig *(van paard)* **2** ongedurig, onrustig; rusteloos *(van persoon)*
restless [restles] rusteloos, onrustig, ongedurig
restoration [restereesjen] **1** restauratie(werk), reconstructie **2** herstel, herinvoering, rehabilitatie **3** teruggave
restore [risto:] **1** teruggeven, terugbetalen, terugbrengen **2** restaureren **3** reconstrueren **4** in ere herstellen, rehabiliteren **5** herstellen, weer invoeren, vernieuwen
restrain [ristreen] **1** tegenhouden, weerhouden: *~ from* weerhouden van **2** aan banden leggen, beteugelen, beperken, in toom houden
restrained [ristreend] **1** beheerst, kalm **2** ingetogen, sober; gematigd *(van kleur)*
restraint [ristreent] **1** terughoudendheid, gereserveerdheid, zelfbeheersing: *without ~* vrijelijk, in onbeperkte mate **2** ingetogenheid, soberheid
restrict [ristrikt] beperken, begrenzen, aan banden leggen: *~ to* beperken tot
restriction [ristriksjen] beperking, (beperkende) bepaling, restrictie, voorbehoud
restrictive [ristriktiv] beperkend: *~ trade practices* beperkende handelspraktijken
rest room *(Am)* toilet *(in restaurant, kantoor enz.)*
rest (up)on (be)rusten op, steunen op
[1]**result** [rizzult] *zn* **1** resultaat, uitkomst; uitslag *(van sportwedstrijden)* **2** gevolg, effect, uitvloeisel: *as a ~* dientengevolge, als gevolg waarvan; *as a ~ of* ten gevolge van **3** uitkomst *(van rekensom)*; antwoord
[2]**result** [rizzult] *intr* **1** volgen, het gevolg zijn: *~ from* voortvloeien uit **2** aflopen, uitpakken: *~ in* tot gevolg hebben
resultant [rizzultent] resulterend, eruit voortvloeiend
resume [rizjoe:m] **1** opnieuw beginnen, hervatten, hernemen **2** terugnemen, terugkrijgen **3** voortzetten, vervolgen, doorgaan
resumption [rizzumpsjen] hervatting, voortzetting
resurgence [risse:dzjens] heropleving, opstanding
resurrect [rezzerekt] **1** (doen) herleven, (doen) herrijzen **2** opgraven, weer voor de dag halen
resurrection [rezzereksjen] herleving, opleving, opstanding
Resurrection [rezzereksjen] *(altijd met the)* de verrijzenis, de opstanding
resuscitate [rissussitteet] **1** weer bijbrengen, reanimeren **2** doen herleven
[1]**retail** [rie:teel] *zn* kleinhandel, detailhandel
[2]**retail** [rie:teel] *intr* in een winkel verkocht worden: *~ at* (of: *for*) *fifty cents* in de winkel voor vijftig cent te koop zijn
[3]**retail** [rie:teel] *tr* in een winkel verkopen
[4]**retail** [ritteel] *tr* omstandig vertellen
retailer [rie:teele] **1** winkelier, kleinhandelaar **2** slijter
retain [ritteen] **1** vasthouden, binnenhouden: *a ~ing wall* steunmuur **2** houden, handhaven, bewaren: *we ~ happy memories of those days* wij bewaren goede herinneringen aan die dagen
retainer [ritteene] **1** voorschot *(op het honorarium)* **2** volgeling, bediende: *an old ~* een oude getrouwe
retaliate [ritelie·eet] wraak nemen
retard [ritta:d] ophouden, tegenhouden, vertragen
retarded [ritta:did] achtergebleven, achterlijk, geestelijk gehandicapt
retch [retsj] kokhalzen
retention [rittensjen] **1** het vasthouden, het binnenhouden **2** handhaving, behoud
[1]**rethink** [rie:θingk] *zn* heroverweging, het opnieuw doordenken
[2]**rethink** [rie:θingk] *ww* heroverwegen, opnieuw bezien
reticence [rettisns] **1** terughoudendheid, gereserveerdheid **2** het verzwijgen, het achterhouden **3** zwijgzaamheid, geslotenheid
reticent [rettisnt] **1** terughoudend, gereserveerd **2** zwijgzaam, gesloten
retinue [rettinjoe:] gevolg, hofstoet
retire [rittajje] **1** zich terugtrekken, weggaan, heengaan, zich ter ruste begeven: *~ for the night* (of: *to*

bed) zich ter ruste (*of:* te bed) begeven **2** met pensioen gaan
retired [rittajjed] **1** teruggetrokken, afgezonderd, afgelegen **2** gepensioneerd, stil levend, rentenierend
retirement [rittajjement] **1** pensionering, het gepensioneerd worden, het met pensioen gaan: *to take early ~* met de vut gaan, *(Belg)* op brugpensioen gaan **2** afzondering, eenzaamheid
retiring [rittajjering] **1** teruggetrokken, niet opdringerig **2** pensioen-: *~ age* de pensioengerechtigde leeftijd
[1]**retort** [ritto:t] *zn* **1** weerwoord, repliek, antwoord: *say (sth.) in ~* (iets) als weerwoord gebruiken **2** distilleerkolf
[2]**retort** [ritto:t] *intr* een weerwoord geven, antwoorden
[3]**retort** [ritto:t] *tr* (vinnig) antwoorden; *(fig)* de bal terugkaatsen
retrace [ritrees] **1** herleiden, terugvoeren tot **2** weer nagaan *(in het geheugen)* **3** terugkeren: *~ one's steps* (of: *way*) op zijn schreden terugkeren
retract [ritrekt] intrekken *(ook fig)*; herroepen, afstand nemen van
[1]**retreat** [ritrie:t] *zn* **1** toevluchtsoord, schuilplaats **2** tehuis, asiel **3** terugtocht, aftocht: *beat a (hasty) ~* zich (snel) terugtrekken, *(fig)* (snel) de aftocht blazen **4** retraite
[2]**retreat** [ritrie:t] *intr* teruggaan, zich terugtrekken
[1]**retrench** [ritrentsj] *intr* bezuinigen
[2]**retrench** [ritrentsj] *tr* besnoeien, inkrimpen, bekorten
retribution [retribjoe:sjen] vergelding, straf
retrieval [ritrie:vl] **1** herwinning, het terugvinden **2** herstelling, het verhelpen **3** het ophalen *(gegevens uit bestanden)* || *beyond* (of: *past*) *~: a)* voorgoed verloren; *b)* onherstelbaar
retrieve [ritrie:v] **1** terugwinnen, terugvinden, terugkrijgen **2** herstellen, weer goedmaken, verhelpen **3** ophalen *(gegevens uit bestanden)*
retrospect [retrespekt] terugblik: *in ~* achteraf gezien
retrospective [retrespektiv] **1** retrospectief, terugblikkend **2** met terugwerkende kracht
[1]**return** [ritte:n] *zn* **1** terugkeer, terugkomst, thuiskomst, terugreis: *the point of no ~* punt waarna er geen weg terug is **2** retourtje **3** teruggave *(ook mbt belasting)*; teruggezonden artikel: *on sale and ~* op commissie **4** opbrengst, winst, rendement: *~ on capital* (of: *investment*) kapitaalopbrengst, resultaat van de investering **5** aangifte, officieel rapport **6** verkiezing, afvaardiging **7** terugslag, return, terugspeelbal **8** return(wedstrijd), revanche || *by ~ (of post)* per omgaande, per kerende post; *in ~ for* in ruil voor
[2]**return** [ritte:n] *bn* **1** retour-: *~ ticket* retour(tje) **2** tegen-, terug-: *a ~ visit* een tegenbezoek
[3]**return** [ritte:n] *intr* terugkeren, terugkomen, teruggaan: *~ to: a)* terugkeren op; *b)* vervallen in
[4]**return** [ritte:n] *tr* **1** retourneren, terugbrengen, teruggeven **2** opleveren, opbrengen **3** beantwoorden, terugbetalen: *~ like for like* met gelijke munt terugbetalen **4** *(sport)* terugslaan, retourneren, terugspelen **5** kiezen, verkiezen, afvaardigen
[5]**return** [ritte:n] *tr, intr* antwoorden
reunion [rie:joe:nien] reünie, hereniging, samenkomst
reunite [rie:joe:najt] (zich) herenigen, weer bij elkaar komen
reusable [rie:joe:zebl] geschikt voor hergebruik
reuse [rie:joe:z] opnieuw gebruiken
rev *afk van Reverend* Eerw., Eerwaarde
revaluation [riveljoe:eesjen] herwaardering; revaluatie *(ook geldwezen)*
revamp [rie:vemp] opknappen, vernieuwen
reveal [rivvie:l] openbaren, onthullen, bekendmaken
revealing [rivvie:ling] onthullend, veelzeggend
revel [revl] pret maken, feestvieren: *~ in* erg genieten van, zich te buiten gaan aan
revelation [revveleesjen] bekendmaking, openbaring, onthulling: *it was quite a ~ to me* dat was een hele openbaring voor mij
revelry [revvelrie] pret(makerij), uitgelatenheid
[1]**revenge** [rivvendzj] *zn* **1** wraak(neming), vergelding **2** *(sport, spel)* revanche(partij)
[2]**revenge** [rivvendzj] *tr* wreken, vergelden, wraak nemen
revenue [revvenjoe:] **1** inkomen, opbrengst; inkomsten *(uit bezit, investering e.d.)* **2** inkomsten
reverberate [rivve:bereet] weerkaatsen *(geluid, licht, hitte)*; terugkaatsen, echoën, weerklinken: *~ upon* terugwerken op *(ook fig)*
reverberation [rivve:bereesjen] weerklank, weerkaatsing
revere [rivvie] (ver)eren, respecteren, eerbied hebben voor
reverence [revverens] verering, respect, (diepe) eerbied, ontzag: *hold s.o. (sth.) in ~* eerbied koesteren voor iem (iets)
reverend [revverend] eerwaard(ig)
Reverend [revverend] *(altijd met the)* Eerwaarde
reverent [revverent] eerbiedig, respectvol
reversal [rivve:sl] omkering, om(me)keer
[1]**reverse** [rivve:s] *zn* **1** tegenslag, nederlaag **2** keerzijde *(van munten; ook fig)*; rugzijde, achterkant **3** achteruit *(van auto)*: *put a car into ~* een auto in zijn achteruit zetten **4** tegendeel, omgekeerde, tegengestelde: *but the ~ is also true* maar het omgekeerde is ook waar || *in ~* omgekeerd, in omgekeerde volgorde
[2]**reverse** [rivve:s] *bn* tegen(over)gesteld, omgekeerd, achteraan: *~ gear* achteruit *(van auto)*; *in ~ order* in omgekeerde volgorde
[3]**reverse** [rivve:s] *intr* achteruitrijden *(van auto)*; achteruitgaan
[4]**reverse** [rivve:s] *tr* **1** (om)keren, omdraaien, om-

schakelen; achteruitrijden *(auto)*: *~ one's policy* radicaal van politiek veranderen **2** herroepen *(beslissing)*; intrekken; *(jur)* herzien

revert [rivve:t] **1** (met *to*) terugkeren (tot) *(eerdere toestand)*; terugvallen (in) *(gewoonte)* **2** (met *to*) terugkomen (op) *(eerder onderwerp van gesprek)* **3** terugkeren *(van bezit aan eigenaar)*

[1]**review** [rivjoe:] *zn* **1** terugblik, overzicht, bezinning: *be under ~* opnieuw bekeken worden **2** parade, inspectie **3** recensie, (boek)bespreking **4** tijdschrift

[2]**review** [rivjoe:] *ww* **1** opnieuw bekijken, herzien **2** terugblikken op, overzien **3** parade houden, inspecteren **4** recenseren, bespreken, recensies schrijven

reviewer [rivjoe:e] recensent

revile [rivvajl] (uit)schelden

revise [rivvajz] **1** herzien, verbeteren, corrigeren: *~d edition* herziene uitgave *(van boek)*; *enclosed you will find our ~d invoice* bijgesloten vindt u onze gecorrigeerde factuur **2** repeteren *(les)*; herhalen; studeren *(voor examen)*

revision [rivvizjen] **1** revisie, herziening, wijziging **2** herhaling *(van les)*; het studeren *(voor examen)*

revitalize [rivvajtelajz] nieuwe kracht geven, nieuw leven geven

revival [rivvajvl] **1** reveil **2** (her)opleving, wedergeboorte, hernieuwde belangstelling **3** herstel *(van krachten)*

[1]**revive** [rivvajv] *intr* **1** herleven, bijkomen, weer tot leven (op krachten) komen **2** weer in gebruik komen, opnieuw ingevoerd worden

[2]**revive** [rivvajv] *tr* **1** doen herleven, vernieuwen, weer tot leven brengen **2** opnieuw invoeren *(oud gebruik)*

[1]**revoke** [rivvook] *intr (kaartspel)* verzaken

[2]**revoke** [rivvook] *tr* herroepen; intrekken *(bevel, belofte, vergunning)*

[1]**revolt** [rivvoolt] *zn* opstand, oproer: *stir people to ~* mensen opruien

[2]**revolt** [rivvoolt] *intr* **1** (met *against*) in opstand komen (tegen), rebelleren, muiten **2** walgen: *~ at* (of: *against, from*) walgen van

[3]**revolt** [rivvoolt] *tr* doen walgen, afstoten; afkerig maken van *(ook fig)*: *be ~ed by sth.* van iets walgen

revolting [rivvoolting] walg(e)lijk, onsmakelijk, weerzinwekkend

revolution [revveloe:sjen] **1** (om)wenteling; draaiing *(rond middelpunt)* **2** rotatie; draai(ing) *(rond as)*; toer, slag **3** revolutie, (staats)omwenteling **4** ommekeer, omkering: *a ~ in thought* algehele verandering in denkbeelden

revolutionary [revveloe:sjenerie] revolutionair

revolve [rivvolv] (rond)draaien, (doen) (rond)wentelen: *the discussion always ~s around* (of: *about*) *money* de discussie draait altijd om geld

revolver [rivvolve] revolver

revolving [rivvolving] draaiend, roterend: *~ door* draaideur

revulsion [rivvulsjen] walging, afkeer, weerzin: *a ~ against* (of: *from*) een afkeer van, een weerzin tegen

[1]**reward** [riwwo:d] *zn* beloning, compensatie, loon

[2]**reward** [riwwo:d] *tr* belonen

rewarding [riwwo:ding] lonend, de moeite waard; dankbaar *(van werk, taak)*

rewind [rie:wajnd] opnieuw opwinden, terugspoelen

rhapsody [repsedie] verhalend gedicht

rhetoric [retterik] **1** redekunst, retoriek, retorica **2** welsprekendheid, bombast, holle frasen

rhetorical [rittorrikl] retorisch, gekunsteld || *~ question* retorische vraag

rheumatism [roe:metizm] reuma(tiek), reumatisme, gewrichtsreumatiek

Rhine [rajn] Rijn

rhinoceros [rajnosseres] neushoorn

rhododendron [roodedendren] rododendron

rhubarb [roe:ba:b] rabarber

[1]**rhyme** [rajm] *zn* **1** rijm(woord) **2** (berijmd) gedicht, vers || *without ~ or reason* zonder enige betekenis, onzinnig

[2]**rhyme** [rajm] *intr* **1** rijmen, rijm hebben: *~d verses* rijmende verzen **2** dichten, rijmen

[3]**rhyme** [rajm] *tr* **1** laten rijmen **2** berijmen

rhyming [rajming] rijmend, op rijm

rhythm [riðm] ritme, maat

rhythmic(al) [riðmik(l)] ritmisch, regelmatig

[1]**rib** [rib] *zn* **1** rib **2** balein *(van paraplu)* **3** bladnerf **4** ribstuk **5** ribbelpatroon *(in breiwerk)*

[2]**rib** [rib] *tr* plagen, voor de gek houden

ribaldry [ribldrie] schunnige taal

ribbon [ribben] **1** lint(je), onderscheiding **2** *~s* flard: *(fig) cut to ~s* in de pan hakken **3** (schrijfmachine)lint

rice [rajs] rijst

rich [ritsj] **1** rijk: *~ in* rijk aan; *the ~* de rijken **2** kostbaar, luxueus **3** rijkelijk, overvloedig **4** vruchtbaar: *~ soil* vruchtbare aarde **5** machtig *(van voedsel)* **6** vol *(van klank)*; warm *(van kleur)* **7** *(inform; vaak iron)* kostelijk *(van grap)*: *that's (pretty) ~!*: *a)* dat is een goeie!; *b)* wat een flater! || *strike it ~* een goudmijn ontdekken, fortuin maken

riches [ritsjiz] **1** rijkdom, het rijk-zijn **2** kostbaarheden, weelde

richly [ritsjlie] volledig, dubbel en dwars: *~ deserve* volkomen verdienen

[1]**rick** [rik] *zn* hooimijt

[2]**rick** [rik] *tr* **1** ophopen **2** verdraaien, verstuiken

rickety [rikketie] gammel, wankel

rickshaw [riksjo:] riksja

ricochet [rikkesjee] (doen) ricocheren, (laten) afketsen: *the bullet ~ted off the wall* de kogel ketste af op de muur

rid [rid] *(rid, rid)* bevrijden, ontdoen van: *be well ~ of s.o.* goed van iem af zijn; *get ~ of* kwijtraken, van de hand doen
riddance [riddens] bevrijding, verwijdering: *they've just left. Good ~!* ze zijn net weg. Mooi zo, opgeruimd staat netjes!
ridden [ridn] *volt dw van* ride
-ridden [ridn] **1** gedomineerd door, beheerst door: *conscience-ridden* gewetensbezwaard **2** vergeven van: *this place is vermin-ridden* het wemelt hier van het ongedierte
[1]**riddle** [ridl] *zn* **1** raadsel, mysterie **2** (grove) zeef
[2]**riddle** [ridl] *tr* **1** zeven *(ook fig);* schiften, natrekken **2** doorzeven: *the body was ~d with bullets* het lichaam was met kogels doorzeefd
riddled [ridld] gevuld, vol, bezaaid: *the translation was ~ with errors* de vertaling stond vol fouten
[1]**ride** [rajd] *zn* **1** rit(je), tocht(je) **2** rijpad, ruiterpad || *take s.o. for a ~* iem voor de gek houden, iem in de maling nemen
[2]**ride** [rajd] *intr (rode, ridden)* **1** rijden, paardrijden **2** rijden, voor anker liggen || *~ roughshod over s.o. (sth.)* nergens naar kijken, niet al te zachtzinnig te werk gaan; *~ up* omhoogkruipen, opkruipen
[3]**ride** [rajd] *tr (rode, ridden)* **1** berijden, doorrijden **2** (be)rijden, rijden met: *~ a bicycle* (of: *bike*) op de fiets rijden, fietsen **3** beheersen, tiranniseren: *the robber was ridden by fears* de dief werd door schrik bevangen **4** *(Am)* jennen, kwellen
ride out overleven *(ook fig);* heelhuids doorkomen: *the ship rode out the storm* het schip doorstond de storm
rider [rajde] (be)rijder, ruiter
ridge [ridzj] **1** (berg)kam, richel, bergketen **2** nok *(van dak)* **3** ribbel **4** golftop **5** rug, (uitgerekt) hogedrukgebied
[1]**ridicule** [riddikjoe:l] *zn* spot, hoon
[2]**ridicule** [riddikjoe:l] *tr* ridiculiseren, bespotten
ridiculous [riddikjoeles] ridicuul, belachelijk
rife [rajf] **1** wijdverbreid, vaak voorkomend: *violence is ~ in westerns* er is veel geweld in cowboyfilms **2** (met *with*) goed voorzien (van), legio
riffle through vluchtig doorbladeren
riff-raff [rifref] *(ww steeds mv)* uitschot, schorem
[1]**rifle** [rajfl] *zn* geweer, karabijn
[2]**rifle** [rajfl] *ww* doorzoeken, leeghalen: *the burglar had ~d every cupboard* de dief had iedere kast overhoop gehaald
rifle range **1** schietbaan **2** schootsafstand, draagwijdte: *within ~* binnen schot(bereik)
rift [rift] **1** spleet, kloof **2** onenigheid, tweedracht
[1]**rig** [rik] *zn* **1** tuig, tuigage, takelage **2** uitrusting, (olie)booruitrusting **3** plunje, uitrusting: *in full ~* in vol ornaat
[2]**rig** [rik] *tr* **1** (op)tuigen, optakelen **2** uitrusten, uitdossen **3** knoeien met, sjoemelen met: *the elections were ~ged* de verkiezingen waren doorgestoken kaart
rigging [rikking] tuig, tuigage, takelage, het optuigen
[1]**right** [rajt] *zn* **1** rechterkant: *keep to the ~* rechts houden; *on* (of: *to*) *your ~* aan je rechterkant **2** rechterhand; rechtse *(bij boksen);* rechter(hand)schoen **3** rechts, de conservatieven **4** recht, voorrecht, (gerechtvaardigde) eis: *the ~ of free speech* het recht op vrije meningsuiting; *~ of way* recht van overpad, *(verkeer)* voorrang(srecht); *all ~s reserved* alle rechten voorbehouden; *he has a ~ to the money* hij heeft recht op het geld; *within one's ~s* in zijn recht **5** recht, gerechtigheid: *he is in the ~* hij heeft gelijk, hij heeft het recht aan zijn kant || *put* (of: *set*) *to ~s* in orde brengen, rechtzetten
[2]**right** [rajt] *bn* **1** juist, correct, rechtmatig: *you were ~ to tell her* je deed er goed aan het haar te vertellen; *put* (of: *set*) *the clock ~* de klok juist zetten **2** juist, gepast, recht: *strike the ~ note* de juiste toon aanslaan; *on the ~ side of fifty* nog geen vijftig (jaar oud); *keep on the ~ side of the law* zich (keurig) aan de wet houden; *(fig) be on the ~ track* op het goede spoor zitten; *~ angle* rechte hoek **3** in goede staat, in orde: *let me see if I've got this ~* even kijken of ik het goed begrijp **4** rechts, conservatief **5** eerlijk, betrouwbaar: *the ~ sort* het goede soort (mensen); *Mister Right* de ware Jakob; *(as) ~ as rain* perfect in orde, kerngezond; *put* (of: *set*) *s.o. ~* iem terechtwijzen; *see s.o. ~* zorgen dat iem aan zijn trekken komt; *~ enough* bevredigend, ja hoor **6** waar, echt, heus: *it's a ~ mess* het is een puinzooi **7** gelijk: *you are ~* je hebt gelijk **8** rechtvaardig, gerechtvaardigd: *it seemed only ~ to tell you this* ik vond dat je dit moest weten
[3]**right** [rajt] *tr* **1** rechtmaken, recht(op) zetten: *the yacht ~ed itself* het jacht kwam weer recht te liggen **2** genoegdoening geven, rehabiliteren **3** verbeteren; rechtzetten *(fouten): ~ a wrong* een onrecht herstellen || *~ oneself* zich herstellen
[4]**right** [rajt] *bw* **1** naar rechts, aan de rechterzijde: *~ arm* (of: *hand*) rechterhand, assistent; *keep on the ~ side* rechts houden; *~ and left* aan alle kanten, overal, links en rechts; *~, left and centre, left, ~, and centre* aan alle kanten **2** juist, vlak, regelrecht: *~ ahead* recht vooruit; *~ behind you* vlak achter je **3** onmiddellijk, direct: *I'll be ~ back* ik ben zó terug **4** juist, correct: *nothing seems to go ~ for her* niets wil haar lukken **5** helemaal, volledig: *she turned ~ round* zij maakte volledig rechtsomkeert **6** zeer, heel, recht || *~ away* onmiddellijk; *~ off* onmiddellijk; *~ on* zo mogen wij het horen
Right [rajt] Zeer *(in aanspreektitels)*
right-about in tegenovergestelde richting || *(do a) ~ turn* (of: *face*) rechtsomkeert (maken) *(ook fig)*
right-angled rechthoekig, met rechte hoek(en)
righteous [rajtsjes] **1** rechtvaardig, deugdzaam **2** gerechtvaardigd, gewettigd: *~ indignation* gerechtvaardigde verontwaardiging

rightful [rajtfoel] **1** wettelijk, rechtmatig: *the ~ owner* de rechtmatige eigenaar **2** gerechtvaardigd, rechtvaardig
right-hand rechts, mbt de rechterhand: *~ man* rechterhand, onmisbare helper; *~ turn* bocht naar rechts
right-handed 1 rechtshandig **2** met de rechterhand toegebracht **3** voor rechtshandigen
rightly [rajtlie] **1** terecht **2** rechtvaardig, oprecht
right-minded weldenkend
right-wing vd rechterzijde, conservatief
right-winger 1 lid vd rechterzijde, conservatief **2** rechtsbuiten, rechtervleugelspeler
rigid [ridzjid] **1** onbuigzaam, stijf, stug, strak **2** star, verstard
rigidity [ridzjiddittie] **1** onbuigzaamheid **2** starheid
rigmarole [rikmerool] **1** onzin, gewauwel **2** rompslomp
rigorous [rikeres] **1** onbuigzaam, streng, ongenadig **2** rigoureus, nauwgezet, zorgvuldig
rigour [rike] **1** gestrengheid, strikte toepassing: *with the utmost ~ of the law* met strenge toepassing van de wet **2** hardheid, meedogenloosheid **3** accuratesse, uiterste nauwkeurigheid
rig out 1 uitrusten, ve uitrusting voorzien **2** uitdossen: *he had rigged himself out as a general* hij had zich als generaal uitgedost
rig-out plunje, (apen)pak
rile [rajl] op stang jagen, nijdig maken, irriteren
rim [rim] rand, boord, velg; montuur *(van bril)*
rime [rajm] rijp, aangevroren mist
rimless [rimles] montuurloos *(van bril)*
rind [rajnd] schil, korst, zwoerd
[1]**ring** [ring] *zn* **1** ring, kring, piste, arena **2** groepering, bende **3** gerinkel, klank; *(inform)* telefoontje: *give s.o. a ~* iem opbellen **4** bijklank, ondertoon: *her offer has a suspicious ~* er zit een luchtje aan haar aanbod **5** het boksen, bokswereld, ring **6** circus, circuswereld, piste || *make* (of: *run*) *~s round s.o.* iem de loef afsteken
[2]**ring** [ring] *intr (rang, rung)* **1** rinkelen, klinken; (over)gaan *(van bel);* bellen: *~ true* oprecht klinken **2** bellen, de klok luiden, aanbellen **3** tuiten *(van oren);* weerklinken **4** telefoneren, bellen: *~ off* opleggen, ophangen *(telefoon)* **5** (met *with*) weergalmen (van), gonzen
[3]**ring** [ring] *tr (rang, rung)* **1** doen rinkelen, luiden **2** opbellen, telefoneren naar: *I'll ~ you back in a minute* ik bel je dadelijk terug
[4]**ring** [ring] *tr (rang, rung)* **1** omringen, omcirkelen **2** ringelen; ringen *(dieren)*
ring-binder ringband
ringleader leider *(van groep oproerkraaiers)*
ringlet [ringlit] lange krul
ringmaster circusdirecteur
ringtone beltoon
[1]**ring up** *tr* **1** (al luidend) optrekken *(klok)* **2** registreren; aanslaan *(mbt kassa)*
[2]**ring up** *tr, intr* opbellen, telefoneren
rink [ringk] **1** (kunst)ijsbaan **2** rolschaatsbaan
[1]**rinse** [rins] *zn* (kleur)spoeling
[2]**rinse** [rins] *tr* **1** spoelen **2** een kleurspoeling geven aan
[1]**riot** [rajjet] *zn* **1** ordeverstoring, ongeregeldheid **2** braspartij, uitbundig feest **3** overvloed, weelde: *a ~ of colour* een bonte kleurenpracht **4** oproer, tumult **5** dolle pret, pretmakerij || *run ~: a)* relletjes trappen, uit de band springen; *b)* woekeren *(van planten)*
[2]**riot** [rajjet] *intr* **1** relletjes trappen **2** er ongebreideld op los leven, uitspatten
riotous [rajjetes] **1** oproerig, wanordelijk **2** luidruchtig, uitgelaten: *~ assembly* het oproerkraaien **3** denderend
riot police *(ww steeds mv)* ME, mobiele eenheid
[1]**rip** [rip] *zn* **1** (lange) scheur, snee **2** losbol, snoeper
[2]**rip** [rip] *intr* **1** scheuren, splijten **2** vooruitsnellen; scheuren *(fig): let it* (of: *her*) *~* plankgas geven || *let sth. ~* iets op zijn beloop laten
[3]**rip** [rip] *tr* **1** openrijten, los-, af-, wegscheuren: *the bag had been ~ped open* de zak was opengereten; *~ up* aan stukken rijten **2** jatten, pikken: *~ off: a)* te veel doen betalen, afzetten; *b)* stelen
ripe [rajp] **1** rijp *(ook fig);* volgroeid; belegen *(van kaas, wijn)* **2** wijs, verstandig: *of ~ age* volwassen, ervaren; *a ~ judgement* een doordacht oordeel **3** op het kantje af, plat **4** klaar, geschikt: *the time is ~ for action* de tijd is rijp voor actie
ripen [rajpen] rijpen, rijp worden, wijs worden, doen rijpen
rip-off 1 afzetterij **2** diefstal, roof
[1]**ripple** [ripl] *zn* **1** rimpeling, golfje, deining **2** gekabbel, geruis: *a ~ of laughter* een kabbelend gelach
[2]**ripple** [ripl] *intr* kabbelen, ruisen
[3]**ripple** [ripl] *tr, intr* rimpelen, (doen) golven
rip-roaring lawaaierig, totaal uitgelaten
[1]**rise** [rajz] *zn* **1** helling, verhoging, hoogte **2** stijging *(ook fig);* verhoging; *(beurs)* hausse **3** loonsverhoging **4** het rijzen, het omhooggaan **5** het opgaan, opgang; opkomst *(van hemellichaam): the ~ of fascism* de opkomst van het fascisme **6** oorsprong, begin: *give ~ to* aanleiding geven tot **7** opkomst, groei || *get a ~ out of s.o.* iem op de kast jagen
[2]**rise** [rajz] *intr (rose, risen)* **1** opstaan *(ook uit bed): ~ to one's feet* opstaan **2** (op)stijgen *(ook fig);* (op)klimmen: *(fig) ~ to the occasion* zich tegen de moeilijkheden opgewassen tonen **3** opkomen, opgaan; rijzen *(van hemellichaam)* **4** promotie maken, bevorderd worden: *~ in the world* vooruitkomen in de wereld **5** opdoemen, verschijnen **6** toenemen *(ook fig);* stijgen *(van prijzen)* **7** in opstand komen, rebelleren: *~ in arms* de wapens opnemen **8** ontstaan, ontspringen
risen [rizn] *volt dw van* rise
riser [rajze] **1** stootbord **2** iem die opstaat: *a late ~*

ri

een langslaper; *an early* ~ een vroege vogel, iem die vroeg opstaat

risible [rizzibl] **1** lacherig, lachziek **2** lachwekkend

[1]**rising** [rajzing] *zn* opstand, revolte

[2]**rising** [rajzing] *bn* **1** opkomend, aankomend: *a ~ politician* een opkomend politicus **2** stijgend, oplopend: ~ *damp* opstijgend grondwater **3** opstaand, rijzend: *the land of the ~ sun* het land van de rijzende zon

[1]**risk** [risk] *zn* **1** verzekerd bedrag **2** risico, kans, gevaar: *at ~* in gevaar; *I don't want to run the ~ of losing my job* ik wil mijn baan niet op het spel zetten

[2]**risk** [risk] *tr* **1** wagen, op het spel zetten **2** riskeren, gevaar lopen

risky [riskie] **1** gewaagd, gevaarlijk **2** gedurfd, gewaagd

rite [rajt] rite *(ook fig)*; ritus, (kerkelijke) ceremonie

ritual [ritjoeəl] ritueel *(ook fig)*; ritus, riten, kerkelijke plechtigheid

[1]**rival** [rajvl] *zn* rivaal

[2]**rival** [rajvl] *bn* rivaliserend, mededingend

[3]**rival** [rajvl] *tr* **1** naar de kroon steken, wedijveren met **2** evenaren

rivalry [rajvlrie] rivaliteit

river [rivvə] rivier *(ook fig)*; stroom: *~s of blood* stromen bloed; *the ~ Thames* de (rivier de) Theems || *sell s.o. down the ~* iem bedriegen

river bank rivieroever

[1]**riverside** *zn* rivieroever, waterkant

[2]**riverside** *bn* aan de oever(s) (vd rivier)

[1]**rivet** [rivvit] *zn* klinknagel

[2]**rivet** [rivvit] *tr* **1** vastnagelen *(ook fig)*: *he stood ~ed to the ground* hij stond als aan de grond genageld **2** vastleggen, fixeren **3** boeien *(ook fig)*; richten; concentreren *(aandacht, ogen)*

riveting [rivvitting] geweldig, meeslepend, opwindend: *a ~ story* een pakkend verhaal

rivulet [rivjoelit] riviertje, beek(je)

roach [rootsj] voorn, witvis

road [rood] **1** weg, straat, baan: *on the ~ to recovery* aan de beterende hand, herstellende; *rule(s) of the ~* verkeersregels, scheepvaartreglement; *the main ~* de hoofdweg; *subsidiary ~s* secundaire wegen; *hit the ~: a)* gaan reizen; *b)* weer vertrekken; *one for the ~* een afzakkertje, eentje voor onderweg **2** *~s (scheepv)* rede

roadblock wegversperring

road hog wegpiraat, snelheidsmaniak

roadhouse pleisterplaats, wegrestaurant

road rage agressie in het verkeer; *(Belg)* verkeersagressie

roadshow **1** drive-inshow *(van radio-omroep)* **2** (hit)team *(dat drive-inshow verzorgt)* **3** (band, theatergroep op) tournee **4** promotietour

roadside kant vd weg: ~ *restaurant* wegrestaurant

roadsign verkeersbord, verkeersteken

road tax wegenbelasting

roadworks wegwerkzaamheden, werk in uitvoering

roam [room] ronddolen, zwerven (in): ~ *about* (of: *around*) ronddwalen

[1]**roar** [ro:] *zn* **1** gebrul, gebulder; geronk *(van machine)*; het rollen *(van donder)* **2** schaterlach, gegier

[2]**roar** [ro:] *ww* **1** brullen, bulderen, schreeuwen; rollen *(van donder)*; ronken *(van machine)*; weergalmen **2** schateren, gieren: ~ *with laughter* brullen van het lachen

[1]**roaring** [ro:ring] *bn* **1** luidruchtig, stormachtig **2** voorspoedig, gezond: *a ~ success* een denderend succes; *do a ~ trade* gouden zaken doen

[2]**roaring** [ro:ring] *bw* zeer, erg: ~ *drunk* straalbezopen

[1]**roast** [roost] *zn* braadstuk

[2]**roast** [roost] *bn* geroosterd, gegril(leer)d, gebraden: ~ *beef* rosbief, roastbeef

[3]**roast** [roost] *tr* de mantel uitvegen, een uitbrander geven

[4]**roast** [roost] *tr, intr* **1** roosteren, grill(er)en; poffen *(aardappelen)* **2** branden *(koffie)*

roasting [roosting] uitbrander: *give s.o. a good* (of: *real*) ~ iem een flinke uitbrander geven

rob [rob] (be)roven *(ook fig)*; (be)stelen

robber [robbə] rover, dief

robbery [robbərie] diefstal, roof, beroving

robe [roob] **1** robe, gewaad **2** ambtsgewaad, toga **3** kamerjas, badjas **4** *(Am)* plaid, reisdeken

robin [robbin] roodborstje

robot [roobot] robot *(ook fig)*

robust [roobust] **1** krachtig, robuust, fors, gezond **2** onstuimig, ruw

[1]**rock** [rok] *zn* **1** rots, klip, rotsblok, vast gesteente, mineraal gesteente: *as firm as a ~: a)* muurvast; *b)* betrouwbaar; *c)* kerngezond **2** steun, toeverlaat **3** rock(muziek), rock-'n-roll **4** zuurstok, kaneelstok || *be on the ~s: a)* op de klippen gelopen zijn, gestrand zijn; *b)* naar de knoppen zijn; *c)* (financieel) aan de grond (zitten)

[2]**rock** [rok] *intr* **1** schommelen, wieg(el)en, deinen **2** (hevig) slingeren, schudden **3** rocken, op rock-'n-roll muziek dansen

[3]**rock** [rok] *tr* **1** (doen) heen en weer schommelen, wiegen **2** heen en weer slingeren, doen wankelen **3** schokken, doen opschrikken

rock-bottom (absoluut) dieptepunt: *fall to ~* een dieptepunt bereiken

rocker [rokkə] schommelstoel || *off one's ~* knetter(gek)

[1]**rocket** [rokkit] *zn* **1** raket, vuurpijl **2** raket *(zichzelf voortstuwend projectiel)* **3** *(inform)* uitbrander: *give s.o. a ~* iem een uitbrander geven

[2]**rocket** [rokkit] *intr* omhoog schieten, flitsen: *prices ~ up* de prijzen vliegen omhoog

rocking chair schommelstoel

rocky [rokkie] **1** rotsachtig **2** steenhard, keihard **3** wankel, onvast

rod [rod] **1** stok; scepter *(ook fig);* heerschappij **2** roe(de), gesel **3** stang **4** stok, hengel, maatstok **5** *(Am; inform)* blaffer || *rule with a ~ of iron* met ijzeren vuist regeren
rode [rood] *ovt van* ride
rodent [roodent] knaagdier
rodeo [roodie·oo] rodeo
roe [roo] **1** ree **2** kuit: *hard ~* kuit; *soft ~* hom
roebuck reebok, mannetjesree
rogue [rook] **1** schurk, bandiet **2** *(spott)* snuiter, deugniet **3** solitair: *a ~ elephant* een solitaire olifant
roguery [rookerie] schurkenstreek, gemene streek
rogue state schurkenstaat
roguish [rookisj] **1** schurkachtig, gemeen **2** kwajongensachtig
roisterer [rojstere] lawaaimaker, druktemaker
role [rool] **1** rol, toneelrol **2** rol, functie, taak
roleplay rollenspel
[1]**roll** [rool] *zn* **1** rol, rolletje: *a ~ of paper* een rol papier **2** rol, perkament(rol) **3** rol, register, (naam)lijst: *the ~ of honour* de lijst der gesneuvelden **4** broodje **5** buiteling, duikeling **6** schommelgang, waggelgang **7** wals, rol **8** rollende beweging; geslinger *(van schip);* deining *(van water); (fig)* golving *(van landschap)* **9** geroffel, roffel *(op trom bijv.);* gerommel; gedreun *(van donder, geschut)*
[2]**roll** [rool] *intr* **1** rollen, rijden, lopen; draaien *(van pers, camera e.d.): (fig) the years ~ed by* de jaren gingen voorbij; *~ on the day this work is finished!* leve de dag waarop dit werk af is! **2** zich rollend bewegen, buitelen; slingeren *(van schip); (fig)* rondtrekken; zwerven: *(inform) be ~ing in it* (of: *money*) bulken van het geld, zwemmen in het geld **3** dreunen; roffelen *(van trom)*
[3]**roll** [rool] *tr* **1** rollen, laten rollen: *~ on one's stockings* zijn kousen aantrekken **2** een rollende beweging doen maken; rollen *(met ogen);* doen slingeren *(schip);* gooien *(dobbelstenen);* laten lopen *(camera)* **3** een rollend geluid doen maken; roffelen *(trom);* rollen *(r-klank): ~ one's r's* de r rollend uitspreken **4** oprollen, draaien: *(inform) ~ one's own* shag roken **5** rollen, walsen, pletten **6** *(Am; inform)* rollen, beroven
rollator [rooleete] rollator
roll back **1** terugrollen, terugdrijven, terugdringen: *~ the hood of a car* de kap van een wagen achteruitschuiven **2** weer oproepen, weer voor de geest brengen **3** *(Am)* terugschroeven *(prijzen)*
roll-call appel, naamafroeping
roller [roole] **1** rol(letje), wals, cilinder, krulspeld **2** roller; breker *(zware golf)*
rollerblade skeeleren
roller coaster roetsjbaan, achtbaan
[1]**roller skate** *zn* rolschaats
[2]**roller skate** *ww* rolschaatsen
rollicking [rolliekieng] uitgelaten, vrolijk, onstuimig
rolling [rooling] rollend, golvend
rolling pin deegrol(ler)
roll-neck rolkraag
roll-on **1** licht korset **2** (deodorant)roller
roll-on roll-off [roolon roolof] rij-op-rij-af-, roll-on-roll-off-, roro-: *a ~ ferry* een rij-op-rij-afveerboot *(die geladen vrachtwagens vervoert)*
[1]**roll over** *intr* zich omdraaien
[2]**roll over** *tr* **1** over de grond doen rollen **2** verlengen *(lening, schuld)*
[1]**roll up** *intr* **1** zich oprollen **2** (komen) aanrijden; *(fig)* opdagen || *~! ~! The best show in London!* Komt binnen, komt dat zien! De beste show in Londen!
[2]**roll up** *tr* oprollen, opstropen: *roll one's sleeves up* zijn mouwen opstropen, *(fig)* de handen uit de mouwen steken
[1]**roly-poly** [rooliepoolie] *zn* kort en dik persoon, propje
[2]**roly-poly** [rooliepoolie] *bn* kort en dik
ROM [rom] *(comp) afk van read-only memory* ROM
roman [roomen] romein(s), niet cursief
[1]**Roman** [roomen] *eig.n., zn* **1** Romein **2** rooms-katholiek || *when in Rome do as the ~s do* 's lands wijs, 's lands eer
[2]**Roman** [roomen] *bn* **1** Romeins: *~ numerals* Romeinse cijfers **2** rooms-katholiek: *~ Catholic* rooms-katholiek
[1]**romance** [roomens] *zn* **1** middeleeuws ridderverhaal, romantisch verhaal, avonturenroman, (romantisch) liefdesverhaal, geromantiseerd verhaal; *(fig)* romantische overdrijving **2** romance, liefdesavontuur **3** romantiek
[2]**romance** [roomens] *intr* avonturen vertellen; *(fig)* fantaseren: *~ about one's love-affairs* sterke verhalen vertellen over zijn liefdesavonturen
Romance [roomens] Romaans
Romania [roomeenie] Roemenië
Romanian [roomeenien] Roemeens
romantic [rementik] romantisch
romanticism [rementissizm] romantiek *(als kunstrichting)*
romanticize [rementissajz] romantiseren: *a heavily ~d version of the early years of Hollywood* een sterk geromantiseerde versie van de beginjaren van Hollywood
Romany [rommenie] zigeuner-, vd zigeuners
[1]**romp** [romp] *zn* stoeipartij
[2]**romp** [romp] *intr* **1** stoeien **2** flitsen, (voorbij)schieten || *~ through an exam* met gemak voor een examen slagen
romper [rompe] kruippakje, speelpakje: *a pair of ~s* een kruippakje
roof [roe:f] dak; *(fig)* dak; hoogste punt: *~ of the mouth* gehemelte, verhemelte; *go through* (of: *hit*) *the ~: a)* ontploffen, woedend worden; *b)* de pan uit rijzen, omhoogschieten *(van prijzen)*
roofing [roe:fing] dakwerk, dakbedekking

roof-rack imperiaal
rooftop **1** top vh dak **2** dak *(plat): shout sth. from the ~s* iets van de daken schreeuwen
[1]**rook** [roek] *zn* **1** valsspeler, bedrieger **2** roek **3** *(schaakspel)* toren
[2]**rook** [roek] *tr* **1** bedriegen, afzetten **2** bedriegen door vals spel
rookie [roekie] *(mil)* rekruut, nieuweling, groentje; *(Am)* nieuwe speler *(bij honkbal e.d.)*
[1]**room** [roe:m] *zn* **1** kamer, vertrek, zaal: *~s* appartement, flat **2** ruimte, plaats: *make ~* plaatsmaken **3** ruimte, gelegenheid, kans: *there is still ample ~ for improvement* er kan nog een heel wat aan verbeterd worden
[2]**room** [roe:m] *intr (Am)* een kamer bewonen, inwonen, op kamers wonen: *she ~ed with us for six months* ze heeft een half jaar bij ons (in)gewoond
roomer [roe:me] *(Am)* kamerbewoner, huurder
room-mate kamergenoot
room service bediening op de kamer *(in hotel);* room service
roomy [roe:mie] ruim, groot, wijd
roost [roe:st] **1** roest, stok, kippenhok **2** nest, bed; slaapplaats *(van vogels)* || *it will come home to ~* je zult er zelf de wrange vruchten van plukken, het zal zich wreken; *rule the ~* de baas zijn, de lakens uitdelen
rooster [roe:ste] *(Am)* haan
[1]**root** [roe:t] *zn* **1** oorsprong, wortel, basis: *money is the ~ of all evil* geld is de wortel van alle kwaad **2** kern, het wezenlijke: *get to the ~ of the problem* tot de kern van het probleem doordringen || *strike ~, take ~: a)* wortel schieten; *b) (fig)* ingeburgerd raken *(van ideeën); ~ and branch* met wortel en tak, grondig; *strike at the ~s of* een vernietigende aanval doen op
[2]**root** [roe:t] *intr* **1** wortelschieten, wortelen; *(fig)* zich vestigen; zijn oorsprong hebben **2** wroeten, graven, woelen: *the pigs were ~ing about in the earth* de varkens wroetten rond in de aarde || *~ for the team* het team toejuichen
[3]**root** [roe:t] *tr* vestigen, doen wortelen: *a deeply ~ed love* een diepgewortelde liefde || *she stood ~ed to the ground* (of: *spot*) ze stond als aan de grond genageld
rootless [roe:tles] ontworteld, ontheemd
root out **1** uitwroeten, uitgraven; *(fig)* tevoorschijn brengen **2** vernietigen, uitroeien
[1]**rope** [roop] *zn* **1** (stuk) touw, koord, kabel: *(boksen) on the ~s* in de touwen **2** snoer, streng: *a ~ of garlic* een streng knoflook || *money for old ~* een fluitje van een cent; *know* (of: *learn*) *the ~s* de kneepjes van het vak kennen (*of:* leren)
[2]**rope** [roop] *tr* **1** vastbinden **2** met touwen afzetten **3** *(Am)* vangen *(met een lasso)* || *~ s.o. in to help* (of: *join*) iem zover krijgen dat hij komt helpen (*of:* meedoet)
ropy [roopie] armzalig, miezerig, beroerd
rosary [roozerie] **1** rozentuin **2** rozenkrans
[1]**rose** [rooz] *zn* **1** roos, rozenstruik **2** roos, rozet **3** sproeidop, sproeier **4** rozerood, dieproze || *it is not all ~s* het is niet allemaal rozengeur en maneschijn; *under the ~* onder geheimhouding
[2]**rose** [rooz] *ovt van* rise
rose-coloured rooskleurig *(ook fig);* optimistisch: *~ spectacles (fig)* een optimistische kijk, een roze bril
rose-hip rozenbottel
rosemary [roozmerie] rozemarijn
rosette [roozet] rozet
rosewater rozenwater
rosin [rozzin] hars; *(muz)* snarenhars
roster [roste] rooster, werkschema, dienstrooster
rostrum [rostrem] podium, spreekgestoelte
rosy [roozie] **1** rooskleurig, rozig, blozend, gezond **2** rooskleurig, optimistisch
[1]**rot** [rot] *zn* **1** verrotting, bederf, ontbinding; *(fig)* verval; de klad: *then the ~ set in* toen ging alles mis, toen kwam er de klad in **2** vuur *(in hout)* **3** onzin, flauwekul: *talk ~* onzin uitkramen
[2]**rot** [rot] *intr* **1** rotten, ontbinden, bederven **2** vervallen, ten onder gaan **3** wegkwijnen, wegteren
[3]**rot** [rot] *tr* **1** laten rotten, doen wegrotten **2** aantasten, bederven
rota [roote] rooster, aflossingsschema
rotary [rooterie] roterend: *~ press* rotatiepers
[1]**rotate** [rooteet] *intr* **1** roteren, om een as draaien **2** elkaar aflossen **3** rouleren
[2]**rotate** [rooteet] *tr* **1** ronddraaien, laten rondwentelen **2** afwisselen
rotation [rooteesjen] **1** omwenteling, rotatie **2** het omwentelen, rotatie **3** het afwisselen, het aflossen: *the ~ of crops* de wisselbouw; *by* (of: *in*) *~* bij toerbeurt
rotatory [rooteeterie] **1** rotatie-, omwentelings-, ronddraaiend **2** afwisselend, beurtelings
rote [root] het mechanisch leren (herhalen), het opdreunen, stampwerk: *learn sth. by ~* iets uit het hoofd leren
rotten [rotn] **1** rot, verrot, bedorven **2** vergaan, verteerd **3** verdorven, gedegenereerd **4** waardeloos, slecht **5** ellendig, beroerd: *she felt ~* ze voelde zich ellendig
rotund [rootund] **1** rond, cirkelvormig **2** diep, vol **3** breedsprakig, pompeus **4** dik, rond, mollig
rouble [roe:bl] roebel
[1]**rough** [ruf] *zn* **1** gewelddadige kerel, agressieveling **2** ruw terrein **3** tegenslag, onaangename kanten: *(fig) take the ~ with the smooth* tegenslagen voor lief nemen **4** ruwe staat: *write sth. in ~* iets in het klad schrijven
[2]**rough** [ruf] *bn* **1** ruw, ruig, oneffen **2** wild, woest: *~ behaviour* wild gedrag; *(fig) give s.o. a ~ passage* (of: *ride*) het iem moeilijk maken **3** ruw, scherp, naar: *~ luck* pech, tegenslag; *a ~ time* een zware tijd; *it is ~ on him* het is heel naar voor hem **4** ruw, schetsmatig, niet uitgewerkt: *a ~ diamond* een ruwe diamant, *(fig)* een ruwe bolster; *~ copy* eer-

ste schets; ~ *justice* min of meer rechtvaardige behandeling || *live* ~ zwerven, in de openlucht leven

[3]**rough** [ruf] *tr:* ~ *it* zich behelpen, op een primitieve manier leven

rough-and-tumble **1** knokpartij **2** ruwe ordeloosheid

[1]**roughen** [rufn] *intr* ruw worden

[2]**roughen** [rufn] *tr* ruw maken

rough-hewn **1** ruw (uit)gehakt, ruw (uit)gesneden **2** onbehouwen, lomp

rough-house **1** een rel schoppen, geweld plegen **2** ruw aanpakken

roughly [ruflie] ruwweg, ongeveer, zo'n beetje: ~ *speaking* ongeveer

roughneck *(Am; inform)* gewelddadig iem, ruwe klant

rough out een ruwe schets maken van, (in grote lijnen) schetsen

roughshod onmenselijk, wreed || *ride* ~ *over s.o.* over iem heen lopen

rough up **1** ruw maken *(haar e.d.)* **2** aftuigen, afrossen

[1]**round** [raund] *zn* **1** bol, ronding **2** ronde, rondgang, toer: *go the ~s* de ronde doen, doorverteld worden **3** schot, geweerschot **4** kring, groep mensen **5** *(muz)* driestemmige (vierstemmige) canon **6** rondheid **7** volledigheid **8** rondte: *in the ~: a)* losstaand, vrijstaand *(van beeld); b)* alles welbeschouwd || *a* ~ *of applause* een applaus

[2]**round** [raund] *bn* **1** rond, bol, bolvormig: ~ *cheeks* bolle wangen **2** rond, gebogen, cirkelvormig: ~ *trip* rondreis, *(Am)* retour **3** rond, compleet; afgerond *(van getal): in* ~ *figures* in afgeronde getallen || ~ *robin* petitie

[3]**round** [raund] *tr* **1** ronden, rond maken; *(ook fig)* afronden: ~ *down* naar beneden afronden; ~ *off sharp edges* scherpe randen rond afwerken; ~ *off* besluiten, afsluiten *(avondje e.d.)* **2** ronden, om(heen) gaan: ~ *a corner* een hoek omgaan || ~ *out* afronden *(verhaal, studie);* ~ *(up)on s.o.* tegen iem van leer trekken, zich woedend tot iem keren

[4]**round** [raund] *bw* **1** *(richting; ook fig)* rond, om: *next time* ~ de volgende keer; *he talked her* ~ hij praatte haar om **2** *(plaats; ook fig)* rondom, in het rond: *all ~: a)* rondom; *b)* voor alles en iedereen; *c)* in alle opzichten **3** bij, bij zich: *they asked us* ~ *for tea* ze nodigden ons bij hen uit voor de thee; *they brought her* ~ ze brachten haar weer bij (bewustzijn) **4** *(tijd)* doorheen: *all (the) year* ~ het hele jaar door

[5]**round** [raund] *vz* **1** om, rondom, om ... heen: ~ *the corner* om de hoek **2** omstreeks: ~ *8 o'clock* omstreeks acht uur

[1]**roundabout** [raundebaut] *zn* **1** draaimolen **2** rotonde, verkeersplein

[2]**roundabout** [raundebaut] *bn* indirect, omslachtig: *we heard of it in a* ~ *way* we hebben het via via gehoord

roundly [raundlie] **1** ronduit, onomwonden **2** volkomen, volslagen

round-the-clock de klok rond, dag en nacht

round-trip *(Am)* retour-: ~ *ticket* retourtje, retourbiljet

round up **1** bijeenjagen, bijeendrijven **2** grijpen; aanhouden *(misdadigers);* oprollen *(bende)* **3** naar boven toe afronden

[1]**rouse** [rauz] *intr* **1** ontwaken, wakker worden **2** in actie komen

[2]**rouse** [rauz] *tr* **1** wakker maken, wekken; *(fig)* opwekken: ~ *oneself to action* zichzelf tot actie aanzetten **2** prikkelen **3** oproepen, tevoorschijn roepen: *his conduct ~d suspicion* zijn gedrag wekte argwaan

rousing [rauzing] **1** opwindend, bezielend **2** levendig, krachtig: *a* ~ *cheer* luid gejuich

[1]**rout** [raut] *zn* totale nederlaag, aftocht, vlucht: *put to* ~ een verpletterende nederlaag toebrengen

[2]**rout** [raut] *tr* **1** verslaan, verpletteren **2** (met *out*) eruit jagen, wegjagen: ~ *out of bed* uit bed jagen **3** (met *out*) opduike(le)n, opsnorren

route [roe:t] **1** route, weg: *en* ~ onderweg **2** *(Am)* ronde, dagelijkse route

route planner routeplanner

routine [roe:tie:n] routine, gebruikelijke procedure

[1]**rove** [roov] *intr* zwerven, dolen, dwalen: *he has a roving eye* hij kijkt steeds naar andere vrouwen

[2]**rove** [roov] *tr* doorzwerven, dolen, dwalen

rover [roove] zwerver

[1]**row** [rau] *zn* **1** rel, ruzie **2** herrie, kabaal: *kick up* (of: *make*) *a* ~ luidkeels protesteren

[2]**row** [roo] *zn* **1** rij, reeks: *three days in a* ~ drie dagen achtereen **2** huizenrij, straat met (aan weerszijden) huizen; Straat *(in straatnaam)* **3** roeitochtje

[3]**row** [roo] *ww* roeien, in een roeiboot varen, per roeiboot vervoeren

[4]**row** [rau] *intr* **1** ruzie maken **2** vechten, een rel schoppen

rowan(berry) [rooen] lijsterbes

[1]**rowdy** [raudie] *zn* lawaaischopper

[2]**rowdy** [raudie] *bn* ruw, wild, ordeloos

rower [rooe] roeier

row house *(Am)* rijtjeshuis

rowing-boat roeiboot

[1]**royal** [rojjel] *zn* lid vd koninklijke familie

[2]**royal** [rojjel] *bn* **1** koninklijk, vd koning(in): *Royal Highness* Koninklijke Hoogheid **2** koninklijk, vorstelijk || *treat s.o. ~ly* iem als een vorst behandelen

royalist [rojjelist] royalist, monarchist

royalty [rojjeltie] **1** iem van koninklijken bloede, koning(in), prins(es) **2** royalty, aandeel in de opbrengst **3** koningschap **4** leden vh koninklijk huis

rpm *afk van revolutions per minute* omwentelingen per minuut, -toeren

[1]**rub** [rub] *zn* **1** poetsbeurt, wrijfbeurt **2** hindernis, moeilijkheid: *there's the* ~ daar zit de moeilijkheid, dat is het hem juist

[2]**rub** [rub] *intr* **1** schuren langs, wrijven **2** slijten,

dun, ruw, kaal worden || ~ *up against s.o.* tegen iem aanlopen

[3]**rub** [rub] *tr* **1** wrijven, af-, inwrijven, doorheen wrijven, poetsen, boenen: ~ *one's hands* zich in de handen wrijven **2** schuren **3** beschadigen, afslijten: ~ *away* wegslijten, afslijten

rub along 1 zich staande houden, het net klaarspelen **2** het goed samen kunnen vinden

rubber [rubbe] **1** rubber, synthetisch rubber, rubberachtig materiaal **2** wrijver, wisser, gum **3** *(Am)* overschoen **4** *(sport, spel)* robber, reeks van drie partijen **5** condoom

rubber band elastiekje

rubberneck *(Am)* nieuwsgierige, zich vergapende toerist

rubber stamp 1 stempel **2** marionet *(fig)*

rubber-stamp automatisch goedkeuren, gedachteloos instemmen met

rubbery [rubberie] rubberachtig, taai

[1]**rubbish** [rubbisj] *zn* **1** vuilnis, afval **2** nonsens, onzin: *talk* ~ zwetsen, kletsen

[2]**rubbish** [rubbisj] *tr* afbrekende kritiek leveren op, afkraken

rubbishy [rubbisjie] waardeloos, onzinnig

rubble [rubl] puin, steengruis, steenbrokken

rubella [roe:belle] rodehond

rub in inwrijven, (in)masseren || *there's no need to rub it in* je hoeft er niet steeds op terug te komen

[1]**rub off** *intr* **1** weggewreven worden **2** overgaan op, overgenomen worden: *his stinginess has rubbed off on you* je hebt zijn krenterigheid overgenomen **3** afslijten, minder worden: *the novelty has rubbed off a bit* de nieuwigheid is er een beetje af

[2]**rub off** *tr* **1** wegvegen, afwrijven **2** afslijten, afschuren

rubric [roe:brik] **1** rubriek; titel *(van (hoofdstuk in) wetboek)* **2** rubriek, categorie

rub up 1 oppoetsen, opwrijven **2** ophalen, bijvijlen: ~ *one's Italian* zijn Italiaans ophalen || *rub s.o. up the wrong way* iem tegen de haren instrijken, iem irriteren

ruby [roe:bie] **1** robijn **2** robijnrood

ruck [ruk] **1** de massa **2** de gewone dingen, dagelijkse dingen **3** vouw, kreukel, plooi

rucksack rugzak

ruck up in elkaar kreuke(le)n

ruckus [rukkes] tumult, ordeverstoring

ruction [ruksjen] kabaal, luid protest

rudder [rudde] roer

ruddy [ruddie] **1** blozend, gezond **2** rossig, rood(achtig) **3** verdraaide

rude [roe:d] **1** primitief *(volk)*; onbeschaafd **2** ruw, primitief, eenvoudig **3** ongemanierd, grof: *be ~ to s.o.* onbeleefd tegen iem zijn || *(fig) a ~ awakening* een ruwe teleurstelling; ~ *health* onverwoestbare gezondheid

rudiment [roe:dimment] **1** *(biol)* rudiment **2** *~s* beginselen, grondslagen

rudimentary [roe:dimmenterie] **1** rudimentair, elementair, wat de grondslagen betreft **2** in een beginstadium

rue [roe:] spijt hebben van, berouw hebben van: *you'll ~ the day you said this* je zal de dag berouwen dat je dit gezegd hebt

rueful [roe:foel] berouwvol, treurig, bedroefd

[1]**ruff** [ruf] *zn* **1** plooikraag **2** kraag, verenkraag, kraag van haar

[2]**ruff** [ruf] *ww (kaartspel)* troeven

ruffian [ruffien] bruut, woesteling, bandiet

[1]**ruffle** [rufl] *zn* ruche *(langs kraag, manchet)*; geplooide rand

[2]**ruffle** [rufl] *tr* **1** verstoren, doen rimpelen, verwarren: ~ *s.o.'s hair* iemands haar in de war maken **2** (met *up*) opzetten *(veren)* **3** ergeren, kwaad maken, opwinden

rug [ruk̂] **1** tapijt, vloerkleed **2** deken, plaid

rugged [ruk̂id] **1** ruw, ruig, grof **2** onregelmatig van trekken, doorploegd

rugger [ruk̂e] rugby

[1]**ruin** [roe:in] *zn* **1** ruïne, vervallen bouwwerk **2** ondergang, verval: *this will be the ~ of him* dit zal hem nog kapot maken **3** *~s* ruïne, bouwval, overblijfsel: *in ~s* vervallen, tot een ruïne geworden

[2]**ruin** [roe:in] *tr* **1** verwoesten, vernietigen **2** ruïneren, bederven: *his story has ~ed my appetite* zijn verhaal heeft me mijn eetlust ontnomen **3** ruïneren, tot de ondergang brengen

ruinous [roe:innes] **1** vervallen, ingestort, bouwvallig **2** rampzalig, ruïneus

[1]**rule** [roe:l] *zn* **1** regel, voorschrift: *~s of the road* verkeersregels, verkeerscode; *according to* (of: *by*) ~ volgens de regels, stipt **2** gewoonte, gebruik, regel: *as a ~* gewoonlijk, in het algemeen **3** duimstok, meetlat **4** regering, bewind, bestuur: *under British ~* onder Britse heerschappij || ~ *of thumb* vuistregel, nattevingerwerk

[2]**rule** [roe:l] *intr* **1** heersen, regeren, de zeggenschap hebben **2** een bevel uitvaardigen, bepalen, verordenen

[3]**rule** [roe:l] *tr* **1** beheersen *(ook fig)*; heersen over, regeren: *be ~d by* zich laten leiden door **2** beslissen, bepalen, bevelen: ~ *sth. out* iets uitsluiten, iets voor onmogelijk verklaren **3** trekken *(lijn)* || *~d paper* gelinieerd papier

ruler [roe:le] **1** heerser, vorst **2** liniaal

[1]**ruling** [roe:ling] *zn* regel, bepaling: *give a ~* uitspraak doen

[2]**ruling** [roe:ling] *bn* (over)heersend, dominant

[1]**rum** [rum] *zn* rum

[2]**rum** [rum] *bn* vreemd, eigenaardig

[1]**rumble** [rumbl] *zn* **1** gerommel, rommelend geluid **2** *(Am)* tip, informatie **3** *(Am)* knokpartij, straatgevecht

[2]**rumble** [rumbl] *intr* **1** rommelen, donderen: *my stomach is rumbling* mijn maag knort **2** voortdonderen, voortrollen, ratelen

[3]**rumble** [rumbl] *tr* **1** mompelen, mopperen, grom-

men **2** doorhebben, doorzien, in de gaten hebben
rumbustious [rumbusties] onstuimig, onbesuisd, uitgelaten
[1]**ruminant** [roe:minnent] *zn* herkauwer
[2]**ruminant** [roe:minnent] *bn* herkauwend
ruminate [roe:minneet] **1** herkauwen **2** peinzen, nadenken, piekeren
[1]**rummage** [rummidzj] *zn* **1** onderzoek, het doorzoeken: *I'll have a ~ in the attic* ik zal eens op zolder gaan zoeken **2** *(Am)* rommel, oude spullen, troep
[2]**rummage** [rummidzj] *ww (*met *about, through, among)* rondrommelen (in), snuffelen (in), (door)zoeken
[1]**rumour** [roe:me] *zn* gerucht, geruchten, praatjes, verhalen: *~ has it that you'll be fired* er gaan geruchten dat je ontslagen zult worden
[2]**rumour** [roe:me] *tr* geruchten verspreiden, praatjes rondstrooien
rump [rump] **1** achterdeel; bout *(van dier);* stuit *(van vogel)* **2** achterste **3** rest(ant); armzalig overblijfsel *(van parlement, bestuur)*
rumple [rumpl] kreuken, door de war maken, verfrommelen
rump steak lendenbiefstuk
rumpus [rumpes] tumult, ruzie, geschreeuw: *cause* (of: *kick up, make) a ~* ruzie maken
[1]**run** [run] *zn* **1** looppas, het rennen: *make a ~ for it* het op een lopen zetten; *on the ~: a)* op de vlucht; *b)* druk in de weer **2** tocht, afstand, eindje hollen, vlucht, rit, traject, route; uitstapje *(van trein, boot); (skiën)* baan; helling; *(cricket, honkbal)* run *(score van 1 punt)* **3** opeenvolging, reeks, serie; *(theat)* looptijd; *(muz)* loopje: *a ~ of success* een succesvolle periode **4** (met *on*) vraag (naar), stormloop (op): *(handel) a ~ on copper* een plotselinge grote vraag naar koper **5** terrein, veld; ren *(voor dieren)* **6** eind, stuk; lengte *(van materiaal)* **7** *(Am)* ladder *(in kous)* || *we'll give them a (good) ~ for their money* we zullen ze het niet makkelijk maken; *give s.o. the ~ of* iem de (vrije) beschikking geven over; *a ~ on the bank* een run op de bank
[2]**run** [run] *intr (ran, run)* **1** rennen, hollen, hardlopen **2** gaan, (voort)bewegen, lopen, (hard) rijden, pendelen; heen en weer rijden (varen) *(van bus, pont e.d.);* voorbijgaan; aflopen *(van tijd);* lopen; werken *(van machines);* (uit)lopen, (weg)stromen, druipen; *(fig)* (voort)duren; zich uitstrekken, gelden: *~ afoul* (of: *foul) of (fig)* stuiten op, in botsing komen met; *(scheepv) ~ aground* aan de grond lopen; *feelings ran high* de gemoederen raakten verhit **3** rennen, vliegen, zich haasten **4** lopen, zich uitstrekken; gaan *(ook fig): prices are ~ning high* de prijzen zijn over het algemeen hoog; *~ to extremes* in uitersten vervallen **5** wegrennen, vluchten **6** luiden, klinken: *the third line ~s as follows* de derde regel luidt als volgt **7** kandidaat zijn **8** *(Am)* ladderen *(van kous)* || *~ along!* vooruit!, laat me eens met rust!; *~ across s.o. (sth.)* iem tegen het lijf lopen, ergens tegen aan lopen; *~ for it* op de vlucht slaan, het op een lopen zetten; *~ through the minutes* de notulen doornemen
[3]**run** [run] *tr (ran, run)* **1** rijden (lopen) over; volgen *(weg);* afleggen *(afstand): ~ a race* een wedstrijd lopen; *~ s.o. over* iem overrijden **2** doen bewegen, laten gaan, varen, rijden, doen stromen, gieten, in werking stellen, laten lopen; *(fig)* doen voortgaan; leiden, runnen: *~ a business* een zaak hebben; *~ s.o. close* (of: *hard)* iem (dicht) op de hielen zitten, *(fig)* weinig voor iem onderdoen **3** smokkelen **4** ontvluchten, weglopen van **5** kandidaat stellen || *~ a (traffic-)light* door rood rijden
runabout wagentje, (open) autootje
run-around het iem afschepen, het iem een rad voor ogen draaien: *give s.o. the ~* een spelletje spelen met iem, iem bedriegen
runaway [runnewee] vluchteling, ontsnapte || *~ inflation* galopperende inflatie
run away weglopen, vluchten, op de loop gaan || *don't ~ with the idea* geloof dat nu maar niet te snel
rundown 1 vermindering, afname **2** opsomming, zeer gedetailleerd verslag
run down 1 reduceren, verminderen in capaciteit **2** aanrijden **3** opsporen, vinden, te pakken krijgen: *run a criminal down* een misdadiger opsporen **4** kritiseren, naar beneden halen, afkraken: *how dare you run her down?* hoe durf je haar te kleineren?
run-down 1 vervallen; verwaarloosd *(van iets)* **2** uitgeput, verzwakt, doodmoe
[1]**rung** [rung] *zn* sport, trede
[2]**rung** [rung] *volt dw van* ring
[1]**run in** *intr* binnen (komen) lopen
[2]**run in** *tr* **1** oppakken, aanhouden, inrekenen **2** inrijden *(auto)*
run-in 1 aanloop **2** ruzie, twist, woordenwisseling
run into 1 stoten op, in botsing komen met, botsen tegen **2** terechtkomen in: *~ difficulties* (of: *debts)* in de problemen (*of:* schulden) raken **3** tegen het lijf lopen, onverwacht ontmoeten **4** bedragen, oplopen: *the costs ~ thousands of pounds* de kosten lopen in de duizenden
runner [runne] **1** agent, vertegenwoordiger, loopjongen, bezorger **2** glijijzer *(van schaats, slee);* glijgoot, glijplank **3** loper, tafel-, trap-, vloerloper **4** slingerplant **5** uitloper **6** deelnemer *(bijv. (hard)-loper, renpaard)*
runner-up tweede, wie op de tweede plaats eindigt: *runners-up* de overige medaillewinnaars
[1]**running** [running] *zn* het rennen; *(sport)* hardlopen: *out of* (of: *in) the ~* kansloos (*of:* met een goede kans) (om te winnen) || *make the ~* het tempo bepalen, *(fig)* de toon aangeven, de leiding hebben
[2]**running** [running] *bn* **1** hardlopend, rennend, hollend **2** lopend: *~ water* stromend water **3** (door)lo-

pend, continu, opeenvolgend: ~ *commentary* direct verslag || *(Am; pol)* ~ *mate* kandidaat voor de tweede plaats; *in ~ order* goed werkend
runny [runnie] vloeibaar, dun, gesmolten: ~ *nose* loopneus
[1]**run off** *intr* weglopen, wegvluchten: ~ *with s.o.* er vandoor gaan met iem
[2]**run off** *tr* **1** laten weglopen, laten wegstromen, aftappen **2** reproduceren, afdraaien, fotokopiëren
run-of-the-mill doodgewoon, niet bijzonder, alledaags
run on doorgaan, doorlopen, voortgaan: *time ran on* de tijd ging voorbij
[1]**run out** *intr* **1** opraken, aflopen: *our supplies have ~* onze voorraden zijn uitgeput **2** niets meer hebben, te weinig hebben: *we are running out of time* we komen tijd te kort **3** weglopen, wegstromen
[2]**run out** *tr* uitrollen, afwikkelen; laten aflopen *(touw)*
[1]**run over** *intr* overlopen, overstromen || ~ *with energy* overlopen van energie
[2]**run over** *tr* **1** overrijden, aanrijden: *Marco ran over an old lady* Marco reed een oude dame aan **2** doornemen, nakijken, repeteren
run through **1** doorboren, doorsteken **2** repeteren, doorlopen
[1]**run up** *intr* (met *against*) (toevallig) tegenkomen: ~ *against difficulties* op moeilijkheden stuiten
[2]**run up** *tr, intr* (doen) oplopen, snel (doen) toenemen, opjagen: *her debts ran up, she ran up debts* ze maakte steeds meer schulden
run-up voorbereiding(stijd), vooravond: ~ *to an election* verkiezingsperiode
runway start-, landingsbaan
rupee [roe:pie:] *(fin)* roepie *(Aziatische munt, vnl. van India en Pakistan)*
[1]**rupture** [ruptsje] *zn* **1** breuk, scheiding, onenigheid **2** breuk, hernia, ingewandsbreuk
[2]**rupture** [ruptsje] *ww* **1** verbreken, verbroken worden **2** scheuren *(van spier e.d.)* **3** een breuk krijgen: ~ *oneself lifting sth.* zich een breuk tillen
rural [roeerel] landelijk, plattelands, dorps
ruse [roe:z] list, truc
[1]**rush** [rusj] *zn* **1** heftige beweging, snelle beweging, stormloop, grote vraag, toevloed **2** haast, haastige activiteiten **3** *~es (film)* eerste afdruk *(voor het knippen)* **4** rus, bies **5** *~es* biezen *(voor het vlechten van manden, matten e.d.)*
[2]**rush** [rusj] *intr* **1** stormen, vliegen, zich haasten **2** ondoordacht handelen, overijld doen: ~ *into marriage* zich overhaast in een huwelijk storten
[3]**rush** [rusj] *tr* **1** meeslepen, haastig vervoeren, meesleuren **2** opjagen, tot haast dwingen **3** haastig behandelen, afraffelen: ~ *out* massaal produceren
rush hour spitsuur: *evening ~* avondspits; *morning ~* ochtendspits
rush-hour spits-: ~ *traffic* spitsverkeer
rusk [rusk] (harde) beschuit, scheepsbeschuit
[1]**russet** [russit] *zn* **1** roodbruin **2** winterappel
[2]**russet** [russit] *bn* roodbruin
Russia [rusje] Rusland
[1]**Russian** [rusjen] *zn* **1** Russisch *(taal)* **2** Rus(sin)
[2]**Russian** [rusjen] *bn* Russisch
[1]**rust** [rust] *zn* **1** roest, oxidatie **2** roestkleur, roestbruin
[2]**rust** [rust] *intr* roesten, oxideren
[1]**rustic** [rustik] *zn* plattelander, buitenman, boer
[2]**rustic** [rustik] *bn* **1** boers, simpel, niet beschaafd **2** rustiek, uit grof materiaal gemaakt: ~ *bridge* rustieke brug *(uit onbewerkt hout)* **3** landelijk, dorps, provinciaal
[1]**rustle** [rusl] *zn* geruis, geritsel
[2]**rustle** [rusl] *intr* ruisen, ritselen, een ritselend geluid maken
[3]**rustle** [rusl] *tr* **1** *(Am)* roven *(vee, paarden)* **2** weten te bemachtigen, bij elkaar weten te krijgen: ~ *up a meal* een maaltijd in elkaar draaien
rustler [rusle] *(Am)* veedief
[1]**rustproof** *bn* roestvrij
[2]**rustproof** *ww* roestvrij maken
rusty [rustie] **1** roestig, verroest **2** verwaarloosd; *(fig)* verstoft; niet meer paraat: *my French is a bit ~* mijn Frans is niet meer wat het geweest is
rut [rut] **1** voor, groef, spoor **2** vaste gang van zaken, sleur: *get into a ~* vastroesten in de dagelijkse routine **3** bronst, paartijd
ruthless [roe:θles] meedogenloos, wreed, hard
rutting [rutting] bronstig, in de bronsttijd, paartijd
rye [raj] **1** rogge **2** whisky, roggewhisky

S

s *afk van second* sec., seconde
S *afk van South* Z., Zuid(en)
sabbath [sebeθ] sabbat, rustdag: *keep* (of: *break*) *the ~* de sabbat houden (*of:* schenden)
sabbatical [sebetikl] sabbatsverlof; verlof *(aan universiteit)*
[1]**sabotage** [sebeta:zj] *zn* sabotage
[2]**sabotage** [sebeta:zj] *ww* saboteren, sabotage plegen (op)
sabre [seebe] sabel
sabre-rattling sabelgekletter, (het dreigen met) militair geweld
saccharine [sekerie:n] **1** suikerachtig, sacharine-, mierzoet **2** *(fig)* suikerzoet, zoet(sappig)
sachet [sesjee] **1** reukzakje **2** (plastic) ampul *(voor shampoo)* || *~ of sugar* suikerzakje
[1]**sack** [sek] *zn* **1** zak, baal, jutezak **2** zak, ontslag: *get the ~* ontslagen worden; *give s.o. the ~* iem de laan uitsturen **3** bed: *hit the ~* gaan pitten, onder de wol kruipen
[2]**sack** [sek] *tr* **1** plunderen **2** de laan uitsturen, ontslaan
sackcloth jute || *in ~ and ashes* in zak en as, in rouw
sacrament [sekrement] sacrament *(bijv. doop, avondmaal)*
sacramental [sekrementl] tot het sacrament behorend, offer-: *~ wine* miswijn
sacred [seekrid] **1** gewijd, heilig: *~ cow* heilige koe **2** plechtig, heilig, oprecht: *a ~ promise* een plechtige belofte **3** veilig, onschendbaar
[1]**sacrifice** [sekriffajs] *zn* **1** offer, het offeren **2** opoffering, offer, het opgeven, prijsgeven
[2]**sacrifice** [sekriffajs] *intr* offeren, een offer brengen
[3]**sacrifice** [sekriffajs] *tr* **1** offeren, aanbieden, opdragen **2** opofferen, opgeven, zich ontzeggen: *he ~d his life to save her children* hij gaf zijn leven om haar kinderen te redden
sacrilege [sekrillidzj] heiligschennis
sacrilegious [sekrillidzjes] heiligschennend, onterend
sacristan [sekristen] koster
sacristy [sekristie] sacristie
sacrosanct [sekroosengkt] heilig, onaantastbaar: *his spare time is ~ to him* zijn vrije tijd is hem heilig
sad [sed] **1** droevig, verdrietig, ongelukkig, zielig: *to be ~ly mistaken* er totaal naast zitten **2** schandelijk, bedroevend (slecht)
sadden [sedn] bedroeven, verdrietig maken, somber stemmen
[1]**saddle** [sedl] *zn* **1** zadel: *be in the ~* te paard zitten, *(fig)* de baas zijn, het voor het zeggen hebben **2** lendenstuk, rugstuk: *~ of lamb* lamszadel
[2]**saddle** [sedl] *tr* **1** (met *up*) zadelen, opzadelen: *~ up one's horse* zijn paard zadelen **2** (met *with, (up)on*) opzadelen (met), opschepen (met), afschuiven op: *he ~d all responsibility on her* hij schoof alle verantwoordelijkheid op haar af
saddlebag zadeltas(je)
saddle-sore doorgereden, met zadelpijn
sadism [seedizm] sadisme
sadist [seedist] sadist(e)
sadistic [sedistik] sadistisch
sadly [sedlie] helaas
safari [sefa:rie] safari, jachtexpeditie, filmexpeditie: *on ~* op safari
[1]**safe** [seef] *zn* brandkast, (bewaar)kluis, safe(loket)
[2]**safe** [seef] *bn* **1** veilig, beschermd: *~ from attack* beveiligd tegen aanvallen **2** veilig, zeker, gevrijwaard: *as ~ as houses* zo veilig als een huis; *be on the ~ side* het zekere voor het onzekere nemen; *better (to be) ~ than sorry* je kunt beter het zekere voor het onzekere nemen; *play it ~* op veilig spelen, geen risico nemen **3** betrouwbaar, gegarandeerd: *the party has twenty ~ seats* de partij kan zeker rekenen op twintig zetels **4** behouden, ongedeerd: *she arrived ~ and sound* ze kwam heelhuids aan
safe conduct vrijgeleide, vrije doorgang
safe deposit (brand)kluis, bankkluis
[1]**safeguard** [seefka:d] *zn* waarborg, bescherming, voorzorg(smaatregel)
[2]**safeguard** [seefka:d] *tr* beveiligen, beschermen, waarborgen
safe-keeping (veilige) bewaring
safety [seeftie] veiligheid, zekerheid
safety belt veiligheidsgordel, veiligheidsriem
safety catch veiligheidspal
safety island vluchtheuvel
safety pin veiligheidsspeld
saffron [sefren] saffraan, oranjegeel
[1]**sag** [sek] *zn* verzakking, doorzakking, doorbuiging
[2]**sag** [sek] *intr* **1** (ook met *down*) verzakken, doorzakken, doorbuigen **2** dalen, afnemen, teruglopen: *her spirits ~ged* de moed zonk haar in de schoenen
saga [sa:ke] **1** familiekroniek **2** (lang) verhaal
sagacious [sekeesjes] scherpzinnig, verstandig
sagacity [sekesittie] scherpzinnigheid, wijsheid, inzicht
[1]**sage** [seedzj] *zn* **1** wijze (man), wijsgeer **2** salie
[2]**sage** [seedzj] *bn* wijs(gerig), verstandig

[1]**said** [sed] *bn* (boven)genoemd, voornoemd
[2]**said** [sed] *ovt en volt dw van* say
[1]**sail** [seel] *zn* **1** zeil, de zeilen: *set ~* de zeilen hijsen, onder zeil gaan **2** zeiltocht(je), boottocht(je): *take s.o. for a ~* met iem gaan zeilen **3** molenwiek, zeil
[2]**sail** [seel] *intr* **1** varen, zeilen, per schip reizen: *~ close to* (of: *near*) *the wind* scherp bij de wind zeilen, *(fig)* bijna zijn boekje te buiten gaan **2** afvaren, vertrekken, uitvaren: *we're ~ing for England tomorrow* we vertrekken morgen naar Engeland **3** glijden, zweven, zeilen: *she ~ed through her finals* ze haalde haar eindexamen op haar sloffen
[3]**sail** [seel] *tr* **1** bevaren **2** besturen *(schip)*
sailing [seeling] **1** bootreis **2** afvaart, vertrek, vertrektijd **3** navigatie, het besturen ve schip **4** zeilsport
sailor [seele] zeeman, matroos: *Andy is a good* (of: *bad*) *~* Andy heeft nooit (*of:* snel) last van zeeziekte
saint [seent] **1** heilige, sint: *All Saints' Day* Allerheiligen **2** engel; *(fig)* iem met engelengeduld
Saint [sent] sint, heilig
saint's day [seentsdee] heiligendag, naamdag
sake [seek] **1** belang, (best)wil: *for the ~ of the company* in het belang van het bedrijf; *we're only doing this for your ~* we doen dit alleen maar ter wille van jou **2** doel, oogmerk: *I'm not driving around here for the ~ of driving* ik rijd hier niet rond voor de lol
salaam [sela:m] oosterse groet *(diepe buiging met rechterhand op voorhoofd)*
salacious [seleesjes] **1** geil **2** obsceen, schunnig
salad [seled] **1** salade, slaatje **2** sla
salad cream slasaus
salamander [selemende] salamander
salami slicing [sela:mieslajsing] *(fig)* kaasschaafmethode
salaried [seleried] per maand betaald, gesalarieerd
salary [selerie] salaris
sale [seel] **1** verkoop, afzet(markt): *for ~* te koop **2** verkoping, veiling, bazaar **3** uitverkoop, opruiming
saleroom veilinglokaal
salesclerk winkelbediende
salesgirl winkelmeisje, verkoopster
saleslady verkoopster
salesman [seelzmen] **1** verkoper, winkelbediende **2** vertegenwoordiger, agent, handelsreiziger || *traveling ~* handelsreiziger
salesmanship [seelzmensjip] verkoopkunde, verkooptechniek
sales representative vertegenwoordiger
sales tax omzetbelasting
saleswoman **1** verkoopster, winkelbediende **2** vertegenwoordigster, agente, handelsreizigster
salient [seelient] opvallend, belangrijkste
saline [seelajn] zout(houdend), zoutachtig, zilt
saliva [selajve] speeksel
salivate [selivveet] kwijlen *(ook fig)*; speeksel produceren
[1]**sallow** [seloo] *zn* wilg
[2]**sallow** [seloo] *bn* vaal(geel)
sally [selie] **1** uitval: *the army made a successful ~* het leger deed een succesvolle uitval **2** uitbarsting, opwelling **3** kwinkslag, (geestige) inval
sally forth **1** een uitval doen **2** erop uit gaan, op stap gaan, naar buiten rennen
salmon [semen] **1** zalm **2** zalmkleur
saloon [seloe:n] **1** zaal, salon **2** bar, café **3** sedan, gesloten vierdeursauto
[1]**salt** [so:lt] *zn* (keuken)zout || *~ cellar* zoutvaatje; *the ~ of the earth* het zout der aarde; *he's not worth his ~* hij is het zout in de pap niet waard
[2]**salt** [so:lt] *bn* **1** zout, zilt **2** gepekeld, gezouten: *~ fish* gezouten vis
[3]**salt** [so:lt] *tr* **1** zouten, pekelen, inmaken **2** pekelen *(wegen)*; met zout bestrooien **3** *(fig)* kruiden || *he's got quite some money ~ed away* (of: *down*) hij heeft aardig wat geld opgepot
saltpetre [so:ltpie:te] salpeter
saltshaker zoutvaatje, zoutstrooier
salty [so:ltie] **1** zout(achtig) **2** gezouten, gekruid; pikant *(van taal)*
salubrious [seloe:bries] heilzaam, gezond
salutary [seljoeterie] weldadig, heilzaam, gunstig, gezond
salutation [seljoeteesjen] **1** aanhef *(in brief)* **2** begroeting, groet, begroetingskus
[1]**salute** [seloe:t] *zn* **1** saluut, militaire groet, saluutschot: *take the ~* de parade afnemen **2** begroeting, groet
[2]**salute** [seloe:t] *intr* **1** groeten, begroeten, verwelkomen **2** salueren, een saluutschot lossen (voor)
[3]**salute** [seloe:t] *tr* eer bewijzen aan, huldigen: *there were several festivals to ~ the country's 50 years of independence* er waren verschillende festivals om de vijftigjarige onafhankelijkheid van het land eer te bewijzen
[1]**salvage** [selvidzj] *zn* **1** berging, redding, het in veiligheid brengen **2** geborgen goed, het geborgene: *the divers were not entitled to a share in the ~* de duikers hadden geen recht op een aandeel in de geborgen goederen **3** bruikbaar afval, recycling, hergebruik
[2]**salvage** [selvidzj] *tr* **1** bergen, redden, in veiligheid brengen **2** terugwinnen, verzamelen voor hergebruik
salvation [selveesjen] **1** redding: *that was my ~* dat was mijn redding **2** verlossing
Salvation Army Leger des Heils
[1]**salve** [selv] *zn* zalf *(ook fig)*; smeersel, balsem
[2]**salve** [selv] *tr* sussen, kalmeren, tevreden stellen: *~ one's conscience* zijn geweten sussen
salvia [selvie] salie
salvo [selvoo] *(mv: ook ~es)* salvo, plotselinge uitbarsting: *a ~ of applause* een daverend applaus
[1]**same** [seem] *aanw vnw* dezelfde, hetzelfde: *the ~*

applies to you hetzelfde geldt voor jou; ~ *here* ik ook (niet), met mij precies zo, idem dito; *they are much the* ~ ze lijken (vrij) sterk op elkaar; *it's all the ~ to me* het is mij om het even, het maakt me niet uit; *(the) ~ to you* insgelijks, van 't zelfde; *at the ~ time* tegelijkertijd; *much the ~ problem* vrijwel hetzelfde probleem

[2]**same** [seem] *bw* net zo, precies hetzelfde: *he found nothing, (the) ~ as my own dentist* hij vond niets, net als mijn eigen tandarts

sameness [seemnes] **1** gelijkheid, overeenkomst **2** eentonigheid, monotonie

[1]**sample** [sa:mpl] *zn* **1** (proef)monster, staal, voorbeeld: *take a ~ of blood* een bloedmonster nemen **2** steekproef

[2]**sample** [sa:mpl] *tr* **1** een steekproef nemen uit, monsters trekken uit **2** (be)proeven, testen, keuren

sanatorium [senetо:riem] sanatorium, herstellingsoord

sanctify [sengktiffaj] **1** heiligen **2** rechtvaardigen, heiligen **3** heilig maken, verlossen van zonde(schuld)

sanctimonious [sengktimmoonies] schijnheilig

[1]**sanction** [sengksjen] *zn* **1** toestemming, goedkeuring **2** sanctie, dwang(middel), strafmaatregel: *apply ~s against racist regimes* sancties instellen tegen racistische regimes

[2]**sanction** [sengksjen] *tr* **1** sanctioneren, bekrachtigen, bevestigen **2** goedkeuren, toestaan, instemmen met

sanctity [sengktittie] heiligheid, vroomheid

sanctuary [sengktsjoeerie] **1** omtrek van (hoog)altaar, priesterkoor **2** vogelreservaat, wildreservaat **3** asiel, vrijplaats, wijkplaats, toevlucht(soord): *he got up and took ~ in his study* hij stond op en zocht zijn toevlucht in zijn studeerkamer

[1]**sand** [send] *zn* **1** zand **2** *~s* zandvlakte, strand, woestijn

[2]**sand** [send] *tr* **1** met zand bestrooien: *~ slippery roads* gladde wegen met zand bestrooien **2** (met *down*) (glad)schuren, polijsten

sandal [sendl] sandaal

sandbank zandbank, ondiepte

sandblast zandstralen

sandbox zandbak

sander [sende] schuurmachine

sandman zandmannetje, Klaas Vaak

[1]**sandpaper** *zn* schuurpapier

[2]**sandpaper** *ww* schuren

sandpit **1** zandgraverij, zandgroeve **2** zandbak

sandstone zandsteen

[1]**sandwich** [senwidzj] *zn* sandwich, dubbele boterham

[2]**sandwich** [senwidzj] *tr* klemmen, vastzetten, plaatsen: *I'll ~ her in between two other appointments* ik ontvang haar wel tussen twee andere afspraken door

sandwich-board advertentiebord; reclamebord *(gedragen op borst en rug)*

sandy [sendie] **1** zand(er)ig, zandachtig **2** ros(sig) *(van haar);* roodachtig

sane [seen] **1** (geestelijk) gezond, bij zijn volle verstand **2** verstandig *(van ideeën enz.);* redelijk

sang [seng] *ovt van* sing

sanguine [sengkwin] **1** optimistisch, hoopvol, opgewekt **2** blozend, met een gezonde kleur

sanitarium [senitteeriem] sanatorium, herstellingsoord

sanitary [senitterie] **1** sanitair, mbt de gezondheid **2** hygiënisch, schoon: *~ fittings* het sanitair || *~ stop* sanitaire stop

sanitary napkin *(Am)* maandverband

sanitary towel maandverband

sanitation [senitteesjen] **1** bevordering vd volksgezondheid **2** afvalverwerking, rioolzuivering

sanity [senittie] **1** (geestelijke) gezondheid **2** verstandigheid, gezond verstand

sank [sengk] *ovt van* sink

Santa Claus [sente klo:z] kerstman(netje)

[1]**sap** [sep] *zn* **1** (planten)sap **2** levenskracht, energie, vitaliteit: *the ~ of youth* jeugdige levenskracht **3** slagwapen, knuppel **4** sul, sukkel, oen

[2]**sap** [sep] *tr* aftappen *(ook fig);* sap onttrekken aan; *(fig)* levenskracht onttrekken aan; uitputten: *the tension at the office was ~ping my energy* de spanning op kantoor vrat al mijn energie

sapphire [sefajje] **1** saffier **2** saffierblauw

sarcasm [sa:kezm] sarcasme, bijtende spot

sarcastic [sa:kestik] sarcastisch, bijtend

sarcophagus [sa:koffekes] sarcofaag, stenen doodskist

sardine [sa:die:n] sardine: *(packed) like ~s* als haringen in een ton

sardonic [sa:donnik] boosaardig spottend, cynisch

sarky [sa:kie] sarcastisch

sash [sesj] **1** sjerp **2** raam, schuifraam

sashay [sesjee] nonchalant lopen, paraderen: *the models ~ed down the catwalk* de modellen paradeerden over het podium

[1]**sass** [ses] *zn* tegenspraak, brutaliteit: *I'm not accepting such ~ from anybody* ik accepteer zulke brutale opmerkingen van niemand

[2]**sass** [ses] *tr* brutaal zijn tegen, brutaliseren

[1]**Sassenach** [sesenek] *zn* Engelsman

[2]**Sassenach** [sesenek] *bn* Engels

sat [set] *ovt en volt dw van* sit

satanic [setenik] **1** van de duivel **2** satanisch, duivels, hels

satchel [setsjl] (school)tas *(vaak met schouderband);* pukkel

satellite [setelajt] **1** satelliet **2** voorstad, randgemeente: *New Malden is one of the many ~s of London* New Malden is een van de vele voorsteden van Londen **3** satellietstaat, vazalstaat

satellite dish schotelantenne

satellite town satellietstad

sa

satiate [seesjie·eet] (over)verzadigen, bevredigen, overvoeden, overladen: *be ~d with: a)* verzadigd zijn van; *b)* zijn buik vol hebben van
[1]**satin** [setin] *zn* satijn
[2]**satin** [setin] *bn* satijnachtig, satijnen, satijnzacht
satire [setajje] **1** satire, hekeldicht, hekelroman **2** satire, bespotting
satiric(al) [setirrik(l)] satirisch
satirize [setirrajz] **1** hekelen, bespotten **2** een satire schrijven op
satisfaction [setisfeksjen] **1** genoegen, plezier, tevredenheid **2** voldoening, bevrediging, zekerheid: *prove sth. to s.o.'s ~* iets tot iemands volle tevredenheid bewijzen **3** genoegdoening, eerherstel, voldoening: *demand ~* genoegdoening eisen **4** (af)betaling, terugbetaling, voldoening
satisfactory [setisfekterie] **1** voldoende, (goed) genoeg **2** voldoening schenkend, bevredigend **3** geschikt
[1]**satisfy** [setisfaj] *intr* **1** voldoen, toereikend zijn, (goed) genoeg zijn **2** voldoen, genoegen schenken, tevreden stemmen
[2]**satisfy** [setisfaj] *tr* **1** tevredenstellen, genoegen schenken, bevredigen: *be satisfied with* tevreden zijn over **2** vervullen, voldoen aan, beantwoorden aan: *~ the conditions* aan de voorwaarden voldoen **3** nakomen *(een verplichting)*; vervullen **4** bevredigen, verzadigen: *~ one's curiosity* zijn nieuwsgierigheid bevredigen **5** overtuigen, verzekeren: *be satisfied that* ervan overtuigd zijn dat, de zekerheid (verkregen) hebben dat
satsuma [setsoe:me] mandarijntje
saturate [setsjereet] **1** doordrenken *(ook fig)*; doordringen, onderdompelen **2** (over)verzadigen, volledig vullen: *the computer market will soon be ~d* de afzetmarkt voor computers zal weldra verzadigd zijn **3** *(nat, chem)* verzadigen: *~d fats* verzadigde vetten
Saturday [setedee] zaterdag
Saturn [sete:n] Saturnus
satyr [sete] halfgod
[1]**sauce** [so:s] *zn* **1** saus *(ook fig)*; sausje **2** brutaliteit, tegenspraak, vrijpostigheid
[2]**sauce** [so:s] *tr* brutaal zijn tegen, een brutale mond opzetten tegen: *don't you ~ me, young man* niet zo'n grote mond tegen mij opzetten, jongeman
saucer [so:se] **1** (thee)schoteltje **2** schotelantenne
saucy [so:sie] **1** brutaal; (lichtjes) uitdagend *(ook seksueel): don't be ~ with me* wees niet zo brutaal tegen mij **2** vlot, knap, tof: *a ~ hat* een vlot hoedje
sauna [so:ne] sauna
[1]**saunter** [so:nte] *zn* **1** wandeling(etje) **2** slentergang
[2]**saunter** [so:nte] *intr* drentelen, slenteren: *we spent the afternoon ~ing up and down the pier* de hele middag slenterden we heen en weer op de pier
sausage [sossidzj] worst, saucijs
[1]**savage** [sevidzj] *zn* **1** wilde, primitieve (mens) **2** woesteling, wildeman **3** barbaar
[2]**savage** [sevidzj] *bn* **1** primitief, onbeschaafd **2** wreed(aardig), woest: *a ~ dog* een valse hond **3** heftig, fel: *~ criticism* meedogenloze kritiek **4** lomp, ongemanierd
savagery [sevidzjerie] wreedheid, ruwheid, gewelddadigheid
savanna(h) [sevene] savanne *(tropische grasvlakte)*
[1]**save** [seev] *zn* redding: *the goalkeeper made a brilliant ~* the doelverdediger wist met een prachtige actie de bal uit het doel te houden
[2]**save** [seev] *intr* **1** sparen (voor), geld opzijleggen, zuinig zijn **2** *(sport)* een doelpunt (weten te) voorkomen **3** verlossing brengen, redden, verlossen
[3]**save** [seev] *tr* **1** redden, bevrijden, verlossen: *~ the situation* de situatie redden, een fiasco voorkomen **2** (be)sparen, bewaren, opslaan: *~ time* tijd (uit)sparen **3** overbodig maken, voorkomen, besparen: *I've been ~d a lot of trouble* er werd me heel wat moeite bespaard **4** *(sport)* redden **5** *(sport)* voorkomen *(doelpunt)*; stoppen *((straf)schop)* || *God ~ the Queen* God behoede de koningin
[4]**save** [seev] *vz* behalve, met uitzondering van: *everyone ~ Gill* allemaal behalve Gill
saving [seeving] **1** redding, verlossing **2** besparing: *a ~ of ten dollars* een besparing van tien dollar
savings [seevingz] spaargeld
savings bank spaarbank, spaarkas
saviour [seevje] **1** redder, bevrijder **2** (de) Verlosser; (de) Heiland *(Jezus Christus)*
[1]**savour** [seeve] *zn* **1** bijsmaak *(ook fig)*; zweem: *I detected a certain ~ of garlic* ik bespeurde een bijsmaak van knoflook **2** smaak *(ook fig)*; aroma, geur: *the ~ of local life* de eigenheid van het plaatselijke leven
[2]**savour** [seeve] *tr* met smaak proeven, genieten (van)
savour of geuren naar *(ook fig)*; rieken naar, iets weg hebben van
[1]**savoury** [seevrie] *zn* hartig voorgerecht (nagerecht), hartig hapje
[2]**savoury** [seevrie] *bn* **1** smakelijk, lekker **2** hartig, pikant **3** eerbaar, respectabel, aanvaardbaar: *I'll spare you the less ~ details* ik zal je de minder fraaie bijzonderheden besparen
savvy [sevie] (gezond) verstand
[1]**saw** [so:] *zn* zaag(machine): *circular ~* cirkelzaag
[2]**saw** [so:] *intr (volt dw ook sawn)* zagen, gezaagd worden, zich laten zagen
[3]**saw** [so:] *tr* zagen, in stukken zagen: *~ down a tree* een boom omzagen
[4]**saw** [so:] *ovt van* see
sawdust zaagsel
sawn [so:n] *volt dw van* saw
sax [seks] *verk van saxophone* sax

Saxon [seksen] 1 Angelsaksisch, Oudengels 2 Saksisch
saxophone [seksefoon] saxofoon
[1]**say** [see] *zn* 1 invloed, zeggen, zeggenschap: *have a ~ in the matter* iets in de melk te brokkelen hebben, een vinger in de pap hebben 2 zegje, mening: *have* (of: *~*) *one's ~* zijn zegje doen
[2]**say** [see] *intr (said, said)* zeggen, praten, vertellen: *I couldn't ~* ik zou het niet kunnen zeggen; *so to ~* bij wijze van spreken; *I'd rather not ~* dat zeg ik liever niet, dat houd ik liever voor me; *a man, they ~, of bad reputation* een man, (zo) zegt men, met een slechte reputatie
[3]**say** [see] *tr (said, said)* 1 (op)zeggen, uiten, (uit)spreken: *~ grace* (of: *one's*) *prayers* dank zeggen, bidden; *I dare ~ that* het zou zelfs heel goed kunnen dat; *~ no more!* geen woord meer!, praat er mij niet van!, dat zegt al genoeg!; *to ~ nothing of* om nog maar te zwijgen over; *~ to oneself* bij zichzelf denken; *that is to ~* met andere woorden, dat wil zeggen, tenminste 2 zeggen, vermelden, verkondigen: *to ~ the least* op zijn zachtst uitgedrukt; *she is said to be very rich* men zegt dat ze heel rijk is; *it ~s on the bottle* op de fles staat 3 zeggen, aanvoeren, te kennen geven: *what do you ~ to this?* wat zou je hiervan vinden? 4 zeggen, aannemen, veronderstellen: *let's ~, shall we ~* laten we zeggen; *~ seven a.m.* pakweg zeven uur ('s ochtends) 5 aangeven, tonen, zeggen: *what time does your watch ~?* hoe laat is het op jouw horloge? || *when all is said and done* alles bij elkaar genomen, al met al; *no sooner said than done* zo gezegd, zo gedaan; *it goes without ~ing* het spreekt vanzelf; *you can ~ that again, you said it* zeg dat wel, daar zeg je zoiets, en of!; *~ when* zeg het als 't genoeg is, zeg maar ho
saying [seeing] gezegde, spreekwoord, spreuk
say-so 1 bewering, woord: *why should he believe you on your ~?* waarom zou hij je op je woord geloven? 2 toestemming, permissie
scab [skeb] 1 onderkruiper, werkwillige, stakingsbreker 2 zwartwerker *(niet-vakbondslid)* 3 korst(je): *a ~ had formed on her knee* er had zich een korstje gevormd op haar knie
scabbard [skebed] 1 schede *(voor zwaard, mes)* 2 holster
scabies [skeebie:z] schurft
scads [skedz] massa's, hopen: *~ of people* massa's mensen
scaffold [skefoold] 1 schavot 2 (bouw)steiger, stellage
scaffolding [skefelding] steiger(constructie), stelling(en), stellage
[1]**scald** [sko:ld] *zn* brandwond, brandblaar, brandvlek
[2]**scald** [sko:ld] *intr* zich branden *(door heet water, stoom)*
[3]**scald** [sko:ld] *tr* 1 branden, (doen) branden 2 (uit)wassen, (uit)koken, steriliseren 3 bijna tot kookpunt verhitten *(melk)*
scalding [sko:lding] *(ook bw)* kokend(heet)
[1]**scale** [skeel] *zn* 1 schub, schaal, (huid)schilfer: *(fig) the ~s fell from her eyes* de schellen vielen haar van de ogen 2 (weeg)schaal: *a pair of ~s* een weegschaal 3 aanslag, ketelsteen 4 schaal(verdeling), schaalaanduiding, maatstok, meetlat: *the ~ of the problem* de omvang van het probleem; *(fig) on a large* (of: *small*) *~* op grote (*of:* kleine) schaal; *draw to ~* op schaal tekenen 5 *(muz)* toonladder 6 *(wisk)* schaal
[2]**scale** [skeel] *intr* (af)schilferen, (af)bladderen
[3]**scale** [skeel] *tr* (be)klimmen, (op)klauteren; opgaan *(ladder)* || *~ back* (of: *down*) verlagen, verkleinen, terugschroeven; *~ up* verhogen, vergroten, opschroeven
scale model schaalmodel
scalene [skeelie:n] ongelijkzijdig *(van driehoek)*
scallywag [skeliewek] deugniet, rakker, schavuit
[1]**scalp** [skelp] *zn* hoofdhuid
[2]**scalp** [skelp] *tr* scalperen
scalpel [skelpl] scalpel, ontleedmes, operatiemes
scamp [skemp] boef(je), rakker, deugniet: *you ~!* (jij) boef!
scamper [skempe] hollen, rennen, draven
[1]**scan** [sken] *zn* 1 onderzoekende blik 2 scan, het aftasten, het onderzoeken
[2]**scan** [sken] *intr* zich laten scanderen *(van gedicht)*; metrisch juist zijn: *some of the lines of this song don't ~* sommige regels van dat liedje kloppen metrisch niet
[3]**scan** [sken] *tr* 1 scanderen, in versvoeten verdelen: *the audience were ~ning his name: 'John-son, John-son'* het publiek scandeerde zijn naam: 'John-son, John-son' 2 nauwkeurig onderzoeken, afspeuren, afzoeken 3 snel, vluchtig doorlezen 4 aftasten; scannen *(met radar)*
scandal [skendl] 1 schandaal, schande 2 achterklap, laster(praat)
scandalize [skendelajz] choqueren, ergernis geven: *he didn't know whether to laugh or be ~d* hij wist niet of hij nou moest lachen of zich moest ergeren
scandalmonger [skendlmungke] kwaadspreker, lasteraar(ster)
scandalous [skendeles] schandelijk, schandalig, aanstootgevend
[1]**Scandinavian** [skendinneevien] *zn* Scandinaviër
[2]**Scandinavian** [skendinneevien] *bn* Scandinavisch
scanner [skene] aftaster, scanner, (draaiende) radarantenne
scant [skent] weinig, spaarzaam, gering: *do ~ justice to sth.* iets weinig recht doen
scanty [skentie] karig, krap, gering
scapegoat zondebok
scar [ska:] litteken, schram, kras
scarce [skees] schaars *(van voedsel, geld e.d.)*; zeldzaam: *make oneself ~* zich uit de voeten maken

scarcely [skeeslie] **1** nauwelijks, met moeite: ~ *ever* haast nooit **2** *(ironisch)* zeker niet: *that's ~ the point here* dat is nou niet helemaal waar het hier om gaat
scarcity [skeesittie] schaarste, gebrek
[1]**scare** [skee] *zn* schrik, vrees, paniek: *give s.o. a ~* iem de stuipen op het lijf jagen
[2]**scare** [skee] *tr* **1** doen schrikken, bang maken: *~d out of one's wits* buiten zichzelf van schrik, doodsbang **2** (met *off, away*) wegjagen, afschrikken
scarecrow [skeekroo] vogelverschrikker *(ook fig)*
scare up **1** optrommelen, bij elkaar scharrelen **2** klaarmaken, vervaardigen: *~ a meal from leftovers* uit restjes een maaltijd in elkaar flansen
scarf [ska:f] *(mv: ook scarves)* sjaal(tje), sjerp
scarlatina [ska:letie:ne] roodvonk
scarlet [ska:let] scharlaken(rood) || *~ fever* roodvonk
scarper [ska:pe] 'm smeren
scary [skeerie] **1** eng, schrikaanjagend **2** (snel) bang, schrikachtig
scat [sket] snel vertrekken: *~!* ga weg!
scathing [skeeðing] vernietigend; bijtend *(sarcasme bijv.)*
[1]**scatter** [skete] *zn* (ver)spreiding, verstrooiing: *a ~ of houses* een paar huizen hier en daar
[2]**scatter** [skete] *intr* verstrooid raken, zich verspreiden
[3]**scatter** [skete] *tr* verstrooien *(ook nat)*; verspreiden *(ook fig)*: *all his CDs were ~ed through the room* al zijn cd's lagen verspreid door de kamer; *~ about* (of: *around*) rondstrooien
scatterbrain warhoofd
scattered [sketed] verspreid (liggend), ver uiteen: *~ showers* hier en daar een bui
scattering [sketering] verspreiding
scatty [sketie] gek, warrig
scavenge [skevindzj] **1** afval doorzoeken **2** aas eten
scenario [sinna:rie·oo] scenario; draaiboek *(ook fig)*; (film)script
scene [sie:n] **1** plaats van handeling, locatie, toneel: *change of ~* verandering van omgeving **2** scène *(ook theat)*; ophef, misbaar **3** decor, coulisse(n): *behind the ~s* achter de schermen *(ook fig)* **4** landschap || *set the ~ (for sth.)* (iets) voorbereiden; *steal the ~* de show stelen
scenery [sie:nerie] **1** decors, coulissen **2** landschap
scenic [sie:nik] **1** schilderachtig **2** vd natuur, landschap(s)- || *~ railway* miniatuurspoorbaan
[1]**scent** [sent] *zn* **1** geur; lucht *(ook jacht)* **2** spoor *(ook fig)*: *on a false* (of: *wrong*) *~* op een verkeerd spoor **3** parfum, luchtje, geurtje **4** reuk(zin); neus *(ook fig)*
[2]**scent** [sent] *ww* **1** ruiken *(ook fig)*; geuren, lucht krijgen van **2** parfumeren: *~ soap* geparfumeerde zeep
sceptic [skeptik] twijfelaar
sceptical [skeptikl] *(met about, of)* sceptisch (over), twijfelend
scepticism [skeptissizm] kritische houding
sceptre [septe] scepter
schedule [sjedjoe:l] **1** programma: *be behind ~* achter liggen op het schema, vertraging hebben; *on ~* op tijd **2** (inventaris)lijst **3** dienstregeling, rooster
scheduled [sjedjoe:ld] **1** gepland, in het rooster opgenomen **2** op een lijst gezet **3** lijn- *(dienst, vlucht)*
[1]**scheme** [skie:m] *zn* **1** stelsel, ordening, systeem **2** programma **3** oogmerk, project **4** plan, complot **5** ontwerp
[2]**scheme** [skie:m] *intr* plannen maken, plannen smeden: *~ for sth.* iets plannen
[3]**scheme** [skie:m] *tr* **1** beramen *(plannen)*; smeden **2** intrigeren: *he was always scheming against her* hij was altijd bezig complotten tegen haar te smeden
schemer [skie:me] **1** plannenmaker **2** intrigant, samenzweerder
scheming [skie:ming] sluw
schism [skizm] scheuring *(in kerk)*; afscheiding
schizophrenia [skitsefrie:nie] schizofrenie
schmalzy [sjmo:ltsie] sentimenteel
scholar [skolle] **1** geleerde: *not much of a ~* geen studiehoofd **2** beursstudent
scholarly [skollelie] wetenschappelijk, geleerd
scholarship [skollesjip] **1** (studie)beurs **2** wetenschappelijkheid **3** wetenschap, geleerdheid
scholastic [skelestik] **1** school- **2** schools
[1]**school** [skoe:l] *zn* **1** school *(ook van vissen enz.)*; *(van gedachten)* richting: *~ of thought* denkwijze, (filosofische) school **2** school; *(fig)* leerschool: *lower* (of: *upper*) *~* onderbouw, bovenbouw; *modern ~ (ongev)* mavo; *keep in after ~* na laten blijven; *quit ~* van school gaan; *after ~* na school(tijd); *at ~* op school **3** collegeruimte, examengebouw, leslokaal **4** studierichting **5** (universitair) instituut, faculteit: *medical ~* faculteit (der) geneeskunde **6** scholing, (school)opleiding
[2]**school** [skoe:l] *tr* scholen, trainen; africhten *(paard)*: *~ed in* opgeleid tot
schoolboy schooljongen, scholier
schooldays schooltijd
schoolgirl schoolmeisje
schooling [skoe:ling] **1** scholing, onderwijs **2** dressuur
school-marm [skoe:lma:m] **1** schooljuffrouw **2** schoolfrik
schoolmaster schoolmeester
schoolmate schoolkameraad
schoolmistress schooljuffrouw
schoolteacher **1** onderwijzer(es) **2** leraar
schooner [skoe:ne] **1** schoener **2** groot bierglas **3** groot sherryglas (portglas)
science [sajjens] **1** (natuur)wetenschap: *applied ~* toegepaste wetenschap **2** techniek, vaardigheid

science fiction sciencefiction

scientific [sajjentiffik] **1** wetenschappelijk **2** vakkundig: *a ~ boxer* een bokser met een goede techniek

scientist [sajjentist] natuurwetenschapper

scintillate [sintilleet] **1** schitteren, fonkelen **2** vonken **3** sprankelen, geestig zijn: *scintillating humour* tintelende humor

scissors [sizzez] schaar: *a pair of ~* een schaar

[1]scoff [skof] *zn* **1** spottende opmerking: *he was used to ~s about his appearance* hij was gewend aan spottende opmerkingen over zijn uiterlijk **2** mikpunt van spotternij **3** vreten

[2]scoff [skof] *intr (*met *at)* spotten (met): *they ~ed the idea* ze maakten spottende opmerkingen over het idee

[3]scoff [skof] *tr, intr* schrokken, vreten

[1]scold [skoold] *intr (*met *at)* schelden (op)

[2]scold [skoold] *tr* uitvaren tegen: *~ s.o. for sth.* iem om iets berispen

scolding [skoolding] standje, uitbrander

scone [skon] scone *(kleine, stevige cake)*

[1]scoop [skoe:p] *zn* **1** schep, lepel, bak: *three ~s of ice cream* drie scheppen ijs **2** primeur *(in krant);* sensationeel nieuwtje

[2]scoop [skoe:p] *tr* **1** scheppen, lepelen: *~ out* opscheppen; *~ up* opscheppen *(met handen, lepel)* **2** uithollen, (uit)graven **3** binnenhalen; grijpen *(geld);* in de wacht slepen

scoot [skoe:t] rennen, vliegen: *is that the time? I'd better ~* is het al zo laat? Ik moet rennen

scooter [skoe:te] **1** autoped **2** (brom)scooter

scope [skoop] **1** bereik, gebied, omvang: *that is beyond* (of: *outside) the ~ of this book* dat valt buiten het bestek van dit boek **2** ruimte, armslag, gelegenheid: *this job gives you ~ for your abilities* deze baan geeft je de kans je talenten te ontplooien

[1]scorch [sko:tsj] *intr* razendsnel rijden, vliegen, scheuren

[2]scorch [sko:tsj] *tr, intr* **1** (ver)schroeien, (ver)zengen, verbranden **2** verdorren

scorcher [sko:tsje] **1** snikhete dag **2** scherpe kritiek, scherpe uithaal **3** snelheidsduivel

scorching [sko:tsjing] **1** verschroeiend, verzengend: *a ~ summer afternoon* op een snikhete zomermiddag **2** vernietigend, bijtend

[1]score [sko:] *zn* **1** stand, puntentotaal, score: *level the ~* gelijkmaken **2** (doel)punt *(ook fig);* rake opmerking, succes: *(fig) ~ off one's opponent* een punt scoren tegen zijn tegenstander **3** getrokken lijn, kerf, kras, striem, schram, lijn **4** reden, grond: *on the ~ of* vanwege **5** grief: *pay off* (of: *settle) old ~s* een oude rekening vereffenen **6** onderwerp, thema, punt: *on that ~* wat dat betreft **7** *(muz)* partituur; *(bij uitbr)* muziek *(voor musical e.d.)* || *know the ~* weten hoe de zaken er voorstaan

[2]score [sko:] *intr* **1** scoren, (doel)punt maken; puntentotaal halen *(bijv. in test)* **2** de score noteren **3** succes hebben **4** geluk hebben || *~ off s.o.* iem aftroeven

[3]score [sko:] *tr* **1** lijn(en) trekken, (in)kerven, schrammen: *~ out* (of: *through)* doorstrepen **2** scoren; maken *(punt); (fig)* behalen; boeken *(succes);* winnen **3** tellen voor; waard zijn *(van punt, run)* **4** toekennen *(punten);* geven **5** een score halen van *(bijv. in test)* **6** fel bekritiseren, hekelen

scorer [sko:re] **1** scoreteller **2** (doel)puntenmaker

[1]scorn [sko:n] *zn* (voorwerp van) minachting, geringschatting: *pour ~ on* verachten

[2]scorn [sko:n] *tr* **1** minachten, verachten **2** versmaden, beneden zich achten

scornful [sko:nfoel] minachtend: *~ of sth.* met minachting voor iets

scorpion [sko:pien] schorpioen

Scot [skot] Schot

scotch [skotsj] **1** een eind maken aan; ontzenuwen *(theorie);* de kop indrukken *(gerucht)* **2** verijdelen *(plan)*

[1]Scotch [skotsj] *zn* **1** Schotse whisky **2** de Schotten

[2]Scotch [skotsj] *bn* Schots: *~ whisky* Schotse whisky || *~ broth* Schotse maaltijdsoep

Scotch tape sellotape, plakband

scot-free **1** ongedeerd **2** ongestraft

Scotland [skotlend] Schotland

Scotland Yard Scotland Yard *((hoofdkwartier vd) Londense politie);* opsporingsdienst

Scots [skots] Schots

Scotsman [skotsmen] Schot

Scotswoman Schotse

[1]Scottish [skottisj] *zn* de Schotten

[2]Scottish [skottisj] *bn* Schots

scoundrel [skaundrel] schoft

[1]scour [skaue] *intr* rennen: *~ about after* (of: *for) sth.* rondrennen op zoek naar iets

[2]scour [skaue] *tr* **1** (door)spoelen, uitspoelen **2** (met *out)* uitschuren, uithollen **3** doorkruisen **4** afzoeken, doorzoeken, afstropen: *~ the shops for a CD* de winkels aflopen voor een cd

[3]scour [skaue] *tr, intr* schuren, schrobben

[1]scourge [ske:dzj] *zn* gesel

[2]scourge [ske:dzj] *tr* **1** geselen **2** teisteren: *for seven years the country was ~d by war* zeven jaar lang werd het land door oorlog geteisterd

scouring powder schuurmiddel

[1]scout [skaut] *zn* **1** verkenner **2** talentenjager; scout *(in voetbal-, filmwereld)* **3** verkenner, padvinder, gids

[2]scout [skaut] *intr* **1** zoeken: *~ (about, around) for sth.* naar iets op zoek zijn **2** terrein verkennen

[3]scout [skaut] *tr* **1** verkennen **2** minachtend afwijzen: *every offer of help was ~ed* elk aanbod om te helpen werd met minachting van de hand gewezen

scoutmaster hopman

[1]scowl [skaul] *zn* norse blik

[2]scowl [skaul] *intr (*met *at)* het voorhoofd fronsen

(tegen), stuurs kijken (naar)
[1]**scrabble** [skrebl] *zn* gegraai
[2]**scrabble** [skrebl] *intr* graaien, grabbelen, scharrelen: ~ *about for sth.* naar iets graaien
scrag [skrek] **1** hals **2** halsstuk
scram [skrem]: ~*!* maak dat je wegkomt!
[1]**scramble** [skrembl] *zn* **1** klauterpartij: *it was a bit of a ~ to reach the top* het was een hele toer om de top te bereiken **2** gedrang, gevecht **3** motorcross
[2]**scramble** [skrembl] *intr* **1** klauteren, klimmen **2** (met *for*) vechten (om), zich verdringen **3** zich haasten: ~ *to one's feet* overeind krabbelen
[3]**scramble** [skrembl] *tr* **1** door elkaar gooien, in de war brengen **2** roeren *(ei)* **3** afraffelen **4** vervormen *(om radio-, telefoonboodschap te coderen);* verdraaien
[1]**scrap** [skrep] *zn* **1** stukje, beetje, fragment: *there's not a ~ of truth in what they've told you* er is niets waar van wat ze je verteld hebben **2** knipsel **3** vechtpartij(tje), ruzie **4** afval, schroot **5** *~s* restjes
[2]**scrap** [skrep] *intr* ruziën, bakkeleien
[3]**scrap** [skrep] *tr* **1** afdanken, dumpen; laten varen *(ideeën, plannen)* **2** slopen, tot schroot verwerken
scrapbook plakboek
[1]**scrape** [skreep] *zn* **1** geschraap, geschuur **2** gekras, kras **3** schaafwond **4** netelige situatie: *get into ~s* in moeilijkheden verzeild raken
[2]**scrape** [skreep] *intr* **1** schuren, strijken, krassen: *the sound of chairs scraping on a tiled floor* het geluid van stoelen die over een tegelvloer schrapen **2** schrapen; zagen *(bijv. op viool)* **3** met weinig rondkomen, sober leven **4** het op het kantje af halen *(ook examen):* ~ *through in* maar net een voldoende halen voor || ~ *along on money from friends* het uit weten te zingen met geld van vrienden
[3]**scrape** [skreep] *tr* **1** (af)schrapen, (af)krabben, uitschrapen **2** schaven *(bijv. knie):* ~ *the paintwork* de verf beschadigen || ~ *together* (of: *up*) bij elkaar schrapen *(geld)*
scrap heap vuilnisbelt, schroothoop: *(fig) throw s.o. (sth.) on the ~* iem (iets) afdanken
scrap iron schroot, oud ijzer
scrappy [skrepie] fragmentarisch
[1]**scratch** [skretsj] *zn* **1** krasje, schram: *without a ~* ongedeerd **2** startstreep: *start from ~: a) (fig)* bij het begin beginnen; *b)* met niets beginnen || *up to ~* in vorm, op het vereiste niveau; *come up to ~* het halen
[2]**scratch** [skretsj] *bn* samengeraapt: *a ~ meal* een restjesmaaltijd
[3]**scratch** [skretsj] *intr* scharrelen, wroeten || ~ *along* het hoofd boven water weten te houden
[4]**scratch** [skretsj] *tr* **1** (zich) schrammen **2** krabbelen *(briefje)* **3** schrappen, doorhalen **4** terugtrekken **5** (met *together, up*) bijeenschrapen *(geld; informatie)*
[5]**scratch** [skretsj] *tr, intr* krassen, (zich) krabben
scratch card kraslot
scratch paper kladpapier
[1]**scrawl** [skro:l] *zn* **1** krabbeltje **2** poot, onbeholpen handschrift
[2]**scrawl** [skro:l] *ww* krabbelen, slordig schrijven
scrawny [skro:nie] broodmager
[1]**scream** [skrie:m] *zn* **1** gil, krijs **2** giller, dolkomisch iets (iem): *do you know Ernest? He's a ~* ken jij Ernest? Je lacht je gek
[2]**scream** [skrie:m] *intr* tieren, razen, tekeergaan
[3]**scream** [skrie:m] *tr, intr* gillen, schreeuwen: ~ *for water* om water schreeuwen; ~ *with laughter* gieren van het lachen
[1]**screech** [skrie:tsj] *zn* gil, krijs, schreeuw: *a ~ of brakes* gierende remmen
[2]**screech** [skrie:tsj] *intr* knarsen, kraken, piepen
[3]**screech** [skrie:tsj] *tr, intr* gillen, gieren
[1]**screen** [skrie:n] *zn* **1** scherm; koorhek *(in kerk)* **2** beschutting, bescherming; afscherming *(in elektrische apparatuur e.d.);* muur: *under ~ of night* onder dekking van de nacht **3** doek, projectiescherm, beeldscherm **4** het witte doek, de film **5** hor, venstergaas **6** zeef, rooster; *(fig)* selectie(procedure)
[2]**screen** [skrie:n] *tr* **1** afschermen *(ook tegen straling);* afschutten, beschermen; dekken *(soldaat):* ~ *off one corner of the room* een hoek van de kamer afschermen **2** beschermen, de hand boven het hoofd houden **3** doorlichten, op geschiktheid testen, screenen **4** vertonen, projecteren: *the feature film will be ~ed at 8.25* de hoofdfilm wordt om 8.25 uur vertoond **5** verfilmen
screening [skrie:ning] **1** filmvertoning **2** doorlichting **3** afscherming
screenplay scenario, script
screen print zeefdruk
[1]**screw** [skroe:] *zn* **1** schroef **2** propeller, scheepsschroef **3** vrek **4** cipier
[2]**screw** [skroe:] *intr* zich spiraalsgewijs bewegen
[3]**screw** [skroe:] *tr* **1** schroeven, aandraaien: *I could ~ his neck* ik zou hem zijn nek wel kunnen omdraaien; ~ *down* vastschroeven; ~ *on* vastschroeven **2** verfrommelen **3** afzetten: *he's so stupid, no wonder he gets ~ed all the time* hij is zo stom, geen wonder dat hij iedere keer wordt afgezet **4** belazeren **5** *(plat)* neuken || ~ *you!* val dood!
screwball **1** idioot **2** *(honkbal)* omgekeerde curve
screwdriver schroevendraaier
screwed [skroe:d] *(inform)* dronken
screwed-up **1** verpest **2** verknipt, opgefokt
screw out of afpersen, uitzuigen: *screw money out of s.o.* iem geld afhandig maken; *screw s.o. out of sth.* zorgen dat iem iets niet krijgt
screw up **1** verwringen, verdraaien, verfrommelen: *she screwed up her eyes* zij kneep haar ogen dicht **2** verzieken, verknoeien **3** bij elkaar rapen; verzamelen *(moed)* **4** nerveus maken
screwy [skroe:ie] excentriek, zonderling
[1]**scribble** [skribl] *zn* **1** gekrabbel **2** briefje, kladje

²**scribble** [skribl] *ww* krabbelen
scribe [skrajb] **1** schrijver, klerk **2** schriftgeleerde
scrimmage [skrimmidzj] schermutseling
¹**scrimp** [skrimp] *intr* zich bekrimpen: *~ and save* heel zuinig aan doen
²**scrimp** [skrimp] *tr* beknibbelen op
script [skript] **1** geschrift **2** script, manuscript, draaiboek, tekst **3** schrijfletters, handschrift
scripture [skriptsje] heilig geschrift: *the (Holy) Scripture* de Heilige Schrift
scriptwriter scenarioschrijver
scrol [skrool] schuiven *(van tekst op beeldscherm)*
scroll [skrool] **1** rol, perkamentrol, geschrift **2** krul
scroll bar *(comp)* schuifbalk
¹**scrounge** [skraundzj] *intr* schooien, bietsen
²**scrounge** [skraundzj] *tr* **1** in de wacht slepen, achteroverdrukken **2** bietsen
scrounger [skraundzje] klaploper, bietser, profiteur
¹**scrub** [skrub] *zn* **1** met struikgewas bedekt gebied **2** struikgewas, kreupelhout **3** het boenen
²**scrub** [skrub] *intr* een boender gebruiken, boenen
³**scrub** [skrub] *tr* **1** schrobben, boenen **2** (ook met *out*) schrappen, afgelasten, vergeten
scrubby [skrubbie] **1** miezerig **2** met struikgewas bedekt
scruff [skruf] nekvel: *take by the ~ of the neck* bij het nekvel grijpen
scruffy [skruffie] smerig, vuil, slordig
¹**scruple** [skroe:pl] *zn* scrupule, gewetensbezwaar: *make no ~ about doing sth.* er geen been in zien om iets te doen
²**scruple** [skroe:pl] *intr* aarzelen
scrupulous [skroe:pjoeles] nauwgezet: *~ly clean* kraakhelder
scrutinize [skroe:tinnajz] in detail onderzoeken, nauwkeurig bekijken
scrutiny [skroe:tinnie] **1** nauwkeurig toezicht **2** kritische blik
scud [skud] voortscheren, ijlen, snellen: *the children were ~ding downhill on their sledges* de kinderen raasden van de heuvel af op hun sleeën
¹**scuff** [skuf] *zn* slijtplek
²**scuff** [skuf] *intr* **1** sloffen **2** versleten zijn *(van schoen, vloer)*
³**scuff** [skuf] *tr* schuren, slepen
¹**scuffle** [skufl] *zn* knokpartij, schermutseling
²**scuffle** [skufl] *intr* bakkeleien, knokken
¹**scull** [skul] *zn* **1** korte (roei)riem **2** sculler, éénpersoonsroeiboot met twee korte riemen
²**scull** [skul] *ww* roeien
sculptor [skulpte] beeldhouwer
¹**sculpture** [skulptsje] *zn* beeldhouwwerk, plastiek, beeldhouwkunst
²**sculpture** [skulptsje] *tr* **1** beeldhouwen **2** met sculptuur versieren, bewerken
scum [skum] **1** schuim *(op water)* **2** uitschot *(ook fig)*; afval: *the ~ of humanity* (of: *the earth*) het schorem, uitschot
¹**scupper** [skuppe] *zn* spuigat
²**scupper** [skuppe] *tr* **1** tot zinken brengen **2** (overvallen en) in de pan hakken, afmaken: *be ~ed* eraan gaan
scurf [ske:f] roos *(van huid)*
scurrility [skurrillittie] **1** grofheid **2** grove taal
scurrilous [skurrilles] grof
scurry [skurrie] dribbelen, zich haasten: *~ for shelter* haastig een onderdak zoeken
¹**scurvy** [ske:vie] *zn* scheurbuik
²**scurvy** [ske:vie] *bn* gemeen
¹**scuttle** [skutl] *zn* **1** luik(gat), ventilatieopening **2** kolenbak **3** overhaaste vlucht
²**scuttle** [skutl] *intr* zich wegscheren: *~ off* (of: *away*) zich uit de voeten maken
³**scuttle** [skutl] *tr* doen zinken *(door gaten te maken)*
¹**scythe** [sajð] *zn* zeis
²**scythe** [sajð] *ww* (af)maaien *(ook fig)*
SE *afk van southeast* Z.O., zuidoost
sea [sie:] **1** zee, oceaan; *(fig)* massa; overvloed: *put (out) to ~* uitvaren; *at ~* op zee; *the seven ~s* de zeven (wereld)zeeën **2** zeegolf, sterke golfslag: *heavy ~* zware zee **3** kust, strand || *be (all) at ~: a)* verbijsterd zijn; *b)* geen notie hebben
seabed zeebedding, zeebodem
seabird zeevogel
seaborne over zee (vervoerd, aangevoerd): *~ supplies* bevoorrading overzee
sea breeze **1** zeebries **2** wind op zee
sea change ommekeer
sea dog zeebonk, zeerob
seafaring zeevarend
seafood eetbare zeevis en schaal- en schelpdieren
seafront strandboulevard; zeekant *(vd stad)*
seagoing zeevarend
seagull zeemeeuw
¹**seal** [sie:l] *zn* **1** zegel; stempel *(ook fig)*; lakzegel, (plak)zegel; *(fig)* kenmerk; *(fig)* bezegeling: *set the ~ on: a)* bezegelen; *b) (ook fig)* afsluiten; *under ~ of secrecy* onder het zegel van geheimhouding **2** dichting, dichtingsmateriaal, (luchtdichte, waterdichte) afsluiting, stankafsluiting **3** (zee)rob, zeehond, zeeleeuw
²**seal** [sie:l] *tr* **1** zegelen; verzegelen *(vonnis, orders e.d.); (fig)* opsluiten **2** dichten, verzegelen, (water)dicht maken; dichtschroeien *(vlees): my lips are ~ed* ik zal er niets over zeggen; *~ off an area* een gebied afgrendelen **3** bezegelen, bevestigen: *~ s.o.'s doom* (of: *fate*) iemands (nood)lot bezegelen
sea lane vaarroute
sea legs zeebenen: *get* (of: *find*) *one's ~* zeebenen krijgen
sea level zeeniveau, zeespiegel
sealing wax zegelwas

sea lion zeeleeuw
seal ring zegelring
sealskin robbenvel, sealskin
seam [sie:m] **1** naad, voeg **2** scheurtje *(in metaal)* **3** (steenkool)laag || *burst at the ~s* tot barstens toe vol zitten
seaman [sie:men] zeeman, matroos
seamanship [sie:mensjip] zeemanschap, zeevaartkunde
sea mile zeemijl *(internationale: 1852 m; Engelse: 1853,18 m)*
seamless [sie:mles] naadloos
seamstress [semstris] naaister
seamy [sie:mie] **1** met een naad **2** minder mooi: *the ~ side of life* de zelfkant van het leven
seaport zeehaven
sear [sie] **1** schroeien, verschroeien, (dicht)branden **2** (doen) verdorren, opdrogen, uitdrogen; *(fig)* verharden
[1]**search** [se:tsj] *zn* grondig onderzoek, opsporing, speurwerk; *(comp)* zoekbewerking, zoekfunctie: *in ~ of* op zoek naar
[2]**search** [se:tsj] *intr* (met *for*) grondig zoeken (naar), speuren
[3]**search** [se:tsj] *tr* grondig onderzoeken, fouilleren, naspeuren || *~ me!* weet ik veel!
search engine zoekmachine *(op internet)*
searching [se:tsjing] **1** onderzoekend *(blik)* **2** grondig
searchlight zoeklicht, schijnwerper
search warrant bevel(schrift) tot huiszoeking
seascape zeegezicht *(schilderij)*
seashore zeekust
seasick zeeziek
seaside kust, zee(kust)
[1]**season** [sie:zen] *zn* **1** seizoen; *(fig)* jaar: *rainy ~* regentijd **2** geschikte tijd, seizoen, jachtseizoen, vakantieperiode: *cherries are in ~* het is kersentijd; *a word in ~* een woord op het passende moment, een gepast woord; *in and out of ~* te pas en te onpas **3** feesttijd, kerst- en nieuwjaarstijd: *the ~ of good cheer* de gezellige kerst- en nieuwjaarstijd
[2]**season** [sie:zen] *tr* **1** kruiden *(ook fig)* **2** (ge)wennen, harden: *~ed troops* doorgewinterde troepen **3** laten liggen *(hout)*
seasonable [sie:zenebl] **1** passend bij het seizoen **2** tijdig **3** passend
seasonal [sie:zenel] volgens het seizoen; seizoengevoelig *(handel)*: *~ employment* seizoenarbeid
seasonal affective disorder winterdepressie
seasoning [sie:zening] **1** het kruiden **2** specerij
season's greetings *(ongev)* Gelukkig Nieuwjaar
season ticket seizoenkaart, abonnement
[1]**seat** [sie:t] *zn* **1** (zit)plaats, stoel: *the back ~ of a car* de achterbank van een auto; *have* (of: *take*) *a ~* neem plaats **2** zitting *(van stoel, klep)*; wc-bril **3** zitvlak **4** zetel *(fig)*; centrum; haard *(van ziekte, brand)*: *a ~ of learning* een zetel van wetenschap **5** landgoed **6** zetel, lidmaatschap: *have a ~ on a board* zitting hebben in een commissie **7** kiesdistrict
[2]**seat** [sie:t] *tr* zetten, doen zitten, zetelen: *be ~ed* ga zitten; *be deeply ~ed* diep ingeworteld zijn *(van gevoel, ziekte enz.)*
seat belt veiligheidsgordel
seating [sie:ting] **1** plaatsing, het geven ve plaats **2** plaatsruimte, zitplaatsen
seawall zeedijk
seaward [sie:wed] zeewaarts
seawater zeewater
seaweed **1** zeewier **2** zeegras
seaworthy zeewaardig
sec [sek] *verk van second* seconde: *just a ~* een ogenblikje
secateurs [sekkete:z] snoeischaar, tuinschaar
secession [sissesjen] afscheiding, het afscheiden
secluded [sikloe:did] afgezonderd, teruggetrokken, stil: *a ~ life* een teruggetrokken leven; *a ~ house* een afgelegen huis
seclusion [sikloe:zjen] afzondering, eenzaamheid, rust
[1]**second** [sekkend] *zn* **1** seconde; *(fig)* momentje; ogenblikje: *I'll be back in a ~* ik ben zo terug **2** secondant; getuige *(bij boksen, duel)* **3** *~s* tweede kwaliteitsgoederen, tweede keus (klas) **4** *~s* tweede keer *(bij maaltijd)*: *who would like ~s?* wie wil er nog?
[2]**second** [sekkend] *tr* **1** steunen, bijstaan, meewerken **2** ondersteunen, goedkeuren; bijvallen *(voorstel e.d.)*
[3]**second** [sikkond] *tr* tijdelijk overplaatsen, detacheren
[4]**second** [sekkend] *bw* **1** op één na: *~ best* op één na de beste **2** ten tweede
[5]**second** [sekkend] *telw* tweede, ander(e); *(fig)* tweederangs; minderwaardig: *~ class* tweede klas *(ook van post)*; *~ nature* tweede natuur; *in the ~ place* ten tweede, bovendien; *he was ~ to none* hij was van niemand de mindere; *every ~ day* om de andere dag
secondary [sekkenderie] **1** secundair, bijkomend, bijkomstig, ondergeschikt: *~ to* ondergeschikt aan **2** secundair, tweederangs: *~ to* inferieur aan **3** *(school)* secundair, middelbaar: *~ education* middelbaar onderwijs; *~ school* middelbare school; *~ modern (school), (inform) secondary mod* middelbare school, *(ongev)* mavo; *~ technical school* middelbare technische school
second-class **1** tweedeklas-: *~ mail* tweedeklaspost **2** tweederangs, inferieur, minderwaardig
second hand secondewijzer
second-hand **1** tweedehands: *a ~ car* een tweedehands auto **2** uit de tweede hand: *a ~ report* een verslag uit de tweede hand
secondly [sekkendlie] ten tweede, op de tweede plaats
secondment [sikkondment] detachering: *he's here on ~* hij is bij ons gedetacheerd

second-rate tweederangs, inferieur, middelmatig
secrecy [sie:kresie] geheimhouding, geheimzinnigheid
[1]secret [sie:kret] *zn* geheim, mysterie, sleutel: *in ~* in het geheim; *let s.o. into a ~* iem in een geheim inwijden
[2]secret [sie:kret] *bn* **1** geheim, verborgen, vertrouwelijk: *a ~ admirer* een stille aanbidder; *~ ballot* geheime stemming; *~ service* geheime dienst; *keep sth. ~ from s.o.* iets voor iem geheim houden **2** gesloten, discreet **3** verborgen, afgezonderd
secretarial [sekreteeriel] ve secretaresse, secretariaats-
secretariat [sekreteeriet] secretariaat
secretary [sekreterie] **1** secretaresse **2** secretaris; secretaris-generaal *(van ministerie)*
Secretary [sekreterie] minister: *~ of State* minister
secretary-general secretaris-generaal
secrete [sikrie:t] **1** verbergen, verstoppen, wegstoppen: *~ sth. about one's person* iets op zijn lichaam verstoppen **2** afscheiden *(van organen, klieren)*
secretion [sikrie:sjen] afscheiding(sproduct)
secretive [sie:kretiv] geheimzinnig, gesloten, gereserveerd
sect [sekt] sekte, geloofsgemeenschap
[1]sectarian [sekteerien] *zn* sektariër, lid van een sekte
[2]sectarian [sekteerien] *bn* sekte-: *a ~ killing* een sektemoord
section [seksjen] **1** sectie, (onder)deel, afdeling, lid, stuk, segment, partje, wijk, district, stadsdeel, landsdeel; baanvak *(van spoorlijn)*: *all ~s of the population* alle lagen van de bevolking **2** groep *(binnen samenleving)* **3** (onder)afdeling, paragraaf, lid, sectie; katern *(van krant, boek)* **4** (dwars)doorsnede *(ook in wisk)*; profiel **5** een vierkante mijl *(640 acres)* **6** (chirurgische) snee, incisie, (in)snijding, sectie: *c(a)esarean ~* keizersnede || *in ~* in profiel
sectional [seksjenel] **1** uitneembaar, demonteerbaar: *~ furniture* aanbouwmeubilair **2** sectioneel, mbt een bepaalde bevolkingsgroep: *~ interests* (tegenstrijdige) groepsbelangen
sector [sekte] sector, (bedrijfs)tak, afdeling, terrein, branche
secular [sekjoele] **1** wereldlijk, niet-kerkelijk: *~ music* wereldlijke muziek **2** vrijzinnig, niet aan vaste leerstellingen gebonden
secularize [sekjoelerajz] verwereldlijken
[1]secure [sikjoee] *bn* **1** veilig, beschut, beveiligd: *~ against* (of: *from*) veilig voor **2** veilig, stevig, zeker: *a ~ method of payment* een veilige manier van betalen **3** vol vertrouwen
[2]secure [sikjoee] *tr* **1** beveiligen, in veiligheid brengen **2** bemachtigen, zorgen voor: *~ the biggest number of orders* het grootste aantal orders in de wacht slepen **3** stevig vastmaken, vastleggen, afsluiten
security [sikjoeerittie] **1** veiligheid(sgevoel) **2** veiligheidsvoorziening, verzekering **3** beveiliging, (openbare) veiligheid: *tight ~ is in force* er zijn strenge veiligheidsmaatregelen getroffen **4** obligatie(certificaat), effect, aandeel **5** borg *(persoon)*: *be s.o.'s ~* zich voor iem borg stellen **6** (waar)borg, onderpand: *give as (a) ~* in onderpand geven
security check veiligheidscontrole
Security Council Veiligheidsraad *(van VN)*
security forces politietroepen
[1]sedate [siddeet] *bn* bezadigd, onverstoorbaar, kalm
[2]sedate [siddeet] *tr* kalmeren, tot rust brengen, een kalmerend middel toedienen aan
[1]sedative [seddetiv] *zn* kalmerend middel
[2]sedative [seddetiv] *bn* kalmerend, pijnstillend
sedentary [seddenterie] (stil)zittend
sediment [seddimment] sediment, neerslag, bezinksel; afzetting(smateriaal) *(door water, wind enz.)*
sedimentation [seddimmenteesjen] het neerslaan, afzetting, sedimentatie
sedition [siddisjen] ongehoorzaamheid, ordeverstoring
seditious [siddisjes] opruiend, oproerig, opstandig
seduce [sidjoe:s] verleiden *(ook fig)*; overhalen: *~ s.o. into sth.* iem tot iets overhalen
seducer [sidjoe:se] verleider
seduction [sidduksjen] verleiding(spoging)
seductive [sidduktiv] verleidelijk
[1]see [sie:] *zn* **1** (aarts)bisdom **2** (aarts)bisschopszetel: *the Holy See* de Heilige Stoel
[2]see [sie:] *intr (saw, seen)* nadenken, bekijken, zien: *let me ~* wacht eens, even denken; *we will ~ about that* dat zullen we nog wel (eens) zien
[3]see [sie:] *tr (saw, seen)* **1** voor zich zien, zich voorstellen **2** lezen *(in krant enz.)*; zien: *have you ~n today's papers?* heb je de kranten van vandaag gezien? **3** tegenkomen, ontmoeten: *~ you (later)!, (I'll) be ~ing you!* tot ziens!, tot kijk!; *~ a lot of s.o.* iem vaak zien **4** ontvangen, spreken met: *Mrs Richards can ~ you now* Mevr. Richards kan u nu even ontvangen; *can I ~ you for a minute?* kan ik u even spreken? **5** bezoeken, opzoeken, langs gaan bij: *~ the town* de stad bezichtigen; *~ over* (of: *round*) *a house* een huis bezichtigen **6** raadplegen, bezoeken: *~ a doctor* een arts raadplegen **7** meemaken, ervaren, getuige zijn van: *have ~n better days* betere tijden gekend hebben **8** begeleiden, (weg)brengen: *~ a girl home* een meisje naar huis brengen; *~ s.o. out* iem uitlaten; *I'll ~ you through* ik help je er wel doorheen || *~ sth. out* (of: *through*) iets tot het einde volhouden
[4]see [sie:] *tr, intr (saw, seen)* **1** zien, kijken (naar), aankijken tegen: *worth ~ing* de moeite waard, opmerkelijk; *I cannot ~ him doing it* ik zie het hem

nog niet doen; *we shall ~* we zullen wel zien, wie weet; *~ through s.o. (sth.)* iem (iets) doorhebben **2** zien, (het) begrijpen, (het) inzien: *I don't ~ the fun of doing that* ik zie daar de lol niet van in; *as far as I can ~* volgens mij; *as I ~ it* volgens mij **3** toezien (op), opletten, ervoor zorgen, zorgen voor: *~ to it that* ervoor zorgen dat

[1]**seed** [sie:d] *zn* **1** zaad(je); kiem *(fig)*; zaad, begin: *go* (of: *run*) *to ~* uitbloeien, doorschieten, *(fig)* verlopen, aftakelen **2** korreltje, bolletje **3** *(sport, vnl. tennis)* geplaatste speler

[2]**seed** [sie:d] *intr* zaad vormen, uitbloeien, doorschieten

[3]**seed** [sie:d] *tr, intr* **1** zaaien, zaad uitstrooien **2** bezaaien *(ook fig)*; bestrooien **3** *(sport, vnl. tennis)* plaatsen

seedbed 1 zaaibed **2** *(fig)* voedingsbodem

seedless [sie:dles] zonder zaad

seedling [sie:dling] zaailing

seedsman [sie:dzmen] zaadhandelaar

seedy [sie:die] **1** slonzig, verwaarloosd, vervallen **2** niet lekker, een beetje ziek, slap

seeing [sie:ing] aangezien, in aanmerking genomen dat: *~ (that) there is nothing I can do* aangezien ik niets kan doen

[1]**seek** [sie:k] *intr (sought, sought)* (met *after, for*) zoeken (naar): *~ for a solution* een oplossing zoeken

[2]**seek** [sie:k] *tr (sought, sought)* **1** nastreven, proberen te bereiken, zoeken **2** vragen, wensen, verlangen **3** opzoeken: *~ s.o. out* naar iem toekomen, iem opzoeken **4** proberen (te), trachten (te): *~ to escape* proberen te ontsnappen

seem [sie:m] (toe)schijnen, lijken, eruitzien: *he ~s (to be) the leader* hij schijnt de leider te zijn; *he ~s to have done it* het ziet ernaar uit dat hij het gedaan heeft; *it would ~ to me that* (of: *as if*) het lijkt mij dat (*of:* alsof); *he is not satisfied, it would ~* hij is niet tevreden, naar het schijnt; *it ~s to me* mij dunkt

seeming [sie:ming] schijnbaar, ogenschijnlijk, onoprecht: *in ~ friendship* onder schijn van vriendschap

seen [sie:n] *volt dw van* see

seep [sie:p] (weg)sijpelen, lekken, doorsijpelen; *(fig)* doordringen: *the water ~s into the ground* het water sijpelt weg in de grond

seer [sie] **1** ziener, profeet **2** helderziende

[1]**seesaw** [sie:so:] *zn* wip

[2]**seesaw** [sie:so:] *intr* **1** (op en neer) wippen, op en neer wippen, op de wip spelen **2** schommelen, zigzaggen, veranderlijk zijn: *~ing prices* schommelende prijzen

seethe [sie:ð] koken, zieden, kolken: *he was seething with rage* hij was witheet van woede

segment [sekment] deel, segment, part(je)

segregate [sekrikeet] afzonderen, scheiden, rassenscheiding toepassen op

segregation [sekrikeesjen] afzondering, scheiding, rassenscheiding, apartheid

seismic [sajzmik] seismisch, aardbevings-

seismograph [sajzmekra:f] seismograaf

seize [sie:z] **1** grijpen, pakken, nemen: *~ the occasion with both hands* de kans met beide handen aangrijpen; *~d with fear* door angst bevangen **2** in beslag nemen, afnemen **3** bevatten, begrijpen, inzien: *she never seemed to ~ the point* ze scheen helemaal niet te begrijpen waar het om ging

seize up vastlopen *(van machine)*; blijven hangen; *(fig ook)* blijven steken; niet verder kunnen

seize (up)on aangrijpen *(kans, aanleiding e.d.)*

seizure [sie:zje] **1** confiscatie, inbeslagneming, beslaglegging **2** aanval

seldom [seldem] zelden, haast nooit: *~ if ever, ~ or never* zelden of nooit

[1]**select** [sillekt] *bn* **1** uitgezocht, zorgvuldig gekozen, geselecteerd **2** exclusief

[2]**select** [sillekt] *intr* een keuze maken

[3]**select** [sillekt] *tr* (uit)kiezen, uitzoeken, selecteren

selection [silleksjen] keuze, selectie, verzameling

selective [sillektiv] selectief, uitkiezend

selector [sillekte] **1** lid van selectiecommissie, benoemingscommissie **2** kiezer, keuzeschakelaar

self [self] *(mv: selves)* **1** (het) zelf, het eigen wezen, het ik **2** persoonlijkheid, karakter: *he is still not quite his old ~* hij is nog steeds niet helemaal de oude **3** de eigen persoon, zichzelf, het eigenbelang: *he never thinks of anything but ~* hij denkt altijd alleen maar aan zichzelf

-self [self] *(mv: -selves)* **1** -zelf: *oneself* zichzelf **2** *(met nadruk)* zelf: *I did it myself* ik heb het zelf gedaan

self-addressed aan zichzelf geadresseerd: *~ envelope* antwoordenvelop

self-appointed opgedrongen, zichzelf ongevraagd opwerpend (als): *a ~ critic* iem die zich een oordeel aanmatigt

self-assured zelfverzekerd, vol zelfvertrouwen

self-catering zelf voor eten zorgend, maaltijden niet inbegrepen: *~ flat* flat, appartement *(waar men zelf voor het eten moet zorgen)*

self-centred egocentrisch, zelfzuchtig

self-confidence zelfvertrouwen, zelfverzekerdheid

self-conscious 1 bewust, zich van zichzelf bewust **2** verlegen, niet op zijn gemak

self-contained 1 onafhankelijk **2** vrij; met eigen keuken en badkamer *(van flat e.d.)*

self-contradictory tegenstrijdig

self-defeating zichzelf hinderend, zijn doel voorbijstrevend

self-defence zelfverdediging: *in ~* uit zelfverdediging

self-denial zelfopoffering, zelfverloochening

self-destruct [selfdistrukt] zichzelf vernietigen

self-determination zelfbeschikking(srecht)

self-educated autodidactisch: *a ~ man* een autodidact

self-employed zelfstandig, met een eigen onderneming, eigen baas
self-esteem gevoel van eigenwaarde, trots
self-evident vanzelfsprekend
self-explanatory duidelijk, onmiskenbaar, wat voor zichzelf spreekt
self-fulfilling zichzelf vervullend: *a ~ prophecy* een zichzelf vervullende voorspelling
self-importance gewichtigheid, eigendunk
self-imposed (aan) zichzelf opgelegd
selfish [selfisj] zelfzuchtig, egoïstisch
selfless [selfles] onbaatzuchtig, onzelfzuchtig
self-made **1** zelfgemaakt **2** opgewerkt, opgeklommen: *a ~ man* een man die alles op eigen kracht bereikt heeft
self-raising zelfrijzend
self-reliant onafhankelijk, zelfstandig
self-righteous vol eigendunk, intolerant
self-righting zichzelf oprichtend *(na kapseizen)*
self-sacrifice zelfopoffering
selfsame precies dezelfde (hetzelfde), identiek
self-service zelfbediening: *~ restaurant* zelfbedieningsrestaurant
self-serving uit eigenbelang
self-styled zogenaamd, zichzelf noemend: *~ professor* iem die zich voor professor uitgeeft
self-sufficient onafhankelijk
self-supporting zelfstandig
self-taught **1** zelf geleerd, zichzelf aangeleerd **2** autodidactisch, zichzelf opgeleid
[1]**sell** [sel] *zn* bedrog, verlakkerij, zwendel
[2]**sell** [sel] *intr (sold, sold)* **1** verkocht worden, verkopen, kosten, in de handel zijn **2** handel drijven, verkopen || *~ up* zijn zaak sluiten
[3]**sell** [sel] *tr (sold, sold)* **1** verkopen, in voorraad hebben, handelen in, verkwanselen: *~ off* uitverkopen; *~ at five pounds* (of: *at a loss*) voor vijf pond (*of:* met verlies) verkopen **2** aanprijzen: *~ oneself* zichzelf goed verkopen **3** overhalen, warm maken voor, aanpraten: *be sold on sth.* ergens helemaal weg van zijn **4** misleiden, bedriegen, bezwendelen || *~ s.o. short* iem tekortdoen
sell-by date uiterste verkoopdatum
seller [selle] **1** verkoper **2** succes, artikel dat goed verkoopt
selling point *(handel)* verkoopargument, voordeel, aanbeveling
sellotape [selleteep] plakband
sell out **1** door de voorraad heen raken **2** verkocht worden, uitverkocht raken **3** zijn aandeel in een zaak verkopen **4** verraad plegen: *~ to the enemy* samenwerken met de vijand
sell-out **1** volle zaal, uitverkochte voorstelling **2** verraad
selves [selvz] *mv van* self
semblance [semblens] **1** schijn, uiterlijk, vorm: *put on a ~ of enthousiasm* geestdriftig doen **2** gelijkenis **3** afbeelding, beeld, kopie || *without a ~ of guilt* zonder ook maar een zweem van schuldgevoel

semen [sie:men] sperma, zaad
semester [simmeste] semester *(universiteit)*
semicircle [semmiese:kl] **1** halve cirkel **2** halve kring
semicircular [semmiese:kjoele] halfrond
semicolon [semmiekoolen] puntkomma
semiconductor [semmiekendukte] halfgeleider
semi-conscious [semmiekonsjes] halfbewust
[1]**semi-detached** [semmieditetsjt] *zn* halfvrijstaand huis, huis van twee onder een kap
[2]**semi-detached** [semmieditetsjt] *bn* halfvrijstaand
semi-final [semmiefajnl] halve finale
seminar [semminna:] **1** werkgroep, cursus **2** congres
seminary [semminnerie] seminarie, kweekschool voor priesters
semi-precious [semmiepresjes] halfedel-
senate [sennet] **1** senaat, Amerikaanse Senaat **2** senaat, universitaire bestuursraad
senator [sennete] senator, senaatslid, lid vd Amerikaanse Senaat
[1]**send** [send] *intr (sent, sent)* bericht sturen, laten weten: *I sent to warn her* ik heb haar laten waarschuwen
[2]**send** [send] *tr (sent, sent)* **1** (ver)sturen, (ver)zenden **2** sturen, zenden; (doen) overbrengen *(bij uitbr);* dwingen tot: *~ to bed* naar bed sturen; *she ~s her love* je moet de groeten van haar hebben; *~ ahead* vooruit sturen; *~ in: a)* inzenden, insturen *(ter beoordeling); b)* indienen **3** teweegbrengen, veroorzaken: *the news sent us into deep distress* het nieuws bracht diepe droefenis bij ons teweeg **4** maken, doen worden: *this rattle ~s me crazy* ik word gek van dat geratel **5** opwinden, meeslepen: *this music really ~s me* ik vind die muziek helemaal te gek || *~ packing* de laan uit sturen, afschepen
[3]**send** [send] *tr, intr (sent, sent)* (uit)zenden: *~ s.o. after her* stuur iem achter haar aan; *~ s.o. off the field* iem uit het veld sturen
send down **1** naar beneden sturen; doen dalen *(prijzen, temperatuur)* **2** verwijderen (wegens wangedrag) *(vd universiteit)* **3** opsluiten *(in gevangenis)*
sender [sende] afzender, verzender: *return to ~* retour afzender
send for **1** (schriftelijk) bestellen **2** (laten) waarschuwen, laten komen: *~ help* hulp laten halen
[1]**send off** *intr* een bestelbon opsturen: *~ for* schriftelijk bestellen
[2]**send off** *tr* **1** versturen, op de post doen **2** op pad sturen, de deur uit laten gaan **3** wegsturen; *(sport)* uit het veld sturen
send-off uitgeleide, afscheid, het uitzwaaien: *give s.o. a ~* iem uitzwaaien
send on **1** vooruitsturen, (alvast) doorsturen **2** doorsturen *(post)*
send out **1** weg sturen, eruit sturen **2** uitstralen, af-

se

geven; uitzenden *(signaal)*
send up 1 opdrijven, omhoogstuwen, doen stijgen: ~ *prices* de prijzen opdrijven 2 parodiëren, de draak steken met 3 opsluiten *(in gevangenis)*
send-up parodie, persiflage
senile [sie:najl] 1 ouderdoms- 2 seniel, afgetakeld
senility [sinnillittie] seniliteit
[1]**senior** [sie:nie] *zn* 1 oudere, iem met meer dienstjaren: *she is four years my ~, she is my ~ by four years* ze is vier jaar ouder dan ik 2 oudgediende, senior 3 laatstejaars 4 oudere leerling
[2]**senior** [sie:nie] *bn* 1 oud, op leeftijd, bejaard, oudst(e): *a ~ citizen* een 65-plusser, bejaarde 2 hooggeplaatst, hoofd-: *a ~ position* een leidinggevende positie 3 hoger geplaatst, ouder in dienstjaren 4 hoogst in rang 5 laatstejaars 6 ouderejaars 7 senior: *Jack Jones Senior* Jack Jones senior || ~ *service* marine
senior high (school) laatste vier jaar vd middelbare school
seniority [sie:nie·orrittie] 1 (hogere) leeftijd 2 anciënniteit, aantal dienstjaren, voorrang op grond van dienstjaren (leeftijd): *their names were listed in the order of ~* hun namen waren gerangschikt op volgorde van het aantal dienstjaren
senior school middelbare school *(voor kinderen van 14-17 jaar)*
sensation [senseesjen] 1 gevoel, (zintuiglijke) gewaarwording, sensatie 2 sensatie, beroering: *cause* (of: *create*) *a ~* voor grote opschudding zorgen
sensational [senseesjenel] 1 sensationeel, opzienbarend, te gek, fantastisch 2 sensatie-, sensatiebelust
[1]**sense** [sens] *zn* 1 bedoeling, strekking 2 betekenis, zin: *in a ~* in zekere zin 3 (vaag) gevoel, begrip, (instinctief) besef: ~ *of duty* plichtsbesef, plichtsgevoel; ~ *of humour* gevoel voor humor 4 (zintuiglijk) vermogen, zin, zintuig: ~ *of smell* reuk(zinvermogen) 5 (gezond) verstand, benul: *there was a lot of ~ in her words* er stak heel wat zinnigs in haar woorden 6 zin, nut: *what's the ~?* wat heeft het voor zin? 7 (groeps)mening, (algemene) stemming 8 *~s* positieven, gezond verstand: *bring s.o. to his ~s: a)* iem tot bezinning brengen; *b)* iem weer bij bewustzijn brengen || *make ~: a)* zinnig zijn; *b)* ergens op slaan, steekhoudend zijn; *it just doesn't make ~* het klopt gewoon niet, het slaat gewoon nergens op; *make ~ of sth.* ergens uit wijs kunnen (worden); *talk ~* verstandig praten
[2]**sense** [sens] *tr* 1 (zintuiglijk) waarnemen, gewaar worden 2 zich (vaag) bewust zijn, voelen 3 begrijpen, door hebben: *at last he was beginning to ~ what the trouble was* eindelijk begon hij door te krijgen wat het probleem was
senseless [sensles] 1 bewusteloos 2 gevoelloos 3 onzinnig, idioot
sense-organ zintuig
sensibility [sensibbillittie] 1 (over)gevoeligheid *(voor indrukken, kunst): offend s.o.'s sensibilities* iemands gevoelens kwetsen 2 lichtgeraaktheid 3 gevoel, gevoeligheid, waarnemingsvermogen, bewustzijn; erkenning *(van probleem)*
sensible [sensibl] 1 verstandig, zinnig 2 praktisch; functioneel *(van kleren e.d.)* 3 merkbaar, waarneembaar 4 (met *to*) gevoelig (voor), ontvankelijk (voor)
sensitive [sensittiv] 1 gevoelig, ontvankelijk 2 precies; gevoelig *(van instrument)* 3 (fijn)gevoelig, smaakvol 4 lichtgeraakt 5 *(foto)* (licht)gevoelig 6 gevoelig, geheim: ~ *post* vertrouwenspost || ~ *plant: a)* gevoelige plant; *b)* kruidje-roer-mij-niet
sensitivity [sensittivvittie] 1 gevoeligheid 2 (fijn)gevoeligheid, smaak
sensor [sense] aftaster, sensor, verklikker
sensory [senserie] zintuiglijk
sensual [sensjoeel] sensueel, zinnelijk, wellustig
sensualism [sensjoeelizm] genotzucht, wellust
sensuous [sensjoees] 1 zinnelijk, zintuiglijk 2 aangenaam, behaaglijk: *with ~ pleasure* vol behagen, behaaglijk
sent [sent] *ovt en volt dw van* send
[1]**sentence** [sentens] *zn* 1 (vol)zin: *complex* (of: *compound*) ~ samengestelde zin 2 vonnis, vonnissing, (rechterlijke) uitspraak, veroordeling, straf: *under ~ of death* ter dood veroordeeld
[2]**sentence** [sentens] *tr* veroordelen, vonnissen: *be ~d to pay a fine* veroordeeld worden tot een geldboete
sententious [sentensjes] moraliserend, prekerig
sentient [sensjent] *(met of)* bewust (van)
sentiment [sentimment] 1 gevoel, mening, opvatting: *(those are) my ~s exactly* zo denk ik er ook over, precies wat ik wou zeggen 2 (geluk)wens 3 gevoel, gevoelens; stemming *(ook op beurs, markt)*; emotie, voorkeur: *be swayed by ~* zich laten leiden door zijn gevoel
sentimental [sentimmentl] sentimenteel, (over)gevoelig: ~ *value* gevoelswaarde
sentimentality [sentimmentelittie] sentimentaliteit
sentry [sentrie] schildwacht
sepal [sepl] blaadje van een bloemkelk
separable [sepperebl] (af)scheidbaar, verdeelbaar: *in his poems form is not ~ from content* in zijn gedichten is de vorm niet los te zien van de inhoud
[1]**separate** [sepperet] *bn* afzonderlijk, (af)gescheiden, apart, verschillend, alleenstaand: ~ *ownership* particulier eigendom(srecht); *keep ~ from* afgezonderd houden van
[2]**separate** [seppereet] *intr* 1 zich (van elkaar) afscheiden, zich afzonderen, zich verdelen, uiteenvallen: ~ *from* zich afscheiden van 2 scheiden, uit elkaar gaan
[3]**separate** [seppereet] *tr* afzonderen, losmaken, verdelen: *legally ~d* gescheiden van tafel en bed;

widely ~d ver uit elkaar gelegen
separation [seppereesjen] (af)scheiding, afzondering, afscheuring, verschil, onderscheid, het uiteengaan, vertrek, (tussen)ruimte, afstand: *judicial* (of: *legal*) ~ scheiding van tafel en bed
separatist [sepperetist] separatist, iem die zich afscheidt; *(pol)* autonomist; nationalist
September [septembe] september
septic [septik] **1** (ver)rottings-: ~ *matter* etter **2** ontstoken, geïnfecteerd
sepulchral [sippulkrel] graf-, begrafenis-; *(fig)* somber; akelig: *in a ~ voice* met een grafstem
sepulchre [seppelke] graf, graftombe
sequel [sie:kwel] **1** gevolg, resultaat, afloop: *as a ~ to* als gevolg van **2** vervolg *(op een boek)*; voortzetting
sequence [sie:kwens] **1** reeks *(gedichten, toneelstukken)*; opeenvolging, rij, volgorde: *the ~ of events* de loop der gebeurtenissen; *in ~* op volgorde, de een na de ander **2** episode, fragment, (onder)deel, (film)opname, scène
sequester [sikweste] **1** afzonderen, verborgen houden **2** in bewaring stellen, beslag leggen op
seraglio [sirra:li·oo] harem
[1]**Serb** [se:b] *zn* Serviër
[2]**Serb** [se:b] *bn* Servisch
Serbia [se:rbie] Servië
[1]**Serbian** [se:bien] *zn* Serviër
[2]**Serbian** [se:bien] *bn* Servisch
serenade [serreneed] serenade(muziek)
serene [serie:n] sereen, helder: *a ~ summer night* een kalme zomeravond
serenity [serennittie] helderheid, kalmte, rust
serf [se:f] lijfeigene, slaaf
serfdom [se:fdem] lijfeigenschap, slavernij
sergeant [sa:dzjent] **1** sergeant, wachtmeester **2** brigadier (van politie)
[1]**serial** [sieriel] *zn* **1** feuilleton, vervolgverhaal, (televisie)serie **2** seriepublicatie
[2]**serial** [sieriel] *bn* serieel, in serie, opeenvolgend: *~ number* volgnummer, serienummer
serialize [sierielajz] **1** als feuilleton publiceren **2** rangschikken, ordenen in reeksen
serial killer seriemoordenaar
series [sierie:z] **1** reeks, serie, rij, verzameling, groep: *arithmetical ~* rekenkundige reeks **2** *(elektr)* serie(schakeling): *in ~* in serie (geschakeld)
serious [sieries] **1** ernstig, serieus: *~ damage* aanzienlijke schade; *after ~ thought* na rijp beraad **2** oprecht, gemeend
seriously [sierieslie] **1** ernstig, serieus, belangrijk, aanzienlijk: *~ ill* ernstig ziek **2** echt, heus, zonder gekheid: *but ~, are you really thinking of moving?* maar serieus, ben je echt van plan te verhuizen?
sermon [se:men] preek *(ook fig)*; vermaning
serpent [se:pent] **1** slang, serpent **2** onderkruiper
serpentine [se:pentajn] **1** slangachtig, slangen- **2** kronkelig
serrated [serreetid] zaagvormig, getand, gezaagd: *a ~ knife* een kartelmes
serum [sierem] serum
servant [se:vent] **1** dienaar, bediende, (huis)knecht, dienstbode **2** *~s* personeel
[1]**serve** [se:v] *tr* **1** dienen, voorzien in, volstaan, vervullen: *~ a purpose* een bepaald doel dienen; *~ the purpose of* dienstdoen als **2** behandelen, bejegenen: *that ~s him right!* dat is zijn verdiende loon!, net goed! **3** ondergaan, vervullen, (uit)zitten: *he ~d ten years in prison* hij heeft tien jaar in de gevangenis gezeten **4** dagvaarden, betekenen: *~ a writ on s.o., ~ s.o. with a writ* iem dagvaarden
[2]**serve** [se:v] *tr, intr* **1** dienen (bij), in dienst zijn van: *(fig) ~ two masters* twee heren dienen **2** serveren, opdienen: *~ dinner* het eten opdienen; *~ at table* bedienen, opdienen **3** dienen, dienstdoen, helpen, baten: *that excuse ~d him well* dat smoesje is hem goed van pas gekomen; *are you being ~d?* wordt u al geholpen? **4** *(sport)* serveren, opslaan
serve out **1** verdelen, ronddelen **2** uitdienen, uitzitten
servery [se:verie] **1** buffet *(in zelfbedieningsrestaurant)* **2** doorgeefluik *(tussen keuken en eetkamer)*
[1]**service** [se:vis] *zn* **1** dienst, (overheids)instelling, bedrijf: *secret ~* geheime dienst **2** krijgsmachtonderdeel *(leger, marine of luchtmacht)*: *on (active) ~* in actieve dienst **3** hulp, bijstand, dienst(verlening): *do s.o. a ~* iem een dienst bewijzen **4** (kerk)dienst **5** verbinding; dienst *(d.m.v. bus, trein of boot)* **6** onderhoudsbeurt, onderhoud, service **7** servies **8** nutsbedrijf **9** *(sport)* opslag, service(beurt) **10** gasleiding, waterleiding *(in woning)*; huisaansluiting **11** dienstbaarheid, dienst, het dienen, het dienstbaar zijn: *in ~* in dienst *(bijv. ve bus of trein)* **12** nut, dienst: *at your ~* tot uw dienst **13** bediening, service
[2]**service** [se:vis] *tr* **1** onderhouden, een (onderhouds)beurt geven **2** (be)dienen, voorzien van
serviceable [se:vissebl] **1** nuttig, bruikbaar, handig **2** sterk, stevig, duurzaam
service area wegrestaurant *(samen met benzinestation)*
service charge **1** bedieningsgeld **2** administratiekosten
service flat verzorgingsflat
serviceman [se:vismen] militair, soldaat
service road ventweg, parallelweg
services [se:vissiz] wegrestaurant (met benzinestation)
serviette [se:vie·et] servet(je), vingerdoekje
servile [se:vajl] slaafs, onderdanig, kruiperig: *~ imitation* slaafse navolging
servility [se:villittie] slaafsheid, kruiperige houding
serving [se:ving] portie: *three ~s of ice-cream* drie porties ijs
servitude [se:vitjoe:d] slavernij, onderworpenheid

se

sesame [sessemie] sesam(kruid), sesamzaad || *Open ~!* Sesam, open u!

session [sesjen] **1** zitting *(gerechtshof, bestuur, commissie);* vergadering, sessie: *secret ~* geheime zitting **2** zittingsperiode, zittingstijd **3** academiejaar, semester, halfjaar **4** schooltijd **5** bijeenkomst, partij, vergadering **6** (opname)sessie: *recording ~* opnamesessie (in studio)

[1]**set** [set] *zn* **1** stel, span, servies; set *(pannen enz.);* reeks: *~ of (false) teeth* een (vals) gebit **2** kring, gezelschap, groep, kliek: *the jet ~* de elite; *the smart ~* de chic, de hogere standen (*of:* kringen) **3** toestel, radiotoestel, tv-toestel **4** stek, loot, jonge plant **5** set, spel, partij **6** *(wisk)* verzameling **7** vorm; houding *(van hoofd);* ligging *(van heuvels): the ~ of her head* de houding van haar hoofd **8** toneelopbouw, scène, (film)decor; *(bij uitbr)* studiohal; set: *on (the) ~* op de set, bij de (film)-opname

[2]**set** [set] *bn* **1** vast, bepaald, vastgesteld, stereotiep, routine-, onveranderlijk: *~ phrase* stereotiepe uitdrukking; *~ purpose* vast vooropgesteld doel **2** voorgeschreven; opgelegd *(boek, onderwerp)* **3** strak, onbeweeglijk; stijf *(gezicht);* koppig, hardnekkig: *~ in one's ways* met vaste gewoonten; *~ fair: a)* bestendig *(weer); b)* prettig, goed *(vooruitzicht)* **4** klaar, gereed: *get ~, ready, steady, go* op uw plaatsen, klaar voor de start, af; *be all ~ for sth.* (of: *to do sth.*) helemaal klaar zijn voor iets (*of:* om iets te doen) **5** volledig en tegen vaste prijs *(maaltijd in restaurant): ~ dinner* dagschotel, dagmenu **6** geplaatst, gevestigd: *eyes ~ deep in the head* diepliggende ogen **7** vastbesloten: *her mind is ~ on pleasure* ze wil alleen plezier maken || *~ square* tekendriehoek

[3]**set** [set] *intr (set, set)* **1** vast worden; stijf worden *(van cement, gelei);* verharden, stollen, een vaste vorm aannemen; bestendig worden *(van weer)* **2** ondergaan *(van zon, maan): the sun had nearly ~* de zon was bijna onder **3** aan elkaar groeien *(van gebroken been)*

[4]**set** [set] *tr (set, set)* **1** zetten, plaatsen, stellen, leggen, doen zitten: *~ a trap* een val zetten; *~ free* vrijlaten, bevrijden; *~ pen to paper* beginnen te schrijven **2** gelijkzetten *(klok, uurwerk)* **3** opleggen, opdragen, opgeven; geven *(voorbeeld);* stellen, opstellen; (samen)stellen *(vragen e.d.): ~ s.o. a good example* iem het goede voorbeeld geven; *~ s.o. a task* iem een taak opleggen; *~ to work* zich aan het werk zetten, beginnen te werken **4** bepalen *(datum);* voorschrijven; aangeven *(maat, pas, toon, tempo);* vaststellen: *~ the fashion* de mode bepalen; *~ a price on sth.* de prijs van iets bepalen **5** brengen, aanleiding geven tot, veroorzaken: *that ~ me thinking* dat bracht me aan het denken **6** stijf doen worden *(cement, gelei e.d.)* **7** instellen *(camera, lens, toestel)* **8** dekken *(tafel): ~ the table* de tafel dekken **9** zetten *(letters, tekst)* **10** uitzetten *(wacht, netten);* posteren: *~ a watch* een schildwacht uitzetten **11** zetten *(gebroken been);* bij elkaar voegen, samenvoegen **12** op muziek zetten *(tekst): ~ to music* op muziek zetten **13** situeren *(verhaal, toneelstuk): the novel is ~ in the year 2020* de roman speelt zich af in het jaar 2020 **14** vestigen *(record): ~ a new record* een nieuw record vestigen || *~ (up)on s.o.* iem aanvallen; *against that fact you must ~ that ...* daartegenover moet je stellen dat ...; *~ s.o. against s.o.* iem opzetten tegen iem; *~ s.o. beside s.o. else* iem met iem anders vergelijken

set about **1** beginnen (met, aan), aanpakken: *the next day they ~ cleaning the house* de dag daarop begonnen ze met het schoonmaken van het huis **2** aanvallen

set apart terzijde leggen, reserveren

set aside **1** terzijde zetten, reserveren; sparen *(geld): ~ for* reserveren voor **2** buiten beschouwing laten, geen aandacht schenken aan: *setting aside the details* afgezien van de details

setback **1** inzinking **2** tegenslag, nederlaag

set back terugzetten, achteruitzetten: *the accident has set us back by about four weeks* door het ongeluk zijn we ongeveer vier weken achter (op schema) geraakt

set down **1** neerzetten **2** afzetten; laten afstappen *(uit voertuig)* **3** neerschrijven, opschrijven

set in intreden *(jaargetijde, reactie);* invallen *(duisternis, dooi);* beginnen: *rain has ~* het is gaan regenen

[1]**set off** *intr* zich op weg begeven, vertrekken: *~ in pursuit* de achtervolging inzetten

[2]**set off** *tr* **1** versieren **2** doen uitkomen *(kleuren): she wore a dress that ~ her complexion quite well* ze droeg een jurk die haar teint goed deed uitkomen **3** doen ontbranden; tot ontploffing brengen *(bom)* **4** doen opwegen, goedmaken: *~ against* doen opwegen tegen **5** doen *(lachen, praten);* stimuleren: *set s.o. off laughing* iem aan het lachen brengen **6** afzetten, afpassen: *a small area was ~ for the smokers* er was een kleine ruimte afgezet voor de rokers

set on ertoe brengen, aansporen

[1]**set out** *intr* **1** zich op weg begeven, vertrekken: *~ for Paris* vertrekken met bestemming Parijs **2** zich voornemen, het plan opvatten

[2]**set out** *tr* **1** uitzetten, klaarzetten; opzetten *(schaakstukken): if you ~ the white pieces, I'll do the black ones* als jij de witte stukken opzet, doe ik de zwarte **2** tentoonstellen; uitstallen *(goederen)* **3** verklaren, uiteenzetten

set point setpunt

set square tekendriehoek

sett [set] **1** (dassen)burcht **2** vierkante straatkei

setting [setting] **1** ondergang *(zon, maan)* **2** stand; instelling *(op instrument, machine)* **3** omlijsting, achtergrond: *the story has its ~ in Sydney* het verhaal speelt zich af in Sydney **4** montering; aankleding *(film, toneelstuk)*

[1]**settle** [setl] *intr* **1** gaan zitten, zich neerzetten, neerstrijken: ~ *back in a chair* gemakkelijk gaan zitten in een stoel **2** neerslaan; bezinken *(van stof, droesem)* **3** zich vestigen, gaan wonen || ~ *in: a)* zich installeren *(in huis); b)* zich inwerken; ~ *for sth.* genoegen nemen met iets; ~ *(down) to sth.* zich ergens op concentreren, zich ergens toe zetten

[2]**settle** [setl] *tr* **1** regelen, in orde brengen **2** vestigen *(in woonplaats, maatschappij)* **3** koloniseren: *their forefathers ~d the land in 1716* hun voorvaderen koloniseerden het land in 1716 **4** zetten, plaatsen, leggen: *she ~d herself in the chair* zij nestelde zich in haar stoel **5** (voorgoed) beëindigen; beslissen *(woordenwisseling, twijfels);* de doorslag geven: *that ~s it!* dat doet de deur dicht!, dat geeft de doorslag!; *let's ~ this once and for all* laten we dit nu eens en altijd regelen **6** schikken, bijleggen, tot een schikking komen || ~ *into* zich thuis doen voelen in; ~ *on* vastzetten op

[3]**settle** [setl] *tr, intr* **1** kalmeren, (doen) bedaren **2** opklaren *(vloeistof);* helderder worden (maken) **3** (met *(up)on)* overeenkomen (mbt), een besluit nemen, afspreken: ~ *(up)on a date* een datum vaststellen **4** betalen *(bijv. rekening);* voldoen, vereffenen: ~ *a claim* schade uitbetalen; ~ *up* verrekenen *(onder elkaar);* ~ *(an account, old score) with s.o.* het iem betaald zetten

settled [setld] vast, onwrikbaar; gevestigd *(mening);* bestendig *(weer);* onveranderlijk

[1]**settle down** *intr* **1** een vaste betrekking aannemen, zich vestigen **2** wennen, zich thuis gaan voelen, ingewerkt raken **3** (met *to*) zich concentreren (op), zich toeleggen (op): *he finally settled down to his studies* eindelijk ging hij zich toeleggen op zijn studie **4** vast worden *(van weer)*

[2]**settle down** *tr, intr* kalmeren, tot rust komen (brengen)

settlement [setlment] **1** nederzetting, kolonie, groepje kolonisten, plaatsje **2** kolonisatie **3** schikking, overeenkomst **4** afrekening: *in ~ of* ter vereffening van

settler [setle] kolonist

set-to **1** vechtpartij **2** ruzie: *there was a bit of a ~ outside the pub* er ontstond ruzie buiten de kroeg

[1]**set up** *intr* zich vestigen: ~ *as a dentist* zich als tandarts vestigen

[2]**set up** *tr* **1** opzetten *(bijv. tent);* opstellen, monteren, stichten; oprichten *(school);* beginnen; aanstellen *(comité);* opstellen *(regels);* organiseren **2** aanheffen; verheffen *(stem)* **3** veroorzaken **4** er bovenop helpen, op de been helpen **5** vestigen: *set s.o. up in business* iem in een zaak zetten **6** beramen *(overval)* **7** belazeren, de schuld in de schoenen schuiven

set-up **1** opstelling *(bij filmopname)* **2** opbouw, organisatie

seven [sevn] zeven

sevenfold [sevnfoold] **1** zevenvoudig **2** zevendelig

seven-league: ~ *boots* zevenmijlslaarzen

seventeen [sevntie:n] zeventien

seventeenth [sevntie:nθ] zeventiende, zeventiende deel

seventh [sevnθ] zevende, zevende deel

seventy [sevntie] zeventig

[1]**sever** [sevve] *intr* **1** breken, het begeven, losgaan **2** uiteen gaan, scheiden

[2]**sever** [sevve] *tr* **1** afbreken: ~ *the rope* het touw doorsnijden **2** (af)scheiden: ~ *oneself from* zich afscheiden van **3** verbreken *(relatie e.d.)*

several [sevverel] **1** verscheidene, enkele, een aantal (ervan): *she has written ~ books* ze heeft verscheidene boeken geschreven; ~ *of my friends* verscheidene van mijn vrienden **2** apart(e), respectievelijk(e), verschillend(e): *after their studies the students went their ~ ways* na hun studie gingen de studenten elk hun eigen weg

severally [sevverelie] **1** afzonderlijk, hoofdelijk: *the partners are ~ liable* de vennoten zijn hoofdelijk aansprakelijk **2** elk voor zich, respectievelijk

severance [sevverens] **1** verbreking; opzegging *(van betrekkingen)* **2** scheiding, (ver)deling **3** ontslag, verbreking van arbeidscontract

severe [sivvie] **1** streng, strikt **2** hevig, bar: ~ *conditions* barre omstandigheden **3** zwaar, moeilijk, ernstig: ~ *requirements* zware eisen || *leave* (of: *let*) *sth. ~ly alone* ergens z'n handen niet aan willen vuilmaken

severity [sivverrittie] *(mv: -ies)* **1** strengheid, hardheid **2** hevigheid, barheid **3** soberheid, strakheid

sew [soo] *(sewed, sewn)* naaien; hechten *(mbt wond)*

sewage [soe:idzj] afvalwater, rioolwater: *raw ~* ongezuiverd afvalwater

[1]**sewer** [soe:e] *zn* riool(buis)

[2]**sewer** [sooe] *zn* naaister

sewerage [soe:eridzj] **1** riolering, rioolstelsel **2** (afval)waterafvoer

sewing [sooing] naaiwerk

sewn [soon] *volt dw van* sew

sew up **1** dichtnaaien, hechten **2** succesvol afsluiten, beklinken, regelen

[1]**sex** [seks] *zn* **1** geslacht, sekse: *the second ~* de tweede sekse, de vrouw(en) **2** seks, erotiek **3** seksuele omgang, geslachtsgemeenschap: *have ~ with s.o.* met iem naar bed gaan, vrijen

[2]**sex** [seks] *tr* seksen, het geslacht vaststellen van

sexism [seksizm] seksisme, ongelijke behandeling i.v.m. sekse

[1]**sexist** [seksist] *zn* seksist

[2]**sexist** [seksist] *bn* seksistisch

sexless [seksles] **1** onzijdig, geslachtloos **2** niet opwindend

sex object **1** seksobject, lustobject **2** sekssymbool

sextant [sekstent] sextant *(navigatie-instrument)*

sexual [seksjoeel] **1** seksueel, geslachts-: ~ *harassment* ongewenste intimiteiten *(op werk);* ~ *inter-*

course geslachtsgemeenschap **2** geslachtelijk, mbt het geslacht
sexuality [seksjoe·elittie] seksualiteit
sexy [seksie] sexy, opwindend
sf *afk van sciencefiction* sf
Sgt *afk van sergeant*
sh [sj] sst
shabby [sjebie] **1** versleten, af(gedragen), kaal **2** sjofel, armoedig **3** min, gemeen: *what a ~ way to treat an old friend!* wat een laag-bij-de-grondse manier om een oude vriend te behandelen!
shack [sjek] **1** hut **2** hok, keet, schuurtje
[1]**shackle** [sjekl] *zn* **1** (hand)boei, keten, kluister **2** *~s* belemmering **3** schakel, sluiting
[2]**shackle** [sjekl] *tr* **1** boeien, ketenen **2** koppelen, vastmaken **3** belemmeren, hinderen || *be ~d with sth.* met iets opgezadeld zitten
shack up hokken, samenwonen, samenleven: *~ together* (samen)hokken, samenwonen
[1]**shade** [sjeed] *zn* **1** schaduw, lommer: *put s.o. (sth.) in the ~* iem (iets) overtreffen **2** schaduwplek(je) **3** schakering, nuance: *~s of meaning* (betekenis)nuances **4** (zonne)scherm, (lampen)kap, zonneklep **5** schim, geest, spook **6** tikkeltje, ietsje, beetje **7** (rol)gordijn **8** *~s* duisternis, schemerduister **9** *~s* zonnebril
[2]**shade** [sjeed] *tr* **1** beschermen, beschutten; *(fig)* in de schaduw stellen: *~ one's eyes* zijn hand boven de ogen houden **2** afschermen *(licht)*; dimmen **3** arceren, schaduw aanbrengen in
[3]**shade** [sjeed] *tr, intr* geleidelijk veranderen, (doen) overgaan || *~ away* (of: *off*) geleidelijk aan (laten) verdwijnen
shading [sjeeding] arcering
[1]**shadow** [sjedoo] *zn* **1** schaduw, duister, duisternis, schemerduister **2** schaduw(beeld) *(ook fig)*; silhouet: *afraid of one's own ~* zo bang als een wezel; *cast a ~ on sth.* een schaduw werpen op iets *(ook fig)* **3** schaduwplek, schaduwhoek, arcering; schaduw *(in schilderij)* **4** iem die schaduwt, spion, detective || *he is the ~ of his former self* hij is bij lange na niet meer wat hij geweest is; *without the ~ of a doubt* zonder ook maar de geringste twijfel
[2]**shadow** [sjedoo] *tr* schaduwen; volgen *(van detective)*
shadow-boxing het schaduwboksen
shadowy [sjedooie] **1** onduidelijk, vaag, schimmig **2** schaduwrijk, in schaduw gehuld
shady [sjeedie] **1** schaduwrijk **2** onbetrouwbaar, verdacht, louche
[1]**shaft** [sja:ft] *zn* **1** schacht *(van pijl, speer)* **2** steel, stok **3** lichtstraal, lichtbundel, bliksemstraal, lichtflits **4** koker; schacht *(lift, mijn)* **5** (drijf)as || *get the ~* te grazen genomen worden
[2]**shaft** [sja:ft] *tr* te grazen nemen, belazeren
[1]**shag** [sjeǩ] *zn* **1** warboel, kluwen **2** shag **3** *(inform)* wip, seks
[2]**shag** [sjeǩ] *ww (inform)* neuken; naaien, wippen
shagged (out) [sjeǩd aut] bekaf, uitgeteld
shaggy [sjeǩie] **1** harig, ruigbehaard **2** ruig, wild, woest
shah [sja:] sjah
[1]**shake** [sjeek] *zn* **1** het schudden, handdruk: *he said no with a ~ of the head* hij schudde (van) nee **2** milkshake **3** ogenblikje, momentje: *in two ~s (of a lamb's tail)* zo, direct, in een seconde
[2]**shake** [sjeek] *intr (shook, shaken)* **1** schudden, schokken, beven, (t)rillen: *~ with laughter* schudden van het lachen **2** wankelen **3** de hand geven: *~ (on it)!* geef me de vijf!, hand erop!
[3]**shake** [sjeek] *tr (shook, shaken)* **1** doen schudden, schokken, doen beven **2** (uit)schudden, zwaaien, heen en weer schudden: *~ dice* dobbelstenen schudden; *~ off: a)* (van zich) afschudden; *b) (ook fig)* ontsnappen aan; *~ before use* (of: *using*) schudden voor gebruik **3** geven; schudden *(hand)* **4** schokken, verontrusten, overstuur maken: *mother was tremendously ~n by Paul's death* moeder was enorm getroffen door de dood van Paul **5** aan het wankelen brengen *(fig)*; verzwakken, verminderen: *these stories have ~n the firm's credit* deze verhalen hebben de firma in diskrediet gebracht
shakedown afpersing, geld-uit-de-zakklopperij
[1]**shake down** *intr* **1** gewend raken, ingewerkt raken **2** goed gaan lopen, werken, goed afgesteld zijn
[2]**shake down** *tr* **1** (af)schudden, uitschudden **2** (op de grond) uitspreiden **3** afpersen, geld uit de zak kloppen
shaken [sjeeken] *volt dw van* shake
shake up **1** (door elkaar) schudden *(ook fig)*; hutselen *(drankje)* **2** reorganiseren, orde op zaken stellen in
shake-up radicale reorganisatie || *they need a thorough ~* ze moeten eens flink wakker geschud worden
shaky [sjeekie] **1** beverig, trillerig, zwak(jes) **2** wankel *(ook fig)*; gammel, onbetrouwbaar: *my Swedish is rather ~* mijn Zweeds is nogal zwak
shall [sjel] *(verk 'll; ontkennende verk shan't; ovt should)* **1** zullen: *how ~ I recognize her?* hoe zal ik haar herkennen? **2** *(gebod; ook belofte, dreiging, plan enz.)* zullen, moeten: *you ~ do as I tell you* doe wat ik zeg **3** zullen, moeten: *~ I open the window?* zal ik het raam openzetten?
shallot [sjelot] sjalot
shallow [sjeloo] **1** ondiep: *~ dish* plat bord **2** licht; niet diep *(van ademhaling)* || *~ arguments* oppervlakkige argumenten
shallows [sjelooz] ondiepte, ondiepe plaats, wad
[1]**sham** [sjem] *zn* **1** komedie, schijn(vertoning), bedrog: *the promise was a ~* de belofte was maar schijn **2** imitatie **3** bedrieger, hypocriet
[2]**sham** [sjem] *bn* **1** namaak-, imitatie-, vals **2** schijn-, gesimuleerd, pseudo-: *a ~ fight* een schijngevecht
[3]**sham** [sjem] *ww* voorwenden, doen als of: *~ ill-*

ness doen alsof je ziek bent

[1]**shamble** [sjembl] *zn* schuifelgang(etje)

[2]**shamble** [sjembl] *intr* schuifelen; sloffen *(ook fig): a shambling gait* een sukkelgangetje

shambles [sjemblz] janboel, troep, bende, zooi: *the house is a complete ~* het huis is een echte varkensstal

[1]**shame** [sjeem] *zn* **1** schande, schandaal **2** zonde: *what a ~!* het is een schande!, wat jammer! **3** schaamte(gevoel): *have no sense of ~* zich nergens voor schamen **4** schande, smaad, vernedering: *put to ~: a)* in de schaduw stellen; *b)* beschaamd maken (*of:* doen staan); *to my ~* tot mijn (grote) schande; *~ on you!* schaam je!, je moest je schamen!; *(tegen spreker) ~!* schandalig!, hoe durft u!

[2]**shame** [sjeem] *tr* **1** beschamen: *it ~s me to say this* ik schaam me ervoor dit te (moeten) zeggen **2** schande aandoen, te schande maken **3** in de schaduw stellen, overtreffen: *your translation ~s all the other attempts* jouw vertaling stelt alle andere pogingen in de schaduw

shameful [sjeemfoel] **1** beschamend **2** schandelijk, schandalig

shameless [sjeemles] schaamteloos, onbeschaamd

[1]**shampoo** [sjempoe:] *zn* shampoo

[2]**shampoo** [sjempoe:] *tr* shamponeren; met shampoo reinigen *(auto, tapijt)*

shampooed [sjempoe:d] *ovt en volt dw van* shampoo

shamrock [sjemrok] klaver *(plant met klaverachtige bladeren, symbool van Ierland)*

shandy [sjendie] shandy *(bier met limonade)*

shank [sjengk] **1** (onder)been, scheenbeen, schenkel **2** schacht *(van anker, zuil, sleutel)* **3** steel

shanks'(s) pony: *go on* (of: *ride*) ~ met de benenwagen gaan

shan't [sja:nt] *samentr van shall not*

shanty [sjentie] **1** barak, hut, keet **2** zeemansliedje

shanty town sloppenwijk, barakkenkamp

[1]**shape** [sjeep] *zn* **1** vorm, gestalte, gedaante, verschijning: *take ~* (vaste, vastere) vorm aannemen; *in the ~ of* in de vorm van **2** (bak-, giet)vorm, model, sjabloon **3** (goede) conditie, (goede) toestand, vorm: *in bad* (of: *good*) *~* in slechte (*of:* goede) conditie || *(met ontkenning) in any ~ or form* in welke vorm dan ook, van welke aard dan ook; *knock* (of: *lick*) *sth. into ~* iets fatsoeneren

[2]**shape** [sjeep] *intr (*ook met *up)* zich ontwikkelen, zich vormen, vorm aannemen: *we'll see how things ~ (up)* we zullen zien hoe de dingen zich ontwikkelen

[3]**shape** [sjeep] *tr* **1** vormen, maken, ontwerpen: *~d like (a pear)* in de vorm van (een peer), (peer)vormig **2** bepalen, vormen, vorm (richting) geven aan: *his theories, which ~d mathematical thinking in the 1980s* zijn theorieën, die het wiskundig denken in de jaren tachtig richting gaven

shapeless [sjeeples] **1** vorm(e)loos, ongevormd **2** misvormd, vervormd

shapely [sjeeplie] goedgevormd, welgevormd

[1]**share** [sjee] *zn* **1** aandeel, effect **2** (onder)deel, aandeel, part, gedeelte, portie: *get one's fair ~* zijn rechtmatig (aan)deel krijgen || *go ~s (with s.o. in sth.)* de kosten (van iets met iem) delen

[2]**share** [sjee] *tr* **1** (ver)delen: *~ a bedroom* een slaapkamer delen; *~ (out) among* (of: *between*) verdelen onder (*of:* over) **2** deelgenoot maken van: *~ a secret with s.o.* iem deelgenoot maken van een geheim

[3]**share** [sjee] *tr, intr* delen, deelnemen: *~ and ~ alike* eerlijk delen

shareholder aandeelhouder

share-out verdeling

shark [sja:k] **1** haai **2** afzetter, woekeraar

[1]**sharp** [sja:p] *zn* (noot met) kruis || *F ~* f-kruis, fa kruis, fis

[2]**sharp** [sja:p] *bn* **1** scherp, spits, puntig: *a ~ angle* een scherpe hoek **2** schril: *a ~ contrast* een schril contrast **3** abrupt, plotseling, steil: *a ~ fall* (of: *rise*) *in prices* een scherpe daling (*of:* stijging) van de prijzen **4** bijtend, doordringend, snijdend: *~ frost* bijtende vrieskou **5** scherp, pikant, sterk: *a ~ flavour* een scherpe smaak **6** hevig, krachtig: *a ~ blow* een hevige klap **7** streng, vinnig: *a ~ reproof* een scherp verwijt **8** scherpzinnig, bijdehand, pienter, vlug: *keep a ~ look-out* scherp uitkijken; *be too ~ for s.o.* iem te slim af zijn **9** geslepen, sluw: *a ~ salesman* een gehaaid verkoper **10** stevig, flink, vlug: *at a ~ pace* in een stevig tempo || *~ practice* oneerlijke praktijken, een vuil zaakje

[3]**sharp** [sja:p] *bw* **1** stipt, precies, klokslag: *three o'clock ~* klokslag drie uur **2** opeens, plotseling, scherp: *turn ~ right* scherp naar rechts draaien || *look ~!* schiet op, haast je!

sharpen [sja:pen] scherp(er) worden (maken), (zich) (ver)scherpen, slijpen

sharper [sja:pe] afzetter, oplichter

sharp-eyed scherpziend, waakzaam, alert

sharpish [sja:pisj] snel, (nu) meteen, direct: *I expect they want their dinner pretty ~ after such a long drive* ik verwacht dat ze wel snel willen eten na zo'n lange rit

sharpshooter scherpschutter

[1]**shatter** [sjete] *intr* uiteenspatten, barsten, in stukken (uiteen)vallen

[2]**shatter** [sjete] *tr* **1** aan gruzelementen slaan, (compleet) vernietigen: *his death ~ed our hopes* zijn dood ontnam ons alle hoop **2** schokken, in de war brengen: *~ed nerves* geschokte zenuwen **3** afmatten, totaal uitputten: *I feel completely ~ed* ik ben doodop

[1]**shave** [sjeev] *zn* scheerbeurt: *I badly need a ~* ik moet me nodig weer eens scheren; *a close ~* op het nippertje

[2]**shave** [sjeev] *ww* **1** (zich) scheren **2** (ook met *off*) (af)schaven, afraspen **3** scheren langs, schampen, rakelings gaan langs

shaven [sjeevn] *volt dw van* shave
shaver [sjeevᵉ] scheerapparaat
shaving [sjeeving] **1** het scheren, scheerbeurt **2** schijfje: *~s* spaanders, schaafkrullen
shawl [sjo:l] sjaal(tje), omslagdoek, hoofddoek
she [sjie:] zij, ze; *(in sommige constructies)* die; dat, het || *is it a he or a ~?* is het een jongen of een meisje?
sheaf [sjie:f] *(mv: sheaves)* **1** schoof **2** bundel: *he produced a ~ of papers from a plastic bag* hij haalde uit een plastic tasje een stapel papieren tevoorschijn
shear [sjieᵉ] *(sheared, shorn)* **1** (af)scheren: *~ing sheep* schapen scheren **2** ontdoen, plukken, villen: *shorn of* ontdaan van
shears [sjieᵉz] (grote) schaar, heggenschaar: *a pair of ~* een schaar
sheath [sjie:θ] **1** schede, (bescherm)huls, koker **2** nauwaansluitende jurk **3** condoom, kapotje
sheathe [sjie:ð] in de schede steken, van een omhulsel voorzien: *he carefully ~d the knife* hij stak het mes zorgvuldig in de schede
sheathing [sjie:ðing] **1** (beschermende) bekleding, omhulling, mantel **2** bekleding
sheaves [sjie:vz] *mv van* sheaf
shebang [sjibeng] zootje, zaak(je), santenkraam: *the whole ~* het hele zootje
[1]**shed** [shed] *zn* schuur(tje), keet, loods
[2]**shed** [shed] *tr (shed, shed)* **1** afwerpen, verliezen, afleggen, afschudden: *the tree had ~ its leaves* de boom had zijn bladeren laten vallen; *the lorry ~ its load* de vrachtwagen verloor zijn lading **2** storten, vergieten: *~ hot tears* hete tranen schreien
she'd [sjie:d] *samentr van she had, she would*
sheen [sjie:n] glans, schittering, (weer)schijn
sheep [sjie:p] *(mv: ~)* schaap *(ook fig);* onnozel kind, gedwee persoon: *the black ~* het zwarte schaap || *separate the ~ and the goats* de goeden van de slechten scheiden, het koren van het kaf scheiden
sheepdog (schaap)herdershond *(collie)*
sheepfold schaapskooi
sheepish [sjie:pisj] verlegen, onnozel, dom
[1]**sheer** [sjieᵉ] *bn* **1** dun, doorschijnend, transparant: *~ nylon* dun nylon **2** erg steil, loodrecht **3** volkomen, je reinste: *that's ~ nonsense* dat is klinkklare onzin!
[2]**sheer** [sjieᵉ] *intr (scheepv)* scherp uitwijken, zwenken || *~ off* uit 't roer lopen, *(inform)* 'm smeren; *~ away from* mijden
sheet [sjie:t] **1** (bedden)laken: *fitted ~* hoeslaken; *between the ~s* in bed, tussen de lakens **2** blad; vel *(papier)* **3** plaat: *a ~ of glass* een glasplaat, een, een stuk glas **4** gordijn, muur, vlaag: *a ~ of flame* een vuurzee
sheet ice **1** ijs, ijslaag *(op water)* **2** ijzel
sheeting [sjie:ting] **1** lakenstof **2** bekleding(smateriaal)
sheet iron bladstaal, plaatijzer
sheet lightning weerlicht, bliksem
sheik(h) [sjeek] sjeik
shelf [sjelf] *(mv: shelves)* **1** (leg)plank, boekenplank **2** (rots)richel || *be (put, left) on the ~: a)* afgeschreven worden, in onbruik raken, afgedankt worden; *b)* blijven zitten, niet meer aan een man raken *(van vrouw)*
shelf-life [sjelflajf] houdbaarheid: *most dairy products have a limited ~* de meeste zuivelproducten zijn beperkt houdbaar
[1]**shell** [sjel] *zn* **1** geraamte *(van gebouw);* skelet; romp *(van schip);* chassis **2** deegbakje, pasteikorst **3** huls, granaat, patroon **4** hard omhulsel, schelp, slakkenhuis, dop, schaal, schulp: *come out of one's ~* loskomen, ontdooien
[2]**shell** [sjel] *tr* **1** van zijn schil ontdoen, schillen, doppen, pellen **2** beschieten, onder vuur nemen, bombarderen
she'll [sjie:l] *samentr van she will*
shellfish schaaldier, schelpdier
shell out dokken, neertellen, ophoesten
[1]**shelter** [sjeltᵉ] *zn* **1** schuilgelegenheid, schuilkelder, bushokje, tramhuisje **2** schuilplaats, toevluchtsoord, tehuis, asiel: *~ for battered women* opvang(te)huis voor mishandelde vrouwen **3** (met *from*) beschutting (tegen), bescherming: *give ~* onderdak verlenen
[2]**shelter** [sjeltᵉ] *intr* (met *from*) schuilen (voor, tegen)
[3]**shelter** [sjeltᵉ] *tr* **1** (met *from*) beschutten (tegen), beschermen **2** huisvesten, onderdak verlenen
sheltered accommodation woon-zorgcomplex
[1]**shelve** [sjelv] *intr* geleidelijk aflopen *(van bodem);* glooien, (zacht) hellen
[2]**shelve** [sjelv] *tr* **1** op een plank zetten **2** op de lange baan schuiven, opschorten
shelves [sjelvz] *mv van* shelf
shenanigan [sjinenikᵉn] **1** trucje, foefje **2** kattenkwaad, bedriegerij
[1]**shepherd** [sjeppᵉd] *zn* (schaap)herder
[2]**shepherd** [sjeppᵉd] *tr* hoeden, leiden, in de gaten houden
shepherdess [sjeppᵉdis] herderin
sherbet [sje:bet] *(Am)* sorbet
sheriff [sjerrif] sheriff *(hoofd vd politie in een district)*
sherry [sjerrie] sherry
she's [sjie:z] *samentr van she has, she is*
[1]**shield** [sjie:ld] *zn* **1** schild **2** beveiliging, bescherming
[2]**shield** [sjie:ld] *tr* (met *from*) beschermen (tegen), in bescherming nemen
[1]**shift** [sjift] *zn* **1** verschuiving, verandering **2** ploeg *(werklieden)* **3** werktijd, arbeidsduur **4** redmiddel, hulpmiddel || *make ~ without* het stellen zonder
[2]**shift** [sjift] *intr* **1** van plaats veranderen, zich verplaatsen, schuiven: *~ing sands* drijfzand **2** wisselen, veranderen: *the scene ~s* de achtergrond van

het verhaal verandert **3** zich redden, zich behelpen, het klaarspelen: ~ *for oneself* het zelf klaarspelen

[3]shift [sjift] *tr* **1** verplaatsen, verschuiven, verzetten: ~ *the blame onto* de schuld schuiven op **2** verwisselen, verruilen, veranderen; schakelen *(versnelling)*: ~ *one's ground* plotseling een ander standpunt innemen

shift key hoofdlettertoets

shiftless [sjiftles] niet vindingrijk, inefficiënt, onbeholpen

shift work ploegendienst

shifty [sjiftie] niet rechtdoorzee, stiekem, onbetrouwbaar

Shiite [sjie:ajt] sjiiet *(lid vd islamitische Shia-geloofsrichting)*

shilling [sjilling] shilling

shilly-shally [sjilliesjelie] dubben, weifelen, aarzelen

[1]shimmer [sjimme] *zn* flikkering, flauw schijnsel

[2]shimmer [sjimme] *intr* glinsteren, flakkeren

[1]shin [sjin] *zn* scheen: *Joe got kicked on the ~s during the match* Joe werd tijdens de wedstrijd tegen zijn schenen geschopt

[2]shin [sjin] *intr* klauteren; klimmen *(met handen en voeten)*: ~ *up a tree* in een boom klimmen

shindy [sjindie] herrie, tumult, opschudding: *kick up a* ~ herrie schoppen

[1]shine [sjajn] *zn* **1** schijn(sel), licht, uitstraling **2** glans, schittering: *take the ~ out of* van zijn glans beroven, maken dat de aardigheid af gaat van **3** poetsbeurt; het poetsen *(van schoenen)* || *take a ~ to s.o.* iem zomaar aardig vinden

[2]shine [sjajn] *intr (shone, shone)* **1** glanzen, glimmen, blinken **2** schitteren, uitblinken: ~ *out* duidelijk naar voren komen

[3]shine [sjajn] *tr (shone, shone)* poetsen *(schoenen)*

[4]shine [sjajn] *tr, intr (shone, shone)* schijnen, lichten, gloeien: *he shone his light in my face* hij scheen met zijn lantaarn in mijn gezicht

shingle [sjingkl] **1** dakspaan, panlat **2** kiezel, grind, kiezelstrand **3** *~s* gordelroos

shiny [sjajnie] glanzend, glimmend

[1]ship [sjip] *zn* **1** schip, vaartuig: *on board* ~ aan boord **2** vliegtuig, kist **3** ruimteschip

[2]ship [sjip] *tr* **1** verschepen, (per schip) verzenden (vervoeren): ~ *off* (of: *out*) verschepen **2** aan boord nemen, laden **3** binnenkrijgen: ~ *water* water maken || ~ *off* wegsturen, wegzenden

shipboard scheepsboord: *on* ~ aan boord

shipbuilding scheepsbouw

shipload scheepslading, scheepsvracht

shipmate scheepsmaat, medebemanningslid

shipment [sjipment] **1** zending, vracht, scheepslading **2** vervoer *(niet alleen per schip)*

shipowner reder

shipper [sjippe] expediteur, verzender

shipping [sjipping] **1** verscheping, verzending **2** scheepvaart

shipshape [sjipsjeep] netjes, in orde, keurig

[1]shipwreck *zn* schipbreuk; *(fig)* ondergang; mislukking

[2]shipwreck *ww* schipbreuk (doen) lijden, (doen) mislukken

shipyard scheeps(timmer)werf

shire [sjajje] graafschap *(Eng provincie)*

[1]shirk [sje:k] *intr* zich drukken

[2]shirk [sje:k] *tr* zich onttrekken aan

shirt [sje:t] overhemd || *keep one's ~ on* zich gedeisd houden; *put one's ~ on sth.* al zijn geld op iets zetten *(paarden)*

shirtsleeve hemdsmouw: *in one's ~s* in hemdsmouwen

shirty [sje:tie] nijdig, kwaad, geërgerd

[1]shit [sjit] *zn* **1** stront, kak, poep, het poepen: *have a* ~ gaan kakken **2** rommel, rotzooi **3** zeurkous **4** gezeik, geklets, onzin **5** hasj

[2]shit [sjit] *intr (plat)* schijten, poepen

[3]shit [sjit] *tr* schijten op: ~ *oneself* het in zijn broek doen *(ook fig)*

[1]shiver [sjivve] *zn* rilling *(ook fig)*; siddering, gevoel van angst (afkeer): *give s.o. the ~s* iem de rillingen geven

[2]shiver [sjivve] *intr* rillen *(van angst, kou)*; sidderen

shivery [sjivverie] **1** rillerig, beverig **2** kil *(van weer)*

shoal [sjool] **1** ondiepte **2** zandbank **3** menigte, troep; school *(van vissen)*

[1]shock [sjok] *zn* **1** aardschok **2** dikke bos *(van haar)* **3** schok, schrik, (onaangename) verrassing: *come upon s.o. with a* ~ een (grote) schok zijn voor iem **4** (elektrische) schok **5** shock: *in a state of* ~ in shocktoestand

[2]shock [sjok] *intr* een schok veroorzaken

[3]shock [sjok] *tr* **1** schokken, choqueren, laten schrikken: *be ~ed at* (of: *by*) geschokt zijn door **2** een schok geven *(ook elektr)*; een shock veroorzaken bij

shocking [sjokking] **1** stuitend, schokkend, weerzinwekkend **2** vreselijk, erg: ~ *weather* rotweer

shockproof schokvast

shoddy [sjoddie] prullig, niet degelijk

shoe [sjoe:] **1** schoen **2** hoefijzer **3** remschoen, remblok || *(know) where the ~ pinches* (weten) waar de schoen wringt, weten waar de pijn zit; *put oneself in s.o.'s ~s* zich in iemands positie verplaatsen

shoelace (schoen)veter

shoestring **1** (schoen)veter **2** (te) klein budget: *on a* ~ met erg weinig geld

shone [sjon] *ovt en volt dw van* shine

[1]shoo [sjoe:] *ww* ks(t) roepen, wegjagen: ~ *sth. away* (of: *off*) iets wegjagen

[2]shoo [sjoe:] *tw* ks(t)

shook [sjoek] *ovt van* shake

[1]shoot [sjoe:t] *zn* **1** (jonge) spruit, loot, scheut **2** jacht(partij)

[2]shoot [sjoe:t] *intr (shot, shot)* **1** snel bewegen, (weg)schieten, voortschieten: ~ *ahead* vooruitschieten **2** schieten *(met wapen): ~ at* (of: *for*): *a)* schieten op; *b)* (zich) richten op **3** afgaan *(van wapen)* **4** steken *(van pijn, wond): the pain shot through* (of: *up*) *his arm* een stekende pijn ging door zijn arm **5** uitlopen, ontspruiten **6** *(sport)* (op doel) schieten **7** plaatjes schieten, foto's nemen, filmen || *~!* zeg op!, zeg het maar!

[3]**shoot** [sjoe:t] *tr (shot, shot)* **1** (af)schieten *(kogel, pijl enz.)*; afvuren *(ook fig; vragen e.d.): ~ down* neerschieten, *(fig)* afkeuren; *~ off: a)* afschieten, afsteken *(vuurwerk)*; *b)* afvuren *(geweer)* **2** jagen (op) **3** doen bewegen; schuiven *(grendel)*; spuiten *(drugs)* **4** (naar doel) schieten *(bal)*; schieten **5** snel passeren: *he shot the traffic lights* hij ging met hoge snelheid door de verkeerslichten **6** schieten *(plaatjes)*; opnemen *(film)* **7** spelen *(biljart e.d.)*

[1]**shooting** [sjoe:ting] *zn* **1** jacht **2** het schieten **3** opname *(film, scene)*

[2]**shooting** [sjoe:ting] *bn* **1** schietend **2** stekend: *~ pains* pijnscheuten || *~ star* vallende ster

shooting gallery schietbaan

shooting match schietwedstrijd: *the whole ~* het hele zaakje

[1]**shoot out** *intr* naar buiten schieten: *the branches are beginning to ~* de takken beginnen al uit te schieten

[2]**shoot out** *tr* een vuurgevecht leveren over: *they're going to shoot it out* ze gaan het uitvechten (met de revolver)

shoot-out gevecht *(met handvuurwapens)*

[1]**shoot up** *intr* omhoog schieten *(van planten, kinderen)*; snel groeien *(van temperatuur, prijzen)*

[2]**shoot up** *tr* kapot schieten, overhoop schieten

[1]**shop** [sjop] *zn* **1** winkel, zaak: *mind the ~* de winkel runnen, *(fig)* de touwtjes in handen hebben **2** werkplaats, atelier **3** werk, zaken, beroep: *set up ~* een zaak opzetten; *talk ~* over zaken praten || *all over the ~* door elkaar, her en der verspreid

[2]**shop** [sjop] *intr* winkelen: *~ around* rondkijken, zich oriënteren (alvorens te kopen) *(ook fig)*

[3]**shop** [sjop] *tr* verlinken *(bij de politie)*

shopaholic [sjopehollik] koopziek persoon: *he's a ~* hij is koopziek

shop floor **1** werkplaats, werkvloer **2** arbeiders

shopkeeper winkelier

shoplifter winkeldief

shopper [sjoppe] iem die winkelt: *the ~s* het winkelpubliek

shopping [sjopping] boodschappen, het boodschappen doen: *Mary always does her ~ in Leeds* Mary doet haar boodschappen altijd in Leeds

shopping arcade (overdekte) winkelgalerij

shop-soiled minder geworden *(van goederen, door te lang liggen; ook fig)*; smoezelig

shop steward vakbondsvertegenwoordiger

shopwalker (afdelings)chef

[1]**shore** [sjo:] *zn* **1** kust; oever *(van meer): off the ~* voor de kust; *on ~* aan (de) wal, op het land **2** steunbalk

[2]**shore** [sjo:] *tr (ook fig)* steunen, schragen: *~ up* (onder)steunen

shoreline waterlijn, oever, kustlijn

shorn [sjo:n] *volt dw van* shear

[1]**short** [sjo:t] *zn* **1** korte (voor)film **2** borrel **3** *~s* korte broek, onderbroek

[2]**short** [sjo:t] *bn* **1** kort, klein, beknopt: *~ and sweet* kort en bondig; *little ~ of* weinig minder dan, bijna; *~ for* een afkorting van; *in ~* in het kort **2** kort(durend): *(at) ~ notice* (op) korte termijn; *~ order* snelbuffet; *in ~ order* onmiddellijk; *make ~ work of* snel een einde maken aan **3** te kort, onvoldoende, karig, krap: *~ of breath* kortademig; *~ change* te weinig wisselgeld; *~ of money* krap bij kas; *in ~ supply* schaars, beperkt leverbaar; *~ weight* ondergewicht; *(be) ~ of* (of: *on*) tekort (hebben) aan **4** kortaf, bits **5** bros; kruimelig *(bijv. deeg)* **6** onverdund *(sterkedrank): a ~ drink* (of: *one*) een borrel || *~ circuit* kortsluiting; *~ temper* drift(igheid)

[3]**short** [sjo:t] *bw* **1** niet (ver) genoeg: *four inches ~* vier inches te kort; *come* (of: *fall*) *~* tekortschieten; *(fig) cut s.o. ~* iem onderbreken **2** plotseling: *stop ~* plotseling ophouden; *be taken* (of: *caught*) *~* nodig moeten || *sell s.o. ~* iem tekortdoen; *nothing ~ of: a)* slechts, alleen maar; *b)* niets minder dan; *~ of* behalve, zonder

shortage [sjo:tidzj] gebrek, tekort, schaarste

shortbread zandkoek

short-change **1** te weinig wisselgeld geven aan: *be ~d* te weinig (wisselgeld) terugkrijgen **2** afzetten

[1]**short-circuit** *intr* kortsluiting veroorzaken

[2]**short-circuit** *tr* **1** kortsluiten **2** verkorten *(procedure e.d.)*; vereenvoudigen

shortcoming tekortkoming

short cut korte(re) weg, sluiproute

shorten [sjo:tn] verkorten: *~ed form* verkorting

shortfall tekort

shorthand steno(grafie)

short-handed met te weinig personeel

shortish [sjo:tisj] vrij kort, aan de korte kant

[1]**shortlist** *zn* aanbevelingslijst *(van sollicitanten, van kandidaten)*; shortlist

[2]**shortlist** *tr* voordragen, op de voordracht plaatsen, nomineren

short-lived kortdurend, kortlevend

shortly [sjo:tlie] spoedig, binnenkort

short-sighted **1** bijziend **2** kortzichtig

short-tempered opvliegend

short-term op korte termijn, kortetermijn-

short-winded **1** kortademig **2** kortdurend

[1]**shot** [sjot] *zn* **1** schot *(ook sport)*; worp, stoot **2** (snedige) opmerking **3** gok, poging: *it's a long ~, but certainly worth trying* het is een hele gok, maar zeker de moeite van het proberen waard; *have* (of: *make*) *a ~ (at sth.)* (ergens) een slag (naar) slaan **4** *(foto)* opname, kiekje **5** injectie, shot **6** *(atletiek)* (stoot)kogel **7** borrel **8** lading

(van vuurwapen); schroot || ~ *in the arm: a)* stimulans, injectie; *b)* borrel(tje); *a ~ across the bows* een schot voor de boeg, waarschuwing; *a ~ in the dark* een slag in de lucht; *call the ~s* de leiding hebben, het voor het zeggen hebben; *(do sth.) like a ~* onmiddellijk (iets doen)

[2]**shot** [sjot] *bn* doorweven, vol: ~ *(through) with* doorspekt met || *be ~ of* klaar zijn met, af zijn van

[3]**shot** [sjot] *ovt en volt dw van* shoot

[1]**shotgun** [sjotgun] *zn* (jacht)geweer

[2]**shotgun** [sjotgun] *bn* gedwongen: ~ *wedding* (of: *marriage*) moetje

should [sjoed] *(ovt van shall)* zou(den), zou(den) moeten, moest(en), mochten: ~ *you need any help, please ask the staff* mocht u hulp nodig hebben, wendt u zich dan tot het personeel; *why ~ I listen to him?* waarom zou ik naar hem luisteren?; *the teacher told Sheila that she ~ be more careful* de docent zei tegen Sheila dat zij voorzichtiger moest zijn; *he hoped that he ~ be accepted* hij hoopte dat hij aangenomen zou worden; *if Sheila came, I ~ come too* als Sheila kwam, dan kwam ik ook; *it ~ be easy for you* het moet voor jou gemakkelijk zijn; *yes, I ~ love to* ja, dat zou ik echt graag doen; *I suggest that we ~ leave* ik stel voor dat wij naar huis (zouden) gaan; *(in bijzin soms onvertaald) it's surprising he ~ be thought so attractive* het is verbazingwekkend dat hij zo aantrekkelijk wordt gevonden

[1]**shoulder** [sjooldə] *zn* **1** schouder: *stand head and ~s above* met kop en schouders uitsteken boven *(ook fig)* **2** (weg)berm: *hard ~* vluchtstrook **3** schoft *(van dier)* || *put* (of: *set*) *one's ~ to the wheel* zijn schouders ergens onder zetten, ergens hard aan werken; *rub ~s with* omgaan met; *(straight) from the ~* op de man af, recht voor z'n raap

[2]**shoulder** [sjooldə] *tr* **1** op zich nemen, op zijn schouders nemen: ~ *a great burden* (of: *responsibility*) een zware last (*of:* verantwoording) op zich nemen **2** duwen, (met de schouders) dringen: *he ~ed his way through the crowd* hij baande zich een weg door de menigte

shoulder blade schouderblad

[1]**shout** [sjaut] *zn* schreeuw, kreet, gil: ~ *of joy* vreugdekreet

[2]**shout** [sjaut] *ww* schreeuwen, (uit)roepen, brullen, gillen: ~ *oneself hoarse* zich schor schreeuwen; *the audience ~ed down the speaker* het publiek joelde de spreker uit; ~ *for joy* het uitroepen van vreugde

[1]**shove** [sjuv] *zn* duw, zet, stoot

[2]**shove** [sjuv] *ww* (weg)duwen, dringen (tegen), een zet geven, stoppen, leggen: ~ *along* heen en weer duwen, vooruitdringen; ~ *it in the drawer* stop het in de la || ~ *off: a)* afschuiven; *b)* afduwen *(in boot); let's ~ off* laten we er vandoor gaan

[1]**shovel** [sjuvl] *zn* **1** schop, spade, schep **2** schoep *(van machine)* **3** laadschop

[2]**shovel** [sjuvl] *ww* (op)scheppen, schuiven, opruimen (met een schep): ~ *food into one's mouth* eten in zijn mond proppen; ~ *a path through the snow* een pad graven door de sneeuw

[1]**show** [sjoo] *zn* **1** vertoning, show, uitzending, (televisie)programma, concert, opvoering: *a ~ in the theatre* een toneelopvoering **2** spektakel(stuk), grootse vertoning: *a ~ of force* (of: *strength*) een machtsvertoon; *make a ~ of one's learning* te koop lopen met zijn geleerdheid **3** tentoonstelling **4** poging, gooi, beurt: *a bad* (of: *poor*) ~ een slechte beurt; *good ~!* goed geprobeerd!; *put up a good ~* een goede prestatie leveren **5** uiterlijk, schijn, opschepperij: *this is all empty ~* dit is allemaal slechts schijn **6** pracht (en praal) **7** vertoning, demonstratie: *objects on ~* de tentoongestelde voorwerpen || *vote by (a) ~ of hands* d.m.v. handopsteking stemmen; *give the (whole) ~ away* de hele zaak verraden; *steal the ~* de show stelen

[2]**show** [sjoo] *intr (showed, shown)* (zich) (ver)tonen *(van film): your slip is ~ing* je onderjurk komt eruit; *time will ~* de tijd zal het leren || *it just goes to ~!* zo zie je maar!

[3]**show** [sjoo] *tr (showed, shown)* **1** (aan)tonen, laten zien, tentoonstellen, vertonen: ~ *one's cards* (of: *hand*) open kaart spelen *(ook fig);* ~ *(s.o.) the way: a)* iem de weg wijzen; *b) (ook fig)* een voorbeeld stellen; ~ *oneself* je (gezicht) laten zien, je ware aard tonen; *he has nothing to ~ for all his work* zijn werk heeft helemaal niets opgeleverd **2** uitleggen, demonstreren, bewijzen: *he ~ed me how to write* hij leerde me schrijven **3** te kennen geven, tentoonspreiden: ~ *bad taste* van een slechte smaak getuigen **4** (rond)leiden: ~ *s.o. about* (of: *(a)round*) iem rondleiden; ~ *her into the waiting room* breng haar naar de wachtkamer; ~ *s.o. over the factory* iem een rondleiding geven door de fabriek **5** aanwijzen: *the clock ~s five minutes past* de klok staat op vijf over

show business amusementsbedrijf, show business

showcase vitrine *(in winkel, museum);* uitstalkast

showdown **1** *(poker)* het tonen van zijn kaarten *(ook fig)* **2** directe confrontatie, krachtmeting

[1]**shower** [sjauə] *zn* **1** bui: *occasional ~s* hier en daar een bui **2** douche: *have a ~* douchen, een douche nemen **3** stroom, toevloed, golf: *a ~ of arrows* (of: *bullets*) een regen van pijlen (*of:* kogels)

[2]**shower** [sjauə] *intr* **1** zich douchen **2** (toe)stromen: *apples ~ed down the tree* het regende appels uit de boom

[3]**shower** [sjauə] *tr* **1** (met *with*) overgieten (met), uitstorten, doen neerstromen **2** (met *with*) overladen (met), overstelpen: ~ *questions on s.o.* een heleboel vragen op iem afvuren

showery [sjauərie] buiig, regenachtig

showgirl revuemeisje

showing [sjooing] vertoning, voorstelling, voorkomen, figuur: *make a good ~* een goed figuur slaan; *a poor ~* een zwakke vertoning *(bijv. ve voetbalclub)* || *on present ~* zoals de zaak er nu voor blijkt te staan

showman [sjoomen] **1** impresario *(organisator van concerten, voorstellingen)* **2** aansteller

shown [sjoon] *volt dw van* show

[1]**show off** *intr* opscheppen, indruk proberen te maken

[2]**show off** *tr* **1** pronken met, etaleren: *don't ~ your knowledge* loop niet zo te koop met je kennis **2** goed doen uitkomen: *your white dress shows off your tanned skin* je witte jurk doet je gebruinde huid goed uitkomen

show-off opschepper

showpiece pronkstuk, paradepaardje

showroom toonzaal

show stopper uitsmijter, hoogtepunt

show trial schijnproces

[1]**show up** *intr* opdagen, verschijnen

[2]**show up** *tr* **1** ontmaskeren, aan het licht brengen: *~ an impostor* een bedrieger ontmaskeren **2** zichtbaar maken: *only strong light shows up her wrinkles* slechts sterk licht toont haar rimpeltjes **3** in verlegenheid brengen: *the pupil's remark showed him up* de opmerking van de scholier zette hem voor gek

show-window etalage

showy [sjooie] opvallend, opzichtig

shrank [sjrengk] *ovt van* shrink

shrapnel [sjrepnel] **1** (soort) granaat **2** granaatscherven

[1]**shred** [sjred] *zn* **1** stukje, reepje, snipper: *not a ~ of clothing* geen draadje kleding; *tear sth. to ~s: a)* iets aan flarden scheuren; *b) (ook fig)* niets heel laten van **2** greintje: *not a ~ of evidence* niet het minste bewijs, geen enkel bewijs

[2]**shred** [sjred] *tr* verscheuren, versnipperen, in stukjes snijden

shredder [sjredde] **1** (grove keuken)schaaf *(voor groente, kaas)*; rasp **2** papierversnipperaar

shrew [sjroe:] **1** spitsmuis **2** feeks

shrewd [sjroe:d] slim: *~ guess* intelligente gok; *~ observer* scherp waarnemer

[1]**shriek** [sjrie:k] *zn* schreeuw, gil, (schrille) kreet

[2]**shriek** [sjrie:k] *ww* schreeuwen, gillen: *~ out* uitschreeuwen; *~ with laughter* gieren van het lachen

shrift [sjrift]: *make short ~ of* korte metten maken met

shrill [sjril] schel, schril, doordringend; *(fig)* fel: *~ contrast* schril contrast

shrimp [sjrimp] garnaal; *(inform)* klein opdondertje

shrine [sjrajn] **1** (heiligen)tombe **2** heiligdom; *(fig)* gedenkplaats

[1]**shrink** [sjringk] *zn* zielenknijper *(psychiater)*

[2]**shrink** [sjringk] *intr (shrank, shrunk)* **1** krimpen, afnemen, slinken **2** wegkruipen, ineenkrimpen; *(fig)* huiveren: *~ back* terugdeinzen

[3]**shrink** [sjringk] *tr (shrank, shrunk)* doen krimpen, kleiner maken, doen slinken

shrivel [sjrivl] verschrompelen, uitdrogen, inkrimpen

shrooms [sjroe:ms] paddo's

[1]**shroud** [sjraud] *zn* **1** lijkwa(de), doodskleed **2** *(fig)* sluier: *wrapped in a ~ of mystery* in een sluier van geheimzinnigheid gehuld

[2]**shroud** [sjraud] *tr* (om)hullen, verbergen: *mountains ~ed in mist* in mist gehulde bergen

Shrove Tuesday [sjroovtjoe:zdee] Vastenavond; vette dinsdag *(dinsdag vóór Aswoensdag)*

shrub [sjrub] struik, heester

[1]**shrug** [sjruk] *zn* schouderophalen

[2]**shrug** [sjruk] *ww* (de schouders) ophalen

shrug off van zich afschudden *(kleding)*; geen belang hechten aan: *she shrugged off all criticism* zij liet alle kritiek langs haar heen gaan

shrunk [sjrungk] *volt dw van* shrink

shrunken [sjrungken] gekrompen, verschrompeld

shucks! [sjuks] **1** onzin! **2** krijg nou wat!

[1]**shudder** [sjudde] *zn* huivering, rilling

[2]**shudder** [sjudde] *intr* **1** huiveren, sidderen, beven: *I ~ to think* ik huiver bij de gedachte **2** trillen

[1]**shuffle** [sjufl] *zn* **1** schuifelgang **2** *(dans)* schuifelpas **3** het schudden *(mbt kaarten, dominostenen)*

[2]**shuffle** [sjufl] *tr* **1** mengen, door elkaar halen; schudden *(kaarten)* **2** heen en weer bewegen, herverdelen: *~ one's papers* in zijn papieren rommelen **3** schuiven: *try to ~ off one's responsibility* zijn verantwoordelijkheid proberen af te schuiven

[3]**shuffle** [sjufl] *tr, intr* schuifelen, sloffen: *~ one's feet* met de voeten schuifelen

shufti [sjoeftie] kijkje: *have* (of: *take*) *a ~ at* een blik werpen op

shun [sjun] mijden, schuwen

shunt [sjunt] afleiden, afvoeren, rangeren; op een dood spoor zetten *(persoon)*: *~ a train onto a siding* een trein op een zijspoor rangeren

shush [sjusj] sst!, stilte!

[1]**shut** [sjut] *bn* dicht, gesloten: *slam the door ~* de deur dichtsmijten

[2]**shut** [sjut] *intr (shut, shut)* sluiten, dichtgaan: *the shop ~s on Sundays* de winkel is 's zondags gesloten

[3]**shut** [sjut] *tr (shut, shut)* **1** sluiten, dichtdoen, dichtslaan, dichtdraaien; *(fig)* stopzetten: *~ one's eyes* (of: *ears*) *to sth.* iets niet willen zien (*of:* horen); *~ in by mountains* door bergen ingesloten; *~ down a plant* een fabriek (voorgoed) sluiten; *~ out of* de toegang ontzeggen tot **2** opsluiten: *~ sth. away* iets (veilig) opbergen; *~ oneself in* zichzelf opsluiten *(bijv. in kamer)*

shutdown sluiting; stopzetting *(van bedrijf)*

shut-eye slaap, dutje: *have a bit of ~* een dutje doen

[1]**shutter** [sjutte] *zn* **1** blind, (rol)luik: *put up the*

~*s* de zaak sluiten *(tijdelijk of voorgoed)* **2** sluiter *(ook van camera)*
[2]**shutter** [sjutte] *tr* met (een) luik(en) sluiten: ~*ed windows* (of: *houses*) vensters (*of:* huizen) met gesloten luiken
[1]**shuttle** [sjutl] *zn* **1** schuitje *(van naaimachine)* **2** pendeldienst
[2]**shuttle** [sjutl] *intr* pendelen
[3]**shuttle** [sjutl] *tr* heen en weer vervoeren *(met pendeltrein e.d.)*
shuttlecock pluimbal; shuttle *(badminton)*
shuttle service pendeldienst
[1]**shut up** *intr* **1** zwijgen: ~*!* kop dicht! **2** sluiten *(winkel e.d.)*
[2]**shut up** *tr* **1** sluiten, (zorgvuldig) afsluiten: *they ~ the house before they left* ze sloten het huis af voordat ze weggingen; ~ *shop* de zaak sluiten **2** opsluiten, achter slot en grendel zetten, opbergen **3** doen zwijgen, de mond snoeren: *turn the television on, that usually shuts them up* zet de tv maar aan, meestal houden ze dan hun mond dicht
[1]**shy** [sjaj] *zn (mv: shies)* **1** gooi, worp **2** gooi, poging, experiment: *have a ~ at sth.* een gooi doen naar iets, het (ook) eens proberen
[2]**shy** [sjaj] *bn* **1** verlegen: *give s.o. a ~ look* iem verlegen aankijken **2** voorzichtig, behoedzaam: *fight* (of: *be*) ~ *of* uit de weg gaan **3** schuw; schichtig *(dieren)*
[3]**shy** [sjaj] *ww* **1** schichtig opspringen: ~ *at sth.* schichtig worden voor iets *(van paarden)* **2** terugschrikken: ~ *away from sth.* iets vermijden, voor iets terugschrikken
[4]**shy** [sjaj] *intr* gooien, slingeren
shyster [sjajste] gewetenloos mens *(vnl. advocaat of politicus)*
Siamese [sajjemie:z] Siamees
Siberian [sajbierien] Siberisch
[1]**sick** [sik] *zn* braaksel, spuugsel
[2]**sick** [sik] *bn* **1** ziek, sukkelend: *fall* ~ ziek worden; *go* (of: *report*) ~ zich ziek melden **2** misselijk; *(fig ook)* met walging vervuld: *be* ~ overgeven, braken; *be worried* ~ doodongerust zijn; *you make me ~!* ik word niet goed van jou! **3** wee, onpasselijk makend: *a ~ feeling* een wee gevoel **4** ziekelijk, ongezond, morbide; wrang *(spot): a ~ joke* een lugubere grap; *a ~ mind* een zieke geest **5** beu, moe(de): *I am ~ (and tired) of it* ik ben het spuugzat || ~ *to death of s.o. (sth.)* iem (iets) spuugzat zijn
sickbay ziekenboeg
sickbed ziekbed
sick benefit ziekengeld
sick call ziekenbezoek *(door dokter of geestelijke)*
[1]**sicken** [sikken] *intr* **1** ziek worden **2** misselijk worden **3** (met *for*) smachten (naar) **4** de eerste tekenen (ve ziekte) vertonen, onder de leden hebben: *be ~ing for measles* de mazelen onder de leden hebben
[2]**sicken** [sikken] *tr* ziek maken, doen walgen
sickening [sikkening] **1** ziekmakend, ziekteverwekkend **2** walgelijk, weerzinwekkend
sickle [sikl] sikkel
sick leave ziekteverlof: *on* ~ met ziekteverlof
sick list ziekenlijst: *on the* ~ afwezig wegens ziekte
sickly [siklie] **1** ziekelijk, sukkelend **2** bleek *(gelaat(skleur));* flauw *(glimlach)* **3** walgelijk *(geur);* wee *(lucht)*
sickness [siknes] **1** ziekte **2** misselijkheid
sickness benefit ziektegeld, uitkering wegens ziekte
sick pay ziekengeld
[1]**side** [sajd] *zn* **1** zij(de), (zij)kant, flank; helling *(van berg);* oever *(van rivier);* richting, aspect; trek *(van karakter): always look on the bright ~ of life* bekijk het leven altijd van de zonnige kant; *take ~s with s.o.* partij voor iem kiezen; *this ~ up* deze kant boven *(op dozen voor verzending); at* (of: *by*) *my* ~ naast mij; ~ *by* ~ zij aan zij; *whose ~ are you on, anyway?* aan wiens kant sta jij eigenlijk? **2** bladzijde **3** gedeelte, deel: *he went to the far ~ of the room* hij liep tot achter in de kamer **4** gezichtspunt **5** ploeg, team: *let the ~ down* niet aan de verwachtingen van de anderen voldoen || *know (on) which ~ one's bread is buttered* weten waar men zijn kaarsje moet laten branden; *the other ~ of the coin* de keerzijde van de medaille; *laugh on the other ~ of one's face* (of: *mouth*) lachen als een boer die kiespijn heeft; *put on* (of: *to*) *one ~, set on one ~* terzijde leggen, sparen, reserveren; *take on* (of: *to*) *one ~* terzijde nemen *(voor een gesprek); on the ~: a)* als bijverdienste, zwart; *b)* in het geniep
[2]**side** [sajd] *bn* **1** zij-: ~ *entrance* zijingang **2** bij-, neven-
[3]**side** [sajd] *intr (*met *against, with)* partij kiezen (tegen, voor)
sideboard **1** buffet **2** dientafel **3** ~*s* bakkebaarden
sideburns bakkebaarden
sidecar zijspan
side dish bijgerecht
side effect **1** bijwerking *(van geneesmiddel of therapie)* **2** neveneffect
sidekick handlanger, ondergeschikte partner
sidelight **1** zijlicht; stadslicht *(van auto)* **2** *(fig)* toevallige informatie: *that throws some interesting ~s on the problem* dat werpt een interessant licht op de zaak
[1]**sideline** *zn* **1** bijbaan, nevenactiviteit **2** ~*s (sport)* zijlijnen || *be* (of: *sit, stand*) *on the ~s* de zaak van een afstand bekijken
[2]**sideline** *tr* van het veld sturen; *(fig)* buiten spel zetten; negeren
sidelong zijdelings
side-saddle dameszadel
sideshow bijkomende voorstelling; extra attractie *(op kermis; in circus)*
side-slip zijwaartse slip *(van auto, vliegtuig, skiër)*

[1]**sidestep** *intr* opzijgaan, uitwijken

[2]**sidestep** *tr* ontwijken; uit de weg gaan *(ook fig; verantwoordelijkheid, problemen)*

sidestroke zijslag *(zwemmen)*

[1]**sideswipe** *zn* **1** zijslag, zijstoot **2** schimpscheut, hatelijke opmerking

[2]**sideswipe** *tr* schampen (langs), zijdelings raken

sidetrack 1 op een zijspoor zetten *(ook fig);* rangeren, opzijschuiven **2** van zijn onderwerp afbrengen, afleiden

sidewalk *(Am)* stoep, trottoir

sideward [sajdwed] zijwaarts, zijdelings

siding [sajding] **1** rangeerspoor, wisselspoor **2** afbouwmateriaal; buitenbekleding *(van muur)*

sidle [sajdl] zich schuchter bewegen: ~ *up to s.o.,* ~ *away from s.o.* schuchter naar iem toelopen, schuchter van iem weglopen

siege [sie:dzj] beleg, belegering, blokkade: *lay* ~ *to* belegeren; *raise the* ~ het beleg opbreken

[1]**sieve** [siv] *zn* zeef: *a memory like a* ~ een geheugen als een zeef

[2]**sieve** [siv] *tr* ziften *(ook fig);* zeven, schiften

sift [sift] **1** ziften *(ook fig);* strooien *(suiker):* ~ *out* uitzeven **2** uitpluizen, doorpluizen: *he ~ed through his papers* hij doorzocht zijn papieren

[1]**sigh** [saj] *zn* zucht

[2]**sigh** [saj] *ww* zuchten: ~ *for* smachten naar

[1]**sight** [sajt] *zn* **1** (aan)blik, (uit)zicht, schouwspel, bezienswaardigheid: *I cannot stand* (of: *bear*) *the* ~ *of him* ik kan hem niet luchten of zien; *catch* ~ *of, get a* ~ *of* in het oog krijgen, een glimp opvangen van; *lose* ~ *of* uit het oog verliezen *(ook fig); see the ~s* de bezienswaardigheden bezoeken **2** vizier: *have one's ~s set on, set one's ~s on* op het oog hebben, erg willen **3** boel: *he is a* ~ *too clever for me* hij is me veel te vlug af **4** (ge)zicht, gezichtsvermogen: *loss of* ~ het blind worden **5** gezicht, het zien: *at first* ~ op het eerste gezicht; *know s.o. by* ~ iem van gezicht kennen **6** (uit)zicht, gezicht(sveld): *come into* (of: *within*) ~ zichtbaar worden; *keep in* ~ *of* binnen het gezichtsveld blijven van; *out of* ~, *out of mind* uit het oog, uit het hart; *we are (with)in* ~ *of the end* het einde is in zicht; *stay* (of: *keep*) *out of* ~ blijf uit het gezicht || *raise* (of: *lower*) *one's ~s* meer (*of:* minder) verwachten; *out of ~!* fantastisch!, te gek!; *second* ~ helderziendheid

[2]**sight** [sajt] *tr* **1** in zicht krijgen, in het vizier krijgen **2** waarnemen, zien: *he was last ~ed in London in 1992* hij werd voor het laatst gezien in Londen in 1992

sightread *(muz)* van blad spelen *(of:* zingen)

sightseeing het bezoeken van bezienswaardigheden

sightseer [sajtsie:e] toerist

[1]**sign** [sajn] *zn* **1** teken, symbool **2** aanwijzing, (ken)teken, blijk, voorteken **3** wenk, teken, seintje **4** (uithang)bord **5** (ken)teken: ~ *of the times* teken des tijds **6** sterrenbeeld: ~ *of the zodiac* sterrenbeeld

[2]**sign** [sajn] *ww* **1** (onder)tekenen: ~ *one's name* tekenen; ~ *in* tekenen bij aankomst, intekenen; ~ *on at the Job Centre* inschrijven op het arbeidsbureau; ~ *up for a course* zich voor een cursus inschrijven **2** signeren, ondertekenen: *~ed copies are available within* gesigneerde exemplaren zijn binnen verkrijgbaar **3** wenken, een teken geven, gebaren **4** (met *on, up*) contracteren *(speler)*

[1]**signal** [siknl] *zn* **1** signaal *(ook fig; ook mbt radio, tv);* teken, sein: ~ *of distress* noodsignaal **2** sein(apparaat), signaal **3** verkeerslicht

[2]**signal** [siknl] *bn* buitengewoon, glansrijk: *a* ~ *victory* een glansrijke overwinning

[3]**signal** [siknl] *tr* aankondigen, te kennen geven

[4]**signal** [siknl] *tr, intr* (over)seinen, een teken geven

signal box seinhuisje

signalize [siknelajz] doen opvallen, de aandacht vestigen op, opluisteren

signalman [siknelmen] seiner; *(spoorwegen ook)* sein(huis)wachter

signatory [sikneterie] ondertekenaar

signature [siknetsje] handtekening

signature tune herkenningsmelodie; tune *(van radio, tv)*

signboard 1 uithangbord **2** bord met opschrift

signet [siknit] zegel

significance [sikniffikkens] betekenis, belang: *a meeting of great historical* ~ een ontmoeting van grote historische betekenis

significant [sikniffikkent] belangrijk, veelbetekenend: *be* ~ *of* aanduiden, kenmerkend zijn voor

signify [sikniffaj] **1** betekenen, beduiden **2** te kennen geven: *the teacher rose, ~ing that the class was over* de docent stond op, daarmee gaf hij te kennen dat de les afgelopen was

sign language gebarentaal

sign-on herkenningsmelodie *(van radio-, tv-programma);* tune

signpost wegwijzer

[1]**silence** [sajlens] *zn* stilte, stilzwijgen, stilzwijgendheid, zwijgzaamheid: *put* (of: *reduce*) *s.o. to* ~ iem tot zwijgen brengen; *in* ~ in stilte, stilzwijgend; *~!* stil!, zwijg!

[2]**silence** [sajlens] *tr* tot zwijgen brengen, het stilzwijgen opleggen, stil doen zijn

silencer [sajlense] **1** geluiddemper *(aan vuurwapen)* **2** knalpot

silent [sajlent] stil, (stil)zwijgend, zwijgzaam, onuitgesproken, stom, rustig: *a* ~ *film* een stomme film; *keep* ~ rustig blijven

silhouette [silloe:et] silhouet, beeltenis, schaduwbeeld, omtrek

[1]**silk** [silk] *zn* **1** zij(de), zijdedraad **2** King's (Queen's) Counsel *(raadgever vd Kroon, die zijden toga mag dragen)*

[2]**silk** [silk] *bn* zijden, zijde-

silken [silken] **1** zij(de)achtig **2** zacht

silkworm zijderups

sill [sil] **1** vensterbank **2** drempel
[1]**silly** [sillie] *zn* domoor: *of course you're coming with us, ~!* natuurlijk mag je met ons mee, dommerdje!
[2]**silly** [sillie] *bn* **1** dwaas, dom, onverstandig **2** verdwaasd, suf, murw: *knock s.o. ~* iem murw slaan
silly season komkommertijd
silo [sajloo] silo, voederkuil, (betonnen) voedersleuf
silt [silt] slib, slik
silt up dichtslibben, verzanden
[1]**silver** [silve] *zn* **1** zilver **2** zilvergeld **3** zilver(werk); *(fig)* tafelgerei
[2]**silver** [silve] *bn* **1** van zilver, zilveren, zilver-: *~ foil* zilverfolie **2** verzilverd: *~ plate* verzilverd vaatwerk **3** zilverachtig || *~ wedding (anniversary)* zilveren bruiloft
silverfish zilvervisje, papiermot
silversmith zilversmid
silvery [silverie] zilverachtig, zilverkleurig
SIM card [simka:d] simkaart
similar [simmille] *(met to)* gelijk (aan), vergelijkbaar, hetzelfde; *(wisk)* gelijkvormig: *in ~ cases* in vergelijkbare gevallen
similarity [simmilerittie] **1** vergelijkbaarheid, overeenkomst **2** punt van overeenkomst, gelijkenis
similarly [simmillelie] **1** op dezelfde manier, op een vergelijkbare manier **2** *(aan het begin vd zin)* evenzo
simile [simmillie] vergelijking; gelijkenis *(stijlfiguur)*
[1]**simmer** [simme] *zn* gesudder, gepruttel
[2]**simmer** [simme] *intr* **1** sudderen, pruttelen **2** zich inhouden *(mbt woede, lach)*: *~ down* bedaren
[3]**simmer** [simme] *tr* aan het sudderen brengen, houden
[1]**simper** [simpe] *zn* onnozele glimlach, zelfvoldane grijnslach
[2]**simper** [simpe] *ww* onnozel glimlachen, zelfvoldaan grijnslachen
simple [simpl] **1** eenvoudig, eerlijk, simpel: *the ~ life* het natuurlijke leven; *the ~ truth* de nuchtere waarheid **2** dwaas, onnozel **3** eenvoudig, gemakkelijk: *~ solution* eenvoudige oplossing **4** enkel(voudig): *~ forms of life* eenvoudige levensvormen
simple-minded **1** argeloos, onnadenkend **2** zwakzinnig
simpleton [simplten] dwaas, sul
simplicity [simplissittie] **1** eenvoud, ongecompliceerdheid: *it is ~ itself* het is een koud kunstje **2** simpelheid
simplification [simpliffikkeesjen] vereenvoudiging
simplify [simpliffaj] **1** vereenvoudigen **2** (te) eenvoudig voorstellen, simplificeren
simply [simplie] **1** eenvoudig, gewoonweg **2** stomweg **3** enkel, maar, slechts: *if you want to call the nurse, ~ push the red button* als u de zuster wilt roepen, hoeft u alleen maar op de rode knop te drukken
simulate [simjoeleet] **1** simuleren, voorwenden, doen alsof **2** imiteren, nabootsen: *~d gold* namaakgoud
simulation [simjoeleesjen] **1** voorwending, veinzerij **2** nabootsing, imitatie
simultaneity [simltenie:ittie] gelijktijdigheid
simultaneous [simlteenies] gelijktijdig, simultaan: *~ly with* tegelijk met
[1]**sin** [sin] *zn* zonde; *(fig ook)* misdaad: *live in ~* in zonde leven, samenwonen; *for my ~s* voor mijn straf
[2]**sin** [sin] *intr* (met *against*) zondigen (tegen)
[1]**since** [sins] *bw* **1** sindsdien, van toen af, ondertussen: *I've lived here ever ~* ik heb hier sindsdien de hele tijd gewoond **2** geleden: *he left some years ~* hij is enige jaren geleden weggegaan
[2]**since** [sins] *vz* sinds, sedert, van … af: *he has never been the same ~ his wife's death* hij is nooit meer dezelfde geweest sinds de dood van zijn vrouw
[3]**since** [sins] *vw* **1** sinds, vanaf de tijd dat: *I haven't seen you ~ you were a child* ik heb je niet meer gezien sinds je klein was **2** aangezien, daar: *~ you don't want me around I might as well leave* aangezien je me niet in de buurt wilt hebben, kan ik net zo goed weggaan
sincere [sinsie] eerlijk, oprecht, gemeend
sincerely [sinsielie] eerlijk, oprecht, gemeend: *yours ~* met vriendelijke groeten *(slotformule in brief aan bekenden)*
sincerity [sinserrittie] eerlijkheid, gemeendheid: *in all ~* in alle oprechtheid
sine [sajn] sinus
sinew [sinjoe:] **1** pees **2** (spier)kracht
sinful [sinfoel] **1** zondig, schuldig **2** slecht
[1]**sing** [sing] *intr (sang, sung)* **1** zingen; suizen *(van wind)*; fluiten *(van kogel)* **2** gonzen *(van oor)* || *~ sth. out* iets uitroepen; *~ out (for)* schreeuwen (om)
[2]**sing** [sing] *tr (sang, sung)* bezingen
[3]**sing** [sing] *afk van singular* enk, enkelvoud
[1]**singe** [sindzj] *zn* **1** schroeiing **2** schroeiplek
[2]**singe** [sindzj] *ww* **1** (ver)schroeien **2** krullen; golven *(haar)*
singer [singe] zanger(es)
singing [singing] **1** (ge)zang, het zingen **2** zangkunst
[1]**single** [singkl] *zn* **1** enkeltje, enkele reis **2** vrijgezel **3** *(muz)* single **4** *~s* enkel(spel) *(bij tennis)*
[2]**single** [singkl] *bn* **1** enkel(voudig) **2** ongetrouwd, alleenstaand **3** enig **4** afzonderlijk, individueel: *not a ~ man helped* niet één man hielp **5** eenpersoons-: *~ bed* eenpersoonsbed **6** enkele reis: *a ~ ticket* een (kaartje) enkele reis || *in ~ file* achter elkaar (in de rij)
single-handed alleen, zonder steun
single-minded **1** doelbewust **2** vastberaden

singleness [singklnes] concentratie || ~ *of purpose* doelgerichte toewijding
single out uitkiezen, selecteren
single-parent family eenoudergezin
singlet [singklit] (onder)hemd, sporthemd
[1]**sing-song** *zn* **1** dreun: *say sth. in a* ~ iets opdreunen **2** samenzang
[2]**sing-song** *bn* eentonig, zangerig
[1]**singular** [singkjoele] *zn (taalk)* enkelvoud, enkelvoudsvorm
[2]**singular** [singkjoele] *bn* **1** bijzonder, uitzonderlijk **2** ongewoon, vreemd: ~ *event* eigenaardige gebeurtenis
singularity [singkjoelerittie] bijzonderheid, eigenaardigheid
Sinhalese [sinhelie:z] *(mv: ~)* Singalees *(bewoner van Sri Lanka)*
sinister [sinniste] **1** boosaardig, onguur **2** onheilspellend, duister, sinister
[1]**sink** [singk] *zn* **1** gootsteen(bak) **2** wasbak **3** poel (van kwaad): ~ *of iniquity* poel van verderf
[2]**sink** [singk] *intr (sank, sunk)* **1** (weg)zinken, (weg)zakken, verzakken: *her spirits sank* de moed zonk haar in de schoenen; *his voice sank to a whisper* zijn stem daalde tot op fluisterniveau **2** (neer)dalen: ~ *in one's estimation* in iemands achting dalen **3** afnemen, verflauwen, verdwijnen **4** achteruit gaan, zwakker worden: *the sick man is ~ing fast* de zieke man gaat snel achteruit **5** doordringen, indringen (in): *his words will ~ in* zijn woorden zullen inslaan || ~ *or swim* pompen of verzuipen
[3]**sink** [singk] *tr (sank, sunk)* **1** laten zinken, doen zakken: ~ *a ship* een schip tot zinken brengen **2** vergeten, laten rusten: ~ *the differences* de geschillen vergeten **3** graven, boren: ~ *a well* een put boren **4** bederven *(plan e.d.)*; verpesten || *be sunk in thought* in gedachten verzonken zijn; *be sunk* reddeloos verloren zijn
sinner [sinne] zondaar
sinuous [sinjoees] **1** kronkelend, bochtig **2** lenig, buigzaam
sinus [sajnes] holte, opening; *(anat)* sinus
sinusitis [sajnessajtis] voorhoofdsholteontsteking
[1]**sip** [sip] *zn* slokje, teugje
[2]**sip** [sip] *ww* **1** met kleine teugjes drinken **2** (met *at*) nippen (aan)
siphon [sajfen] (ook met *off, out*) (over)hevelen *(ook fig)*; overtappen: *management ~ed millions into plans for the building of a new head office* de directie hevelde miljoenen over naar plannen voor de bouw van een nieuw hoofdkantoor
sir [se:] meneer; mijnheer *(aanspreektitel)*: *Dear Sir* geachte heer; *Dear Sirs* mijne heren *(in brief)*; *no ~!* geen sprake van!
sire [sajje] **1** vader van dier *(van paard)* **2** Sire; heer *(aanspreektitel van keizer, koning)*
siren [sajjeren] **1** (alarm)sirene **2** *(myth)* sirene **3** verleidster
sirloin (steak) [se:lojnsteek] lendebiefstuk
sissy [sissie] mietje, watje
sister [siste] **1** zus(ter) **2** non, zuster **3** (hoofd)verpleegster
sisterhood [sistehoed] **1** zusterschap, nonnenorde **2** vrouwenbeweging
sister-in-law schoonzus(ter)
[1]**sit** [sit] *intr (sat, sat)* **1** zitten: ~ *tight* rustig blijven zitten, volhouden **2** zijn, zich bevinden, liggen, staan: ~ *heavy on the stomach* zwaar op de maag liggen **3** poseren, model staan: ~ *for a portrait* voor een portret poseren **4** (zitten te) broeden **5** zitting hebben || ~ *pretty* op rozen zitten; ~ *about* (of: *around*) lanterfanten; ~ *back* gemakkelijk gaan zitten, *(fig)* zijn gemak nemen, zich terugtrekken; ~ *by* rustig toe zitten te kijken; ~ *down* gaan zitten; ~ *in* als vervanger optreden; ~ *in on* als toehoorder bijwonen; ~ *for an exam* een examen afleggen
[2]**sit** [sit] *tr (sat, sat)* **1** laten zitten **2** berijden *(paard)* **3** afleggen *(examen)*
sitcom [sitkom] *verk van situation comedy* komische tv-serie
sit-down zittend: ~ *meal* zittend genuttigde maaltijd
[1]**site** [sajt] *zn* **1** plaats, locatie **2** (bouw)terrein
[2]**site** [sajt] *tr* plaatsen, situeren: *the farm is beautifully ~d* de boerderij is prachtig gelegen
sit on **1** zitting hebben in **2** onderzoeken **3** laten liggen, niets doen aan **4** terechtwijzen, op z'n kop zitten
sitter [sitte] **1** model, iem die poseert **2** broedende vogel, broedhen **3** *verk van babysitter* kinderoppas, babysit
sitter-in (baby)oppas
[1]**sitting** [sitting] *zn* **1** zitting, vergadering **2** tafel, gelegenheid om te eten **3** het zitten **4** het poseren || *he read the story at one* ~ hij las het verhaal in één ruk uit
[2]**sitting** [sitting] *bn* zittend: ~ *duck* (of: *target*) makkelijk doel(wit), weerloos slachtoffer; ~ *tenant* huidige huurder
sitting room zitkamer, woonkamer, huiskamer
situated [sitjoe·eetid] **1** geplaatst **2** gelegen, gesitueerd
situation [sitjoe·eesjen] **1** toestand, situatie, omstandigheden **2** ligging, plaats **3** betrekking, baan: ~ *vacant* functie aangeboden, vacature
sit up **1** rechtop (gaan) zitten: *that will make him ~ and take notice!* daar zal hij van opkijken! **2** opblijven; waken *(bij zieke)*
six [siks] zes: *arranged by ~es* per zes geschikt || *everything is at ~es and sevens* alles is helemaal in de war; *it's ~ of one and half a dozen of the other, it's ~ and two threes* het is lood om oud ijzer
sixfold [siksfoold] zesvoudig
six-shooter revolver
sixteen [sikstie:n] zestien
sixteenth [sikstie:nθ] zestiende, zestiende deel

sixth [siksθ] zesde, zesde deel
sixth form bovenbouw vwo
sixthly [siksθlie] ten zesde, op de zesde plaats
sixty [sikstie] zestig: *in the sixties* in de jaren zestig
sixty-four thousand dollar question hamvraag
size [sajz] **1** afmeting, formaat, grootte, omvang: *trees of various ~s* bomen van verschillende grootte **2** maat: *she takes ~ eight* ze heeft maat acht || *cut down to ~* iem op zijn plaats zetten
sizeable [sajzebl] vrij groot, flink
[1]**sizzle** [sizl] *zn* gesis, geknetter
[2]**sizzle** [sizl] *intr* sissen, knetteren
sizzling [sizling] snik-: *a ~ hot day* een snikhete dag
[1]**skate** [skeet] *zn* **1** schaats: *get* (of: *put*) *one's ~s on* opschieten **2** rolschaats
[2]**skate** [skeet] *intr* **1** schaatsen(rijden) **2** rolschaatsen || *~ over* (of: *round*) *sth.* ergens luchtig overheen lopen
skateboard skateboard, rol(schaats)plank
skateboarding het skateboarden
skater [skeete] **1** schaatser **2** rolschaatser
skating rink **1** ijsbaan, schaatsbaan **2** rolschaatsbaan
skedaddle [skidedl] ervandoor gaan, 'm smeren
skeleton [skellitten] **1** skelet, geraamte: *the ~ of the building* het geraamte van het gebouw **2** uitgemergeld persoon (dier) **3** schema, schets || *~ in the cupboard* (of: *closet*) onplezierig (familie)geheim, lijk in de kast
skeleton key loper
[1]**sketch** [sketsj] *zn* **1** schets, tekening, beknopte beschrijving **2** sketch, kort toneelstukje (verhaal)
[2]**sketch** [sketsj] *intr* schetsen, tekenen
[3]**sketch** [sketsj] *tr* (ook met *in, out*) schetsen, kort beschrijven
sketchy [sketsjie] schetsmatig, ruw; *(fig)* oppervlakkig
skew [skjoe:] schuin, scheef
[1]**skewer** [skjoe:e] *zn* vleespen, spies
[2]**skewer** [skjoe:e] *tr* doorsteken *((als) met vleespen)*
[1]**ski** [skie:] *zn* ski
[2]**ski** [skie:] *ww* skiën, skilopen
[1]**skid** [skid] *zn* **1** steunblok, steunbalk **2** glijbaan, glijplank **3** remschoen, remblok **4** schuiver, slip, slippartij: *the car went into a ~* de wagen raakte in een slip || *put the ~s under one's plans: a)* iem (iets) ruïneren; *b)* iem achter zijn vodden zitten
[2]**skid** [skid] *intr* slippen *(ook van wiel)*; schuiven
skidmark [skidma:k] remspoor *(ook fig)*
skid row achterbuurt
skier [skie:e] skiër
skiff [skif] skiff *(eenpersoonsroeiboot)*
skilful [skilfoel] bekwaam, (des)kundig, vakkundig, ervaren
skill [skil] bekwaamheid, vakkundigheid, vaardigheid
skilled [skild] bekwaam, vakkundig: *~ worker* geschoolde arbeider, vakman
skim [skim] **1** vluchtig inkijken: *~ over a book* een boek vlug doornemen **2** afromen *(melk)* **3** scheren
skimmed [skimd] afgeroomd: *~ milk* taptemelk
[1]**skimp** [skimp] *intr (*met *on)* bezuinigen (op), beknibbelen: *whatever you do, don't ~ on your food* wat je ook doet, ga in ieder geval niet bezuinigen op het eten
[2]**skimp** [skimp] *tr* **1** karig (toe)bedelen, zuinig zijn met **2** kort houden
skimpy [skimpie] karig, schaars
[1]**skin** [skin] *zn* huid *(ook van vliegtuig, schip)*; vel, pels: *have a thick ~* een olifantshuid hebben; *have a thin ~* erg gevoelig zijn || *~ and bone(s)* vel over been; *escape by the ~ of one's teeth* op het nippertje ontsnappen; *get under s.o.'s ~: a)* iem irriteren; *b)* bezeten zijn van iem; *save one's ~* er heelhuids afkomen
[2]**skin** [skin] *tr* **1** villen; (af)stropen *(ook fig)* **2** schillen, pellen **3** oplichten, afzetten || *keep one's eye ~ned* alert zijn, wakker blijven
skin-deep oppervlakkig *(ook fig): his politeness is only ~* zijn beleefdheid is alleen maar buitenkant
skin diver sportduiker
skinflint vrek
skinful [skinfoel] genoeg drank om dronken van te worden: *he has had quite a ~ by the look of him* hij heeft zo te zien al het nodige op
skin game **1** oneerlijk gokspel **2** afzetterij, zwendel
skinny [skinnie] broodmager
skint [skint] platzak, blut
[1]**skip** [skip] *zn* **1** sprongetje **2** afvalcontainer
[2]**skip** [skip] *intr* **1** huppelen, (over)springen **2** touwtjespringen || *~ over* overslaan, luchtig overheen gaan
[3]**skip** [skip] *tr* overslaan, weglaten, wegblijven van
skipper [skippe] **1** kapitein, schipper **2** *(sport)* aanvoerder ve team
[1]**skirmish** [ske:misj] *zn* **1** schermutseling *(ook fig)* **2** woordenwisseling
[2]**skirmish** [ske:misj] *intr* **1** schermutselen **2** (rede)twisten
[1]**skirt** [ske:t] *zn* **1** rok **2** rand, zoom, uiteinde **3** *(inform)* stuk: *what a piece of ~!* wat een stuk!
[2]**skirt** [ske:t] *tr* **1** begrenzen, lopen langs **2** ontwijken, omzeilen
skirting board plint
skittish [skittisj] **1** schichtig *(van paard)*; nerveus **2** grillig **3** frivool
skittle [skitl] kegel
skive [skajv] zich aan het werk onttrekken, zich drukken: *were you skiving or were you really ill?* was je je aan het drukken, of was je echt ziek?
skulk [skulk] **1** zich verschuilen **2** sluipen
skull [skul] schedel, doodshoofd
skullcap petje, kalotje, keppeltje
skunk [skungk] **1** stinkdier **2** schoft, schooier

sky [skaj] hemel, lucht: *praise s.o. to the skies* iem de hemel in prijzen || *the ~ is the limit* het kan niet op *(mbt geld)*
sky-blue hemelsblauw
skydive *(parachutespringen)* vrije val maken: *skydiving* vrije val
sky-high hemelhoog; *(fig)* buitensporig hoog *(bijv. prijzen): blow ~* in de lucht laten vliegen, opblazen, *(fig)* geen spaan heel laten van
skyjacking (vliegtuig)kaping
[1]**skylark** *zn* veldleeuwerik
[2]**skylark** *intr* **1** stoeien **2** pret maken
skylight dakraam
skyline 1 horizon **2** skyline; silhouet *(gezien tegen de lucht)*
skyrocket omhoogschieten *(van prijzen): fuel prices have ~ed again* de brandstofprijzen zijn weer huizenhoog gestegen
skyscraper wolkenkrabber
slab [sleb] **1** plaat *(bijv. ijzer)* **2** plat rechthoekig stuk steen
[1]**slack** [slek] *zn* **1** los (hangend) deel van zeil of touw: *take up* (of: *in*) *the ~: a)* aantrekken *(touw e.d.); b) (fig)* de teugel(s) kort houden **2** steenkoolgruis **3** *~s* sportpantalon, lange broek **4** slappe tijd
[2]**slack** [slek] *bn* **1** slap, los: *reign with a ~ hand* met slappe hand regeren **2** zwak, laks **3** lui, traag || *~ water* stil water, dood getijde
[3]**slack** [slek] *ww* **1** verslappen, (zich) ontspannen **2** los(ser) maken, (laten) vieren **3** de kantjes ervanaf lopen, traag werken || *~ off* verslappen *(in het werk)*
[1]**slacken** [sleken] *intr* **1** verslappen, (zich) ontspannen **2** langzamer lopen (rijden) **3** verminderen, afnemen
[2]**slacken** [sleken] *tr* los(ser) maken, (laten) vieren: *~ speed* vaart minderen
slag-heap heuvel van mijnafval
slain [sleen] *volt dw van* slay
[1]**slam** [slem] *zn* **1** harde slag; *(honkbal)* rake slag **2** slem *(bridge)*; alle slagen: *grand ~* groot slem *(ook voor het winnen ve reeks tennis-, golftoernooien e.d.)*
[2]**slam** [slem] *ww* **1** met een klap dichtslaan, (neer)smijten, dichtsmijten: *~ the door (in s.o.'s face)* de deur (voor iemands neus) dichtslaan; *~ down* neersmijten **2** harde klap met de hand geven **3** scherp bekritiseren
[1]**slander** [sla:nde] *zn* laster(praat)
[2]**slander** [sla:nde] *tr* (be)lasteren
slanderous [sla:nderes] lasterlijk
slang [sleng] zeer informele taal, jargon, taal van bepaalde sociale klasse of beroep
[1]**slant** [sla:nt] *zn* **1** helling, schuinte **2** gezichtspunt, kijk, optiek || *the top shelf was on a ~* de bovenste plank hing scheef
[2]**slant** [sla:nt] *intr* hellen, schuin aflopen
[3]**slant** [sla:nt] *tr* **1** laten hellen, scheef houden **2** niet objectief weergeven: *~ed news* nieuwsberichten waarin partij wordt gekozen
[1]**slap** [slep] *zn* klap, mep: *~ on the back* vriendschappelijke klap op de rug, *(fig)* schouderklopje; *~ in the face* klap in het gezicht *(ook fig); ~ on the wrist* vermaning, lichte straf; *~ and tickle* geflirt
[2]**slap** [slep] *tr* **1** een klap geven, meppen: *~ s.o. on the back* iem op zijn schouder kloppen, iem feliciteren **2** smijten, kwakken: *~ down: a)* neersmijten; *b) (inform)* hard aanpakken *(bijv. een misstand)*
[3]**slap** [slep] *bw* **1** met een klap, regelrecht **2** eensklaps
slapdash nonchalant, lukraak
slap-happy 1 uitgelaten **2** nonchalant
slapstick 1 gooi-en-smijtfilm **2** grove humor
slap-up super-de-luxe, eersteklas
[1]**slash** [slesj] *zn* **1** houw, slag **2** snee, jaap **3** schuine streep
[2]**slash** [slesj] *ww* **1** houwen **2** snijden **3** striemen **4** drastisch verlagen *(prijzen)* **5** scherp bekritiseren **6** een split maken in: *~ed sleeve* mouw met split
[1]**slate** [sleet] *zn* **1** lei *(gesteente, schrijfbordje);* daklei **2** kandidatenlijst
[2]**slate** [sleet] *tr* **1** beleggen *(bijv. vergadering);* vaststellen **2** scherp bekritiseren **3** (als kandidaat) voordragen, voorstellen
slatternly [sletenlie] slonzig
[1]**slaughter** [slo:te] *zn* slachting, bloedbad
[2]**slaughter** [slo:te] *tr* **1** slachten, vermoorden **2** totaal verslaan, inmaken
slaughterhouse slachthuis, abattoir
[1]**Slav** [sla:v] *zn* Slaaf
[2]**Slav** [sla:v] *bn* Slavisch
[1]**slave** [sleev] *zn* slaaf, slavin
[2]**slave** [sleev] *intr* zich uitsloven, zwoegen: *~ away (at sth.)* zwoegen (op iets), ploeteren *(bijv. voor examen)*
slaver [sleve] kwijlen *(ook fig): that dog is ~ing at the mouth* het kwijl loopt die hond zijn bek uit
slavery [sleeverie] **1** slavernij **2** slavenarbeid
Slavic [sla:vik] Slavisch
slavish [sleevisj] slaafs, onderdanig
slay [slee] *(slew, slain)* doden, afmaken, slachten
sleaze [slie:z] goorheid, viesheid
sleazy [slie:zie] **1** goor, vies **2** armoedig, goedkoop: *~ excuse* waardeloos excuus
[1]**sled** [sled] *zn* slee
[2]**sled** [sled] *intr* sleeën
sledge [sledzj] slee
sledgehammer voorhamer, moker: *~ blow* keiharde slag
[1]**sleek** [slie:k] *bn* **1** zacht en glanzend *(van haar)* **2** (te) keurig verzorgd, opgedoft, opgedirkt **3** mooi gestroomlijnd *(van auto)*
[2]**sleek** [slie:k] *tr* **1** gladmaken **2** glanzend maken
[1]**sleep** [slie:p] *zn* **1** slaap, nachtrust: *my foot has gone to ~* mijn voet slaapt; *not lose ~ over sth.* niet wakker liggen van iets; *put to ~: a)* in slaap bren-

gen; *b)* wegmaken *(narcose); c)* een spuitje geven *(dier)* **2** rust(periode), winterslaap **3** slaap, oogvuil

[2]**sleep** [slie:p] *intr (slept, slept)* slapen, rusten: *~ round the clock* de klok rond slapen; *~ late* uitslapen; *~ in: a)* in huis slapen *(bijv. oppas); b)* uitslapen; *~ on* (of: *over*) *sth.* een nachtje over iets slapen || *let ~ing dogs lie* men moet geen slapende honden wakker maken; *~ around* met jan en alleman naar bed gaan; *~ with s.o.* met iem naar bed gaan

[3]**sleep** [slie:p] *tr (slept, slept)* slaapplaats hebben voor: *this hotel ~s eighty (guests)* dit hotel biedt plaats voor tachtig gasten || *~ off one's hangover* zijn roes uitslapen

sleeper [slie:pe] **1** slaper, slaapkop **2** dwarsbalk *(van spoorbaan);* biel(s) **3** slaapwagen, slaaptrein

sleepover logeerpartij

sleepwalker slaapwandelaar

sleepy [slie:pie] **1** slaperig **2** loom

[1]**sleet** [slie:t] *zn* natte sneeuw(bui), natte hagel(bui)

[2]**sleet** [slie:t] *intr* sneeuwen en regenen tegelijk

sleeve [slie:v] **1** mouw **2** koker, mof **3** hoes *(van grammofoonplaat)* || *have sth. up one's ~* iets achter de hand houden; *laugh in* (of: *up*) *one's ~* in zijn vuistje lachen; *roll up one's ~s* de handen uit de mouwen steken

sleeveless [slie:vles] mouwloos

sleigh [slee] arrenslee

sleight-of-hand **1** goochelarij; gegoochel *(ook fig)* **2** vingervlugheid

slender [slende] **1** slank, tenger **2** schaars, karig: *a ~ income* een karig inkomen **3** zwak, teer

slept [slept] *ovt en volt dw van* sleep

[1]**slew** [sloe:] *zn (Am)* massa, hoop: *there have been a whole ~ of shooting incidents* er is weer een hele reeks schietpartijen geweest

[2]**slew** [sloe:] *ww* (rond)zwenken, met kracht omdraaien

[3]**slew** [sloe:] *ovt van* slay

[1]**slice** [slajs] *zn* **1** plak(je), snee(tje), schijf(je): *~ of cake* plakje cake **2** deel **3** schep || *~ of luck* meevaller

[2]**slice** [slajs] *tr* **1** (ook met *up*) in plakken snijden **2** snijden: *~d bread* gesneden brood **3** (met *off*) afsnijden

[3]**slice** [slajs] *tr, intr* kappen *((bal) met effect slaan)*

[1]**slick** [slik] *zn* olievlek *(op zeeoppervlak)*

[2]**slick** [slik] *bn (inform)* **1** glad, glibberig, glanzend **2** glad, uitgeslapen, gehaaid **3** oppervlakkig, zich mooi voordoend **4** goed (uitgevoerd), kundig, soepel (draaiend, verlopend)

slicker [slikke] **1** gladjanus **2** waterafstotende regenjas

slid [slid] *ovt en volt dw van* slide

[1]**slide** [slajd] *zn* **1** glijbaan **2** sleehelling **3** val; achteruitgang *(ook fig): a dangerous ~ in oil prices* een gevaarlijke daling van de olieprijzen **4** (stoom)schuif **5** dia(positief) **6** (aard)verschuiving, lawine **7** haarspeld

[2]**slide** [slajd] *ww (slid, slid)* **1** schuiven: *sliding door* schuifdeur; *sliding scale* variabele schaal, glijdende (loon)schaal **2** slippen **3** (uit)glijden **4** (voort) laten glijden || *~ over sth.* luchtig over iets heen praten

slide rule rekenliniaal

[1]**slight** [slajt] *bn* **1** tenger, broos **2** gering, klein, onbeduidend: *~ cold* lichte verkoudheid; *not in the ~est* niet in het minst

[2]**slight** [slajt] *tr* geringschatten, kleineren: *~ing remarks about his teacher* geringschattende opmerkingen over zijn docent

slightly [slajtlie] een beetje, enigszins: *~ longer* een beetje langer

[1]**slim** [slim] *bn* **1** slank, tenger **2** klein, gering: *~ chance* geringe kans

[2]**slim** [slim] *ww* afslanken, aan de (slanke) lijn doen

slime [slajm] slijm

slimy [slajmie] **1** slijmerig *(ook fig);* glibberig **2** kruiperig

[1]**sling** [sling] *zn* **1** slinger **2** zwaai, slingering **3** katapult **4** draagdoek, mitella **5** draagriem, draagband **6** lus, (hijs)strop

[2]**sling** [sling] *tr (slung, slung)* **1** (weg)slingeren, zwaaien, smijten: *~ s.o. out* iem eruit smijten **2** ophangen

slink [slingk] *(slunk, slunk)* (weg)sluipen: *~ away* (of: *off, out*) zich stilletjes uit de voeten maken; *~ in* heimelijk binnensluipen

[1]**slip** [slip] *zn* **1** misstap *(ook fig);* vergissing, ongelukje: *~ of the pen* verschrijving; *~ of the tongue* verspreking **2** hoesje, (kussen)sloop **3** onderrok, onderjurk **4** strookje (papier) **5** stek(je), ent || *give s.o. the ~* aan iem ontsnappen

[2]**slip** [slip] *intr* **1** (uit)glijden, slippen: *~ped disc* hernia; *time ~s away* (of: *by*) de tijd gaat ongemerkt voorbij; *~ through* doorschieten **2** glippen, (snel) sluipen: *~ away* wegglippen; *~ in* (of: *out*) naar binnen (*of:* buiten) glippen; *~ through one's fingers* door zijn vingers glippen **3** afglijden, vervallen || *let ~* zich verspreken; *~ up* zich vergissen; *~ into* (of: *out*) *of a dress* een jurk aanschieten (*of:* uittrekken)

[3]**slip** [slip] *tr* **1** schuiven, slippen, laten glijden: *~ in a remark* een opmerking tussendoor plaatsen **2** ontglippen, ontschieten: *~ one's attention* ontgaan; *~ one's memory* (of: *mind*) vergeten; *let ~: a)* zich laten ontvallen; *b)* laten ontsnappen **3** (onopvallend) toestoppen

slip-knot **1** schuifknoop **2** slipsteek

slipover **1** slip-over **2** pullover

slipper [slippe] pantoffel, slipper

slippery [slipperie] **1** glad, glibberig **2** moeilijk te pakken te krijgen, ontwijkend; *(fig ook)* moeilijk te begrijpen **3** glibberig, riskant **4** onbetrouwbaar, vals || *~ slope* glibberig pad, gevaarlijke koers

slip road oprit, afrit *(van autoweg);* invoegstrook, uitvoegstrook
slipshod [slipsjod] onzorgvuldig, slordig
slipstream 1 schroefwind, luchtbeweging door de propeller veroorzaakt **2** zuiging *(achter auto)*
slip-up vergissing, fout(je)
[1]**slit** [slit] *zn* **1** spleet, gleuf, lange snee **2** split *(in jurk bijv.)*
[2]**slit** [slit] *tr* **1** snijden **2** scheuren
slither [sliðe] glijden, glibberen
sliver [slivve] **1** splinter, scherf **2** dun plakje
slob [slob] smeerlap, slons, luie stomkop
slobber [slobbe] **1** kwijlen **2** sentimenteel doen, zwijmelen: ~ *over sth.* zwijmelig doen over iets
[1]**slog** [slok̂] *zn* **1** geploeter, gezwoeg **2** *(cricket, boksen)* harde klap, woeste slag, uithaal
[2]**slog** [slok̂] *intr* **1** (met *at*) zwoegen (op), noest doorwerken (aan): ~ *away (at)* ijverig doorworstelen (met) **2** ploeteren, sjokken
[3]**slog** [slok̂] *tr (cricket, boksen)* hard stoten, uithalen naar, een ontzettende mep geven || ~ *it out* het uitvechten
slogan [slook̂en] **1** strijdkreet **2** motto **3** slagzin *(in reclame)*
[1]**slop** [slop] *zn* **1** waterige soep, slappe kost **2** spoeling, dun varkensvoer **3** ~*s* vuil waswater
[2]**slop** [slop] *ww* **1** (met *over*) overstromen: ~ *about* (of: *around*) rondklotsen **2** plassen, kliederen **3** sloffen **4** morsen (op), kliederen (op) || ~ *about* (of: *around*) rondhannesen
[1]**slope** [sloop] *zn* helling
[2]**slope** [sloop] *intr* hellen, schuin aflopen, schuin oplopen, glooien: ~ *down (to)* aflopen (naar) || ~ *off* er vandoor gaan
sloppy [sloppie] **1** slordig, slonzig, onzorgvuldig **2** melig, sentimenteel **3** vies en nat
[1]**slosh** [slosj] *intr* **1** plassen, ploeteren **2** klotsen
[2]**slosh** [slosj] *tr* **1** klotsen met: ~ *about* rondklotsen **2** meppen, een dreun verkopen || ~ *the paint on the wall* de verf op de muur kwakken
slot [slot] **1** groef, geul, gleuf **2** plaatsje, ruimte, zendtijd: *find a* ~ *for* een plaats inruimen voor *(in het programma)*
sloth [slooθ] **1** luiaard **2** luiheid
slot machine 1 automaat **2** *(spel)* fruitmachine
[1]**slouch** [slautsj] *zn* **1** slappe houding, ronde rug **2** zoutzak: *be no* ~ *at* handig zijn in
[2]**slouch** [slautsj] *intr* **1** hangen, erbij hangen **2** een slappe houding hebben
[1]**slough** [slau] *zn* **1** moeras **2** modderpoel
[2]**slough** [sluf] *zn* afgeworpen huid *(van slang enz.)*
Slovak [sloovek] Slowaaks
Slovene [sloovie:n] Sloveens
slovenly [sluvvenlie] slonzig, slordig
[1]**slow** [sloo] *bn* **1** langzaam, traag, geleidelijk: ~ *handclap* traag handgeklap *(als teken van verveling);* ~ *train* boemeltrein **2** saai, flauw **3** laat || ~ *on the uptake* traag van begrip
[2]**slow** [sloo] *ww* vertragen, inhouden: ~ *(the car) down* snelheid minderen; ~ *down* het kalmer aan doen
[3]**slow** [sloo] *bw* langzaam: *be four minutes* ~ vier minuten achterlopen; *go* ~ het langzaamaan doen
slowdown vertraging, vermindering, productievermindering
sludge [sludzj] **1** slijk, modder **2** olieklont, oliekorst
slug [sluk̂] **1** naaktslak **2** metaalklomp **3** kogel **4** slok
sluggard [sluk̂ed] luiaard
sluggish [sluk̂isj] traag
[1]**sluice** [sloe:s] *zn* **1** (afwaterings)sluis **2** sluiskolk **3** sluisdeur
[2]**sluice** [sloe:s] *intr* (ook met *out*) uitstromen
[3]**sluice** [sloe:s] *tr* **1** laten uitstromen **2** (ook met *out, down*) overspoelen, water laten stromen over
slum [slum] achterbuurt, slop
slumber [slumbe] slaap, sluimer
[1]**slump** [slump] *zn* ineenstorting, snelle daling: *a* ~ *in sales of violent videogames* een sterke daling in de verkoop van gewelddadige videospelletjes
[2]**slump** [slump] *intr* **1** in elkaar zakken: ~ *down to the floor* op de vloer in elkaar zakken **2** instorten, mislukken; *(fin)* vallen
slung [slung] *ovt en volt dw van* sling
slunk [slungk] *ovt en volt dw van* slink
[1]**slur** [sle:] *zn* smet, blaam
[2]**slur** [sle:] *ww* brabbelen, onduidelijk (uit)spreken || *that fact was* ~*red over* aan dat feit werd achteloos voorbij gegaan
slurp [sle:p] slobberen, (op)slurpen
slush [slusj] **1** sneeuwbrij **2** dunne modder **3** gezwijmel, sentimentele onzin
slut [slut] *(plat)* **1** slons **2** slet, slettebak
sluttish [sluttisj] *(inform)* **1** slonzig **2** sletterig
sly [slaj] **1** sluw, geslepen **2** geniepig **3** pesterig || *on the* ~ in het geniep
[1]**smack** [smek] *zn* **1** smaak **2** vleugje **3** trek: *he has a* ~ *of inflexibility in him* hij heeft iets onverzettelijks **4** smakkend geluid, smak **5** klap **6** klapzoen || *have a* ~ *at sth.* een poging wagen (te)
[2]**smack** [smek] *intr* (met *of)* rieken (naar)
[3]**smack** [smek] *tr* **1** slaan **2** smakken met *(de lippen)* **3** met een smak neerzetten
[4]**smack** [smek] *bw* **1** met een klap: *hit s.o.* ~ *on the head* iem een rake klap op zijn kop geven **2** recht, precies: ~ *in the middle* precies in het midden
smacker [smeke] **1** klap, smak **2** klapzoen **3** pond, dollar
[1]**smacking** [smeking] *zn* pak slaag
[2]**smacking** [smeking] *bn* energiek, vlug: *at a* ~ *pace* in een stevig tempo
[1]**small** [smo:l] *zn* **1** het smalste gedeelte: *the* ~ *of the back* lenden(streek) **2** ~*s* kleine was
[2]**small** [smo:l] *bn* **1** klein, gering, jong, fijn, onbelangrijk: ~ *arms* handvuurwapens; ~ *business* kleinbedrijf; ~ *change* kleingeld; ~ *print* kleine

druk, *(fig)* de kleine lettertjes; ~ *wonder* geen wonder; *feel* (of: *look*) ~ zich schamen **2** bescheiden: *in a ~ way* op kleine schaal **3** slap, licht: ~ *beer (fig)* onbelangrijke zaken || *the ~ hours* de kleine uurtjes
small-minded kleingeestig
smallpox pokken
small-scale kleinschalig
small talk geklets, informeel gesprekje
small-time gering, onbelangrijk
smarmy [sma:mie] zalvend, vleierig: *be polite and helpful, but never be ~* wees beleefd en hulpvaardig, maar doe nooit kruiperig
[1]**smart** [sma:t] *bn* **1** heftig, fel: *at a ~ pace* met flinke pas **2** bijdehand, slim, gevat **3** sluw **4** keurig, knap: *how ~ you look!* wat zie je er mooi uit! || ~ *aleck* wijsneus
[2]**smart** [sma:t] *intr* **1** pijn doen, steken **2** pijn hebben, lijden: ~ *over* (of: *under*) *an insult* zich gekwetst voelen door een belediging
smart card chipkaart, chipknip, bankpas (met pincode en chip)
smart drug smartdrug
smarten [sma:tn] *(ook met up)* opknappen, (zichzelf) opdoffen
[1]**smash** [smesj] *zn* **1** slag, gerinkel **2** klap, slag, dreun **3** ineenstorting, krach, bankroet **4** topper, groot succes **5** *(tennis)* smash
[2]**smash** [smesj] *tr* **1** slaan op, beuken tegen **2** (ook met *up*) vernielen, in de prak rijden: ~ *in* in elkaar slaan, inslaan **3** uiteenjagen; verpletteren *(de vijand)* **4** *(tennis)* smashen
[3]**smash** [smesj] *tr, intr* (ook met *up*) breken, kapot vallen
[4]**smash** [smesj] *tr, intr* **1** razen, beuken, botsen: *the car ~ed into the garage door* de auto vloog met een klap tegen de garagedeur **2** geruïneerd worden, failliet gaan **3** *(tennis)* een smash slaan
smashed [smesjt] dronken
smasher [smesje] **1** iets geweldigs, kanjer: *Lisa is a real ~* Lisa is echt een wereldmeid **2** dreun, vernietigend antwoord
smash hit geweldig succes
smashing [smesjing] geweldig
smash-up klap, dreun, botsing
smattering [smetering] beetje: *have a ~ of French* een paar woordjes Frans spreken
[1]**smear** [smie] *zn* **1** smeer, vlek **2** verdachtmaking **3** uitstrijkje
[2]**smear** [smie] *intr* **1** vies worden, uitlopen **2** afgeven
[3]**smear** [smie] *tr* **1** smeren, uitsmeren, besmeren **2** vlekken maken op **3** verdacht maken
smear test uitstrijkje
[1]**smell** [smel] *zn* **1** reuk, geur; *(fig)* sfeer **2** vieze lucht || *take a ~ at this* ruik hier eens even aan
[2]**smell** [smel] *ww (ook smelt, smelt)* **1** (met *of*) ruiken (naar), geuren (naar) **2** snuffelen **3** (met *of*) stinken (naar); ruiken (naar) *(ook fig)* **4** (met *at*) ruiken (aan)
smell out opsporen, op het spoor komen: *they use sniffer dogs to ~ drug traffickers* ze zetten snuffelhonden in om drugshandelaren op te sporen
smelly [smellie] vies, stinkend
[1]**smelt** [smelt] *zn* spiering
[2]**smelt** [smelt] *tr* **1** uitsmelten *(erts)* **2** uit erts uitsmelten *(metaal)*
[3]**smelt** [smelt] *ovt en volt dw van* smell
[1]**smile** [smajl] *zn* glimlach: *wipe the ~ off s.o.'s face* iem het lachen doen vergaan; *be all ~s* stralen, van oor tot oor glimlachen
[2]**smile** [smajl] *intr* **1** (met *at*) glimlachen (naar, tegen) **2** er stralend uitzien *(natuur)*
[3]**smile** [smajl] *tr* glimlachend uiten: *she ~d her approval* ze glimlachte goedkeurend
[1]**smirch** [sme:tsj] *zn* vlek; *(fig)* smet
[2]**smirch** [sme:tsj] *tr* **1** bevuilen **2** *(fig)* een smet werpen op
[1]**smirk** [sme:k] *zn* zelfgenoegzaam lachje
[2]**smirk** [sme:k] *intr* zelfgenoegzaam glimlachen
smite [smajt] *(smote, smitten)* **1** slaan, verslaan, vellen **2** straffen **3** raken, treffen: *smitten with s.o.* smoorverliefd op iem
smith [smiθ] **1** smid **2** maker, smeder
smithereens [smiðerie:nz]: *smash into* (of: *to*) ~ aan diggelen gooien
smithy [smiðie] smederij
smitten [smitn] *volt dw van* smite
smock [smok] **1** kieltje, schortje **2** jak, kiel
[1]**smoke** [smook] *zn* **1** rook **2** rokertje, sigaret **3** damp **4** trekje || *go up in ~* in rook opgaan, *(fig)* op niets uitlopen
[2]**smoke** [smook] *ww* roken: *~d ham* gerookte ham; *no smoking* verboden te roken
smoke-free rookvrij
smoke out **1** uitroken *(uit hol e.d.)* **2** te weten komen *(bijv. plannen)*
smoker [smooke] **1** roker **2** rookcoupé, rookrijtuig **3** mannenbijeenkomst
smokescreen rookgordijn; *(ook fig)* afleidingsmanoeuvre
smooch [smoe:tsj] vrijen, knuffelen
[1]**smooth** [smoe:ð] *bn* **1** glad **2** soepel, gelijkmatig **3** gemakkelijk **4** rustig **5** overmatig vriendelijk, glad: ~ *operator* gladjanus **6** zacht smakend **7** zacht; strelend *(van stem, klank)* || *in ~ water* in rustig vaarwater
[2]**smooth** [smoe:ð] *tr* **1** gladmaken, effen maken **2** (ook met *out*) gladstrijken; *(fig)* (onregelmatigheden, verschillen) wegnemen: ~ *down one's clothes* zijn kleren gladstrijken
smoothie [smoe:ðie] gladde, handige prater
smote [smoot] *ovt en volt dw van* smite
[1]**smother** [smuðe] *intr* (ver)stikken, (ver)smoren
[2]**smother** [smuðe] *tr* **1** (uit)doven **2** smoren, onderdrukken: *all opposition was ~ed* elke vorm van tegenstand werd onderdrukt **3** (met *in*) overladen (met); overdekken (met) *(fig)*; verstikken: *~ed in cream* rijkelijk met room bedekt

smoulder [smoolde] (na)smeulen, gloeien
¹smudge [smudzj] *zn* vlek; *(fig)* smet
²smudge [smudzj] *intr* vlekken
³smudge [smudzj] *tr* **1** (be)vlekken, vuilmaken **2** *(fig)* een smet werpen op, bezoedelen
smudgy [smudzjie] **1** vlekkerig, besmeurd **2** wazig
smug [smuk] zelfvoldaan
smuggle [smukl] smokkelen
smuggler [smukle] smokkelaar
smut [smut] **1** vuiltje, stofje **2** roetdeeltje **3** roet, kolenstof **4** vuiligheid: *talk ~* vuile taal uitslaan
smutty [smuttie] vuil, goor, vies
snack [snek] snack, hapje, tussendoortje
snack bar snackbar, cafetaria
¹snag [snek] *zn* **1** uitsteeksel, punt, stomp **2** probleem, tegenvaller: *there's a ~ in it somewhere* er schuilt ergens een addertje onder 't gras **3** (winkel)haak, scheur, haal **4** boom(stronk)
²snag [snek] *tr* **1** blijven haken met **2** scheuren *(kleding)* **3** te pakken krijgen
snail [sneel] (huisjes)slak *(ook fig)*; slome: *~ mail* slakkenpost, gewone post
snake [sneek] slang || *a ~ in the grass* een addertje onder het gras
¹snap [snep] *zn* **1** klap: *shut a book* (of: *lid*) *with a ~* een boek (*of:* deksel) met een klap dichtdoen **2** hap, beet **3** knip *(met vingers, schaar)* **4** foto **5** karweitje van niets, kleinigheid **6** pit, energie: *put some ~ into it!* een beetje meer fut!
²snap [snep] *bn* **1** impulsief: *~ decision* beslissing van 't moment (zelf) **2** onverwacht, onvoorbereid: *~ check* (onverwachte) controle
³snap [snep] *tr* **1** (weg)grissen, grijpen, (weg)rukken: *~ up* op de kop tikken **2** knippen met *(vingers)* **3** kieken, een foto maken van || *~ it up* vooruit, aan de slag
⁴snap [snep] *tr, intr* **1** (ook met *at*) happen (naar), bijten **2** (af)breken, (af)knappen; het begeven *(ook fig)* **3** (dicht)klappen, dichtslaan: *the door ~ped to* (of: *shut*) de deur sloeg dicht **4** (ook met *out*) snauwen || *~ at: a)* grijpen naar; *b)* aangrijpen *(kans e.d.)*; *I was only ~ped at* ik werd alleen maar afgesnauwd; *~ out of it* ermee ophouden; *~ to it* vooruit, schiet 'ns op
⁵snap [snep] *tw* klap, knal
snapdragon [snepdreken] *(plantk)* leeuwenbek
snap election vervroegde verkiezingen
snap fastener *(Am)* drukknoopje
snappy [snepie] **1** pittig, levendig **2** chic, net **3** snauwerig, prikkelbaar || *look ~!, make it ~!* schiet op!
snapshot kiekje, snapshot, momentopname
snare [snee] (val)strik, val: *lay a ~ for s.o.* voor iem een valstrik leggen
¹snarl [sna:l] *zn* **1** grauw, snauw **2** knoop *(ook fig)*; wirwar || *be in a ~* in de war zijn
²snarl [sna:l] *ww* **1** (met *at*) grauwen (tegen), grommen, snauwen **2** in de war raken (brengen)
snarl up **1** in de war raken (brengen), in de knoop raken (brengen): *get snarled up* verstrikt raken **2** vastlopen *(van verkeer)*
snarl-up **1** (verkeers)knoop **2** warboel
¹snatch [snetsj] *zn* **1** greep, ruk: *make a ~ at* een greep doen naar **2** brok, stuk, fragment: *a ~ of conversation* een flard van een gesprek || *sleep in ~es* met tussenpozen slapen
²snatch [snetsj] *intr* rukken || *~ at* grijpen naar, (dadelijk) aangrijpen
³snatch [snetsj] *tr* **1** (weg)rukken, (weg)grijpen, bemachtigen: *~ a kiss* een kus stelen; *~ away* wegrukken, wegpakken; *she ~ed the letter out of my hand* ze rukte de brief uit mijn hand **2** aangrijpen, gebruikmaken van
snazzy [snezie] **1** chic **2** opzichtig
¹sneak [snie:k] *zn* **1** gluiper(d) **2** klikspaan
²sneak [snie:k] *bn* onverwacht, verrassings-: *a ~ preview* een onaangekondigde voorvertoning
³sneak [snie:k] *intr* sluipen: *~ away* wegsluipen; *~ (up)on s.o.* naar iem toesluipen || *~ on s.o.* over iem klikken, iem verraden
⁴sneak [snie:k] *tr* heimelijk doen, smokkelen: *~ a smoke* stiekem roken
sneaker [snie:ke] **1** sluiper **2** gluiperd **3** klikspaan **4** *~s* gympies
sneaking [snie:king] **1** gluiperig **2** heimelijk **3** vaag: *a ~ suspicion* een vaag vermoeden
sneak-thief insluiper
¹sneer [snie] *zn* **1** grijns(lach) **2** (met *at*) spottende opmerking (over), hatelijkheid
²sneer [snie] *intr* **1** (met *at*) grijnzen (naar), spottend lachen **2** spotten (met)
¹sneeze [snie:z] *zn* nies(geluid): *~s* genies
²sneeze [snie:z] *intr* niezen || *not to be ~d at* de moeite waard, niet niks
snick [snik] knip(je), inkeping
¹snicker [snikke] *zn* **1** hinnikgeluid **2** giechel
²snicker [snikke] *intr* **1** (zacht) hinniken **2** giechelen
snide [snajd] hatelijk
¹sniff [snif] *zn* **1** snuivend geluid **2** luchtje, snuifje: *get a ~ of sea air* de zeelucht opsnuiven
²sniff [snif] *intr* **1** snuiven, snuffen **2** snuffelen || *not to be ~ed at* niet te versmaden
³sniff [snif] *tr* **1** snuiven **2** besnuffelen **3** ruiken, de geur opsnuiven van
sniffer dog snuffelhond *(voor explosieven, drugs)*
¹sniffle [snifl] *zn* gesnuif, gesnotter
²sniffle [snifl] *intr* snuffen, snotteren
sniffy [sniffie] arrogant, hooghartig
¹snigger [snike] *zn* giechel
²snigger [snike] *intr* gniffelen
¹snip [snip] *zn* **1** knip: *one ~ of the scissors and 99 balloons flew up into the air* een knip met de schaar en 99 ballonnen gingen de lucht in **2** snipper, stukje, fragment **3** koopje, buitenkans
²snip [snip] *intr* snijden, knippen
³snip [snip] *tr* (ook met *off*) (af)knippen, door-

knippen, versnipperen
¹snipe [snajp] *zn* snip
²snipe [snajp] *intr (*met *at)* sluipschieten, uit een hinderlaag schieten (op)
sniper [snajpe] sluipschutter
snippet [snippit] stukje, fragment, knipsel
¹snitch [snitsj] *intr* klikken: *he ~ed on John* hij verklikte John
²snitch [snitsj] *tr* gappen
snivel [snivl] **1** een loopneus hebben, snotteren **2** grienen, janken
snob [snob] snob
snobbery [snobberie] snobisme
snog [snok] vrijen
¹snooker [snoe:ke] *zn* snooker(biljart)
²snooker [snoe:ke] *tr* in het nauw drijven, in een moeilijke positie brengen, dwarsbomen
snoop [snoe:p] *(inform) (*met *about, around)* rondsnuffelen
snooty [snoe:tie] verwaand
¹snooze [snoe:z] *zn* dutje
²snooze [snoe:z] *intr* dutten, een uiltje knappen
¹snore [sno:] *zn* gesnurk, snurk
²snore [sno:] *intr* snurken
¹snort [sno:t] *zn* gesnuif: *he gave a ~ of contempt* hij snoof minachtend
²snort [sno:t] *intr* snuiven: *Ian ~ed with rage* Ian snoof van woede
snot [snot] snot
snotty [snottie] **1** snotterig, met snot **2** verwaand, snobistisch
snout [snaut] snuit
¹snow [snoo] *zn* **1** sneeuw *(ook op tv)* **2** sneeuwbui **3** sneeuw, cocaïne
²snow [snoo] *intr* **1** sneeuwen **2** neerdwarrelen
³snow [snoo] *tr* ondersneeuwen, overdonderen || *be ~ed in* (of: *up*) ingesneeuwd zijn; *be ~ed under* ondergesneeuwd worden, bedolven worden
¹snowball *zn* sneeuwbal
²snowball *intr* een sneeuwbaleffect hebben, escaleren
³snowball *tr* **1** (met sneeuwballen) bekogelen **2** doen escaleren
snowbound ingesneeuwd
snowdrift sneeuwbank
snowdrop sneeuwklokje
snowflake sneeuwvlok(je)
snowman sneeuwman, sneeuwpop
snow-white sneeuwwit
snowy [snooie] **1** besneeuwd, sneeuwachtig **2** sneeuwwit
Snr *afk van Senior* sr.
¹snub [snub] *zn* bitse afwijzing: *her remark was clearly meant as a ~* haar opmerking was duidelijk bedoeld om te katten
²snub [snub] *tr* afstoten, afkatten, met de nek aanzien
¹snuff [snuf] *zn* snuif(tabak): *take ~* snuiven
²snuff [snuf] *intr* snuiven *(tabak, cocaïne)*
³snuff [snuf] *tr* **1** snuiten **2** opsnuiven **3** besnuffelen || *~ it* 't hoekje omgaan; *~ out* een eind maken aan *(verwachtingen, opstand enz.)*
snuffle [snufl] snotteren
¹snug [snuk] *zn* gelagkamer
²snug [snuk] *bn* **1** behaaglijk, beschut, knus **2** goed ingericht **3** nauwsluitend **4** ruim *(inkomen)*
snuggle [snukl] zich nestelen: *~ up to s.o.* lekker tegen iem aan gaan liggen || *~ down* lekker onder de dekens kruipen
¹so [soo] *bn* **1** zo, waar: *is that really so?* is dat echt waar?; *if so* als dat zo is **2** dat, het: *she was skinny but not extremely so* ze was wel mager maar niet extreem; *'She's the prettiest' 'Yes, so she is'* 'Ze is de knapste' 'Dat is ze inderdaad'
²so [soo] *aanw vnw* **1** dusdanig, dat: *'You were cheating' 'But so were you'* 'Je hebt vals gespeeld' 'Maar jij ook' **2** iets dergelijks, zo(iets): *six days or so* zes dagen of zo
³so [soo] *bw* **1** zo, aldus: *(would you) be so kind as to leave* zou u zo goed willen zijn weg te gaan; *but even so* maar toch; *so far it hasn't happened* tot nu toe is het niet gebeurd; *so long as you don't tell anybody* als je 't maar aan niemand vertelt; *if so* als dat zo is **2** zozeer, zo erg: *she is not so stupid* ze is niet zo dom; *so many came* er kwamen er zo veel **3** daarom, zodoende: *so what?* en dan?, wat dan nog?; *so here we are!* hier zijn we dan!; *so there you are* daar ben je dus || *so long!* tot ziens!; *every so often* nu en dan; *so there* nu weet je het
⁴so [soo] *vw* **1** zodat, opdat, om: *be careful so you don't get hurt* pas op dat je je geen pijn doet **2** zodat, (en) dus: *he is late, so (that) we can't start yet* hij is te laat, zodat we nog niet kunnen beginnen
⁵so [soo] *tw* ziezo
¹soak [sook] *zn* **1** week, het nat maken **2** zuipschuit, drankorgel
²soak [sook] *intr* sijpelen, doortrekken: *~ through the paper* het papier doordrenken
³soak [sook] *tr, intr* **1** doorweken, (door)drenken: *~ed to the skin* doornat; *~ed through* kletsnat **2** (onder)dompelen: *~ oneself in* zich verdiepen in **3** afzetten: *~ the rich* de rijken plukken
⁴soak [sook] *tr, intr* weken, in de week zetten: *~ off* losweken
soaking [sooking] door en door: *~ wet* doorweekt
soak up **1** opnemen, absorberen **2** kunnen incasseren *(kritiek, klap)*
so-and-so [sooensoo] **1** die en die, dinges **2** dit en dit **3** je-weet-wel: *a real ~* een rotzak
¹soap [soop] *zn* **1** zeep **2** soap
²soap [soop] *tr* (in)zepen
soapbox **1** zeepdoos **2** zeepkist, geïmproviseerd platform
soap opera soap (opera)
soapsuds zeepsop
soar [so:] **1** hoog vliegen; *(fig)* een hoge vlucht nemen **2** (omhoog) rijzen, stijgen: *prices ~ed* de prij-

zen vlogen omhoog **3** zweven

[1]**sob** [sob] *zn* snik

[2]**sob** [sob] *intr* snikken

[3]**sob** [sob] *tr* snikkend vertellen: ~ *one's heart out* hartverscheurend snikken

[1]**sober** [soobe] *bn* **1** nuchter, niet beschonken: *as ~ as a judge* volkomen nuchter **2** matig, ingetogen: ~ *colours* gedekte kleuren **3** beheerst, kalm **4** verstandig, afgewogen: *in ~ fact* in werkelijkheid **5** ernstig

[2]**sober** [soobe] *ww (*met *down, up)* nuchter worden (maken), (doen) bedaren

sobriety [sebrajjetie] **1** nuchterheid, gematigdheid **2** kalmte, ernst

sob story zielig verhaal, tranentrekker

so-called [sooko:ld] zogenaamd

soccer [sokke] voetbal

sociability [soosjebillittie] gezelligheid

sociable [soosjebl] gezellig, vriendelijk

[1]**social** [soosjl] *zn* gezellige bijeenkomst, feestje

[2]**social** [soosjl] *bn* **1** sociaal, maatschappelijk: *man is a ~ animal* de mens is een sociaal wezen **2** gezellig, vriendelijk **3** gezelligheids-: *a ~ club* een gezelligheidsvereniging

socialism [soosjelizm] socialisme

[1]**socialist** [soosjelist] *zn* socialist

[2]**socialist** [soosjelist] *bw* socialistisch

socialize [soosjelajz] gezellig doen, zich aanpassen: ~ *with* omgaan met

social science **1** sociale wetenschap(pen) **2** *~s* maatschappijwetenschappen

social service **1** liefdadig werk **2** *~s* sociale voorzieningen

social work maatschappelijk werk

society [sesajjetie] **1** vereniging, genootschap **2** de samenleving, (de) maatschappij **3** gezelschap: *I try to avoid his ~* ik probeer zijn gezelschap te ontlopen **4** society, hogere kringen

sociological [soosielodzjikl] sociologisch

sociologist [soosie·olledzjist] socioloog

sociology [soosie·olledzjie] sociologie

[1]**sock** [sok] *zn* **1** sok **2** inlegzool(tje) **3** (vuist)slag, oplawaai **4** windzak || *pull one's ~s up* er tegen aan gaan; *put a ~ in it* kop dicht

[2]**sock** [sok] *tr* meppen, slaan, dreunen || ~ *it to s.o.: a)* iem op zijn donder geven; *b)* grote indruk op iem maken

socket [sokkit] **1** holte, (oog)kas, gewrichtsholte **2** kandelaar **3** sok, mof, buis **4** stopcontact, contactdoos, fitting, lamphouder

sod [sod] **1** vent **2** rotklus, ellende **3** (gras)zode

soda [soode] **1** soda, natriumcarbonaat: *baking ~* zuiveringszout **2** soda(water) **3** priklimonade, fris

sodden [sodn] **1** doorweekt, doordrenkt **2** klef *(van brood e.d.)* **3** opgeblazen; opgezwollen *(door drank): ~ features* opgeblazen gezicht

sodium [soodiem] natrium

Sod's Law de wet van 'Sod' *(als er iets fout kán gaan, gaat dat ook fout)*

sofa [soofe] bank, sofa

soft [soft] **1** zacht; gedempt *(licht)* **2** slap *(ook fig);* week, sentimenteel: *(have) a ~ spot for s.o.* een zwak voor iem hebben **3** niet-verslavend; soft *(drugs)* **4** eenvoudig: ~ *option* gemakkelijke weg **5** onnozel: *have gone ~ in the head* niet goed wijs zijn geworden **6** niet-alcoholisch; fris *(drank): ~ drink* fris(drank) **7** zwak, gek, verliefd: *be ~ about* (of: *on*) gek (*of:* verliefd) zijn op, een zwak hebben voor || ~ *loan* lening op gunstige voorwaarden

soft copy tekst(en) in elektronische vorm *(niet op papier)*

soft drink fris(drank)

[1]**soften** [soffen] *intr* **1** zacht(er) worden **2** vertederd worden

[2]**soften** [soffen] *tr* **1** zacht(er) maken; dempen *(licht);* ontharden *(water)* **2** verwennen, verslappen **3** vertederen

soften up **1** mild stemmen **2** verzwakken, murw maken

softie [softie] slappeling, goedzak, dwaas

soft-soap stroop smeren bij, vleien

software [softwee] software, (computer)programmatuur

soggy [sokie] **1** doorweekt **2** drassig **3** klef *(van brood e.d.)*

[1]**soil** [sojl] *zn* **1** grond, land, teelaarde **2** (vader)land: *on Dutch ~* op Nederlandse bodem; *native ~* geboortegrond **3** (ver)vuil(ing) **4** afval **5** aarde, grond, land

[2]**soil** [sojl] *intr* vuil worden

[3]**soil** [sojl] *tr* vuilmaken

[1]**solace** [solles] *zn* troost, bemoediging

[2]**solace** [solles] *tr* troosten, opbeuren: ~ *oneself (with sth.)* zich troosten (met iets)

solar [soole] vd zon, zonne-: ~ *eclipse* zonsverduistering

solar system zonnestelsel

sold [soold] *ovt en volt dw van* sell

soldering iron [sooldering ajjen] soldeerbout

soldier [sooldzje] **1** militair, soldaat **2** strijder, voorvechter

soldier on volhouden

[1]**sole** [sool] *zn* **1** zool *(van voet en schoen)* **2** tong *(vis en gerecht)*

[2]**sole** [sool] *bn* **1** enig, enkel **2** exclusief, uitsluitend: ~ *agent* alleenvertegenwoordiger

solely [soollie] **1** alleen **2** enkel, uitsluitend

solemn [sollem] **1** plechtig **2** ernstig: *look as ~ as a judge* doodernstig kijken **3** (plecht)statig **4** belangrijk, gewichtig: ~ *warning* dringende waarschuwing

solemnity [selemnittie] **1** plechtigheid **2** plechtstatigheid, ceremonieel **3** ernst

[1]**solicit** [selissit] *intr* **1** een verzoek doen **2** tippelen

[2]**solicit** [selissit] *tr* **1** (dringend) verzoeken: ~ *s.o.'s attention* iemands aandacht vragen **2** aanspreken *(van prostituee)*

solicitor [selissitte] **1** procureur **2** rechtskundig adviseur; advocaat *(voor lagere rechtbank)* **3** notaris

solicitous [selissittes] **1** (met *about, for*) bezorgd (om), bekommerd **2** aandachtig, nauwgezet

solicitude [selissitjoe:d] **1** zorg, bezorgdheid, angst **2** aandacht, nauwgezetheid

[1]solid [sollid] *zn* **1** vast lichaam **2** (driedimensionaal) lichaam **3** *~s* vast voedsel

[2]solid [sollid] *bn* **1** vast, stevig, solide: *~ rock* vast gesteente **2** ononderbroken *(van tijd): Brugman talked ~ly for three hours* Brugman sprak drie uur aan één stuk **3** betrouwbaar *(financieel)* **4** driedimensionaal: *~ geometry* stereometrie **5** unaniem: *~ vote* eenstemmigheid **6** gegrond, degelijk: *~ reasons* gegronde redenen **7** zuiver, massief, puur: *~ gold* puur goud

solidarity [solliderittie] solidariteit

solidify [seliddiffaj] hard(er) (doen) worden, (doen) verharden

solidity [selidditie] **1** hardheid **2** dichtheid, compactheid

soliloquy [selillekwie] alleenspraak, monoloog: *teaching involves more than holding a ~ for fifty minutes* lesgeven houdt meer in dan vijftig minuten lang een monoloog houden

solitary [sollitterie] **1** alleen(levend), solitair **2** eenzelvig **3** afgezonderd, eenzaam: *~ confinement* eenzame opsluiting **4** enkel: *give me one ~ example* geef mij één enkel voorbeeld

solitude [sollitjoe:d] eenzaamheid

[1]solo [sooloo] *zn* solo-optreden, solovlucht

[2]solo [sooloo] *bw* solo, alleen: *fly ~* solo vliegen; *go ~* een solocarrière beginnen, op de solotoer gaan

soloist [soolooist] solist(e)

so long tot ziens

solstice [solstis] zonnestilstand, zonnewende

soluble [soljoebl] **1** oplosbaar **2** verklaarbaar

solution [seloe:sjen] oplossing, solutie; *(fig)* uitweg: *~ for* (of: *of, to*) *a problem* oplossing van een probleem

solve [solv] **1** oplossen, een uitweg vinden voor **2** verklaren

solvency [solvensie] solvabiliteit, financiële draagkracht

solvent [solvent] oplosmiddel

sombre [sombe] somber, duister, zwaarmoedig

[1]some [sum] *vnw* **1** wat, iets, enkele(n), sommige(n), een aantal, een of ander(e), een: *she bought ~ oranges* ze kocht een paar sinaasappels; *~ day you'll understand* ooit zul je het begrijpen; *I've made a cake; would you like ~?* ik heb een cake gebakken, wil je er wat van (*of:* een stukje)?; *~ say so* er zijn er die dat zeggen **2** geweldig, fantastisch: *that was ~ holiday* tjonge, nou dat was een fijne vakantie

[2]some [sum] *bw* **1** ongeveer, zo wat: *it costs ~ fifty pounds* het kost zo'n vijftig pond **2** *(Am, inform)* enigszins, een beetje: *he was annoyed ~* hij was een tikje geïrriteerd

somebody [sumbedie] iemand

some day [sumdee] op een dag, ooit: *we all must die ~* we moeten allemaal eens sterven

somehow [sumhau] **1** op de een of andere manier, hoe dan ook, ergens: *~ (or other) you'll have to tell him* op de een of andere wijze zul je het hem moeten vertellen **2** om de een of andere reden, waarom dan ook

someone [sumwun] iemand

someplace [sumplees] *(Am)* ergens, op een of ander plaats: *do it ~ else* doe het ergens anders

[1]somersault [summeso:lt] *zn* salto (mortale), buiteling: *turn* (of: *do*) *a ~* een salto maken

[2]somersault [summeso:lt] *ww* een salto maken

something [sumθing] **1** iets, wat: *he dropped ~* hij liet iets vallen; *seventy ~* zeventig en nog wat; *there is ~ in* (of: *to*) *it* daar is iets van aan **2** (met *of*) iets, enigszins: *it came as ~ of a surprise* het kwam een beetje als een verrassing

sometime [sumtajm] ooit, eens: *I'll show it to you ~* ik zal het je weleens laten zien

sometimes [sumtajmz] soms, af en toe, bij gelegenheid

somewhat [sumwot] enigszins, een beetje: *the soil is ~ moist* de aarde is een beetje vochtig

somewhere [sumwee] **1** ergens (heen): *we're getting ~ at last* dat lijkt er al meer op **2** ongeveer: *~ about sixty* zo'n zestig

somnolence [somnelens] slaperigheid

son [sun] zoon, jongen

sonata [sena:te] sonate

song [song] **1** lied(je), wijsje **2** gezang || *don't make such a ~ and dance about those old records* maak toch niet zo'n drukte om die oude platen; *go for a ~* bijna voor niets van de hand gaan; *on ~* op dreef, op volle toeren, in topvorm

songbird zangvogel

sonic [sonnik] mbt geluid(sgolven), geluids-: *~ boom* (of: *bang*) supersone knal *(bij het doorbreken van de geluidsbarrière)*

son-in-law schoonzoon

sonnet [sonnit] sonnet

sonny [sunnie] jochie, mannetje

soon [soe:n] **1** spoedig, gauw, snel (daarna): *speak too ~* te voorbarig zijn; *the ~er the better* hoe eerder hoe beter; *as ~ as* zodra (als), meteen toen; *no ~er had he arrived than she left* nauwelijks was hij aangekomen of zij ging al weg **2** graag, bereidwillig: *I'd ~er walk* ik loop liever; *I'd (just) as ~ stay home* ik blijf net zo lief thuis

soothe [soe:ð] kalmeren, geruststellen, troosten

soothsayer [soe:θseee] waarzegger

sooty [soetie] **1** roetig, (als) met roet bedekt **2** roetkleurig

sop [sop] doorweken, soppen

sophisticated [sefistikkeetid] **1** subtiel, ver ontwikkeld: *a ~ taste* een verfijnde smaak **2** wereldwijs, ontwikkeld **3** ingewikkeld

sophistication [sefistikkeesjen] **1** subtiliteit, raffinement **2** wereldwijsheid **3** complexiteit

sophomore [soffemo:] *(Am)* tweedejaarsstudent
sopping [sopping] doorweekt, doornat: ~ *with rain* kletsnat van de regen
soppy [soppie] sentimenteel, zoetig
soprano [sepra:noo] sopraan(zangeres)
sorcerer [so:sere] tovenaar
sorcery [so:serie] tovenarij
sordid [so:did] **1** vuil *(ook fig);* vies: *the ~ details* de smerige details **2** armzalig, beroerd
[1]**sore** [so:] *zn* **1** pijnlijke plek, zweer, wond **2** ~*s* zeer, pijnlijk onderwerp: *recall* (of: *reopen*) *old ~s* oude wonden openrijten
[2]**sore** [so:] *bn* **1** pijnlijk, irriterend: *a ~ throat* keelpijn **2** onaangenaam, pijnlijk: *a ~ point* een teer punt **3** beledigd, kwaad, nijdig: *don't get ~ about the money you lost* maak je niet zo nijdig over het geld dat je verloren hebt || *a sight for ~ eyes* een aangenaam iets (iem)
sorehead zeur(kous)
sorely [so:lie] ernstig, in belangrijke mate, pijnlijk: *he was ~ tempted* hij werd in grote verleiding gebracht
sorrel [sorrel] zuring, soort moeskruid
sorrow [sorroo] verdriet, leed: *drown one's ~s* zijn verdriet verdrinken
sorrowful [sorroofoel] **1** treurig **2** bedroefd
[1]**sorry** [sorrie] *bn* **1** droevig, erbarmelijk: *he came home in a ~ condition* hij kwam thuis in een trieste toestand **2** naar, ellendig: *be in a ~ plight* in een ellendige situatie verkeren **3** waardeloos *(excuus e.d.)* **4** bedroefd **5** medelijdend: *be* (of: *feel*) *~ for s.o.* medelijden hebben met iem **6** berouwvol: *you'll be ~* het zal je berouwen, hier (*of:* daar) krijg je spijt van
[2]**sorry** [sorrie] *tw* **1** sorry, het spijt me, pardon **2** wat zegt u?
[1]**sort** [so:t] *zn* **1** soort, klas(se), type: *just buy him an ice cream, that ~ of thing* koop maar een ijsje voor hem, of zoiets; *a ~ of (a)* een soort van, een of andere; *he is a lawyer of ~s* hij is een soort advocaat, hij is zo'n beetje advocaat; *'I'm going alone' 'you'll do nothing of the ~!'* 'ik ga alleen' 'daar komt niets van in, daar is geen sprake van!'; *all ~s of* allerlei **2** persoon, type, slag: *he is a bad ~* hij deugt niet **3** *(comp)* sortering || *be out of ~s* zich niet lekker voelen
[2]**sort** [so:t] *tr* sorteren, klasseren: ~ *letters* brieven sorteren; ~ *over* (of: *through*) sorteren, klasseren
sort of [so:tev] min of meer, zo ongeveer, een beetje: *I feel ~ ill* ik voel me een beetje ziek; *'are you in charge here?' 'well yes, ~'* 'heeft u hier de leiding?' 'nou, min of meer, ja'
sort out **1** sorteren, indelen, rangschikken **2** ordenen, regelen: *things will sort themselves out* de zaak komt wel terecht; *sort oneself out* met zichzelf in het reine komen **3** te pakken krijgen, een opdonder geven: *stop that or I'll come and sort you out* hou daarmee op of je krijgt het met mij aan de stok
so-so zozo, middelmatig
sot [sot] dronkaard
sought [so:t] *ovt en volt dw van* seek
soul [sool] **1** ziel, geest: *poor ~!* (arme) stakker!; *with heart and ~* met hart en ziel; *All Souls' Day* Allerzielen; *not a (living) ~* geen levende ziel, geen sterveling **2** soul || *the (life and) ~ of the party* de gangmaker van het feest; *she is the ~ of kindness* zij is de vriendelijkheid zelf
soul-destroying geestdodend, afstompend
soul mate boezemvriend(in), minnaar, minnares
[1]**sound** [saund] *zn* **1** geluid, klank, toon: *I don't like the ~ of it* het bevalt me niet, het zit me niet lekker; *by the ~ of it* (of: *things*) zo te horen **2** gehoorsafstand **3** zee-engte, zeestraat **4** inham, baai, golf
[2]**sound** [saund] *bn* **1** gezond, krachtig, gaaf, fit: *be (as) ~ as a bell: a)* (zo) gezond als een vis zijn; *b)* perfect functioneren *(machine); a ~ mind in a ~ body* een gezonde geest in een gezond lichaam **2** correct, logisch; gegrond *(argument);* wijs *(raad)* **3** financieel gezond, evenwichtig, betrouwbaar **4** vast *(slaap)* **5** hard, krachtig: *a ~ thrashing* een flink pak ransel
[3]**sound** [saund] *intr* klinken *(ook fig);* luiden, galmen: *that ~s reasonable* dat klinkt redelijk || *~ off: a)* opscheppen; *b)* zijn mening luid te kennen geven
[4]**sound** [saund] *tr* **1** laten klinken: ~ *a warning* een waarschuwing laten horen **2** uiten, uitspreken **3** blazen *(alarm, aftocht);* blazen op *(bijv. trompet)* **4** testen *(door bekloppen van longen)* **5** peilen *(ook fig);* onderzoeken, polsen: *~ s.o. out about* (of: *on*) *sth.* iem over iets polsen
[5]**sound** [saund] *bw* vast; diep *(slaap): ~ asleep* vast in slaap
sounding [saunding] peiling *(ook fig): make* (of: *take*) *~s* poolshoogte nemen, opiniepeilingen houden
sounding board **1** klankbord *(ook fig);* spreekbuis **2** klankbodem
soundly [saundlie] **1** gezond, stevig **2** vast *(in slaap)*
soundtrack **1** geluidsspoor *(van geluidsfilm)* **2** (cd met) opgenomen filmmuziek
soup [soe:p] soep || *in the ~* in de puree
soup kitchen **1** gaarkeuken *(voor armen, daklozen)* **2** veldkeuken
soup up opvoeren *(motor(vermogen))*
sour [saue] **1** zuur, wrang **2** onvriendelijk; scherp *(tong)* **3** guur; onaangenaam *(weer)* || *~ grapes* de druiven zijn zuur; *go* (of: *turn*) *~* slecht aflopen
source [so:s] bron *(ook fig);* oorsprong, oorzaak
sourpuss zuurpruim
souse [saus] **1** doornat maken, (een vloeistof) gieten (over iets) **2** pekelen, marineren
soused [saust] bezopen, dronken
[1]**south** [sauθ] *zn* het zuiden *(windrichting);* zuid: *(to the) ~ of* ten zuiden van; *the South* het zuidelijk gedeelte

[2]**south** [sauθ] *bn* zuidelijk
[3]**south** [sauθ] *bw* in, uit, naar het zuiden: *down ~* in het zuiden
southbound op weg naar het zuiden
south-east zuidoostelijk
south-eastern zuidoostelijk
[1]**southerly** [suðelie] *zn* zuidenwind
[2]**southerly** [suðelie] *bn, bw* zuidelijk
southern [suðn] zuidelijk: *~ lights* zuiderlicht, aurora australis
southerner [suðene] zuiderling, Amerikaan uit de zuidelijke staten
South Pole zuidpool
southward [sauθwed] zuid(waarts), zuidelijk
south-west zuidwestelijk
south-western zuidwestelijk
[1]**sovereign** [sovrin] *zn* soeverein, vorst
[2]**sovereign** [sovrin] *bn* **1** soeverein, onafhankelijk, heersend, oppermachtig **2** doeltreffend, efficiënt; krachtig *(remedie)*
sovereignty [sovrentie] soevereiniteit, zelfbeschikking, heerschappij
[1]**sow** [sau] *zn* zeug
[2]**sow** [soo] *tr (sowed; sowed, sown)* opwekken, de kiem leggen van: *~ the seeds of doubt* twijfel zaaien
[3]**sow** [soo] *tr, intr (sowed; sowed, sown)* **1** zaaien *(ook fig)*; verspreiden **2** zaaien, (be)planten, poten
sown [soon] *ovt en volt dw van* sow
soy [soj] soja
spa [spa:] **1** minerale bron **2** badplaats *(bij bron)*; kuuroord
[1]**space** [spees] *zn* **1** ruimte **2** afstand, interval **3** plaats, ruimte, gebied: *clear a ~ for s.o. (sth.)* ruimte maken voor iem (iets) **4** tijdsspanne: *during the ~ of three years* binnen het bestek van drie jaar; *vanish into ~* in het niet verdwijnen
[2]**space** [spees] *tr* uit elkaar plaatsen, over de tijd verdelen: *~ out* over meer ruimte verdelen, spreiden; *~ out payments* betalen in termijnen
spacecraft ruimtevaartuig
spaced out **1** zweverig, high, onder invloed **2** wereldvreemd, excentriek
spaceman ruimtevaarder
space probe ruimtesonde
spacing [speesing] spatie: *single* (of: *double*) *~* met enkele (*of:* dubbele) regelafstand
spacious [speesjes] ruim, groot
spade [speed] **1** spade, schop **2** *(kaartspel)* schoppen(s): *the five of ~s* schoppen vijf || *call a ~ a ~* de dingen bij hun naam noemen
Spain [speen] Spanje
spam [spem] **1** *(cul)* vlees, smac **2** *(comp)* spam, reclamemail
[1]**span** [spen] *zn* **1** breedte, wijdte, vleugelbreedte; spanwijdte *(van vliegtuig)* **2** (tijd)span(ne) **3** overspanning, spanwijdte
[2]**span** [spen] *tr* overspannen *(ook fig)*; overbruggen
[1]**spangle** [spengkl] *zn* lovertje, dun blaadje klatergoud
[2]**spangle** [spengkl] *tr* met lovertjes versieren: *~d with stars* met sterren bezaaid
Spaniard [spenjed] **1** Spanjaard **2** Spaanse
Spanish [spenisj] Spaans || *~ chestnut* tamme kastanje(boom)
spank [spengk] (een pak) voor de broek geven, een pak slaag geven
[1]**spanking** [spengking] *zn* pak voor de broek
[2]**spanking** [spengking] *bn* **1** kolossaal, prima **2** vlug, krachtig
spanner [spene] moersleutel: *adjustable ~* Engelse sleutel || *throw a ~ into the works* een spaak in het wiel steken
[1]**spar** [spa:] *zn* lange paal, rondhout
[2]**spar** [spa:] *intr* **1** boksen **2** redetwisten
[1]**spare** [spee] *zn* reserve, dubbel, reserveonderdeel, reservewiel
[2]**spare** [spee] *bn* **1** extra, reserve: *~ room* logeerkamer; *~ tyre* reservewiel, *(spott)* zwembandje **2** vrij *(tijd)* **3** mager || *go ~* razend worden
[3]**spare** [spee] *tr* **1** het stellen zonder, missen, overhebben: *enough and to ~* meer dan genoeg; *can you ~ me a few moments?* heb je een paar minuten voor mij? **2** sparen, ontzien: *~ s.o.'s feelings* iemands gevoelens sparen **3** sparen, bezuinigen op: *no expense ~d* het mag wat kosten
[1]**spark** [spa:k] *zn* vonk; *(fig)* sprank(je); greintje: *a ~ of compassion* een greintje medelijden || *some bright ~ left the tap running* één of andere slimmerik heeft de kraan open laten staan
[2]**spark** [spa:k] *intr* vonken
[3]**spark** [spa:k] *tr* **1** ontsteken, doen ontbranden **2** aanvuren, aanwakkeren **3** uitlokken: *~ off a war* een oorlog uitlokken
[1]**sparkle** [spa:kl] *zn* fonkeling, glinstering, gefonkel
[2]**sparkle** [spa:kl] *intr* **1** fonkelen, glinsteren: *sparkling with wit* sprankelend van geest(igheid) **2** parelen, (op)bruisen: *sparkling water* spuitwater; *sparkling wine* mousserende wijn **3** sprankelen, geestig zijn
spark plug bougie
sparring partner sparringpartner *(ook fig)*; trainingspartner, oefenmaat
sparrow [speroo] mus
sparrow hawk sperwer
sparse [spa:s] dun, schaars, karig: *a ~ly populated area* een dunbevolkt gebied
Spartan [spa:tn] spartaans; *(fig)* zeer hard
spasm [spezm] **1** kramp, huivering, spasme: *~s of laughter* lachkrampen **2** aanval, opwelling: *~s of grief* opwellingen van smart
spastic [spestik] spastisch, krampachtig
[1]**spat** [spet] *zn* klappen, ruzietje
[2]**spat** [spet] *ovt en volt dw van* spit
spate [speet] **1** hoge waterstand *(van rivier)*: *the rivers are in ~* de rivieren zijn gezwollen **2** toe-

vloed, overvloed, stroom: *a ~ of publications* een stroom publicaties
spatial [speesjl] ruimtelijk, ruimte-
[1]**spatter** [spete] *zn* **1** spat(je), vlekje **2** gespat
[2]**spatter** [spete] *ww* **1** (be)spatten, (be)sprenkelen, klateren: *the lorry ~ed my clothes with mud* de vrachtauto bespatte mijn kleren met modder **2** bekladden; besmeuren *(ook fig)*
spatula [spetjoele] spatel
[1]**spawn** [spo:n] *zn* **1** kuit *(van vissen)* **2** kikkerdril
[2]**spawn** [spo:n] *intr* kuit schieten
[1]**speak** [spie:k] *intr (spoke, spoken)* spreken, een toespraak houden: *so to ~* (om) zo te zeggen, bij wijze van spreken; *strictly ~ing* strikt genomen; *~ out against sth.* zich tegen iets uitspreken; *~ up for s.o. (sth.)* het voor iem (iets) opnemen; *nothing to ~ of* niets noemenswaard(ig)s; *~ ill* (of: *well*) *of s.o. (sth.)* kwaad (*of:* gunstig) spreken over iem (iets); *~ to s.o. (about sth.)* iem (over iets) aanspreken; *(telefoon) ~ing!* spreekt u mee! || *that ~s for itself* dat spreekt voor zich; *could you ~ up please* kunt u wat harder spreken, a.u.b.; *~ for sth.: a)* iets bestellen; *b)* van iets getuigen; *c)* een toespraak houden (*of:* pleiten) voor *(ook fig)*
[2]**speak** [spie:k] *tr (spoke, spoken)* (uit)spreken, zeggen, uitdrukken: *~ one's mind* zijn mening zeggen
speaker [spie:ke] spreker
Speaker [spie:ke] voorzitter vh Lagerhuis
speaking [spie:king] sprekend, levensecht, treffend: *a ~ likeness* een sprekende gelijkenis
speaking terms: *not be on ~ with s.o.* niet (meer) spreken tegen iem, onenigheid met iem hebben
[1]**spear** [spie] *zn* speer, lans
[2]**spear** [spie] *tr* (met een speer) doorboren, spietsen
[1]**spearhead** *zn* speerpunt; *(fig)* spits, leider
[2]**spearhead** *tr* de spits zijn van *(ook fig)*; leiden; aanvoeren *(bijv. actie, campagne)*
[1]**special** [spesjl] *zn* iets bijzonders, extra-editie, speciaal gerecht op menu, speciale attractie, (tv-)special, speciaal programma
[2]**special** [spesjl] *bn* speciaal, bijzonder, apart, extra || *Special Branch* Politieke Veiligheidspolitie; *~ delivery* expressebestelling
specialism [spesjelizm] specialisme, specialisatie
specialist [spesjelist] specialist
speciality [spesjie·elittie] **1** bijzonder kenmerk, bijzonderheid, detail **2** specialiteit *(vak, product e.d.)*
specialization [spesjelajzeesjen] specialisatie
[1]**specialize** [spesjelajz] *intr* **1** zich specialiseren, gespecialiseerd zijn **2** in bijzonderheden treden
[2]**specialize** [spesjelajz] *tr* **1** specificeren, speciaal vermelden **2** beperken
specially [spesjelie] speciaal, op speciale wijze, bijzonder: *he is not ~ interesting* hij is niet bepaald interessant
species [spie:sjie:z] soort, type: *the (human) ~, our ~* het mensdom, de menselijke soort
specific [spissiffik] **1** specifiek, duidelijk: *be ~* de dingen bij hun naam noemen, er niet omheen draaien **2** specifiek, soortelijk: *~ gravity* soortelijk gewicht
specification [spessiffikkeesjen] **1** specificatie, gedetailleerde beschrijving **2** *~s* technische beschrijving
specify [spessiffaj] specificeren, precies vermelden
specimen [spessimmen] **1** monster, staaltje **2** (mooi) exemplaar, (rare) knakker, eigenaardige kerel
speck [spek] vlek, stip, plek(je); *(fig)* greintje
[1]**speckle** [spekl] *zn* spikkel, stippel, vlekje
[2]**speckle** [spekl] *tr* bespikkelen, stippelen
specs [speks] *verk van spectacles* bril
spectacle [spektekl] **1** schouwspel, vertoning **2** aanblik, gezicht **3** *~s* bril: *a pair of ~s* een bril
spectacular [spektekjoele] spectaculair, sensationeel
spectator [spekteete] toeschouwer, kijker
spectre [spekte] spook, geest; schim *(ook fig)*
speculate [spekjoeleet] speculeren, berekenen: *~ about* (of: *on*) overdenken, overpeinzen; *~ in* speculeren in
speculation [spekjoeleesjen] **1** beschouwing, overpeinzing **2** speculatie
speculative [spekjoeletiv] speculatief, theoretisch, op gissingen berustend
sped [sped] *ovt en volt dw van* speed
speech [spie:tsj] **1** toespraak, rede(voering), speech: *Queen's* (of: *King's*) *~* troonrede; *maiden ~* eerste redevoering die iem houdt, redenaarsdebuut **2** opmerking, uitlating **3** rede: *(in)direct ~* (in)directe rede; *reported ~* indirecte rede **4** spraak(vermogen), uiting, taal: *freedom of ~* vrijheid van meningsuiting
speech day prijsuitdeling(sdag) *(op school)*
speechless [spie:tsjles] **1** sprakeloos, verstomd **2** onbeschrijfelijk: *~ admiration* woordeloze bewondering
[1]**speed** [spie:d] *zn* **1** spoed, haast **2** (rij)snelheid, vaart, gang: *(at) full ~* met volle kracht, in volle vaart **3** versnelling *(van fiets)* **4** versnelling(sbak) *(van auto)* **5** (sluiter)snelheid **6** speed, amfetamine
[2]**speed** [spie:d] *intr* **1** (te) snel rijden, de maximumsnelheid overschrijden: *~ up* sneller gaan rijden, gas geven **2** (voorbij)snellen *(ook fig)*
[3]**speed** [spie:d] *tr* **1** opjagen, haast doen maken: *it needs ~ing up* er moet schot in worden gebracht, er moet tempo in komen **2** versnellen, opvoeren: *~ up (production)* (de productie) opvoeren **3** (met *away*) (snel) vervoeren
speed bump verkeersdrempel
speed camera flitspaal
speeding [spie:ding] het te hard rijden
speed limit topsnelheid, maximumsnelheid

sp

speedometer [spie:dommitte] snelheidsmeter
speedway **1** (auto)renbaan, speedway(baan) **2** autosnelweg
speedy [spie:die] snel, vlug, prompt
[1]**spell** [spel] *zn* **1** bezwering(sformule), ban, betovering: *put a ~ on* (of: *over*) betoveren; *fall under the ~ of* in de ban raken van **2** periode, tijd(je), (werk)beurt **3** vlaag, aanval, bui: *cold ~* koudegolf
[2]**spell** [spel] *tr (ook spelt, spelt)* (voor)spellen, betekenen, inhouden: *these measures ~ the ruin of* deze maatregelen betekenen de ondergang van
[3]**spell** [spel] *tr, intr (ook spelt, spelt)* spellen: *~ out* (of: *over*) uitleggen, nauwkeurig omschrijven
spellbound geboeid, gefascineerd: *hold one's audience ~* het publiek in zijn ban houden
spelling [spelling] spelling(wijze)
spelt [spelt] *ovt en volt dw van* spell
spend [spend] *(spent, spent)* **1** uitgeven, spenderen, besteden: *~ money on* geld spenderen aan **2** doorbrengen, wijden: *~ the evening watching TV* de avond doorbrengen met tv kijken **3** uitputten: *the storm had soon spent its force* de storm was spoedig uitgeraasd
spendthrift verkwister, verspiller
[1]**spent** [spent] *bn* **1** (op)gebruikt, af, leeg: *~ cartridge* lege huls **2** uitgeput, afgemat
[2]**spent** [spent] *ovt en volt dw van* spend
sperm [spe:m] **1** spermacel, zaadcel **2** sperma, zaad
sperm whale potvis
spew [spjoe:] (uit)braken, spuwen: *~ out* uitspugen; *~ up* overgeven
sphere [sfie] **1** bol, bal, kogel **2** hemellichaam, globe, wereldbol **3** sfeer, kring, gebied, terrein: *~ of influence* invloedssfeer
spherical [sferrikl] (bol)rond, bol-
sphinx [sfingks] sfinx
spice [spajs] kruid, kruiden, specerij(en): *add ~ to* kruiden, smaak geven aan
spick and span **1** brandschoon, keurig, in de puntjes **2** (spik)splinternieuw
spicy [spajsie] **1** gekruid, heet **2** geurig **3** pikant *(fig)*; pittig: *~ story* gewaagd verhaal
spider [spajde] spin, spinnenkop
spidery [spajderie] **1** spinachtig; *(fig)* krabbelig *(handschrift)* **2** broodmager: *~ legs* spillebenen **3** ragfijn
spied [spid] *ovt en volt dw van* spy
spiel [sjpie:l] **1** woordenstroom, (breedsprakig) verhaal **2** reclametekst *(radio)*
[1]**spike** [spajk] *zn* **1** (scherpe) punt, pin, piek; prikker *(voor rekeningen, losse briefjes e.d.)* **2** (koren)aar **3** *~s* spikes *(sportschoen)*
[2]**spike** [spajk] *tr* **1** (vast)spijkeren **2** van spijkers (punten) voorzien: *~d shoes* spikes **3** alcohol toevoegen aan: *~ coffee with cognac* wat cognac in de koffie doen
[1]**spill** [spil] *zn* **1** val(partij), duik **2** stukje papier (hout) *(om lamp, kachel aan te steken)* **3** het afwerpen *(van ruiter)* **4** verspilling
[2]**spill** [spil] *intr (ook spilt, spilt)* overlopen, overstromen, uitstromen: *the milk ~ed* de melk liep over
[3]**spill** [spil] *tr (ook spilt, spilt)* **1** doen overlopen, laten overstromen, morsen (met), omgooien, verspillen: *~ the wine* met wijn morsen **2** vergieten *(bloed)*; doen vloeien
spillage [spillidzj] lozing *(bijv. van olie in zee)*
spillway **1** overlaat **2** afvoerkanaal
spilt [spilt] *ovt en volt dw van* spill
[1]**spin** [spin] *zn* **1** draaibeweging, rotatie; *(sport)* spin; effect *(op bal)* **2** ritje, tochtje: *let's go for a ~* laten we 'n eindje gaan rijden **3** (terug)val; duik *(ook fig)* **4** spin, tolvlucht || *in a (flat) ~* in paniek, van de kaart
[2]**spin** [spin] *intr (spun, spun)* tollen, snel draaien: *make s.o.'s head ~* iemands hoofd doen tollen
[3]**spin** [spin] *tr (spun, spun)* **1** spinnen *(ook fig)* **2** in elkaar draaien, verzinnen; produceren *(verhaal)* **3** spineffect geven *(aan bal)* **4** snel laten ronddraaien: *~ a coin* kruis of munt gooien; *~ a top* tollen *(spel)* || *~ out: a)* uitspinnen *(verhaal)*; *b)* rekken *(tijd)*; *c)* zuinig zijn met *(geld)*
spinach [spinnidzj] spinazie
spindle [spindl] **1** spindel, (spin)klos, spoel **2** as, spil **3** stang, staaf, pijp
spindly [spindlie] spichtig, stakig
spin doctor spindoctor
spin-drier centrifuge
spin-dry centrifugeren
spine [spajn] **1** ruggengraat **2** stekel, doorn **3** rug *(van boek)*
spine-chiller horrorfilm, horrorroman, horrorverhaal, griezel-, gruwelfilm
spineless [spajnles] **1** zonder ruggengraat *(ook fig)* **2** karakterloos, slap
spin-off (winstgevend) nevenproduct (resultaat), bijproduct
spinster [spinste] **1** oude vrijster **2** ongehuwde vrouw
[1]**spiral** [spajjerel] *zn* spiraal, schroeflijn
[2]**spiral** [spajjerel] *bn* **1** spiraalvormig, schroefvormig: *~ staircase* wenteltrap **2** kronkelend
spire [spajje] (toren)spits, piek, punt
[1]**spirit** [spirrit] *zn* **1** geest, ziel, karakter, bovennatuurlijk wezen: *the Holy Spirit* de Heilige Geest; *kindred ~s* verwante zielen **2** levenskracht, energie **3** levenslust, opgewektheid **4** moed, durf, lef **5** zin, diepe betekenis: *the ~ of the law* de geest van de wet **6** spiritus, alcohol; *(soms ev)* sterkedrank(en): *methylated ~* (brand)spiritus **7** *~s* gemoedsgesteldheid, geestesgesteldheid, stemming: *be in great* (of: *high*) *~s* opgewekt zijn **8** mens met karakter, karakter **9** *~s* spiritus, geest || *public ~* gemeenschapszin
[2]**spirit** [spirrit] *tr* (met *away, off*) wegtoveren, ontfutselen; *(fig)* heimelijk laten verdwijnen
spirited [spirrittid] **1** levendig, geanimeerd **2** bezield, vol energie

spiritless [spirritles] **1** lusteloos, moedeloos **2** levenloos, doods, saai
spirit level waterpas
spiritual [spirritsjoeel] **1** geestelijk, spiritueel **2** mentaal, intellectueel **3** godsdienstig, religieus || *~ healing* geloofsgenezing
spiritualism [spirritsjoeelizm] **1** spiritualisme **2** spiritisme
[1]**spit** [spit] *zn* **1** spuug, speeksel **2** spit, braadspit **3** landtong **4** spade, schop: *dig a hole two ~(s) deep* een gat twee spaden diep graven **5** geblaas; gesis *(van kat)* || *~ and polish* (grondig) poetswerk *(bijv. in het leger)*
[2]**spit** [spit] *intr (spat, spat)* **1** spuwen, spugen **2** sputteren; blazen *(bijv. kat)* **3** lichtjes neervallen; druppelen *(regen)* || *he is the ~ting image of his father* hij lijkt als twee druppels water op zijn vader
[3]**spit** [spit] *tr (spat, spat) (*ook met *out)* (uit)spuwen, (uit)spugen, opgeven || *~ it out!* voor de dag ermee!
[1]**spite** [spajt] *zn* wrok, boosaardigheid: *from* (of: *out of*) *~* uit kwaadaardigheid || *in ~ of* ondanks; *in ~ of oneself* of men wil of niet
[2]**spite** [spajt] *tr* treiteren, pesten
spiteful [spajtfoel] hatelijk
spitfire heethoofd, driftkop
spittle [spitl] speeksel, spuug
[1]**splash** [splesj] *zn* **1** plons **2** vlek, spat **3** gespetter, gespat || *make a ~* opzien baren
[2]**splash** [splesj] *intr* **1** (rond)spatten, uiteenspatten: *~ about* rondspatten **2** rondspetteren **3** klateren, kletteren
[3]**splash** [splesj] *tr* **1** (be)spatten **2** laten spatten **3** met grote koppen in de krant zetten
[4]**splash** [splesj] *bw* met een plons
splatter [splete] **1** spetteren, (be)spatten **2** poedelen **3** klateren, kletteren
[1]**splay** [splee] *intr* naar buiten staan *(van voet)*
[2]**splay** [splee] *tr, intr* **1** (ook met *out*) (zich) verwijden, (zich) verbreden **2** (ook met *out*) (zich) uitspreiden
spleen [splie:n] **1** milt **2** zwaarmoedigheid, neerslachtigheid **3** boze bui || *vent one's ~* zijn gal spuwen
splendid [splendid] **1** schitterend, prachtig **2** groots, indrukwekkend **3** voortreffelijk, uitstekend
splendour [splende] **1** pracht, praal **2** glorie, grootsheid
[1]**splice** [splajs] *zn* **1** las, verbinding **2** splits *(van touwwerk)* **3** houtverbinding
[2]**splice** [splajs] *tr* **1** verbinden, aan elkaar verbinden, een verbinding maken **2** lassen; koppelen *(film, geluidsband)* || *get ~d* trouwen
splint [splint] **1** metaalstrook, metaalstrip **2** spalk
[1]**splinter** [splinte] *zn* splinter, scherf
[2]**splinter** [splinte] *ww* versplinteren, splinteren
[1]**split** [split] *zn* **1** spleet, kloof; *(fig)* breuk; scheiding **2** splitsing **3** *~s* spagaat: *do the ~s* een spagaat maken
[2]**split** [split] *bn* **1** gespleten, gebarsten **2** gesplitst, gescheurd: *(sport) ~ decision* niet-eenstemmige beslissing; *~ level* met halve verdiepingen; *~ pea* spliterwt; *~ second* onderdeel van een seconde, flits
[3]**split** [split] *intr (split, split)* (met *on)* verraden
[4]**split** [split] *tr, intr (split, split)* **1** splijten, splitsen; *(fig)* afsplitsen; scheuren: *George and I have ~ up* George en ik zijn uit elkaar gegaan; *~ up into groups* (zich) in groepjes verdelen **2** delen, onder elkaar verdelen: *let's ~ (the bill)* laten we (de kosten) delen
splitting [splitting] fel, scherp, hevig: *~ headache* barstende hoofdpijn
split-up breuk *(na ruzie);* echtscheiding, het uit elkaar gaan
splodge [splodzj] vlek, plek, veeg
splurge [sple:dzj] **1** uitspatting, het zich te buiten gaan **2** spektakel
[1]**splutter** [splutte] *zn* gesputter, gespetter
[2]**splutter** [splutte] *ww* **1** sputteren, stamelen, hakkelen **2** sputteren, sissen **3** proesten, spetteren
[1]**spoil** [spojl] *zn* buit, geplunderde goederen
[2]**spoil** [spojl] *tr (ook spoilt, spoilt)* **1** bederven, (doen) rotten, beschadigen, verpesten: *~ the fun* het plezier vergallen **2** bederven, verwennen, vertroetelen || *be ~ing for a fight* staan te trappelen om te vechten
spoilsport spelbreker
spoilt [spojlt] *ovt en volt dw van* spoil
[1]**spoke** [spook] *zn* **1** spaak **2** sport, trede || *put a ~ in s.o.'s wheel* iem een spaak in het wiel steken
[2]**spoke** [spook] *ovt van* speak
spoken [spooken] *volt dw van* speak
spokesman [spooksmen] woordvoerder, afgevaardigde
spokesperson [spookspe:sn] woordvoerder
[1]**sponge** [spundzj] *zn* **1** klaploper **2** spons: *(boksen) throw in the ~* de spons opgooien, *(fig)* de strijd opgeven **3** wondgaas
[2]**sponge** [spundzj] *intr* klaplopen, parasiteren: *~ on s.o.* op iem (parasi)teren
[3]**sponge** [spundzj] *tr* **1** sponzen, schoon-, afsponzen **2** afspoelen met een spons
sponge bag toilettasje
sponger [spundzje] **1** sponzenduiker **2** klaploper
[1]**sponsor** [sponse] *zn* **1** sponsor, geldschieter **2** peter, meter
[2]**sponsor** [sponse] *tr* propageren, steunen, bevorderen, sponsoren
spontaneity [spontenie:ittie] spontaniteit
spontaneous [sponteenies] **1** spontaan, natuurlijk, ongedwongen **2** uit zichzelf, vanzelf: *~ combustion* zelfontbranding
[1]**spoof** [spoe:f] *zn* **1** poets, bedrog **2** parodie
[2]**spoof** [spoe:f] *tr* **1** voor de gek houden, een poets bakken **2** parodiëren
spook [spoe:k] geest, spook
spooky [spoe:kie] spookachtig, griezelig, eng

sp

spool [spoe:l] **1** spoel **2** klos, garenklos
spoon [spoe:n] lepel
spoon-feed **1** voeren, met een lepel voeren **2** iets met de lepel ingieten, iem iets voorkauwen
[1]**sport** [spo:t] *zn* **1** pret, spel, plezier: *in ~* voor de grap **2** spel, tijdverdrijf **3** sport **4** jacht **5** sportieve meid (kerel)
[2]**sport** [spo:t] *intr* spelen *(van dieren);* zich vermaken
[3]**sport** [spo:t] *tr* pronken met, vertonen, te koop lopen met: *he was ~ing a bowler hat* hij liep met een hoge hoed
sporting [spo:ting] **1** sportief, eerlijk, fair: *~ chance* redelijke kans **2** sport-
sports [spo:ts] **1** sport **2** sportdag, sportevenement **3** atletiek
sports centre sportcomplex
sportsman [spo:tsmen] **1** sportieve man **2** sportman
sportsmanship [spo:tsmensjip] sportiviteit, zich als een goede winnaar (verliezer) gedragen
sportswoman **1** sportieve vrouw **2** sportvrouw
sporty [spo:tie] **1** sportief, sport- **2** zorgeloos, vrolijk **3** opvallend; bijzonder *(van kleren)*
[1]**spot** [spot] *zn* **1** plaats, plek: *they were on the ~* ze waren ter plaatse **2** vlekje, stip **3** puistje **4** positie, plaats, functie **5** spot(je) *(mbt reclame e.d.)* **6** spot(light) **7** beetje, wat: *a ~ of bother* een probleempje **8** onmiddellijke levering || *now he is in a (tight) ~* nu zit hij in de penarie; *he had to leave on the ~* hij moest op staande voet vertrekken; *put s.o. on the ~* iem in het nauw brengen, iem voor het blok zetten
[2]**spot** [spot] *intr* **1** verkleuren, vlekken krijgen **2** vlekken **3** spetteren, licht regenen: *it is ~ting with rain* er vallen dikke regendruppels
[3]**spot** [spot] *tr* **1** vlekken maken in, bevlekken **2** herkennen, eruit halen: *~ a mistake* een fout ontdekken
[4]**spot** [spot] *bw* precies: *arrive ~ on time* precies op tijd komen
spot check (onverwachte) steekproef
spotless [spotles] brandschoon, vlekkeloos; *(fig ook)* onberispelijk
[1]**spotlight** *zn* **1** bundellicht, spotlight **2** bermlicht *(van auto)* || *be in the ~, hold the ~* in het middelpunt van de belangstelling staan
[2]**spotlight** *tr* **1** beschijnen **2** onder de aandacht brengen
spotty [spottie] **1** vlekkerig **2** ongelijkmatig, onregelmatig **3** puisterig
spouse [spaus] echtgenoot, echtgenote
[1]**spout** [spaut] *zn* **1** pijp, buis **2** tuit **3** stortkoker **4** straal, opspuitende vloeistof, opspuitend zand || *up the ~: a)* naar de knoppen, verknald *(bijv. geld, leven); b)* totaal verkeerd *(bijv. cijfers); c)* hopeloos in de knoei, reddeloos verloren *(van persoon); d)* zwanger
[2]**spout** [spaut] *ww* **1** spuiten, met kracht uitstoten: *the water ~ed from the broken pipe* het water spoot uit de gebarsten leiding **2** galmen, spuien: *she was always ~ing German verses* ze liep altijd Duitse verzen te galmen
[1]**sprain** [spreen] *zn* verstuiking
[2]**sprain** [spreen] *tr* verstuiken
sprang [spreng] *ovt van* spring
sprat [spret] sprot
[1]**sprawl** [spro:l] *zn* **1** nonchalante houding **2** slordige massa, vormeloos geheel: *the ~ of the suburbs* de uitdijende voorsteden
[2]**sprawl** [spro:l] *intr* **1** armen en benen uitspreiden, nonchalant liggen, onderuit zakken **2** zich uitspreiden, alle kanten op gaan: *~ing suburbs* naar alle kanten uitgroeiende voorsteden
[1]**spray** [spree] *zn* **1** takje *(ook als corsage);* twijg **2** verstuiver, spuitbus **3** straal, wolk **4** nevel, wolk van druppels
[2]**spray** [spree] *ww* (be)sproeien, (be)spuiten, (een vloeistof) verstuiven
[1]**spread** [spred] *zn* **1** wijdte, breedte; *(fig ook)* reikwijdte **2** uitdijing **3** verbreiding, verspreiding **4** stuk land, landbezit van één boer **5** smeersel **6** (feest)maal, onthaal **7** dubbele pagina, spread
[2]**spread** [spred] *intr (spread, spread)* **1** zich uitstrekken, zich uitspreiden **2** zich verspreiden, overal bekend worden: *the disease ~ quickly to other villages* de ziekte breidde zich snel uit naar andere dorpen **3** uitgespreid worden: *cold butter does not ~ easily* koude boter smeert niet gemakkelijk
[3]**spread** [spred] *tr (spread, spread)* **1** uitspreiden, verbreiden, verspreiden; *(fig ook)* spreiden; verdelen: *~ out one's arms* zijn armen uitspreiden **2** uitsmeren, uitstrijken **3** bedekken, beleggen, besmeren **4** klaarzetten *(een maaltijd);* dekken *(tafel)*
spreadeagle **1** (zich) met armen en benen wijd neerleggen **2** volkomen verslaan, verpletteren
spree [sprie:] pret(je), lol: *spending ~* geldsmijterij
sprig [sprik̂] **1** twijgje, takje **2** telg, spruit
[1]**spring** [spring] *zn* **1** bron *(ook fig);* oorsprong, herkomst **2** (metalen) veer, springveer **3** sprong **4** lente, voorjaar: *in (the) ~* in het voorjaar
[2]**spring** [spring] *intr (sprang, sprung)* **1** (op)springen: *the first thing that ~s to one's mind* het eerste wat je te binnen schiet; *~ to one's feet* opspringen **2** (terug)veren **3** (ook met *up*) ontspringen, ontstaan, voortkomen: *~ from* afstammen van; *~ from* (of: *out of*) voortkomen uit
[3]**spring** [spring] *tr (sprang, sprung)* **1** springen over *(van paard, hindernis)* **2** plotseling bekendmaken: *~ sth. on s.o.* iem met iets verrassen
spring-clean voorjaarsschoonmaak, grote schoonmaak
spring roll loempia
spring tide springtij, springvloed
springtime lente(tijd), voorjaar
springy [springie] **1** veerkrachtig **2** elastisch

[1]**sprinkle** [springkl] *zn* **1** regenbuitje **2** kleine hoeveelheid || *a ~ of houses* enkele (verspreid liggende) huizen
[2]**sprinkle** [springkl] *tr* **1** sprenkelen *(ook fig);* strooien **2** bestrooien *(ook fig);* besprenkelen: *~ with* bestrooien met
sprinkler [springkle] **1** (tuin)sproeier **2** blusinstallatie
sprinkling [springkling] kleine hoeveelheid, greintje
[1]**sprint** [sprint] *zn* sprint, spurt
[2]**sprint** [sprint] *intr* sprinten
sprinter [sprinte] **1** *(sport)* sprinter **2** sprinter *(trein)*
sprite [sprajt] **1** (boze) geest **2** elf(je)
[1]**sprout** [spraut] *zn* **1** spruit, loot, scheut **2** spruitje *(groente)*
[2]**sprout** [spraut] *intr* **1** (ont)spruiten, uitlopen **2** de hoogte in schieten, groeien: *~ up* de hoogte in schieten
[3]**sprout** [spraut] *tr* doen ontspruiten
[1]**spruce** [sproe:s] *zn* spar, sparrenhout
[2]**spruce** [sproe:s] *bn* net(jes), keurig
[3]**spruce** [sproe:s] *tr* opdoffen, opdirken, verfraaien
sprung [sprung] *volt dw van* spring
spry [spraj] levendig, actief: *a ~ old man* een vitale oude man
spud [spud] pieper, aardappel
spun [spun] *ovt en volt dw van* spin
spunk [spungk] pit, lef, durf
[1]**spur** [spe:] *zn* **1** spoor *(van ruiter): win one's ~s: a)* zijn sporen verdienen; *b) (ook fig)* zich onderscheiden **2** aansporing, prikkel, stimulans: *act on the ~ of the moment* spontaan iets doen **3** uitloper *(van berg)*
[2]**spur** [spe:] *tr* **1** de sporen geven **2** aansporen, aanmoedigen: *~ on (to)* aanzetten, aansporen (tot)
spurious [spjoeeries] **1** onecht, vals, vervalst **2** onlogisch: *~ argument* verkeerd argument
spurn [spe:n] **1** (weg)trappen **2** afwijzen, vd hand wijzen
[1]**spurt** [spe:t] *zn* **1** uitbarsting, losbarsting, vlaag, opwelling: *a ~ of flames* een plotselinge vlammenzee **2** sprint(je), spurt: *put on a ~* een sprintje trekken **3** (krachtige) straal, stroom, vloed
[2]**spurt** [spe:t] *intr* **1** spurten, sprinten **2** spuiten, opspatten: *the blood ~ed out* het bloed gutste eruit
[1]**sputter** [sputte] *zn* gesputter, gestamel
[2]**sputter** [sputte] *ww* sputteren, proesten, stamelen, brabbelen
[1]**spy** [spaj] *zn (mv: spies)* spion(ne), geheim agent(e)
[2]**spy** [spaj] *intr* spioneren, spieden, loeren, een spion zijn: *~ (up)on* bespioneren, bespieden; *~ into* bespioneren, zijn neus steken in
[3]**spy** [spaj] *tr* **1** bespioneren, bespieden **2** ontwaren, in het oog krijgen || *I ~ (with my little eye)* ik zie, ik zie, wat jij niet ziet
spy out **1** verkennen, onderzoeken **2** opsporen
sq *afk van square* kwadraat
[1]**squabble** [skwobl] *zn* schermutseling, gekibbel
[2]**squabble** [skwobl] *intr* kibbelen, overhoop liggen
squad [skwod] **1** *(sport)* selectie **2** sectie
squad car patrouilleauto
squadron [skwodren] **1** eskadron **2** *(marine, luchtmacht)* eskader
squadron leader majoor; eskadercommandant *(bij luchtmacht)*
squalid [skwollid] **1** smerig, vuil, vies, gemeen, laag **2** ellendig, beroerd
[1]**squall** [skwo:l] *zn* **1** vlaag, rukwind, windstoot, bui, storm **2** kreet, gil, schreeuw
[2]**squall** [skwo:l] *ww* gillen, krijsen, (uit)schreeuwen
squally [skwo:lie] **1** buiig, regenachtig, winderig **2** stormachtig
squalor [skwolle] **1** misère **2** smerigheid
squander [skwonde] *(met on)* verspillen (aan): *~ money* met geld smijten
[1]**square** [skwee] *zn* **1** vierkant **2** kwadraat, tweede macht **3** plein **4** veld, hokje; ruit *(op speelbord)* **5** (huizen)blok **6** oefenplein, oefenterrein **7** ouderwets persoon || *be back to ~ one* van voren af aan moeten beginnen; *on the ~: a)* rechtdoorzee; *b)* in een rechte hoek
[2]**square** [skwee] *bn* **1** vierkant, kwadraat-, in het vierkant, fors; breed *(van gestalte): ~ brackets* vierkante haakjes; *one ~ metre* één vierkante meter; *three metres ~* drie meter in het vierkant **2** recht(hoekig) **3** eerlijk, fair; open(hartig) *(antwoord, bijv.);* regelrecht *(weigering, bijv.): a ~ deal* een rechtvaardige behandeling, een eerlijke transactie **4** ouderwets **5** stevig *(van maaltijd)* **6** *(sport, vnl. golf)* gelijk: *be (all) ~* gelijk staan || *a ~ peg (in a round hole)* de verkeerde persoon (voor iets); *be ~ with* quitte staan met, op gelijke hoogte (*of:* voet) staan met; *all ~* we staan quitte, *(sport)* gelijke stand
[3]**square** [skwee] *intr* **1** overeenstemmen, kloppen **2** in een rechte hoek staan
[4]**square** [skwee] *tr* **1** vierkant maken **2** rechthoekig maken **3** rechten *(schouders);* rechtzetten **4** in orde brengen, regelen: *~ up* vereffenen; *~ up one's debts* zijn schuld(en) voldoen **5** omkopen **6** kwadrateren, tot de tweede macht verheffen: *three ~d equals nine* drie tot de tweede (macht) is negen **7** *(sport)* op gelijke stand brengen
[5]**square** [skwee] *bw* **1** recht(hoekig), rechtop **2** (regel)recht: *look s.o. ~ in the eye* iem recht in de ogen kijken **3** eerlijk, rechtvaardig: *play ~* eerlijk spelen **4** rechtuit, open(hartig): *come ~ out with an answer* onomwonden antwoorden
square-built vierkant, hoekig, breed
squarely [skweelie] **1** recht(hoekig), rechtop **2** (regel)recht **3** eerlijk: *act ~* eerlijk handelen
square up **1** in gevechtshouding gaan staan: *~ to*

sq

reality de werkelijkheid onder ogen zien **2** afrekenen, orde op zaken stellen

¹squash [skwosj] *zn* **1** kwast, vruchtendrank **2** gedrang, oploop **3** pulp

²squash [skwosj] *intr* **1** geplet worden **2** dringen, zich persen: *can I ~ in next to you?* kan ik er nog bij, naast u?

³squash [skwosj] *tr* **1** pletten, platdrukken **2** verpletteren *(alleen fig);* de mond snoeren **3** de kop indrukken **4** wringen: *~ in* erin persen

squashy [skwosjie] **1** zacht, overrijp **2** drassig

¹squat [skwot] *zn* **1** hurkende houding, het hurken **2** ineengedoken houding *(van dier)* **3** kraakpand **4** het kraken *(ve huis)*

²squat [skwot] *bn* **1** gedrongen, plomp **2** gehurkt

³squat [skwot] *intr* **1** (ook met *down*) (neer)hurken **2** zich tegen de grond drukken *(van dier)* **3** zich illegaal vestigen *(op een stuk land)* **4** als kraker een leegstaand pand bewonen

squatter [skwotte] **1** (illegale) kolonist, landbezetter **2** kraker

¹squawk [skwo:k] *zn* schreeuw, gekrijs

²squawk [skwo:k] *intr* krijsen, schril schreeuwen

¹squeak [skwie:k] *zn* **1** gepiep, geknars **2** klein kansje || *that was a narrow ~* dat was op het nippertje, dat ging (*of:* kon, lukte) nog net

²squeak [skwie:k] *intr* **1** piepen, knarsen, gilletjes slaken **2** doorslaan || *~ through* (of: *by*) het nog net halen

squeaky [skwie:kie] piepend, krakend || *~ clean* brandschoon

¹squeal [skwie:l] *zn* **1** gil, schreeuw, gepiep **2** klacht

²squeal [skwie:l] *intr* **1** krijsen, piepen **2** klikken, doorslaan: *~ on s.o.* iem aanbrengen

squeamish [skwie:misj] **1** (gauw) misselijk **2** teergevoelig, overgevoelig **3** (al te) kieskeurig || *this film is not for ~ viewers* deze film is niet geschikt voor al te gevoelige kijkers

squeegee [skwie:dzjie:] rubber wisser, schuiver, trekker

¹squeeze [skwie:z] *zn* **1** samendrukking, pressie, druk: *she gave his hand a little ~* ze kneep even in zijn hand; *put the ~ on s.o.* iem onder druk zetten **2** gedrang **3** (stevige) handdruk, (innige) omarming **4** beperking, schaarste || *it was a close* (of: *narrow, tight*) *~* we zaten als haringen in een ton

²squeeze [skwie:z] *intr* dringen, zich wringen: *~ through* zich erdoorheen wurmen *(ook fig)*

³squeeze [skwie:z] *tr* **1** drukken (op), knijpen (in), (uit)persen, uitknijpen: *~ a lemon* een citroen uitpersen **2** duwen, wurmen: *how can she ~ so many things into one single day?* hoe krijgt ze zoveel dingen op één dag gedaan? **3** tegen zich aan drukken, stevig omhelzen

squelch [skweltsj] een zuigend geluid maken, ploeteren

squib [skwib] **1** voetzoeker **2** blindganger **3** schotschrift

squid [skwid] pijlinktvis

sq

squidgy [skwidzjie] klef

squiggle [skwikl] kronkel(lijn), krabbel

¹squint [skwint] *zn* **1** scheel oog, turend oog **2** (vluchtige) blik: *have* (of: *take*) *a ~ at sth.* een blik werpen op iets

²squint [skwint] *intr* **1** scheel kijken **2** gluren, turen: *~ at sth.* een steelse blik op iets werpen

squire [skwajje] **1** landjonker; landheer *(in Engeland)* **2** meneer *(aanspreekvorm tussen mannen onderling)*

squirm [skwe:m] **1** kronkelen, zich in bochten wringen **2** wel door de grond kunnen gaan: *be ~ing with embarrassment* zich geen raad weten van verlegenheid

squirrel [skwirrel] eekhoorn

¹squirt [skwe:t] *zn* **1** straal *(van vloeistof enz.)* **2** spuit(je), waterpistool

²squirt [skwe:t] *intr* (krachtig) naar buiten spuiten

³squirt [skwe:t] *tr* (uit)spuiten, uitspuwen

sr *afk van senior* sr., sen.

St 1 *afk van Saint* St., H., Sint, Heilige **2** *afk van Street* str., straat **3** *afk van strait* zee-engte, straat

¹stab [steb] *zn* **1** steek(wond), stoot, uithaal **2** pijnscheut, plotse opwelling **3** poging, gooi: *have* (of: *make*) *a ~ at* eens proberen || *a ~ in the back* dolkstoot in de rug

²stab [steb] *intr* (met *at*) (toe)stoten (naar), steken, uithalen (naar): *a ~bing pain* een stekende pijn

³stab [steb] *tr* (door)steken, neersteken, doorboren: *be ~bed to death* doodgestoken worden

stability [stebillittie] stabiliteit, duurzaamheid

stabilize [steebillajz] (zich) stabiliseren, in evenwicht blijven (brengen)

¹stable [steebl] *zn* **1** stal; *(fig)* ploeg; groep **2** (ren)stal || *it is no use shutting the ~ door after the horse has bolted* als het kalf verdronken is, dempt men de put

²stable [steebl] *bn* **1** stabiel, vast, duurzaam **2** standvastig

¹stack [stek] *zn* **1** (hooi)mijt, houtmijt **2** stapel, hoop: *~s of money* bergen geld **3** schoorsteen

²stack [stek] *tr* **1** (op)stapelen, op een hoop leggen, volstapelen **2** arrangeren: *~ the cards* de kaarten vals schikken

¹stack up *intr* **1** een file vormen *(van auto's, vliegtuigen);* aanschuiven **2** ervoor staan

²stack up *tr* **1** opstapelen **2** ophouden: *traffic was stacked up for miles* het verkeer werd kilometers lang opgehouden

stadium [steediem] stadion

¹staff [sta:f] *zn* **1** staf *(ook fig);* steun **2** vlaggenstok **3** notenbalk **4** staf *(ook mil);* personeel, korps

²staff [sta:f] *tr* bemannen, van personeel voorzien

¹stag [stek] *zn* **1** hertenbok **2** man die alleen op stap is

²stag [stek] *bn* mannen-: *~ party* vrijgezellenfeest, hengstenbal

¹stage [steedzj] *zn* **1** toneel *(ook fig);* podium, platform: *put on the ~* opvoeren; *be on the ~* aan het toneel verbonden zijn **2** fase, stadium: *at this ~* op dit punt, in dit stadium **3** stopplaats, halte aan het eind ve tariefzone **4** etappe, traject, tariefzone: *by easy ~s* in korte etappes; *in ~s* gefaseerd **5** postkoets || *set the ~ for* de weg bereiden voor

[2]**stage** [steedzj] *tr* **1** opvoeren, ten tonele brengen **2** produceren **3** regisseren **4** organiseren

stagecoach postkoets

stage fright plankenkoorts

stage-manage in scène zetten, opzetten

[1]**stagger** [steƙe] *zn* wankeling

[2]**stagger** [steƙe] *intr* wankelen: *~ along* moeizaam vooruitkomen

[3]**stagger** [steƙe] *tr* **1** doen wankelen; *(fig)* onthutsen **2** zigzagsgewijs aanbrengen: *a ~ed road crossing* een kruising met verspringende zijwegen **3** spreiden *(vakantie)*: *~ed office hours* glijdende werktijden

staggering [steƙering] **1** wankelend **2** onthutsend, duizelingwekkend

stagnant [steƙnent] **1** stilstaand **2** stagnerend

stagnate [steƙneet] stilstaan, stagneren, stremmen

staid [steed] **1** bezadigd **2** vast, stellig

[1]**stain** [steen] *zn* **1** vlek, smet, schandvlek **2** kleurstof

[2]**stain** [steen] *intr* vlekken

[3]**stain** [steen] *tr* **1** bevlekken **2** kleuren: *~ed glass* gebrandschilderd glas

stainless [steenles] roestvrij *(staal)*

stair [stee] **1** *ook ~s* trap **2** trede

staircase trap

stairwell trappenhuis

[1]**stake** [steek] *zn* **1** staak, paal **2** brandstapel: *go to the ~* op de brandstapel sterven **3** inzet; *(fig)* belang: *have a ~ in sth.* zakelijk belang hebben bij iets || *be at ~* op het spel staan

[2]**stake** [steek] *ww* **1** (met *off, out*) afpalen *(land bijv.)*; afbakenen: *~ out a claim* aanspraak maken op **2** spietsen **3** (met *on*) verwedden (om), inzetten (op); *(fig)* op het spel zetten: *I'd ~ my life on it* ik durf er mijn hoofd om te verwedden || *~ out* posten bij, in de gaten houden

stalactite [stelektajt] stalactiet, druipsteenpegel

stalagmite [steleƙmajt] stalagmiet, druipsteenkegel

stale [steel] **1** niet vers, oud(bakken) **2** afgezaagd **3** (afge)mat, machinaal

stalemate [steelmeet] **1** *(schaakspel)* pat **2** patstelling, dood punt

[1]**stalk** [sto:k] *zn* **1** *(plantk)* stengel, steel **2** stronk

[2]**stalk** [sto:k] *intr* (met *out*) (uit) schrijden: *the chairman ~ed out in anger* de voorzitter stapte kwaad op

[3]**stalk** [sto:k] *tr* **1** besluipen **2** achtervolgen, stalken **3** rondwaren door

[1]**stall** [sto:l] *zn* **1** box, hok, stal **2** stalletje, stand, kraam, tent: *coffee ~* koffietentje **3** stallesplaats: *~s* stalles

[2]**stall** [sto:l] *intr* **1** blijven steken, ingesneeuwd zijn **2** afslaan *(van motor)* **3** uitvluchten zoeken, tijd rekken

[3]**stall** [sto:l] *tr* **1** stallen **2** ophouden, blokkeren

stallion [stelien] (dek)hengst

[1]**stalwart** [sto:lwet] *zn* trouwe aanhanger

[2]**stalwart** [sto:lwet] *bn* **1** stevig, stoer **2** flink **3** standvastig, trouw

stamen [steemen] meeldraad

stamina [steminne] uithoudingsvermogen

stammer [steme] stotteren, stamelen || *speak with a ~* stotteren

[1]**stamp** [stemp] *zn* **1** stempel; *(fig)* (ken)merk **2** zegel, postzegel, waarmerk **3** kenmerk

[2]**stamp** [stemp] *intr* stampen, trappen

[3]**stamp** [stemp] *tr* **1** stempelen, persen, waarmerken: *be ~ed on one's memory* in zijn geheugen gegrift zijn **2** frankeren, een postzegel plakken op: *~ed addressed envelope* antwoordenvelop **3** fijnstampen: *~ out* uitroeien; *~ on* onderdrukken

[1]**stampede** [stempie:d] *zn* **1** wilde vlucht; op hol slaan *(van dieren)*; paniek **2** stormloop

[2]**stampede** [stempie:d] *intr* op de vlucht slaan, op hol slaan

[3]**stampede** [stempie:d] *tr* op de vlucht jagen; *(fig)* het hoofd doen verliezen: *don't be ~d into selling your house* ga nou niet halsoverkop je huis verkopen

stance [sta:ns] **1** houding, stand **2** pose, gezindheid: *an obvious anti-American ~* een duidelijke anti-Amerikaanse gezindheid

[1]**stand** [stend] *zn* **1** stilstand, halt: *bring to a ~* tot staan brengen **2** stelling *(ook mil)*; *(fig)* standpunt **3** plaats, positie, post **4** statief, standaard **5** stand, kraam **6** standplaats *(van taxi's enz.)* **7** tribune, podium, getuigenbank

[2]**stand** [stend] *intr (stood, stood)* **1** (rechtop) staan, opstaan: *~ clear of* vrijlaten *(deur e.d.)* **2** zich bevinden, staan, liggen **3** stilstaan, halt houden; stoppen *(van voertuigen)* **4** blijven staan, stand houden: *~ and deliver!* je geld of je leven! **5** gelden, opgaan: *the offer still ~s* het aanbod is nog van kracht **6** zijn, (ervoor) staan, zich in een bepaalde situatie bevinden: *I want to know where I ~* ik wil weten waar ik aan toe ben **7** kandidaat zijn, zich kandidaat stellen: *~ for president against Al Gore* kandidaat zijn voor het presidentschap met Al Gore als tegenkandidaat || *I ~ corrected* ik neem mijn woorden terug; *~ to lose sth.* waarschijnlijk iets zullen verliezen; *~ aloof* zich op een afstand houden; *~ apart* zich afzijdig houden; *~ easy!* op de plaats rust!; *~ in (for s.o.)* (iem) vervangen

[3]**stand** [stend] *tr (stood, stood)* **1** plaatsen, rechtop zetten: *~ everything on its head* alles op zijn kop zetten **2** verdragen, uitstaan, doorstaan, ondergaan **3** weerstaan **4** trakteren (op): *~ s.o. (to) a drink* iem op een drankje trakteren

[1]**standard** [stended] *zn* **1** peil, niveau: *~ of living* levensstandaard; *below ~* beneden peil, beneden de

norm **2** vaandel *(ook fig);* standaard, vlag **3** maat(staf), norm **4** standaard(maat) **5** houder *(kandelaar bijv.)* **6** (munt)standaard: *the gold ~* de gouden standaard **7** staander, steun, paal **8** hoogstammige plant (struik)

[2]**standard** [stended] *bn* **1** normaal, gebruikelijk: *~ size* standaardmaat, standaardgrootte **2** staand: *~ rose* stamroos

standardization [stendedajzeesjen] standaardisering, normalisering

standardize [stendedajz] standaardiseren, normaliseren

stand aside 1 opzijgaan **2** zich afzijdig houden

stand back 1 achteruit gaan **2** op een afstand liggen **3** afstand nemen **4** zich op de achtergrond houden

[1]**standby** *zn* **1** reserve **2** stand-by

[2]**standby** *bn* reserve-, nood-

stand by 1 erbij staan **2** werkloos toezien **3** gereed staan **4** bijstaan, steunen **5** zich houden aan *(belofte);* trouw blijven aan *(iem)*

stand down zich terugtrekken, aftreden

stand for 1 staan voor, betekenen **2** goedvinden, zich laten welgevallen

stand-in vervanger

[1]**standing** [stending] *zn* **1** status, rang, positie: *s.o. of ~* iem van aanzien **2** reputatie **3** (tijds)duur: *friendship of long ~* oude vriendschap

[2]**standing** [stending] *bn* **1** blijvend, van kracht, vast: *~ committee* permanente commissie; *~ joke* vaste grap; *~ order: a)* doorlopende order; *b)* automatische overschrijving; *~ orders* statuten **2** staand, stilstaand: *~ ovation* staande ovatie **3** zonder aanloop *(van sprong e.d.)*

standing room staanplaatsen

stand-off 1 impasse, patstelling **2** evenwicht **3** (periode van) nietsdoen

standout *(Am, inform)* uitblinker, schoonheid: *Helen's translation was a ~* Helens vertaling stak met kop en schouder boven de rest uit

stand out 1 duidelijk uitkomen, in het oog vallen **2** zich onderscheiden **3** blijven volhouden: *~ for* verdedigen

standpoint [stendpojnt] standpunt *(ook fig): from a commercial ~* commercieel gezien

standstill [stendstil] stilstand: *at a ~* tot stilstand gekomen

[1]**stand up** *intr* **1** overeind staan **2** gaan staan: *~ and be counted* voor zijn mening uitkomen; *~ for* opkomen voor **3** standhouden, overeind blijven; *(fig)* doorstaan: *that won't ~ in court* daar blijft niets van overeind in the rechtszaal || *~ to* trotseren

[2]**stand up** *tr* laten zitten: *she stood me up* zij is niet op komen dagen

stand-up 1 rechtop staand **2** lopend *(van souper e.d.)* **3** flink *(gevecht);* stevig || *~ comedian* conferencier

stank [stengk] *ovt van* stink

stanza [stenze] couplet, strofe

[1]**staple** [steepl] *zn* **1** nietje **2** krammetje **3** hoofdbestanddeel *(ook fig);* hoofdschotel

[2]**staple** [steepl] *bn* **1** voornaamste: *~ diet* hoofdvoedsel; *~ products* stapelproducten **2** belangrijk

[3]**staple** [steepl] *tr* (vast)nieten, hechten

stapler [steeple] nietmachine

[1]**star** [sta:] *zn* **1** ster: *Star of David* davidster; *shooting ~* vallende ster; *thank one's (lucky) ~s* zich gelukkig prijzen **2** asterisk, sterretje **3** uitblink(st)er, beroemdheid, (film)ster, vedette: *all-star cast* sterbezetting || *the Stars and Stripes* (of: *Bars*) Amerikaanse vlag

[2]**star** [sta:] *intr* (als ster) optreden

[3]**star** [sta:] *tr* **1** met een sterretje aanduiden **2** als ster laten optreden: *a film ~ring Eddy Murphy* een film met (in de hoofdrol) Eddy Murphy

starboard [sta:bed] stuurboord, rechts

starch [sta:tsj] **1** zetmeel **2** stijfsel

starchy [sta:tsjie] **1** zetmeelrijk: *~ food* meelkost **2** gesteven **3** stijfjes

[1]**stare** [stee] *zn* starende blik

[2]**stare** [stee] *intr (*met *at)* staren (naar)

[3]**stare** [stee] *tr* staren naar: *it is staring you in the face* het ligt voor de hand; *~ s.o. down* (of: *out*) iem aanstaren tot hij de ogen neerslaat

starfish zeester

[1]**staring** [steering] *bn* (te) fel *(kleur)*

[2]**staring** [steering] *bw* volledig: *stark ~ mad* knettergek

[1]**stark** [sta:k] *bn* **1** grimmig **2** stijf, onbuigzaam **3** *(fig)* schril: *~ contrast* schril contrast **4** verlaten *(van landschap);* kaal || *~ poverty* bittere armoede

[2]**stark** [sta:k] *bw* volledig: *~ naked* spiernaakt

starkers [sta:kez] poedelnaakt

starlet [sta:lit] (film)sterretje

starling [sta:ling] spreeuw

star-spangled [sta:spengkld] met sterren bezaaid || *the Star-Spangled Banner: a)* het Amerikaanse volkslied; *b)* de Amerikaanse vlag

[1]**start** [sta:t] *zn* **1** schok, ruk: *give s.o. a ~* iem laten schrikken, iem doen opkijken; *wake up with a ~* wakker schrikken **2** start: *from ~ to finish* van begin tot eind; *false ~* valse start *(ook fig); get off to a good ~* goed beginnen, een goede start maken; *make a ~ on* beginnen met; *make a fresh* (of: *new*) *~* opnieuw beginnen; *for a ~* om te beginnen; *from the (very) ~* vanaf het (allereerste) begin **3** startsein **4** voorsprong, voordeel: *give s.o. a ~ (in life)* iem op gang helpen

[2]**start** [sta:t] *intr* **1** beginnen, starten, beginnen te lopen: *~ing next month* vanaf volgende maand; *~ out* vertrekken, *(fig)* zijn loopbaan beginnen; *~ (all) over again* (helemaal) opnieuw beginnen; *~ at* beginnen bij; *~ from* beginnen bij, *(fig)* uitgaan van; *to ~ (off) with* om (mee) te beginnen, in het begin, in de eerste plaats **2** vertrekken, opstijgen, afvaren: *~ (out) for* op weg gaan naar **3** (op)springen, (op)schrikken: *~ back (from)* terug-

deinzen (voor); ~ *at* (op)schrikken van **4** (plotseling) bewegen; losspringen *(van hout);* aanslaan *(van motor);* tevoorschijn springen: ~ *for the door* richting deur gaan **5** startsein geven **6** uitpuilen *(mbt ogen)*

[3]**start** [sta:t] *tr* **1** (doen) beginnen, aan de gang brengen, aanzetten; starten *(motor);* aansteken *(vuur);* op touw zetten; opzetten *(zaak e.d.);* naar voren brengen *(onderwerp)* **2** brengen tot, laten: *the dust ~ed me coughing* door het stof moest ik hoesten **3** aannemen, laten beginnen

starter [sta:te] **1** beginner: *a slow ~* iem die langzaam op gang komt **2** startmotor **3** voorafje, voorgerecht || *for ~s* om te beginnen

starting block startblok

starting point uitgangspunt *(ook fig)*

[1]**startle** [sta:tl] *intr* (op)schrikken

[2]**startle** [sta:tl] *tr* **1** doen schrikken, opschrikken **2** schokken

startling [sta:tling] verrassend

[1]**start off** *intr* **1** beginnen: *he started off (by) saying that* hij begon met te zeggen dat **2** vertrekken **3** beginnen te zeggen

[2]**start off** *tr (*met *on)* aan de gang laten gaan (met), laten beginnen (met)

[1]**start up** *intr* **1** opspringen **2** een loopbaan beginnen: ~ *in business* in zaken gaan **3** ontstaan, opkomen

[2]**start up** *tr* aan de gang brengen; opzetten *(zaak);* starten *(motor)*

star turn hoofdnummer, hoofdattractie

starvation [sta:veesjen] **1** hongerdood **2** verhongering

[1]**starve** [sta:v] *intr* **1** verhongeren: ~ *to death* verhongeren **2** honger lijden **3** sterven vd honger

[2]**starve** [sta:v] *tr* **1** uithongeren **2** doen kwijnen; *(ook fig)* laten hunkeren; onthouden: *be ~d of* behoefte hebben aan **3** door uithongering dwingen: *be ~d into surrender* door uithongering tot overgave gedwongen worden

stash [stesj] *(*ook met *away)* verbergen, opbergen

[1]**state** [steet] *zn* **1** toestand, staat: ~ *of affairs* stand van zaken; *a poor ~ of health* een slechte gezondheidstoestand **2** (gemoeds)toestand, stemming: *be in a ~* in alle staten zijn **3** staat, natie, rijk **4** staatsie, praal: ~ *banquet* staatsiebanket || *lie in ~* opgebaard liggen

[2]**state** [steet] *tr* **1** (formeel) verklaren, uitdrukken **2** aangeven, opgeven: *at ~d intervals* op gezette tijden, met regelmatige tussenpozen **3** vaststellen, specificeren

stateless [steetles] staatloos

stately [steetlie] **1** statig **2** waardig **3** formeel || ~ *home* landhuis

statement [steetment] **1** verklaring **2** (bank)afschrift

state-of-the-art hypermodern, uiterst geavanceerd

stateroom **1** staatsiezaal **2** passagiershut **3** (privé)coupé

States [steets] *(altijd met the)* Verenigde Staten

statesman [steetsmen] staatsman

statewide over de gehele staat

static [stetik] **1** statisch, stabiel **2** in rust **3** atmosferisch

[1]**station** [steesjen] *zn* **1** station *(ook van spoor, radio, tv);* goederenstation **2** standplaats, plaats, post **3** brandweerkazerne **4** politiebureau **5** *(mil)* basis, post **6** positie, rang, status: *marry above* (of: *beneath) one's ~* boven (*of:* beneden) zijn stand trouwen

[2]**station** [steesjen] *tr* plaatsen, stationeren: ~ *oneself* postvatten

stationary [steesjenerie] stationair, stilstaand, vast

stationer [steesjene] handelaar in kantoorbenodigdheden, kantoorboekhandel

stationery [steesjenerie] **1** kantoorbenodigdheden **2** kantoorboekhandel **3** briefpapier en enveloppen: *printed ~* voorbedrukt briefpapier

stationmaster stationschef

statistical [stetistikl] statistisch

statistics [stetistiks] statistiek(en), cijfers, percentages

statue [stetsjoe:] (stand)beeld

statuesque [stetsjoe·esk] **1** als een standbeeld **2** plastisch

statuette [stetsjoe·et] beeldje

stature [stetsje] **1** gestalte, (lichaams)lengte **2** *(fig)* formaat

status [steetes] status

statute [stetjoe:t] statuut, wet

statutory [stetjoeterie] statutair, volgens de wet

[1]**staunch** [sto:ntsj] *bn* **1** betrouwbaar, trouw **2** solide

[2]**staunch** [sto:ntsj] *tr* **1** stelpen **2** tot staan brengen **3** waterdicht maken

stave [steev] **1** duig **2** stok, knuppel **3** stang, staaf **4** sport *(van ladder, stoel)*

stave in **1** in duigen slaan **2** een gat slaan in, indrukken, kapotslaan

stave off **1** van zich afhouden, op een afstand houden **2** voorkomen

[1]**stay** [stee] *zn* **1** verblijf, oponthoud **2** steun *(ook fig)* **3** verbindingsstuk *(bijv. in vliegtuig)* **4** balein

[2]**stay** [stee] *intr* **1** blijven: *come to ~, be here to ~* blijven, *(fig)* zich een blijvende plaats verwerven; ~ *for s.o.* wachten op iem **2** verblijven, logeren: ~ *the night* de nacht doorbrengen **3** stilhouden, ophouden **4** verblijven

[3]**stay** [stee] *tr* **1** (ook met *up*) (onder)steunen **2** (het) uithouden *(sport):* ~ *the course* tot het einde toe volhouden

[4]**stay** [stee] *koppelww* blijven: ~ *seated* blijven zitten; ~ *ahead of the others* de anderen voorblijven; ~ *away* wegblijven; ~ *behind* (achter)blijven; ~ *in (after school)* nablijven; ~ *indoors* binnen blijven; ~ *on: a)* erop blijven; *b)* aanblijven *(van licht e.d.); c)* (aan)blijven *(in ambt);* ~ *up late* laat opblijven

st

stayer [steeͤ] **1** blijver **2** volhouder, doorzetter, langeafstandsloper, langeafstandszwemmer
staying power uithoudingsvermogen
steadfast [stedfa:st] **1** vast, standvastig **2** trouw
¹**steady** [steddie] *zn* vrijer, vaste vriend(in)
²**steady** [steddie] *bn* **1** vast, vaststaand, stabiel: *(as) ~ as a rock* rotsvast **2** gestaag, geregeld; vast *(van baan, inkomen e.d.);* regelmatig *(van leven);* sterk *(van zenuwen)* **3** kalm, evenwichtig: *~ on!* kalm aan!, langzaam! **4** betrouwbaar, oppassend **5** gematigd *(van klimaat);* matig
³**steady** [steddie] *intr* **1** vast, bestendig worden **2** kalm worden
⁴**steady** [steddie] *tr* **1** vastheid geven, steunen: *~ oneself* zich staande houden **2** bestendigen, stabiliseren
⁵**steady** [steddie] *bw* vast, gestaag || *go ~* vaste verkering hebben
⁶**steady** [steddie] *tw* **1** kalm aan, rustig **2** *(scheepv)* recht zo
steak [steek] **1** (lapje) vlees, runderlapje **2** (vis)moot **3** visfilet
¹**steal** [stie:l] *intr (stole, stolen)* **1** stelen **2** sluipen: *~ away* er heimelijk vandoor gaan; *~ up on s.o.* iem besluipen; *~ over s.o.* iem bekruipen *(van gevoel, gedachte)*
²**steal** [stie:l] *tr (stole, stolen)* (ont)stelen, ontvreemden: *~ a ride* stiekem meerijden
stealth [stelθ] heimelijkheid, geheim: *by ~* stiekem, in het geniep
¹**steam** [stie:m] *zn* stoom(kracht), wasem, condensatie; *(fig)* kracht(ige gevoelens); vaart: *blow* (of: *let, work*) *off ~* stoom afblazen, zijn agressie kwijtraken; *run out of ~* zijn energie verliezen, futloos worden
²**steam** [stie:m] *intr* **1** stomen, dampen: *~ing hot milk* gloeiend hete melk **2** opstomen; *(fig)* energiek werken: *~ ahead* (of: *away*) doorstomen, er vaart achter zetten
³**steam** [stie:m] *tr* (gaar) stomen, klaarstomen: *~ed fish* (of: *rice*) gestoomde vis (*of:* rijst)
steamboat stoomboot
steamer [stie:meͤ] **1** stoompan, stoomketel **2** stoomschip, stoomboot
¹**steamroller** *zn* stoomwals *(ook fig)*
²**steamroller** *tr* **1** met een stoomwals platwalsen **2** verpletteren, vernietigen: *~ all opposition* alle verzet de kop indrukken
¹**steam up** *intr* beslaan, met condensatie bedekt worden: *my glasses are steaming up* mijn bril beslaat
²**steam up** *tr* **1** doen beslaan, met condensatie bedekken **2** opgewonden maken, opwinden, ergeren: *don't get steamed up about it* maak je er niet druk om
steamy [stie:mie] **1** mbt stoom, dampig **2** heet, sensueel
steed [stie:d] (strijd)ros, paard
¹**steel** [stie:l] *zn* **1** staal *(ook fig)* **2** stuk staal: *a man of ~* een man van staal, een sterke man
²**steel** [stie:l] *tr* stalen; pantseren *(ook fig);* harden, sterken: *~ oneself to do sth.* zich dwingen iets te doen
steelworks staalfabriek
steely [stie:lie] stalen, (als) van staal; *(fig)* onbuigzaam: *~ composure* ijzige kalmte
¹**steep** [stie:p] *bn* **1** steil, sterk hellend: *a ~ slope* een steile helling **2** scherp (oplopend), snel (stijgend): *a ~ rise in prices* scherpe prijsstijgingen **3** onredelijk *(bijv. van eis);* sterk *(van verhaal)*
²**steep** [stie:p] *intr* (in)trekken, weken
³**steep** [stie:p] *tr* onderdompelen *(ook fig)*
steeple [stie:pl] (toren)spits, bovenste deel ve toren
steeplechase *(paardensport, atletiek)* steeplechase, hindernisren, hindernisloop
¹**steer** [stieͤ] *zn* **1** jonge os **2** stierkalf
²**steer** [stieͤ] *ww* sturen, koers (doen) zetten: *he ~ed for home* hij ging op huis aan || *~ clear of sth.* uit de buurt blijven van iets
steersman [stieͤzmeͤn] stuurman, roerganger
¹**stem** [stem] *zn* **1** stam *(van boom, woord);* basisvorm **2** (hoofd)stengel *(van bloem);* steel(tje) **3** stamvormig deel; steel *(van glas, pijp)* **4** voorsteven, boeg: *from ~ to stern* van de voor- tot de achtersteven, *(fig)* van top tot teen
²**stem** [stem] *tr* **1** doen stoppen, stelpen **2** het hoofd bieden aan, weerstand bieden aan: *~ the tide (of public opinion)* tegen het getijde (van de publieke opinie) ingaan
stem from stammen uit, voortkomen uit: *his bitterness stems from all his disappointments* zijn verbittering komt door al zijn teleurstellingen
stench [stentsj] stank
stencil [stensil] **1** stencil, stencilafdruk **2** modelvorm, sjabloon
¹**step** [step] *zn* **1** stap, voetstap, (dans)pas: *break ~* uit de pas gaan; *fall into ~ with* zich aansluiten bij, in de pas lopen met; *~ by ~* stapje voor stapje, geleidelijk; *out of ~: a)* uit de pas; *b) (ook fig)* niet ermee eens; *c)* uit de toon **2** stap, daad: *watch* (of: *mind*) *your ~* wees voorzichtig, pas op **3** (trap)trede, stoepje **4** *~s* (stenen) trap, stoep(je) **5** *~s* trap(ladder)
²**step** [step] *intr* stappen, gaan: *~ forward* naar voren komen, zich aanbieden als vrijwilliger; *~ inside* komt u binnen; *~ on the gas* (of: *it*) flink gas geven, *(fig)* opschieten; *~ out of line* uit het gareel raken
step aside **1** opzij stappen, uit de weg gaan **2** zijn plaats afstaan
stepbrother stiefbroer, halfbroer
stepdaughter stiefdochter
step down **1** aftreden **2** zijn plaats afstaan
stepfather stiefvader
step in **1** binnenkomen **2** tussenbeide komen, inspringen
stepladder trapje, keukentrap

stepmother stiefmoeder
step off beginnen, starten: ~ *on the wrong foot* op de verkeerde manier beginnen
step out **1** snel(ler) gaan lopen, flink doorstappen **2** (even) naar buiten gaan
stepping stone [steppingstoon] **1** stapsteen *(om bijv. rivier te doorwaden)* **2** springplank, hulp: *a ~ to success* een springplank naar het succes
steps [steps] steps
stepsister stiefzuster
stepson stiefzoon
[1]**step up** *intr* naar voren komen, opstaan
[2]**step up** *tr* doen toenemen, opvoeren: ~ *production* de productie opvoeren
stereotype [sterrietajp] stereotype, stereotiep beeld
sterile [sterrajl] **1** steriel, onvruchtbaar; *(fig)* weinig creatief: *a ~ discussion* een zinloze discussie **2** steriel, kiemvrij
sterility [sterillittie] onvruchtbaarheid, steriliteit
sterilize [sterrillajz] steriliseren, onvruchtbaar maken, kiemvrij maken
[1]**sterling** [ste:ling] *zn* pond sterling
[2]**sterling** [ste:ling] *bn* echt, zuiver, onvervalst; *(fig)* degelijk; betrouwbaar: *a ~ friend* een echte vriend; ~ *silver* 92,5% zuiver zilver
[1]**stern** [ste:n] *zn* achterschip, achtersteven
[2]**stern** [ste:n] *bn* streng, hard, onbuigzaam, strikt
steroid [stierojd] steroïde: *anabolic ~s* anabole steroïden
stethoscope [steθeskoop] stethoscoop
stetson [stetsn] (breedgerande) cowboyhoed
[1]**stew** [stjoe:] *zn* stoofpot, stoofschotel || *be in* (of: *get into*) *a ~* opgewonden zijn (*of:* raken)
[2]**stew** [stjoe:] *ww* stoven, smoren || *let s.o. ~ (in one's own juice)* iem in zijn eigen vet gaar laten koken
steward [stjoe:ed] **1** rentmeester, beheerder **2** steward, hofmeester **3** ceremoniemeester, zaalwachter **4** wedstrijdcommissaris, official
[1]**stick** [stik] *zn* **1** stok, tak, stuk hout **2** staf, stok(je) **3** staaf(je), reep(je), stuk: *a ~ of chalk* een krijtje **4** stok, knuppel **5** stick, hockeystick, (polo)hamer: *(fig) wield the big ~* dreigen **6** stengel; steel *(selderie)* **7** figuur, snuiter, droogstoppel **8** afranseling *(ook fig): give s.o. some ~* iem een pak slaag geven
[2]**stick** [stik] *intr (stuck, stuck)* **1** klem zitten, vastzitten **2** blijven steken, (blijven) vastzitten **3** plakken *(ook fig);* (vast)kleven; *(inform)* blijven: *it will always ~ in my mind* dat zal me altijd bijblijven; ~ *together* bij elkaar blijven; ~ *around* rondhangen, in de buurt blijven; ~ *to the point* bij het onderwerp blijven; ~ *to one's principles* trouw blijven aan zijn principes
[3]**stick** [stik] *tr (stuck, stuck)* **1** (vast)steken, (vast)prikken, bevestigen, opprikken **2** doodsteken, neersteken **3** steken, zetten, leggen: ~ *it in your pocket* stop het in je zak **4** (vast)kleven, vastlijmen, vastplakken **5** *(alleen ontkennend)* pruimen, uitstaan, verdragen: *I can't ~ such people* ik heb de pest aan zulke mensen
stick at **1** opzien tegen, terugdeinzen voor: ~ *nothing* nergens voor terugdeinzen **2** doorgaan (met), volhouden
sticker [stikke] **1** plakkertje, zelfklevend etiket, sticker **2** doorzetter, volhouder
stick-in-the-mud conservatieveling, vastgeroest iemand
stickleback stekelbaars
stickler [stikle] *(met for)* (hardnekkig) voorstander (van), ijveraar: ~ *for accuracy* pietje-precies
stick out **1** overduidelijk zijn **2** volhouden, doorbijten: ~ *for sth.* zich blijven inzetten voor iets **3** uitsteken, vooruit steken
[1]**stick up** *intr* **1** omhoogstaan, uitsteken **2** opkomen: ~ *for s.o.* het voor iem opnemen
[2]**stick up** *tr* omhoogsteken, uitsteken: *stick 'em up, stick your hands up* handen omhoog
stick-up overval
sticky [stikkie] **1** kleverig, plakkerig **2** pijnlijk, lastig: *he will come to* (of: *meet*) *a ~ end* het zal nog slecht met hem aflopen **3** zwoel, broeierig, drukkend || *she has got ~ fingers* ze heeft lange vingers, zij jat
[1]**stiff** [stif] *zn (inform)* lijk, dooie
[2]**stiff** [stif] *bn* **1** stijf, stug, gereserveerd **2** vastberaden, koppig: *put up (a) ~ resistance* hardnekkig weerstand bieden **3** stram, stroef: *a ~ neck* een stijve nek **4** zwaar, moeilijk, lastig: *a ~ climb* een flinke klim(partij) **5** sterk, stevig, krachtig: *a ~ breeze* een stevige bries **6** (te) groot, overdreven, onredelijk: ~ *demands* pittige eisen **7** sterk *(alcoholische drank): a ~ drink* een stevige borrel || *keep a ~ upper lip* zich flink houden, geen emoties tonen
[3]**stiff** [stif] *bw* door en door, intens: *bore s.o. ~* iem gruwelijk vervelen; *scare s.o. ~* iem de stuipen op het lijf jagen
[1]**stiffen** [stiffen] *intr* **1** verstijven **2** verstevigen, in kracht toenemen
[2]**stiffen** [stiffen] *tr* **1** dikker maken, doen verdikken **2** verstevigen, krachtiger maken; *(ook fig)* versterken; vastberadener maken
stiff-necked **1** koppig, eigenzinnig **2** verwaand
[1]**stifle** [stajfl] *intr* stikken; smoren *(ook fig)*
[2]**stifle** [stajfl] *tr* **1** verstikken, doen stikken, smoren; *(fig ook)* in de doofpot stoppen: *a stifling heat* een verstikkende hitte **2** onderdrukken: ~ *one's laughter* zijn lach inhouden
stigma [stikme] brandmerk, (schand)vlek, stigma
stigmatize [stikmetajz] stigmatiseren, brandmerken
stile [stajl] **1** overstap **2** draaihekje
stiletto heel naaldhak
[1]**still** [stil] *zn* **1** filmfoto, stilstaand (film)beeld **2** distilleertoestel
[2]**still** [stil] *bn* **1** stil, onbeweeglijk, rustig, kalm: ~

st

picture filmfoto, stilstaand (film)beeld **2** stil, geluidloos, gedempt **3** niet mousserend: ~ *water* mineraalwater zonder prik, plat water; ~ *wine* niet-mousserende wijn
[3]**still** [stil] *bw* **1** stil: *keep* ~ (zich) stilhouden; *my heart stood* ~ mijn hart stond stil *(van schrik)* **2** nog (altijd): *is he ~ here?* is hij hier nog? **3** nog (meer): *he is ~ taller, he is taller* ~ hij is nog groter **4** toch, niettemin: ... *but he ~ agreed* ... maar hij stemde er toch mee in
stillborn doodgeboren
still life stilleven
stilt [stilt] **1** stelt **2** paal, pijler
stilted [stiltid] **1** (als) op stelten **2** stijf, gekunsteld
stimulant [stimjoelent] stimulans, opwekkend middel; *(fig)* prikkel
stimulate [stimjoeleet] stimuleren, opwekken: ~ *s.o. (in)to more efforts* iem tot meer inspanningen aanmoedigen
[1]**sting** [sting] *zn* **1** angel **2** giftand **3** brandhaar **4** steek, beet, prikkel(ing)
[2]**sting** [sting] *ww (stung, stung)* **1** steken, bijten; *(fig)* grieven: *a bee ~s* een bij steekt; *his conscience stung him* zijn geweten knaagde **2** prikkelen, branden; *(fig)* aansporen: *that stung him (in)to action* dat zette hem tot actie aan **3** afzetten, oplichten: ~ *s.o. for a few dollars* iem een paar dollar lichter maken
stinging [stinging] **1** stekend, bijtend: *a ~ reproach* een scherp verwijt **2** prikkelend
stinging nettle brandnetel
stingy [stindzjie] vrekkig, gierig
[1]**stink** [stingk] *zn* **1** stank **2** herrie: *create/kick up* (of: *make, raise*) *a ~ about sth.* herrie schoppen over iets
[2]**stink** [stingk] *intr (stank, stunk; stunk)* **1** stinken: *it ~s to high heaven* het stinkt uren in de wind **2** oerslecht zijn, niet deugen: *this plan ~s* dit plan deugt van geen kanten
stinker [stingke] **1** stinker(d) **2** iets beledigends, iets slechts, moeilijke opdracht, lastig examen
stinking [stingking] **1** stinkend *(ook fig)*: ~ *rich* stinkend rijk **2** oerslecht, gemeen
[1]**stint** [stint] *zn* portie, karwei(tje), taak: *do one's daily* ~ zijn dagtaak volbrengen || *without* ~ onbeperkt
[2]**stint** [stint] *intr* zich bekrimpen, zich beperken
[3]**stint** [stint] *tr* **1** beperken, inperken **2** zuinig toebedelen, krap houden: ~ *oneself of food* zichzelf karig voedsel toebedelen
stipulate [stipjoeleet] bedingen, bepalen, als voorwaarde stellen: ~ *for the best conditions* de beste voorwaarden bedingen
[1]**stir** [ste:] *zn* **1** het roeren, het poken: *give the fire a* ~ pook het vuur even op **2** beroering, opwinding, sensatie: *cause* (of: *make*) *quite a* ~ (veel) opzien baren, (veel) ophef veroorzaken
[2]**stir** [ste:] *intr* **1** (zich) (ver)roeren, (zich) bewegen **2** opstaan, op zijn
[3]**stir** [ste:] *tr* **1** (met *up*) (op)poken, opporren; *(fig)* aanwakkeren; *(fig)* aanstoken, opstoken: ~ *one's curiosity* iemands nieuwsgierigheid prikkelen **2** (ook met *up*) (om)roeren
stir-fry roerbakken, wokken
stirring [ste:ring] opwekkend, stimulerend, bezielend
stirrup [stirrep] (stijg)beugel
[1]**stitch** [stitsj] *zn* **1** steek in de zij **2** steek: *drop a* ~ een steek laten vallen **3** lapje, stukje (stof); *(fig)* beetje: *not do a ~ of work* geen lor uitvoeren; *not have a ~ on* spiernaakt zijn **4** *(med)* hechting || *in ~es* slap van het lachen, in een deuk (van het lachen)
[2]**stitch** [stitsj] *tr* **1** stikken, (vast)naaien, dichtnaaien: ~ *up a wound* een wond hechten **2** borduren
stoat [stoot] **1** hermelijn **2** wezel
[1]**stock** [stok] *zn* **1** moederstam *(waarvan enten genomen worden)* **2** steel **3** familie, ras, geslacht, afkomst: *be* (of: *come*) *of good* ~ van goede komaf zijn **4** aandeel, effect **5** voorraad: ~ *in trade: a)* voorhanden voorraad; *b)* kneep (van het vak), truc; *while ~s last* zolang de voorraad strekt; *take* ~ de inventaris opmaken; *(fig) take ~ (of the situation)* de toestand bekijken; *out of* ~ niet in voorraad **6** bouillon **7** aandelen(bezit), effecten, fonds: *his ~ is falling* zijn ster verbleekt **8** materiaal, materieel, grondstof: *rolling* ~ rollend materieel *(van spoorwegen)* **9** vee(stapel) **10** *~s (scheepv)* stapel(blokken), helling: *on the ~s* op stapel, *(fig)* in voorbereiding
[2]**stock** [stok] *bn* **1** gangbaar: ~ *sizes* gangbare maten **2** stereotiep, vast: *a ~ remark* een stereotiepe opmerking
[3]**stock** [stok] *intr* voorraad inslaan, zich bevoorraden, hamsteren: ~ *up on sugar* suiker inslaan
[4]**stock** [stok] *tr* **1** van het nodige voorzien: *a well-stocked department store* een goed voorzien warenhuis **2** in voorraad hebben
stockade [stokkeed] **1** houten omheining **2** met houten afzetting omheind terrein
stock exchange effectenbeurs, beurs(gebouw): *the Stock Exchange* de (Londense) Beurs
stockholder aandeelhouder
stocking [stokking] kous
stock-in-trade **1** (goederen)voorraad **2** gereedschap || *that joke is part of his* ~ dat is één van zijn standaardgrappen
stockist [stokkist] leverancier (uit voorraad)
stock market (effecten)beurs
[1]**stockpile** *zn* voorraad, reserve
[2]**stockpile** *ww* voorraden aanleggen (van)
stock size vaste maat, confectiemaat
stock-still doodstil
stocky [stokkie] gedrongen, kort en dik, stevig
stodge [stodzj] zware kost, onverteerbaar eten; *(fig)* moeilijke stof
stodgy [stodzjie] **1** zwaar; onverteerbaar *(voedsel)*; *(fig)* moeilijk; droog **2** saai, vervelend

stoic(al) [stooik(l)] stoïcijns, onaangedaan
[1]**stoke** [stook] *intr* **1** (ook met *up*) het vuur opstoken **2** (met *up*) zich met eten volproppen
[2]**stoke** [stook] *tr (*ook met *up)* aanstoken, opstoken *(vuur);* opvullen *(kachel)*
[1]**stole** [stool] *zn* stola
[2]**stole** [stool] *ovt van* steal
stolen [stoolen] *volt dw van* steal
stolid [stollid] onverstoorbaar, standvastig
[1]**stomach** [stummek] *zn* **1** maag: *on an empty ~* op een nuchtere maag **2** buik: *lie on one's ~* op zijn buik liggen **3** eetlust, trek **4** zin: *I have no ~ for a fight* ik heb geen zin om ruzie te maken
[2]**stomach** [stummek] *tr* slikken, pikken, aanvaarden: *you needn't ~ such a remark* zo'n opmerking hoef je niet zomaar te slikken
stomach-ache **1** maagpijn **2** buikpijn
[1]**stomp** [stomp] *zn* stomp *(jazzdans, jazzmuziek)*
[2]**stomp** [stomp] *ww* stampen
stone [stoon] **1** steen *(ook als harde delfstof);* pit *(van vrucht): (semi-)precious ~* (half)edelsteen **2** stone, 14 Engelse pond: *he weighs 14 ~(s)* hij weegt 90 kilo || *leave no ~ unturned* geen middel onbeproefd laten, alles proberen; *rolling ~* zwerver
Stone Age stenen tijdperk
stone-cold steenkoud || *~ sober* broodnuchter; *~ dead* morsdood
stoned [stoond] **1** stomdronken **2** stoned, high
stonemason steenhouwer
stone's throw steenworp: *within a ~* op een steenworp afstand
stony [stoonie] **1** steenachtig, vol stenen **2** keihard, steenhard; *(fig)* gevoelloos
stony-broke platzak, blut
stood [stoed] *ovt en volt dw van* stand
stooge [stoe:dzj] **1** *(theat)* mikpunt, aangever **2** knechtje, slaafje **3** stroman
stool [stoe:l] **1** kruk, bankje **2** voetenbank(je) **3** ontlasting
[1]**stoop** [stoe:p] *zn* **1** gebukte houding **2** ronde rug, kromme rug
[2]**stoop** [stoe:p] *intr* **1** (zich) bukken, voorover buigen **2** zich verwaardigen **3** zich vernederen, zich verlagen: *he wouldn't ~ to lying about his past* hij vond het beneden zijn waardigheid om over zijn verleden te liegen **4** gebogen lopen, met ronde rug lopen
[3]**stoop** [stoe:p] *tr* buigen: *~ one's head* het hoofd buigen
[1]**stop** [stop] *zn* **1** einde, beëindiging, pauze, onderbreking: *bring to a ~* stopzetten, een halt toeroepen; *put a ~ to* een eind maken aan **2** halte, stopplaats **3** afsluiting, blokkade, belemmering **4** punt **5** diafragma, lensopening **6** pal, plug, begrenzer || *pull out all the ~s* alle registers opentrekken, alles uit de kast halen
[2]**stop** [stop] *intr* **1** ophouden, tot een eind komen, stoppen **2** stilhouden, tot stilstand komen: *~ short* plotseling halt houden; *they ~ped short of actually smashing the windows* ze gingen niet zover, dat ze de ramen daadwerkelijk ingooiden; *~ at nothing* tot alles in staat zijn, nergens voor terugschrikken **3** blijven, verblijven, overblijven: *~ by* (even) langskomen; *~ in* binnenblijven; *~ off* zijn reis onderbreken; *~ over* de (vlieg)reis onderbreken
[3]**stop** [stop] *tr* **1** (af)sluiten, dichten, dichtstoppen: *~ up a leak* een lek dichten **2** verhinderen, afhouden, tegenhouden: *~ thief!* houd de dief! **3** blokkeren, tegenhouden: *~ a cheque* een cheque blokkeren **4** een eind maken aan, stopzetten, beëindigen, ophouden met, staken: *~ work* het werk neerleggen; *~ it!* hou op!
stopgap **1** noodoplossing **2** invaller **3** stoplap
stopover reisonderbreking, kort verblijf
stoppage [stoppidzj] **1** verstopping, stremming **2** inhouding: *~ of pay* inhouden van loon **3** staking, (werk)onderbreking, prikactie
stoppage time (extra) bijgetelde tijd *(voor spelonderbrekingen)*
stopper [stoppe] stop, plug, kurk: *put the ~(s) on sth.* ergens een eind aan maken
storage [sto:ridzj] opslag, bewaring
[1]**store** [sto:] *zn* **1** voorraad: *in ~* in voorraad; *there's a surprise in ~ for you* je zult voor een verrassing komen te staan **2** opslagplaats, magazijn, pakhuis **3** *~s (mil)* provisie, goederen, proviand **4** *(Am)* winkel, zaak **5** warenhuis || *set (great) ~ by* veel waarde hechten aan
[2]**store** [sto:] *tr* bevoorraden, inslaan
store brand huismerk
storehouse pakhuis, opslagplaats: *Steve is a ~ of information* Steve is een grote bron van informatie
storekeeper **1** *(Am)* winkelier **2** hoofd vh magazijn
storeroom opslagkamer, voorraadkamer
storey [sto:rie] verdieping, woonlaag: *the second ~* de eerste verdieping
stork [sto:k] ooievaar
[1]**storm** [sto:m] *zn* **1** (hevige) bui, noodweer **2** storm(wind), orkaan: *~ in a teacup* storm in een glas water, veel drukte om niks **3** uitbarsting, vlaag: *~ of protests* regen van protesten
[2]**storm** [sto:m] *intr* **1** stormen, waaien, onweren **2** (met *at*) tekeergaan (tegen), uitvallen, razen **3** rennen, denderen: *~ in* binnen komen stormen
[3]**storm** [sto:m] *tr (mil)* bestormen, stormlopen op
storm cloud regenwolk, onweerswolk; *(fig)* donkere wolk; teken van onheil
stormy [sto:mie] **1** stormachtig, winderig **2** heftig, ruw: *a ~ meeting* een veelbewogen bijeenkomst
story [sto:rie] **1** verhaal, relaas: *cut a long ~ short* om kort te gaan; *the (same) old ~* het oude liedje **2** (levens)geschiedenis, historie **3** vertelling, novelle, verhaal **4** *(journalistiek)* (materiaal voor) artikel, verhaal **5** smoesje, praatje: *tell stories* jokken **6** verdieping

¹**storybook** *zn* verhalenboek
²**storybook** *bw* als in een sprookje, sprookjesachtig: *a ~ ending* een gelukkige afloop, een happy end
¹**stout** [staut] *zn* stout, donker bier
²**stout** [staut] *bn* **1** moedig, vastberaden: *~ resistance* krachtig verzet **2** solide, stevig **3** gezet, dik
stout-hearted dapper, moedig, kloek
¹**stove** [stoov] *zn* **1** (elektrische) kachel, gaskachel, kolenkachel **2** (elektrisch) fornuis, gasoven, gasfornuis
²**stove** [stoov] *ovt en volt dw van* stave
stow [stoo] opbergen, inpakken || *~ it!* kap ermee!, hou op!
stowaway [stooewee] verstekeling
¹**stow away** *intr* zich verbergen *(aan boord ve schip, vliegtuig)*
²**stow away** *tr* opbergen, wegbergen
straddle [stredl] schrijlings zitten (op), met gespreide benen zitten (op), wijdbeens staan (boven)
straggle [strekl] **1** (af)dwalen, achterblijven, van de groep af raken **2** (wild) uitgroeien, verspreid groeien: *straggling houses* verspreid liggende huizen
straggly [streklie] **1** (onregelmatig) verspreid, verstrooid, schots en scheef **2** verwilderd; verward *(haar, baard)*
¹**straight** [street] *zn* recht stuk *(van renbaan)*
²**straight** [street] *bn* **1** recht, steil; sluik *(haar);* rechtop: *(as) ~ as a die* kaarsrecht, *(fig)* goudeerlijk **2** puur, onverdund; *(fig)* zonder franje; serieus: *a ~ rendering of the facts* een letterlijke weergave van de feiten; *~ whisky* whisky puur **3** open(hartig), eerlijk, rechtdoorzee: *~ answer* eerlijk antwoord **4** strak, in de plooi, correct: *keep a ~ face* zijn gezicht in de plooi houden; *keep (s.o.) to the ~ and narrow path* (iem) op het rechte pad houden **5** ordelijk, geordend, netjes: *put* (of: *set*) *the record ~* een fout herstellen **6** direct, rechtstreeks **7** hetero(seksueel)
³**straight** [street] *bw* **1** rechtstreeks, meteen, zonder omwegen: *come ~ to the point* meteen ter zake raken **2** recht, rechtop: *~ on* rechtdoor || *think ~* helder denken; *tell s.o. ~* iem eerlijk de waarheid zeggen
straightaway onmiddellijk
¹**straighten** [streetn] *intr* recht worden, rechttrekken; bijtrekken *(ook fig): ~ up* overeind gaan staan
²**straighten** [streetn] *tr* rechtzetten; rechttrekken *(ook fig): ~ one's legs* de benen strekken; *~ the room* de kamer aan kant brengen; *~ oneself up* zich oprichten
straighten out **1** recht leggen, rechtmaken **2** op orde brengen: *things will soon straighten themselves out* alles zal gauw op zijn pootjes terechtkomen
straightforward **1** oprecht, open, eerlijk **2** duidelijk
straight-up eerlijk (waar), serieus
¹**strain** [streen] *zn* **1** spanning, druk, trek; *(fig)* belasting; inspanning **2** overbelasting, uitputting **3** verrekking *(van spieren);* verstuiking **4** *~s* flard *(van muziekstuk, gedicht);* melodie **5** stijl; toon *(van uitdrukken)* **6** (karakter)trek, element **7** stam, ras, soort
²**strain** [streen] *intr* **1** zich inspannen, moeite doen, zwoegen **2** (met *at*) rukken (aan), trekken: *~ at the leash* aan de teugels trekken, zich los willen rukken *(fig)*
³**strain** [streen] *tr* **1** spannen, (uit)rekken **2** inspannen, maximaal belasten: *~ one's eyes* turen, ingespannen kijken **3** overbelasten; *(fig)* geweld aandoen: *~ one's voice* zijn stem forceren **4** verrekken *(spieren);* verdraaien **5** vastklemmen **6** zeven, laten doorsijpelen **7** afgieten
strained [streend] gedwongen, geforceerd, onnatuurlijk
strainer [streene] **1** zeef **2** vergiet **3** filter(doek)
strait [street] **1** zee-engte, (zee)straat: *the Straits of Dover* het Nauw van Calais **2** lastige omstandigheden, moeilijkheden: *be in dire ~s* ernstig in het nauw zitten
straitened [streetnd] behoeftig
straitjacket dwangbuis; keurslijf *(ook fig)*
strait-laced puriteins, bekrompen, preuts
strand [strend] streng, snoer, draad: *a ~ of pearls* een parelsnoer
stranded [strendid] gestrand, aan de grond; vast(gelopen) *(ook fig)*
strange [streendzj] **1** vreemd, onbekend, nieuw: *he is ~ to the business* hij heeft nog geen ervaring in deze branch **2** eigenaardig, onverklaarbaar: *~ to say* vreemd genoeg
stranger [streendzje] vreemde(ling), onbekende, buitenlander: *be a ~ to* ergens part noch deel aan hebben
strangle [strengkl] **1** wurgen **2** onderdrukken; smoren *(neiging, kreet)*
stranglehold wurggreep; verstikkende greep *(ook fig): have a ~ on* in zijn greep hebben
¹**strap** [strep] *zn* **1** riem, band(je) **2** strop, band; reep *(ook van metaal)*
²**strap** [strep] *tr* **1** vastbinden, vastgespen **2** (ook met *up*) verbinden, met pleisters afdekken
strapping [streping] flink, potig, stoer
stratagem [strettedzjem] strategie, truc, plan
strategic [stretie:dzjik] strategisch
strategist [stretedzjist] strateeg
strategy [stretedzjie] strategie, plan, methode, beleid
stratification [stretiffikkeesjen] **1** laagvorming **2** gelaagdheid, verdeling in lagen
straw [stro:] **1** stro **2** strohalm, strootje: *a ~ in the wind* een voorteken, een teken aan de wand; *the last ~, the ~ that broke the camel's back* de druppel die de emmer deed overlopen; *clutch at ~s* zich aan iedere strohalm vastklampen **3** rietje *(om mee te drinken)*

st

strawberry [stro:berie] **1** aardbei(plant) **2** donkerroze

¹stray [stree] *zn* **1** zwerver; verdwaalde *(ook fig);* zwerfdier **2** dakloos kind

²stray [stree] *bn* verdwaald, zwervend: ~ *bullet* verdwaalde kogel; ~ *cats* zwerfkatten

³stray [stree] *intr* dwalen; rondzwerven *(ook fig):* ~ *from the subject* van het onderwerp afdwalen

¹streak [strie:k] *zn* **1** streep, lijn, strook: *a* ~ *of light* een streepje licht **2** (karakter)trek, tikje: *there's a* ~ *of madness in Mel* er zit (ergens) een draadje los bij Mel || *like a* ~ *of lightning* bliksemsnel

²streak [strie:k] *intr* **1** (weg)schieten, flitsen, snellen **2** streaken, naakt rondrennen

³streak [strie:k] *tr* strepen zetten op, strepen maken in: ~*ed with grey* met grijze strepen

streaky [strie:kie] gestreept, met strepen; doorregen *(van bacon)*

¹stream [strie:m] *zn* **1** stroom, water, beek, stroomrichting **2** (stort)vloed, stroom

²stream [strie:m] *intr* **1** stromen *(ook fig);* vloeien, druipen: *his face was* ~*ing with sweat* het zweet liep hem langs het gezicht **2** wapperen, waaien, fladderen

³stream [strie:m] *tr* doen stromen, druipen van: *the wound was* ~*ing blood* het bloed gutste uit de wond

streamer [strie:me] wimpel, lint, serpentine

streamline stroomlijnen; *(fig)* lijn brengen in; vereenvoudigen: ~ *an organization* een organisatie efficiënter maken

street [strie:t] straat, weg, straatweg: *dead-end* ~ doodlopende straat; *be* ~*s ahead (of)* ver voorliggen op; *in* (Am: *on*) *the* ~ op straat; *that's (right) up my* ~ dat is precies in mijn straatje, dat is net iets voor mij

streetcar *(Am)* tram

street level gelijkvloers

streetwalker tippelaarster

streetwise door het (straat)leven gehard, door de wol geverfd, slim

strength [strengθ] **1** sterkte *(ook fig);* kracht(en), vermogen: *on the* ~ *of* op grond van, uitgaand van **2** (getal)sterkte, macht, bezetting: *(bring) up to (full)* ~ op (volle) sterkte (brengen) **3** gehalte, concentratie; zwaarte *(van tabak);* sterkte || *go from* ~ *to* ~ het ene succes na het andere behalen

¹strengthen [strengθen] *intr* sterk(er) worden, in kracht toenemen

²strengthen [strengθen] *tr* sterk(er) maken, versterken, verstevigen

strenuous [strenjoees] **1** zwaar, inspannend, vermoeiend **2** vol energie, onvermoeibaar, ijverig

¹stress [stres] *zn* **1** spanning, druk, stress, belasting: *(be) under great* ~ onder (grote) druk staan, zwaar belast worden **2** klem(toon), nadruk, accent; *(fig)* gewicht; belang: *lay* ~ *on* benadrukken **3** *(techn)* spanning, druk, (be)last(ing)

²stress [stres] *tr* **1** benadrukken, de nadruk leggen op: *we can't* ~ *enough that* we kunnen er niet voldoende de nadruk op leggen dat **2** belasten, onder druk zetten

stress mark klemtoonteken, accent

¹stretch [stretsj] *zn* **1** (groot) stuk *(land, weg, zee enz.);* uitgestrektheid, vlakte, eind(je), stuk: ~ *of road* stuk weg **2** tijd, periode; *(inform)* straftijd: *ten hours at a* ~ tien uur aan een stuk **3** rek(baarheid), elasticiteit || *not by any* ~ *of the imagination* met de beste wil van de wereld niet; *at full* ~ met inspanning van al zijn krachten; *at a* ~ desnoods, als het moet

²stretch [stretsj] *intr* **1** (met *out*) zich uitstrekken, (languit) gaan liggen **2** zich uitstrekken (tot), reiken (tot), zich uitrekken **3** rekbaar zijn, elastisch zijn **4** (met *over*) duren, zich uitspreiden (over) **5** (uit)rekken *(ook fig):* ~ *s.o.'s patience* iemands geduld op de proef stellen **6** (aan)spannen, opspannen, strak trekken: ~ *a rope* een touw spannen **7** (uit)strekken, reiken: ~ *oneself* zich uitrekken **8** tot het uiterste inspannen, forceren: *be fully* ~*ed* zich helemaal geven **9** ruim interpreteren; het niet zo nauw nemen (met) *(regels);* geweld aandoen, overdrijven: ~ *the rules* de regels vrij interpreteren **10** verrekken *(spieren)*

stretcher [stretsje] brancard, draagbaar

strew [stroe:] *(ook strewn)* **1** (met *on, over*) uitstrooien (over): *books were* ~*n all over his desk* zijn bureau was bezaaid met boeken **2** (met *with*) bestrooien (met) **3** verspreid liggen op

strewn [stroe:n] *volt dw van* strew

stricken [strikken] getroffen, geslagen, bedroefd: ~ *look* verslagen blik

strict [strikt] strikt, nauwkeurig: ~ *parents* strenge ouders; ~*ly speaking* strikt genomen

stricture [striktsje] aanmerking, afkeuring: *pass* ~*s (up)on* kritiek uitoefenen op

stridden [stridn] *volt dw van* stride

¹stride [strajd] *zn* **1** pas, stap, schrede: *get into one's* ~ op dreef komen; *take sth. in (one's)* ~*: a)* ergens makkelijk overheen stappen; *b)* iets spelenderwijs doen (*of:* klaren) **2** gang || *make great* ~*s* grote vooruitgang boeken

²stride [strajd] *intr (strode, stridden)* (voort)stappen, grote passen nemen

strident [strajdent] schel, schril, scherp

strife [strajf] ruzie, conflict: *industrial* ~ industriële onrust

¹strike [strajk] *zn* **1** slag, klap **2** (lucht)aanval **3** staking: *(out) on* ~ in staking **4** vondst *(van olie enz.);* ontdekking; *(fig)* succes; vangst

²strike [strajk] *tr (struck, struck)* **1** strijken; neerlaten *(vlag);* opbreken *(kamp, tent)* **2** bereiken, sluiten, halen: ~ *a bargain with* het op een akkoordje gooien met **3** aannemen *(houding):* ~ *a pose* een houding aannemen **4** ontdekken, vinden, stoten op: ~ *oil* olie aanboren, *(fig)* fortuin maken **5** een indruk maken op, opvallen, lijken: *did it ever* ~ *you that* heb je er weleens aan gedacht dat, is het jou weleens opgevallen dat **6** opkomen bij; invallen *(idee)* || ~ *terror into s.o.'s heart* iem de schrik op het lijf jagen

[3]**strike** [strajk] *tr, intr (struck, struck)* **1** slaan, uithalen, treffen, raken, botsen (met, op), stoten (op, tegen), aanvallen, toeslaan; aanslaan *(snaar, noot);* aansteken *(lucifer): ~ a blow* een klap uitdelen; *the clock ~s* de klok slaat; *struck dumb* met stomheid geslagen; *~ down: a)* neerslaan; *b) (ook fig)* vellen; *c)* branden *(van zon); ~ (up)on: a)* treffen, slaan op; *b)* stoten op, ontdekken; *c)* krijgen, komen op *(idee); struck by lightning* door de bliksem getroffen **2** staken, in staking gaan **3** (op pad, weg) gaan, beginnen (met): *~ for home* de weg naar huis inslaan || *~ home to s.o.* grote indruk maken op iem, geheel doordringen tot iem *(van opmerking); struck on* smoor(verliefd) op

strike off **1** schrappen, royeren **2** afdraaien, drukken

[1]**strike out** *intr* **1** (fel) uithalen *(ook fig);* (fel) tekeergaan **2** nieuwe wegen inslaan: *~ on one's own* zijn eigen weg inslaan

[2]**strike out** *tr* schrappen, doorhalen

strike pay stakingsuitkering

striker [strajke] **1** staker **2** slagman **3** *(voetbal)* spits

strike up **1** gaan spelen (zingen), inzetten, aanheffen **2** beginnen: *~ a conversation (with)* een gesprek aanknopen (met)

striking [strajking] opvallend, treffend, aantrekkelijk

striking distance bereik: *within ~* binnen het bereik, binnen loopafstand

[1]**string** [string] *zn* **1** koord, touw(tje), garen: *pull ~s* invloed uitoefenen **2** draad, band **3** snaar **4** *~s* strijkinstrumenten, strijkers **5** aaneenschakeling, reeks, sliert, streng: *~ of cars* rij auto's || *have two ~s* (of: *a second ~) to one's bow* op twee paarden wedden, meer pijlen op zijn boog hebben; *with no ~s attached: a)* zonder kleine lettertjes; *b)* zonder verplichtingen (achteraf)

[2]**string** [string] *tr (strung, strung)* **1** (vast)binden **2** (aan elkaar) rijgen, ritsen, aaneenschakelen: *~ words together* woorden aan elkaar rijgen **3** (met *up*) opknopen, ophangen **4** bespannen, besnaren: *highly strung* fijnbesnaard, overgevoelig || *strung up* zenuwachtig, gespannen, opgewonden

[1]**string along** *intr* (met *with*) zich aansluiten (bij)

[2]**string along** *tr* belazeren, misleiden, aan het lijntje houden

stringency [strindzjensie] strengheid, striktheid: *the ~ of the law* de bindende kracht van de wet

stringent [strindzjent] stringent, streng, dwingend

string quartet strijkkwartet

stringy [stringie] **1** draderig, pezig: *~ arm* pezige arm **2** mager, lang en dun

[1]**strip** [strip] *zn* **1** strook, strip, reep **2** kleur(en) *(van sportploeg)* || *tear s.o. off a ~, tear a ~* (of: *~s) off s.o.* iem uitfoeteren

[2]**strip** [strip] *intr* **1** (ook met *off*) zich uitkleden: *~ped to the waist* met ontbloot bovenlijf **2** een striptease opvoeren

[3]**strip** [strip] *tr* **1** uitkleden **2** (ook met *off*) van iets ontdoen, pellen, (af)schillen, verwijderen, afscheuren; afhalen *(bed);* afkrabben *(verf): ~ down* uit elkaar halen, ontmantelen *(machines)*

strip cartoon stripverhaal, beeldverhaal

stripe [strajp] **1** streep, lijn, strook **2** streep *(onderscheidingsteken)* **3** opvatting, mening: *of all political ~s* van alle politieke kleuren

striped [strajpt] gestreept

strip-lighting tl-verlichting, buisverlichting

stripy [strajpie] streperig, met strepen

strive [strajv] *(strove, striven)* **1** (met *after, for*) (na)streven, zich inspannen (voor) **2** vechten

striven [strivn] *volt dw van* strive

strode [strood] *ovt van* stride

[1]**stroke** [strook] *zn* **1** slag, klap, stoot: *at a ~* in één klap; *on the ~ of twelve* klokslag twaalf (uur), op slag van twaalven **2** aanval, beroerte **3** haal, streep **4** schuine streep **5** streling, aai **6** *(roeien)* slag(roeier) || *~ of (good) luck* buitenkansje, geluk(je); *he has not done a ~ of work* hij heeft geen klap uitgevoerd

[2]**stroke** [strook] *tr* **1** aaien, strelen, (glad)strijken **2** *(roeien)* de slag aangeven in, slag(roeier) zijn

[1]**stroll** [strool] *zn* wandeling(etje), blokje om: *go for a ~* een blokje om lopen

[2]**stroll** [strool] *intr* wandelen, kuieren, slenteren

stroller [stroole] **1** wandelaar **2** *(Am)* wandelwagen(tje), buggy

strong [strong] sterk, krachtig, fors, stevig; zwaar *(bier, sigaar);* geconcentreerd *(oplossing);* scherp *(geur, smaak);* drastisch *(maatregel);* hoog *(koorts, prijs enz.);* onregelmatig *(werkwoord);* kras *(taal): ~ arm of the law* (sterke) arm der wet; *~ language* (of: *stuff*) krasse taal, gevloek; *~ nerves* stalen zenuwen; *hold ~ views* er een uitgesproken mening op nahouden; *(still) going ~* nog steeds actief; *two hundred ~* tweehonderd man sterk; *be ~ in* uitblinken in

strong-arm hardhandig, ruw, gewelddadig: *~ methods* grove middelen

strongbox brandkast, geldkist, safe(loket)

stronghold *(ook fig)* bolwerk, vesting

strongly [stronglie] **1** sterk: *feel ~ about sth.* iets uitgesproken belangrijk vinden **2** met klem, nadrukkelijk

strong-minded vastberaden, stijfkoppig

strongroom (bank)kluis

strong-willed wilskrachtig, vastberaden

strove [stroov] *ovt van* strive

struck [struk] *ovt en volt dw van* strike

structural [struktsjerel] structureel, bouw-, constructie-: *~ alterations* verbouwing

structure [struktsje] **1** bouwwerk, constructie, (op)bouw **2** structuur, samenstelling, constructie

st

¹struggle [strukl] *zn* **1** worsteling, gevecht, strijd: *put up a ~* zich verzetten **2** (kracht)inspanning: *quite a ~* een heel karwei
²struggle [strukl] *intr* worstelen, vechten; *(ook fig)* strijden; zich inspannen: *~ to one's feet* overeind krabbelen
strum [strum] betokkelen, tingelen
strung [strung] *ovt en volt dw van* string
¹strut [strut] *zn* **1** pompeuze gang **2** stut, steun
²strut [strut] *ww* pompeus schrijden (op, over), paraderen, heen en weer stappen (op)
¹stub [stub] *zn* **1** stomp(je), eindje, peuk **2** reçustrook; controlestrook *(van bon- of chequeboekje)*
²stub [stub] *tr* **1** stoten: *~ one's toe* zijn teen stoten **2** (met *out*) uitdrukken, uitdoven: *~ out a cigarette* een sigaret uitmaken
stubble [stubl] **1** stoppel(s) **2** stoppelveld **3** stoppelbaard
stubborn [stubben] **1** koppig, eigenwijs **2** weerbarstig: *~ lock* stroef slot
¹stucco [stukkoo] *zn* stuc, pleister(kalk), gipspleister
²stucco [stukkoo] *tr* pleisteren, stukadoren
¹stuck [stuk] *bn* **1** vast *(ook fig)*; klem, onbeweeglijk, ten einde raad: *be ~ for an answer* met zijn mond vol tanden staan; *get ~ with s.o.* met iem opgezadeld zitten **2** vastgekleefd, vastgeplakt
²stuck [stuk] *ovt en volt dw van* stick
stuck-up bekakt, verwaand
¹stud [stud] *zn* **1** (sier)spijker, sierknopje **2** knoop(je), overhemds-, boorden-, manchetknoopje **3** (ren)stal, fokbedrijf **4** fokhengst; dekhengst *(ook fig)* **5** nop *(onder voetbalschoen)*; *(Belg)* stud
²stud [stud] *tr* **1** (met *with*) beslaan (met), voorzien van spijkers, knopjes **2** bezetten, bedekken: *~ded with quotations* vol citaten
student [stjoe:dent] **1** student(e): *~ of law, law ~* student in de rechten, rechtenstudent **2** kenner: *~ of bird-life* vogelkenner
students' union studentenvereniging
student teacher **1** (leraar-)stagiair(e) **2** iem die studeert voor onderwijzer
stud farm fokbedrijf
studied [studdied] weloverwogen, (wel)doordacht: *~ insult* opzettelijke belediging; *~ smile* gemaakte glimlach
studio [stjoe:die·oo] **1** studio, werkplaats; atelier *(van kunstenaar)* **2** *~s* filmstudio
studio flat eenkamerappartement, studio
studious [stjoe:dies] **1** leergierig, ijverig **2** nauwgezet **3** bestudeerd, weloverwogen, opzettelijk: *~ politeness* bestudeerde beleefdheid
¹study [studdie] *zn* **1** studie, onderzoek, aandacht, attentie **2** studeerkamer; *(Belg)* bureau **3** *-ies* studie(vak): *graduate studies* postkandidaatsstudie, masteropleiding, *(Belg)* derde cyclus
²study [studdie] *intr* studeren, les(sen) volgen, college lopen: *~ to be a doctor* voor dokter studeren
³study [studdie] *tr* **1** (be)studeren, onderzoeken: *~ law* rechten studeren **2** instuderen, van buiten leren
¹stuff [stuf] *zn* **1** materiaal, (grond)stof, elementen: *she has the ~ of an actress in her* er zit een actrice in haar **2** spul, goed(je), waar: *a drop of the hard ~* een lekker neutje; *do you call this ~ coffee?* noem jij deze troep koffie? **3** troep, rommel: *throw that ~ away!* gooi die rommel weg! || *do your ~* eens tonen wat je kan; *know one's ~* zijn vak verstaan; *that's the ~!* (dat is) je ware!, zo mag ik 't horen
²stuff [stuf] *tr* **1** (op)vullen, volproppen, volstoppen: *~ oneself* zich volproppen, zich overeten; *~ full* volproppen; *my mind is ~ed with facts* mijn denkraam zit vol (met) feiten **2** (vol)stoppen, dichtstoppen: *~ed nose* verstopte neus; *my nose is completely ~ed up* mijn neus is helemaal verstopt **3** proppen, stoppen, steken, duwen: *~ sth. in(to)* iets proppen in **4** opzetten: *~ a bird* een vogel opzetten **5** farceren, vullen: *~ed pepper* gevulde paprika || *(you can) ~ yourself!* je kan (van mij) de pot op!; *he can ~ his job!* hij kan de pot op met zijn baan
stuffing [stuffing] (op)vulsel, vulling, farce || *knock* (of: *take*) *the ~ out of s.o.* iem tot moes slaan, iem uitschakelen
stuffy [stuffie] **1** bedompt, benauwd, muf **2** saai, vervelend **3** bekrompen, preuts
¹stumble [stumbl] *zn* struikeling, misstap; *(fig)* blunder
²stumble [stumbl] *intr* **1** struikelen, vallen **2** hakkelen, haperen, stamelen: *~ in one's speech* hakkelen
stumble across tegen het lijf lopen, toevallig ontmoeten, stuiten op, toevallig vinden
stumbling block **1** struikelblok **2** steen des aanstoots
¹stump [stump] *zn* **1** stomp(je), (boom)stronk, eindje, peukje **2** *(cricket)* wicketpaaltje
²stump [stump] *intr* stampen
³stump [stump] *tr* voor raadsels stellen, moeilijke vragen stellen: *that ~ed me* daar had ik geen antwoord op
stumper [stumpe] moeilijke vraag
stump up dokken, betalen, neertellen
stumpy [stumpie] gedrongen, kort en dik
stun [stun] **1** bewusteloos slaan **2** schokken, verwarren, verdoven **3** versteld doen staan, verbazen: *be ~ned into speechlessness* met stomheid geslagen zijn
stung [stung] *ovt en volt dw van* sting
stunk [stungk] *ovt en volt dw van* stink
stunner [stunne] schoonheid
stunning [stunning] ongelofelijk mooi, verrukkelijk, prachtig
¹stunt [stunt] *zn* **1** stunt, (acrobatische) toer, kunstje **2** (reclame)stunt, attractie **3** stuntvlucht
²stunt [stunt] *tr* (in zijn groei) belemmeren
stupefaction [stjoe:pifeksjen] verbijstering, (stomme) verbazing

stupefy [stjoe:piffaj] **1** bedwelmen, verdoven: *be stupefied by drink* door de drank versuft zijn **2** verbijsteren, versteld doen staan
stupendous [stjoe:pendes] fantastisch, enorm: *a ~ effort* een ongelofelijke inspanning
[1]**stupid** [stjoe:pid] *zn* sufferd
[2]**stupid** [stjoe:pid] *bn* **1** dom, stom(pzinnig) **2** suf, versuft
stupidity [stjoe:pidditie] domheid, stommiteit, domme opmerking, traagheid (van begrip)
stupor [stjoe:pe] (toestand van) verdoving: *in a drunken ~* in benevelde toestand
sturdy [ste:die] **1** sterk, flink, stevig (gebouwd) **2** vastberaden, krachtig
sturgeon [ste:dzjen] steur
[1]**stutter** [stutte] *zn* gestotter: *have a ~* stotteren
[2]**stutter** [stutte] *ww* stotteren, stamelen: *~ out* stotterend uitbrengen
sty [staj] *(mv: ook ~es)* **1** varkensstal, varkenshok **2** strontje *(zweertje aan ooglid)*
style [stajl] **1** genre, type, model, vorm: *in all sizes and ~s* in alle maten en vormen **2** benaming, (volledige) (aanspreek)titel, (firma)naam: *trade under the ~ of Young & Morris* handel drijven onder de firmanaam Young & Morris **3** (schrijf)stijl, (schrijf)wijze: *spaghetti Italian ~* spaghetti op zijn Italiaans **4** stijl, stroming, school: *the new ~ of building* de nieuwe bouwstijl **5** manier van doen, levenswijze, stijl: *the balloon sailed into the air in great ~* de ballon ging zonder enig probleem schitterend omhoog **6** mode, stijl: *in ~* in de mode || *cramp s.o.'s ~* iem in zijn doen en laten belemmeren
stylish [stajlisj] **1** modieus, naar de mode (gekleed) **2** stijlvol, elegant, deftig, chic
stylist [stajlist] **1** stilist(e), auteur met (goede) stijl **2** ontwerp(st)er
stylistic [stajlistik] stilistisch: *a ~ change* een stijlverandering
stylize [stajlajz] stileren: *~d representations* gestileerde afbeeldingen

st

suave [swa:v] hoffelijk, beleefd; *(min)* glad
sub [sub] **1** voorschot *(op loon)* **2** duikboot **3** wissel(speler)
sub- [sub] ondergeschikt, bijkomend, hulp-: *~ post office* hulppostkantoor
[1]**subconscious** [subkonsjes] *zn* onderbewustzijn, onderbewuste
[2]**subconscious** [subkonsjes] *bn* onderbewust
subcontractor [subkentrekte] onderaannemer
subdivision [subdivvizjen] (onder)verdeling, onderafdeling
subdue [sebdjoe:] **1** onderwerpen, beheersen: *~ one's passions* zijn hartstochten beteugelen **2** matigen, verzachten
subdued [sebdjoe:d] getemperd, gematigd, gedempt, ingehouden, stil: *~ colours* zachte kleuren
[1]**subject** [subdzjikt] *zn* **1** onderdaan, ondergeschikte **2** onderwerp, thema: *on the ~ of* omtrent, aangaande, over **3** (studie)object, (school)vak **4** aanleiding, omstandigheid, reden **5** *(taalk)* onderwerp
[2]**subject** [subdzjikt] *bn* **1** onderworpen: *~ to foreign rule* onder vreemde heerschappij **2** afhankelijk: *~ to your consent* behoudens uw toestemming **3** onderhevig, blootgesteld: *~ to change* vatbaar voor wijziging(en)
[3]**subject** [sebdzjekt] *tr (met to)* onderwerpen (aan), doen ondergaan
subject index **1** klapper, systematisch register **2** trefwoordenregister
subjection [sebdzjeksjen] onderwerping, afhankelijkheid, onderworpenheid
subjective [sebdzjektiv] subjectief
subject matter onderwerp; inhoud *(van boek)*
subjugation [subdzjoekeesjen] onderwerping, overheersing
subjunctive [sebdzjungktiv] *(taalk)* aanvoegende wijs
sublime [seblajm] subliem, verheven: *(from) the ~ to the ridiculous* (van) het sublieme tot het potsierlijke
submarine [submerie:n] duikboot, onderzeeër
submerge [sebme:dzj] **1** (doen) duiken *(van duikboot);* onderduiken **2** (doen) zinken, (doen) ondergaan, overstromen: *~d rocks* blinde klippen
submersion [sebme:sjen] onderdompeling, overstroming
submission [sebmisjen] **1** onderwerping, onderdanigheid: *starve the enemy into ~* de vijand uithongeren **2** voorstel
submissive [sebmissiv] onderdanig, onderworpen
[1]**submit** [sebmit] *intr* toegeven, zwichten, zich overgeven: *~ to s.o.'s wishes* iemands wensen inwilligen; *~ to defeat* zich gewonnen geven
[2]**submit** [sebmit] *tr* **1** (met *to*) voorleggen (aan): *~ s.o.'s name for appointment* iem ter benoeming voordragen **2** onderwerpen, overgeven: *~ oneself to* zich onderwerpen aan
[1]**subordinate** [sebo:dinnet] *bn* (met *to*) ondergeschikt (aan), onderworpen, afhankelijk: *~ clause* bijzin, ondergeschikte zin
[2]**subordinate** [sebo:dinneet] *tr* (met *to*) ondergeschikt maken (aan), achterstellen (bij)
subordination [sebo:dinneesjen] **1** ondergeschiktheid **2** *(taalk)* onderschikking
[1]**subpoena** [sebpie:ne] *zn* dagvaarding
[2]**subpoena** [sebpie:ne] *tr* dagvaarden
[1]**subscribe** [sebskrajb] *intr* **1** (met *to*) intekenen (voor); zich abonneren (op) *(tijdschrift): ~ for* (vooraf) bestellen **2** (met *to*) onderschrijven *(mening)* **3** (met *to*) (geldelijk) steunen
[2]**subscribe** [sebskrajb] *tr, intr* **1** (onder)tekenen, zijn handtekening zetten onder: *~ one's name (to sth.)* (iets) ondertekenen **2** inschrijven (voor)
subscriber [sebskrajbe] **1** ondertekenaar **2** intekenaar, abonnee

subscription [sebskripsjen] **1** ondertekening **2** abonnement, intekening, inschrijving: *take out a ~ to sth.* zich op iets abonneren **3** contributie, bijdrage, steun
subsequent [subsikwent] *(met to)* volgend (op), later, aansluitend
subsequently [subsikwentlie] vervolgens, nadien, daarna
subservient [sebse:vient] **1** bevorderlijk, nuttig: *~ to* bevorderlijk voor **2** ondergeschikt **3** kruiperig, onderdanig
subside [sebsajd] **1** (be)zinken, (in)zakken, verzakken **2** slinken, inkrimpen, afnemen **3** bedaren
subsidence [sebsajdens] instorting, verzakking, het wegzakken
subsidiary [sebsiddierie] **1** helpend, steunend, aanvullings-: *~ troops* hulptroepen **2** (met *to*) ondergeschikt (aan), afhankelijk (van): *~ subject* bijvak
subsidize [subsiddajz] subsidiëren
subsidy [subsiddie] subsidie
subsist [sebsist] (in) leven (blijven): *~ on welfare* van een uitkering leven
subsistence [sebsistens] **1** bestaan, leven **2** onderhoud, kost, levensonderhoud
subsoil [subsojl] ondergrond
substance [substens] substantie, wezen, essentie, stof, materie, kern, hoofdzaak: *the ~ of his remarks* de kern van zijn opmerkingen; *a man of ~* een rijk man
substantial [sebstensjl] werkelijk, aanzienlijk, stoffelijk, degelijk: *~ meal* stevige maaltijd
substantiate [sebstensjie·eet] van gronden voorzien, bewijzen, verwezenlijken: *~ a claim* een bewering hard maken
[1]**substitute** [substitjoe:t] *zn* vervanger, plaatsvervanger; *(ook sport)* invaller, wisselspeler
[2]**substitute** [substitjoe:t] *bn* plaatsvervangend
[3]**substitute** [substitjoe:t] *ww* in de plaats stellen (voor), invallen (voor), wisselen: *~ A by* (of: *with) B* A door B vervangen; *~ A for B* B vervangen door A
substitution [substitjoe:sjen] vervanging, wissel
subtenant [subtennent] onderhuurder
subterfuge [subtefjoe:dzj] **1** uitvlucht, voorwendsel **2** trucje, list
subterranean [subtereenien] onderaards, ondergronds
subtitle [subtajtl] ondertitel
subtle [sutl] subtiel, fijn, nauwelijks merkbaar, scherp(zinnig): *smile subtly* fijntjes lachen
subtlety [sutltie] subtiliteit, scherpzinnigheid, subtiel onderscheid
subtract [sebtrekt] *(met from)* aftrekken (van), in mindering brengen (op)
subtraction [sebtreksjen] aftrekking, vermindering
suburb [subbe:b] voorstad, buitenwijk
suburban [sebe:ben] van de voorstad; *(fig)* bekrompen
subversive [sebve:siv] ontwrichtend, ondermijnend
subway [subwee] **1** (voetgangers)tunnel, ondergrondse (door)gang **2** *(Am)* metro
[1]**succeed** [seksie:d] *tr* (op)volgen: *~ to the property* de bezittingen overerven
[2]**succeed** [seksie:d] *tr, intr* slagen, gelukken, succes hebben: *~ in (doing) sth.* slagen in iets, erin slagen iets te doen
success [sekses] succes, goede afloop, bijval: *be a ~, meet with ~* succes boeken; *make a ~ of it* het er goed afbrengen
successful [seksesfoel] succesvol, geslaagd
succession [seksesjen] **1** reeks, serie, opeenvolging: *~ of defeats* reeks nederlagen **2** (troon)opvolging: *law of ~* successiewet || *in quick ~* vlak na elkaar
successive [seksessiv] opeenvolgend
successor [seksesse] opvolger: *~ to the throne* troonopvolger
succinct [seksingkt] beknopt, kort, bondig
succour [sukke] hulp, steun
[1]**succulent** [sukjoelent] *zn* vetplant
[2]**succulent** [sukjoelent] *bn* sappig
succumb [sekum] *(met to)* bezwijken (aan, voor): *~ to one's enemies* zwichten voor zijn vijanden
[1]**such** [sutsj] *bn* **1** zulk(e), zodanig, dergelijke, zo'n: *~ clothes as he would need* de kleren die hij nodig zou hebben; *~ as* zoals; *a man ~ as Paul* een man als Paul; *I have accepted his help, ~ as it is* ik heb zijn hulp aangenomen, ook al is die vrijwel niets waard; *there's no ~ thing as automatic translation* automatisch vertalen is onmogelijk **2** die en die, dat en dat: *at ~ (and ~) a place and at ~ (and ~) a time* op die en die plaats en op dat en dat uur
[2]**such** [sutsj] *aanw vnw* zulke, zo iem (iets), dergelijke(n), zulks: *~ was not my intention* dat was niet mijn bedoeling || *~ being the case* nu de zaken er zo voorstaan
suchlike [sutsjlajk] zo'n, zulk(e), dergelijke: *worms and ~ creatures* wormen en dergelijke beestjes
[1]**suck** [suk] *zn* slokje, teugje
[2]**suck** [suk] *ww* **1** zuigen (aan, op): *~ sweets* op snoepjes zuigen; *~ in* opzuigen, in zich opnemen; *~ up* opzuigen **2** likken, vleien: *~ up (to) s.o.* iem likken, iem vleien
sucker [sukke] **1** zuiger, uitloper, scheut **2** onnozele hals, sukkel: *I am a ~ for red-headed women* ik val nu eenmaal op vrouwen met rood haar
suckle [sukl] de borst krijgen (geven), zuigen, zogen
suckling [sukling] **1** zuigeling **2** jong *(dat nog gezoogd wordt)*
suction [suksjen] zuiging, (kiel)zog
Sudan [soe:da:n] Sudan
Sudanese [soe:denie:z] *(mv: ~)* Sudanees
sudden [sudn] plotseling, haastig, snel, scherp: ~

death (play-off) beslissende verlenging; *all of a* ~ plotseling, ineens
suddenly [sudnlie] plotseling, opeens, ineens
suds [sudz] (zeep)sop, schuim
sue [soe:] **1** (gerechtelijk) vervolgen, dagvaarden: ~ *for divorce* (echt)scheiding aanvragen **2** verzoeken, smeken: ~ *for mercy* (iem) om genade smeken
[1]**suffer** [suffe] *intr* **1** lijden, schade lijden, beschadigd worden: ~ *from* lijden aan **2** (met *for*) boeten (voor)
[2]**suffer** [suffe] *tr* verdragen, dulden: *not* ~ *fools (gladly)* weinig geduld hebben met dwazen
suffering [suffering] pijn, lijden
suffice [sefajs] genoeg zijn (voor), volstaan, voldoen: *your word will* ~ *(me)* uw woord is me voldoende; ~ *(it) to say that* het zij voldoende te zeggen dat
sufficiency [sefisjensie] **1** voldoende voorraad, toereikende hoeveelheid **2** toereikendheid
sufficient [sefisjent] voldoende, genoeg
suffocate [suffekeet] (doen) stikken, verstikken
suffocation [suffekeesjen] (ver)stikking
suffrage [sufridzj] stemrecht, kiesrecht
suffuse [sefjoe:z] bedekken: *eyes ~d with tears* ogen vol tranen; *~d with light* overgoten door licht
[1]**sugar** [sjoeke] *zn* **1** suiker **2** schat(je), liefje **3** zoete woordjes, vleierij
[2]**sugar** [sjoeke] *tr* **1** zoeten, suiker doen in **2** aangenamer maken, verzoeten: ~ *the pill* de pil vergulden
sugarcane suikerriet
sugar caster suikerstrooier, strooibus
sugary [sjoekerie] **1** suikerachtig, suiker- **2** suikerzoet *(fig)*; stroperig
suggest [sedzjest] suggereren, doen denken aan, duiden op, influisteren, ingeven, opperen, aanvoeren, voorstellen, aanraden: ~ *doing sth.* voorstellen iets te doen; ~ *sth. to s.o.* iem iets voorstellen
suggestion [sedzjestsjen] **1** suggestie, aanduiding, aanwijzing, mededeling, idee, overweging, voorstel, raad: *at the* ~ *of* op aanraden van **2** zweem, tikje: *a* ~ *of anger* een zweem van woede
suggestion box ideeënbus
suggestive [sedzjestiv] **1** suggestief, suggererend, veelbetekenend **2** gewaagd, van verdacht allooi, schuin
suicidal [soe:issajdl] **1** zelfmoord- **2** met zelfmoordneigingen
suicide [soe:issajd] **1** zelfmoord, zelfdoding: *commit* ~ zelfmoord plegen **2** zelfmoordenaar
suicide attack zelfmoordaanslag
suicide mission zelfmoordaanslag
suicide squad zelfmoordcommando
[1]**suit** [soe:t] *zn* **1** kostuum, pak: *bathing* ~ badpak **2** *(kaartspel)* kleur, kaarten van één kleur: *follow* ~ kleur bekennen, *(fig)* iemands voorbeeld volgen **3** stel, uitrusting: ~ *of armour* wapenrusting **4** (rechts)geding, proces, rechtszaak: *criminal* (*of: civil*) ~ strafrechtelijke (*of:* civiele) procedure
[2]**suit** [soe:t] *tr* **1** aanpassen, geschikt maken: ~ *one's style to one's audience* zijn stijl aan zijn publiek aanpassen **2** goed zijn voor: *I know what ~s me best* ik weet wel wat voor mij het beste is **3** voldoen, aanstaan, bevredigen: ~ *s.o.'s needs* aan iemands behoeften voldoen; ~ *yourself!: a)* ga je gang maar!; *b)* moet je zelf weten!
[3]**suit** [soe:t] *tr, intr* **1** passen (bij), geschikt zijn (voor), staan (bij): *this colour ~s her complexion* deze kleur past bij haar teint; ~ *s.o. (down) to the ground: a)* voor iem geknipt zijn, precies bij iem passen; *b)* iem uitstekend van pas komen **2** gelegen komen (voor), uitkomen (voor), schikken: *that date will* ~ *(me)* die datum komt (me) goed uit
suitability [soe:tebillittie] geschiktheid, gepastheid
suitable [soe:tebl] *(met to, for)* geschikt (voor), gepast, passend
suitcase koffer; *(Belg)* valies
suite [swie:t] **1** stel, rij, suite, ameublement: ~ *of rooms* suite; *three-piece* ~ driedelige zitcombinatie **2** suite, gevolg
suited [soe:tid] **1** geschikt, (bij elkaar) passend: *well* ~ *to one another* voor elkaar gemaakt **2** gericht (op), beantwoordend (aan)
[1]**sulk** [sulk] *zn* boze bui: *have a* ~, *have (a fit of) the ~s* een chagrijnige bui hebben
[2]**sulk** [sulk] *intr* mokken, chagrijnig zijn
sulky [sulkie] chagrijnig
sullen [sullen] **1** nors, stuurs **2** somber: ~ *sky* sombere hemel
sulphur [sulfe] zwavel
sulphuric [sulfjoeerik] zwavelachtig, zwavelhoudend: ~ *acid* zwavelzuur
sultry [sultrie] **1** zwoel, drukkend **2** wellustig, sensueel
sum [sum] **1** som, totaal, geheel, bedrag **2** (reken)som, berekening, optelling: *good at ~s* goed in rekenen **3** samenvatting, kern, strekking: *in* ~ in één woord
summarily [summerillie] **1** summier, in het kort: *deal* ~ *with* summier behandelen **2** terstond, zonder vorm van proces
summarize [summerajz] samenvatten
[1]**summary** [summerie] *zn* samenvatting, korte inhoud, uittreksel
[2]**summary** [summerie] *bn* beknopt
summer [summe] zomer; *(fig)* bloeitijd: *in (the)* ~ in de zomer
summer school zomercursus; vakantiecursus *(aan universiteit)*
summertime zomerseizoen, zomer(tijd)
summer time zomertijd *(zomertijdregeling)*
summery [summerie] zomers
summing-up [summing up] samenvatting *(door rechter)*

summit [summit] **1** top, hoogste punt **2** toppunt, hoogtepunt: *at the ~* op het hoogste niveau **3** topconferentie
summit meeting topconferentie
summon [summen] **1** bijeenroepen, oproepen **2** dagvaarden
[1]**summons** [summenz] *zn* **1** oproep **2** aanmaning **3** dagvaarding: *serve a ~ on s.o.* iem dagvaarden
[2]**summons** [summenz] *tr* **1** dringend aanmanen **2** dagvaarden
summon up vergaren, verzamelen: *~ one's courage (to do sth.)* zich vermannen, al zijn moed verzamelen (om iets te doen)
sumptuous [sumptjoees] weelderig, luxueus, rijk
sum total 1 totaal **2** resultaat
[1]**sum up** *tr* beoordelen, doorzien: *sum s.o. up as a fool* iem voor gek verslijten
[2]**sum up** *tr, intr* samenvatten
sun [sun] zon, zonlicht, zonneschijn: *a place in the ~* een plaatsje in de zon, *(fig)* een gunstige positie; *beneath* (of: *under*) *the ~* onder de zon, op aarde
sunbeam zonnestraal
sunblind zonnescherm
sunburn zonnebrand, roodverbrande huid
sunburnt 1 gebruind **2** *(Am)* verbrand
sundae [sundee] ijscoupe
Sunday [sundee] zondag, feestdag, rustdag
Sunday best zondagse kleren: *in one's ~* op zijn zondags
sundial zonnewijzer
sundown zonsondergang: *at ~* bij zonsondergang
sundry [sundrie] divers, allerlei, verschillend
sunflower zonnebloem
sung [sung] *volt dw van* sing
sunglasses zonnebril: *a pair of ~* een zonnebril
sunk [sungk] *volt dw van* sink
sunken [sungken] **1** gezonken, onder water, ingevallen: *~ eyes* diepliggende ogen **2** verzonken, ingegraven, verlaagd: *~ road* holle weg
sunlamp hoogtezon
sunlight zonlicht
sunlit door de zon verlicht, in het zonlicht, zonovergoten
sunny [sunnie] zonnig, vrolijk: *on the ~ side of forty* nog geen veertig
sunrise zonsopgang
sun roof 1 plat dak *(om te zonnen)* **2** schuifdak *(van auto)*
sunset zonsondergang, avondrood: *at ~* bij zonsondergang
sunshade zonnescherm, parasol, zonneklep
sunshine zonneschijn; *(fig)* zonnetje
sunstroke zonnesteek
suntanned gebruind, bruin
sunup zonsopgang
super [soe:pe] super, fantastisch
superabundant [soe:perebundent] (zeer, al te) overvloedig, rijkelijk (aanwezig)
superannuated [soe:perenjoe·eetid] **1** gepensioneerd **2** verouderd, ouderwets
superannuation [soe:perenjoe·eesjen] **1** pensionering, pensioen **2** pensioen, lijfrente
superb [soe:pe:b] groots, prachtig, voortreffelijk
supercilious [soe:pesillies] uit de hoogte, verwaand
superficial [soe:pefisjl] oppervlakkig, niet diepgaand, vluchtig: *~ wound* ondiepe wond
superfluous [soe:pe:floees] overbodig
superglue secondelijm
superhuman bovenmenselijk, buitengewoon
superimpose [soe:perimpooz] bovenop leggen, opleggen
superintend [soe:perintend] toezicht houden (op), controleren, toezien (op)
superintendent [soe:perintendent] **1** (hoofd)opzichter, hoofd, directeur **2** hoofdinspecteur *(van politie)*
[1]**superior** [soe:pierie] *zn* **1** meerdere, superieur, hogere in rang, chef **2** overste: *Mother Superior* moeder-overste
[2]**superior** [soe:pierie] *bn* **1** superieur, beter, bovenst, opperst; *(fig ook)* hoger; hoofd-: *~ to: a)* beter *(van kwaliteit); b)* hoger *(in rang); be ~ to* verheven zijn boven, staan boven **2** hoger, voornaam, deftig **3** verwaand, arrogant: *~ smile* hooghartig lachje || *~ court* hogere rechtbank
superiority [soe:pierie·orrittie] superioriteit, grotere kracht, hogere kwaliteit
[1]**superlative** [soe:pe:letiv] *zn* superlatief *(ook taalk);* overtreffende trap
[2]**superlative** [soe:pe:letiv] *bn* voortreffelijk, prachtig
superman [soe:pemen] superman, supermens
supermarket [soe:pema:kit] supermarkt
supernatural [soe:penetsjerel] bovennatuurlijk
supernaturalistic [soe:penetsjrelistik] bovennatuurlijk, supernaturalistisch
supernumerary [soe:penjoe:mererie] **1** extra, reserve **2** figurant
superpower [soe:pepaue] grootmacht, supermacht
supersede [soe:pesie:d] vervangen, de plaats doen innemen van, afschaffen
supersonic [soe:pesonnik] supersonisch, sneller dan het geluid
superstition [soe:pestisjen] bijgeloof
supervise [soe:pevajz] **1** aan het hoofd staan (van), leiden **2** toezicht houden (op), controleren
supervision [soe:pevizjen] supervisie, leiding, toezicht
supervisor [soe:pevajze] **1** opzichter, controleur, inspecteur, chef **2** coördinator
supine [soe:pajn] **1** achteroverliggend, op de rug liggend **2** lui, traag
supper [suppe] (licht) avondmaal, avondeten, souper

supplant [seplа:nt] verdringen, vervangen
supple [supl] soepel *(ook fig);* buigzaam, lenig
[1]**supplement** [suplimment] *zn* aanvulling, bijvoegsel, supplement: *pay a ~* bijbetalen
[2]**supplement** [suplimment] *tr* aanvullen, ve supplement voorzien: *~ by* (of: *with*) aanvullen met
supplementary [suplimmenterie] aanvullend, toegevoegd, extra
supplication [suplikkeesjen] smeekbede
supplier [seplajje] leverancier
[1]**supply** [seplaj] *zn* **1** voorraad: *-ies* (mond)voorraad, proviand, benodigdheden **2** bevoorrading, aanvoer, toevoer, levering **3** aanbod: *~ and demand* vraag en aanbod
[2]**supply** [seplaj] *tr* **1** leveren, verschaffen, bezorgen, voorzien van: *~ sth. to s.o., ~ s.o. with sth.* iem iets bezorgen, iem van iets voorzien **2** voorzien in, verhelpen, vervullen: *~ a need* voorzien in een behoefte
[1]**support** [sepo:t] *zn* **1** steun, hulp, ondersteuning: *in ~ of* tot steun van **2** steun(stuk), stut, drager, draagbalk **3** onderhoud, levensonderhoud, middelen van bestaan
[2]**support** [sepo:t] *tr* **1** (onder)steunen, stutten, dragen **2** steunen, helpen, bijstaan, verdedigen, bijvallen, subsidiëren **3** onderhouden, voorzien in de levensbehoeften van: *~ oneself* (of: *one's family*) zichzelf (*of:* zijn familie) onderhouden **4** verdragen, doorstaan, verduren || *~ing programme* bijfilm, voorfilm(pje); *~ing part* (of: *role*) bijrol
supporter [sepo:te] **1** verdediger, aanhanger, voorvechter **2** supporter
supportive [sepo:tiv] steunend, helpend, aanmoedigend
suppose [sepooz] (ver)onderstellen, aannemen, denken: *he is ~d to be in London* hij zou in Londen moeten zijn; *I'm not ~d to tell you this* ik mag je dit (eigenlijk) niet vertellen; *I ~ so* (of: *not*) ik neem aan van wel (*of:* niet); *~ it rains* stel dat het regent, en als het nou regent?
supposed [sepoozd] vermeend, vermoedelijk, zogenaamd: *his ~ wealth* zijn vermeende rijkdom
supposedly [sepoozidlie] vermoedelijk, naar alle waarschijnlijkheid, naar verluidt
supposing [sepoozing] indien, verondersteld dat: *~ it rains, what then?* maar wat als het regent?
supposition [suppezisjen] (ver)onderstelling, vermoeden, gissing: *in* (of: *on*) *the ~ that* in de veronderstelling dat
suppository [sepozzitterie] zetpil
suppress [sepres] onderdrukken, bedwingen, achterhouden: *~ evidence* (of: *facts*) bewijsstukken (*of:* feiten) achterhouden; *~ feelings* gevoelens onderdrukken
suppression [sepresjen] onderdrukking
suppressor [sepresse] onderdrukker
supranational [soe:prenesjenel] supranationaal, bovennationaal
supremacy [soe:premmesie] overmacht, superioriteit
supreme [soe:prie:m] opperst, hoogst: *Supreme Being* Opperwezen, God; *Supreme Court* hooggerechtshof
[1]**surcharge** [se:tsja:dzj] *zn* **1** toeslag, strafport **2** extra belasting
[2]**surcharge** [se:tsja:dzj] *tr* **1** extra laten betalen **2** overladen, overbelasten
[1]**sure** [sjoee] *bn* **1** zeker, waar, onbetwistbaar: *one thing is ~* één ding staat vast **2** zeker, veilig, betrouwbaar: *~ proof* waterdicht bewijs **3** zeker, verzekerd, overtuigd: *~ of oneself* zelfverzekerd, zelfbewust; *you can be ~ of it* daar kan je van op aan || *~ card* iem (iets) waar men op kan bouwen; *~ thing: a)* feit, zekerheid; *b) (als uitroep)* natuurlijk!; *be ~ to tell her* vergeet vooral niet het haar te vertellen; *it is ~ to be a girl* het wordt vast een meisje; *just to make ~* voor alle zekerheid
[2]**sure** [sjoee] *bw* zeker, natuurlijk, ongetwijfeld: *~ enough!* natuurlijk!; *he promised to come and ~ enough he did* hij beloofde te komen en ja hoor, hij kwam ook; *I don't know for ~* ik ben er niet (zo) zeker van
sure-fire onfeilbaar, zeker: *~ winner* zekere winnaar
surely [sjoeelie] **1** zeker, ongetwijfeld, toch: *slowly but ~* langzaam maar zeker; *~ I've met you before?* ik heb je toch al eens eerder ontmoet?; *~ you are not suggesting it wasn't an accident?* je wilt toch zeker niet beweren dat het geen ongeluk was? **2** natuurlijk; ga je gang *(als antwoord op verzoek)*
surety [sjoeeretie] **1** borgsteller **2** borg(som): *stand ~ for s.o.* zich borg stellen voor iem
[1]**surf** [se:f] *zn* branding
[2]**surf** [se:f] *intr* surfen: *~ the Net* internetten, (op het net) surfen
[1]**surface** [se:fis] *zn* oppervlak, oppervlakte *(ook fig): come to the ~* tevoorschijn komen, bovenkomen
[2]**surface** [se:fis] *intr* aan de oppervlakte komen *(ook fig);* opduiken, verschijnen
[3]**surface** [se:fis] *tr* bedekken, bestraten, asfalteren
surface mail landpost, zeepost
surfboard surfplank
surfeit [se:fit] overdaad; overlading *(vd maag): have a ~ of* zich ziek eten aan
[1]**surge** [se:dzj] *zn* **1** (hoge) golf **2** opwelling, vlaag, golf
[2]**surge** [se:dzj] *intr* **1** golven, deinen, stromen: *~ by* voorbijstromen **2** dringen, duwen: *surging crowd* opdringende massa **3** opwellen; opbruisen *(van gevoelens)*
surgeon [se:dzjen] **1** chirurg **2** scheepsdokter
surgery [se:dzjerie] **1** behandelkamer; spreekkamer *(van arts)* **2** spreekuur **3** chirurgie, heelkunde: *be in* (of: *have, undergo*) *~* geopereerd worden
surgical [se:dzjikl] chirurgisch, operatief || *~ stocking* steunkous, elastische kous

[1]**Surinam** [soeerinem] *zn* Suriname
[2]**Surinam** [soeerinem] *bn* Surinaams
Surinamese [soeerinnemie:z] Surinaams
surly [se:lie] knorrig, nors
surmise [semajz] gissing, vermoeden
surmount [semaunt] **1** overwinnen, te boven komen **2** bedekken, overdekken: *peaks ~ed with snow* met sneeuw bedekte toppen
surname [se:neem] achternaam
surpass [sepa:s] overtreffen, te boven gaan: *~ all expectations* alle verwachtingen overtreffen
[1]**surplus** [se:ples] *zn* overschot, teveel, rest(ant)
[2]**surplus** [se:ples] *bn* overtollig, extra: *~ grain* graanoverschot
[1]**surprise** [seprajz] *zn* verrassing, verbazing, verwondering: *come as a ~ (to s.o.)* totaal onverwacht komen (voor iem); *to my great ~* tot mijn grote verbazing
[2]**surprise** [seprajz] *tr* verrassen, verbazen, overvallen, betrappen: *you'd be ~d!* daar zou je van opkijken!
surprised [seprajzd] verrast, verbaasd: *be ~ at* zich verbazen over
surprising [seprajzing] verrassend, verbazingwekkend
surreal [seriel] onwerkelijk
surrealism [serielizm] surrealisme
[1]**surrender** [serende] *zn* overgave
[2]**surrender** [serende] *intr* zich overgeven, capituleren
[3]**surrender** [serende] *tr* overgeven, uitleveren, afstaan, afstand doen van
surreptitious [surreptisjes] heimelijk, stiekem: *~ glance* steelse blik
[1]**surrogate** [surreket] *zn* **1** plaatsvervanger, substituut **2** vervangend middel, surrogaat
[2]**surrogate** [surreket] *bn* plaatsvervangend, surrogaat- || *~ mother(hood)* draagmoeder(schap)
surround [seraund] omringen, omsingelen: *~ed by* (of: *with*) omringd door
surroundings [seraundingz] omgeving, buurt, streek, omtrek
surveillance [se:veelens] toezicht, bewaking: *under (close) ~* onder (strenge) bewaking
[1]**survey** [se:vee] *zn* **1** overzicht: *a ~ of major Dutch writers* een overzicht van belangrijke Nederlandse schrijvers **2** onderzoek **3** taxering; taxatierapport *(van huis)* **4** opmeting, opname; kartering *(van terrein)*
[2]**survey** [sevee] *tr* **1** overzien, toezien op **2** onderzoeken **3** taxeren *(huis)* **4** opmeten, karteren
surveyor [seveee] **1** opziener, opzichter, inspecteur **2** landmeter **3** taxateur
survival [sevajvl] **1** overleving, het overleven: *~ of the fittest* natuurlijke selectie, (het verschijnsel dat) de sterkste(n) overleven **2** overblijfsel
survive [sevajv] overleven, voortbestaan, bewaard blijven, langer leven dan; *(fig)* zich (weten te) handhaven: *~ an earthquake* een aardbeving overleven; *~ one's children* zijn kinderen overleven
survivor [sevajve] overlevende
susceptibility [seseptibbillittie] **1** gevoeligheid **2** *-ies* zwakke plek: *wound s.o. in his susceptibilities* iem op zijn zwakke plek raken
susceptible [seseptibl] *(met to)* vatbaar (voor), gevoelig (voor), onderhevig (aan)
[1]**suspect** [suspekt] *zn* verdachte
[2]**suspect** [suspekt] *bn* verdacht
[3]**suspect** [sespekt] *tr* **1** vermoeden, vrezen, geloven, denken **2** (met *of*) verdenken (van), wantrouwen
suspend [sespend] **1** (op)hangen **2** uitstellen: *~ed sentence* voorwaardelijke straf **3** schorsen
suspender [sespende] **1** (sok)ophouder **2** *~s (Am)* bretels: *a pair of ~s* bretels
suspense [sespens] spanning, onzekerheid: *hold* (of: *keep*) *in ~* in onzekerheid laten
suspension [sespensjen] **1** opschorting *(ve oordeel, vonnis e.d.)*; onderbreking, uitstel *(van betaling)* **2** vering
suspension bridge hangbrug, kettingbrug
suspicion [sespisjen] **1** vermoeden, veronderstelling: *have a ~ that* vermoeden dat **2** verdenking: *above ~* boven alle verdenking verheven **3** zweempje: *a ~ of irony* een zweempje ironie
suspicious [sespisjes] **1** verdacht: *feel ~ about* (of: *of*) *s.o.* iem wantrouwen **2** wantrouwig, achterdochtig
suss out 1 doorkrijgen *(iets)*: *I can't ~ how to remove that wheel clamp* ik kan er maar niet achter komen hoe ik die wielklem eraf moet halen **2** doorhebben *(iem)*
sustain [sesteen] **1** (onder)steunen, dragen, staven, bevestigen: *~ing food* versterkend voedsel **2** volhouden, aanhouden: *~ a note* een noot aanhouden **3** doorstaan: *~ an attack* een aanval afslaan **4** ondergaan, lijden, oplopen: *~ a defeat* (of: *an injury*) een nederlaag (*of:* letsel) oplopen
sustained [sesteend] voortdurend, aanhoudend
sustenance [sustenens] voedsel *(ook fig)*
[1]**suture** [soe:tsje] *zn* hechting
[2]**suture** [soe:tsje] *tr* hechten
SW *afk van South-West(ern)* Z.W., zuidwest
[1]**swab** [swob] *zn* **1** zwabber, stokdweil **2** prop (watten), wattenstokje **3** uitstrijk(je): *take a ~* een uitstrijkje maken
[2]**swab** [swob] *tr* zwabberen, (op)dweilen, opnemen
[1]**swagger** [sweke] *zn* **1** geparadeer, zwier(ige gang) **2** opschepperij
[2]**swagger** [sweke] *intr* **1** paraderen, lopen als een pauw **2** opscheppen, pochen
[1]**swallow** [swolloo] *zn* **1** zwaluw **2** slok || *one ~ doesn't make a summer* één zwaluw maakt nog geen zomer
[2]**swallow** [swolloo] *intr* slikken
[3]**swallow** [swolloo] *tr* **1** (door)slikken, inslikken,

binnenkrijgen **2** opslokken, verslinden: ~ *up* opslokken, inlijven **3** *(fig)* slikken, geloven: ~ *a story* een verhaal slikken **4** inslikken *(woorden of klanken)* **5** herroepen, terugnemen: ~ *one's words* zijn woorden terugnemen **6** onderdrukken, verbijten: ~ *one's pride* zijn trots terzijde schuiven; ~ *hard* zich vermannen

swallow-tailed zwaluwstaartvormig, gevorkt: ~ *coat* rok(jas)

swam [swem] *ovt van* swim

[1]**swamp** [swomp] *zn* moeras(land)

[2]**swamp** [swomp] *tr* **1** doen vollopen **2** onder water doen lopen, overstromen **3** bedelven, overspoelen: ~ *with work* (of: *letters*) bedelven onder het werk (*of:* de brieven)

swan [swon] zwaan || *the Swan of Avon* Shakespeare

[1]**swank** [swengk] *zn* **1** opschepper **2** opschepperij

[2]**swank** [swengk] *intr* opscheppen, zich aanstellen: ~ *about in a new fur coat* rondparaderen in een nieuwe bontmantel

swanky [swengkie] **1** opschepperig **2** chic, modieus, stijlvol

[1]**swap** [swop] *zn* ruil: *do* (of: *make*) *a* ~ ruilen

[2]**swap** [swop] *ww* ruilen, uitwisselen: ~ *jokes* moppen tappen onder elkaar; ~ *over* (of: *round*) van plaats verwisselen; ~ *for* (in)ruilen tegen

[1]**swarm** [swo:m] *zn* zwerm, massa: ~ *of bees* bijenzwerm; ~*s of children* drommen kinderen

[2]**swarm** [swo:m] *intr* **1** (uit)zwermen, samendrommen: ~ *in* (of: *out*) naar binnen (*of:* buiten) stromen; ~ *about* (of: *round*) samendrommen rond **2** (met *with*) krioelen (van), wemelen **3** klimmen: ~ *up a tree* in een boom klauteren

swarthy [swo:ðie] donker, bruin, zwart(achtig)

swastika [swostikke] hakenkruis

swat [swot] meppen, (dood)slaan: ~ *a fly* een vlieg doodmeppen

swathe [sweeð] **1** zwad(e), hoeveelheid met één maai afgesneden gras (koren) **2** (gemaaide) strook, baan: *cut a wide ~ through* flinke sporen achterlaten in

[1]**sway** [swee] *zn* **1** slingering, zwaai; schommeling *(ve schip enz.)* **2** invloed, druk, overwicht, dwang: *under the ~ of his arguments* overgehaald door zijn argumenten

[2]**sway** [swee] *tr* beïnvloeden: *be ~ed by* zich laten leiden door

[3]**sway** [swee] *tr, intr* slingeren, (doen) zwaaien; *(fig ook)* (doen) aarzelen: ~ *to the music* deinen op de maat van de muziek

swear [swee] *(swore, sworn)* **1** (met *at, about*) vloeken (op, over) **2** zweren, een eed afleggen, met kracht beweren, wedden: ~ *an oath* een eed afleggen; ~ *to do sth.* plechtig beloven iets te zullen doen; ~ *by s.o. (sth.)* bij iem (iets) zweren, volkomen op iem (iets) vertrouwen **3** beëdigen, de eed afnemen: *sworn translator* beëdigd vertaler; *sworn enemies* gezworen vijanden; ~ *in* beëdigen; ~ *to secrecy* (of: *silence*) een eed van geheimhouding afnemen van

swearword vloek, krachtterm

[1]**sweat** [swet] *zn* **1** zweet: *he was in a cold* ~ het klamme zweet brak hem uit **2** inspanning, karwei: *a frightful* ~ een vreselijk karwei **3** eng gevoel, angst, spanning: *in a* ~ benauwd, bang **4** (oude) rot: *old* ~ oude rot

[2]**sweat** [swet] *ww* zweten, (doen) (uit)zweten: ~ *blood* water en bloed zweten; ~ *it out* (tot het einde) volhouden, standhouden, zweten

sweated [swettid] door uitbuiting verkregen, uitgebuit: ~ *labour* slavenarbeid

sweater [swette] sweater, sportvest, (wollen) trui

sweat suit trainingspak, joggingpak

sweaty [swettie] **1** zwetend, bezweet, zweterig **2** broeierig, heet

Swede [swie:d] Zweed(se)

Sweden [swie:dn] Zweden

[1]**Swedish** [swie:disj] *zn* Zweeds *(taal)*

[2]**Swedish** [swie:disj] *bn* Zweeds

[1]**sweep** [swie:p] *zn* **1** (schoonmaak)beurt, opruiming: *make a clean* ~ schoon schip maken **2** veger, schoorsteenveger, straatveger **3** veeg, haal (met een borstel), streek **4** zwaai, slag, draai, bocht: *wide* ~ wijde draai || *a ~ of mountain country* een stuk bergland, een berglandschap

[2]**sweep** [swie:p] *ww (swept, swept)* **1** vegen: ~ *the seas* de zeeën schoonvegen; *be swept from sight* aan het gezicht onttrokken worden; ~ *up* aanvegen, uitvegen, bijeenvegen **2** (laten) slepen **3** (toe)zwaaien, slaan: ~ *aside* (met een zwaai) opzijschuiven, *(fig)* naast zich neerleggen; ~ *off* (met een zwaai) afnemen *(hoed)* **4** meesleuren, wegsleuren, meevoeren, afrukken: ~ *along* meesleuren, meeslepen; *be swept off one's feet: a)* omvergelopen worden; *b) (fig)* overdonderd worden; *c)* versteld staan, halsoverkop verliefd worden; *be swept out to sea* in zee gesleurd worden **5** doorkruisen, teisteren, razen over: *the storm swept the country* de storm raasde over het land **6** afzoeken **7** bestrijken **8** (volledig) winnen **9** zich (snel) (voort)bewegen, vliegen: ~ *along* voortsnellen; ~ *by* (of: *past*) voorbijschieten; ~ *down on* aanvallen; ~ *on* voortijlen; ~ *round* zich (met een zwaai) omdraaien; ~ *from* (of: *out of*) *the room* de kamer uit stuiven; ~ *into power* aan de macht komen **10** zich uitstrekken: ~ *down to the sea* zich uitstrekken tot aan de zee

sweeper [swie:pe] **1** veger, straatveger, schoorsteenveger **2** tapijtenroller, (straat)veegmachine **3** *(voetbal)* vrije verdediger, laatste man

sweeping [swie:ping] **1** veelomvattend, ingrijpend: ~ *changes* ingrijpende veranderingen **2** radicaal, veralgemenend: ~ *condemnation* radicale veroordeling **3** geweldig, kolossaal: ~ *reductions* reusachtige prijsverlagingen

[1]**sweet** [swie:t] *zn* **1** lieveling, schatje **2** snoepje, lekkers **3** dessert, toetje

SW

[2]**sweet** [swie:t] *bn* zoet, lekker, heerlijk, geurig, melodieus: ~ *nature* zachte natuur, beminnelijk karakter; *keep s.o.* ~ iem te vriend houden; *be* ~ *on s.o.* gek zijn op iem; *how* ~ *of you* wat aardig van je || ~ *nothings* lieve woordjes; *have a* ~ *tooth* een zoetekauw zijn
[1]**sweeten** [swie:tn] *intr* zoet(er) worden
[2]**sweeten** [swie:tn] *tr* **1** zoeten, zoet(er) maken **2** verzachten, verlichten, veraangenamen **3** sussen, omkopen, zoet houden
sweetener [swie:tene] **1** zoetstof **2** smeergeld, fooi, steekpenning
sweetheart 1 schat **2** liefje, vriend(in)
sweetie [swie:tie] **1** liefje, schatje **2** snoepje
sweetness [swie:tnes] zoetheid: *yesterday Sarah was all* ~ *and light* gisteren was Sarah een en al beminnelijkheid
sweet pepper paprika
sweet-talk vleien
[1]**swell** [swel] *zn* **1** zwelling, het zwellen, volheid **2** deining
[2]**swell** [swel] *bn* voortreffelijk, prima: *a* ~ *teacher* een prima leraar
[3]**swell** [swel] *intr (swelled, ook swollen)* (op)zwellen, bol gaan staan: ~ *out* bollen; ~ *up* (op)zwellen; ~ *with pride* zwellen van trots
[4]**swell** [swel] *tr (swelled, ook swollen)* doen zwellen, bol doen staan: ~ *one's funds* wat bijverdienen
swelling [swelling] zwelling, het zwellen
sweltering [sweltering] smoorheet, drukkend
swept [swept] *ovt en volt dw van* sweep
[1]**swerve** [swe:v] *zn* zwenking, wending
[2]**swerve** [swe:v] *intr* **1** zwenken, plotseling uitwijken: ~ *from the path* van het pad afdwalen *(ook fig)* **2** afwijken, afdwalen
[3]**swerve** [swe:v] *tr* **1** doen zwenken, opzij doen gaan **2** doen afwijken
swift [swift] vlug, snel, rap
[1]**swig** [swik̂] *zn* slok
[2]**swig** [swik̂] *intr* met grote teugen drinken
[3]**swig** [swik̂] *tr* naar binnen gieten, leegzuipen
[1]**swill** [swil] *zn* **1** spoeling, spoelbeurt: *give a* ~ uitspoelen **2** afval **3** varkensdraf, varkensvoer
[2]**swill** [swil] *intr* zuipen, gretig drinken
[3]**swill** [swil] *tr* **1** af-, door-, uitspoelen: ~ *down* afspoelen; ~ *out* uitspoelen **2** opzuipen, gretig opdrinken: ~ *down* opzuipen
[1]**swim** [swim] *zn* zwempartij: *have* (of: *go*) *for a* ~ gaan zwemmen, een duik (gaan) nemen || *be in* (of: *out of*) *the* ~ (niet) op de hoogte zijn, (niet) meedoen
[2]**swim** [swim] *intr (swam, swum)* **1** zwemmen *(ook fig)*; baden **2** vlotten, drijven, zweven: ~*ming in butter* drijvend in de boter **3** duizelen, draaierig worden: *my head is* ~*ming* het duizelt mij
[3]**swim** [swim] *tr (swam, swum)* (over)zwemmen: ~ *a river* een rivier overzwemmen
swim-bladder zwemblaas
swimmer [swimme] zwemmer
swimming [swimming] de zwemsport
swimming costume zwempak, badpak
swimmingly [swimminglie] vlot, moeiteloos, als van een leien dakje: *everything goes on* (of: *off*) ~ alles loopt gesmeerd
swimming pool zwembad
swimming trunks zwembroek
[1]**swindle** [swindl] *zn* (geval van) zwendel, bedrog, oplichterij
[2]**swindle** [swindl] *tr* oplichten, afzetten, bedriegen: ~ *money out of s.o.*, ~ *s.o. out of money* iem geld afhandig maken
swindler [swindle] zwendelaar(ster), oplichter
swine [swajn] zwijn, varken
[1]**swing** [swing] *zn* **1** schommel **2** schommeling, zwaai, slingerbeweging, forse beweging: ~ *in public opinion* kentering in de publieke opinie **3** (fors) ritme **4** swing(muziek) **5** actie, vaart, gang: *in full* ~ in volle actie; *get into the* ~ *of things* op dreef komen **6** inspiratie || *go with a* ~ van een leien dakje gaan
[2]**swing** [swing] *ww (swung, swung)* **1** met veerkrachtige tred gaan, met zwaaiende gang lopen: ~ *along* (of: *by, past*) met veerkrachtige gang voorbijlopen **2** swingen **3** opgehangen worden: ~ *for it* ervoor gestraft worden **4** slingeren, schommelen, zwaaien: *(fig)* ~ *into action* in actie komen **5** draaien, (doen) zwenken: ~ *round* (zich) omdraaien, omgooien; ~ *to* dichtslaan *(deur e.d.)* **6** (op)hangen: ~ *from the ceiling* aan het plafond hangen **7** beïnvloeden, bepalen, manipuleren: *what swung it was the money* wat de doorslag gaf, was het geld **8** wijsmaken: *you can't* ~ *that sort of stuff on her* zoiets maak je haar niet wijs
swing bridge draaibrug
swing door klapdeur, tochtdeur
swingeing [swindzjing] geweldig, enorm: ~ *cuts* zeer drastische bezuinigingen
swinging [swinging] **1** schommelend, slingerend, zwaaiend **2** veerkrachtig: ~ *step* veerkrachtige tred **3** ritmisch, swingend
[1]**swipe** [swajp] *zn* **1** mep, (harde) slag: *have* (of: *take*) *a* ~ *at* uithalen naar **2** verwijt, schimpscheut
[2]**swipe** [swajp] *tr* gappen, jatten, stelen
swipe card magneetkaart
[1]**swirl** [swe:l] *zn* **1** (draai)kolk, maalstroom **2** werveling
[2]**swirl** [swe:l] *ww* **1** (doen) wervelen, (doen) dwarrelen: ~ *about* rondwervelen, ronddwarrelen **2** (doen) draaien
[1]**swish** [swisj] *zn* **1** zwiep, slag **2** zoevend geluid, geruis: *the* ~ *of a cane* het zoeven van een rietje
[2]**swish** [swisj] *bn* chic, modieus
[3]**swish** [swisj] *intr* **1** zoeven, suizen, ruisen: ~ *past* voorbijzoeven **2** zwiepen
[4]**swish** [swisj] *tr* doen zwiepen, slaan met: ~*ing tail* zwiepende staart
[1]**Swiss** [swis] *zn* Zwitsers(e) || ~ *roll* opgerolde cake met jam

²Swiss [swis] *bn* Zwitsers
¹switch [switsj] *zn* **1** schakelaar **2** *(spoorwegen)* wissel **3** ommezwaai, verandering **4** twijgje, loot **5** (valse) haarlok, (valse) haarvlecht
²switch [switsj] *tr* **1** verwisselen: ~ *(a)round* verwisselen **2** ontsteken
³switch [switsj] *tr, intr* **1** (om)schakelen, veranderen (van), overgaan (op): ~ *places* van plaats veranderen; ~ *off: a)* uitschakelen, afzetten; *b)* versuffen; ~ *over: a)* overschakelen; *b) (radio, tv)* een ander kanaal kiezen; ~ *through (to)* doorverbinden; ~ *to* overgaan naar **2** draaien, (doen) omzwaaien: ~ *round* omdraaien
switchback 1 bochtige, heuvelige weg **2** achtbaan
switchboard schakelbord
switched-on 1 levendig, alert **2** bij (de tijd), vooruitstrevend **3** high
switch on 1 inschakelen, aanzetten, aandoen **2** stimuleren, doen opleven, inspireren
switch-over 1 overschakeling, omschakeling **2** overgang, verandering
¹swivel [swivl] *zn* (ketting)wartel
²swivel [swivl] *ww* (rond)draaien: ~ *round in one's chair* ronddraaien in zijn stoel
swivel chair draaistoel
swizz [swiz] **1** bedrog **2** ontgoocheling
¹swollen [swoolen] *bn* gezwollen *(ook fig)*; opgeblazen
²swollen [swoolen] *volt dw van* swell
swollen-headed 1 verwaand, arrogant **2** overmoedig
swoon [swoe:n] **1** in vervoering geraken **2** bezwijmen, in onmacht vallen
¹swoop [swoe:p] *zn* **1** duik **2** veeg, haal: *at one (fell)* ~ met één slag, in één klap
²swoop [swoe:p] *intr* stoten *(van roofvogel)*; (op een prooi) neerschieten; zich storten op *(ook fig)*: ~ *down* stoten
¹swop [swop] *zn* ruil
²swop [swop] *ww* ruilen, uitwisselen: ~ *for* (in)ruilen tegen
sword [so:d] zwaard || *cross ~s (with)* in conflict komen (met); *put to the* ~ over de kling jagen, vermoorden
swordfish zwaardvis
swordsman [so:dzmen] **1** zwaardvechter **2** schermer
swore [swo:] *ovt van* swear
sworn [swo:n] **1** gezworen: ~ *enemies* gezworen vijanden **2** beëdigd: ~ *statement* verklaring onder ede
¹swot [swot] *zn* **1** blokker, stuud, studie(bol) **2** geblok, gezwoeg
²swot [swot] *ww* blokken op: ~ *sth. up*, ~ *up on sth.* iets erin stampen, iets repeteren; ~ *for an exam* blokken voor een examen
swum [swum] *volt dw van* swim
swung [swung] *ovt en volt dw van* swing
sycamore [sikkemo:] **1** esdoorn **2** plataan
syllable [sillebl] lettergreep
syllabus [sillebes] samenvatting, leerplan
sylph [silf] **1** luchtgeest **2** tengere, elegante dame
symbol [simbl] symbool, (lees)teken
symbolic(al) [simbollik(l)] symbolisch: *be ~ of* voorstellen
symbolism [simbelizm] **1** symbolisme **2** symboliek, symbolische betekenis
symbolize [simbelajz] symboliseren, symbool zijn van: *a white dove ~s peace* een witte duif is het symbool van vrede
symmetry [simmetrie] symmetrie
sympathetic [simpeθettik] **1** sympathiek, welwillend: *be* (of: *feel*) ~ *to/toward(s) s.o.* iem genegen zijn **2** meevoelend, deelnemend
sympathize [simpeθajz] **1** sympathiseren: ~ *with* sympathiseren met, meevoelen met **2** meevoelen, deelneming voelen
sympathy [simpeθie] sympathie, genegenheid, deelneming: *letter of* ~ condoleancebrief; *feel ~ for* meeleven met; *be in ~ with* gunstig staan tegenover, begrip hebben voor
symphony [simfenie] symfonie
symptom [simptem] symptoom, (ziekte)verschijnsel, indicatie
symptomatic [simptemetik] symptomatisch: *be ~ of* symptomatisch zijn voor, wijzen op
synagogue [sinnekok] synagoge
sync [singk] synchronisatie: *be out of ~ with* niet gelijk lopen met
synchronic [singkronnik] synchroon
¹synchronize [singkrenajz] *intr* **1** gelijktijdig gebeuren, samenvallen **2** gelijk staan *(van klok)*
²synchronize [singkrenajz] *tr* **1** synchroniseren *(ook film)*; (doen) samenvallen (in de tijd): ~ *with* synchroniseren met **2** gelijk zetten *(klok)*
syndicate [sindikket] **1** syndicaat, belangengroepering **2** perssyndicaat, persbureau
syndrome [sindroom] syndroom, complex van kenmerkende (ziekte)verschijnselen
synod [sinnod] synode
synonym [sinnenim] synoniem
synonymous [sinnonnimmes] synoniem
synopsis [sinnopsis] korte inhoud(sbeschrijving), samenvatting, overzicht
syntax [sinteks] syntaxis, zinsbouw
synthesize [sinθesajz] **1** maken, samenstellen **2** bijeenvoegen, tot een geheel maken **3** synthetisch bereiden, langs kunstmatige weg maken
synthetic [sinθettik] synthetisch, op synthese berustend, kunstmatig vervaardigd
syphilis [siffillis] syfilis
Syria [sirrie] Syrië
¹Syrian [sirrien] *zn* Syriër
²Syrian [sirrien] *bn* Syrisch
¹syringe [sirrindzj] *zn* (injectie)spuit
²syringe [sirrindzj] *tr* **1** inspuiten, een injectie geven **2** uitspuiten, schoonspuiten
syrup [sirrep] siroop, stroop

system [sistem] **1** stelsel, systeem **2** geheel, samenstel **3** methode **4** gestel, lichaam, lichaamsgesteldheid **5** systematiek || *get sth. out of one's ~* iets verwerken

systematic [sistemetik] systematisch, methodisch

systematize [sistemetajz] systematiseren, tot een systeem maken

t

t [tie:] t, T || *cross one's t's (and dot one's i's)* de puntjes op de i zetten, op de details letten; *to a T* precies, tot in de puntjes
ta [ta:] *(inform, kindertaal)* dank je
tab [teb] **1** lus, ophanglusje **2** etiketje, label **3** klepje, flapje; lipje *(van blikje)* **4** *(inform)* rekening: *pick up the ~* betalen **5** tabtoets || *keep ~s* (of: *a*) *~ on* in de gaten houden
tabby [tebie] **1** cyperse kat **2** poes, vrouwtjeskat
tabernacle [tebenekl] *(godsd)* tabernakel, (veld)hut, tent
table [teebl] **1** tafel: *lay the ~* de tafel dekken; *at ~* aan tafel **2** tabel, lijst, tafel: *learn one's ~s* de tafels van vermenigvuldiging leren || *turn the ~s (on s.o.)* de rollen omdraaien; *under the ~* dronken; *drink s.o. under the ~* iem onder de tafel drinken
tablecloth tafelkleed
table-mat onderzetter
tablespoon opscheplepel, eetlepel
tablet [teblet] **1** (gedenk)plaat, plaquette **2** tablet, pil
table tennis tafeltennis
tabloid [teblojd] krant(je) *(op half van gewoon dagbladformaat)*
tabloid press sensatiepers
taboo [teboe:] taboe: *put sth. under ~* iets taboe verklaren
tacit [tesit] stilzwijgend
taciturn [tesitte:n] zwijgzaam, (stil)zwijgend
[1]tack [tek] *zn* **1** kopspijker(tje), nageltje; *(Am)* punaise **2** koers; boeg *(bij het laveren)* **3** koers(verandering), strategie, aanpak
[2]tack [tek] *intr* van koers veranderen, het anders aanpakken
[3]tack [tek] *tr* **1** vastspijkeren: *(fig) ~ on* toevoegen aan **2** rijgen
[1]tackle [tekl] *zn* **1** takel **2** *(sport)* tackle **3** *(American football)* tackle, stopper **4** uitrusting, benodigdheden **5** *(scheepv)* takelage, takelwerk
[2]tackle [tekl] *ww* **1** aanpakken, onder de knie proberen te krijgen: *~ a problem* een probleem aanpakken **2** aanpakken, een hartig woordje spreken met **3** tackelen, (de tegenstander) neerleggen
tacky [tekie] **1** plakkerig, kleverig **2** haveloos, sjofel **3** smakeloos, ordinair
tact [tekt] tact
tactful [tektfoel] tactvol, omzichtig
tactic [tektik] **1** tactische zet, tactiek, manoeuvre **2** *~s* tactiek
tactical [tektikl] tactisch *(ook mil)*; diplomatiek
tactile [tektajl] **1** tast-: *~ organs* tastorganen **2** tastbaar, voelbaar
tactless [tektles] tactloos
tad [ted] klein beetje: *just a ~ depressing* een klein beetje deprimerend
Tadzhikistan [ta:dzjikkista:n] Tadzjikistan
[1]tag [teǩ] *zn* **1** etiket *(ook fig)*; insigne, label **2** stiftje *(aan uiteinde van veter e.d.)* **3** afgezaagd gezegde, cliché **4** flard, rafel, los uiteinde **5** klit haar
[2]tag [teǩ] *intr* (met *along*) dicht volgen, slaafs achternalopen || *the children were ~ging along behind their teacher* de kinderen liepen (verveeld) achter hun onderwijzer aan
[3]tag [teǩ] *tr* **1** van een etiket voorzien *(ook fig)*; etiketteren, merken **2** vastknopen, toevoegen: *a label had been ~ged on at the top* aan de bovenkant was een kaartje vastgemaakt
[1]tail [teel] *zn* **1** staart **2** onderste, achterste deel, uiteinde, pand; sleep *(van kleding)*; staart *(van komeet, vliegtuig)* **3** *~s* munt(zijde) **4** *~s* rokkostuum || *with one's ~ between one's legs* met hangende pootjes; *turn ~ and run* hard weglopen; *be on s.o.'s ~* iem op de hielen zitten
[2]tail [teel] *tr* schaduwen, volgen
tailback file, verkeersopstopping
tailboard laadklep, achterklep
tailcoat jacquet, rok, rokkostuum
[1]tailgate *zn (Am)* achterklep, laadklep; vijfde deur *(van auto)*
[2]tailgate *intr* geen afstand houden, bumperkleven
tailgater bumperklever
tail light (rood) achterlicht
tail off **1** geleidelijk afnemen, verminderen **2** verstommen **3** uiteenvallen
[1]tailor [teele] *zn* kleermaker
[2]tailor [teele] *tr* **1** maken *(kleren)*; op maat snijden en aan elkaar naaien **2** aanpassen, op maat knippen: *we ~ our insurance to your needs* wij stemmen onze verzekering af op uw behoeften
tailor-made **1** maat-: *~ suit* maatkostuum **2** geknipt, precies op maat
tailwind rugwind
[1]taint [teent] *zn* smet(je), vlekje
[2]taint [teent] *intr* bederven, rotten, ontaarden
[3]taint [teent] *tr* besmetten
Taiwan [tajwa:n] Taiwan
Taiwanese [tajwennie:z] *(mv: ~)* Taiwanees
[1]take [teek] *zn* **1** vangst **2** opbrengst, ontvangst(en) **3** *(film)* opname
[2]take [teek] *intr (took, taken)* **1** pakken, aanslaan, wortel schieten **2** effect hebben, inslaan, slagen **3** bijten *(van vis)* **4** worden: *he was ~n ill* hij werd ziek **5** vlam vatten || *Gerard ~s after his father* Gerard lijkt op zijn vader; *I took against him at first sight* ik mocht hem meteen al niet

[3]**take** [teek] *tr (took, taken)* **1** nemen, grijpen, (beet)pakken: *(fig) ~ my grandfather, he is still working* neem nou mijn opa, die werkt nog steeds **2** veroveren, innemen, vangen; *(schaakspel, damspel)* slaan: *(schaakspel) he took my bishop* hij sloeg mijn loper; *he took me unawares* hij verraste mij **3** winnen, (be)halen **4** nemen, zich verschaffen, gebruiken: *~ the bus* de bus nemen; *this seat is ~n* deze stoel is bezet; *do you ~ sugar in your tea?* gebruikt u suiker in de thee? **5** vereisen, in beslag nemen: *it won't ~ too much time* het zal niet al te veel tijd kosten; *have what it ~s* aan de eisen voldoen **6** meenemen, brengen: *that bus will ~ you to the station* met die bus kom je bij het station; *~ s.o. around* iem rondleiden; *~ s.o. aside* iem apart nemen **7** weghalen, wegnemen: *~ five from twelve* trek vijf van twaalf af **8** krijgen, vatten, voelen: *she took an immediate dislike to him* zij kreeg onmiddellijk een hekel aan hem; *~ fire* vlam vatten; *~ it into one's head* het in zijn hoofd krijgen **9** opnemen, noteren, meten: *let me ~ your temperature* laat mij even je temperatuur opnemen **10** begrijpen: *~ for granted* als vanzelfsprekend aannemen; *I ~ it that he'll be back soon* ik neem aan dat hij gauw terugkomt; *~ it badly* het zich erg aantrekken; *what do you ~ me for?* waar zie je me voor aan? **11** aanvaarden, accepteren: *~ sides* partij kiezen; *you may ~ it from me* je kunt van mij aannemen **12** maken, doen; nemen *((studie)vak)*: *~ a decision* een besluit nemen; *~ an exam* een examen afleggen; *~ notes* aantekeningen maken; *she took a long time over it* zij deed er lang over **13** raken, treffen **14** behandelen *(probleem enz.)* **15** gebruiken, innemen || *~ it or leave it* graag of niet; *~ aback* verrassen, van zijn stuk brengen, overdonderen; *she was rather ~n by* (of: *with*) *it* zij was er nogal mee in haar schik; *~ it (up)on oneself* het op zich nemen, het wagen

take apart **1** uit elkaar halen, demonteren **2** een vreselijke uitbrander geven

[1]**takeaway** *zn* afhaalrestaurant, afhaalmaaltijd

[2]**takeaway** *bn* afhaal-, meeneem-

take away **1** aftrekken **2** weghalen **3** verminderen, verkleinen, afbreuk doen aan: *it takes sth. away from the total effect* het doet een beetje afbreuk aan het geheel

take back **1** terugbrengen; *(fig)* doen denken aan: *it took me back to my childhood* het deed me denken aan mijn jeugd **2** terugnemen, intrekken

take down **1** afhalen, naar beneden halen **2** opschrijven, noteren **3** uit elkaar halen, demonteren, slopen

take-home afhaal-, meeneem-: *~ dinners* afhaalmaaltijden; *~ exam* tentamen dat je thuis maakt

take-home pay nettoloon

take in **1** in huis nemen, kamers verhuren aan **2** naar binnen halen, meenemen **3** omvatten, betreffen **4** innemen *(kleding)*; *(scheepv)* oprollen *(zeilen)* **5** begrijpen, doorzien **6** (in zich) opnemen *(omgeving e.d.)*; bekijken **7** bedriegen **8** geabonneerd zijn op

taken [teeken] *volt dw van* take

[1]**take off** *intr* **1** zich afzetten **2** opstijgen; starten *(ook fig; van project e.d.)* **3** (snel) populair worden, succes hebben

[2]**take off** *tr* **1** uittrekken, uitdoen **2** meenemen, wegvoeren: *she took the children off to bed* zij bracht de kinderen naar bed **3** afhalen, weghalen, verwijderen **4** verlagen *(mbt prijs)* **5** nadoen, imiteren **6** vrij nemen || *take oneself off* ervandoor gaan, zich uit de voeten maken

take-off **1** start, het opstijgen, vertrek **2** parodie, imitatie

[1]**take on** *intr* tekeergaan, zich aanstellen

[2]**take on** *tr* **1** op zich nemen, als uitdaging accepteren **2** krijgen; aannemen *(kleur)*; overnemen, in dienst nemen **3** het opnemen tegen, vechten tegen **4** aan boord nemen

take out **1** mee naar buiten nemen, mee uit nemen, naar buiten brengen: *(Am) ~ food* een afhaalmaaltijd meenemen; *take s.o. out for a walk* (of: *meal*) iem mee uit wandelen nemen, iem mee uit eten nemen **2** verwijderen, uithalen **3** tevoorschijn halen **4** nemen, aanschaffen: *~ an insurance (policy)* een verzekering afsluiten **5** buiten gevecht stellen *(tegenstander)* || *take it out of s.o.* veel van iemands krachten vergen; *don't take it out on him* reageer het niet op hem af

takeover overname

take over **1** overnemen, het heft in handen nemen **2** navolgen, overnemen

take to **1** beginnen te, gaan doen aan, zich toeleggen op **2** aardig vinden, mogen: *he did not take kindly to it* hij moest er niet veel van hebben **3** de wijk nemen naar, vluchten naar: *~ one's bed* het bed houden

[1]**take up** *intr* verder gaan *(van verhaal, hoofdstuk)* || *~ with* bevriend raken met

[2]**take up** *tr* **1** optillen, oppakken: *~ the hatchet* de strijdbijl opgraven **2** absorberen *(ook fig)*; opnemen, in beslag nemen: *it nearly took up all the room* het nam bijna alle ruimte in beslag **3** oppikken *(reizigers)* **4** ter hand nemen, gaan doen aan: *~ a cause* een zaak omhelzen; *~ gardening* gaan tuinieren **5** vervolgen *(verhaal)*; hervatten **6** aannemen, aanvaarden, ingaan op: *he took me up on my offer* hij nam mijn aanbod aan **7** innemen *(positie)*; aannemen *(houding)* || *I'll take you up on that* daar zal ik je aan houden

taking [teeking]: *for the ~* voor het grijpen

takings [teekings] verdiensten, recette, ontvangsten

talcum powder talkpoeder

tale [teel] **1** verhaal(tje): *thereby hangs a ~* daar zit een (heel) verhaal aan vast; *tell ~s* kletsen, roddelen **2** sprookje, legende **3** leugen, smoes(je) **4** gerucht, roddel, praatje

talent [telent] **1** talent, (natuurlijke) begaafdheid, gave **2** talent, begaafde persoon

talented [telentid] getalenteerd, talentvol

taleteller 1 kwaadspreker **2** roddelaar(ster)

¹talk [to:k] *zn* **1** praatje; lezing *(op de radio)* **2** gesprek: *have a ~ (to, with s.o.)* (met iem) spreken **3** *~s* besprekingen, onderhandelingen **4** gepraat **5** gerucht, praatjes: *there is ~ of* er is sprake van (dat), het gerucht gaat dat **6** geklets: *be all ~* praats hebben *(maar niets presteren)*

²talk [to:k] *intr* **1** spreken, praten: *now you're ~ing* zo mag ik het horen, dat klinkt al (een stuk) beter; *you can* (of: *can't*) *~* moet je horen wie het zegt; *do the ~ing* het woord voeren; *(aan begin vd zin) ~ing of plants* over planten gesproken **2** roddelen, praten: *people will ~* de mensen roddelen toch (wel) || *~ to s.o.* eens ernstig praten met iem

³talk [to:k] *tr* **1** spreken (over), discussiëren over, bespreken: *~ s.o.'s head off* iem de oren van het hoofd praten; *~ one's way out of sth.* zich ergens uitpraten **2** zeggen, uiten || *~ s.o. round to sth.* iem ompraten tot iets; *~ s.o. into (doing) sth.* iem overhalen iets te doen; *~ s.o. out of (doing) sth.* iem iets uit het hoofd praten

talk about 1 spreken over, bespreken, het hebben over: *~ problems!* over problemen gesproken!; *know what one is talking about* weten waar men het over heeft **2** roddelen over: *be talked about* over de tong gaan **3** spreken van, zijn voornemen uiten (om): *they're talking about emigrating to Australia* zij overwegen naar Australië te emigreren

talkative [to:ketiv] praatgraag, praatziek

talk down neerbuigend praten: *~ to one's audience* afdalen tot het niveau van zijn gehoor

talking point discussiepunt

talking-to uitbrander: *(give s.o.) a good ~* een hartig woordje (met iem spreken)

talk of 1 spreken over, bespreken: *(aan begin vd zin) talking of plants* over planten gesproken **2** spreken van, het hebben over: *~ doing sth.* van plan zijn iets te doen

talk over (uitvoerig) spreken over, uitvoerig bespreken: *talk things over with s.o.* de zaak (uitvoerig) met iem bespreken

talk show praatprogramma; talkshow *(op tv)*

tall [to:l] **1** lang *(van persoon)*; groot; hoog *(van boom, mast enz.)*: *Peter is 6 feet ~* Peter is 1,80 m (lang); *the pole is 10 feet ~* de paal is 3 m hoog **2** overdreven, te groot: *~ order* onredelijke eis; *~ story* sterk verhaal || *~ talk* opschepperij

¹tally [telie] *zn* **1** rekening **2** inkeping **3** label, etiket, merk **4** score(bord) **5** aantekening: *keep (a) ~ (of)* aantekening houden (van)

²tally [telie] *intr* (met *with*) overeenkomen (met), gelijk zijn, kloppen

talon [telen] klauw *(ve roofvogel)*

¹tame [teem] *bn* **1** tam, mak **2** meegaand **3** oninteressant, saai

²tame [teem] *tr* temmen; *(fig)* bedwingen

tamper with 1 knoeien met, verknoeien: *~ documents* documenten vervalsen **2** zich bemoeien met **3** komen aan, zitten aan **4** omkopen

¹tan [ten] *bn* geelbruin, zongebruind

²tan [ten] *intr* bruin worden *(door de zon)*

³tan [ten] *tr* **1** bruinen *(zon)* **2** looien, tanen || *~ s.o.'s hide, ~ the hide off s.o.* iem afranselen

tandem [tendem] tandem || *in ~* achter elkaar

tang [teng] **1** scherpe (karakteristieke) lucht, indringende geur **2** scherpe smaak; smaakje *(fig)*; zweem, tikje

tangent [tendzjent] raaklijn, tangens || *fly* (of: *go*) *off at a ~* een gedachtesprong maken, plotseling van koers veranderen

tangerine (orange) [tendzjerie:n] mandarijn(tje)

tangible [tendzjibl] tastbaar *(ook fig)*; voelbaar, concreet

¹tangle [tengkl] *zn* **1** knoop; klit *(in haar, wol e.d.)*: *in a ~* in de war **2** verwarring, wirwar

²tangle [tengkl] *intr* **1** in de knoop raken, klitten **2** in verwarring raken, in de war raken: *~ with s.o.* verwikkeld raken in een ruzie met iem

tank [tengk] **1** (voorraad)tank, reservoir **2** tank, pantserwagen

tanker [tengke] tanker

tank up 1 tanken, (bij)vullen **2** zich volgieten, zuipen

tannery [tenerie] looierij

tannin [tenin] looizuur, tannine

tanning [tening] pak slaag: *give him a good ~!* geef hem een goed pak slaag!

tantalize [tentelajz] **1** doen watertanden, kwellen **2** verwachtingen wekken

tantalizing [tentelajzing] (heel) verleidelijk, aantrekkelijk

tantamount [tentemaunt] *(met to)* gelijk(waardig) (aan): *be ~ to* neerkomen op

tantrum [tentrem] woede-uitbarsting; driftbui *(mv, van klein kind)*: *get into a ~, throw a ~* een woedeaanval krijgen

¹tap [tep] *zn* **1** kraan, tap(kraan); stop *(van vat)*: *turn the ~ on* (of: *off*) doe de kraan open (of: dicht); *on ~* uit het vat, van de tap, *(fig)* meteen voorradig, zo voorhanden **2** tik(je), klopje: *a ~ on a shoulder* een schouderklopje **3** afluisterapparatuur

²tap [tep] *intr* tikken, kloppen: *~ at* (of: *on*) *the door* op de deur tikken

³tap [tep] *tr* **1** doen tikken: *~ s.o. on the shoulder* iem op de schouder kloppen **2** (af)tappen, afnemen: *her telephone was ~ped* haar telefoon werd afgeluisterd; *(fig) ~ a person for information* informatie aan iem ontfutselen **3** openen; aanbreken *(ook fig)*; aanboren, aansnijden; *(fig ook)* gebruiken: *~ new sources of energy* nieuwe energiebronnen aanboren

¹tape [teep] *zn* **1** lint, band, koord: *insulating ~* isolatieband **2** meetlint, centimeter **3** (magneet)-

band, geluidsband, videoband **4** (plak)band: *adhesive ~* plakband

[2]**tape** [teep] *tr* **1** (vast)binden, inpakken, samenbinden **2** *(Am)* verbinden, met verband omwikkelen: *his knee was ~d up* zijn knie zat in het verband || *have s.o. ~d* iem helemaal doorhebben

[3]**tape** [teep] *tr, intr* opnemen, een (band)opname maken (van)

tape measure meetlint, centimeter

[1]**taper** [teepe] *zn* **1** (dunne) kaars **2** (was)pit, lontje **3** (geleidelijke) versmalling *(bijv. van lang voorwerp);* spits toelopend voorwerp

[2]**taper** [teepe] *intr* **1** taps toelopen, geleidelijk smaller worden: *this stick ~s off to a point* deze stok loopt scherp toe in een punt **2** (met *off*) (geleidelijk) kleiner worden, verminderen, afnemen

[3]**taper** [teepe] *tr* smal(ler) maken, taps doen toelopen

tape recorder bandrecorder

tapestry [tepistrie] **1** wandtapijt **2** bekledingsstof van muren

tapeworm lintworm

taproom tapperij, gelagkamer

[1]**tar** [ta:] *zn* teer

[2]**tar** [ta:] *ww* teren, met teer insmeren; *(fig)* zwartmaken: *~ and feather s.o.* iem met teer en veren bedekken *(als straf)*

tarantula [terentjoele] vogelspin, tarantula

tardy [ta:die] **1** traag, sloom: *~ progress* langzame vooruitgang; *he is ~ in paying* hij is slecht van betalen **2** (te) laat **3** weifelend, onwillig

tare [tee] **1** tarra(gewicht) *(verschil tussen bruto- en nettogewicht)* **2** leeg gewicht *(van vrachtauto e.d.)*

[1]**target** [ta:ǩit] *zn* **1** doel, roos, schietschijf; *(fig)* streven; doeleinde: *on ~* op de goede weg, in de goede richting **2** doelwit *(van spot, kritiek);* mikpunt

[2]**target** [ta:ǩit] *tr* mikken op: *he ~s his audiences carefully* hij neemt zijn publiek zorgvuldig op de korrel

tariff [terif] (tol)tarief, invoerrechten, uitvoerrechten: *postal ~s* posttarieven

[1]**tarmac** [ta:mek] *zn* asfalt

[2]**tarmac** [ta:mek] *ww* asfalteren

[1]**tarnish** [ta:nisj] *zn* glansverlies, dofheid; *(fig)* smet

[2]**tarnish** [ta:nisj] *intr* dof worden, verkleuren; aanslaan *(van metaal); (fig)* aangetast worden

[3]**tarnish** [ta:nisj] *tr* dof maken, doen aanslaan; *(fig)* bezoedelen: *a ~ed reputation* een bezoedelde naam

tarry [terie] **1** treuzelen, op zich laten wachten **2** (ver)blijven, zich ophouden

[1]**tart** [ta:t] *zn (inform)* **1** slet, del **2** (vruchten)taart(je)

[2]**tart** [ta:t] *bn* **1** scherp(smakend), zuur, wrang **2** scherp, sarcastisch

tartan [ta:tn] **1** Schotse ruit **2** doek in Schotse ruit **3** tartan, (geruite) Schotse wollen stof

tartar [ta:te] **1** woesteling **2** tandsteen

Tartar [ta:te] Tataar

tart up opdirken, optutten: *~ a house* een huis kitscherig inrichten

task [ta:sk] taak, karwei, opdracht || *take s.o. to ~ (for)* iem onder handen nemen (vanwege)

task bar *(comp)* taakbalk

task force speciale eenheid *(van leger, politie);* gevechtsgroep

taskmaster opdrachtgever: *a hard ~* een harde leermeester

[1]**taste** [teest] *zn* **1** kleine hoeveelheid, hapje, slokje, beetje, tikkeltje: *have a ~ of this cake* neem eens een hapje van deze cake **2** ervaring, ondervinding: *give s.o. a ~ of the whip* iem de zweep laten voelen **3** smaak, smaakje, voorkeur, genoegen: *leave a unpleasant ~ in the mouth* een onaangename nasmaak hebben *(ook fig); everyone to his ~* ieder zijn meug; *add sugar to ~* suiker toevoegen naar smaak **4** smaak, smaakzin, schoonheidszin; gevoel *(voor gepast gedrag, mode, stijl e.d.): in good ~: a)* smaakvol; *b)* behoorlijk; *sweet to the ~* zoet van smaak

[2]**taste** [teest] *intr* smaken: *the pudding ~d of garlic* de pudding smaakte naar knoflook

[3]**taste** [teest] *tr* **1** proeven, keuren **2** ervaren, ondervinden: *~ defeat* het onderspit delven

tasteful [teestfoel] smaakvol

tasteless [teestles] **1** smaakloos, mbt water enz. **2** smakeloos, van een slechte smaak

tasty [teestie] **1** smakelijk **2** hartig

ta-ta [teta:] dáág

tatter [tete] flard, lomp, vod: *in ~s* aan flarden, kapot *(ook fig)*

tattered [teted] **1** haveloos; aan flarden *(kleren)* **2** in lompen gekleed *(persoon)*

[1]**tattle** [tetl] *zn* **1** geklets, geroddel **2** geklik

[2]**tattle** [tetl] *intr* kletsen, roddelen

[1]**tattoo** [tetoe:] *zn* **1** tatoeage **2** taptoe *(trommel-, klaroensignaal): beat* (of: *sound*) *the ~* taptoe slaan (*of:* blazen) **3** tromgeroffel

[2]**tattoo** [tetoe:] *tr* tatoeëren

tatty [tetie] slordig, slonzig, sjofel

taught [to:t] *ovt en volt dw van* teach

[1]**taunt** [to:nt] *zn* hatelijke opmerking, bespotting: *~s* spot, hoon

[2]**taunt** [to:nt] *tr* hekelen: *they ~ed him into losing his temper* ze tergden hem tot hij in woede uitbarstte

Taurus [to:res] *(astrol)* (de) Stier

taut [to:t] strak, gespannen

tavern [teven] taveerne, herberg

tawdry [to:drie] opzichtig, smakeloos, opgedirkt

[1]**tax** [teks] *zn* **1** last, druk, gewicht: *be a ~ on* veel vergen van **2** belasting, rijksbelasting: *value added ~* belasting op de toegevoegde waarde, btw

[2]**tax** [teks] *tr* **1** belasten, belastingen opleggen **2** veel vergen van, zwaar op de proef stellen: ~

your memory denk eens goed na
taxation [tekseesjen] **1** belasting(gelden) **2** belastingsysteem
tax cut belastingverlaging
tax evasion belastingontduiking
tax-free belastingvrij
[1]**taxi** [teksie] *zn (mv: ook ~es)* taxi
[2]**taxi** [teksie] *ww* **1** (doen) taxiën **2** in een taxi rijden (vervoeren)
taxman **1** belastingontvanger **2** belastingen, fiscus
taxpayer belastingbetaler
tax with **1** beschuldigen van, ten laste leggen **2** rekenschap vragen voor, op het matje roepen wegens
TB *afk van tuberculosis* tb(c)
tea [tie:] **1** thee, lichte maaltijd om 5 uur 's middags, theevisite **2** theeplant, theebladeren
teabag theezakje, theebuiltje
[1]**teach** [tie:tsj] *tr (taught, taught)* **1** leren, afleren: *I will ~ him to betray our plans* ik zal hem leren onze plannen te verraden **2** doen inzien, leren: *experience taught him that …* bij ondervinding wist hij dat …
[2]**teach** [tie:tsj] *tr, intr (taught, taught)* onderwijzen, leren, lesgeven: *~ s.o. chess, ~ chess to s.o.* iem leren schaken; *John ~es me (how) to swim* John leert mij zwemmen; *~ school* onderwijzer zijn
teacher [tie:tsje] **1** leraar, docent(e) **2** onderwijzer(es)
teacher training (college) lerarenopleiding
teaching [tie:tsjing] **1** het lesgeven **2** onderwijs **3** leer, leerstelling
tea cloth theedoek, droogdoek
teacup theekopje
teak [tie:k] teakhout
[1]**team** [tie:m] *zn* **1** team, (sport)ploeg, elftal **2** span *(van trekdieren)*
[2]**team** [tie:m] *intr (*met *up)* een team vormen: *~ up with* samenwerken met, samenspelen met
team-mate teamgenoot
team spirit teamgeest
teamster [tie:mste] **1** voerman, menner **2** vrachtwagenchauffeur
teamwork groepsarbeid, samenwerking, samenspel
[1]**tear** [tie] *zn* **1** traan: *move s.o. to ~s* iem aan het huilen brengen; *shed ~s over* tranen storten over *(iets dat het niet waard is)* **2** drup(pel)
[2]**tear** [tee] *zn* **1** scheur **2** flard
[3]**tear** [tee] *intr (tore, torn)* **1** scheuren, stuk gaan: *silk ~s easily* zijde scheurt makkelijk **2** rukken, trekken: *~ at sth.* aan iets rukken **3** rennen; *(fig)* stormen; vliegen: *the boy tore across the street* de jongen stormde de straat over
[4]**tear** [tee] *tr (tore, torn)* **1** (ver)scheuren *(ook fig): the girl tore a hole in her coat* het meisje scheurde haar jas; *~ up* verscheuren, *(fig)* tenietdoen; *(fig) be torn between love and hate* tussen liefde en haat in tweestrijd staan; *~ in half* (of: *two*) in tweeën scheuren **2** (uit)rukken, (uit)trekken || *~ down a building* een gebouw afbreken
tear apart **1** verscheuren *(fig);* zich vernietigend uitlaten over **2** overhoop halen **3** *(inform)* uitschelden || *the critics tore his latest novel apart* de critici schreven zijn laatste roman de grond in
tearaway herrieschopper
tear away aftrekken, wegtrekken, afscheuren; *(fig)* verwijderen: *(fig) I could hardly tear myself away from the party* ik kon het feest maar met tegenzin verlaten
tearful [tiefoel] **1** huilend **2** huilerig
tear into in alle hevigheid aanvallen, heftig tekeergaan tegen
tear-jerker [tiedzje:ke] tranentrekker, smartlap, sentimentele film, sentimenteel liedje
tear off afrukken, aftrekken, afscheuren; *(fig)* verwijderen
tearoom tearoom, theesalon
[1]**tease** [tie:z] *zn* **1** plaaggeest, kwelgeest **2** plagerij, geplaag, flirt
[2]**tease** [tie:z] *ww* **1** plagen, lastigvallen, pesten: *~ s.o. for sth.* iem lastigvallen om **2** opgewonden maken, opwinden **3** ontlokken || *~ out* ontwarren *(ook fig)*
teaser [tie:ze] **1** plaaggeest, plager **2** moeilijke vraag, probleemgeval
teaspoon theelepeltje
teat [tie:t] **1** tepel **2** speen
tea towel theedoek, droogdoek
technical [teknikl] technisch
technicality [teknikelittie] **1** technische term **2** technisch detail, (klein) formeel punt: *he lost the case on a ~* hij verloor de zaak door een vormfout
technician [teknisjen] technicus, specialist: *dental ~* tandtechnicus
technique [teknie:k] techniek, werkwijze, vaardigheid
technology [teknolledzjie] technologie, techniek
tedious [tie:dies] vervelend, langdradig, saai
tedium [tie:diem] **1** verveling **2** saaiheid, eentonigheid, langdradigheid
tee [tie:] *(golf)* tee *(afslagpaaltje)* || *to a ~* precies, tot in de puntjes
teem [tie:m] **1** wemelen, krioelen, tieren: *~ing with* krioelen van; *his head ~s with new ideas* zijn hoofd zit vol nieuwe ideeën; *those forests ~ with snakes* die bossen krioelen van de slangen **2** stortregenen, gieten: *it was ~ing down* (of: *with*) *rain* het goot
teen [tie:n] **1** tiener **2** *~s* tienerjaren: *boy* (of: *girl*) *in his* (of: *her*) *~s* tiener
teenager [tie:needzje] tiener
teeny(-weeny) [tie:niewie:nie] piepklein
teeter [tie:te] **1** wankelen, waggelen: *(fig) ~ on the edge of collapse* op de rand van de ineenstorting staan **2** wippen, op de wip spelen
teeth [tie:θ] *mv van* tooth
teethe [tie:ð] tandjes krijgen *(vnl. melktanden)*

teething troubles kinderziekten *(fig)*
teetotaller [tie:tootele] geheelonthouder
telebanking [tellibengking] het telebankieren
telecommunications [tellikkemjoe:nikkeesjenz] **1** telecommunicatietechniek **2** (telecommunicatie)verbindingen
telefax [tellifeks] telefax
telegram [tellikrem] telegram: *by ~* per telegram
telegraph [tellikra:f] telegraaf, telegrafie: *by ~* per telegraaf
telemarketing [tellimma:keting] telefonische verkoop, telemarketing
telepathy [tilleppeθie] telepathie
[1]telephone [telliffoon] *zn* telefoon, (telefoon)toestel: *by ~* telefonisch; *on* (of: *over*) *the ~* telefonisch
[2]telephone [telliffoon] *ww* telefoneren, (op)bellen: *he has just ~d through from Beirut* hij heeft zojuist uit Beiroet opgebeld
telephone booth telefooncel
telephone call telefoongesprek
telephone directory telefoongids
teleprinter [telliprinte] telex, telexapparaat: *by ~* per telex
[1]telescope [telliskoop] *zn* telescoop, (astronomische) verrekijker
[2]telescope [telliskoop] *intr* **1** in elkaar schuiven **2** ineengedrukt worden: *two cars ~d together in the accident* twee auto's werden bij het ongeval ineengedrukt
[3]telescope [telliskoop] *tr* in elkaar schuiven, ineendrukken, samendrukken
telescopic [telliskoppik] telescopisch, ineenschuifbaar: *~ lens* telelens
teleselling [tellisselling] telefonische verkoop, telemarketing
teleshopping [tellisjopping] het telewinkelen, het teleshoppen
television [tellivvizjen] televisie, tv(-toestel): *watch ~* tv kijken; *on (the) ~* op de televisie
television broadcast televisie-uitzending
television commercial reclamespot
television set televisietoestel
teleworking [telliwwe:king] telewerken, het thuiswerken
[1]telex [telleks] *zn* **1** telex, telexbericht: *by ~* per telex **2** telexdienst
[2]telex [telleks] *tr* telexen
[1]tell [tel] *intr (told, told)* **1** spreken, zeggen, vertellen: *as far as we can ~* voor zover we weten; *you can never ~* je weet maar nooit **2** het verklappen, het verraden: *don't ~!* verklap het niet!; *~ on s.o.* iem verklikken **3** (mee)tellen, meespelen, van belang zijn: *his age will ~ against him* zijn leeftijd zal in zijn nadeel pleiten
[2]tell [tel] *tr (told, told)* **1** vertellen, zeggen, spreken: *~ a secret* een geheim verklappen; *(inform) ~ s.o. where he gets off, ~ s.o. to get off* iem op zijn plaats, iem op zijn nummer zetten; *you're ~ing me!* vertel mij wat! **2** weten, kennen, uitmaken: *can you ~ the difference?* weet (*of:* zie) jij het verschil?; *can she ~ the time yet?* kan ze al klok kijken?; *there is no ~ing what will happen* je weet maar nooit wat er gebeurt; *how can I ~ if* (of: *whether*) *it is true or not?* hoe kan ik weten of het waar is of niet? **3** onderscheiden, uit elkaar houden: *~ truth from lies* de waarheid van leugens onderscheiden **4** zeggen, bevelen, waarschuwen: *I told you so!* ik had het je nog gezegd! || *all told* alles bij elkaar (genomen), over het geheel; *I'll ~ you what: let's call him now* weet je wat?: laten we hem nu opbellen; *(inform) ~ s.o. off for sth.* iem om iets berispen
teller [telle] **1** verteller **2** (stemmen)teller *(bijv. in Lagerhuis)* **3** kassier
telling [telling] **1** treffend, raak: *a ~ blow* een rake klap **2** veelbetekenend, veelzeggend
tell-tale **1** roddelaar(ster) **2** verklikker **3** teken, aanduiding: *(fig) a ~ nod* een veelbetekenend knikje
telly [tellie] teevee, tv, buis
temerity [timmerrittie] roekeloosheid
[1]temp [temp] *zn, verk van temporary employee* tijdelijk medewerk(st)er, uitzendkracht
[2]temp [temp] *intr* als uitzendkracht werken, werken via een uitzendbureau
[1]temper [tempe] *zn* **1** humeur, stemming: *be in a bad ~* in een slecht humeur zijn, de pest in hebben **2** kwade bui **3** driftbui, woedeaanval: *fly* (of: *get*) *into a ~* een woedeaanval krijgen **4** opvliegend karakter, drift: *have a ~* opvliegend zijn **5** kalmte, beheersing: *keep* (of: *lose*) *one's ~* zijn kalmte bewaren (*of:* verliezen)
[2]temper [tempe] *tr* temperen, matigen
temperament [temperement] **1** temperament *(ook fig)*; aard, gestel, vurigheid **2** humeurigheid
temperamental [temperementl] **1** natuurlijk, aangeboren **2** grillig, onberekenbaar, vol kuren
temperance [temperens] **1** gematigdheid, matigheid, zelfbeheersing **2** geheelonthouding
temperate [temperet] **1** matig, gematigd: *~ zone* gematigde luchtstreek **2** met zelfbeheersing
temperature [temperetsje] temperatuur, verhoging, koorts: *have* (of: *run*) *a ~* verhoging hebben
tempest [tempist] (hevige) storm *(ook fig)*
tempestuous [tempestjoees] stormachtig *(ook fig)*; hartstochtelijk
template [templit] mal, sjabloon
temple [templ] **1** tempel, kerk **2** slaap *(van hoofd)*
tempo [tempoo] tempo
temporary [tempererie] tijdelijk, voorlopig: *~ buildings* noodgebouwen; *~ employment agency* uitzendbureau
tempt [tempt] **1** verleiden, in verleiding brengen: *I am ~ed to believe that it's true* ik ben geneigd te geloven dat het waar is **2** tarten, tergen: *~ Providence* het noodlot tarten
temptation [tempteesjen] **1** verleidelijkheid **2** verleiding, verzoeking: *lead us not into ~* leid ons niet in verzoeking

tempting [tempting] verleidelijk
ten [ten] tien: *I bet you ~ to one she'll come* ik wed tien tegen één dat ze komt
tenable [tennebl] verdedigbaar, houdbaar
tenacious [tinneesjes] **1** vasthoudend, hardnekkig **2** krachtig; goed *(van geheugen)*
tenacity [tinesittie] **1** vasthoudendheid, hardnekkigheid **2** kracht *(van geheugen)*
tenancy [tennensie] **1** huur(termijn), pacht(termijn) **2** bewoning, gebruik, genot
tenant [tennent] **1** huurder, pachter **2** bewoner
[1]**tend** [tend] *intr* **1** gaan *(in zekere richting);* zich richten, zich uitstrekken: *prices are ~ing downwards* de prijzen dalen **2** neigen, geneigd zijn: *John ~s to get angry* John wordt gauw boos; *it ~s to get hot in here in summer* het wordt hier vaak erg warm in de zomer || *~ to* zwemen naar, *(Am)* aandacht besteden aan
[2]**tend** [tend] *tr* **1** verzorgen, zorgen voor, passen op: *~ sheep* schapen hoeden **2** *(Am)* bedienen: *who's ~ing bar?* wie staat er achter de bar?
tendency [tendensie] **1** neiging, tendens, trend **2** aanleg: *he has a ~ to grow fat* hij heeft een aanleg tot dik worden
tendentious [tendensjes] partijdig, vooringenomen
[1]**tender** [tende] *zn* **1** verzorger, oppasser, tender **2** tender *(van locomotief)* **3** offerte, inschrijving: *put out to ~* aanbesteden (voor inschrijving)
[2]**tender** [tende] *bn* **1** mals *(van vlees)* **2** gevoelig: *~ spot* gevoelige plek **3** broos, teer **4** liefhebbend, teder **5** pijnlijk, zeer: *~ place* gevoelige plek **6** jong, onbedorven: *of ~ age* van prille leeftijd
[3]**tender** [tende] *intr* inschrijven: *~ for the building of a road* inschrijven op de aanleg van een weg
[4]**tender** [tende] *tr* aanbieden: *~ one's resignation* zijn ontslag indienen
tenderfoot groentje, nieuwkomer
tender-hearted teerhartig
tendon [tenden] (spier)pees
tendril [tendril] **1** (hecht)rank *(van plant)* **2** streng, sliert
tenement [tennimment] **1** pachtgoed **2** (huur)kamer, appartement
tenement house huurkazerne, etagewoning, flatgebouw
tenfold [tenfoold] tienvoudig
tenner [tenne] tientje, (briefje van) tien pond (dollar)
tennis [tennis] tennis(spel)
tennis court tennisbaan
tenor [tenne] **1** tenor *(zanger, partij, stem, instrument)* **2** gang *(van iemands leven);* loop, verloop, (algemene) richting **3** teneur *(van tekst, gesprek);* strekking: *get the ~ of what is being said* in grote lijnen begrijpen wat er wordt gezegd
[1]**tense** [tens] *zn* tijd, werkwoordstijd
[2]**tense** [tens] *bn* gespannen, in spanning: *a face ~ with anxiety* een van angst vertrokken gezicht
[3]**tense** [tens] *intr (*met *up)* zenuwachtig worden
[4]**tense** [tens] *tr (*met *up)* gespannen maken: *~ one's muscles* zijn spieren spannen
tension [tensjen] **1** spanning, gespannenheid; strakheid *(bijv. van touw);* zenuwachtigheid: *suffer from nervous ~* overspannen zijn **2** gespannen toestand: *racial ~s* rassenonlusten **3** trekspanning *(van vaste stof)* **4** (elektrische) spanning
tent [tent] tent: *(ook fig) pitch one's ~* zijn tent opslaan
tentacle [tentekl] tentakel, tastorgaan, voelspriet, vangarm
tentative [tentetiv] **1** voorlopig: *a ~ conclusion* een voorzichtige conclusie **2** aarzelend
tenterhooks: *on ~* ongerust, in gespannen verwachting
tenth [tenθ] tiende, tiende deel
tenuous [tenjoees] **1** dun, (rag)fijn **2** (te) subtiel **3** vaag, zwak: *a ~ argument* een zwak argument
tenure [tenje] **1** pachtregeling **2** ambtstermijn **3** beschikkingsrecht, eigendomsrecht **4** vaste aanstelling
tepid [teppid] lauw, halfwarm; *(fig)* koel; mat
term [te:m] **1** onderwijsperiode, trimester, semester, kwartaal **2** termijn, periode, duur, tijd, ambtstermijn; zittingsperiode *(van rechtbank, parlement);* huurtermijn, aflossingstermijn, (af)betalingstermijn: *in the short ~* op korte termijn **3** *(wisk)* term, lid **4** (vak)term, woord, uitdrukking: *~s* bewoordingen, manier van uitdrukken; *tell s.o. in no uncertain ~s* in niet mis te verstane bewoordingen te kennen geven **5** *~s* voorwaarden *(van overeenkomst, contract);* condities, bepalingen || *~s of reference* taakomschrijving *(bijv. van commissie); on equal ~s* als gelijken; *to be on friendly ~s with s.o.* op vriendschappelijke voet met iem staan; *come to ~s with* zich verzoenen met, zich neerleggen bij; *in ~s of money* financieel gezien, wat geld betreft; *they are not on speaking ~s* ze spreken niet meer met elkaar, ze hebben onenigheid
[1]**terminal** [te:minl] *zn* **1** contactklem **2** eindpunt, eindhalte, eindstation **3** (computer)terminal
[2]**terminal** [te:minl] *bn* **1** eind-, slot-, laatste: *~ station* eindstation **2** terminaal, ongeneeslijk **3** van (onderwijs)periode, termijn-: *~ examinations* trimesterexamens, semesterexamens
[1]**terminate** [te:minneet] *intr* eindigen, aflopen
[2]**terminate** [te:minneet] *tr* beëindigen, eindigen, een eind maken aan, (af)sluiten: *~ a contract* een contract opzeggen; *~ a pregnancy* een zwangerschap onderbreken
terminology [te:minnolledzjie] terminologie, (systeem van) vaktermen
terminus [te:minnes] eindpunt *(van buslijn, spoorweglijn);* eindstation, eindhalte
termite [te:majt] termiet
[1]**terrace** [terres] *zn* **1** verhoogd vlak oppervlak, (dak)terras **2** bordes, (open) tribune, staanplaat-

sen **3** rij huizen, huizenblok

[2]**terrace** [terres] *tr* tot terras(sen) vormen, terrasgewijs aanleggen: *~d garden* terrastuin || *~d house* rijtjeshuis

terrain [tereen] terrein; gebied *(ook fig)*

terrestrial [tirrestriel] van de aarde, van het land, aards

terrible [terribl] **1** verschrikkelijk, vreselijk **2** ontzagwekkend, enorm: *a ~ responsibility* een zware verantwoordelijkheid

terribly [terriblie] verschrikkelijk

terrier [terrie] terriër

terrific [teriffik] geweldig, fantastisch: *at a ~ speed* razendsnel

terrify [terriffaj] schrik aanjagen: *be terrified of s.o. (sth.)* doodsbang zijn voor iem (iets)

terrifying [terriffajjing] angstaanjagend, afschuwelijk

territorial [territto:riel] territoriaal: *~ waters* territoriale wateren, driemijlszone

territory [territterie] **1** territorium, (stuk) grondgebied **2** territorium, (eigen) woongebied, (grond)gebied **3** (stuk) land, gebied; terrein *(ook fig);* district, werkterrein; *(handel)* rayon; handelsgebied: *unknown ~* onbekend gebied

terror [terre] **1** verschrikking, plaag: *the ~ of the neighbourhood* de schrik van de buurt **2** lastig iem, rotjoch, rotmeid **3** (gevoel van) schrik: *run away in ~* in paniek wegvluchten

terrorism [terrerizm] terrorisme

[1]**terrorist** [terrerist] *zn* terrorist

[2]**terrorist** [terrerist] *bn* terroristisch, terreur-

terrorize [terrerajz] terroriseren, schrik aanjagen

terse [te:s] beknopt, kort

[1]**test** [test] *zn* **1** test, toets(ing), proef, toets, proefwerk; *(chem)* reactie: *put sth. to the ~* iets op de proef stellen, iets testen **2** toets, criterium, maat(staf) **3** *(chem)* reageermiddel

[2]**test** [test] *tr* **1** toetsen, testen, aan een test onderwerpen, nagaan, nakijken, onderzoeken **2** veel vergen van, hoge eisen stellen aan: *~ s.o.'s patience* iemands geduld zwaar op de proef stellen; *~ing times* zware tijden

[3]**test** [test] *tr, intr* (d.m.v. een test) onderzoeken: *~ for* onderzoeken (op), het gehalte bepalen van

testament [testement] testament: *last will and ~* uiterste wil(sbeschikking), testament

Testament [testement] *(altijd met the)* Testament *(deel vd Bijbel)*

testator [testeete] testateur, erflater

test case proefproces

testicle [testikl] teelbal, zaadbal, testikel

testify [testiffaj] *(met against, for)* getuigen (tegen, voor): *~ to: a)* bevestigen; *b)* getuigenis afleggen van; *c)* een teken (*of:* bewijs) zijn van

testimonial [testimmooniel] **1** getuigschrift, aanbevelingsbrief **2** huldeblijk, eerbewijs

testimony [testimmenie] (getuigen)verklaring, bewijs, (ken)teken, blijk

test tube reageerbuis

testy [testie] **1** prikkelbaar, opvliegend **2** geërgerd, geïrriteerd: *a ~ remark* een knorrige opmerking

tetchy [tetsjie] prikkelbaar *(persoon);* lichtgeraakt

[1]**tether** [teðe] *zn* tuier *(touw waarmee grazend dier wordt vastgelegd)* || *at the end of one's ~* uitgeteld, aan het eind van zijn Latijn

[2]**tether** [teðe] *tr* vastmaken, tuien, (aan een paal) vastleggen, (vast)binden; *(fig)* aan banden leggen

[1]**text** [tekst] *zn* **1** tekst(gedeelte), gedrukte tekst, inhoud **2** tekst, onderwerp, Bijbeltekst **3** sms(-bericht)

[2]**text** [tekst] *ww* sms'en: *~ me when you know* stuur mij maar een sms als je het weet

textbook [tekstboek] leerboek, studieboek, schoolboek || *~ example* schoolvoorbeeld

textile [tekstajl] weefsel, textielproduct, stof

texture [tekstsje] textuur, weefselstructuur; *(bij uitbr)* structuur; samenstelling: *the smooth ~ of ivory* de gladheid van ivoor

Thames [temz] Theems

than [ðen] **1** dan, als: *she's better ~ I am* (of: *~ me*) zij is beter dan ik; *he would sooner die ~ give in* hij zou (nog) liever sterven dan toegeven; *none other ~ Joe* niemand anders dan Joe **2** of, dan, en, toen

thank [θengk] **1** (be)danken, dankbaar zijn: *~ you* dank u (wel), (ja) graag, alstublieft; *no, ~ you* (nee) dank u **2** danken, (ver)wijten, verantwoordelijk stellen: *she has herself to ~ for that* het is haar eigen schuld, dat heeft ze aan zichzelf te danken

thankful [θengkfoel] dankbaar, erkentelijk, blij

thankless [θengkles] ondankbaar

thanks [θengks] dankbaarheid, dankbetuiging, (kort) dankgebed: *a letter of ~* een schriftelijk bedankje; *received with ~* in dank ontvangen; *(inform) ~!* bedankt!, merci!; *no, ~* (nee) dank je (wel), laat maar (zitten)

thanksgiving [θengksĝivving] dankbetuiging, dankzegging

Thanksgiving (Day) *(Am)* Thanksgiving Day *(nationale feestdag; vierde donderdag van november)*

thanks to dankzij, door (toedoen van)

thank-you bedankje, woord van dank: *a ~ letter* een bedankbriefje

[1]**that** [ðet] *aanw vnw* **1** die, dat: *~'s Alice* dat is Alice; *~'s life* zo is het leven; *at ~ point* toen; *do you see ~ house?* zie je dat huis daar?; *don't yell like ~* schreeuw niet zo; *he isn't as stupid as all ~* zo stom is hij ook weer niet; *~'s ~* dat was het dan, zo, dat zit erop **2** diegene, datgene, hij, zij, dat: *those going by train* diegenen die met de trein gaan **3** die, dat, wat, welke: *the chair(s) ~ I bought* de stoel(en) die ik gekocht heb **4** dat, waarop, waarin, waarmee: *the house ~ he lives in* het huis waarin hij woont || *(inform) ~'s it: a)* dat is 't hem nu juist, dat is (nu juist) het probleem; *b)*

th

dat is wat we nodig hebben (*of:* de oplossing, het); *c)* dit (*of:* dat) is het einde; *we left it at ~* we lieten het daarbij

[2]**that** [ðet] *bw* **1** zo(danig): *she's about ~ tall* ze is ongeveer zo groot **2** heel, heel erg, zo: *its not all ~ expensive* het is niet zo heel erg duur

[3]**that** [ðet] *vw* **1** dat, het feit dat: *it was only then ~ I found out ~ …* pas toen ontdekte ik dat …; *she knew ~ he was ill* ze wist dat hij ziek was **2** *(doel)* opdat, zodat **3** *(reden of oorzaak)* omdat: *not ~ I care, but …* niet dat het mij iets kan schelen, maar … **4** *(gevolg)* dat, zodat: *so high ~ you cannot see the top* zo hoog dat je de top niet kan zien

[1]**thatch** [θetsj] *zn* **1** strodak, rieten dak **2** dakstro, dekriet, dakbedekking

[2]**thatch** [θetsj] *ww* (een dak) (met stro) bedekken: *~ed roof* strodak

[1]**thaw** [θo:] *zn* dooi

[2]**thaw** [θo:] *intr* (ont)dooien, smelten; *(fig)* ontdooien; vriendelijker worden

[1]**the** [ðe] *bw* **1** *(met vergr trap)* hoe, des te: *so much ~ better* des te beter; *~ sooner ~ better* hoe eerder hoe beter **2** *(met overtr trap)* de, het: *he finished ~ fastest* hij was het eerste klaar

[2]**the** [ðe] *lw* **1** de, het: *she looks after ~ children* zij zorgt voor de kinderen; *~ Italians love spaghetti* (de) Italianen zijn dol op spaghetti; *play ~ piano* piano spelen; *ah, this is ~ life!* ah, dit is pas leven!; *help ~ blind* help de blinden **2** mijn, jouw *(enz.): I've got a pain in ~ leg* ik heb pijn in mijn been **3** per, voor elk: *paid by ~ week* per week betaald

theatre [θiete] **1** theater, schouwburg **2** toneel, toneelstukken, drama **3** collegezaal, gehoorzaal, auditorium **4** operatiekamer **5** toneel, (actie)terrein, operatieterrein: *~ of war* oorlogstoneel

theatrical [θie·etrikl] **1** toneel-, theater- **2** theatraal, overdreven

thee [ðie:] u, gij

theft [θeft] diefstal

their [ðee] **1** hun, haar: *they studied ~ French* ze leerden hun Frans; *~ eating biscuits annoyed her* (het feit) dat zij koekjes aten irriteerde haar **2** zijn, haar: *no-one gave ~ address* niemand gaf zijn adres

th

theirs [ðeez] **1** de (het) hunne, van hen: *a friend of ~* een vriend van hen **2** de (het) zijne, de (het) hare, van hem (haar): *I forgot my book, could somebody lend me ~?* ik ben mijn boek vergeten, kan iemand mij het zijne lenen?

them [ðem] **1** hen, hun, aan hen, ze: *I bought ~ a present* (of: *a present for ~*) ik heb een cadeau voor hen gekocht **2** zij (ze): *I hate ~ worrying like that* ik vind het vreselijk als ze zich zulke zorgen maken; *it is ~* zij zijn het

theme [θie:m] **1** thema, onderwerp, gegeven **2** *(Am)* opstel, essay **3** *(muz)* thema, hoofdmelodie, herkenningsmelodie

theme park themapark, pretpark

theme song herkenningsmelodie

themselves [ðemselvz] **1** zich, zichzelf: *the students kept it to ~* de studenten hielden het voor zich **2** zelf, zij zelf, hen zelf: *they ~ started* zij zelf zijn ermee begonnen

[1]**then** [ðen] *bn* toenmalig: *the ~ chairman* de toenmalige voorzitter

[2]**then** [ðen] *bw* **1** toen, op dat ogenblik, destijds: *before ~* voor die tijd; *by ~* dan, toen, ondertussen **2** dan, (onmiddellijk) daarna, verder: *~ they went home* daarna zijn ze naar huis gegaan **3** dan (toch), in dat geval: *why did you go ~?* waarom ben je dan gegaan? || *~ and there* onmiddellijk, dadelijk; *but ~, why did you do it?* maar waarom heb je het dan toch gedaan?

thence [ðens] **1** vandaar, van daaruit **2** daarom, dus, daaruit

theologian [θieloodzjien] theoloog, godgeleerde

theological [θielodzjikl] theologisch, godgeleerd

theology [θie·olledzjie] theologie, godgeleerdheid

theorem [θierem] (grond)stelling, principe, theorie

theoretical [θierettikl] **1** theoretisch **2** denkbeeldig, fictief: *~ amount* fictief bedrag

theoretician [θieretisjen] theoreticus

theory [θierie] theorie, leer, veronderstelling: *~ of evolution* evolutietheorie; *in ~* in theorie, op papier; *(wisk) ~ of chances* kansrekening

therapeutic(al) [θerrepjoe:tik(l)] therapeutisch, genezend

therapy [θerrepie] therapie, geneeswijze, (psychiatrische) behandeling

[1]**there** [ðee] *bw* **1** daar, er, ginds; *(fig)* op dat punt; wat dat betreft: *~'s no rush* er is geen haast bij; *~ I don't agree with you* op dat punt ben ik het niet met je eens; *~ they come* daar komen ze; *he lives over ~* hij woont daarginds **2** daar(heen), daarnaartoe: *~ and back* heen en terug || *~ you are: a)* alstublieft, alsjeblieft; *b)* zie je wel, wat heb ik je gezegd; *~ and then* onmiddellijk, ter plekke

[2]**there** [ðee] *tw* daar, zie je, nou: *~, what did I tell you!* nou, wat heb ik je gezegd!

thereabouts [ðeerebauts] daar ergens, (daar) in de buurt, daaromtrent; *(fig)* rond die tijd; (daar, zo) ongeveer: *twenty years or ~* zo ongeveer twintig jaar

thereafter daarna

thereby daardoor || *~ hangs a tale* daar zit nog een (heel) verhaal aan vast

therefore daarom, om die reden, dus

thereof daarvan, ervan

thereupon daarop

thermal [θe:ml] **1** thermisch, warmte- **2** thermaal: *~ springs* warmwaterbronnen

thermometer [θemommitte] thermometer

thermos [θe:mes] thermosfles, thermoskan

thermostat [θe:mestet] thermostaat, warmteregulator

these [ðie:z] *mv van* this

thesis [θie:sis] thesis, (hypo)these, (academisch) proefschrift
they [ðee] **1** zij, ze: *~ chased each other* ze zaten elkaar achterna; *so ~ say* dat zeggen ze toch **2** hij (of zij): *everyone is proud of the work ~ do themselves* iedereen is trots op het werk dat hij zelf doet
[1]**thick** [θik] *zn* dichtste, drukste gedeelte, drukte: *be in the ~ of it* er midden in zitten || *through ~ and thin* door dik en dun
[2]**thick** [θik] *bn* **1** dik; breed *(lijn);* vet *(lettertype);* zwaar(gebouwd), (op)gezwollen; dubbel *(tong): two inches ~* twee inch dik **2** dik, dicht; *(met 'with')* dicht bezet, bezaaid (met); druk; *(met 'with')* vol (van, met); overvloedig, weinig vloeibaar (doorzichtig), mistig; betrokken *(weer): ~ on the ground* zeer talrijk; *the sky was ~ with planes* de lucht zag zwart van vliegtuigen **3** zwaar *(accent)* **4** dom, traag van begrip **5** *(inform)* intiem, dik bevriend: *be as ~ as thieves* de beste maatjes met elkaar zijn **6** *(inform)* sterk (overdreven): *a bit ~* al te kras || *give s.o. a ~ ear* iem een oorveeg geven; *have a ~ skin* een olifantshuid hebben; *lay it on ~* flink overdrijven
[3]**thick** [θik] *bw* **1** dik, breed, vet **2** dik, dicht, dicht opeengepakt, dicht op elkaar, talrijk: *blows came ~ and fast* het regende slagen
[1]**thicken** [θikken] *intr* dik(ker) worden; gebonden worden *(van vloeistof);* toenemen (in dikte, aantal)
[2]**thicken** [θikken] *tr* dik(ker) maken, indikken, doen toenemen (in dikte, aantal): *~ gravy with flour* saus binden met bloem
thicket [θikkit] (kreupel)bosje, struikgewas
thickheaded dom, bot (van verstand)
thickness [θiknes] **1** dikte, afmeting in de dikte, dik gedeelte, troebelheid, mistigheid: *length, width, and ~* lengte, breedte en dikte **2** laag
thickset **1** dicht (beplant, bezaaid) **2** zwaar (gebouwd), dik, gedrongen
thick-skinned dikhuidig; *(fig)* ongevoelig
thick-witted dom, bot (van verstand)
thief [θie:f] *(mv: thieves)* dief
thieve [θie:v] stelen
thieves [θie:vz] *mv van* thief
thievish [θie:visj] steels, dieven-, heimelijk
thigh [θaj] dij
thimble [θimbl] vingerhoed
[1]**thin** [θin] *bn* **1** dun, smal, fijn, schraal, mager, slank: *~ air* ijle lucht **2** dun (bezet, gezaaid), dunbevolkt: *a ~ audience* een klein publiek; *(inform) ~ on top* kalend **3** dun (vloeibaar), slap, waterig: *~ beer* schraal bier **4** zwak, armzalig: *a ~ excuse* een mager excuus || *disappear* (of: *vanish*) *into ~ air* spoorloos (*of:* volledig) verdwijnen; *the ~ end of the wedge* het eerste (kleine) begin; *skate on ~ ice* zich op glad ijs wagen; *have a ~ skin* erg gevoelig zijn; *have a ~ time (of it): a)* een moeilijke tijd doormaken; *b)* weinig succes boeken
[2]**thin** [θin] *ww* (ver)dunnen, uitdunnen, vermageren
thine [ðajn] *(bez vnw)* van u, uw, de (het) uwe
thing [θing] **1** ding, dingetje, zaak(je), voorwerp, iets: *a good ~ too!* (dat is) maar goed ook!; *it's a good ~ that* het is maar goed dat; *it's a good ~ to* je doet er goed aan (om); *a lucky ~ no-one got caught* gelukkig werd (er) niemand gepakt; *make a ~ of* ergens moeilijk over doen; *not a ~ to wear* niks om aan te trekken; *it didn't mean a ~ to me* het zei me totaal niets; *and another ~* bovendien, meer nog; *for one ~: a)* in de eerste plaats, om te beginnen; *b)* immers **2** schepsel, wezen, ding: *the poor ~* de (arme) stakker **3** (favoriete) bezigheid: *do one's (own) ~* doen waar men zin in heeft **4** (dat) wat gepast is: *the very ~ for you* echt iets voor jou; *be not (quite) the ~* niet passen **5** (dat) wat nodig is: *just the ~ I need* juist wat ik nodig heb **6** het belangrijkste (punt, kenmerk): *the ~ is that* de kwestie is dat, waar het om gaat is dat **7** *~s* spullen: *pack one's ~s* zijn boeltje bijeenpakken **8** *~s* (algemene) toestand: *that would only make ~s worse* dat zou het allemaal alleen maar verergeren; *how are ~s?, (inform) how's things?* hoe gaat het (ermee)? || *have a ~ about: a)* geobsedeerd zijn door; *b)* dol zijn op; *c)* als de dood zijn voor; *not know the first ~ about* niet het minste verstand hebben van; *know a ~ or two about* het een en ander weten over; *let ~s rip* (of: *slide*) de boel maar laten waaien; *well, of all ~s!* wel heb ik ooit!; *I'll do it first ~ in the morning* ik doe het morgenochtend meteen; *the first ~ I knew she had hit him* voor ik wist wat er gebeurde had ze hem een mep gegeven
thingamajig [θingemidzjik] dingetje, hoe-heet-'t-ook-al-weer
[1]**think** [θingk] *zn* **1** gedachte **2** bedenking, overweging: *have a hard ~ about* diep nadenken over || *have got another ~ coming* het lelijk mis hebben
[2]**think** [θingk] *intr (thought, thought)* **1** denken, (erover) nadenken, zich (goed) bedenken: *~ for oneself* zelfstandig denken; *~ to oneself* bij zichzelf denken; *~ back to* terugdenken aan; *yes, I ~ so* ja, ik denk van wel; *~ twice* er (nog eens) goed over nadenken; *~ about: a)* denken aan, nadenken over; *b)* overwegen *(idee, voorstel, plan); c)* (terug)denken aan; *~ about moving* er ernstig over denken om te verhuizen **2** het verwachten, het vermoeden, het in de gaten hebben: *I thought as much* dat was te verwachten, ik vermoedde al zoiets, dat dacht ik al
[3]**think** [θingk] *tr (thought, thought)* **1** denken, vinden, geloven: *~ s.o. pretty* iem mooi vinden; *~ out for oneself* voor zichzelf beslissen **2** (na)denken over: *~ out* overdenken, goed (na)denken over; *~ over* overdenken, in overweging houden; *~ through* doordenken, (goed) nadenken over; *~ up* bedenken, verzinnen; *and to ~ (that)* en dan te moeten bedenken dat; *~ what you're doing* bedenk wat je doet **3** overwegen **4** denken aan, zich herinneren: *he didn't ~ to switch off the headlights*

hij vergat de koplampen uit te doen **5** (in)zien, zich voorstellen, begrijpen: *she couldn't ~ how he did it* ze begreep niet hoe hij het voor elkaar had gekregen **6** verwachten, vermoeden, bedacht zijn op: *she never thought to see us here* ze had nooit verwacht ons hier te treffen || *~ nothing of sth.* iets niets bijzonders vinden, zijn hand voor iets niet omdraaien

thinker [θingkə] denker, geleerde, filosoof

thinking [θingking] **1** het (na)denken: *way of ~* denkwijze, zienswijze **2** mening, oordeel

think of 1 denken aan, rekening houden met: *(just, to) ~ it!* stel je (eens) voor! **2** (erover) denken om, van plan zijn: *be thinking of doing sth.* van plan zijn iets te doen; *he would never ~ (doing) such a thing* zoiets zou nooit bij hem opkomen **3** *(na cannot, could not, try, want e.d.)* zich herinneren **4** bedenken, voorstellen, verzinnen, (uit)vinden: *~ a number* neem een getal in gedachten **5** aanzien, aanslaan: *think highly of* een hoge dunk hebben van || *think better of it* zich bedenken, ervan afzien

think-tank denktank, groep specialisten

thin-skinned overgevoelig, lichtgeraakt

third [θə:d] derde, derde deel; *(muz)* terts: *~ in line* (als) derde op de lijst; *in ~ (gear)* in zijn drie, in zijn derde versnelling

third-degree derdegraads-

thirdly [θə:dlie] op de derde plaats

third-party tegenover derden: *~ insurance* aansprakelijkheidsverzekering, WA-verzekering

Third World derde wereld

[1]**thirst** [θə:st] *zn* dorst *(ook fig)*; sterk verlangen

[2]**thirst** [θə:st] *intr* sterk verlangen: *~ after* (of: *for*) snakken naar; *~ after revenge* op wraak belust zijn

thirsty [θə:stie] **1** dorstig: *be* (of: *feel*) *~* dorst hebben **2** verlangend: *be ~ for* snakken naar

thirteen [θə:tie:n] dertien

thirteenth [θə:tie:nθ] dertiende, dertiende deel

thirtieth [θə:tieəθ] dertigste, dertigste deel

thirty [θə:tie] dertig: *he's in his early* (of: *late*) *thirties* hij is voor (*of:* achter) in de dertig

[1]**this** [ðis] *aanw vnw (mv: these)* **1** dit, deze, die, dat: *these are my daughters* dit zijn mijn dochters; *what's all ~?* wat is hier allemaal aan de hand?, wat heeft dit allemaal te betekenen?; *~ is where I live* hier woon ik; *do it like ~* doe het zo **2** nu, dit: *~ is a good moment to stop* dit is een goed moment om te stoppen; *after ~* hierna; *at ~* op dit ogenblik; *for all ~* ondanks dit alles **3** *(wat net voorbij is)* laatste, voorbije: *she's so grumpy these days* ze is tegenwoordig zo humeurig; *~ morning* vanmorgen **4** *(wat gaat komen)* komende, aanstaande: *where are you travelling ~ summer?* waar ga je de komende zomer naartoe? **5** *(inform)* een (zekere), zo'n: *~ fellow came cycling along* er kwam een kerel aanfietsen

[2]**this** [ðis] *bw* zo: *I know ~ much, that the idea is crazy* ik weet in elk geval dat het een krankzinnig idee is

thither [ðiðə] daarheen, ginds

thong [θong] **1** (leren) riempje **2** *~s (Am)* (teen)slipper; sandaal **3** string *(onderbroekje)*

thorn [θo:n] **1** doorn **2** doornstruik || *a ~ in one's flesh* (of: *side*) een doorn in het vlees (*of:* oog)

thorny [θo:nie] **1** doorn(acht)ig, stekelig **2** lastig **3** ergerlijk

thorough [θurrə] **1** grondig, diepgaand: *a ~ change* een ingrijpende verandering **2** echt, volmaakt: *a ~ fool* een volslagen idioot

[1]**thoroughbred** [θurrəbred] *zn* rasdier, raspaard

[2]**thoroughbred** [θurrəbred] *bn* volbloed, rasecht; ras- *(ook fig)*

thoroughfare [θurrəfeə] **1** (drukke) verkeersweg, verkeersader, belangrijke waterweg **2** doorgang, doortocht, doorreis: *no ~* geen doorgaand verkeer, verboden toegang, doodlopende weg

thoroughgoing 1 zeer grondig, volledig: *~ cooperation* verregaande samenwerking **2** echt, volmaakt

those [ðooz] *mv van* that

thou [ðau] gij: *~ shalt not kill* gij zult niet doden

[1]**though** [ðoo] *bw* niettemin, desondanks, toch wel: *I really liked the first part, ~* maar het eerste deel vond ik echt heel goed

[2]**though** [ðoo] *vw* hoewel: *~ he smiles I do not trust him* hoewel hij glimlacht vertrouw ik hem niet; *~ only six, he is a bright lad* hoewel hij nog maar zes jaar is, is hij een slim jongetje || *as ~* alsof

[1]**thought** [θo:t] *zn* **1** gedachte: *perish the ~!* ik moet er niet aan denken! **2** bedoeling, plan: *she had no ~ of hurting him* het was niet haar bedoeling om hem pijn te doen **3** idee, opinie **4** het denken, gedachte: *in ~* in gedachten verzonken **5** denkwijze **6** de rede, het denkvermogen **7** het nadenken, de aandacht: *after serious ~* na rijp beraad **8** hoop, verwachting: *I had given up all ~ of ever getting away from there* ik had alle hoop opgegeven er nog ooit vandaan te komen || *have second ~s* zich bedenken

[2]**thought** [θo:t] *ovt en volt dw van* think

thoughtful [θo:tfoel] **1** nadenkend **2** diepzinnig **3** attent, zorgzaam

thoughtless [θo:tləs] **1** gedachteloos **2** onnadenkend **3** roekeloos **4** onattent, zelfzuchtig

thousand [θauznd] duizend; *(fig)* talloos

thousandth [θauzndθ] duizendste, duizendste deel

thrash [θresj] **1** geselen, aframmelen **2** verslaan, niets heel laten van || *~ out a solution* tot een oplossing komen

thrashing [θresjing] **1** pak rammel **2** nederlaag

[1]**thread** [θred] *zn* **1** draad; *(fig ook)* lijn: *lose the ~ of one's story* de draad van zijn verhaal kwijtraken; *take up* (of: *pick up*) *the ~s* de draad weer opnemen **2** garen **3** schroefdraad || *hang by a (single) ~* aan een zijden draad hangen

[2]**thread** [θred] *tr* **1** een draad steken in *(een naald)* **2** rijgen *(kralen)* **3** inpassen; inleggen *(film, geluidsband enz.)* **4** zich een weg banen door; *(fig)* zich heen worstelen door **5** banen, zoeken, vinden: *~ one's way through the crowd* zich een weg banen door de menigte

threadbare [θredbeə] **1** versleten, kaal **2** armoedig: *a ~ joke* een afgezaagde grap

threat [θret] **1** dreigement, bedreiging: *under ~ of* onder bedreiging met **2** gevaar, bedreiging: *they are a ~ to society* ze vormen een gevaar voor de maatschappij

[1]**threaten** [θretn] *intr* **1** dreigen (te gebeuren) **2** er dreigend uitzien: *the weather is ~ing* de lucht ziet er dreigend uit

[2]**threaten** [θretn] *tr* **1** bedreigen, een dreigement uiten tegen, een gevaar vormen voor: *peace is ~ed* de vrede is in gevaar **2** dreigen (met): *they ~ed to kill him* ze dreigden hem te doden

three [θrie:] drie, drietal, drietje, maat drie, drie uur: *~ parts* drie vierde, driekwart

three-cornered **1** driehoekig **2** driehoeks-, tussen drie partijen

[1]**three-D** *zn* driedimensionale vorm

[2]**three-D** *bn* driedimensionaal

threefold [θrie:foold] drievoudig

three-piece driedelig: *~ suit* driedelig pak

three-quarter driekwart

threesome [θrie:səm] drietal, driemanschap

threshold [θresjoold] **1** drempel *(ook fig)*; aanvang, begin: *~ of pain* pijndrempel **2** ingang

threw [θroe:] *ovt van* throw

thrice [θrajs] drie maal

thrift [θrift] zuinigheid, spaarzaamheid

thrifty [θriftie] zuinig, spaarzaam

[1]**thrill** [θril] *zn* **1** beving, golf van ontroering **2** huivering *(van angst, afschuw)*: *he felt a ~ of horror* hij huiverde van afgrijzen **3** opwindende gebeurtenis: *it was quite a ~* het was heel opwindend

[2]**thrill** [θril] *intr* **1** beven, aangegrepen worden **2** huiveren

[3]**thrill** [θril] *tr* **1** doen beven, opwinden: *be ~ed (to bits) with sth.* ontzettend gelukkig met iets zijn **2** doen huiveren, angst aanjagen

thriller [θrillə] iets opwindends, thriller, spannend misdaadverhaal

thrilling [θrilling] spannend, opwindend

thrive [θrajv] gedijen, floreren, bloeien: *he seems to ~ on hard work* hard werken schijnt hem goed te doen

throat [θroot] **1** hals **2** keel, strot: *clear one's ~* zijn keel schrapen || *be at each other's ~s* elkaar in de haren vliegen; *force* (of: *ram, thrust*) *sth. down s.o.'s ~* iem iets opdringen

[1]**throb** [θrob] *zn* klop, geklop, gebons

[2]**throb** [θrob] *intr* **1** kloppen **2** bonzen; bonken *(van hart)*

throe [θroo] heftige pijn || *(fig) in the ~s of* worstelend met

throne [θroon] troon, zetel; *(fig ook)* macht; heerschappij

[1]**throng** [θrong] *zn* menigte, mensenmassa

[2]**throng** [θrong] *intr* zich verdringen, toestromen

[3]**throng** [θrong] *tr* vullen, overstelpen, overvol maken: *people ~ed the streets* de straten zagen zwart van de mensen

[1]**throttle** [θrotl] *zn (techn)* smoorklep

[2]**throttle** [θrotl] *tr* **1** doen stikken, (ver)smoren; *(fig ook)* onderdrukken **2** wurgen **3** gas minderen *(auto)*

throttle back afremmen *(ook fig)*; (vaart) minderen

[1]**through** [θroe:] *bn* doorgaand, doorlopend: *~ train* doorgaande trein; *no ~ road* geen doorgaand verkeer

[2]**through** [θroe:] *bw* **1** door, verder: *go ~ with* doorgaan met **2** door(heen): *read sth. ~: a)* iets doornemen; *b)* iets uitlezen **3** klaar, erdoorheen **4** helemaal, van begin tot eind: *get soaked* (of: *wet*) *~* doornat worden; *~ and ~* door en door, in hart en nieren || *are you ~?: a)* heeft u verbinding? *(telefoon)*; *b) (Am)* bent u klaar?; *I will put you ~* ik zal u doorverbinden

[3]**through** [θroe:] *vz* **1** (helemaal) door, via, langs, over, gedurende: *seen ~ a child's eyes* gezien met de ogen van een kind; *he remained calm ~ the whole trial* hij bleef kalm gedurende het hele proces; *~ and ~* helemaal door(heen) *(ook fig)* **2** *(wijze)* door middel van: *he spoke ~ his representative* hij sprak via zijn vertegenwoordiger **3** *(oorzaak)* door, wegens, uit: *he could not travel ~ illness* hij kon wegens ziekte niet reizen **4** *(Am)* tot en met: *Monday thru Thursday* van maandag tot en met donderdag

[1]**throughout** *bw* helemaal, door en door, steeds: *our aim has been ~ ...* ons doel is steeds geweest ...

[2]**throughout** *vz* (helemaal) door, door heel: *~ the country* door, in heel het land

throughway *(Am)* snelweg

[1]**throw** [θroo] *zn* worp, gooi

[2]**throw** [θroo] *intr (threw, thrown)* met iets gooien, werpen

[3]**throw** [θroo] *tr (threw, thrown)* **1** werpen, gooien; *(fig ook)* terecht doen komen: *~ dice* dobbelstenen gooien, dobbelen; *the horse threw him* het paard wierp hem af; *~ oneself into sth.* zich ergens op werpen, zich enthousiast ergens in storten; *be ~n (back) upon one's own resources* op zichzelf worden teruggeworpen **2** richten, (toe)werpen, toezenden: *he threw us a sarcastic look* hij wierp ons een sarcastische blik toe **3** afschieten *(projectiel)* **4** omzetten, veranderen in **5** draaien *(hout, aardewerk)* **6** snel op zijn plaats brengen, leggen, maken: *~ the switch to 'off'* de schakelaar op 'uit' zetten **7** maken, hebben, organiseren: *(inform) ~ a party* een fuif geven **8** *(inform)* verwarren, van de wijs brengen || *~ open* openstellen; *~ s.o. into*

confusion iem in verwarring brengen
throw about rondsmijten: *throw one's money about* met geld smijten
throw away **1** weggooien **2** verspelen, missen: ~ *a chance* een kans verspelen **3** vergooien: *throw one's money away on* zijn geld weggooien aan
throw-away **1** wegwerp- **2** zonder nadruk: *a ~ remark* een quasinonchalante opmerking
throwback **1** terugslag **2** terugkeer
throw back **1** teruggooien **2** openslaan, opzij werpen: ~ *the blankets* de dekens terugslaan || *be thrown back on* moeten teruggrijpen naar, weer aangewezen zijn op
throw down **1** neergooien **2** afbreken
throw in **1** erin gooien, inwerpen **2** gratis toevoegen: *I'll ~ an extra battery* ik doe er nog een gratis batterij bij **3** terloops opmerken **4** *(sport)* ingooien
throw-in *(sport)* inworp
thrown [θroon] *volt dw van* throw
throw off **1** zich bevrijden van, van zich af schudden **2** uitgooien, haastig uittrekken: ~ *one's mask* zijn masker afwerpen *(ook fig)* **3** uitstoten; *(ook fig)* produceren
throw out **1** weggooien, wegdoen **2** verwerpen, afwijzen **3** uiten, suggereren **4** geven, uitzenden: ~ *heat* warmte uitstralen **5** in de war brengen: *now all our calculations are thrown out* nu zijn al onze berekeningen fout **6** wegsturen, eruit gooien
throw over in de steek laten: *he threw her over* hij heeft haar laten zitten
throw together bij elkaar brengen, samenbrengen: *throw people together* mensen met elkaar in contact brengen
[1]throw up *tr* **1** omhoog gooien, optillen: ~ *one's eyes* de ogen ten hemel slaan **2** voortbrengen **3** optrekken, opbouwen: ~ *barricades* barricaden opwerpen **4** opgeven, opzeggen: ~ *one's job* zijn baan vaarwel zeggen
[2]throw up *tr, intr (inform)* overgeven, kotsen
thru [θroe:] *zie* through
thrum [θrum] **1** tokkelen (op); pingelen (op) *(gitaar)* **2** ronken, brommen, dreunen
thrush [θrusj] lijster
[1]thrust [θrust] *zn* **1** stoot, duw, zet **2** steek *(ook fig)* **3** druk, (drijf)kracht **4** beweging, streven, richting **5** *(mil)* uitval
[2]thrust [θrust] *intr (thrust, thrust)* **1** uitvallen, toestoten **2** dringen, worstelen: ~ *in* zich een weg banen naar binnen
[3]thrust [θrust] *tr (thrust, thrust)* **1** stoten **2** steken, stoppen: *he ~ his hands into his pockets* hij stak zijn handen in zijn zakken **3** duwen, dringen: *she ~ her way through the crowd* ze worstelde zich door de menigte heen || ~ *sth. upon s.o.* iem ergens mee opschepen
[1]thud [θud] *zn* plof, slag, bons
[2]thud [θud] *intr* (neer)ploffen, bonzen
thug [θuǩ] misdadiger, moordenaar
thuggery [θuǩerie] gewelddadigheid
[1]thumb [θum] *zn* duim || *give the ~s up* (of: *down*) goedkeuren, afkeuren; *twiddle one's ~s* duimendraaien; *~s down* afgewezen; *~s up!: a)* prima!; *b)* kop op!, hou je taai; *be under s.o.'s ~* bij iem onder de plak zitten
[2]thumb [θum] *intr* (met *through*) (door)bladeren *(bijv. boek)*
[3]thumb [θum] *tr* **1** beduimelen, vuile vingerafdrukken achterlaten in **2** vragen *(een lift)*; liften: ~ *a ride* liften
thumb tack *(Am)* punaise
[1]thump [θump] *zn* dreun, klap
[2]thump [θump] *intr* dreunen, bonzen
[3]thump [θump] *tr* **1** dreunen op, beuken: *he was ~ing out a well-known song* timmerend op de toetsen speelde hij een bekend liedje **2** stompen **3** een pak slaag geven
[4]thump [θump] *bw* met een dreun: *the boy ran ~ with his head against the bookcase* de jongen liep 'bam' met zijn hoofd tegen de boekenkast
thumping [θumping] geweldig
[1]thunder [θunde] *zn* **1** donder, onweer **2** gedonder *(ook fig)* || *steal s.o.'s ~* met de eer gaan strijken
[2]thunder [θunde] *intr* **1** donderen, onweren **2** denderen, dreunen **3** donderen, razen, tekeergaan
[3]thunder [θunde] *tr* uitbulderen, brullen: ~ *out curses* verwensingen uitschreeuwen
thunderbolt **1** bliksemflits **2** donderslag, schok, klap
thunderclap donderslag *(ook fig)*
thundering [θundering] **1** donderend **2** kolossaal
thunderstorm onweersbui
thunderstruck (als) door de bliksem getroffen
thundery [θunderie] **1** onweerachtig **2** dreigend
Thursday [θe:zdee] donderdag
thus [ðus] (al)dus, zo || ~ *far* tot hier toe, tot nu toe
thwart [θwo:t] **1** verijdelen, dwarsbomen **2** tegenwerken, tegenhouden
thy [ðaj] uw
thyme [tajm] tijm
[1]tick [tik] *zn* **1** tik, getik *(van klok)* **2** momentje, ogenblikje: *in two ~s* in een wip **3** vink(je); (merk)teken(tje) *(bij controle van lijst)* **4** krediet, pof: *on ~* op de pof
[2]tick [tik] *intr* tikken: ~ *away* (of: *by*): *a)* tikken; *b)* voorbijgaan *(van tijd)* || *what makes s.o. (sth.) ~* wat iem drijft; ~ *over: a)* stationair draaien *(van motor)*; *b) (inform)* zijn gangetje gaan
[3]tick [tik] *tr* aanstrepen *(op lijst)* || ~ *off* een uitbrander geven
ticker [tikke] **1** horloge, klok **2** hart, rikketik
[1]ticket [tikkit] *zn* **1** kaart(je), toegangsbewijs, plaatsbewijs: ~ *tout* zwarthandelaar in kaartjes **2** prijskaartje, etiket **3** bon, bekeuring: *parking ~* bon voor foutparkeren; *speeding ~* bon voor te hard rijden **4** *(Am)* kandidatenlijst || *that's just the ~* dát is het (precies), precies wat we nodig hebben (*of:* zoeken)

[2]**ticket** [tikkit] *tr* **1** etiketteren, prijzen **2** bestemmen, aanduiden **3** *(Am)* een bon geven
[1]**tickle** [tikl] *zn* gekietel, kietelend gevoel
[2]**tickle** [tikl] *ww* **1** kietelen, kriebelen; *(fig)* (aangenaam) prikkelen **2** amuseren, aan het lachen maken: *be ~d to death* zich kostelijk amuseren
ticklish [tiklisj] **1** kittelig, kittelachtig **2** netelig
tidal [tajdl] getijden-: *~ river* getijdenrivier
tidal wave getijdengolf, vloedgolf; *(fig)* golf van emotie
tiddler [tidle] **1** visje **2** klein kind; *(fig)* klein broertje
tiddly [tidlie] **1** aangeschoten **2** klein
tiddlywinks [tidliewingks] vlooienspel
tide [tajd] **1** getij(de), tij: *high ~* vloed; *low ~* eb; *(fig) turn the ~* het getijde doen keren **2** stroom; stroming *(ook fig)*: *(inform; fig) swim* (of: *go*) *with the ~* met de stroom mee gaan
tidemark hoogwaterlijn
[1]**tide over** *intr* helpen over: *she gave me £15 to tide me over the next two days* ze gaf me £15 om me door de volgende twee dagen te helpen
[2]**tide over** *tr* (iem) verder helpen, (iem) voorthelpen *(financieel)*
tideway **1** stroombed **2** eb in stroombed
tidings [tajdingz] tijding(en)
[1]**tidy** [tajdie] *zn* opbergdoosje voor prulletjes
[2]**tidy** [tajdie] *bn* **1** netjes, keurig, op orde **2** proper **3** aardig (groot): *~ income* aardig inkomen
[3]**tidy** [tajdie] *ww* opruimen, schoonmaken: *~ away* opruimen; *~ up* opruimen, in orde brengen
[1]**tie** [taj] *zn* **1** touw(tje), koord **2** (strop)das **3** band, verbondenheid **4** *(sport, spel)* gelijk spel **5** *(sport)* (afval)wedstrijd, voorronde
[2]**tie** [taj] *intr* **1** vastgemaakt worden **2** een knoop leggen **3** *(sport)* gelijk eindigen: *they ~d for a second place* ze deelden de tweede plaats || *~ in (with)* verband houden (met), *(fig)* kloppen
[3]**tie** [taj] *tr* **1** (vast)binden, (vast)knopen: *his hands are ~d* zijn handen zijn gebonden *(fig)*; *~ a knot* een knoop leggen; *~ back* opbinden, bijeen binden *(bijv. haar)* **2** (ver)binden **3** binden, beperken: *~ down* de handen binden, bezighouden; *~ s.o. down to* iem zich laten houden aan **4** *(sport)* gelijk spelen, staan met: *~d game* gelijkspel
tiebreak(er) beslissingswedstrijd; *(tennis)* tiebreak(er) *(game om set te beslissen)*
tied [tajd] (vast)gebonden: *~ house* gebonden café *(met alleen bier van een bepaalde brouwerij)*
tie-on hang-: *~ label* hangetiket
tiepin dasspeld
tier [tie] rij, verdieping; rang *(bijv. in theater)*
[1]**tie up** *intr* **1** afgemeerd worden **2** verband houden **3** kloppen || *~ with* verband houden met, kloppen met
[2]**tie up** *tr* **1** vastbinden, verbinden, dichtbinden: *~ a dog* een hond vastleggen; *(fig) be tied up with* verband houden met **2** afmeren **3** (druk) bezighouden, ophouden, stopzetten: *be tied up* bezet zijn **4** vastzetten, vastleggen *(geld)*
tiff [tif] ruzietje
tiger [tajĝe] tijger
[1]**tight** [tajt] *bn* **1** strak, nauw(sluitend), krap: *~ shoes* te nauwe schoenen **2** propvol: *a ~ schedule* een overladen programma **3** potdicht **4** beklemmend: *be in a ~ corner* (of: *place, spot*) in een lastig parket zitten **5** schaars, krap **6** gierig **7** stevig, vast **8** streng: *keep a ~ grip* (of: *hold*) *on s.o.* iem goed in de hand houden **9** *(inform)* dronken || *a ~ squeeze* een hele toer
[2]**tight** [tajt] *bw* vast, stevig: *hold me ~* hou me stevig vast; *good night, sleep ~* goedenacht, welterusten
[1]**tighten** [tajtn] *intr* **1** zich spannen, strakker worden **2** krap worden
[2]**tighten** [tajtn] *tr* **1** aanhalen, spannen, vastsnoeren: *~ one's belt* de buikriem aanhalen *(fig)* **2** vastklemmen, vastdraaien **3** verscherpen *(maatregelen)*: *~ up* verscherpen
tight-fisted krenterig
tight-fitting nauwsluitend
tight-lipped **1** met opeengeklemde lippen **2** gesloten, stil
tightrope walker koorddanser
tights [tajts] panty: *(a pair of) ~* een panty
tightwad vrek
tigress [tajĝris] tijgerin
tile [tajl] tegel, (dak)pan || *he has a ~ loose* d'r zit een steekje los bij hem; *be (out) on the ~s* aan de zwier zijn
[1]**till** [til] *zn* geldlade, kassa
[2]**till** [til] *tr* bewerken *(grond)*
[3]**till** [til] *vz (tijd)* tot (aan), voor: *~ tomorrow* tot morgen; *not ~ after dinner* niet vóór het middageten
[4]**till** [til] *vw (tijd)* tot(dat), voordat: *he read ~ Harry arrived* hij las tot Harry (aan)kwam; *it was a long time ~ she came home* het duurde lang voor zij thuis kwam
tiller [tille] roer, roerpen, helmstok
[1]**tilt** [tilt] *zn* **1** schuine stand: *he wore his hat at a ~* hij had zijn hoed schuin op **2** steekspel; *(fig)* woordenwisseling
[2]**tilt** [tilt] *intr* **1** scheef staan, (over)hellen: *~ over* wippen, kantelen **2** op en neer gaan, wiegelen, schommelen
[3]**tilt** [tilt] *tr* scheef houden, zetten, doen (over)hellen, kantelen
timber [timbe] **1** balk **2** (timmer)hout
timbered [timbed] in vakwerk uitgevoerd: *a ~ house* een huis in vakwerk
[1]**time** [tajm] *zn* **1** tijd, tijdsduur: *gain ~* tijd winnen; *kill ~* de tijd doden; *lose no ~* geen tijd verliezen, direct doen; *take one's ~* zich niet haasten; *~ and (time) again* steeds opnieuw; *in next to no ~* in een mum van tijd; *let's take some ~ off* (of: *~ out*) laten we er even tussenuit gaan; *I'm working against ~* ik moet me (vreselijk) haasten, het

is een race tegen de klok; *for a ~* een tijdje; *all the ~: a)* de hele tijd, voortdurend; *b)* altijd **2** tijdstip, tijd: *do you have the ~?* weet u hoe laat het is?; *keep (good) ~* goed lopen *(van klok); at the ~* toen, indertijd; *by the ~ the police arrived, …* tegen de tijd dat de politie arriveerde, …; *what ~ is it?, what's the ~?* hoe laat is het? **3** *~s* tijdperk, periode: *move with the ~s* met zijn tijd meegaan; *at one ~* vroeger, eens; *be behind the ~s* achterlopen, niet meer van deze tijd zijn; *once upon a ~* er was eens **4** gelegenheid, moment: *have ~ on one's hands* genoeg vrije tijd hebben; *any ~* altijd, om 't even wanneer; *every ~* elke keer, altijd, steeds (*of:* telkens) (weer); *many ~s, many a ~* vaak, dikwijls **5** keer, maal: *nine ~s out of ten* bijna altijd, negen op de tien keer **6** *(muz)* maat: *keep ~* in de maat blijven, de maat houden **7** tempo: *~ signature* maataanduiding || *pass the ~ of day with s.o.* iem goedendag zeggen, even met iem staan praten; *I had the ~ of my life* ik heb ontzettend genoten; *since ~ out of mind* sinds onheuglijke tijden; *do ~* zitten *(in gevangenis); I have no ~ for him* ik mag hem niet, ik heb een hekel aan hem; *mark ~ (mil)* pas op de plaats maken, *(fig)* een afwachtende houding aannemen; *play for ~* tijd rekken; *~ will tell* de tijd zal het uitwijzen; *~'s up!* het is de hoogste tijd!; *(and) about ~ too!* (en) het werd ook tijd; *~ after ~* keer op keer; *at all ~s* altijd, te allen tijde; *one at a ~* één tegelijk; *at the same ~: a)* tegelijkertijd; *b)* toch; *at ~s* soms; *for the ~ being* voorlopig; *from ~ to ~* van tijd tot tijd; *in ~: a)* op tijd; *b)* na verloop van tijd; *on ~: a)* op tijd; *b)* op afbetaling

[2]**time** [tajm] *tr* **1** vaststellen; berekenen *(tijdstip, tijdsduur): the train is ~d to leave at four o'clock* de trein moet om vier uur vertrekken **2** het juiste moment kiezen voor (om te): *his visit was ill ~d* zijn bezoek kwam ongelegen **3** klokken

time-consuming tijdrovend

time-honoured traditioneel

timekeeper 1 uurwerk: *my watch is a good ~* mijn horloge loopt altijd op tijd **2** tijdwaarnemer, tijdopnemer

time lag pauze *(tussen twee opeenvolgende verschijnselen);* tijdsverloop, vertraging, tijdsinterval

timeless [tajmles] **1** oneindig, eeuwig **2** tijd(e)loos

timely [tajmlie] **1** tijdig **2** van pas komend, gelegen

time out time-out, onderbreking

timepiece uurwerk, klok, horloge

timer [tajme] **1** timer *(bijv. op video)* **2** tijdopnemer **3** tijdwaarnemer

timeserving opportunistisch

timeshare deeltijdeigenaarschap *(van vakantiewoning, vakantieflat)*

time-sharing deeltijdeigenaarschap *(van vakantiewoning)*

[1]**timetable** *zn* **1** dienstregeling **2** (les)rooster

[2]**timetable** *tr* plannen, inroosteren

[3]**timetable** *tr, intr* een rooster maken

time warp vervorming van de tijd, tijdsvervorming

time-wasting het tijdrekken, het tijdwinnen, spelbederf

time-worn 1 versleten, oud **2** afgezaagd

timid [timmid] **1** bang, angstig **2** timide, verlegen

timidity [timmidditie] **1** angst **2** bedeesdheid

timorous [timmeres] **1** bang, angstig **2** timide, bedeesd

timpani [timpenie] pauk(en)

timpanist [timpenist] paukenist

[1]**tin** [tin] *zn* **1** tin **2** blik **3** blik(je), conservenblik **4** bus

[2]**tin** [tin] *bn* **1** tinnen: *~ soldier* tinnen soldaatje **2** blikken: *~ can* (leeg) blikje; *~ whistle* blikken fluitje **3** prullerig

[3]**tin** [tin] *tr* inblikken

tinder [tinde] **1** tondel **2** olie op het vuur

tinderbox 1 tondeldoos **2** *(fig)* kruitvat

tine [tajn] **1** scherpe punt; tand *(van (hooi)vork)* **2** geweitak

tinfoil aluminiumfolie

[1]**tinge** [tindzj] *zn* tint(je) *(ook fig)*

[2]**tinge** [tindzj] *tr* **1** tinten **2** doortrekken: *comedy ~d with tragedy* tragikomedie

[1]**tingle** [tingkl] *zn* tinteling

[2]**tingle** [tingkl] *ww* **1** opgewonden zijn, popelen **2** (laten) tintelen; (doen) suizen *(van oren)*

[1]**tinker** [tingke] *zn* ketellapper

[2]**tinker** [tingke] *intr* **1** ketellappen **2** (met *at, with*) prutsen (aan)

[1]**tinkle** [tingkl] *zn* **1** gerinkel **2** plasje **3** telefoontje

[2]**tinkle** [tingkl] *intr* **1** rinkelen, tingelen **2** plassen

[3]**tinkle** [tingkl] *tr* laten rinkelen

tinny [tinnie] **1** tin-, blikachtig **2** metaalachtig *(van klank)* **3** waardeloos

tin-opener blikopener

tinplate blik

tinpot waardeloos

tinsel [tinsl] klatergoud *(ook fig)*

[1]**tint** [tint] *zn* **1** (pastel)tint **2** kleurshampoo

[2]**tint** [tint] *ww* kleuren

tiny [tajnie] heel klein, nietig

[1]**tip** [tip] *zn* **1** tipje, topje, punt; filter *(van sigaret);* pomerans *(van biljartkeu): the ~ of the iceberg* het topje van de ijsberg **2** stort, stortplaats; *(fig)* zwijnenstal **3** fooi **4** tip, raad: *give s.o. a ~ on* iem een tip geven over **5** tik(je), duwtje || *have sth. on the ~ of one's tongue* iets voor op de tong hebben liggen

[2]**tip** [tip] *intr* **1** kiep(er)en, kantelen: *these bunks ~ up* deze slaapbanken klappen omhoog **2** omkantelen: *~ over* omvallen **3** fooien uitdelen

[3]**tip** [tip] *tr* **1** doen overhellen: *~ sth. up* iets schuin houden **2** doen omslaan, omvergooien: *~ over* omgooien **3** (weg)kieperen **4** overgieten **5** aantikken, eventjes aanraken **6** tippen, (als fooi) geven **7** tippen, als kanshebber aanwijzen

tip off waarschuwen, een tip geven
tip-off waarschuwing, hint
[1]**tipple** [tipl] *zn* (sterke)drank, drankje
[2]**tipple** [tipl] *intr* aan de drank zijn, pimpelen
tipster [tipste] tipgever, informant
tipsy [tipsie] aangeschoten
tiptoe [tiptoo] op zijn tenen lopen || *on ~: a)* op zijn tenen, stilletjes; *b)* vol verwachting
tip-top **1** tiptop, piekfijn **2** chic
tip-up: *a ~ seat* een klapstoeltje
[1]**tire** [tajje] *zn* **1** hoepel **2** band
[2]**tire** [tajje] *intr* **1** moe worden **2** (met *of*) beu worden: *I never ~ of it* het verveelt me nooit
[3]**tire** [tajje] *tr* **1** (ook met *out*) afmatten, vermoeien **2** vervelen
tired [tajjed] **1** moe: *~ out* doodop **2** afgezaagd || *be ~ of sth.* iets beu zijn
tireless [tajjeles] **1** onvermoeibaar **2** onophoudelijk
tiresome [tajjesem] **1** vermoeiend **2** vervelend, saai
tiro [tajroo] beginneling, beginner
tissue [tisjoe:] **1** doekje, gaasje **2** papieren (zak)doekje, velletje vloeipapier **3** web, netwerk: *~ of lies* aaneenschakeling van leugens **4** (cel)weefsel
tissue paper zijdepapier
tit [tit] **1** mees **2** *(inform)* tiet, tepel **3** sukkel, klier
titanic [tajtenik] reusachtig
titbit [titbit] **1** lekker hapje **2** interessant nieuwtje, roddeltje
tit-for-tat vergeldings-, uit wraak
tit-for-tat policy lik-op-stukbeleid
titillate [tittilleet] prikkelen, aangenaam opwinden
titivate [tittivveet] mooi maken, opdirken
title [tajtl] titel, titelblad; *(sport)* kampioen(schap); *(jur)* eigendomsrecht; ondertitel; aftiteling *(van film)*
titled [tajtld] met een (adellijke) titel
title deed eigendomsakte
[1]**titter** [titte] *zn* gegiechel
[2]**titter** [titte] *intr* (onderdrukt, nerveus) giechelen
tittle [titl] tittel *(ook fig);* puntje
[1]**tittle-tattle** [titltetl] *zn* kletspraat, roddelpraat
[2]**tittle-tattle** [titltetl] *intr* kletsen
[1]**to** [te, toe:] *bw* **1** *(richting)* (er)heen: *to and fro* heen en weer **2** *(plaats; ook fig)* tegen, bij, eraan: *bring s.o. to* iem bijbrengen
[2]**to** [te, toe:] *vz* **1** naar, naar ... toe, tot: *pale to clear blue* bleek tot hel blauw; *drink to her health* op haar gezondheid drinken; *they remained loyal to a man* ze bleven stuk voor stuk trouw; *to my mind* volgens mij; *travel to Rome* naar Rome reizen; *from bad to worse* van kwaad tot erger **2** *(plaats; ook fig)* tegen, op, in: *I've been to my aunt's* ik ben bij mijn tante gaan logeren; *we beat them eleven to seven* we hebben ze met elf (tegen) zeven verslagen **3** *(vergelijkend)* met, ten opzichte van, voor: *use 50 lbs. to the acre* gebruik 50 pond per acre; *superior to synthetic fabric* beter dan synthetische stof; *compared to Jack* vergeleken bij Jack; *true to nature* natuurgetrouw; *I'm new to the place* ik ben hier nieuw; *made to size* op maat gemaakt **4** *(tijd)* tot, tot op, op: *three years ago to the day* precies drie jaar geleden; *stay to the end* tot het einde blijven; *five (minutes) to three* vijf (minuten) voor drie **5** bij, aan, van: *the key to the house* de sleutel van het huis; *there's more to it* er zit meer achter
[3]**to** [te, toe:] *partikel (vaak onvertaald)* **1** te: *I don't want to apologize* ik wil mij niet verontschuldigen **2** dat, het: *I don't want to* dat wil ik niet
toad [tood] *(dierk)* pad
toadstool paddenstoel
[1]**toady** [toodie] *zn* vleier
[2]**toady** [toodie] *ww* vleien: *~ to s.o.* iem vleien
to-and-fro [toe:enfroo] heen en weer (gaand), schommelend
[1]**toast** [toost] *zn* **1** toost, (heil)dronk: *propose a ~ to s.o.* een toost uitbrengen op iem **2** geroosterde boterham, toast || *have s.o. on ~* iem helemaal in zijn macht hebben
[2]**toast** [toost] *tr* **1** roosteren, toast maken van: *(fig) ~ oneself at the fire* zich warmen bij het vuur **2** toosten op
toaster [tooste] broodrooster
toastmaster ceremoniemeester *(bij een diner)*
tobacco [tebekoo] tabak
tobacconist [tebekenist] tabakshandelaar
[1]**toboggan** [tebok̂en] *zn* slee
[2]**toboggan** [tebok̂en] *intr* sleeën, rodelen
tod [tod]: *on one's ~* in z'n uppie
today [tedee] vandaag, tegenwoordig
toddle [todl] **1** waggelen **2** kuieren: *~ round* (of: *over*) even aanlopen **3** (ook met *along*) opstappen
toddler [todle] dreumes, hummel
to-do [tedoe:] drukte, gedoe, ophef
toe [too] teen, neus, punt || *turn up one's ~s* de pijp uitgaan; *on one's ~s* alert
toecap neus *(van schoen)*
toehold steunpuntje; *(fig)* houvast; opstapje
toenail teennagel
toff [tof] fijne meneer: *the ~s* de rijkelui
toffee [toffie] toffee
toffee-nosed snobistisch, verwaand
tofu [to:foe:] tofoe, tahoe
together [tek̂eðe] **1** samen, bijeen: *come ~* samenkomen **2** tegelijk(ertijd): *all ~ now* nu allemaal tegelijk **3** aaneen, bij elkaar, tegen elkaar: *tie ~* aan elkaar binden **4** *(inform)* voor elkaar, geregeld: *get things ~* de boel regelen **5** achtereen, zonder tussenpozen: *for hours ~* uren aan een stuk, uren achter elkaar || *~ with* met
toggle [tok̂l] **1** knevel, pin **2** houtje *(van houtjetouwtjesluiting)*
togs [tok̂z] kloffie, plunje
[1]**toil** [tojl] *zn* gezwoeg
[2]**toil** [tojl] *intr* **1** (met *at, on*) hard werken (aan): *~ away* ploeteren **2** moeizaam vooruitkomen

toilet [tojlit] **1** wc, toilet **2** toilet, gewaad: *make one's ~* toilet maken **3** toilettafel, kaptafel
toilet bag toilettas
toilet paper wc-papier
toiletry [tojlitrie] **1** toiletartikel **2** toiletgerei
[1]**token** [tooken] *zn* **1** teken, blijk, bewijs: *in ~ of* ten teken van **2** herinnering, aandenken **3** bon, cadeaubon **4** munt, fiche, penning
[2]**token** [tooken] *bn* symbolisch: *~ resistance* symbolisch verzet
told [toold] *ovt en volt dw van* tell
tolerable [tollerebl] **1** draaglijk **2** toelaatbaar **3** redelijk
tolerance [tollerens] **1** verdraagzaamheid, tolerantie: *~ of* (of: *to*) *hardship* het verdragen van ontberingen **2** toegestane afwijking, tolerantie, speling
tolerant [tollerent] verdraagzaam
tolerate [tollereet] **1** tolereren, verdragen **2** (kunnen) verdragen
toleration [tollereesjen] verdraagzaamheid
[1]**toll** [tool] *zn* **1** tol; *(fig; meestal ev)* prijs: *take a heavy ~* een zware tol eisen **2** kosten ve interlokaal telefoongesprek **3** (klok)gelui
[2]**toll** [tool] *ww* **1** luiden *(van klok)* **2** slaan *(het uur)*
toll bridge tolbrug
toll road tolweg
tom [tom] kater || *(every) Tom, Dick and Harry* Jan, Piet en Klaas; *peeping Tom* gluurder
tomato [tema:too] tomaat
tomb [toe:m] (praal)graf, (graf)tombe, grafmonument
tombola [tomboole] tombola *(loterijspel)*
tomboy wilde meid, wildebras, robbedoes
tombstone grafsteen
tomcat kater
tome [toom] (dik) boekdeel
tomfool stom
tomfoolery **1** dwaasheid, flauw gedrag **2** onzin
tomorrow [temorroo] morgen: *~ week* morgen over een week
tomtom tamtam, trommel
ton [tun] **1** (metrieke) ton *(gewicht; ongev 1016 kg)*: *(fig) it weighs (half) a ~* het weegt loodzwaar **2** grote hoeveelheid **3** honderd (pond, mijl per uur): *do the ~* honderd mijl per uur rijden || *come down like a ~ of bricks* flink tekeergaan
[1]**tone** [toon] *zn* **1** toon, klank, stem(buiging), tint: *speak in an angry ~* op boze toon spreken **2** intonatie, accent **3** *(foto)* toon, tint **4** *(muz)* (hele) toon, grote seconde **5** geest; stemming *(ook van markt)*: *set the ~* de toon aangeven
[2]**tone** [toon] *intr* overeenstemmen: *~ (in) with* kleuren bij
[3]**tone** [toon] *tr* **1** tinten **2** doen harmoniëren: *~ (in) with* doen harmoniëren met, laten passen bij
tone-deaf geen (muzikaal) gehoor hebbend
tone down **1** afzwakken *(ook fig)*: *~ one's language* op zijn woorden passen **2** verzachten
toneless [toonles] **1** toonloos, monotoon **2** kleurloos
toner [toone] inkt *(voor printers en kopieerapparaten)*
tongs [tongz] tang: *pair of ~* tang
tongue [tung] **1** tong, spraak **2** taal **3** tongvormig iets; lipje *(van schoen)*; landtong; klepel *(van klok)* || *(speak) with ~ in cheek* spottend (spreken); *hold your ~!* houd je mond!; *have lost one's ~* zijn tong verloren hebben; *set ~s wagging* de tongen in beweging brengen
tongue-in-cheek ironisch, spottend
tongue-tied met de mond vol tanden
tongue-twister tongbreker, moeilijk uit te spreken woord (zin)
tonic [tonnik] versterkend middel *(ook fig)*
tonic water tonic
tonight [tenajt] **1** vanavond **2** vannacht
tonsil [tonsil] (keel)amandel: *have one's ~s out* zijn amandelen laten knippen
tonsil(l)itis [tonsillajtis] amandelontsteking
tonsure [tonsje] tonsuur
too [toe:] **1** te (zeer): *~ good to be true* te mooi om waar te zijn **2** *(inform)* erg, al te: *it's ~ bad* (het is) erg jammer **3** ook, eveneens: *he, ~, went to Rome* híj ging ook naar Rome; *he went to Rome, ~* hij ging ook naar Róme **4** bovendien: *they did it; on Sunday ~!* zij hebben het gedaan; en nog wel op zondag!
took [toek] *ovt van* take
[1]**tool** [toe:l] *zn* **1** handwerktuig, (stuk) gereedschap, instrument: *down ~s* het werk neerleggen *(uit protest)* **2** werktuig *(alleen fig)*
[2]**tool** [toe:l] *intr* toeren, rijden: *~ along* rondtoeren, voortsnorren
[3]**tool** [toe:l] *tr* bewerken
toolbar *(comp)* werkbalk
toolbox gereedschapskist
tool-shed gereedschapsschuurtje
[1]**toot** [toe:t] *zn* **1** (hoorn)stoot **2** getoeter
[2]**toot** [toe:t] *ww* toeteren, blazen (op)
tooth [toe:θ] *(mv: teeth)* **1** tand *(ook van kam, zaag)*; kies: *teeth* gebit; *(fig) (fight) ~ and nail* met hand en tand (vechten); *(fig) armed to the teeth* tot de tanden gewapend; *(fig) get one's teeth into sth.* ergens zijn tanden in zetten **2** *teeth (inform)* kracht, effect || *(inform) be fed up to the (back) teeth* er schoon genoeg van hebben; *kick in the teeth* voor het hoofd stoten; *the sound set his teeth on edge* het geluid ging hem door merg en been
toothache tandpijn, kiespijn
toothbrush tandenborstel
toothed [toe:θt] **1** getand **2** met tanden
toothless [toe:θles] **1** tandeloos **2** krachteloos
toothpaste tandpasta
toothpick tandenstoker
toothsome [toe:θsem] lekker
toothy [toe:θie] **1** met grote, vooruitstekende tanden **2** getand
[1]**tootle** [toe:tl] *zn* getoeter
[2]**tootle** [toe:tl] *tr* (rond)toeren

[3]**tootle** [toe:tl] *tr, intr* blazen (op); toeteren (op) *(instrument)*
tootsy [toetsie] *(kindertaal)* voet(je)
[1]**top** [top] *zn* **1** top, hoogste punt: *from ~ to bottom* van onder tot boven; *from ~ to toe* van top tot teen; *(shout) at the ~ of one's voice* luidkeels (schreeuwen); *on ~* boven(aan) **2** bovenstuk, bovenkant, tafelblad; dop *(van fles, vulpen);* top(je) *(kledingstuk);* deksel, kroonkurk; room *(op melk);* bovenrand *(van bladzijde)* **3** beste; belangrijkste *(van klas, organisatie): be* (of: *come out) (at the) ~ of the form* de beste van de klas zijn **4** oppervlakte **5** tol *(speelgoed)* || *off the ~ of one's head* onvoorbereid *(spreken); (feel) on ~ of the world* (zich) heel gelukkig (voelen); *(inform) blow one's ~* in woede uitbarsten; *come out on ~* overwinnen; *get on ~ of sth.* iets de baas worden; *go over the ~: a)* te ver gaan; *b)* uit de loopgraven komen; *on ~ of that* daar komt nog bij, bovendien
[2]**top** [top] *bn* hoogste, top-: *~ drawer* bovenste la; *(fig) out of the ~ drawer* van goede komaf; *~ prices* hoogste prijzen; *at ~ speed* op topsnelheid
[3]**top** [top] *tr* **1** van top voorzien, bedekken: *(fig) ~ off* (of: *up) sth.* iets bekronen **2** de top bereiken van *(berg bijv.; ook fig)* **3** aan de top staan *(ook fig);* aanvoeren *(lijst, team)* **4** overtreffen: *to ~ it all* tot overmaat van ramp || *~ and tail* afhalen, doppen; *~ up* bijvullen
topaz [toopez] topaas
top boot kaplaars
topcoat **1** overjas **2** bovenste verflaag, deklaag
top copy origineel
top-down van boven af; van boven naar beneden *(mbt bedrijfsstructuur)*
top-drawer van goede komaf
top-dress bestrooien *(met zand, mest enz.)*
top flight **1** eersteklas, uitstekend **2** best mogelijk
top hat hoge hoed
top-heavy *(ook fig)* topzwaar
topiary [toopierie] **1** vormboom **2** vormsnoei
topic [toppik] onderwerp (van gesprek): *~ of conversation* gespreksthema
topical [toppikl] **1** actueel **2** plaatselijk *(ook med)* **3** naar onderwerp gerangschikt, thematisch
topknot **1** (haar)knotje **2** strik *(in haar)* **3** kam *(van haan)*
topmost [topmoost] (aller)hoogst
topnotch eersteklas
topper [toppe] hoge hoed
topping [topping] toplaag(je), sierlaagje
[1]**topple** [topl] *intr* (bijna) omvallen, kantelen: *~ down* (of: *over)* omtuimelen
[2]**topple** [topl] *tr* (bijna) doen omvallen, omkieperen
tops [tops] je van het: *come out ~* als de beste uit de bus komen
top secret uiterst geheim
topside **1** bovenkant **2** *(ongev)* biefstuk
topsoil bovenste laag losse (teel)aarde, bovengrond
topsy-turvy [topsiete:vie] ondersteboven (gekeerd), op zijn kop: *the world is going ~* de wereld wordt op zijn kop gezet
[1]**top-up** *zn* aanvulling
[2]**top-up** *bn* aanvullend
[1]**torch** [to:tsj] *zn* **1** toorts; fakkel *(ook fig)* **2** zaklamp **3** soldeerlamp
[2]**torch** [to:tsj] *ww* in brand steken
torchlight **1** fakkellicht **2** licht ve zaklantaarn
tore [to:] *ovt van* tear
[1]**torment** [to:ment] *zn* kwelling
[2]**torment** [to:ment] *tr* kwellen, plagen: *~ed by mosquitoes* bestookt door muggen
torn [to:n] *volt dw van* tear
tornado [to:needoo] *(mv: ook ~es)* tornado
[1]**torpedo** [to:pie:doo] *zn (mv: ~es)* torpedo
[2]**torpedo** [to:pie:doo] *tr (ook fig)* torpederen
torpid [to:pid] **1** gevoelloos **2** traag **3** in winterslaap
torrent [torrent] *(ook fig)* stortvloed: *the rain fell in ~s* het stortregende
torrential [terensjl] *(ook fig)* als een stortvloed: *~ rains* stortregens
torrid [torrid] **1** zeer heet, tropisch; verzengend *(hitte): the ~ zone* de tropen **2** intens
torso [to:soo] *(ook fig)* torso
tort [to:t] onrechtmatige daad
tortoise [to:tes] landschildpad
tortoiseshell **1** lapjeskat **2** schildpad *(als stof)*
tortuous [to:tsjoees] **1** kronkelend; slingerend *(van weg)* **2** omslachtig, gecompliceerd, misleidend, bedrieglijk
[1]**torture** [to:tsje] *zn* marteling, zware kwelling
[2]**torture** [to:tsje] *tr* martelen: *~d by doubt* (of: *jealousy)* gekweld door twijfel (*of:* jaloezie)
torture chamber martelkamer, folterkamer
torturer [to:tsjere] folteraar, beul
Tory [to:rie] conservatief, lid vd conservatieve partij in Groot-Brittannië
tosh [tosj] onzin
[1]**toss** [tos] *zn* **1** worp **2** beweging, knik, slinger, zwaai, val: *take a ~* van het paard geslingerd worden, *(fig)* vallen **3** opgooi: *argue the ~* een definitieve beslissing aanvechten; *lose* (of: *win) the ~* verliezen (*of:* winnen) bij het tossen
[2]**toss** [tos] *intr* tossen, een munt opgooien, loten: *we'll have to ~ for it* we zullen erom moeten tossen
[3]**toss** [tos] *tr, intr* **1** slingeren: *the ship was ~ed about* het schip werd heen en weer geslingerd **2** schudden, (doen) zwaaien, afwerpen **3** gooien, aangooien, opgooien, in de lucht werpen: *~ hay* hooi keren **4** een munt opgooien met: *I'll ~ you for it* we loten erom
toss off **1** achteroverslaan *(drank)* **2** razendsnel produceren: *~ a speech* voor de vuist weg een toespraak houden
toss up tossen, kruis of munt gooien
toss-up **1** opgooi **2** *(inform)* twijfelachtige zaak,

onbesliste zaak: *it's a ~ whether* het is een gok of, het is nog maar de vraag of

tot [tot] **1** dreumes: *a tiny ~* een kleine hummel **2** scheutje *(van sterkedrank)*

[1]**total** [tootl] *zn* totaal

[2]**total** [tootl] *bn* totaal, volledig: *~ abstainer* geheelonthouder; *in ~ ignorance* in absolute onwetendheid; *sum ~* totaalbedrag

[3]**total** [tootl] *intr (*met *(up) to)* oplopen (tot)

[4]**total** [tootl] *tr* **1** bedragen, oplopen tot **2** (ook met *up*) het totaal vaststellen van

totalitarian [tootelitteerien] totalitair

totality [tootelittie] **1** totaal **2** totaliteit

tote [toot] (bij zich) dragen *(bijv. geweer);* meevoeren

tote bag (grote) draagtas

totter [totte] **1** wankelen *(ook fig)* **2** wankelend overeind komen: *~ to one's feet* wankelend opstaan

[1]**tot up** *intr (*met *to)* oplopen (tot), bedragen

[2]**tot up** *tr* optellen

[1]**touch** [tutsj] *zn* **1** aanraking, tik(je); contact *(ook fig): I felt a ~ on my shoulder* ik voelde een tikje op mijn schouder; *be* (of: *keep*) *in ~ with* contact hebben (*of:* onderhouden) met; *lose ~ with* uit het oog verliezen **2** gevoel bij aanraking, tastzin **3** vleugje; snufje *(zout bijv.);* lichte aanval *(van ziekte): a ~ of the sun* een lichte zonnesteek **4** stijl, manier: *put the finishing ~(es) to sth.* de laatste hand leggen aan iets; *lose one's ~* achteruitgaan, het verleren **5** *(muz)* aanslag **6** *(sport)* deel van veld buiten de zijlijnen *(voetbal, rugby)* || *play at ~* tikkertje spelen

[2]**touch** [tutsj] *intr* (elkaar) raken, aan elkaar grenzen

[3]**touch** [tutsj] *tr* **1** raken *(ook fig);* aanraken: *you haven't ~ed your meal* je hebt nog geen hap gegeten **2** een tikje geven, aantasten; *(fig)* aankunnen: *he ~ed his cap* hij tikte zijn pet aan **3** raken, ontroeren: *~ed with pity* door medelijden bewogen **4** treffen, betreffen: *he does not want to ~ politics* hij wil zich niet met politiek inlaten **5** benaderen, bereiken; *(fig)* evenaren: *the thermometer ~ed 50°* de thermometer liep tot 50° op; *~ s.o. for a fiver* iem vijf pond aftroggelen

[1]**touch-and-go** *zn* **1** een dubbeltje op zijn kant, kantje boord **2** veranderlijkheid

[2]**touch-and-go** *bn* riskant: *it's a ~ state of affairs* het is een dubbeltje op zijn kant

touch at aandoen: *the ship touched at Port Said* het schip deed Port Said aan

touchdown **1** landing *(vliegtuig)* **2** *(rugby, American football)* touchdown

[1]**touch down** *intr* landen

[2]**touch down** *tr (rugby, American football)* aan de grond brengen achter de doellijn *(bal; door tegenstander)*

touched [tutsjt] **1** ontroerd **2** getikt

touching [tutsjing] ontroerend

touchline zijlijn

touch off **1** afvuren, doen ontploffen **2** de stoot geven tot

touchpaper lont *(bijv. van vuurwerk)*

touchscreen aanraakscherm

touchstone maatstaf

touch-tone toets-, drukknop-: *~ phone* toetstelefoon

touch-type blind typen

touch up **1** retoucheren **2** bijschaven; *(fig)* opfrissen *(geheugen)*

touch (up)on terloops behandelen

touchy [tutsjie] **1** overgevoelig, prikkelbaar **2** netelig

[1]**tough** [tuf] *zn* woesteling, zware jongen

[2]**tough** [tuf] *bn* **1** taai, stoer: *as ~ as old boots: a)* vreselijk taai; *b)* keihard; *~ as nails* spijkerhard **2** moeilijk, lastig: *a ~ job* een lastig karwei **3** onbuigzaam: *a ~ guy* (of: *customer*) een keiharde; *get ~ with* hard optreden tegen **4** ruw **5** tegenvallend, hard: *it's your ~ luck* het is je eigen stomme schuld; *it's ~ on him* het is een grote tegenvaller voor hem; *~ (luck)!* pech!, jammer!

[3]**tough** [tuf] *bw* hard, onverzettelijk: *talk ~* zich keihard opstellen *(bij onderhandelen)*

toughen [tuffen] taai, hard (doen) worden: *~ up* sterker worden

toughie [tuffie] **1** rouwdouw **2** lastig probleem

toupee [toe:pee] haarstukje

[1]**tour** [toee] *zn* **1** reis, rondreis **2** (met *of*) (kort) bezoek (aan): *a guided ~ of* (of: *round*) *the castle* een rondleiding door het kasteel **3** tournee: *on ~* op tournee **4** verblijf: *the ambassador did a four-year ~ in Washington* de ambassadeur heeft vier jaar Washington als standplaats gehad

[2]**tour** [toee] *ww* **1** (be)reizen, rondreizen **2** op tournee gaan door

tourism [toeerizm] toerisme

tourist [toeerist] toerist

tourist office VVV-kantoor

tournament [toeenement] toernooi, steekspel

tour operator reisorganisator

tousle [tauzl] in de war maken *(haar)*

[1]**tout** [taut] *zn* **1** klantenlokker **2** scharrelaar; handelaar *(vooral in zwarte kaartjes en informatie over renpaarden)*

[2]**tout** [taut] *intr* **1** klanten lokken, werven **2** sjacheren; handelen *(in informatie over renpaarden)*

[3]**tout** [taut] *tr* **1** verhandelen *(informatie over renpaarden)* **2** op de zwarte markt verkopen *(kaartjes)*

[1]**tow** [too] *zn* **1** sleep: *take a car in ~* een auto slepen **2** het (mee)slepen

[2]**tow** [too] *tr* (weg)slepen, op sleeptouw nemen, (weg)trekken

towards [tewo:dz] **1** naar, tot, richting: *her window faced ~ the sea* haar raam keek uit op de zee; *he walked ~ the signpost* hij ging op de wegwijzer af; *we're saving ~ buying a house* we sparen om later een huis te kunnen kopen **2** ten opzichte van, met betrekking tot: *her attitude ~ her parents* haar houding ten opzichte van haar ouders **3** *(tijdaanduiding)* voor, vlak voor, naar ... toe: *~ six (o'clock)* tegen zessen

tow bar 1 trekhaak **2** *(skiën)* sleepbeugel *(van skilift);* anker

towel [tauel] handdoek: *throw in the ~* de handdoek in de ring gooien, *(fig)* het opgeven

towelling [taueling] badstof

[1]**tower** [taue] *zn* **1** toren, (zend)mast **2** torenflat, kantoorflat || *~ of strength* steun en toeverlaat, rots in de branding

[2]**tower** [taue] *intr (*met *over, above)* uittorenen (boven), (hoog) uitsteken

tower block torengebouw, torenflat

towering [taueing] **1** torenhoog **2** enorm, hevig: *he's in a ~ rage* hij is razend

towing zone wegsleepzone

town [taun] **1** stad **2** gemeente || *go to ~ on something* zich inzetten, veel werk maken van iets, *(inform)* uitspatten, zich uitleven; *(out) on the ~* (aan het) stappen, (een avondje) uit; *he went up to ~ from Nottingham* hij is vanuit Nottingham naar Londen gegaan

town clerk gemeentesecretaris

town council gemeenteraad

town hall stadhuis

township [taunsjip] **1** gemeente **2** kleurlingenwijk, woonstad

townspeople [taunzpie:pl] **1** stedelingen, ingezetenen **2** stadsmensen

towpath jaagpad

towrope sleeptouw

toxic [toksik] toxisch, giftig, vergiftigings-

[1]**toy** [toj] *zn* speeltje, (stuk) speelgoed; *(fig)* speelbal

[2]**toy** [toj] *intr (*met *with)* spelen (met), zich amuseren (met): *he ~ed with the idea of buying a new car* hij speelde met de gedachte een nieuwe auto te kopen

toyshop speelgoedwinkel

[1]**trace** [trees] *zn* spoor, voetspoor; *(ook fig)* overblijfsel; vleugje: *not a ~ of humour* geen greintje humor; *lose ~ of* uit het oog verliezen; *lost without ~* spoorloos verdwenen || *kick over the ~s* uit de band springen

[2]**trace** [trees] *tr* **1** (met *out*) (uit)tekenen, schetsen; trekken *(lijn)* **2** overtrekken **3** volgen, nagaan **4** (met *back*) nagaan, naspeuren, opsporen, terugvoeren: *the rumour was ~d back to his aunt* men kwam erachter dat het gerucht afkomstig was van zijn tante **5** vinden, ontdekken: *I can't ~ that book* ik heb dat boek niet kunnen vinden

tracer [treese] lichtspoorkogel

tracing paper overtrekpapier

[1]**track** [trek] *zn* **1** spoor: *on the right* (of: *wrong*) *~* op het goede (*of:* verkeerde) spoor *(ook fig); go off the beaten ~* ongebaande wegen bewandelen *(fig); be on s.o.'s ~* iem op het spoor zijn **2** voetspoor, (voet)afdruk; prent *(van dieren): (fig) cover (up) one's ~s* zijn sporen uitwissen **3** pad, bosweg, landweg; *(fig ook)* weg; baan **4** renbaan, racebaan, wielerbaan **5** (spoor)rails **6** rupsband **7** nummer *(op cd, grammofoonplaat);* (opname)spoor *(op (cassette)band)* || *the wrong side of the (railroad) ~s* de achterbuurten; *lose ~ of* uit het oog verliezen, niet meer op de hoogte blijven van; *(inform) make ~s* 'm smeren; *across the ~s* in de achterbuurten; *(inform) in one's ~s* ter plaatse, ter plekke

[2]**track** [trek] *tr* **1** het spoor volgen van, volgen **2** (met *down*) (op)sporen, ontdekken, naspeuren

track events *(atletiek)* loopnummers

tracksuit trainingspak

tract [trekt] **1** uitgestrekt gebied, landstreek **2** traktaat; verhandeling *(godsd, moraal)*

traction [treksjen] **1** trekking, het (voort)trekken **2** trekkracht, aandrijving

tractor [trekte] tractor, (landbouw)trekker

[1]**trade** [treed] *zn* **1** handel, zaken: *Department of Trade and Industry (ongev)* Ministerie van Economische Zaken; *do a good ~* goede zaken doen **2** bedrijfstak, branche **3** handel, (mensen van) het vak, handelaars **4** vak, ambacht, beroep: *a butcher by ~* slager van beroep **5** passaat(wind)

[2]**trade** [treed] *intr* handel drijven, handelen, zaken doen || *~ (up)on s.o.'s generosity* misbruik maken van iemands vrijgevigheid

[3]**trade** [treed] *tr* verhandelen, uitwisselen, (om)ruilen: *~ in an old car for a new one* een oude auto voor een nieuwe inruilen

trade association beroepsvereniging

trade fair handelsbeurs

trade-in 1 inruilobject **2** inruil

trademark handelsmerk; *(fig)* typisch kenmerk *(van persoon)*

trade price (groot)handelsprijs

trader [treede] **1** handelaar **2** koopvaardijschip

tradesman [treedzmen] **1** winkelier **2** leverancier

tradespeople winkeliers *(als groep)*

trade(s) union [treed(z) joe:nien] (vak)bond, vakvereniging

trade unionist vakbondslid, aanhanger ve vakbond

trade wind passaatwind

trading estate industriegebied

trading post handelsnederzetting

tradition [tredisjen] traditie, overlevering

traditional [tredisjenel] traditioneel, vanouds gebruikelijk

[1]**traffic** [trefik] *zn* **1** verkeer, vervoer, transport **2** handel, koophandel: *~ in drugs* drugshandel

[2]**traffic** [trefik] *ww* **1** handel drijven (in), handelen (in), zaken doen (in) **2** zwarte handel drijven (in), sjacheren (met) || *~ in arms* wapenhandel drijven

traffic circle rotonde, (rond) verkeersplein

traffic jam (verkeers)opstopping

trafficker [trefikke] zwarthandelaar, sjacheraar; dealer *(in drugs e.d.)*

traffic lane rijstrook

traffic sign verkeersteken, verkeersbord

traffic warden parkeercontroleur, parkeerwachter

tragedy [tredzjiddie] tragedie, drama, tragiek, het tragische

tragic [tredzjik] tragisch, droevig

[1]**trail** [treel] *zn* **1** sliert, stroom, rij: *~s of smoke* rookslierten **2** spoor, pad: *a ~ of destruction* een spoor van vernieling; *blaze a ~ (fig)* de weg banen, baanbrekend werk verrichten **3** spoor; prent *(van dier);* geur(vlag) *(als spoor): be hard* (of: *hot) on s.o.'s ~* iem op de hielen zitten

[2]**trail** [treel] *intr* **1** slepen, loshangen: *her gown was ~ing along on the ground* haar japon sleepte over de grond **2** zich (voort)slepen, strompelen **3** kruipen *(van planten)* **4** (met *behind*) *(sport)* achterliggen, achterstaan, achteraankomen || *his voice ~ed off* zijn stem stierf weg

[3]**trail** [treel] *tr* **1** slepen, sleuren **2** volgen, schaduwen **3** *(sport)* achterliggen op, achterstaan op

trailer [treele] **1** aanhangwagen, oplegger **2** caravan **3** trailer *(voorproefje als reclame voor nieuwe film)*

[1]**train** [treen] *zn* **1** trein: *by ~* per trein **2** sleep *(van japon); (fig)* nasleep **3** gevolg, stoet, sleep **4** rij, reeks, opeenvolging; *(fig)* aaneenschakeling: *a ~ of thought* een gedachtegang; *preparations are in ~* de voorbereidingen zijn aan de gang

[2]**train** [treen] *intr* **1** (zich) trainen, (zich) oefenen **2** een opleiding volgen, studeren: *he is ~ing to be a lawyer* hij studeert voor advocaat

[3]**train** [treen] *tr* **1** trainen, oefenen; africhten *(dier)* **2** opleiden, scholen **3** leiden *(plant)* **4** richten, mikken

trainee [treenie:] stagiair(e)

trainer [treene] **1** trainer, africhter, dompteur **2** *~s* trainingsschoenen

training [treening] training, oefening, opleiding: *physical ~* conditietraining

training college pedagogische academie

traipse [treeps] sjouwen, slepen || *~ about* rondslenteren

trait [treet] trek(je), karaktertrek, karaktereigenschap

traitor [treete] (land)verrader, overloper: *turn ~* een verrader worden

trajectory [tredzjekterie] baan *(van projectiel)*

tram [trem] tram: *by ~* met de tram

tramline **1** tramrail **2** *~s* dubbele zijlijnen *(op tennisbaan)*

[1]**tramp** [tremp] *zn* **1** getrappel, gestamp **2** voettocht, trektocht **3** zwerver, landloper **4** tramp(boot), vrachtzoeker, schip vd wilde vaart

[2]**tramp** [tremp] *intr* **1** stappen, marcheren, stampen **2** lopen, trekken, een voettocht maken

[3]**tramp** [tremp] *tr* **1** aflopen, doorlopen **2** trappen op, stampen op: *~ down* plattrappen

[1]**trample** [trempl] *intr* stampen, trappelen, stappen: *~ (up)on* trappen op, *(fig)* met voeten treden; *~ on s.o.'s feelings* iemands gevoelens kwetsen

[2]**trample** [trempl] *tr* vertrappen, trappen op

trance [tra:ns] trance: *be in a ~* in trance zijn

tranquil [trengkwil] kalm, vredig, rustig

tranquillity [trengkwillittie] kalmte, rust(igheid)

tranquillize [trengkwillajz] kalmeren, tot bedaren brengen

tranquillizer [trengkwillajze] tranquillizer, kalmerend middel

transact [trenzekt] verrichten, afhandelen, afwikkelen: *~ business with s.o.* met iem zaken doen

transaction [trenzeksjen] **1** transactie, zaak, handelsovereenkomst **2** afhandeling, afwikkeling

transatlantic [trenzetlentik] trans-Atlantisch

transceiver [trensie:ve] *(radio)* zendontvanger

transcend [trensend] **1** te boven gaan **2** overtreffen: *he ~s himself* hij overtreft zichzelf

transcendent [trensendent] superieur, alles (allen) overtreffend, buitengewoon

transcendental [trensendentl] transcendentaal, bovenzintuiglijk

transcribe [trenskrajb] transcriberen, overschrijven, (in een andere spelling) overbrengen; *(muz)* bewerken: *~ the music for organ* de muziek voor orgel bewerken

transcription [trenskripsjen] transcriptie, het overschrijven; *(muz)* bewerking; arrangement

[1]**transfer** [trensfe:] *zn* **1** overplaatsing, overdracht; *(sport)* transfer **2** overgeplaatste; *(sport)* transfer(speler) **3** *(fin)* overdracht, overschrijving, overboeking **4** overdrukplaatje **5** overstapkaartje

[2]**transfer** [trensfe:] *intr* **1** overstappen: *~ from the train to the bus* van de trein op de bus overstappen **2** overgeplaatst worden; veranderen *(van plaats, werk, school)*

[3]**transfer** [trensfe:] *tr* **1** overmaken, overhandigen, overdragen: *~ one's rights to s.o.* zijn rechten aan iem (anders) overdragen **2** overplaatsen, verplaatsen, overbrengen **3** overdrukken **4** *(sport)* transfereren *(speler)*

transferable [trensfe:rebl] **1** verplaatsbaar **2** overdraagbaar **3** inwisselbaar; verhandelbaar *(cheque e.d.)*

transference [trensferens] overplaatsing, overbrenging

transfix [trensfiks] **1** doorboren; doorsteken *(bijv. met lans)* **2** (vast)spietsen **3** als aan de grond nagelen, verlammen

[1]**transform** [trensfo:m] *intr* (van vorm, gedaante, karakter) veranderen, een gedaanteverwisseling ondergaan

[2]**transform** [trensfo:m] *tr* **1** (van vorm, gedaante, karakter doen) veranderen, her-, omvormen: *stress ~ed him into an aggressive man* door de stress veranderde hij in een agressief man **2** *(ook elektr)* omzetten, transformeren

transformation [trensfemeesjen] transformatie

transformer [trensfo:me] *(elektr)* transformator
transfuse [trensfjoe:z] een transfusie geven (van)
transfusion [trensfjoe:zjen] transfusie
transgenic [trenzdzjennik] transgenetisch *(van oogst e.d.)*
[1]**transgress** [trenzkres] *intr* **1** een overtreding begaan **2** zondigen
[2]**transgress** [trenzkres] *tr* overtreden, inbreuk maken op, schenden
transient [trenzient] **1** voorbijgaand, kortstondig **2** doorreizend, doortrekkend
transistor [trenziste] transistor
transit [trenzit] doorgang, doortocht: *in* ~ tijdens het vervoer, onderweg
transition [trenzisjen] overgang: *period of* ~ overgangsperiode
transitional [trenzisjenel] tussenliggend, overgangs-, tussen-
transitive [trensittiv] transitief, overgankelijk
translate [trenzleet] **1** vertalen: ~ *a sentence from English into Dutch* een zin uit het Engels in het Nederlands vertalen **2** interpreteren, uitleggen, vertolken **3** omzetten; omvormen *(ook biol)*: ~ *ideas into actions* ideeën in daden omzetten
translation [trenzleesjen] vertaling
translator [trenzleete] **1** vertaler **2** tolk
translucent [trenzloe:snt] doorschijnend
transmission [trenzmisjen] **1** uitzending, programma **2** overbrenging; overdracht *(ook mbt ziekte, erfelijkheid)* **3** transmissie, overbrenging, versnellingsbak **4** het doorgeven, overlevering
transmit [trenzmit] **1** overbrengen; overdragen *(ook mbt ziekte, erfelijkheid)*: ~ *a message* een boodschap overbrengen **2** overleveren; doorgeven *(tradities e.d.)*
transmitter [trenzmitte] **1** overbrenger, overdrager **2** seintoestel, seingever **3** microfoon *(van telefoon)* **4** zender *(radio, tv)*
transparency [trensperensie] **1** dia(positief), projectieplaatje, overhead(sheet) **2** doorzichtigheid
transparent [trensperent] **1** doorzichtig *(ook fig)*; transparant: *a* ~ *lie* een doorzichtige leugen **2** eenvoudig, gemakkelijk te begrijpen
[1]**transpire** [trenspajje] *intr* **1** transpireren; zweten *(van mens, dier)* **2** uitlekken, aan het licht komen, bekend worden: *it ~d that the president himself was involved* het lekte uit dat de president er zelf bij betrokken was
[2]**transpire** [trenspajje] *tr* uitwasemen, uitzweten
[1]**transplant** [trenspla:nt] *zn* **1** getransplanteerd orgaan (weefsel), transplantaat **2** transplantatie
[2]**transplant** [trenspla:nt] *ww* **1** verplanten, overplanten **2** overbrengen, doen verhuizen **3** transplanteren, overplanten
[1]**transport** [trenspo:t] *zn* vervoer(middel), transport: *public* ~ openbaar vervoer; *I'd like to come, but I've no* ~ ik zou wel mee willen, maar ik heb geen vervoer
[2]**transport** [trenspo:t] *tr* vervoeren, transporteren, overbrengen
transportation [trenspo:teesjen] **1** vervoermiddel, transportmiddel **2** vervoer, transport, overbrenging
transport cafe wegcafé, chauffeurscafé
transpose [trenspooz] **1** anders schikken, (onderling) verwisselen, omzetten **2** *(muz)* transponeren
[1]**trap** [trep] *zn* **1** val, (val)strik, hinderlaag, strikvraag: *lay* (of: *set*) *a* ~ een val (op)zetten, een strik spannen **2** sifon; stankafsluiter *(in afvoerleiding)* **3** *(inform)* smoel, waffel, bek: *shut your ~!* hou je kop!
[2]**trap** [trep] *tr* **1** (ver)strikken, (in een val) vangen; *(fig)* in de val laten lopen: ~ *s.o. into a confession* iem door een list tot een bekentenis dwingen **2** opsluiten: *be ~ped* opgesloten zitten, in de val zitten, vastzitten **3** opvangen *(bijv. energie)*
trapdoor valdeur, val, (val)luik
trapeze [trepie:z] trapeze
trapper [trepe] vallenzetter, pelsjager
trappings [trepingz] (uiterlijke) sieraden, (uiterlijk) vertoon
[1]**trash** [tresj] *zn* **1** rotzooi, (oude) rommel, troep **2** onzin, geklets **3** afval, vuil, vuilnis **4** nietsnut(ten), uitschot, tuig
[2]**trash** [tresj] *ww* kritiseren; afkraken *(boek, film enz.)*
trash can vuilnisemmer
trashy [tresjie] waardeloos, kitscherig: ~ *novel* flutroman
trauma [tro:me] **1** wond, verwonding, letsel **2** *(psych)* trauma
traumatic [tro:metik] traumatisch, beangstigend
[1]**travel** [trevl] *zn* **1** (lange, verre) reis, rondreis, het reizen: *on our ~s* tijdens onze rondreis **2** *~s* reisverhaal, reisverhalen, reizen, reisbeschrijving: *Gulliver's Travels* Gullivers Reizen
[2]**travel** [trevl] *intr* **1** reizen, een reis maken: *~ling circus* rondreizend circus **2** vertegenwoordiger zijn: ~ *in electrical appliances* vertegenwoordiger in huishoudelijke apparaten zijn **3** zich (voort)bewegen, zich voortplanten, gaan: *news ~s fast* nieuws verspreidt zich snel || *flowers* ~ *badly* bloemen kunnen slecht tegen vervoer
[3]**travel** [trevl] *tr* **1** doorreizen, doortrekken; afreizen *(ook als handelsreiziger)* **2** afleggen: ~ *500 miles a day* 500 mijl per dag afleggen
travel agency reisbureau
traveller [trevele] **1** reiziger, bereisd man **2** handelsreiziger, vertegenwoordiger **3** zigeuner, zwerver
traveller's cheque reischeque
travelog(ue) [trevelok] (geïllustreerd) reisverhaal, reisfilm
[1]**traverse** [treve:s] *intr* schuins klimmen
[2]**traverse** [treve:s] *tr* **1** (door)kruisen, oversteken, (dwars) trekken door, doorsnijden **2** dwars beklimmen *(helling)*
travesty [trevestie] travestie, karikatuur, paro-

tr

die: ~ *of justice* karikatuur van rechtvaardigheid
[1]**trawl** [tro:l] *zn* **1** sleepnet, trawl **2** zoektocht, speurtocht *(bijv. naar talent)*
[2]**trawl** [tro:l] *ww* met een sleepnet vissen (naar); *(fig)* uitkammen; uitpluizen: *(fig)* ~ *for* zorgvuldig doorzoeken
trawler [tro:le] treiler, trawler
tray [tree] **1** dienblad, (presenteer)blad **2** bakje, brievenbak(je)
treacherous [tretsjeres] verraderlijk, onbetrouwbaar: ~ *ice* verraderlijk ijs; ~ *memory* onbetrouwbaar geheugen
treachery [tretsjerie] verraad, ontrouw, onbetrouwbaarheid
treacle [trie:kl] (suiker)stroop *(ook fig)*
treacly [trie:klie] stroperig, kleverig; *(fig)* (honing)zoet; vleiend
[1]**tread** [tred] *zn* **1** tred, pas, gang: *a heavy* ~ een zware stap **2** trede, opstapje **3** loopvlak *(van band)* **4** profiel *(van band)*
[2]**tread** [tred] *intr (trod, trodden)* treden, stappen, lopen, wandelen: ~ *in the mud* in de modder trappen
[3]**tread** [tred] *tr (trod, trodden)* **1** betreden, bewandelen, begaan **2** trappen, (ver)trappen, in-, stuk-, uit-, vasttrappen; *(fig)* onderdrukken: ~ *grapes* (met de voeten) druiven persen; ~ *water* watertrappelen **3** heen en weer lopen in, lopen door **4** (zich) banen, platlopen
treadle [tredl] trapper, pedaal
treadmill tredmolen *(ook fig)*
treason [trie:zen] hoogverraad, landverraad
[1]**treasure** [trezje] *zn* **1** schat, kostbaarheid; *(inform)* juweel; parel: *my secretary is a* ~ ik heb een juweel van een secretaresse **2** schat(ten), rijkdom: ~ *of ideas* schat aan ideeën
[2]**treasure** [trezje] *tr* **1** (met *up*) verzamelen, bewaren **2** waarderen, op prijs stellen
treasure house schatkamer: *the museum is a* ~ *of paintings* dit museum heeft een schat aan schilderijen
treasurer [trezjere] penningmeester
treasure trove (gevonden) schat, (waardevolle) vondst; rijke bron *(ook fig)*
treasury [trezjrie] schatkamer, schatkist; *(fig)* bron
Treasury [trezjrie] *(altijd met the)* Ministerie van Financiën
[1]**treat** [trie:t] *zn* traktatie, (feestelijk) onthaal, feest, plezier: *it's my* ~ ik trakteer
[2]**treat** [trie:t] *intr* **1** trakteren **2** (met *with*) onderhandelen (met), (vredes)besprekingen voeren (met), zaken doen (met)
[3]**treat** [trie:t] *tr* **1** behandelen *(ook med)*: ~ *s.o. kindly* iem vriendelijk behandelen **2** beschouwen, afdoen: ~ *sth. as a joke* iets als een grapje opvatten **3** aan de orde stellen; behandelen *(onderwerp)* **4** trakteren, onthalen
treatise [trie:tis] verhandeling, beschouwing
treatment [trie:tment] behandeling, verzorging
treaty [trie:tie] verdrag, overeenkomst
[1]**treble** [trebl] *zn* jongenssopraan
[2]**treble** [trebl] *bn* driemaal, drievoudig, driedubbel || ~ *recorder* altblokfluit
[3]**treble** [trebl] *ww* verdrievoudigen, met drie vermenigvuldigen
treble clef sopraansleutel
tree [trie:] boom: *family* ~ stamboom
trefoil [treffojl] *(plantk)* klaver(blad)
trellis [trellis] latwerk, traliewerk
[1]**tremble** [trembl] *zn* trilling, huivering, rilling: *be all of a* ~ over zijn hele lichaam beven
[2]**tremble** [trembl] *intr* **1** beven, rillen, bibberen: *in fear and trembling* met angst en beven **2** schudden *(gebouw, grond)*; trillen **3** huiveren, in angst zitten: *I* ~ *to think* ik moet er niet aan denken, ik huiver bij de gedachte
tremendous [trimmendes] **1** enorm, geweldig **2** fantastisch
tremor [tremme] **1** aardschok, lichte aardbeving **2** huivering, siddering
tremulous [tremjoeles] **1** trillend, sidderend **2** schuchter, nerveus: ~ *voice* onvaste stem
trench [trentsj] **1** geul, greppel **2** loopgraaf **3** *(geol)* trog
trenchant [trentsjent] scherp, krachtig: ~ *remark* spitse opmerking
[1]**trend** [trend] *zn* tendens, neiging, trend: *set the* ~ de toon aangeven
[2]**trend** [trend] *intr* overhellen, geneigd zijn: *prices are ~ing downwards* de prijzen lijken te gaan zakken
trendsetter trendsetter, voorloper
trendy [trendie] in, modieus, trendy
trepidation [treppiddeesjen] ongerustheid, angst
[1]**trespass** [trespes] *zn* **1** overtreding, inbreuk, schending **2** *(godsd)* zonde, schuld
[2]**trespass** [trespes] *intr* **1** op verboden terrein komen **2** *(godsd)* een overtreding begaan, zondigen
trespasser [trespese] overtreder: *~s will be prosecuted* verboden toegang voor onbevoegden
trespass (up)on **1** wederrechtelijk betreden *(terrein)* **2** beslag leggen op, inbreuk maken op; misbruik maken van *(tijd, gastvrijheid)*
trestle [tresl] schraag, onderstel
trestle table schragentafel
trial [trajjel] **1** (gerechtelijk) onderzoek, proces, rechtszaak **2** proef, experiment: *give sth. a* ~ iets testen; *by* ~ *and error* met vallen en opstaan **3** poging **4** beproeving *(ook fig)*; probleem: *~s and tribulations* zorgen en problemen
trial balloon proefballon(netje)
triangle [trajengkl] driehoek, triangel
triangular [trajengkjoele] **1** driehoekig **2** driezijdig
tribal [trajbl] stam(men)-, ve stam
tribe [trajb] **1** stam, volksstam **2** groep; geslacht *(verwante dingen)*

tribesman [trajbzmen] **1** stamlid **2** stamgenoot
tribulation [tribjoeleesjen] **1** bron van ellende **2** beproeving, rampspoed
tribunal [trajbjoe:nl] **1** rechtbank, gerecht, tribunaal **2** *(ongev)* commissie, raad, raad van onderzoek
tribune [tribjoe:n] **1** volksleider, demagoog **2** podium, tribune
tributary [tribjoeterie] **1** schatplichtige; belastingplichtige *(staat, persoon)* **2** zijrivier
tribute [tribjoe:t] **1** bijdrage, belasting **2** hulde, eerbetoon: *pay (a) ~ to s.o.* iem eer bewijzen
trice [trajs] ogenblik, moment: *in a ~* in een wip
[1]**trick** [trik] *zn* **1** truc *(ook fig);* foefje, kneep: *know the ~s of the trade* het klappen van de zweep kennen; *magic ~s* goocheltrucs **2** handigheid, slag: *get* (of: *learn*) *the ~ of it* de slag te pakken krijgen (van iets) **3** streek, kattenkwaad: *play a ~ (up)on s.o., play s.o. a ~* iem een streek leveren **4** aanwensel, tic: *you have the ~ of pulling your hair when you're nervous* je hebt de vreemde gewoonte om aan je haren te trekken als je zenuwachtig bent **5** *(kaartspel)* slag || *this poison should do the ~* met dit vergif moet het lukken; *not* (of: *never*) *miss a ~* overal van op de hoogte zijn; *be up to s.o.'s ~s* iem doorhebben; *how's ~s?* hoe staat het ermee?
[2]**trick** [trik] *tr* **1** bedriegen, misleiden: *~ s.o. into sth.* iem iets aanpraten, iem ergens inluizen **2** oplichten, afzetten: *~ s.o. out of his money* iem zijn geld afhandig maken
trickery [trikkerie] bedrog
[1]**trickle** [trikl] *zn* **1** stroompje, straaltje **2** het druppelen
[2]**trickle** [trikl] *intr* **1** druppelen **2** druppelsgewijs komen (gaan): *the first guests ~d in at ten o'clock* om tien uur druppelden de eerste gasten binnen
trickster [trikste] oplichter, bedrieger
tricky [trikkie] **1** sluw, listig **2** lastig, moeilijk: *~ question* lastige vraag
tricycle [trajsikl] driewieler
trident [trajdent] drietand
[1]**tried** [trajd] *bn* beproefd, betrouwbaar
[2]**tried** [trajd] *ovt en volt dw van* try
triennial [trajjenniel] **1** driejaarlijks, om de drie jaar terugkomend **2** driejarig, drie jaar durend
trifle [trajfl] **1** kleinigheid, wissewasje **2** habbekrats, prikje, schijntje **3** beetje: *he's a ~ slow* hij is ietwat langzaam
trifle with **1** niet serieus nemen: *she is not a woman to be trifled with* zij is geen vrouw die met zich laat spotten **2** spelen met
trifling [trajfling] **1** onbelangrijk: *of ~ importance* van weinig belang **2** waardeloos
[1]**trigger** [trike] *zn* trekker; pal *(van pistool): pull the ~* de trekker overhalen, *(fig)* het startschot geven
[2]**trigger** [trike] *tr* teweegbrengen, veroorzaken: *~ off: a)* op gang brengen; *b)* ten gevolge hebben
trigger-happy **1** schietgraag, snel schietend **2** strijdlustig
trigonometry [trikenommitrie] trigonometrie, driehoeksmeting
[1]**trill** [tril] *zn* **1** roller; triller *(van vogels)* **2** met trilling geproduceerde klank; rollende medeklinker *(bijv. gerolde r)*
[2]**trill** [tril] *ww* trillen, kwinkeleren, vibreren || *~ the r* een rollende r maken
trillion [trillien] **1** triljoen (10^{18}); *(fig)* talloos **2** *(Am)* biljoen (10^{12}); miljoen maal miljoen; *(fig)* talloos
[1]**trim** [trim] *zn* **1** versiering; sierstrip(pen) *(op auto)* **2** het bijknippen **3** staat (van gereedheid), conditie: *the players were in (good) ~* de spelers waren in (goede) vorm
[2]**trim** [trim] *bn* **1** net(jes), goed verzorgd: *a ~ garden* een keurig onderhouden tuin **2** in vorm, in goede conditie
[3]**trim** [trim] *tr* **1** in orde brengen, net(jes) maken; (bij)knippen *(bijv. van haar)* **2** afknippen; *(fig)* besnoeien: *~ (down) the expenditure* de uitgaven beperken **3** versieren: *a coat ~med with fur* een jas afgezet met bont **4** naar de wind zetten *(van zeilen); (fig)* aanpassen; schikken: *he ~s his opinions to the circumstances* hij past zijn mening aan de omstandigheden aan
trimmer [trimme] **1** snoeimes, tuinschaar, tondeuse **2** weerhaan *(fig);* opportunist
trimmings [trimmingz] **1** garnituur, toebehoren **2** (af)snoeisel, afknipsel **3** opsmuk, franje: *tell us the story without the ~* vertel ons het verhaal zonder opsmuk
Trinity [trinnittie] *(the)* Drie-eenheid
trinket [tringkit] **1** kleinood **2** prul, snuisterij
trio [trie:oo] **1** drietal, trio **2** *(muz)* trio
[1]**trip** [trip] *zn* **1** tocht, reis, uitstapje **2** misstap *(ook fig);* val, vergissing **3** trip *(op lsd; ook fig);* reuze-ervaring
[2]**trip** [trip] *intr* **1** (ook met *up*) struikelen, uitglijden **2** huppelen, trippelen: *the girl ~ped across the room* het meisje huppelde door de kamer **3** (met *up*) een fout begaan: *the man ~ped up after a few questions* de man versprak zich na een paar vragen
[3]**trip** [trip] *tr* **1** (ook met *up*) laten struikelen, beentje lichten **2** (ook met *up*) op een fout betrappen **3** (ook met *up*) erin laten lopen, strikken, zich laten verspreken
tripe [trajp] **1** pens **2** *(inform)* onzin
[1]**triple** [tripl] *bn* drievoudig, driedubbel
[2]**triple** [tripl] *ww* verdrievoudigen
triplet [triplit] **1** één ve drieling: *~s* drieling **2** drietal, drie, trio
triplicate [triplikket] triplicaat, derde exemplaar: *in ~* in drievoud
tripod [trajpod] driepoot, statief
tripper [trippe] dagjesmens
triptych [triptik] drieluik
tripwire struikeldraad, valstrik
trite [trajt] afgezaagd, cliché

¹triumph [trajjemf] *zn* triomf, overwinning, groot succes
²triumph [trajjemf] *intr* zegevieren: ~ *over difficulties* moeilijkheden overwinnen
triumphal [trajjumfl] triomf-, zege-: ~ *arch* triomfboog
triumphant [trajjumfent] **1** zegevierend **2** triomfantelijk
trivet [trivvit] drievoet; *(Am)* onderzetter *(voor pannen e.d.)*
trivial [trivviel] **1** onbelangrijk **2** gewoon, alledaags **3** oppervlakkig
triviality [trivvie·elittie] **1** iets onbelangrijks **2** onbelangrijkheid
trod [trod] *ovt van* tread
trodden [trodn] *volt dw van* tread
Trojan [troodzjen] Trojaan || *work like a* ~ werken als een paard
trolley [trollie] **1** tweewielig (vierwielig) karretje, winkelwagentje **2** tram **3** theewagen || *off one's* ~ (stapel)gek
trolley bus trolleybus
trolley car tram
trollop [trollep] *(inform)* **1** slons, sloddervos **2** slet, sloerie
trombone [tromboon] trombone, schuiftrompet
¹troop [troe:p] *zn* **1** troep, menigte **2** *(mil)* troep, peloton **3** ~*s* troepen(macht), strijdmachten
²troop [troe:p] *intr* **1** als groep gaan: *his children ~ed in* zijn kinderen marcheerden naar binnen **2** samenscholen
trooper [troe:pe] **1** cavalerist **2** gewoon soldaat **3** (staats)politieagent || *swear like a* ~ vloeken als een ketter
trophy [troofie] **1** prijs, trofee **2** trofee; zegeteken *(ook fig);* aandenken
tropic [troppik] keerkring: ~ *of Cancer* Kreeftskeerkring; ~ *of Capricorn* Steenbokskeerkring; *the ~s* de tropen
tropical [troppikl] tropisch; *(fig)* heet; drukkend
¹trot [trot] *zn* **1** draf(je), haastige beweging: *be on the* ~ ronddraven, niet stilzitten **2** ~*s (plat)* diarree: *have the ~s* aan de dunne zijn
²trot [trot] *intr* **1** draven *(ook van persoon)* **2** *(inform)* lopen, (weg)gaan
³trot [trot] *tr:* ~ *out* voor de dag komen met
trotter [trotte] **1** draver *(paard)* **2** varkenspoot
¹trouble [trubl] *zn* **1** zorg, bezorgdheid: *that is the least of my ~s!* dat is mij een zorg! **2** tegenslag, narigheid, probleem: *get into* ~ in moeilijkheden raken **3** ongemak, overlast: *I do not want to be any* ~ ik wil (u) niet tot last zijn **4** moeite, inspanning: *save oneself the* ~ zich de moeite besparen **5** kwaal, ongemak: *he suffers from back* ~ hij heeft rugklachten **6** onlust, onrust **7** pech, mankement: *the car has got engine* ~ de wagen heeft motorpech
²trouble [trubl] *intr* moeite doen: *do not ~ to explain* doe geen moeite het uit te leggen
³trouble [trubl] *tr* **1** verontrusten: *what ~s me is ...* wat me dwars zit is ... **2** lastigvallen, storen: *I hope I'm not troubling you* ik hoop dat ik niet stoor **3** kwellen
troublemaker [trublmeeke] onruststoker, herrieschopper
troubleshooter [trublsjoe:te] probleemoplosser, puinruimer
troublesome [trublsem] lastig
trough [trof] **1** trog, drinkbak, eetbak **2** goot **3** laagte(punt); diepte(punt) *(op meetapparaat, statistiek e.d.)*
trounce [trauns] afrossen, afstraffen; *(sport; fig)* inmaken
troupe [troe:p] troep; groep *(vnl. acteurs, artiesten)*
trouser [trauze] broek(s)-: ~ *buttons* broeksknopen
trousers [trauzez] (lange) broek: *a pair of* ~ een (lange) broek; *wear the* ~ de broek aan hebben
trousseau [troe:soo] uitzet
trout [traut] (zee)forel || *old* ~ oude tang
trowel [trauel] troffel || *lay it on with a* ~ het er dik op leggen, aandikken
Troy [troj] Troje
truant [troe:ent] **1** spijbelaar: *play* ~ spijbelen **2** lijntrekker
truce [troe:s] (tijdelijk) bestand, (tijdelijke) wapenstilstand
truck [truk] **1** vrachtwagen, truck **2** handkar; bagagekar *(vnl. spoorwegen)* **3** open goederenwagen **4** ruilhandel, ruilverkeer || *have no ~ with* geen zaken doen met, niets te maken willen hebben met
trucker [trukke] *(Am)* vrachtwagenchauffeur
truckle [trukl] kruipen, kruiperig doen: ~ *to s.o.* voor iem kruipen
truckle bed (laag) rolbed
truck stop chauffeurscafé
truculence [trukjoelens] **1** vechtlust, agressiviteit **2** gewelddadigheid
truculent [trukjoelent] vechtlustig, agressief
¹trudge [trudzj] *zn* (trek)tocht, mars
²trudge [trudzj] *intr* sjokken, slepen: ~ *along* zich voortslepen
³trudge [trudzj] *tr* afsjokken; afsukkelen *(afstand)*
¹true [troe:] *bn* **1** waar, juist: *come* ~ werkelijkheid worden **2** echt, waar: ~ *to life* levensecht **3** trouw: *a ~ friend* een trouwe vriend
²true [troe:] *bw* **1** waarheidsgetrouw: *ring* ~ echt klinken **2** juist
true-blue **1** betrouwbaar, eerlijk, loyaal **2** onwrikbaar; aarts- *(mbt conservatief politicus)*
true-born (ras)echt, geboren
truffle [trufl] truffel *(ook bonbon)*
truism [troe:izm] **1** waarheid als een koe **2** afgezaagd gezegde
truly [troe:lie] **1** oprecht, waarlijk: *I am ~ grateful to you* ik ben u oprecht dankbaar **2** echt, werke-

lijk **3** trouw, toegewijd **4** terecht, juist || *yours ~: a)* hoogachtend *(slotformule van brieven); b)* de ondergetekende, ik

[1]trump [trump] *zn* troef *(ook fig);* troefkaart: *spades are ~s* schoppen is troef || *come* (of: *turn*) *up ~s: a)* voor een meevaller zorgen; *b)* geluk hebben met

[2]trump [trump] *ww* troeven, troef (uit)spelen || *~ up* verzinnen; *the charge was clearly ~ed up* de beschuldiging was duidelijk verzonnen

trump card troefkaart *(ook fig): that was my ~* dat was mijn laatste redmiddel

[1]trumpet [trumpit] *zn* **1** trompet: *(fig) blow one's own ~* zijn eigen lof zingen **2** trompetgeluid; getrompetter *(bijv. van olifant)*

[2]trumpet [trumpit] *intr* **1** trompet spelen **2** trompetteren

truncate [trungkeet] beknotten *(ook fig);* aftoppen, besnoeien: *~ a story* een verhaal inkorten

trunk [trungk] **1** (boom)stam **2** romp, torso **3** (hut)koffer *(vaak ook meubel)* **4** slurf; snuit *(van olifant)* **5** kofferbak *(van auto)* **6** *~s* korte broek; zwembroek *(voor heren)*

trunk call interlokaal (telefoon)gesprek

trunk road hoofdweg

[1]truss [trus] *zn* **1** dakkap, dakspant **2** breukband **3** bundel, bos, pak

[2]truss [trus] *tr* (stevig) inbinden: *~ up: a)* inbinden, opmaken *(kip); b)* knevelen

[1]trust [trust] *zn* **1** vertrouwen: *a position of ~* een vertrouwenspositie **2** (goede) hoop, verwachting **3** zorg, hoede: *commit a child to s.o.'s ~* een kind aan iemands zorgen toevertrouwen **4** trust, kartel **5** *(jur)* trust, machtiging tot beheer van goederen voor een begunstigde: *hold property in* (of: *under*) *~* eigendom in bewaring hebben

[2]trust [trust] *intr* **1** vertrouwen: *you should not ~ in him* je mag hem niet vertrouwen **2** vertrouwen hebben, hopen

[3]trust [trust] *tr* **1** vertrouwen op, aannemen, hopen: *I ~ everything is all right with him* ik hoop maar dat alles met hem in orde is **2** toevertrouwen: *he ~ed his car to a friend* hij gaf zijn auto bij een vriend in bewaring

trustee [trustie:] beheerder; bewindvoerder *(van vermogen, boedel);* bestuurder, commissaris *(van inrichting, school)*

trusting [trusting] vertrouwend, vriendelijk

trustworthy [trustwe:ðie] betrouwbaar

truth [troe:θ] **1** waarheid: *to tell the ~, ...* om de waarheid te zeggen, ... **2** echtheid **3** oprechtheid

truthful [troe:θfoel] **1** eerlijk, oprecht **2** waar, (waarheids)getrouw

[1]try [traj] *zn (mv: tries)* **1** poging: *give it a ~* het eens proberen, een poging wagen **2** *(rugby)* try

[2]try [traj] *ww* **1** proberen, uitproberen, op de proef stellen; *(ook fig)* vermoeien: *~ s.o.'s patience* iemands geduld op de proef stellen; *~ to be on time* proberen op tijd te komen; *tried and found wanting* gewogen en te licht bevonden; *~ on* aanpassen *(kleren); ~ out* testen, de proef nemen met; *~ sth. on s.o.* iets op iem uitproberen; *just ~ and stop me!* probeer me maar eens tegen te houden! **2** berechten, verhoren: *~ s.o. for murder* iem voor moord berechten

trying [trajjing] moeilijk, zwaar: *~ person to deal with* lastige klant

try-out test, proef: *give s.o. a ~* het met iem proberen

tsar [za:] tsaar

T-shirt T-shirt

tsunami [tsoena:mie] tsunami, vloedgolf

TT **1** *afk van teetotaller* **2** *afk van Tourist Trophy* TT *(motorrace)*

tub [tub] tobbe, (was)kuip, ton

tuba [tjoe:bə] tuba

tubby [tubbie] tonvormig, rond, dik

tube [tjoe:b] **1** buis(je), pijp, slang, huls, koker, tube **2** binnenband **3** metro **4** *(Am)* televisie, buis

tuberculosis [tjoebe:kjoeloosis] tuberculose

tubular [tjoe:bjoelə] buisvormig

[1]tuck [tuk] *zn* **1** plooi **2** zoetigheid

[2]tuck [tuk] *intr* plooien maken || *~ in!* val aan, tast toe!; *~ into* flink smullen van

[3]tuck [tuk] *tr* **1** plooien **2** inkorten, innemen **3** (met *up*) opstropen, optrekken **4** intrekken: *with his legs ~ed up under him* in kleermakerszit **5** (ook met *away*) (ver)stoppen, wegstoppen, verschuilen: *~ away* (of: *in*) verorberen **6** (met *in*) instoppen: *~ s.o. in* (of: *up*) iem toedekken; *~ one's shirt into one's trousers* zijn hemd in zijn broek stoppen

tuck-in smulpartij

tuck shop snoepwinkeltje

Tuesday [tjoe:zdee] dinsdag

tuft [tuft] bosje, kwastje, kuifje

[1]tug [tuǩ] *zn* **1** ruk, haal: *give a ~ at* (heftig) rukken aan **2** (felle) strijd, conflict: *(inform) ~ of love* touwtrekkerij om (de voogdij over) een kind *(tussen gescheiden ouders)* **3** sleepboot

[2]tug [tuǩ] *intr* (met *at)* rukken (aan)

[3]tug [tuǩ] *tr* **1** rukken aan **2** slepen *(sleepboot)*

tuition [tjoe·isjən] **1** schoolgeld, lesgeld **2** onderwijs

tulip [tjoe:lip] tulp

[1]tumble [tumbl] *zn* **1** val(partij): *have* (of: *take*) *a ~* vallen **2** warboel: *in a ~* overhoop

[2]tumble [tumbl] *intr* **1** vallen, tuimelen, struikelen: *~ down* neerploffen; *~ down the stairs* van de trap rollen **2** rollen, woelen: *~ about* rondtollen **3** stormen, lopen: *~ into* (of: *out of*) *bed* in zijn bed ploffen, uit zijn bed springen **4** (snel) zakken, kelderen: *tumbling prices* dalende prijzen || *~ to* snappen

[3]tumble [tumbl] *tr* **1** doen vallen, omgooien **2** in de war brengen **3** drogen *(in droogtrommel)*

tumbledown bouwvallig

tumble-dryer droogtrommel

tumbler [tumble] **1** duikelaar **2** acrobaat **3** tuimelglas, (groot) bekerglas **4** *(techn)* tuimelaar *(van slot)* **5** droogtrommel
tummy [tummie] buik(je)
tummy button navel
tumour [tjoe:me] tumor
tumult [tjoe:mult] tumult: *in a ~* totaal verward
tumultuous [tjoe:multjoees] tumultueus, wanordelijk
tun [tun] vat
tuna [tjoe:ne] tonijn
tundra [tundre] toendra
[1]**tune** [tjoe:n] *zn* **1** wijsje, melodie; *(fig)* toon **2** juiste toonhoogte: *sing out of ~* vals zingen **3** overeenstemming: *it is in ~ with the spirit of the time* het is in overeenstemming met de tijdgeest || *call the ~* de lakens uitdelen; *change one's ~, sing another* (of: *dance to another*) *~* een andere toon aanslaan, een toontje lager gaan zingen; *to the ~ of £1000* voor het bedrag van £1000
[2]**tune** [tjoe:n] *intr* **1** (met *with*) harmoniëren (met) **2** zingen
[3]**tune** [tjoe:n] *tr* **1** stemmen **2** afstemmen *(ook fig);* instellen: *~ oneself to* zich aanpassen aan; *~d to* afgestemd op **3** afstellen *(motor)*
tune in afstemmen, de radio (televisie) aanzetten: *~ to* afstemmen op
[1]**tune up** *intr* stemmen *(van orkest)*
[2]**tune up** *tr* in gereedheid brengen, afstellen
tunic [tjoe:nik] **1** tunica **2** tuniek, (korte) uniformjas
tunnel [tunl] **1** tunnel **2** onderaardse gang *(van mol e.d.)*
tunny [tunnie] tonijn
turban [te:ben] tulband
turbid [te:bid] **1** troebel, drabbig **2** verward: *~ emotions* verwarde emoties
turbine [te:bajn] turbine
turbot [te:bet] tarbot
turbulence [te:bjoelens] **1** wildheid **2** beroering, onrust
turbulent [te:bjoelent] **1** wild **2** woelig, oproerig
turd [te:d] **1** drol **2** verachtelijk persoon
turf [te:f] **1** graszode, plag **2** gras(veld) **3** renbaan, racebaan, paardenrennen
turgid [te:dzjid] **1** *(med)* (op)gezwollen **2** hoogdravend
Turk [te:k] Turk(se)
turkey [te:kie] **1** kalkoen **2** *(Am)* flop || *talk ~* geen blad voor de mond nemen
Turkish [te:kisj] Turks || *~ bath* Turks bad; *~ delight* Turks fruit; *~ towel* ruwe badhanddoek
turmoil [te:mojl] beroering: *the whole country was in (a) ~* het gehele land was in opschudding
[1]**turn** [te:n] *zn* **1** draai, slag, omwenteling; *(fig)* ommekeer; kentering *(van getijde);* wisseling: *a few ~s of the screwdriver will do* een paar slagen met de schroevendraaier is genoeg; *~ of the tide* getijwisseling, kentering **2** bocht, draai, kromming, afslag: *the next right ~* de volgende afslag rechts **3** wending, draai, (verandering van) richting: *take a ~ for the worse* een ongunstige wending nemen **4** beurt: *take ~s at sth.* iets om beurten doen, elkaar aflossen met iets; *~ and ~ about* om en om, om de beurt; *by ~s* om en om, om de beurt; *in ~* om de beurt, achtereenvolgens, op zijn beurt; *take it in ~(s) to do sth.* iets om beurten doen; *out of ~: a)* vóór zijn beurt, niet op zijn beurt; *b)* op een ongeschikt moment **5** dienst, daad: *do s.o. a bad* (of: *ill*) *~* iem een slechte dienst bewijzen **6** aanleg, neiging: *be of a musical ~ (of mind)* muzikaal aangelegd zijn **7** korte bezigheid, wandelingetje, ommetje, ritje, tochtje; nummer(tje) *(in circus, show);* artiest *(in show)* **8** korte tijd *(van deelname, werk);* poos: *take a ~ at the wheel* het stuur een tijdje overnemen **9** slag; winding *(in touw e.d.)* **10** schok, draai, schrik: *she gave him quite a ~* zij joeg hem flink de stuipen op het lijf **11** aanval; vlaag *(van woede, ziekte): ~ of the century* eeuwwisseling || *~ of phrase* formulering; *at every ~* bij elke stap, overal
[2]**turn** [te:n] *intr* **1** woelen, draaien: *toss and ~ all night* de hele nacht (liggen) draaien en woelen **2** zich richten, zich wenden: *his thoughts ~ed to his mother* hij dacht aan zijn moeder; *~ away (from)* zich afwenden (van), weggaan (van); *~ to drink* aan de drank raken **3** van richting veranderen, afslaan, een draai maken, (zich) omkeren: *the aeroplane ~ed sharply* het vliegtuig maakte een scherpe bocht; *~ about* zich omkeren; *about ~!* rechtsom(keert)! *(bevel aan troepen); ~ (a)round: a)* zich omdraaien; *b)* een ommekeer maken, van gedachten (*of:* mening) veranderen; *~ back* terugkeren, omkeren **4** draaien *(van hoofd, maag);* tollen, duizelen: *my head is ~ing* het duizelt mij **5** gisten, bederven || *~ to* aan het werk gaan; *~ into* veranderen in, worden; *~ on: a)* draaien om, afhangen van; *b)* gaan over *(van gesprek); water ~s to ice* water wordt ijs; *~ (up)on s.o.* iem aanvallen, zich tegen iem keren
[3]**turn** [te:n] *tr, intr* **1** (rond)draaien, doen draaien: *the wheels ~ fast* de wielen draaien snel **2** omdraaien, (doen) omkeren, omploegen, omspitten, omslaan; keren *(kraag);* omvouwen: *the car ~ed* de auto keerde; *~ about* omkeren, omdraaien; *~ (a)round* ronddraaien, omkeren; *~ back* omvouwen, omslaan; *~ sth. inside out* iets binnenstebuiten keren, *(fig)* grondig doorzoeken, overhoophalen; *~ upside down* ondersteboven keren; *~ to page seven* sla bladzijde zeven op **3** draaien *(aan draaibank, bij pottenbakkerij e.d.);* vormen, maken: *~ a phrase* iets mooi zeggen **4** verzuren, zuur worden (maken): *the warm weather ~ed the milk* door het warme weer verzuurde de melk **5** maken, draaien; beschrijven *(cirkel enz.)* **6** overdenken, overwegen **7** omgaan *(hoek);* omdraaien; omzeilen *(kaap);* omtrekken **8** (doen) veranderen (van), omzetten, verzetten, (ver)maken; een

wending geven aan *(gesprek);* bocht laten maken, draaien, afwenden, omleiden: ~ *the car into the garage* de auto de garage indraaien; ~ *into* veranderen in, (ver)maken tot, omzetten in; ~ *the conversation to sth. different* het gesprek op iets anders brengen **9** richten, wenden: ~ *your attention to the subject* richt je aandacht op het onderwerp **10** doen worden, maken: *the sun ~ed the papers yellow* de zon maakte de kranten geel; *(Am)* ~ *loose* loslaten, vrijlaten **11** verdraaien; verzwikken *(enkel enz.)* **12** misselijk maken: *Chinese food ~s my stomach* Chinees eten maakt mijn maag van streek **13** worden *(tijd, leeftijd);* passeren, geweest zijn: *it is* (of: *has*) *~ed six o'clock* het is zes uur geweest **14** (weg)sturen, (weg)zenden: ~ *s.o. adrift* iem aan zijn lot overlaten; ~ *away* wegsturen, wegjagen, ontslaan, *(fig)* verwerpen, afwijzen; *we were ~ed back at the entrance* bij de ingang werden we teruggestuurd **15** zetten, doen, brengen, laten gaan: ~ *s.o. into the street* iem op straat zetten **16** omzetten, draaien, een omzet hebben van; maken *(winst)*

[4]**turn** [tə:n] *koppelww* worden: ~ *traitor* verrader worden; *the milk ~ed sour* de melk werd zuur

turnabout ommekeer

turncoat overloper, afvallige, deserteur

[1]**turn down** *intr* achteruitgaan, een recessie doormaken: *our economy is turning down* onze economie gaat achteruit

[2]**turn down** *tr* **1** omvouwen, omslaan: ~ *the sheets* de lakens omslaan **2** (om)keren; omdraaien *(kaart)* **3** afwijzen *(plan, persoon);* verwerpen: *they turned your suggestion down* ze wezen je voorstel van de hand **4** lager zetten *(gas, licht);* zachter zetten *(radio, volume)*

[1]**turn in** *intr* **1** binnengaan, indraaien **2** naar binnen staan: *his feet* ~ zijn voeten staan naar binnen **3** onder de wol kruipen, erin duiken

[2]**turn in** *tr* **1** naar binnen vouwen, naar binnen omslaan **2** overleveren; uitleveren *(aan politie)* **3** inleveren, geven

turning [tə:ning] afsplitsing, aftakking, zijstraat, afslag, bocht: *the next ~ on* (of: *to*) *the right* de volgende straat rechts

turning point keerpunt *(ook fig):* ~ *in* (of: *of*) *s.o.'s life* keerpunt in iemands leven

turnip [tə:nip] raap; knol *(veevoer)*

[1]**turn off** *intr* **1** afslaan **2** *(inform)* interesse verliezen, afhaken

[2]**turn off** *tr* **1** afsluiten *(gas, water):* ~ *the gas* draai het gas uit **2** uitzetten, afzetten; uitdoen *(licht bijv.)* **3** weerzin opwekken bij, doen afknappen: *it really turns me off* ik word er niet goed van

turn-off **1** afslag **2** afknapper

[1]**turn on** *intr* enthousiast raken

[2]**turn on** *tr* **1** aanzetten; aandoen *(radio e.d.); (fig)* laten werken **2** opendraaien; openzetten *(water, gas)* **3** enthousiast maken, opwinden

turnout **1** opkomst, publiek, menigte **2** kleding **3** opruimbeurt: *your kitchen needs a good* ~ jouw keuken heeft een flinke schoonmaakbeurt nodig **4** productie

[1]**turn out** *intr* **1** (op)komen, verschijnen **2** zich ontwikkelen, aflopen: *things will ~ all right* het zal goed aflopen **3** naar buiten staan *(van voeten e.d.)* **4** *(mil)* aantreden *(vd wacht)*

[2]**turn out** *tr* **1** uitdoen; uitdraaien *(licht, kachel e.d.)* **2** eruit gooien, wegsturen **3** produceren, afleveren **4** leegmaken, opruimen, een beurt geven: ~ *your handbag* je handtas omkeren **5** uitrusten, kleden **6** optrommelen, bijeenroepen

[3]**turn out** *koppelww* blijken (te zijn), uiteindelijk zijn: *the man turned out to be my neighbour* de man bleek mijn buurman te zijn

turnover **1** omzetsnelheid *(van artikelen)* **2** omzet **3** verloop *(van personeel)* **4** (appel)flap

[1]**turn over** *intr* **1** zich omkeren **2** kantelen, omvallen **3** aanslaan; starten *(van (auto)motor)*

[2]**turn over** *tr* **1** omkeren, omdraaien, op zijn kop zetten **2** omslaan *(bladzij);* doorbladeren: *please* ~ zie ommezijde **3** starten *(auto e.d.)* **4** overwegen: *turn sth. over in one's mind* iets (goed) overdenken **5** overgeven; uitleveren, overleveren *(aan politie)*

turn signal *(Am)* richtingaanwijzer

turnstile tourniquet, draaihek

[1]**turn up** *intr* **1** verschijnen, komen (opdagen), tevoorschijn komen, voor de dag komen: *your brooch has turned up* je broche is terecht **2** zich voordoen: *the opportunity will* ~ de gelegenheid doet zich wel voor **3** naar boven gedraaid zijn

[2]**turn up** *tr* **1** vinden **2** blootleggen, aan de oppervlakte brengen **3** naar boven draaien; opzetten *(kraag);* omslaan *(mouw, pijp);* omhoogslaan, om(hoog)vouwen; opslaan *(ogen): turn one's collar up* zijn kraag opzetten **4** hoger draaien; harder zetten *(radio)*

turpentine [tə:pəntajn] terpentijn(olie)

turquoise [tə:kwojz] turkoois

turret [turrit] **1** torentje **2** geschutkoepel

turtle [tə:tl] **1** (zee)schildpad **2** *(Am)* zoetwaterschildpad

turtledove tortelduif

turtleneck **1** col **2** coltrui

[1]**tussle** [tusl] *zn* vechtpartij, worsteling

[2]**tussle** [tusl] *intr (*met *with)* vechten (met), worstelen (met)

tutelage [tjoe:tillidzj] voogdijschap

[1]**tutor** [tjoe:tə] *zn* **1** privéleraar **2** studiebegeleider; *(ongev)* mentor **3** *(Am)* docent

[2]**tutor** [tjoe:tə] *intr* **1** als privéleraar werken **2** *(Am)* college krijgen ve docent

[3]**tutor** [tjoe:tə] *tr* (met *in*) (privé)les geven (in)

tuxedo [tuksie:doo] *(Am)* smoking(kostuum)

TV *afk van television* tv

[1]**twang** [tweng] *zn* **1** tjing; ploink *(van snaar)* **2** neusgeluid: *speak with a* ~ door de neus praten

[2]**twang** [tweng] *intr* **1** geplukt worden *(van snaar)*

2 snorren; zoeven *(van pijl)* **3** spelen *(op instrument);* rammen; zagen *(op viool): ~ing on a guitar* jengelend op een gitaar

[3]**twang** [tweng] *tr* **1** scherp laten weerklinken **2** nasaal uitspreken **3** bespelen, jengelen op, krassen op

[1]**tweak** [twie:k] *zn* ruk *(aan oor, neus)*

[2]**tweak** [twie:k] *tr* beetpakken (en omdraaien), knijpen in; trekken aan *(oor, neus)*

twee [twie:] **1** fijntjes, popp(er)ig **2** zoetelijk

[1]**tweet** [twie:t] *zn* tjiep, tjilp; getjilp *(van vogel)*

[2]**tweet** [twie:t] *intr* tjilpen, tjirpen

tweezers [twie:zez] pincet: *a pair of ~* een pincet

twelfth [twelfθ] twaalfde, twaalfde deel

Twelfth Night driekoningenavond

twelve [twelv] twaalf

twentieth [twentieeθ] twintigste, twintigste deel

twenty [twentie] twintig: *in the twenties* in de jaren twintig

twice [twajs] tweemaal, twee keer: *~ a day* tweemaal per dag; *~ as good* (of: *much*) dubbel zo goed (*of:* veel); *once or ~* een keer of twee

[1]**twiddle** [twidl] *zn* draai, krul, kronkel

[2]**twiddle** [twidl] *ww* zitten te draaien (met, aan), spelen (met), friemelen (met)

[1]**twig** [twiǩ] *zn* twijg, takje

[2]**twig** [twiǩ] *ww* (het) snappen, (het) begrijpen

twilight [twajlajt] **1** schemering *(ook fig);* vage voorstelling **2** schemerlicht

[1]**twin** [twin] *zn* **1** (een ve) tweeling **2** bijbehorende, tegenhanger **3** *~s* tweeling

[2]**twin** [twin] *bn* tweeling-: *~ beds* lits-jumeaux; *~ towers* twee identieke torens naast elkaar

[1]**twine** [twajn] *zn* streng, vlecht

[2]**twine** [twajn] *tr* **1** wikkelen, winden, vlechten: *she ~d her arms (a)round my neck* zij sloeg haar armen om mijn nek **2** omwikkelen

[3]**twine** [twajn] *tr, intr* zich wikkelen, zich winden: *the vines ~d (themselves) round the tree* de ranken slingerden zich om de boom

twin-engined tweemotorig

twinge [twindzj] **1** scheut, steek **2** *(fig)* knaging *(van geweten);* kwelling: *~s of conscience* gewetenswroeging

[1]**twinkle** [twingkl] *zn* **1** schittering, fonkeling: *a mischievous ~* een ondeugende flikkering **2** knipoog **3** trilling || *in a ~* in een oogwenk

[2]**twinkle** [twingkl] *intr* **1** schitteren; fonkelen *(van ster): his eyes ~d with amusement* zijn ogen schitterden van plezier **2** trillen

[3]**twinkle** [twingkl] *tr* knipperen met *(ogen)*

twinkling [twingkling]: *in the ~ of an eye* in een ogenblik (*of:* mum van tijd)

[1]**twirl** [twe:l] *zn* **1** draai, pirouette **2** krul

[2]**twirl** [twe:l] *ww* snel (doen) draaien, (doen) tollen, (doen) krullen

[1]**twist** [twist] *zn* **1** draai, draaibeweging, bocht, kromming; *(fig)* wending: *a road full of ~s and turns* een weg vol draaien en bochten; *give the truth a ~* de waarheid een beetje verdraaien **2** verdraaiing; vertrekking *(van gelaat)* **3** afwijking; *(van karakter)* trek

[2]**twist** [twist] *intr* **1** draaien, zich wentelen: *the corners of his mouth ~ed down* zijn mondhoeken trokken naar beneden **2** kronkelen, zich winden **3** zich wringen

[3]**twist** [twist] *tr* **1** samendraaien, samenstrengelen; *(tabak)* spinnen: *~ flowers into a garland* bloemen tot een krans samenvlechten **2** vlechten *(touw bijv.)* **3** winden, draaien om: *~ the lid off a jar* het deksel van een jampot afdraaien **4** verdraaien, verwringen; vertrekken *(gezicht);* verrekken *(spier);* verstuiken *(voet);* omdraaien *(arm)* **5** *(fig)* verdraaien *(verhaal, woorden e.d.): a ~ed mind* een verwrongen geest **6** wringen, afwringen, uitwringen

twister [twiste] **1** bedrieger **2** *(Am)* wervelwind

[1]**twit** [twit] *zn* sufferd, domkop

[2]**twit** [twit] *tr* **1** bespotten **2** verwijten: *~ s.o. about* (of: *on*) *his clumsiness* iem (een beetje spottend) zijn onhandigheid verwijten

[1]**twitch** [twitsj] *zn* **1** trek, kramp **2** ruk

[2]**twitch** [twitsj] *intr* **1** trekken, trillen: *a ~ing muscle* een trillende spier **2** (met *at*) rukken (aan)

[3]**twitch** [twitsj] *tr* **1** vertrekken: *(fig) he didn't ~ an eyelid* hij vertrok geen spier **2** trekken aan

[1]**twitter** [twitte] *zn* getjilp, gekwetter || *all of a ~* opgewonden

[2]**twitter** [twitte] *intr* tjilpen, kwetteren

two [toe:] twee, tweetal: *~ years old* twee jaar oud; *~ or three* een paar, een stuk of wat; *~ by ~* twee aan twee; *arranged in ~s* per twee gerangschikt; *cut in ~* in tweeën gesneden; *an apple or ~* een paar appelen || *in ~ ~s* in een paar tellen

two-bit *(Am)* klein, waardeloos

two-earner tweeverdiener(s)-: *~ couple* tweeverdieners

two-edged *(ook fig)* tweesnijdend

two-faced met twee gezichten; *(fig)* onoprecht

twofold [toe:foold] tweevoudig

two-handed **1** voor twee handen: *~ sword* tweehandig zwaard **2** voor twee personen: *~ saw* trekzaag

twopence [tuppens] (Brits muntstuk van) twee pence || *I don't care ~* ik geef er geen zier om

twopenny [tuppenie] twee pence kostend (waard)

twosome [toe:sem] **1** tweetal **2** spel voor twee

two-stroke tweetakt-

[1]**two-time** *intr* dubbel spel spelen

[2]**two-time** *tr* bedriegen, ontrouw zijn

two-way **1** tweerichtings-: *~ traffic* tweerichtingsverkeer **2** wederzijds

tycoon [tajkoe:n] magnaat

[1]**type** [tajp] *zn* **1** type, soort, model **2** zetsel: *in ~* gezet; *in italic ~* in cursief (schrift) **3** drukletter, type

[2]**type** [tajp] *ww* typen, tikken: *~ out* uittikken

typecast steeds eenzelfde soort rol geven *(ac-*

teur): be ~ as a villain altijd maar weer de schurk spelen

typeface font, lettertype

typewriter schrijfmachine

typhoid [tajfojd] tyfus

typhoon [tajfoe:n] tyfoon

typhus [tajfes] vlektyfus

typical [tippikl] typisch, typerend, kenmerkend: *be ~ of* karakteriseren, kenmerkend zijn voor

typify [tippiffaj] **1** typeren, karakteriseren **2** symboliseren

typography [tajpokrefie] typografie

tyrannical [tirenikl] tiranniek

[1]**tyrannize** [tirrenajz] *intr (*met *over)* als een tiran regeren (over); *(fig)* de tiran spelen

[2]**tyrannize** [tirrenajz] *tr* tiranniseren

tyranny [tirrenie] **1** tirannie **2** tirannieke daad

tyrant [tajjerent] tiran

tyre [tajje] band

U

u [joe:] u, U
ubiquitous [joe:bikwittes] overal aanwezig, alomtegenwoordig
udder [udde] uier
UFO [joe:effoo] *afk van unidentified flying object* ufo, vliegende schotel
Uganda [joe:ƙende] Uganda
Ugandan [joe:ƙenden] Ugandees
ugh [oech] bah
ugly [uƙlie] **1** lelijk, afstotend: *(fig) ~ duckling* lelijk eendje; *(inform) (as) ~ as sin* (zo) lelijk als de nacht **2** dreigend: *an ~ look* een dreigende blik **3** *(inform)* vervelend; lastig *(mbt karakter): an ~ customer* een lastig mens
uh [e:] eh
UK *afk van United Kingdom* UK, VK, Verenigd Koninkrijk
Ukraine [joe:kreen] Oekraïne
ulcer [ulse] (open) zweer, maagzweer
ulterior [ultierie] verborgen: *an ~ motive* een bijbedoeling
¹ultimate [ultimmet] *zn* maximum; *(fig)* toppunt; (het) einde
²ultimate [ultimmet] *bn* **1** ultiem, uiteindelijk, laatst **2** fundamenteel **3** uiterst, maximaal: *the ~ chic* het toppunt van chic
ultimately [ultimmetlie] uiteindelijk
ultimatum [ultimmeetem] ultimatum
ultra [ultre] extremistisch, radicaal
ultramarine [ultremerie:n] ultramarijn, lazuur(blauw)
ultramodern [ultremodden] hypermodern
ultrasound scan echoscopie
ultraviolet [ultrevajjelit] ultraviolet
Ulysses [joe:lissie:z] Odysseus
um [um] hm, ahum
umbilical [umbillikl] navel-: *~ cord* navelstreng
umbrage [umbridzj] ergernis: *give ~* ergeren; *take ~ at* (of: *over*) zich ergeren aan
¹umbrella [umbrelle] *zn* **1** paraplu; *(fig)* bescherming; overkoepelende organisatie: *under the ~ of the EU* onder de bescherming van de EU **2** (tuin)-parasol, zonnescherm
²umbrella [umbrelle] *bn* algemeen, verzamel-: *~ term* overkoepelende term
¹umpire [umpajje] *zn* scheidsrechter, umpire
²umpire [umpajje] *ww* als scheidsrechter optreden (in)
umpteen [umptie:n] *(inform)* een hoop, heel wat, tig
umpteenth [umptie:nθ] *(inform)* zoveelste
UN *afk van United Nations* VN, Verenigde Naties
unabated [unnebeetid] onverminderd
unable [unneebl] niet in staat: *he was ~ to come* hij was verhinderd
unabridged [unnebridzjd] onverkort, niet ingekort
unacceptable [unnekseptebl] onaanvaardbaar
unaccompanied [unnekumpenied] **1** onvergezeld **2** *(muz)* zonder begeleiding
unaccountable [unnekauntebl] onverklaarbaar
unaccustomed [unnekustemd] **1** ongewoon, ongebruikelijk **2** niet gewend: *he is ~ to writing letters* hij is niet gewend brieven te schrijven
unaffected [unnefektid] **1** ongedwongen, natuurlijk **2** onaangetast; *(fig)* niet beïnvloed; ongewijzigd
unaided [unneedid] zonder hulp
unambiguous [unembiƙjoees] ondubbelzinnig
unanimity [joe:nenimmittie] **1** eenstemmigheid, unanimiteit **2** eensgezindheid
unanimous [joe:nenimmes] **1** eenstemmig, unaniem **2** eensgezind
unannounced [unnenaunst] onaangekondigd
unanswerable [unna:nserebl] **1** onweerlegbaar **2** niet te beantwoorden
unapproachable [unneprootsjebl] ontoegankelijk, onbenaderbaar
unarmed [unna:md] ongewapend
unashamed [unnesjeemd] **1** zich niet schamend **2** onbeschaamd
unasked [unna:skt] ongevraagd
unattached [unnetetsjt] **1** los, niet gebonden, onafhankelijk **2** alleenstaand, ongetrouwd
unattended [unnetendid] **1** niet begeleid **2** onbeheerd: *leave sth. ~* iets onbeheerd laten (staan)
unauthorized [unno:θerajzd] **1** onbevoegd **2** ongeoorloofd **3** niet geautoriseerd, onofficieel: *an ~ biography* een onofficiële biografie
unavailing [unneveeling] vergeefs, nutteloos
unavoidable [unnevojdebl] onvermijdelijk
unaware [unnewee] *(met of)* zich niet bewust (van): *be ~ that* niet weten dat
unawares [unneweez] **1** onverwacht(s): *catch* (of: *take*) *s.o. ~* iem verrassen (*of:* overrompelen) **2** onbewust
unbalance [unbelens] uit zijn evenwicht brengen, in verwarring brengen
unbalanced [unbelenst] **1** niet in evenwicht, onevenwichtig **2** in de war
unbar [unba:] ontgrendelen; *(fig)* openstellen; vrij maken
unbearable [unbeerebl] **1** ondraaglijk **2** onuitstaanbaar
unbeaten [unbie:tn] **1** niet verslagen; ongeslagen

(sport) **2** onovertroffen; ongebroken *(record)*
unbecoming [unbikkumming] **1** niet (goed) staand **2** ongepast, onbehoorlijk: *your conduct is ~ for* (of: *to*) *a gentleman!* zo gedraagt een heer zich niet!
unbelief [unbillie:f] ongeloof, ongelovigheid
unbelievable [unbillie:vebl] ongelofelijk
unbeliever [unbillie:ve] ongelovige
unbending [unbending] onbuigzaam, onverzettelijk
unbias(s)ed [unbajjest] **1** onbevooroordeeld **2** zuiver, niet vertekend
unbind [unbajnd] **1** losmaken **2** bevrijden
unblushing [unblusjing] **1** schaamteloos **2** niet blozend
unborn [unbo:n] **1** (nog) ongeboren **2** toekomstig
unbosom [unboezem] uiten: *~ oneself (to)* zijn hart uitstorten (bij)
unbowed [unbaud] **1** ongebogen **2** ongebroken *(fig);* niet onderworpen
unbridled [unbrajdld] ongebreideld: *~ tongue* losse tong
unbroken [unbrooken] **1** ongebroken, heel **2** ongedresseerd **3** ononderbroken **4** onovertroffen; ongebroken *(record)*
unbuckle [unbukl] losgespen
unburden [unbe:dn] **1** ontlasten, van een last bevrijden: *~ one's conscience* zijn geweten ontlasten; *~ oneself* (of: *one's heart*) *to s.o.* zijn hart uitstorten bij iem **2** zich bevrijden van, opbiechten
uncalled-for [unko:ld fo:] **1** ongewenst, ongepast **2** onnodig: *that remark was ~* die opmerking was nergens voor nodig **3** ongegrond
uncanny [unkenie] geheimzinnig, griezelig
uncaring [unkeering] onverschillig, ongevoelig
unceasing [unsie:sing] onophoudelijk
unceremonious [unserrimmoonies] **1** informeel, ongedwongen **2** niet erg beleefd
uncertain [unse:ten] **1** onzeker: *in no ~ terms* in niet mis te verstane bewoordingen; *be ~ of* (of: *about*) *s.o.'s intentions* twijfelen aan iemands bedoelingen **2** onbepaald, vaag **3** veranderlijk: *a woman with an ~ temper* een wispelturige vrouw
uncertainty [unse:tentie] **1** onzekerheid, twijfel(achtigheid) **2** onduidelijkheid, vaagheid **3** veranderlijkheid, onbetrouwbaarheid
unchallenged [untsjelindzjd] onbetwist, zonder tegenspraak: *we cannot let this pass ~* we kunnen dit niet zomaar laten passeren
uncharitable [untsjerittebl] harteloos, liefdeloos: *an ~ judg(e)ment* een hard oordeel
unchecked [untsjekt] **1** ongehinderd **2** ongecontroleerd
unclassified [unklesiffajd] **1** ongeordend, niet ingedeeld **2** niet geheim (vertrouwelijk)
uncle [ungkl] oom
unclean [unklie:n] **1** vuil; bevuild *(fig);* bevlekt **2** onkuis
Uncle Sam [unkl sem] *(inform)* Uncle Sam, de Amerikaanse regering, het Amerikaanse volk
uncoil [unkojl] (zich) ontrollen
uncoloured [unkulled] ongekleurd *(ook fig);* objectief
uncomfortable [unkumfetebl] **1** ongemakkelijk, oncomfortabel: *~ situation* pijnlijke situatie **2** niet op zijn gemak, verlegen
uncommitted [unkemittid] **1** niet-gebonden, neutraal: *he wants to remain ~* hij wil zich niet vastleggen **2** zonder verplichting(en)
uncommon [unkommen] ongewoon
uncompromising [unkompremajzing] **1** onbuigzaam, niet toegeeflijk **2** vastberaden
unconcerned [unkense:nd] **1** onbezorgd **2** onverschillig
unconditional [unkendisjenel] onvoorwaardelijk
[1]**unconscious** [unkonsjes] *zn* het onbewuste, het onderbewuste
[2]**unconscious** [unkonsjes] *bn* **1** onbewust, niet wetend: *be ~ of sth.* zich ergens niet bewust van zijn **2** bewusteloos
uncontested [unkentestid] onbetwist: *~ election* verkiezing zonder tegenkandidaten
uncontrollable [unkentroolebl] **1** niet te beheersen, onbedwingbaar **2** onbeheerst: *~ laughter* onbedaarlijk gelach
unconventional [unkenvensjenel] **1** onconventioneel, ongebruikelijk **2** natuurlijk **3** niet-conventioneel, nucleair, atoom-
unconvincing [unkenvinsing] niet overtuigend
uncork [unko:k] ontkurken
uncouple [unkupl] ontkoppelen, afkoppelen, loskoppelen
uncouth [unkoe:θ] ongemanierd, grof
[1]**uncover** [unkuvve] *intr* zijn hoofddeksel afnemen
[2]**uncover** [unkuvve] *tr* **1** het (hoofd)deksel afnemen van, opgraven **2** aan het licht brengen, ontdekken
unction [ungksjen] zalving
unctuous [ungktjoees] zalvend, vleierig
uncut [unkut] **1** ongesneden, ongemaaid **2** onverkort; ongecensureerd *(boek, film)* **3** ongeslepen *(diamant)*
undaunted [undo:ntid] onverschrokken: *~ by* niet ontmoedigd door
undecided [undissajdid] **1** onbeslist: *the match was left ~* de wedstrijd eindigde onbeslist **2** weifelend, besluiteloos: *be ~ about* in tweestrijd staan over
undeniable [undinnajjebl] onbetwistbaar: *that is undeniably true* dat is ontegenzeglijk waar
[1]**under** [unde] *bw* **1** onder, eronder, hieronder, daaronder, (naar) beneden, omlaag: *groups of nine and ~* groepen van negen en minder **2** in bedwang, onder controle **3** bewusteloos: *the drug put her ~ for the day* door het verdovingsmiddel raakte zij de hele dag buiten bewustzijn
[2]**under** [unde] *vz* **1** *(plaats)* onder; *(fig)* onder het

gezag van; onder toezicht van: ~ *the cliffs* aan de voet van de klippen; *he wrote ~ another name* hij schreef onder een andere naam; *a place ~ the sun* een plekje onder de zon **2** *(omstandigheid)* onder, in, in een toestand van, krachtens, tijdens: ~ *construction* in aanbouw; *the issue ~ discussion* het probleem dat ter discussie staat; *collapse ~ the strain* het onder de spanning begeven **3** minder dan: ~ *age* minderjarig; *just ~ a minute* net iets minder dan een minuut, net binnen de minuut; *children ~ six* kinderen beneden de zes jaar

under-age [undereedzj] minderjarig

undercarriage [undekeridzj] **1** onderstel *(van wagen);* chassis **2** landingsgestel

underclothes [undeklooðz] ondergoed

undercover [undekuvve] geheim

undercurrent [undekurrent] onderstroom *(ook fig);* verborgen gedachten, gevoelens

underdeveloped onderontwikkeld *(ook econ, foto);* (nog) onvoldoende ontwikkeld

underdog [undedok] underdog, (verwachte) verliezer

underdone niet (helemaal) gaar

underestimate onderschatten, te laag schatten

underexposure onderbelichting

underfloor [undeflo:] onder de vloer: ~ *heating* vloerverwarming

underfoot [undefoet] **1** onder de voet(en), op de grond; *(fig)* onderdrukt: *crush* (of: *trample*) *sth.* ~ iets vertrappen **2** in de weg, voor de voeten

undergo [undekoo] ondergaan, doorstaan

undergraduate [undekredjoeet] *(verk; inform)* student(e) *(die nog geen graad heeft);* bachelorstudent

[1]**underground** [undegraund] *zn* metro, ondergrondse: *by* ~ met de ondergrondse

[2]**underground** [undegraund] *bn* ondergronds, (zich) onder de grond (bevindend); *(fig)* clandestien

[3]**underground** [undekraund] *bw* ondergronds, onder de grond; *(fig)* clandestien: *go* ~ onderduiken, ondergronds gaan werken

undergrowth [undekrooθ] kreupelhout

underhand [undehend] **1** onderhands, clandestien **2** achterbaks

underhanded **1** onderhands **2** achterbaks

un

underlie [undelaj] **1** liggen onder, zich bevinden onder **2** ten grondslag liggen aan, verklaren: *underlying principles* grondprincipes **3** schuil gaan achter: *underlying meaning* werkelijke betekenis

underline [undelajn] onderstrepen *(ook fig);* benadrukken

undermine [undemajn] ondermijnen; ondergraven *(ook fig);* verzwakken

[1]**underneath** [undenie:θ] *zn* onderkant

[2]**underneath** [undenie:θ] *bw (plaats; ook fig)* onderaan, eronder, aan de onderkant: *what's written ~?* wat staat er aan de onderkant geschreven?

[3]**underneath** [undenie:θ] *vz (plaats)* beneden, (vlak) onder: ~ *his coat he wore a suit* onder zijn jas droeg hij een pak

underpants [undepents] onderbroek

underpass tunnel(tje): *take the ~!* ga door het tunneltje!

underprivileged (kans)arm, sociaal zwak

underrate **1** te laag schatten *(kosten)* **2** onderschatten, onderwaarderen

underscore [undesko:] onderstrepen *(ook fig);* benadrukken

undersea [undesie:] onderzees, onderzee-, onderwater-

under-secretary [undesekreterie] **1** ondersecretaris, tweede secretaris **2** staatssecretaris: *permanent ~ (ongev)* secretaris-generaal *(van ministerie)*

underside [undesajd] onderkant, onderzijde

undersigned [undesajnd] ondertekend (hebbend): *I, the ~* ik, ondergetekende

undersized te klein, onder de normale grootte

understand [undestend] *(understood, understood)* **1** (het) begrijpen, inzien, verstand hebben van, (goed) op de hoogte zijn: *give s.o. to ~ that* iem te verstaan geven dat; ~ *each other* (of: *one another*) elkaar begrijpen, op één lijn zitten; *I simply don't ~* ik snap het gewoon niet; ~ *about* verstand hebben van **2** (het) begrijpen, (er) begrip hebben voor: *he begged her to ~* hij smeekte haar begrip voor de situatie te hebben **3** begrijpen, (er)uit opmaken, vernemen: *I understood that you knew him* ik had begrepen dat je hem kende **4** verstaan *(taal)* **5** opvatten: *as I ~ it* zoals ik het zie **6** als vanzelfsprekend aannemen: *that is understood!* (dat spreekt) vanzelf!

understandable [undestendebl] begrijpelijk

understandably [undestendeblie] **1** begrijpelijk **2** begrijpelijkerwijs: ~, *we were all annoyed* begrijpelijkerwijs waren we allemaal geïrriteerd

[1]**understanding** [undestending] *zn* **1** afspraak, overeenkomst: *come to* (of: *reach*) *an ~* het eens worden; *on the ~ that* met dien verstande dat **2** (onderling) begrip, verstandhouding **3** verstand, intelligentie, begrip **4** interpretatie, beoordeling, opvatting: *a wrong ~ of the situation* een verkeerde beoordeling van de situatie

[2]**understanding** [undestending] *bn* begripvol, welwillend

understatement understatement: *that's an ~* dat is zwak uitgedrukt

understood [undestoe:d] *ovt en volt dw van* understand

undertake [undeteek] **1** ondernemen **2** op zich nemen, beloven, zich verplichten tot **3** garanderen, instaan voor

undertaker [undeteeke] begrafenisondernemer

[1]**undertaking** [undeteeking] *zn* het verzorgen van begrafenissen

[2]**undertaking** [undeteeking] *zn* **1** onderneming: *translating the Bible is quite an ~* het is een hele

onderneming om de Bijbel te vertalen **2** (plechtige) belofte, garantie
undertone [undetoon] **1** gedempte toon: *speak in ~s* (of: *an ~*) met gedempte stem spreken **2** ondertoon *(fig)* **3** lichte tint, zweem: *red with a slight ~ of yellow* rood met een klein beetje geel erin
undervalue onderwaarderen
underwater [undewo:te] onder water
underwear [undewee] ondergoed
underworld [undewe:ld] onderwereld
underwrite [underajt] **1** ondertekenen *(polis);* afsluiten *(verzekering);* (door ondertekening) op zich nemen *(risico, aansprakelijkheid)* **2** verzekeren *(scheepv);* zich garant stellen voor **3** onderschrijven, goedvinden
undies [undiez] *(inform)* (dames)ondergoed
undisputed [undispjoe:tid] onbetwist
undistinguished [undistingk̂wisjt] niet bijzonder, alledaags, gewoon
undivided onverdeeld
[1]**undo** [undoe:] *intr* losgaan
[2]**undo** [undoe:] *tr* **1** losmaken, losknopen **2** uitkleden **3** tenietdoen, ongedaan maken: *this mistake can never be ~ne* deze fout kan nooit goedgemaakt worden
undomesticated [undemestikkeetid] **1** ongetemd, wild **2** niet huishoudelijk (aangelegd)
undone [undun] **1** ongedaan, onafgemaakt **2** los(gegaan): *come ~* losgaan, losraken
undoubted [undautid] ongetwijfeld
undreamed [undrie:md] onvoorstelbaar: *~ of* onvoorstelbaar
undress [undres] (zich) uitkleden
undue [undjoe:] **1** overmatig: *exercise ~ influence upon s.o.* te grote invloed op iem uitoefenen **2** onbehoorlijk
unduly [undjoe:lie] **1** uitermate, overmatig **2** onbehoorlijk **3** onrechtmatig
undying [undajjing] onsterfelijk, eeuwig
unearth [unne:θ] **1** opgraven; *(fig)* opdiepen **2** onthullen
unearthly [unne:θlie] **1** bovenaards **2** bovennatuurlijk, mysterieus **3** angstaanjagend, eng **4** *(inform)* onmogelijk *(tijd): wake s.o. up at an ~ hour* iem op een belachelijk vroeg uur wakker maken
uneasy [unnie:zie] **1** onbehaaglijk: *~ conscience* bezwaard geweten; *be ~ with* zich niet op zijn gemak voelen met **2** bezorgd: *be ~ about, grow ~ at* zich zorgen maken over **3** onrustig *(bijv. in slaap)* **4** verontrustend
uneconomic(al) [unnie:kenommik(l)] **1** oneconomisch, onrendabel **2** verkwistend
uneducated [unnedjoekeetid] ongeschoold, onontwikkeld
unemployed [unnimplojd] **1** ongebruikt **2** werkloos, zonder werk
unemployment [unnimplojment] werkloosheid: *~ benefit* werkloosheidsuitkering
unending [unnending] **1** oneindig, eindeloos **2** onophoudelijk
unenviable [unnenviebl] niet benijdenswaard(ig); onplezierig *(taak)*
unequal [unnie:kwel] ongelijk(waardig): *~ in size* ongelijk in grootte
unerring [unne:ring] onfeilbaar: *~ devotion* niet aflatende toewijding
uneven [unnie:vn] **1** ongelijk; oneffen *(bijv. oppervlak);* onregelmatig **2** van ongelijke kwaliteit
uneventful [unnivventfoel] onbewogen, rustig, saai: *~ day* dag zonder belangrijke gebeurtenissen
unexpected [unnikspektid] onverwacht
unfailing [unfeeling] onuitputtelijk, onophoudelijk
unfair [unfee] oneerlijk, onrechtvaardig: *~ competition* oneerlijke concurrentie
unfaithful [unfeeθfoel] ontrouw, overspelig
unfamiliar [unfemillie] **1** onbekend, niet vertrouwd **2** ongewoon, vreemd
[1]**unfasten** [unfa:sn] *intr* losgaan
[2]**unfasten** [unfa:sn] *tr* losmaken, losknopen
unfavourable [unfeeverebl] ongunstig
unfeeling [unfie:ling] gevoelloos *(ook fig);* hardvochtig
unfinished [unfinnisjt] **1** onaf, onvoltooid: *~ business* onafgedane kwestie(s) **2** onbewerkt *(bijv. van hout)*
unfit [unfit] **1** ongeschikt **2** in slechte conditie
unflinching [unflintsjing] **1** onbevreesd **2** vastberaden
unfold [unfoold] **1** (zich) openvouwen **2** (zich) uitspreiden **3** (zich) openbaren, (zich) ontvouwen
unforeseeable [unfo:sie:ebl] onvoorspelbaar
unforgettable [unfek̂ettebl] onvergetelijk
unforgivable [unfek̂ivvebl] onvergeeflijk
unfortunate [unfo:tsjenet] ongelukkig, betreurenswaardig
unfriendly [unfrendlie] onvriendelijk, vijandig: *~ area* onherbergzaam gebied; *~ reception* koele ontvangst
unfurl [unfe:l] (zich) ontrollen; (zich) ontvouwen *(bijv. van vlag)*
ungainly [unk̂eenlie] lomp
unget-at-able [unk̂etetebl] *(inform)* onbereikbaar
ungodly [unk̂odlie] **1** goddeloos **2** *(inform)* afgrijselijk
ungrateful [unk̂reetfoel] ondankbaar
unguarded [unk̂a:did] **1** onbewaakt: *in an ~ moment* op een onbewaakt ogenblik **2** onbedachtzaam **3** achteloos
unguent [ungk̂went] zalf
unhappy [unhepie] **1** ongelukkig, bedroefd **2** ongepast
unharmed [unha:md] ongedeerd, onbeschadigd
unhealthy [unhelθie] ongezond *(ook fig);* ziekelijk
unheard [unhe:d] niet gehoord, ongehoord: *his advice went ~* naar zijn raad werd niet geluisterd

unheard-of [unhe:dov] ongekend, buitengewoon
unheeded [unhie:did] genegeerd, in de wind geslagen: *his remark went ~* er werd geen acht geslagen op zijn opmerking
unhinge [unhindzj] **1** uit de scharnieren tillen *(deur)* **2** *(inform)* uit zijn evenwicht brengen: *his mind is ~d* hij is geestelijk uit evenwicht
unholy [unhoolie] **1** goddeloos **2** *(inform)* verschrikkelijk: *(inform) at an ~ hour* op een onchristelijk tijdstip; *~ noise* heidens lawaai
unicorn [joe:nikko:n] eenhoorn
unidentified [unnajdentiffajd] niet geïdentificeerd: *~ flying object* vliegende schotel
unification [joe:niffikkeesjen] eenmaking, unificatie
[1]**uniform** [joe:niffo:m] *zn* uniform
[2]**uniform** [joe:niffo:m] *bn* uniform, eensluidend
uniformity [joe:niffo:mittie] **1** uniformiteit **2** gelijkmatigheid
unify [joe:niffaj] (zich) verenigen, tot één maken
unilateral [joe:nileterel] eenzijdig, van één kant
unimpeachable [unnimpie:tsjebl] **1** onbetwistbaar **2** onberispelijk
unimportant [unnimpo:tent] onbelangrijk
unintentional [unnintensjenel] onbedoeld, onopzettelijk
uninterested [unnintrestid] **1** ongeïnteresseerd **2** zonder belangen
uninterrupted [unninteruptid] ononderbroken, doorlopend
union [joe:nien] **1** verbond, unie **2** (vak)bond, vakvereniging **3** studentenvereniging **4** huwelijk **5** verbinding, koppelstuk
unionist [joe:nienist] vakbondslid
Union Jack Britse vlag
union leader vakbondsleider
unique [joe:nie:k] uniek; *(inform)* opmerkelijk
unisex [joe:nisseks] uniseks-
unison [joe:nisn] **1** koor, het tegelijk spreken: *speak in ~* in koor spreken **2** harmonie: *work in ~* eendrachtig samenwerken
unit [joe:nit] **1** eenheid, onderdeel, afdeling, meetgrootheid; *(techn)* apparaat; module: *~ of account* rekeneenheid **2** combineerbaar onderdeel *(van meubilair)*; unit, blok
[1]**unite** [joe:najt] *intr* **1** zich verenigen, samenwerken, fuseren: *they ~d in fighting the enemy* samen bestreden zij de vijand **2** zich verbinden, aaneengroeien **3** zich mengen
[2]**unite** [joe:najt] *tr* **1** verbinden, verenigen, tot een geheel maken **2** in de echt verbinden
united [joe:najtid] **1** verenigd: *United Kingdom* Verenigd Koninkrijk; *United Nations* Verenigde Naties; *United States* Verenigde Staten **2** saamhorig, hecht, harmonieus **3** gezamenlijk: *with their ~ powers* met vereende krachten
unity [joe:nittie] **1** geheel, eenheid, samenhang **2** samenwerking **3** harmonie: *at* (of: *in*) *~* eendrachtig, eensgezind
universal [joe:nivve:sl] **1** universeel, algemeen: *~ rule* algemeen geldende regel **2** algeheel, alomvattend: *~ agreement* algemene instemming
universe [joe:nivve:s] **1** heelal **2** wereld; *(ook)* gebied
university [joe:nivve:sittie] universiteit, hogeschool
unjust [undzjust] onrechtvaardig
unjustifiable [undzjustiffajjebl] niet te verantwoorden
unkempt [unkempt] **1** ongekamd **2** onverzorgd
unkind [unkajnd] **1** onaardig, onvriendelijk **2** ruw
unknown [unnoon] onbekend: *~ quantity* onbekende grootheid, *(fig)* onzekere factor || *~ to us* buiten ons medeweten, zonder dat wij het wisten
unlawful [unlo:foel] onwettig, illegaal
unleaded [unleddid] loodvrij
unleash [unlie:sj] losmaken vd riem *(hond); (ook fig)* ontketenen: *~ one's rage (up)on s.o.* zijn woede op iem koelen
unless [unles] tenzij, behalve, zonder dat: *I won't go ~ you come with me* ik ga niet tenzij jij meekomt
[1]**unlike** [unlajk] *bn, bw* **1** verschillend, niet gelijkend **2** ongelijkwaardig **3** *(wisk)* tegengesteld
[2]**unlike** [unlajk] *vz* **1** anders dan, in tegenstelling tot **2** niet typisch voor: *that's ~ John* dat is niets voor John
unlikely [unlajklie] **1** onwaarschijnlijk **2** weinig belovend, niet hoopgevend: *he is ~ to succeed* hij heeft weinig kans van slagen
unlimited [unlimmittid] onbeperkt, ongelimiteerd
unload [unlood] **1** lossen, uitladen, leegmaken **2** wegdoen, zich ontdoen van: *~ responsibilities onto s.o.* de verantwoordelijkheid op iem afschuiven **3** ontladen *(vuurwapen; ook fig)*; afreageren
unlock [unlok] **1** openmaken, opendoen, vh slot doen **2** losmaken, bevrijden, de vrije loop laten
unloose(n) [unloe:s(en)] **1** losmaken, losknopen, vrijlaten: *old memories were unloose(ne)d* oude herinneringen kwamen boven **2** ontspannen
unlucky [unlukkie] ongelukkig: *be ~* pech hebben
unmade onopgemaakt: *~ bed* onopgemaakt bed
unmanageable [unmenidzjebl] **1** onhandelbaar **2** onhanteerbaar, niet te besturen
unmannerly [unmenelie] ongemanierd, ruw, onbeschaafd
unmarried [unmeried] ongetrouwd
unmask [unma:sk] het masker afnemen, ontmaskeren, onthullen
unmentionable [unmensjenebl] **1** taboe **2** niet (nader) te noemen **3** niet te beschrijven
unmindful [unmajndfoel] zorgeloos, vergeetachtig: *~ of* zonder acht te slaan op
unmistakable [unmisteekebl] onmiskenbaar, ondubbelzinnig
unmitigated [unmittiǩeetid] **1** onverminderd,

onverzacht **2** absoluut, volkomen: ~ *disaster* regelrechte ramp
unnatural [unnetsjerel] onnatuurlijk, abnormaal
unnecessary [unnesseserie] **1** onnodig, niet noodzakelijk **2** overbodig
unnerve [unne:v] **1** van zijn stuk brengen, ontmoedigen **2** nerveus maken
UNO [joe:noo] *afk van United Nations Organisation* VN, Verenigde Naties
unobtrusive [unnebtroe:siv] **1** onopvallend **2** discreet, voorzichtig
unoccupied [unnokjoepajd] **1** leeg, onbezet, vrij **2** niet bezig, werkeloos
unofficial [unnefisjl] onofficieel, officieus, niet bevestigd || ~ *strike* wilde staking
unpack [unpek] uitpakken: ~ *one's suitcase* (of: *clothes*) zijn koffer (*of:* kleren) uitpakken
unpaid [unpeed] onbetaald
unparalleled [unpereleld] zonder weerga, ongeëvenaard
unpick [unpik] lostornen: ~ *a seam* (of: *stitches*) een naad (*of:* steken) lostornen
unpleasant [unplezzent] onaangenaam, onplezierig
unpleasantness [unplezzentnes] **1** onaangenaam voorval **2** wrijving, woorden, ruzie **3** onaangenaamheid
unpopular [unpopjoele] impopulair
unprecedented [unpressiddentid] ongekend, nooit eerder voorgekomen
unpredictable [unpriddiktebl] onvoorspelbaar
unprepared [unprippeed] **1** onvoorbereid, geïmproviseerd **2** onverwacht(s)
unprofessional [unprefesjenel] **1** niet professioneel, onprofessioneel, niet beroeps, amateur- **2** amateuristisch
unproved [unproe:vd] niet bewezen
unprovoked [unprevookt] niet uitgelokt, zonder aanleiding
unqualified [unkwolliffajd] **1** niet gekwalificeerd, onbevoegd **2** onvoorwaardelijk: ~ *success* onverdeeld succes
unquestionably [unkwestsjeneblie] ongetwijfeld, zonder twijfel: *they are ~ the best team of the USA* dat ze het beste team van Amerika zijn, staat buiten kijf
unquestioned [unkwestsjend] **1** niet ondervraagd **2** onbetwistbaar **3** onbetwist, niet tegengesproken
unquestioning [unkwestsjening] onvoorwaardelijk
unquote [unkwoot] een citaat beëindigen, aanhalingstekens sluiten: *he said (quote) 'Over my dead body' (unquote)* hij zei (aanhalingstekens openen) 'Over mijn lijk' (aanhalingstekens sluiten)
[1]**unravel** [unrevl] *intr* rafelen, rafelig worden
[2]**unravel** [unrevl] *tr* ontrafelen *(ook fig)*; uithalen; *(fig ook)* uitzoeken; oplossen
unreal [unriel] **1** onwerkelijk, denkbeeldig **2** onecht, onwaar, vals
unreasonable [unrie:zenebl] **1** redeloos, verstandeloos **2** onredelijk **3** buitensporig, overdreven
unreasoning [unrie:zening] redeloos, irrationeel, onnadenkend
unrelenting [unrillenting] **1** onverminderd, voortdurend **2** meedogenloos, onverbiddelijk
unreliable [unrillajjebl] onbetrouwbaar
unrelieved [unrillie:vd] **1** eentonig, vlak, saai: ~ *by* niet afgewisseld met **2** hevig, sterk, intens
unrequited [unrikwajtid] onbeantwoord: ~ *love* onbeantwoorde liefde
unreserved [unrizze:vd] **1** onverdeeld, geheel, onvoorwaardelijk **2** openhartig, eerlijk
unrest [unrest] onrust, beroering
unrewarding [unriwwo:ding] niet lonend, niet de moeite waard; *(fig)* ondankbaar
unrivalled [unrajvld] ongeëvenaard
unroll [unrool] (zich) uitrollen, (zich) ontrollen; *(ook fig)* (zich) tonen; (zich) onthullen
unruffled [unrufld] kalm, onverstoord
unruly [unroe:lie] onhandelbaar, weerspannig
unsatisfactory [unsetisfekterie] onbevredigend
unsavoury [unseeverie] **1** onsmakelijk, vies; *(ook fig)* weerzinwekkend **2** smakeloos, flauw
unscathed [unskeeðd] ongedeerd, onbeschadigd: *return ~* heelhuids terugkeren
unscramble [unskrembl] **1** ontcijferen, decoderen **2** ontwarren, uit elkaar halen
[1]**unscrew** [unskroe:] *intr* **1** losraken **2** losgeschroefd worden
[2]**unscrew** [unskroe:] *tr* **1** losschroeven **2** losdraaien, eraf draaien: *can you ~ this bottle?* krijg jij deze fles open?
unscrupulous [unskroe:pjoeles] zonder scrupules, immoreel, gewetenloos
unseasonable [unsie:zenebl] abnormaal voor het seizoen: *an ~ summer* een slechte zomer
unseat [unsie:t] **1** afwerpen, uit het zadel werpen, doen vallen, ten val brengen **2** zijn positie afnemen; *(pol)* zijn zetel doen verliezen
unseeing [unsie:ing] niet(s) ziend, wezenloos
unseemly [unsie:mlie] **1** onbehoorlijk **2** onaantrekkelijk, lelijk
unseen [unsie:n] **1** onzichtbaar **2** onvoorbereid: *questions on an ~ text* vragen over een niet bestudeerde tekst
[1]**unsettle** [unsetl] *intr* **1** onvast worden; (aan het) wankelen (slaan) *(fig)*; op losse schroeven komen te staan, onzeker worden **2** van streek raken **3** wisselvallig worden *(van weer)*
[2]**unsettle** [unsetl] *tr* **1** doen loskomen, los maken **2** doen wankelen *(fig)*; op losse schroeven zetten: *unsettling changes* veranderingen die alles op losse schroeven zetten **3** van streek maken
unsettled [unsetld] **1** onzeker, verwar(ren)d: ~ *times* onzekere tijden **2** wisselvallig; veranderlijk *(weer)* **3** onbeslist, (nog) niet uitgemaakt: *this issue is still ~* deze kwestie is nog niet afgedaan **4** in de war

unshrinkable [unsjrinkebl] krimpvrij
unskilled [unskild] **1** ongeschoold **2** onervaren, onbedreven
unsociable [unsoosjebl] **1** terughoudend, teruggetrokken **2** ongezellig
unsocial [unsoosjl] asociaal, onmaatschappelijk: ~ *hours* ongebruikelijke werktijden
unsophisticated [unsefistikkeetid] **1** onbedorven, echt, eerlijk **2** onervaren, naïef **3** ongedwongen, ongecompliceerd
unsound [unsaund] **1** ongezond, ziek(elijk): *of ~ mind* krankzinnig, ontoerekeningsvatbaar **2** ongaaf **3** onstevig, zwak **4** ondeugdelijk **5** ongegrond, ongeldig **6** onbetrouwbaar, vals
unsparing [unspeering] **1** kwistig, gul, vrijgevig: ~ *of* kwistig met **2** meedogenloos, ongenadig
unspeakable [unspie:kebl] **1** onuitsprekelijk, onuitspreekbaar, onbeschrijf(e)lijk **2** afschuwelijk
unspoilt onaangetast
unstable [unsteebl] **1** veranderlijk, wisselvallig, onevenwichtig, wispelturig **2** onstabiel *(ook nat, chem);* labiel **3** onvast, los
unstamped [unstempt] ongefrankeerd
unsteady [unsteddie] **1** onvast, wankel: *her voice was ~* haar stem was onvast **2** veranderlijk, wisselvallig **3** onregelmatig
unstinted [unstintid] royaal, gul, kwistig
unstuck [unstuk] los || *(inform) come (badly) ~* in het honderd lopen, mislukken
unstudied [unstuddied] **1** ongekunsteld, natuurlijk **2** ongestudeerd, ongeschoold
unsuccessful [unseksesfoel] **1** niet succesvol, zonder succes **2** niet geslaagd, afgewezen: *be ~* niet slagen, mislukken
unsure [unsjoee] **1** onzeker, onvast **2** onbetrouwbaar, twijfelachtig
unsuspecting [unsespekting] **1** nietsvermoedend **2** niet achterdochtig, argeloos
unswerving [unswe:ving] **1** recht, rechtdoor, rechtaan **2** onwankelbaar
untangle [untengkl] **1** ontwarren **2** ophelderen, oplossen
untenable [untennebl] onhoudbaar *(ook fig);* niet te verdedigen
unthinkable [unθingkebl] **1** ondenkbaar, onvoorstelbaar **2** onaanvaardbaar: *it's ~!* geen sprake van!, daar komt niets van in! **3** onwaarschijnlijk
unthinking [unθingking] **1** onnadenkend: ~ *moment* onbewaakt ogenblik **2** onbewust, onbedoeld
untidy [untajdie] slordig
untie [untaj] **1** losknopen, losmaken **2** bevrijden *(vastgebonden persoon);* vrijlaten
until [entil] tot, totdat, voor; *(met ontkenning)* niet voor: *I cannot leave ~ Sunday* ik kan niet voor zondag vertrekken, ik kan pas zondag vertrekken; *I did not know about it ~ today* ik wist er tot vandaag niets van; *I was very lonely ~ I met Karen* ik was erg eenzaam tot ik Karen ontmoette
untimely [untajmlie] **1** ongelegen, ongeschikt **2** voortijdig, te vroeg: ~ *death* te vroege dood
untold [untoold] **1** niet verteld **2** onnoemelijk, onmetelijk
untoward [untewo:d] **1** ongelegen, ongewenst: ~ *circumstances* ongunstige omstandigheden **2** ongepast
untried [untrajd] **1** niet geprobeerd, onbeproefd **2** niet getest
untrue [untroe:] **1** onwaar, niet waar **2** ontrouw, niet loyaal **3** afwijkend *(van norm);* onzuiver, scheef: ~ *tone* onzuivere toon
[1]**unused** [unjoe:zd] *bn* ongebruikt, onbenut: ~ *opportunity* onbenutte gelegenheid
[2]**unused** [unjoe:st] *bn* niet gewend: ~ *to hard work* er niet aan gewend hard te (moeten) werken
unusual [unjoe:zjoeel] **1** ongebruikelijk, ongewoon **2** opmerkelijk, buitengewoon
unutterable [unnutterebl] onuitsprekelijk *(ook fig);* onbeschrijfelijk: ~ *idiot* volslagen idioot
unvarnished [unva:nisjt] onverbloemd
[1]**unveil** [unveel] *intr* de sluier afdoen, de sluier laten vallen
[2]**unveil** [unveel] *tr* onthullen, ontsluieren; *(fig)* openbaren; aan het licht brengen
unwanted [unwontid] **1** ongewenst **2** onnodig
unwarranted [unworrentid] ongerechtvaardigd, ongewettigd, ongegrond
unwell [unwel] onwel, ziek
unwieldy [unwie:ldie] **1** onhandelbaar, onhandig, onpraktisch, niet gemakkelijk te hanteren **2** onbehouwen, lomp
unwilling [unwilling] onwillig
[1]**unwind** [unwajnd] *intr* **1** zich afwikkelen *(ook fig);* zich ontrollen **2** *(inform)* zich ontspannen
[2]**unwind** [unwajnd] *tr* **1** afwikkelen, ontrollen **2** ontwarren
unwitting [unwitting] **1** onwetend, onbewust **2** onopzettelijk, ongewild
unworthy [unwe:ðie] **1** onwaardig **2** ongepast: *that attitude is ~ of you* die houding siert je niet
unwrap [unrep] openmaken, uitpakken
unwritten [unritn] **1** ongeschreven **2** mondeling overgeleverd || ~ *law* ongeschreven wet, gewoonterecht
unzip [unzip] openritsen, losmaken
[1]**up** [up] *zn* **1** (opgaande) helling **2** opwaartse beweging || *ups and downs* wisselvalligheden, voor- en tegenspoed; *(inform) on the up-and-up* gestaag stijgend, *(Am)* eerlijk, openhartig
[2]**up** [up] *bn* **1** omhoog-, opgaand, hoog, hoger(geplaatst): *an up stroke* opwaartse uithaal *(met pen)* **2** op, uit bed, wakker **3** actief, gezond **4** gestegen, omhooggegaan: *the temperature is up eight degrees* de temperatuur ligt acht graden hoger **5** naar een hoger gelegen plaats gaand *(van trein): the up line* de Londenlijn **6** in aanmerking komend (voor), ter studie: *the house is up for sale* het huis staat te koop **7** verkiesbaar gesteld, kan-

didaat: *Senator Smith is up for re-election* senator Smith stelt zich herkiesbaar **8** om, voorbij: *time is up* de tijd is om **9** met voorsprong, vóór op tegenstrever **10** duurder (geworden), in prijs gestegen: *coffee is up again* de koffie is weer eens duurder geworden **11** *(na het zn)* naar boven lopend, omhooggericht || *what is up?* wat gebeurt er (hier)?; *up and about* (of: *around*) weer op de been, (druk) in de weer; *road up* werk in uitvoering *(waarschuwingsbord)*

[3]**up** [up] *intr (inform)* onverwacht doen, plotseling beginnen: *she upped and left* zij vertrok plotseling

[4]**up** [up] *tr (inform)* (plotseling) de hoogte in jagen, verhogen, (abrupt) doen stijgen: *he upped the offer* hij deed een hoger bod

[5]**up** [up] *bw* **1** *(plaats of richting)* omhoog, op-, uit-: *six floors up* zes hoog; *up the republic* leve de republiek; *live up in the hills* boven in de bergen wonen; *turn up the music* zet de muziek harder; *he went up north* hij ging naar het noorden; *up and down* op en neer, heen en weer; *up till* (of: *to*) *now* tot nu toe; *up to and including* tot en met; *from £4 up* vanaf vier pond; *children from six years up* kinderen van zes jaar en ouder **2** tevoorschijn, zichtbaar: *it will turn up* het zal wel aan het licht komen **3** helemaal, op, door-: *full up* (helemaal) vol **4** *(plaats of richting)* in, naar: *he went up to Cambridge* hij ging in Cambridge studeren || *(sport) be two (goals) up* twee goals voorstaan; *I don't feel up to it* ik voel er mij niet toe in staat

[6]**up** [up] *vz* **1** *(plaats of richting)* op, boven in, omhoog: *up (the) river* stroomopwaarts; *(theat) up stage* achter op de scène; *up the stairs* de trap op **2** *(richting naar een centraal punt toe)* naar, in: *up the street* verderop in de straat; *up the valley* (verder) het dal in || *up and down the country* door het gehele land

upbeat vrolijk, optimistisch

upbraid [upbreed] verwijten, een (fikse) uitbrander geven: ~ *s.o. for doing sth.* (of: *with sth.*) iem iets verwijten

upbringing [upbringing] opvoeding

upcoming *(Am)* voor de deur staand, aanstaande

up-country **1** in, naar, uit het binnenland **2** achtergebleven, naïef

[1]**update** *zn* herziening, moderne versie

[2]**update** *tr* moderniseren, bijwerken, herzien

upend **1** op zijn kop zetten, ondersteboven zetten **2** omverslaan

[1]**upgrade** *zn* (oplopende) helling || *on the ~: a)* oplopend, toenemend; *b)* vooruitgang boekend

[2]**upgrade** *tr* **1** bevorderen, promotie geven **2** verbeteren, opwaarderen

upheaval [uphie:vl] omwenteling, opschudding: *social* ~ sociale beroering

[1]**uphill** *bn* **1** hellend, oplopend, (berg)opwaarts **2** (uiterst) moeilijk, zwaar

[2]**uphill** *bw* **1** bergop, naar boven, omhoog **2** moeizaam, tegen de stroom in

uphold [uphoold] **1** ophouden, rechthouden, hooghouden **2** (moreel) steunen, goedkeuren **3** (her)bevestigen, blijven bij

upholster [uphoolste] stofferen *(vertrek, zetels)*; bekleden

upholstery [uphoolsterie] stoffering, bekleding

upland [uplend] **1** hoogland, plateau **2** binnenland

upload *(comp)* uploaden

upmarket voor de betere inkomensklasse, uit de duurdere prijsklasse: *an ~ bookshop* een exclusieve boekhandel

upon [epon] *zie* on

[1]**upper** [uppe] *zn* **1** bovenleer *(van schoeisel)* **2** *(Am; inform)* pepmiddel; *(fig)* stimulans; leuke ervaring || *(inform) be (down) on one's ~s* berooid zijn, straatarm zijn

[2]**upper** [uppe] *bn* **1** hoger, boven-, opper-: ~ *arm* bovenarm; ~ *atmosphere* hogere atmosfeer *(boven troposfeer)*; ~ *lip* bovenlip **2** hoger gelegen: ~ *reaches of the Nile* bovenloop van de Nijl **3** belangrijker, hoger geplaatst, superieur || *the ~ class* de hogere stand, de aristocratie; *have the ~ hand* de overhand hebben; *the Upper House* het Hogerhuis, de Senaat, de Eerste Kamer; *(inform) he is wrong in the ~ storey* hij is niet goed bij zijn hoofd

upper-class uit de hogere stand, aristocratisch

uppermost [uppemoost] hoogst, bovenst, belangrijkst

uppish [uppisj] *(inform)* verwaand, arrogant

[1]**upright** *zn* stijl, staander, stut

[2]**upright** *bn* **1** recht(opstaand), loodrecht staand, kaarsrecht **2** oprecht, rechtdoorzee || ~ *piano* pianino, gewone piano

[3]**upright** *bw* rechtop, verticaal

uprising [uprajzing] opstand

uproar [upro:] tumult, rumoer, herrie

uproarious [upro:ries] **1** luidruchtig, uitgelaten **2** lachwekkend

uproot **1** ontwortelen *(ook fig)*; uit zijn vertrouwde omgeving wegrukken *(personen)* **2** uitroeien

[1]**upset** [upset] *zn* **1** omverwerping, verstoring, totale ommekeer **2** ontsteltenis: *Sheila has had a terrible ~* Sheila heeft een flinke klap gekregen **3** lichte (maag)stoornis **4** *(sport)* verrassende nederlaag (wending)

[2]**upset** [upset] *bn* van streek, overstuur, geërgerd

[3]**upset** [upset] *intr (upset, upset)* **1** omkantelen, omslaan, omvallen **2** overlopen **3** verstoord worden, in de war raken

[4]**upset** [upset] *tr (upset, upset)* **1** omstoten, omverwerpen, omgooien **2** doen overlopen **3** in de war sturen, verstoren, van zijn stuk brengen: *a very ~ting experience* een heel nare ervaring **4** ziek maken; van streek maken *(de maag)*

upside down **1** ondersteboven, omgekeerd **2** compleet in de war

¹upstage *bn (inform)* hooghartig, afstandelijk
²upstage *tr (inform)* meer aandacht trekken dan, de show stelen van, in de schaduw stellen
¹upstairs *bn* mbt de bovenverdieping(en), boven-
²upstairs *bw* naar de bovenverdieping(en), de trap op, naar boven
upstanding **1** recht overeind (staand) **2** flinkgebouwd **3** eerlijk, oprecht
¹upstate *bn (Am)* meer naar het binnenland gelegen, provinciaal, provincie-, afgelegen
²upstate *bw* uit, naar, in het binnenland, noordelijk
upstream tegen de stroom in(gaand), stroomopwaarts
upsurge [upse:dzj] **1** opwelling, vlaag **2** plotselinge toename
uptake [upteek] opname *(van voedsel, vloeistof)* || *slow* (of: *quick*) *on the ~* niet zo vlug van begrip
uptight *(inform)* **1** zenuwachtig, gespannen **2** kwaad
up-to-date **1** bijgewerkt, op de hoogte **2** modern, bij(detijds), hedendaags
uptown **1** in, naar, van de bovenstad **2** *(Am)* in, naar, van de betere woonwijk(en)
upturn **1** beroering **2** verbetering, ommekeer
upward [upwed] stijgend, opwaarts, toenemend
upwards [upwedz] (naar) omhoog, naar boven, in stijgende lijn: *from the knees ~* boven de knieën; *~ of twenty people* meer dan twintig mensen
uranium [joereeniem] uranium
urban [e:ben] stedelijk, stads-
urbanize [e:benajz] verstedelijken, urbaniseren
urban myth broodjeaapverhaal
urchin [e:tsjin] rakker, boefje, kwajongen
¹urge [e:dzj] *zn* drang, impuls, neiging, behoefte
²urge [e:dzj] *tr* **1** drijven, aansporen: *~ on* voortdrijven **2** dringend verzoeken, bidden, smeken **3** bepleiten, aandringen op **4** trachten te overtuigen: *she ~d (up)on us the need for secrecy* zij drukte ons de noodzaak van geheimhouding op het hart
urgency [e:dzjensie] **1** (aan)drang, pressie **2** urgentie, dringende noodzaak
urgent [e:dzjent] **1** urgent, dringend **2** aanhoudend, hardnekkig
urinal [joeerinl] **1** urinaal, (pis)fles **2** urinoir, openbare waterplaats
urinate [joeerinneet] urineren, wateren
urine [joeerin] urine, plas
urn [e:n] urn
us [us] **1** (voor, aan) ons: *all of us enjoyed it* wij genoten er allen van; *he helps them more than us* hij helpt hen meer dan ons **2** wij, ons: *us girls refused to join in* wij meisjes weigerden mee te doen; *they are stronger than us* ze zijn sterker dan wij **3** *(verwijst naar 1e pers ev)* mij: *let us hear it again* laat het nog eens horen
US *afk van United States* VS, Verenigde Staten
USA **1** *afk van United States of America* VS, Verenigde Staten **2** *afk van United States Army*
usable [joe:zebl] bruikbaar
usage [joe:sidzj] gebruik, behandeling, gewoonte, taalgebruik
¹use [joe:s] *zn* **1** gebruik, toepassing: *make a good ~ of* goed gebruikmaken van; *in ~* in gebruik; *out of ~* in onbruik **2** nut, bruikbaarheid: *have no ~ for: a)* niet kunnen gebruiken; *b)* niets moeten hebben van; *this will be of ~* dit zal goed van pas komen; *it is no ~ arguing* tegenspreken heeft geen zin; *what is the ~ of it?* wat heeft het voor zin?
²use [joe:z] *tr* **1** gebruiken: *~ up* opmaken **2** behandelen: *he was ill ~d* hij werd slecht behandeld
use-by date houdbaarheidsdatum
used [joe:zd] gebruikt, tweedehands
¹used to [joe:st toe] *bn* gewend aan, gewoon aan
²used to [joe:stoe] *ww* had(den) de gewoonte te, deed, deden: *the winters ~ be colder* de winters waren vroeger kouder; *my father ~ say: 'Money doesn't buy you happiness.'* mijn vader zei altijd: 'Met geld koop je geen geluk.'
useful [joe:sfoel] bruikbaar, nuttig: *come in ~* goed van pas komen; *make oneself ~* zich verdienstelijk maken
useless [joe:sles] **1** nutteloos, vergeefs **2** onbruikbaar, waardeloos, hopeloos
user [joe:ze] gebruiker, verbruiker; verslaafde *(alcohol, drugs)*
user-friendly gebruikersvriendelijk
¹usher [usje] *zn* **1** portier, zaalwachter **2** plaatsaanwijzer **3** ceremoniemeester
²usher [usje] *tr* **1** als portier, plaatsaanwijzer optreden voor, voorgaan, brengen naar: *~ out* uitlaten, naar buiten geleiden; *~ into* binnenleiden in **2** (met *in*) aankondigen; *(fig)* inluiden; de voorbode zijn van
usual [joe:zjoeel] gebruikelijk, gewoon: *business as ~* de zaken gaan gewoon door, alles gaat zijn gangetje; *as ~* zoals gebruikelijk; *it is ~ to* het is de gewoonte om
usually [joe:zjoeelie] gewoonlijk
usurp [joe:ze:p] onrechtmatig in bezit nemen, zich toe-eigenen, zich aanmatigen
usury [joe:zjerie] woeker, woekerrente
utensil [joe:tensl] **1** gebruiksvoorwerp: *cooking ~s* keukengerei **2** *~s* werktuigen *(ook fig)*; gereedschap
uterus [joe:teres] baarmoeder
utility [joe:tillittie] **1** (openbare) voorziening, nutsbedrijf, waterleidings-, gas-, elektriciteitsbedrijf **2** nut, nuttigheid
utility room *(ongev)* bijkeuken
utilize [joe:tillajz] gebruiken, gebruikmaken van
¹utmost [utmoost] *zn* **1** uiterste (grens) **2** uiterste best, al het mogelijke: *do one's ~* zijn uiterste best doen
²utmost [utmoost] *bn* uiterst, hoogst: *of the ~ importance* van het (aller)grootste belang
¹utter [utte] *bn* uiterst, absoluut, volslagen

[2]**utter** [utte] *tr* **1** uiten; slaken *(bijv. zucht, kreet)* **2** uitspreken, zeggen **3** in omloop brengen *(vals geld)*

utterance [utterens] uiting *(ook taalk);* uitlating, woorden: *give ~ to* uitdrukking geven aan

utterly [uttelie] **1** uiterst, absoluut **2** volkomen, volslagen: *~ mad* volslagen krankzinnig

U-turn (totale) ommezwaai: *(verkeer) no ~s* keren verboden

uvula [joe:vjoele] huig

uxorious [ukso:ries] **1** dol op zijn echtgenote **2** slaafs *(t.o.v. echtgenote)*

Uzbek [oezbek] Oezbeeks

Uzbekistan [oezbekkista:n] Oezbekistan

V

v *afk van versus* van
V *afk van volt(s)* V
vacancy [veekensie] **1** vacature **2** lege plaats, leegte, ruimte: *no vacancies* vol *(van hotel)* **3** afwezigheid
vacant [veekent] **1** leeg; leeg(staand) *(van huis);* onbewoond; vrij *(van wc): ~ possession* leeg te aanvaarden **2** vacant *(van baan);* open(staand) **3** afwezig *(van geest)*
vacate [vekeet] **1** vrij maken; ontruimen *(huis)* **2** opgeven *(positie);* neerleggen *(ambt)*
[1]**vacation** [vekeesjen] *zn* **1** vakantie *(vnl. van rechtbank en universiteiten): long ~* zomervakantie **2** ontruiming *(van huis)*
[2]**vacation** [vekeesjen] *intr (Am)* vakantie hebben, houden
vaccinate [veksinneet] (met *against)* vaccineren (tegen), inenten
vaccination [veksinneesjen] (koepok)inenting, vaccinatie
vaccine [veksie:n] vaccin, entstof
vacillate [vesilleet] (met *between)* aarzelen (tussen), onzeker zijn
vacuity [vekjoe:ittie] **1** leegheid **2** saaiheid **3** dwaasheid
[1]**vacuum** [vekjoeem] *zn* vacuüm, leegte: *~ cleaner* stofzuiger
[2]**vacuum** [vekjoeem] *ww* stofzuigen
vagabond [vekebond] vagebond, landloper
vagina [vedzjajne] vagina
vagrancy [veekrensie] landloperij
[1]**vagrant** [veekrent] *zn* landloper, zwerver
[2]**vagrant** [veekrent] *bn* (rond)zwervend, rondtrekkend
vague [veek] **1** vaag, onduidelijk, onscherp: *be ~ about sth.* vaag zijn over iets **2** gering: *I haven't the ~st idea* ik heb geen flauw idee
vain [veen] **1** ijdel, verwaand **2** zinloos, nutteloos; vals *(hoop);* vergeefs *(moeite, poging): in ~* tevergeefs **3** triviaal, leeg || *take God's name in ~* Gods naam ijdel gebruiken
vale [veel] vallei, dal
valedictorian [vele:dikto:rien] *(Am school)* afscheidsredenaar
valentine [velentajn] **1** liefje *(gekozen op Valentijnsdag, 14 febr)* **2** valentijnskaart
valerian [velierien] valeriaan
valet [velee] **1** lijfknecht, (persoonlijke) bediende **2** hotelbediende
valiant [velient] moedig, heldhaftig
valid [velid] **1** redelijk *(van argumenten e.d.);* steekhoudend, gegrond **2** geldig *(van kaartje)*
validate [veliddeet] bevestigen, bekrachtigen
validity [veliddittie] **1** (rechts)geldigheid, het van kracht zijn **2** redelijkheid *(van argumenten e.d.)*
valley [velie] dal, vallei
valour [vele] (helden)moed, dapperheid
[1]**valuable** [veljoeebl] *zn* kostbaarheid
[2]**valuable** [veljoeebl] *bn* **1** waardevol, nuttig **2** kostbaar
valuation [veljoe·eesjen] **1** schatting **2** waarde, beoordeling
[1]**value** [veljoe:] *zn* **1** (gevoels)waarde, betekenis **2** maatstaf, waarde **3** (gelds)waarde, valuta, prijs: *(get) ~ for money* waar voor zijn geld (krijgen); *to the ~ of* ter waarde van **4** nut, waarde: *of great ~* erg nuttig
[2]**value** [veljoe:] *tr* **1** (met *at)* taxeren (op), schatten **2** waarderen, op prijs stellen
value added tax belasting op de toegevoegde waarde, btw
valve [velv] **1** klep; ventiel *(ook muz);* schuif **2** klep(vlies) *(van hart, bloedvaten)*
vamp [vemp]: *~ up* opkalefateren, opknappen
vampire [vempajje] **1** vampier: *~ bat* vampier *(soort vleermuis)* **2** uitzuiger *(fig)*
van [ven] **1** bestelwagen, bus(je); *(in samenstellingen vaak)* wagen **2** (goederen)wagon
vandal [vendl] vandaal
vandalism [vendelizm] vandalisme, vernielzucht
vane [veen] **1** vin, blad; schoep *(van schroef);* vleugel **2** windwijzer, weerhaantje
vanguard [venka:d] voorhoede *(ook fig);* spits
vanilla [venille] vanille
vanish [venisj] (plotseling) verdwijnen
vanity [venittie] **1** ijdelheid, verbeelding **2** leegheid
vanquish [vengkwisj] overwinnen *(ook fig);* verslaan, bedwingen
vantage [va:ntidzj] *(Am)* voordeel *(tennis);* voorsprong
vapid [vepid] **1** duf, flauw **2** smakeloos; verschaald *(bier)*
vaporize [veeperajz] (laten) verdampen
vaporizer [veeperajze] verstuiver
vapour [veepe] damp, gas, wasem
variability [veeriebillittie] veranderlijkheid, onbestendigheid
[1]**variable** [veeriebl] *zn* variabele (grootheid), variabele waarde
[2]**variable** [veeriebl] *bn* veranderlijk, wisselend, onbestendig
variance [veeriens] verschil, afwijking; *(fig)* verschil van mening: *be at ~* het oneens zijn; *at ~ with* in strijd met, in tegenspraak met

[1]**variant** [veerient] *zn* variant, afwijkende vorm
[2]**variant** [veerient] *bn* afwijkend, alternatief
variation [veerie·eesjen] variatie *(ook muz);* (af)wisseling, afwijking
varicoloured [veeriekulled] veelkleurig
varied [veeried] gevarieerd, afwisselend
variegated [veeriekeetid] (onregelmatig) gekleurd, (bont) geschakeerd
variety [verajjetie] **1** verscheidenheid, afwisseling, variatie, verandering, assortiment: *they sell a wide ~ of toys* ze verkopen allerlei verschillende soorten speelgoed **2** variëteit *(biol);* verscheidenheid, ras, (onder)soort: *~ is the spice of life* verandering van spijs doet eten **3** variété
various [veeries] **1** gevarieerd, uiteenlopend, verschillend (van soort): *their ~ social backgrounds* hun verschillende sociale achtergrond **2** verscheiden, divers: *he mentioned ~ reasons* hij noemde diverse redenen
[1]**varnish** [va:nisj] *zn* vernis, vernislaag *(ook fig);* lak; glazuur *(mbt aardewerk): a ~ of civilization* een dun laagje beschaving
[2]**varnish** [va:nisj] *tr* vernissen, lakken; *(fig)* mooier voorstellen: *she tried to ~ over his misbehaviour* ze probeerde zijn wangedrag te verbloemen
varsity [va:sittie] **1** universiteit *(Oxford en Cambridge)* **2** *(Am)* universiteitsteam *(bijv. bij sport)*
vary [veerie] variëren, (doen) veranderen: *with ~ing success* met wisselend succes; *prices ~ from 15 to 95 pounds* de prijzen lopen uiteen van 15 tot 95 pond
vase [va:z] vaas
vast [va:st] enorm (groot), geweldig: *~ auditorium* kolossale aula; *~ly exaggerated* vreselijk overdreven
vat [vet] vat, ton, kuip
VAT [vie:eetie:] *afk van value added tax* btw, belasting op de toegevoegde waarde
[1]**vault** [vo:lt] *zn* **1** gewelf, boog, (gewelfde) grafkelder (wijnkelder) **2** (bank)kluis **3** sprong; *(atletiek)* polsstoksprong
[2]**vault** [vo:lt] *ww (ook fig)* springen (op, over), een sprong maken; *(atletiek)* polsstokhoogspringen
vaunt [vo:nt] opscheppen (over) || *her much-vaunted secretary* haar veelgeprezen secretaris
VCR videorecorder
VD *afk van venereal disease* soa, seksueel overdraagbare aandoening
've [v] *samentr van have*
veal [vie:l] kalfsvlees
veer [vie] van richting (doen) veranderen, omlopen; (met de klok mee)draaien *(van wind); (fig)* een andere kant (doen) opgaan: *the car ~ed off* (of: *across*) *the road* de auto schoot (plotseling) van de weg af (*of:* dwars over de weg)
[1]**vegetable** [vedzjetebl] *zn* **1** groente, eetbaar gewas **2** plant; *(fig)* vegeterend mens
[2]**vegetable** [vedzjetebl] *bn* plantaardig, groente- || *~ marrow* pompoen
[1]**vegetarian** [vedzjitteerien] *zn* vegetariër
[2]**vegetarian** [vedzjitteerien] *bn* vegetarisch
vegetate [vedzjitteet] **1** groeien; spruiten *((als) van plant)* **2** vegeteren *(fig)*
vegetation [vedzjitteesjen] **1** vegetatie, (planten)groei **2** *(med)* vegetatie, woekering
veggie [vedzjie] *(inform)* vegetariër
veggieburger groenteburger
veggies [vedzjiez] *(Am inform)* groente
vehemence [viemens] felheid, hevigheid
vehement [viement] fel, heftig, krachtig
vehicle [vie:ikl] **1** voertuig *(ook fig);* middel, medium: *language is the ~ of thought* taal is het voertuig van de gedachte **2** oplosmiddel, bindmiddel **3** drager, overbrenger
[1]**veil** [veel] *zn* sluier: *draw a ~ over sth.* een sluier over iets trekken, *(ook fig)* iets in de doofpot stoppen; *take the ~* non worden
[2]**veil** [veel] *tr* (ver)sluieren *(ook fig): ~ed threat* verholen dreigement
vein [veen] **1** ader, bloedvat, ertsader, nerf **2** vleugje, klein beetje: *a ~ of irony* een vleugje ironie **3** gemoedstoestand, bui || *in the same ~* in dezelfde geest, van hetzelfde soort
velcro [velkroo] klittenband
velocity [villossittie] snelheid
[1]**velvet** [velvit] *zn* fluweel
[2]**velvet** [velvit] *bn* fluwelen
vend [vend] **1** verkopen **2** venten, aan de man brengen
vendetta [vendette] bloedwraak
vendetta killing eerwraak
vending machine automaat *(voor frisdrank, snoep, sigaretten e.d.)*
vendor [vende] verkoper
[1]**veneer** [vinnie] *zn* **1** fineer **2** *(fig)* vernisje, dun laagje (vernis)
[2]**veneer** [vinnie] *tr* **1** fineren **2** *(fig)* een vernisje geven
venerable [vennerebl] **1** eerbiedwaardig **2** hoogeerwaarde *(titel van aartsdiaken)* **3** *(r-k)* eerwaardig
venerate [vennereet] aanbidden
veneration [vennereesjen] verering, diepe eerbied
Venetian [vinnie:sjen] Venetiaans || *~ blind* jaloezie
vengeance [vendzjens] wraak: *take ~ (up)on s.o.* zich op iem wreken || *work with a ~* werken dat de stukken eraf vliegen
venial [vie:niel] vergeeflijk, onbetekenend
Venice [vennis] Venetië
venom [vennem] **1** vergif **2** venijn, boosaardigheid
venomous [vennemes] **1** (ver)giftig **2** venijnig, boosaardig
[1]**vent** [vent] *zn* **1** (lucht)opening, (ventilatie)gat, luchtgat **2** *(ook fig)* uitlaat, uitweg: *give ~ to one's feelings* zijn hart luchten **3** split *(in jas e.d.)*

[2]**vent** [vent] *tr* **1** uiten *(gevoelens);* luchten **2** afreageren: *~ sth. on s.o. (sth.)* iets afreageren op iem (iets)

ventilate [ventilleet] **1** ventileren, luchten **2** (in het openbaar) bespreken; naar buiten brengen *(mening)*

ventilation [ventilleesjen] **1** ventilatie, luchtverversing, ventilatie(systeem) **2** openbare discussie **3** uiting; het naar buiten brengen *(van mening e.d.)*

ventriloquist [ventrillekwist] buikspreker

[1]**venture** [ventsje] *zn* (gevaarlijke) onderneming, gewaagd project, speculatie, avontuurlijke reis (stap)

[2]**venture** [ventsje] *ww* **1** (aan)durven, wagen (iets te doen), durven (te beweren) **2** (zich) wagen, riskeren: *~ one's life* zijn leven op het spel zetten; *nothing ~d, nothing gained* wie niet waagt, die niet wint; *~ out of doors* zich op straat wagen

venue [venjoe:] **1** plaats van samenkomst, ontmoetingsplaats, trefpunt **2** plaats van handeling, locatie, terrein, toneel

veracity [veresittie] **1** oprechtheid, eerlijkheid **2** geloofwaardigheid, nauwkeurigheid

veranda(h) [verende] veranda

verb [ve:b] werkwoord

verbal [ve:bl] **1** mondeling, gesproken, verbaal: *~ agreement* mondelinge overeenkomst **2** van woorden, woord(en)- **3** woordelijk, woord voor woord: *~ translation* letterlijke vertaling

verbatim [ve:beetim] woordelijk, woord voor woord

verbose [ve:boos] breedsprakig

verdict [ve:dikt] **1** oordeel, vonnis, beslissing: *~ on* oordeel over **2** (jury)uitspraak: *bring in a ~* uitspraak doen

verge [ve:dzj] rand; kant *(fig);* berm: *bring s.o. to the ~ of despair* iem op de rand van de wanhoop brengen

verge on grenzen aan: *verging on the tragic* op het randje van het tragische

verifiable [verriffajjebl] verifieerbaar: *his story is hardly ~* de waarheid van zijn verhaal kan moeilijk bewezen worden

verification [verriffikkeesjen] **1** verificatie, onderzoek **2** bevestiging

verify [verriffaj] **1** verifiëren, de juistheid nagaan van **2** waarmaken, bevestigen

veritable [verrittebl] waar, echt, werkelijk

vermilion [vemillien] vermiljoen

vermin [ve:min] **1** ongedierte **2** gespuis

verminous [ve:minnes] **1** vol (met) ongedierte **2** door ongedierte overgebracht *(ziekte)* **3** vies

[1]**vernacular** [venekjoele] *zn* landstaal, streektaal

[2]**vernacular** [venekjoele] *bn* in de landstaal

versatile [ve:setajl] **1** veelzijdig; *(ook)* flexibel *(van geest)* **2** ruim toepasbaar, veelzijdig bruikbaar

versatility [ve:setillittie] **1** veelzijdigheid **2** ruime toepasbaarheid

verse [ve:s] **1** vers, versregel, dichtregel, Bijbelvers **2** vers, couplet, strofe **3** versvorm, verzen, gedichten: *blank ~* onberijmde verzen

versed [ve:st] bedreven, ervaren

versification [ve:siffikkeesjen] **1** verskunst **2** versbouw

[1]**versify** [ve:siffaj] *intr* **1** rijmen, dichten **2** rijmelen

[2]**versify** [ve:siffaj] *tr* op rijm zetten

version [ve:sjen] versie, variant, interpretatie, lezing, vertaling

Version [ve:sjen] Bijbelvertaling

versus [ve:ses] **1** tegen, contra **2** vergeleken met, tegenover

vertebra [ve:tibre] (ruggen)wervel

[1]**vertebrate** [ve:tibreet] *zn* gewerveld dier

[2]**vertebrate** [ve:tibreet] *bn* gewerveld

[1]**vertical** [ve:tikl] *zn* **1** loodlijn **2** loodrecht vlak **3** loodrechte stand: *out of the ~* niet loodrecht, uit het lood

[2]**vertical** [ve:tikl] *bn* verticaal, loodrecht

vertigo [ve:tikoo] duizeligheid, draaierigheid

verve [ve:v] vuur, geestdrift

[1]**very** [verrie] *bn* **1** absoluut, uiterst: *from the ~ beginning* vanaf het allereerste begin **2** zelf, juist, precies: *the ~ man he needed* precies de man die hij nodig had; *he died in this ~ room* hij stierf in deze zelfde kamer; *this is the ~ thing for me* dat is net iets voor mij **3** enkel, alleen (al): *the ~ fact that ...* alleen al het feit dat ...

[2]**very** [verrie] *bw* **1** heel, erg: *that is ~ difficult* dat is erg moeilijk; *the ~ last day* de allerlaatste dag **2** helemaal: *keep this for your ~ own* houd dit helemaal voor jezelf **3** precies: *in the ~ same hotel* in precies hetzelfde hotel

vessel [vesl] **1** vat *(voor vloeistof)* **2** *(anat, plantk)* vat, kanaal; buis *(voor bloed, vocht)* **3** vaartuig, schip

[1]**vest** [vest] *zn* **1** (onder)hemd **2** *(Am)* vest

[2]**vest** [vest] *tr* toekennen, bekleden: *~ed interests* gevestigde belangen

vestibule [vestibjoe:l] **1** vestibule, hal **2** kerkportaal

vestige [vestidzj] spoor: *not a ~ of regret* geen spoor van spijt

vestment [vestment] **1** (ambts)kleed, ambtsgewaad **2** *(godsd)* liturgisch gewaad, misgewaad

[1]**vet** [vet] *zn, verk van veterinary surgeon* dierenarts, veearts

[2]**vet** [vet] *tr* **1** medisch behandelen *(dier)* **2** grondig onderzoeken, (medisch) keuren; *(fig)* doorlichten

[1]**veteran** [vetteren] *zn* veteraan; oudgediende *(ook fig);* oud-soldaat

[2]**veteran** [vetteren] *bn* **1** door en door ervaren **2** veteranen- || *~ car* oldtimer *(van voor 1916)*

veterinarian [vetterinneerien] *(Am)* dierenarts, veearts

veterinary [vetterinnerie] veeartsenij-: *~ surgeon* dierenarts, veearts

[1]**veto** [vie:too] *zn* veto(recht)

[2]**veto** [vie:too] *ww* zijn veto uitspreken over, zijn toestemming weigeren
vex [veks] **1** ergeren, plagen, irriteren **2** in de war brengen
vexation [vekseesjen] **1** ergernis, irritatie **2** kwelling
vexatious [vekseesjes] vervelend, ergerlijk
vexed [vekst] **1** geërgerd, geïrriteerd **2** hachelijk, netelig: ~ *question* lastige kwestie
VHF *afk van very high frequency* FM
via [vajje] **1** via, door, langs: *he left ~ the garden* hij vertrok door de tuin **2** *(middel)* door middel van
viability [vajjebillittie] **1** levensvatbaarheid **2** doenlijkheid, uitvoerbaarheid
viable [vajjebl] **1** levensvatbaar *(ook fig)* **2** uitvoerbaar
viaduct [vajjedukt] viaduct
vibes [vajbz] *verk van vibrations* vibraties, uitstralende gevoelens
vibrant [vajbrent] **1** trillend **2** helder *(van kleur)* **3** levendig; krachtig *(van stem)*
vibrate [vajbreet] (doen) trillen *(ook fig)*
vibration [vajbreesjen] trilling
vicar [vikke] **1** predikant; dominee *(anglicaanse kerk)* **2** *(r-k)* plaatsvervanger, vicaris
vicarage [vikkeridzj] pastorie
vicarious [vikkeeries] **1** afgevaardigd **2** indirect
vice [vajs] **1** gebrek, onvolmaaktheid, slechte gewoonte **2** ondeugd **3** ontucht, prostitutie **4** handschroef, bankschroef
vice-chairman vicepresident, vicevoorzitter
vice-chancellor **1** vicekanselier *(van gerecht)* **2** rector magnificus *(van universiteit)*
viceroy [vajsroj] onderkoning
vicinity [vissinnittie] **1** buurt, wijk **2** nabijheid, buurt, omgeving
vicious [visjes] **1** wreed, boosaardig, gemeen: *~ blow* gemene mep **2** gevaarlijk, gewelddadig: *~(-looking) knife* gevaarlijk (uitziend) mes **3** vol kuren *(van dieren)* || *~ circle: a)* vicieuze cirkel; *b) (ook fig)* cirkelredenering
vicissitudes [vississitjoe:dz] wisselvalligheden
victim [viktim] **1** slachtoffer, dupe: *fall ~ to s.o. (sth.)* aan iem (iets) ten prooi vallen **2** offer *(mens, dier)*
victimize [viktimmajz] **1** slachtofferen, doen lijden **2** represailles nemen tegen *(bijv. enkele personen);* (onverdiend) straffen
victor [vikte] overwinnaar, winnaar
Victorian [vikto:rien] victoriaans, negentiende-eeuws; *(ongev)* (overdreven) preuts; schijnheilig
victorious [vikto:ries] **1** zegevierend: *be ~* overwinnen, de overwinning behalen **2** overwinnings-
victory [vikterie] overwinning, zege
victualler [vitle] leverancier van levensmiddelen || *licensed ~* caféhouder met vergunning
victuals [vitlz] levensmiddelen, proviand
video [viddie·oo] *zn* video(film), videorecorder
video [viddie·oo] *tr* op (de) video opnemen
videodisc videoplaat, beeldplaat
videophone beeldtelefoon
video recorder videorecorder
[1]**videotape** *zn* videoband
[2]**videotape** *tr* op videoband opnemen
vie [vaj] rivaliseren
Vienna [vie·enne] Wenen
[1]**Viennese** [vie:enie:z] *zn (mv: ~)* Wener, Weense
[2]**Viennese** [vie:enie:z] *bn* Weens
[1]**view** [vjoe:] *zn* **1** bezichtiging, inspectie; *(fig)* overzicht: *a general ~ of the subject* een algemeen overzicht van het onderwerp **2** zienswijze, opvatting: *take a dim* (of: *poor) ~ of s.o.'s conduct* iemands gedrag maar matig waarderen; *in my ~* volgens mij, zoals ik het zie **3** uitzicht, gezicht; *(fig)* vooruitzicht **4** gezicht, afbeelding; *(fig)* beeld **5** bedoeling: *with a ~ to doing sth.* met de bedoeling iets te doen **6** zicht, gezicht(svermogen) **7** zicht, uitzicht, gezichtsveld: *come into ~* in zicht komen || *have in ~* op het oog hebben; *in ~ of* vanwege, gezien
[2]**view** [vjoe:] *intr* tv kijken
[3]**view** [vjoe:] *tr* **1** bekijken; beschouwen *(ook fig): ~ a house* een huis bezichtigen **2** inspecteren
viewer [vjoe:e] **1** kijker, tv-kijker **2** viewer *(voor het bekijken van dia's)*
viewpoint gezichtspunt; oogpunt *(ook fig)*
vigil [vidzjil] waak, (nacht)wake: *keep ~* waken
vigilance [vidzjillens] waakzaamheid, oplettendheid
vigilant [vidzjillent] waakzaam, oplettend, alert
vigorous [vigeres] **1** krachtig, sterk, vol energie **2** krachtig; gespierd *(taal)* **3** groeizaam; gezond *(planten)*
vigour [vige] **1** kracht, sterkte **2** energie, vitaliteit **3** groeikracht; levenskracht *(van planten, dieren)*
Viking [vajking] Viking, Noorman
vile [vajl] **1** gemeen **2** walgelijk; afschuwelijk *(bijv. voedsel)* **3** gemeen; beroerd *(weer)*
villa [ville] villa, landhuis
village [villidzj] dorp: *~ green: a)* dorpsplein; *b)* dorpsweide
villager [villidzje] dorpsbewoner
villain [villen] **1** boef, schurk, slechterik: *heroes and ~s* helden en schurken **2** rakker, deugniet
villainous [villenes] schurkachtig, gemeen, doortrapt, heel slecht
villainy [villenie] **1** schurkenstreek **2** schurkachtigheid, doortraptheid
vim [vim] fut, pit
vindicate [vindikkeet] **1** rechtvaardigen **2** van verdenking zuiveren, rehabiliteren
vindication [vindikkeesjen] **1** rechtvaardiging **2** rehabilitatie
vindictive [vindiktiv] straffend, rancuneus, wraakzuchtig
vine [vajn] **1** wijnstok, wingerd **2** *(Am)* kruiper, klimplant
vinegar [vinnige] azijn
vineyard [vinjed] wijngaard

¹vintage [vintidzj] *zn* **1** wijnoogst, wijnpluk **2** wijntijd, (goed) wijnjaar **3** jaar, jaargang, bouwjaar, lichting: *they belong to the 1960 ~* zij zijn van de lichting van 1960
²vintage [vintidzj] *bn* **1** uitstekend, voortreffelijk: *a ~ silent film* een klassieke stomme film **2** oud, antiek: *~ car* auto uit de periode 1916-1930, klassieke auto
vinyl [vajnil] vinyl
viola [vie·oole] altviool
violate [vajjeleet] **1** overtreden, inbreuk maken op, breken: *~ a treaty* een verdrag schenden **2** schenden, ontheiligen **3** verkrachten
violation [vajjeleesjen] **1** overtreding *(ook sport)* **2** schending, schennis **3** verkrachting
violence [vajjelens] **1** geweld: *acts of ~* gewelddadigheden **2** gewelddadigheid: *crimes of ~* geweldmisdrijven **3** hevigheid, heftigheid
violent [vajjelent] **1** hevig, heftig, wild: *~ contrast* schril contrast **2** gewelddadig: *~ death* gewelddadige dood **3** hel; schreeuwend *(kleur)*
¹violet [vajjelit] *zn* viooltje
²violet [vajjelit] *bn* violet, paars(achtig blauw)
violin [vajjelin] **1** viool **2** violist(e)
violinist [vajjelinnist] violist(e)
violist [vajjelist] altviolist
VIP [vie:ajpie:] *afk van very important person* vip, hooggeplaatst persoon, beroemdheid
viper [vajpe] adder *(ook fig)*; serpent, verrader
¹virgin [ve:dzjin] *zn* maagd *(ook van man)*
²virgin [ve:dzjin] *bn* maagdelijk, ongerept: *~ snow* vers gevallen sneeuw
virginity [ve:dzjinnittie] maagdelijkheid, het (nog) maagd zijn; *(fig)* ongereptheid
virile [virrajl] **1** mannelijk **2** potent
virility [virrillittie] **1** mannelijkheid, kracht **2** potentie
virtual [ve:tjoeel] feitelijk, eigenlijk, praktisch: *to them it was a ~ defeat* voor hen kwam het neer op een nederlaag || *~ reality* virtuele werkelijkheid
virtually [ve:tjoeelie] praktisch, feitelijk: *my work is ~ finished* mijn werk is zogoed als af
virtue [ve:tsjoe:] **1** deugd: *make a ~ of necessity* van de nood een deugd maken **2** verdienste, goede eigenschap || *by* (of: *in*) *~ of* op grond van
virtuosity [ve:tjoe·ossittie] virtuositeit, meesterschap
virtuous [ve:tjoees] **1** deugdzaam **2** kuis
virulence [virroelens] **1** kwaadaardigheid, virulentie **2** venijnigheid
virulent [virroelent] **1** (zeer) giftig; dodelijk *(gif)* **2** kwaadaardig *(ziekte)* **3** venijnig, kwaadaardig
virus [vajjeres] virus
visa [vie:ze] visum
viscosity [viskossittie] kleverigheid, taaiheid, stroperigheid
viscount [vajkaunt] burggraaf *(titel tussen baron en earl)*
viscountess [vajkauntis] burggravin
viscous [viskes] **1** kleverig **2** taai *(ook fig)*
visibility [vizzibbillittie] **1** zicht *(weerk)* **2** zichtbaarheid
visible [vizzibl] zichtbaar, waarneembaar, merkbaar
vision [vizjen] **1** gezicht(svermogen), het zien: *field of ~* gezichtsveld **2** visie, inzicht: *a man of ~* een man met visie **3** visioen, droom(beeld) **4** (droom)verschijning **5** (vluchtige) blik, glimp
¹visionary [vizjenerie] *zn* **1** ziener, profeet **2** dromer, idealist
²visionary [vizjenerie] *bn* **1** visioenen hebbend **2** dromerig, onrealistisch **3** denkbeeldig
¹visit [vizzit] *zn* bezoek; visite *(ook van dokter)*; (tijdelijk) verblijf: *pay s.o. a ~* iem een bezoek(je) brengen
²visit [vizzit] *intr* **1** een bezoek afleggen, op bezoek gaan **2** *(Am)* logeren, verblijven || *(Am) ~ with* een praatje (gaan) maken met
³visit [vizzit] *tr* **1** bezoeken, op visite gaan bij **2** *(Am)* logeren bij, verblijven bij **3** inspecteren, onderzoeken **4** bezoeken, treffen, teisteren: *the village was ~ed by the plague* het dorp werd getroffen door de pest
visitation [vizzitteesjen] **1** (officieel) bezoek, huisbezoek **2** beproeving
visiting [vizzitting] bezoekend, gast-: *~ professor* gasthoogleraar; *(sport) the ~ team* de gasten
visiting hours bezoekuur, bezoektijd
visitor [vizzitte] bezoeker, gast, toerist
visor [vajze] **1** klep *(van pet)* **2** zonneklep *(van auto)* **3** vizier *(van helm)*
vista [viste] **1** uitzicht, doorkijk(je), (ver)gezicht **2** perspectief, vooruitzicht: *open up new ~s* (of: *a new ~*) nieuwe perspectieven openen
visual [vizjjoeel] **1** visueel: *~ aids* visuele hulpmiddelen; *~ arts* beeldende kunsten; *~ display unit* (beeld)scherm, monitor **2** gezichts-, oog- **3** zichtbaar **4** optisch
visualize [vizjjoeelajz] **1** zich voorstellen **2** visualiseren, zichtbaar maken
vital [vajtl] **1** essentieel, van wezenlijk belang, onmisbaar: *of ~ importance* van vitaal belang **2** vitaal, levenskrachtig, levens-: *~ parts* vitale delen || *~ statistics: a)* bevolkingsstatistiek; *b)* belangrijkste feiten
vitality [vajtelittie] vitaliteit, levenskracht
vitamin [vittemin] vitamine
vitiate [visjie·eet] **1** schaden, schenden, verzwakken **2** bederven; vervuilen *(ook fig)*
vitreous [vitries] glas-, glazen, van glas, glasachtig, glazig
vitriol [vitriel] *(chem)* zwavelzuur; *(fig)* venijn
viva [vajve] mondeling (her)examen
vivacious [vivveesjes] levendig, opgewekt
vivacity [vivesittie] levendigheid, opgewektheid
vivid [vivvid] **1** helder *(kleur, licht)*; sterk **2** levendig, krachtig: *a ~ imagination* een levendige fantasie

vivisection [vivvisseksjen] vivisectie
vixen [viksn] **1** wijfjesvos **2** feeks
viz [viz] *afk van videlicet* nl., namelijk, te weten, d.w.z.
vocabulary [vekebjoelerie] woordenlijst, woordenschat
[1]**vocal** [vookl] *zn* **1** lied(je), (pop)song **2** *~s* zang: *~s: Michael Jackson* zang: Michael Jackson
[2]**vocal** [vookl] *bn* **1** gesproken, mondeling, vocaal, gezongen: *~ group* zanggroep **2** zich duidelijk uitend, welbespraakt **3** stem-: *~ cords* (of: *chords*) stembanden
vocalist [vookelist] vocalist(e), zanger(es)
vocation [vookeesjen] **1** beroep, betrekking **2** roeping **3** aanleg, talent: *have a ~ for* aanleg hebben voor
vocational [vookeesjenel] beroeps-, vak-: *~ training* beroepsonderwijs
vociferate [vesiffereet] schreeuwen, heftig protesteren
vociferous [vesifferes] schreeuwend, lawaaierig, luidruchtig
vogue [vook] **1** mode: *be in ~* in de mode zijn, in zijn **2** populariteit
[1]**voice** [vojs] *zn* **1** stem, (stem)geluid, uiting, mening: *speak in a low ~* op gedempte toon spreken; *give ~ to* uitdrukking geven aan; *raise one's ~: a)* zijn stem verheffen; *b)* protest aantekenen; *in (good) ~* goed bij stem **2** vorm: *active* (of: *passive*) *~* bedrijvende (*of:* lijdende) vorm
[2]**voice** [vojs] *tr* uiten, verwoorden
voice mail voicemail
voice-over commentaarstem *(bij film, documentaire)*
[1]**void** [vojd] *zn* leegte, (lege) ruimte, vacuüm
[2]**void** [vojd] *bn* **1** leeg, verlaten: *~ of* zonder, vrij van **2** nietig, ongeldig: *null and ~* ongeldig, van nul en gener waarde
vol [vol] *verk van volume* (boek)deel
volatile [volletajl] **1** vluchtig, (snel) vervliegend **2** veranderlijk, wispelturig
volcanic [volkenik] vulkanisch *(ook fig)*; explosief
volcano [volkeenoo] *(mv: ook ~es)* vulkaan *(ook fig)*; explosieve situatie
volition [velisjen] wil, wilskracht: *by* (of: *of*) *one's own ~* uit eigen wil, vrijwillig
[1]**volley** [vollie] *zn* **1** salvo *(ook fig)*; (stort)vloed, regen: *a ~ of oaths* (of: *curses*) een scheldkanonnade **2** *(sport)* volley; *(voetbal)* omhaal
[2]**volley** [vollie] *intr* **1** (gelijktijdig) losbranden; een salvo afvuren *(ook fig)* **2** in een salvo afgeschoten worden, (tegelijk) door de lucht vliegen **3** *(sport)* volleren, een volley maken; *(voetbal)* omhalen
[3]**volley** [vollie] *tr* **1** *(sport)* uit de lucht slaan (schieten); *(voetbal)* direct op de slof nemen **2** *(tennis)* volleren, met een volley passeren
volleyball volleybal
volt [voolt] volt
voltage [vooltidzj] voltage
volume [voljoe:m] **1** (boek)deel, band, bundel: *speak ~s* boekdelen spreken **2** jaargang **3** hoeveelheid, omvang, volume **4** volume, inhoud **5** volume, (geluids)sterkte: *turn down the ~* het geluid zachter zetten
voluminous [veljoe:minnes] omvangrijk, lijvig; wijd *(bijv. kleding, boekwerk)*
voluntary [vollenterie] **1** vrijwillig, uit eigen beweging: *~ worker* vrijwilliger **2** vrijwilligers-: *~ organization (ongev)* stichting **3** gefinancierd door vrijwillige giften *(kerk, school)*
[1]**volunteer** [vollentie] *zn* vrijwilliger
[2]**volunteer** [vollentie] *intr* zich (als vrijwilliger) aanmelden, uit eigen beweging meedoen
[3]**volunteer** [vollentie] *tr* **1** (vrijwillig, uit eigen beweging) aanbieden **2** uit zichzelf zeggen *(opmerking, informatie)*
voluptuous [veluptjoees] **1** sensueel, wellustig **2** weelderig, overvloedig
[1]**vomit** [vommit] *zn* braaksel, overgeefsel
[2]**vomit** [vommit] *ww* (uit)braken *(ook fig)*; overgeven
voracious [vereesjes] vraatzuchtig *(ook fig)*: *a ~ reader* een alleslezer
vortex [vo:teks] werveling *(ook fig)*; maalstroom
[1]**vote** [voot] *zn* **1** stem, uitspraak: *cast* (of: *record*) *one's ~* zijn stem uitbrengen; *casting ~* beslissende stem *(van voorzitter, bij staking van stemmen)* **2** stemming: *~ of censure* motie van afkeuring; *~ of confidence* (of: *no-confidence*) motie van vertrouwen (*of:* wantrouwen); *put sth. to the ~* iets in stemming brengen **3** stemmenaantal: *the floating ~* de zwevende kiezers **4** stemrecht **5** stembriefje
[2]**vote** [voot] *intr* stemmen, een stemming houden
[3]**vote** [voot] *tr* **1** bij stemming verkiezen, stemmen op **2** bij stemming bepalen, beslissen: *~ s.o. out of office* (of: *power*) iem wegstemmen **3** (geld) toestaan **4** uitroepen tot, het ermee eens zijn dat: *the play was ~d a success* het stuk werd algemeen als een succes beschouwd **5** voorstellen: *I ~ we leave now* ik stel voor dat we nu weggaan
vote in verkiezen: *the Conservatives were voted in again* de conservatieven werden opnieuw verkozen
voter [voote] **1** kiezer: *floating ~* zwevende kiezer **2** stemgerechtigde
voucher [vautsje] bon, waardebon, cadeaubon, consumptiebon
vouch for [vautsj] instaan voor, waarborgen, borg staan voor
[1]**vow** [vau] *zn* gelofte, eed, plechtige belofte: *make* (of: *take*) *a ~* plechtig beloven
[2]**vow** [vau] *tr* (plechtig) beloven, gelofte afleggen van, zweren
vowel [vauel] *(taalk)* klinker
[1]**voyage** [vojjidzj] *zn* lange reis, zeereis, bootreis: *~ home* thuisreis, terugreis; *~ out* heenreis
[2]**voyage** [vojjidzj] *intr* reizen

voyager [vojjidzje] (ontdekkings)reiziger
vs *afk van versus* van, vs.
vulcanization [vulkenajzeisjen] vulkanisatie
vulgar [vulke] **1** vulgair, laag (bij de gronds), ordinair **2** alledaags, gewoon **3** algemeen (bekend, aangenomen), vh volk: ~ *tongue* volkstaal || ~ *fraction* gewone breuk
vulgarity [vulkerittie] **1** *-ties* platte uitdrukking, grove opmerking **2** *-ties* smakeloze, onbeschaafde daad **3** platheid, vulgair gedrag
vulgarize [vulkerajz] **1** populariseren, gemeengoed maken **2** verlagen, onbeschaafd maken
vulnerable [vulnerebl] kwetsbaar *(ook fig)*; gevoelig
vulture [vultsje] **1** gier **2** aasgier *(alleen fig)*

W **1** *afk van watt(s)* W **2** *afk van west(ern)* W
wacky [wekie] mesjogge, kierewiet
wad [wod] **1** prop *(watten, papier enz.);* dot, (op)vulsel **2** pak *(brieven, geld enz.)* **3** pak(je); rolletje *(bankbiljetten)*
[1]**waddle** [wodl] *zn* waggelende gang, eendengang
[2]**waddle** [wodl] *intr* waggelen
wade [weed] waden: ~ *through a boring book* een vervelend boek doorworstelen || ~ *in* aanpakken; ~ *into s.o. (sth.)* iem (iets) hard aanpakken
wader [weede] **1** wader **2** waadvogel **3** ~*s* lieslaarzen
wafer [weefe] **1** wafel(tje) **2** hostie, ouwel
[1]**waffle** [wofl] *zn* **1** wafel **2** gewauwel, gezwets, onzin
[2]**waffle** [wofl] *intr* wauwelen, kletsen
[1]**waft** [woft] *intr* zweven, drijven, waaien
[2]**waft** [woft] *tr* voeren, dragen, doen zweven
[1]**wag** [wek̂] *zn* **1** waggeling, kwispeling **2** grappenmaker
[2]**wag** [wek̂] *intr* **1** waggelen, wiebelen; schommelen *(bij het lopen): set the tongues ~ging* de tongen in beweging brengen **2** kwispelen
[3]**wag** [wek̂] *tr* **1** schudden *(hoofd);* heen en weer bewegen: ~ *one's finger at s.o.* iem met de vinger dreigen **2** kwispelen *(staart)*
[1]**wage** [weedzj] *zn* loon, arbeidsloon: *minimum* ~ minimumloon
[2]**wage** [weedzj] *tr* voeren *(oorlog, campagne): ~ war against* (of: *on*) oorlog voeren tegen
wage-cut loonsverlaging
[1]**wager** [weedzje] *zn* weddenschap: *lay* (of: *make*) *a* ~ een weddenschap aangaan
[2]**wager** [weedzje] *ww* **1** een weddenschap aangaan **2** verwedden, wedden (om, met), op het spel zetten: *I'll ~ (you £10) that he'll come* ik wed (tien pond met u) dat hij komt
wages floor minimumloon
waggish [wek̂isj] guitig, ondeugend
[1]**waggle** [wek̂l] *zn* waggeling, schommeling
[2]**waggle** [wek̂l] *intr* **1** waggelen, wiebelen, schommelen **2** kwispelen
[3]**waggle** [wek̂l] *tr* **1** schudden *(hoofd);* heen en weer bewegen **2** kwispelen (met)
waggoner [wek̂ene] vrachtrijder, voerman
wagon [wek̂en] **1** wagen, boerenwagen; *(Am)* wagentje; kar *(met ijs, worstjes e.d.)* **2** dienwagen(tje), theewagen **3** *(Am)* stationcar *(type auto)* **4** goederenwagon **5** vrachtwagen || *go on the (water)* ~ geheelonthouder worden
wagtail kwikstaart
[1]**wail** [weel] *zn* **1** geweeklaag, gejammer **2** geloei; gehuil *(van sirene)*
[2]**wail** [weel] *intr* **1** klagen, jammeren; huilen *(ook van wind)* **2** loeien; huilen *(van sirene)*
waist [weest] **1** middel; taille *(ook van kledingstuk): stripped to the* ~ met ontbloot bovenlijf **2** smal(ler) gedeelte, vernauwing
waistcoat [weestkoot] vest *(van kostuum)*
waistline middel; taille *(ook van kledingstuk)*
[1]**wait** [weet] *zn* **1** wachttijd, (het) wachten, oponthoud **2** hinderlaag: *lie in ~ for s.o.* voor iem op de loer liggen
[2]**wait** [weet] *intr* **1** wachten: ~ *a minute!* wacht even!; *I'll do it while you* ~ het is zo klaar, u kunt erop wachten **2** bedienen (aan tafel): ~ *on s.o.* iem bedienen || ~ *and see* (de dingen) afwachten; ~ *for me!* niet zo vlug!
[3]**wait** [weet] *tr* afwachten, wachten op: ~ *one's turn* zijn beurt afwachten
waiter [weete] kelner
waitress [weetris] serveerster
waive [weev] **1** afzien van; afstand doen van *(rechten, privileges)* **2** uitstellen; opschorten *(probleem)*
[1]**wake** [week] *zn* **1** kielwater, (kiel)zog **2** *(fig)* spoor, nasleep: *in the ~ of* in het spoor van, in de voetstappen van
[2]**wake** [week] *intr (ook woke, woken, woke)* ontwaken; wakker worden *(ook fig): in his waking hours* wanneer hij wakker is; ~ *up* ontwaken, wakker worden; ~ *up to sth.* iets gaan inzien
[3]**wake** [week] *tr (ook woke, woken, woke)* **1** (ook met *up*) wekken; wakker maken *(ook fig)* **2** bewust maken, doordringen: ~ *s.o. up to sth.* iem van iets doordringen
wakeful [weekfoel] **1** wakend, waakzaam **2** slapeloos: ~ *nights* slapeloze nachten
[1]**waken** [weeken] *intr* ontwaken, wakker worden
[2]**waken** [weeken] *tr* **1** wekken, wakker maken **2** opwekken
[1]**walk** [wo:k] *zn* **1** gang, manier van gaan **2** stap; stapvoetse gang *(van paard)* **3** wandeling: *have* (of: *take*) *a ~, go for a* ~ een wandeling (gaan) maken **4** levenswandel: ~ *of life: a)* beroep, roeping; *b)* (maatschappelijke) rang (*of:* stand) **5** wandelgang, voetpad **6** wandelafstand: *it is ten minutes'* ~ het is tien minuten lopen
[2]**walk** [wo:k] *intr* **1** lopen: ~ *in one's sleep* slaapwandelen **2** stappen; stapvoets gaan *(van paard)* **3** (rond)waren, verschijnen || ~ *away* (of: *off*) *with: a)* er vandoor gaan met, stelen; *b)* gemakkelijk winnen; ~ *off* opstappen, er vandoor gaan; ~ *out: a)* het werk onderbreken, staken; *b)* opstappen, weglopen *(bijv. bij overleg); ~ out on s.o.* iem

in de steek laten; ~ *tall* het hoofd hoog dragen, trots zijn; ~ *up!* kom erin!, komt dat zien! *(bijv. bij circus);* ~ *up to s.o.* op iem afgaan; *(inform)* ~ *over* met gemak achter zich laten; ~ *(all) over s.o.* met iem de vloer (aan)vegen

[3]**walk** [wo:k] *tr* **1** lopen, gaan; te voet afleggen *(afstand)* **2** lopen door, langs, op, bewandelen **3** meelopen met: ~ *s.o. home* iem naar huis brengen **4** laten lopen; uitlaten *(bijv. hond);* stapvoets laten lopen *(paard):* ~ *s.o. off his feet* iem de benen uit zijn lijf laten lopen

walker [wo:ke] wandelaar, voetganger

walking papers ontslag(brief): *get one's* ~ zijn ontslag krijgen

walkout 1 staking, werkonderbreking **2** het weglopen *(uit een vergadering, ten teken van protest)*

walkover gemakkelijke overwinning

walkway 1 gang, wandelgang **2** wandelweg, promenade

[1]**wall** [wo:l] *zn* muur, wand: *(fig) a writing on the* ~ een teken aan de wand || *drive* (of: *push*) *s.o. to the* ~ iem in het nauw drijven; *drive s.o. up the* ~ iem stapelgek maken

[2]**wall** [wo:l] *tr* **1** ommuren **2** dichtmetselen

wallet [wollit] portefeuille

wallflower 1 muurbloem **2** muurbloempje

[1]**Walloon** [wolloe:n] *zn* Waal *(bewoner van Wallonië)*

[2]**Walloon** [wolloe:n] *bn* Waals

[1]**wallop** [wollep] *zn* **1** dreun, mep **2** bier

[2]**wallop** [wollep] *tr* aframmelen, hard slaan

[1]**walloping** [wolleping] *zn* **1** aframmeling **2** zware nederlaag

[2]**walloping** [wolleping] *bn* reusachtig, enorm

wallow [wolloo] **1** (zich) wentelen, (zich) rollen: ~ *in the mud* zich in het slijk wentelen *(fig); (fig)* ~ *in self-pity* zwelgen in zelfmedelijden **2** rollen; slingeren *(van schip)*

wall painting 1 muurschildering, fresco **2** muurschilderkunst

wallpaper behang

wall-to-wall kamerbreed *(bijv. tapijt)*

wally [wollie] sukkel, stommeling

walnut [wo:lnut] walnoot

walrus [wo:lres] walrus

[1]**waltz** [wo:ls] *zn* wals *(dans(muziek))*

[2]**waltz** [wo:ls] *intr* walsen, de wals dansen; *(fig)* (rond)dansen || ~ *off with* er vandoor gaan met

wan [won] **1** bleek; flets *(huidskleur)* **2** flauw; zwak *(licht, lachje)*

wand [wond] toverstokje, toverstaf

wander [wonde] **1** (rond)zwerven, (rond)dwalen: ~ *about* rondzwerven **2** kronkelen; (zich) slingeren *(van rivier, weg)* **3** verdwalen; op de verkeerde weg raken *(ook fig)* **4** afdwalen *(ook fig):* ~ *from* (of: *off*) *one's subject* van zijn onderwerp afdwalen **5** kuieren

wanderer [wondere] zwerver

[1]**wane** [ween] *zn: on the* ~ aan het afnemen *(ook fig)*

[2]**wane** [ween] *intr* afnemen, verminderen; *(fig)* vervallen

[1]**wangle** [wengkl] *zn* (slinkse) streek, smoesje

[2]**wangle** [wengkl] *tr* weten los te krijgen, klaarspelen: ~ *a well-paid job out of s.o.* een goed betaalde baan van iem weten los te krijgen

[3]**wangle** [wengkl] *tr, intr* zich eruit draaien, zich redden: ~ *(oneself) out of a situation* zich uit een situatie weten te redden

[1]**want** [wont] *zn* **1** behoefte: *meet a long-felt* ~ in een lang gevoelde behoefte voorzien **2** gebrek, gemis: *drink water for* ~ *of anything better* water drinken bij gebrek aan iets beters **3** tekort, nood **4** armoede, behoeftigheid: *live in* ~ in armoede leven

[2]**want** [wont] *intr* behoeftig zijn || *he does not* ~ *for anything, he* ~*s for nothing* hij komt niets te kort

[3]**want** [wont] *tr* **1** (graag) willen, wensen: *I* ~ *it (to be) done today* ik wil dat het vandaag gedaan wordt; ~ *in* (of: *out*) naar binnen (*of:* buiten) willen **2** moeten, hoeven: *you* ~ *to see a psychiatrist* je moet naar een psychiater; *in that case you* ~ *room 12A, it's just around the corner* in dat geval moet u kamer 12A hebben, die is net om de hoek **3** nodig hebben, vergen, vereisen **4** zoeken; vragen *(persoon):* ~*ed, experienced mechanic* gevraagd: ervaren monteur; ~*ed by the police (for a crime)* gezocht door de politie (voor een misdaad)

wanting [wonting] **1** te kort, niet voorhanden: *a few pages are* ~ er ontbreken een paar bladzijden **2** onvoldoende: *be* ~ *in sth.: a)* in iets tekortschieten; *b)* iets missen

wanton [wonten] **1** lichtzinnig *(mbt vrouw)* **2** moedwillig **3** buitensporig, onverantwoord

[1]**war** [wo:] *zn* oorlog: ~ *of nerves* zenuw(en)oorlog; *wage* ~ *on* (of: *against*) oorlog voeren tegen *(ook fig)* || *have been in the* ~*s* er gehavend uitzien

[2]**war** [wo:] *intr* strijd voeren; strijden *(vaak fig):* ~ *against* strijden tegen

[1]**warble** [wo:bl] *zn* gekweel, gezang

[2]**warble** [wo:bl] *ww* **1** kwelen **2** zingen *(van vogel)*

ward [wo:d] **1** (ziekenhuis)afdeling **2** (stads)wijk *(als onderdeel ve kiesdistrict)* **3** pupil *(minderjarige onder voogdij); (fig)* beschermeling: ~ *of court* onder bescherming van het gerecht staande minderjarige **4** voogdijschap, hoede, curatele **5** afdeling van gevangenis

warden [wo:dn] **1** hoofd, beheerder; bestuurder *(van scholen, ziekenhuizen e.d.)* **2** *(Am)* gevangenisdirecteur **3** wachter, opzichter, bewaker, suppoost, conciërge, portier

warder [wo:de] cipier, gevangenbewaarder

ward off afweren, afwenden

wardrobe [wo:droob] **1** kleerkast, hangkast **2** garderobe *(ook van theater)*

wardroom officierenkajuit, officiersmess

ware [wee] **1** (koop)waar, goederen **2** aardewerk

warehouse pakhuis, opslagplaats, magazijn

warfare [wo:fee] oorlog(voering); strijd *(ook fig)*

warhorse **1** oorlogspaard, strijdros **2** ijzervreter **3** oude rot *(in de politiek)*
warlike [wo:lajk] **1** krijgshaftig, strijdlustig **2** militair, oorlogs-
warlord militair leider
[1]**warm** [wo:m] *zn* warmte: *come in and have a ~!* kom binnen en warm je wat!
[2]**warm** [wo:m] *bn* **1** warm *(ook fig);* innemend: *~ greetings* hartelijke groeten; *give a ~ welcome to* hartelijk welkom heten; *keep a place ~ for s.o.* een plaats voor iem openhouden **2** warmbloedig, hartstochtelijk, vurig: *a ~ supporter* een vurig aanhanger **3** verhit *(ook fig);* geanimeerd, heftig: *a ~ discussion* een geanimeerde discussie || *make things ~ for s.o.: a)* het iem moeilijk maken; *b)* iem straffen
[3]**warm** [wo:m] *intr* warm worden *(ook fig);* in de stemming (ge)raken: *~ to* (of: *toward(s)) s.o.* iets gaan voelen voor iem
[4]**warm** [wo:m] *tr* **1** (ver)warmen **2** opwarmen *(ook fig);* warm maken
warm-hearted warm, hartelijk
warmonger [wo:mungĝe] oorlogs(aan)stoker
warmth [wo:mθ] *(ook fig)* warmte, hartelijkheid, vuur
[1]**warm up** *intr* **1** warm(er) worden *(ook fig);* op temperatuur komen; *(fig)* in de stemming raken **2** *(sport)* een warming-up doen, de spieren losmaken
[2]**warm up** *tr* **1** opwarmen *(ook fig);* warm maken, in de stemming brengen **2** (ver)warmen
warm-up opwarming(stijd)
warn [wo:n] **1** waarschuwen: *~ s.o. of sth.* iem op iets opmerkzaam maken, iem voor iets waarschuwen **2** waarschuwen: *the doctor ~ed him off drink* de dokter waarschuwde hem geen alcohol te drinken || *~ s.o. off* iem weren
warning [wo:ning] waarschuwing(steken); *(fig)* afschrikwekkend voorbeeld: *give a ~* waarschuwen
[1]**warp** [wo:p] *zn* **1** schering *(bij weven)* **2** kromtrekking *(in hout)*
[2]**warp** [wo:p] *intr* krom trekken *(van hout)*
[3]**warp** [wo:p] *tr* **1** krom trekken *(hout)* **2** scheeftrekken, bevooroordeeld maken
warpath oorlogspad: *go on the ~* op het oorlogspad gaan
[1]**warrant** [worrent] *zn* **1** bevel(schrift), aanhoudingsbevel: *~ of arrest* arrestatiebevel **2** machtiging, volmacht **3** (waar)borg **4** rechtvaardiging, grond: *no ~ for* geen grond tot
[2]**warrant** [worrent] *tr* **1** rechtvaardigen **2** machtigen
[3]**warrant** [worrent] *tr, intr* **1** garanderen: *~ed pure* gegarandeerd zuiver **2** verzekeren: *I* (of: *I'll*) *~ (you)* dat kan ik je verzekeren
warranty [worrentie] (schriftelijke) garantie
warren [worren] **1** konijnenpark **2** doolhof *(van straatjes);* wirwar
warrior [worrie] **1** strijder, krijger **2** soldaat
Warsaw [wo:so:] Warschau
warship oorlogsschip
wart [wo:t] wrat: *~s and all* met alle gebreken
wartime oorlogstijd
wary [weerie] **1** omzichtig, alert: *~ of* op zijn hoede voor **2** voorzichtig
was [woz] *ovt 1e en 3e pers ev van* be
[1]**wash** [wosj] *zn* **1** wasbeurt, het wassen: *have a ~* zich wassen **2** vieze, waterige troep, slootwater, slappe thee **3** was(goed) **4** golfslag **5** zog, kielwater **6** spoelwater || *it'll come out in the ~* het zal wel loslopen
[2]**wash** [wosj] *intr* **1** zich wassen, zich opfrissen **2** gewassen (kunnen) worden **3** geloofwaardig zijn: *that argument won't ~* dat argument gaat niet op **4** breken *(van golf)* || *the stain will ~ off* de vlek gaat er (in de was) wel uit
[3]**wash** [wosj] *tr* **1** wassen; *(fig)* zuiveren: *~ clean* schoonwassen; *~ off* (eraf) wassen **2** wassen, de was doen **3** meesleuren *(van water);* wegspoelen: *be ~ed overboard* overboord slaan
washable [wosjebl] wasbaar
wash away afwassen, wegspoelen, uitwassen; *(fig)* reinigen; zuiveren: *~ s.o.'s sins* iem reinigen van zijn zonden
wash cloth *(Am)* washandje
wash down **1** wegspoelen *(voedsel, met drank)* **2** (helemaal) schoonmaken: *~ with ammonia* schoonmaken met ammonia
washed-out **1** verbleekt *(in de was)* **2** uitgeput **3** *(sport)* afgelast (wegens regen)
washed-up verslagen, geruïneerd
washer [wosje] **1** wasser **2** (sluit)ring, afdichtingsring **3** leertje **4** wasmachine, wasautomaat
washing [wosjing] was(goed)
washing-up afwas, vaat: *it's your turn to do the ~* jij bent aan de beurt om af te wassen
washing-up liquid afwasmiddel
wash-leather zeem, zeemleer
[1]**wash out** *intr* (in de was) eruit gaan *(van vlekken)*
[2]**wash out** *tr* **1** uitwassen, uitspoelen **2** wegspoelen **3** onmogelijk maken *(van regen, de wedstrijd)*
wash-out flop, mislukking
wash rag *(Am)* washandje
washroom **1** wasruimte, waslokaal **2** *(Am)* toilet
washstand wastafel *(voor wasgerei)*
[1]**wash up** *intr* **1** *(Am)* zich opfrissen **2** afwassen, de vaat doen
[2]**wash up** *tr* doen aanspoelen *(van getijde)*
washy [wosjie] **1** waterig *(van vloeistof);* slap **2** bleek, kleurloos
wasp [wosp] wesp
waspish [wospisj] *(vaak min)* **1** wespachtig **2** giftig, nijdig **3** dun; slank *(als een wesp)*
wastage [weestidzj] **1** verspilling; verlies *(door lekkage)* **2** verloop *(van personeel)*
[1]**waste** [weest] *zn* **1** woestenij; woestijn *(ook fig)*

2 verspilling 3 afval(product), puin, vuilnis: *go to ~, run to ~* verloren gaan, verspild worden

[2]**waste** [weest] *bn* **1** woest, braak(liggend), verlaten: *lay ~* verwoesten **2** afval-, overtollig

[3]**waste** [weest] *intr* **1** verspild worden **2** (met *away*) wegteren, wegkwijnen

[4]**waste** [weest] *tr* **1** verspillen, verkwisten: *you didn't ~ time* je liet er geen gras over groeien; *~ time on sth.* tijd verspillen aan iets **2** verwoesten

wastebasket *(Am)* afvalbak, prullenmand

wasteful [weestfoel] verspillend, spilziek

wasteland woestenij, onbewoonbaar gebied: *(fig) a cultural ~* een cultureel onderontwikkeld gebied

wastepaper papierafval

wastepipe afvoer(buis)

[1]**watch** [wotsj] *zn* **1** horloge **2** *~es* (nacht)wake **3** bewaker, wachtpost, nachtwaker **4** waaktijd, wachtkwartier, wacht(dienst), bewaking, uitkijk: *keep ~ over* waken over **5** wacht, waakzaamheid, hoede: *keep (a) close ~ on* (nauwlettend) in de gaten houden, de wacht houden over

[2]**watch** [wotsj] *intr* **1** (toe)kijken **2** wachten: *~ for one's chance* zijn kans afwachten **3** uitkijken: *~ out* uitkijken, oppassen; *~ (out) for* uitkijken naar, loeren op **4** de wacht houden

[3]**watch** [wotsj] *tr* **1** bekijken, kijken naar **2** afwachten *(kans, gelegenheid): ~ one's chance* zijn kans afwachten **3** gadeslaan, letten op: *~ one's weight* op zijn gewicht letten; *~ it!* pas op!, voorzichtig!; *~ yourself* pas op! **4** bewaken; hoeden *(vee)* **5** verzorgen, zorgen voor

watchdog waakhond *(ook fig);* (be)waker

watchful [watsjfoel] waakzaam, oplettend

watchmaker horlogemaker

watchman [wotsjmen] bewaker, nachtwaker

watchword **1** wachtwoord **2** leus, slogan

[1]**water** [wo:te] *zn* **1** water: *tread ~* watertrappelen; *spend money like ~* geld uitgeven als water **2** water, waterstand: *at high* (of: *low*) *~* bij hoogwater (*of:* laagwater) **3** urine: *make* (of: *pass*) *~* wateren **4** water **5** *~s* mineraalwater; *(fig)* (water)kuur: *drink* (of: *take*) *the ~s* een kuur doen || *~ on the brain* waterhoofd; *run like ~ off a duck's back* niet het minste effect hebben; *hold ~* steek houden; *fish in troubled ~s* in troebel water vissen

[2]**water** [wo:te] *intr* **1** tranen, lopen, wateren: *my eyes ~ed* mijn ogen traanden **2** watertanden: *make the mouth ~* doen watertanden **3** water drinken *(van dieren)*

[3]**water** [wo:te] *tr* **1** water geven, begieten: *~ the plants* de planten water geven **2** van water voorzien, bespoelen, besproeien: *~ down* aanlengen, *(fig)* afzwakken; *a ~ed-down version* een verwaterde versie

water biscuit (cream)cracker

water-borne **1** drijvend, vlot **2** over water vervoerd, zee-: *~ trade* zeehandel

water-butt regenton

watercolour **1** aquarel, waterverfschilderij **2** waterverf

waterfall waterval

waterfowl watervogel

waterfront waterkant *(van stadsdeel enz.): on the ~* aan de waterkant

water heater boiler; *(Am)* geiser

watering place **1** waterplaats **2** kuuroord, badplaats

water level (grond)waterpeil

waterline waterlijn *(van schip)*

waterlogged **1** vol water (gelopen) *(schip)* **2** met water doortrokken *(grond, hout)*

Waterloo [wo:teloe:] (verpletterende) nederlaag, beslissende slag: *meet one's ~* verpletterend verslagen worden

waterman [wo:temen] veerman

watermark **1** watermerk *(in papier)* **2** waterpeil

water-meadow uiterwaard

water-power waterkracht, hydraulische kracht

[1]**waterproof** *zn* (waterdichte) regenjas

[2]**waterproof** *bn* waterdicht

[3]**waterproof** *ww* waterdicht maken

watershed **1** waterscheiding **2** *(fig)* keerpunt

[1]**water-ski** *zn* waterski

[2]**water-ski** *ww* waterskiën

water snake ringslang

waterspout **1** waterspuwer, spuier **2** waterhoos

water-table grondwaterspiegel

watertight *(ook fig)* waterdicht

waterway **1** waterweg **2** vaarwater

waterwheel waterrad

water wings (zwem)vleugels

waterworks **1** waterleiding(bedrijf) **2** waterlanders, tranen

watery [wo:terie] **1** waterachtig, water-, vol water **2** nat, vochtig, tranend: *~ eye* waterig oog, traanoog **3** waterig, smakeloos, flauw, slap, bleek

watt [wot] watt

wattle [wotl] **1** lel; halskwab *(vnl. van vogels)* **2** hordewerk, gevlochten rijswerk

[1]**wave** [weev] *zn* **1** golf *(ook fig);* vloed; *(fig)* opwelling: *~ of violence* golf van geweld **2** (haar)golf **3** wuivend gebaar **4** golf(beweging), verkeersgolf, aanvalsgolf

[2]**wave** [weev] *intr* **1** golven, fluctueren **2** wapperen *(van vlag)*

[3]**wave** [weev] *tr, intr* **1** (toe)wuiven, zwaaien: *(fig) ~ sth. aside* iets van tafel vegen; *~ s.o. on* iem gebaren verder te gaan; *~ at* (of: *to*) *s.o.* naar iem zwaaien **2** krullen, golven

wavelength golflengte *(λ; ook fig): be on the same ~* op dezelfde golflengte zitten *(fig)*

waver [weeve] **1** onzeker worden, wankelen **2** aarzelen: *~ between* aarzelen tussen **3** flikkeren *(van licht);* flakkeren *(van kaars)*

wavy [weevie] golvend, deinend

[1]**wax** [weks] *zn* **1** (bijen)was: *(fig) be ~ in s.o.'s hands* als was in iemands handen zijn **2** (boen)was **3** oorsmeer

[2]**wax** [weks] *intr* wassen, opkomen; toenemen *(van water, maan)*
waxen [weksn] **1** glad als was **2** week als was
waxwork 1 wassen beeld **2** *~s* wassenbeeldententoonstelling, wassenbeeldenmuseum
waxy [weksie] **1** wasachtig, bleek **2** woedend, opvliegend
[1]**way** [wee] *zn* **1** weg, route: *(fig) things are going his ~* het zit hem mee; *lose the* (of: *one's*) *~* verdwalen, de weg kwijtraken; *(fig) pave the ~ (for sth., s.o.)* de weg effenen (voor iets, iem); *(fig) pay one's ~* geen schulden maken, zonder verlies werken; *work one's ~ through college* werkstudent zijn; *~ in* ingang; *~ out* uitgang, *(fig)* uitweg; *better weather is on the ~* er is beter weer op komst; *on the ~ out* op weg naar buiten, *(inform; fig)* uit (de mode) rakend; *that's the ~ (it is, goes)* zo gaat het nu eenmaal **2** manier, wijze, gewoonte, gebruik; *(min)* hebbelijkheid: *~ of life* levenswijze; *~ of thinking* denkwijze; *in a big ~: a)* op grote schaal; *b)* grandioos; *c)* met enthousiasme; *go the right* (of: *wrong*) *~ about sth.* iets op de juiste (*of:* verkeerde) wijze aanpakken; *(fig) find a ~* een manier vinden, er raad op weten; *set in one's ~s* met vast(geroest)e gewoontes; *one ~ and another* alles bij elkaar (genomen); *one ~ or another* (of: *the other*) op de een of andere manier; *there are no two ~s about it* er is geen twijfel (over) mogelijk **3** richting: *look the other ~* de andere kant opkijken *(ook fig)*; *(fig) I don't know which ~ to turn* ik weet me geen raad; *the other ~ around* (of: *about*) andersom **4** opzicht: *in a ~* in zekere zin; *in more ~s than one* in meerdere opzichten **5** afstand, eind, stuk: *a long ~ away* (of: *off*) een heel eind weg, ver weg; *go a long ~ to meet s.o.* iem een heel eind tegemoetkomen *(ook fig)* **6** (voort)gang, snelheid, vaart: *be under ~* onderweg zijn; *gather* (of: *lose*) *~* vaart krijgen (*of:* minderen) *(van schip)*; *negotiations are well under ~* onderhandelingen zijn in volle gang **7** ruimte *(ook fig)*; plaats, gelegenheid: *clear the ~: a)* de weg banen; *b) (ook fig)* ruim baan maken; *give ~: a)* toegeven, meegeven; *b) (ook fig)* wijken, voorrang geven; *c)* doorzakken, bezwijken; *make ~ for* plaats maken voor; *put s.o. in the ~ of sth.* iem op weg helpen (met iets), iem aan iets helpen; *out of the* (of: *one's*) *~* uit de weg *(ook fig)*; *get sth. out of the ~* iets uit de weg ruimen, iets afhandelen || *~s and means* geldmiddelen; *make ~* opschieten *(ook fig)*; *make one's (own) ~ (in life, in the world)* in de wereld vooruitkomen; *(fig) go one's own ~* zijn eigen weg gaan; *go out of one's* (of: *the*) *~ to …* zijn (uiterste) best doen om …; *have a ~ with elderly people* met ouderen om weten te gaan; *you can't have it both ~s* óf het een óf het ander; *see one's ~ (clear) to doing sth.* zijn kans schoon zien om iets te doen; *by the ~* terloops, trouwens, à propos; *they had done nothing out of the ~* zij hadden niets bijzonders gedaan; *by ~ of example* als voorbeeld; *any ~* in ieder geval, hoe dan ook; *either ~* hoe dan ook; *(inform) every which ~* overal, in alle hoeken en gaten; *(Am; inform) no ~!* geen sprake van!
[2]**way** [wee] *bw* ver, lang, een eind: *~ back* ver terug, (al) lang geleden
waylay [weelee] **1** belagen, opwachten **2** onderscheppen
way-out te gek, geavanceerd, excentriek
wayside kant vd weg, berm: *(fig) fall by the ~* afvallen, uitvallen
wayward [weewed] eigenzinnig, koppig
WC *afk van water closet* wc
we [wie:] wij, we
weak [wie:k] **1** zwak, slap; week *(gestel)*; broos: *a ~ argument* een zwakke redenering; *go ~ at the knees: a)* slappe knieën krijgen *(mbt verliefdheid)*; *b)* op zijn benen staan te trillen *(van angst)*; *~ at* (of: *in*) *physics* zwak in natuurkunde **2** flauw, zwak; matig *(aanbod, markt, beurs)*: *a ~ demand (for)* weinig vraag (naar) || *have a ~ spot for* een speciaal plekje in zijn hart hebben voor
[1]**weaken** [wie:ken] *intr* toegeven, zwichten
[2]**weaken** [wie:ken] *tr, intr* verzwakken, afzwakken, (doen) verslappen
weak-kneed 1 besluiteloos, slap, niet wilskrachtig **2** bangelijk, timide, laf
weakling [wie:kling] zwakkeling, slappeling
weak-minded 1 zwakzinnig; *(fig)* achterlijk **2** zwak *(van wil, karakter)*
weakness [wie:knes] **1** zwakte, slapheid, zwakheid **2** zwak punt **3** zwakheid, zonde, fout **4** zwak, voorliefde: *he has a ~ for blonde women* hij valt op blonde vrouwen
weal [wie:l] striem, streep
wealth [welθ] **1** overvloed, rijkdom **2** rijkdom(men), bezit, bezittingen, vermogen
wealthy [welθie] rijk, vermogend
wean [wie:n] spenen *(kind, jong)* || *~ s.o. (away) from sth.* iem iets afleren
weapon [weppen] wapen
weaponry [weppenrie] wapentuig
[1]**wear** [weer] *zn* **1** dracht; het aanhebben *(kleding)* **2** het gedragen worden *(van kleding)*; gebruik **3** slijtage: *show (signs of) ~* slijtageplekken vertonen **4** sterkte, kwaliteit **5** (passende) kleding, tenue: *sportswear* sporttenue || *normal ~ and tear* normale slijtage
[2]**wear** [weer] *intr (wore, worn)* **1** goed blijven *(ook fig)*: *this sweater ~s well* deze trui ziet er nog goed uit **2** (ook met *on, away*) voortkruipen *(van tijd)*; voortduren: *the meeting wore on* (of: *away*) de vergadering ging maar door
[3]**wear** [weer] *tr (wore, worn)* **1** dragen *(aan het lichaam)*; aan hebben **2** vertonen, hebben, tentoonspreiden; voeren *(kleur, vlag)*: *he ~s a beard* hij heeft een baard **3** uitputten **4** *(inform; vaak met ontkenning)* aanvaarden, toestaan: *they won't ~ it* zij nemen het niet
[4]**wear** [weer] *tr, intr (wore, worn) (ook fig)* verslij-

ten, (af)slijten, uitslijten: *worn clothes* afgedragen kleren; ~ *thin* dun worden, slijten; *my patience is ~ing thin* mijn geduld is aan het opraken

wear down **1** (af)slijten, verslijten **2** verzwakken, afmatten: ~ *resistance* tegenstand (geleidelijk) overwinnen

wearing [weering] vermoeiend, slopend

wearisome [wieriesem] **1** vermoeiend **2** vervelend, langdradig

[1]**wear off** *intr* (geleidelijk) minder worden: *the novelty will soon* ~ het nieuwtje zal er (wel) gauw af gaan

[2]**wear off** *tr, intr* verslijten, afslijten

[1]**wear out** *intr* afgemat raken: *his patience wore out* zijn geduld raakte op

[2]**wear out** *tr* uitputten: *wear oneself out* uitgeput raken, zich uitsloven

[3]**wear out** *tr, intr* verslijten, afdragen

[1]**weary** [wierie] *bn* **1** moe, lusteloos: ~ *of* moe van *(ook fig)* **2** vermoeiend

[2]**weary** [wierie] *intr* moe worden: ~ *of* moe worden, genoeg krijgen van

[3]**weary** [wierie] *tr* vermoeien

[1]**weasel** [wie:zl] *zn* wezel

[2]**weasel** [wie:zl] *intr (*ook met *out)* zich drukken, er tussenuit knijpen: ~ *out (of one's duty)* zich onttrekken (aan zijn plicht); ~ *words* dubbelzinnig spreken

[1]**weather** [weðe] *zn* weer: *wet* ~ nat weer || *(be, feel) under the ~: a)* (zich) niet lekker (voelen); *b)* dronken (zijn)

[2]**weather** [weðe] *intr* verweren

[3]**weather** [weðe] *tr* **1** doen verweren **2** doorstaan *(storm; ook fig);* te boven komen

weather-beaten **1** (door storm) beschadigd (geteisterd) **2** verweerd *(van gezicht)*

weatherboard **1** waterdorpel **2** houten buitenbekleding *(van elkaar overlappende planken)*

weathercock weerhaan, windwijzer; *(fig)* draaier; opportunist

weather eye: *keep a ~ open (for)* op zijn hoede zijn (voor), oppassen (voor)

weather forecast weer(s)voorspelling, weerbericht

weatherglass barometer

weatherproof weerbestendig, tegen weer en wind bestand

weathervane windwijzer

[1]**weave** [wie:v] *zn* **1** weefsel **2** (weef)patroon

[2]**weave** [wie:v] *intr* zigzaggen, (zich) slingeren; *(verkeer)* weven; van rijstrook wisselen

[3]**weave** [wie:v] *tr* zich slingerend banen: *they were weaving their way through the full hall* zij baanden zich zigzaggend een weg door de volle hal

[4]**weave** [wie:v] *tr (wove, woven)* **1** vlechten, weven **2** verweven, verwerken **3** maken *(verhaal);* ophangen

web [web] **1** (spinnen)web **2** web, weefsel; net(werk) *(ook fig)* **3** val, netten **4** weefsel **5** (zwem)vlies

webbing [webbing] **1** singel(band), geweven band **2** omboordsel

web page internetpagina

web store webwinkel

[1]**wed** [wed] *tr (wedded; wedded, wed)* paren: ~ *to* paren aan

[2]**wed** [wed] *tr, intr (wedded; wedded, wed)* trouwen, huwen: *~ded couple* getrouwd paar

we'd [wie:d] *samentr van we had, we should, we would*

wedded [weddid] **1** huwelijks-, vh huwelijk: ~ *life* huwelijksleven **2** verslingerd, getrouwd: *(fig)* ~ *to his job* getrouwd met zijn werk

wedding [wedding] **1** huwelijk, huwelijksplechtigheid, bruiloft **2** koppeling, het samengaan: *the ~ of two great minds* het samengaan van twee grote geesten

wedding breakfast bruiloftsmaal, maaltijd of lunch na trouwerij

wedding ring trouwring

[1]**wedge** [wedzj] *zn* **1** wig *(ook fig): drive a ~ between the parties* tweedracht zaaien tussen de partijen **2** wigvorm **3** hoek; punt *(van kaas, taart)*

[2]**wedge** [wedzj] *tr* vastzetten, vastklemmen: *we were ~d (in) between the police and the rioters* we zaten ingeklemd tussen de politie en de relschoppers

wedlock [wedlok] huwelijk, huwelijkse staat || *born out of* ~ buiten huwelijk geboren, onecht

Wednesday [wednzdee] woensdag

wee [wie:] klein: *a ~ bit* een klein beetje, ietsje, een pietsje *(ook iron)*

[1]**weed** [wie:d] *zn* **1** onkruid **2** tabak, marihuana, hasj, sigaret **3** lange slapjanus

[2]**weed** [wie:d] *ww* **1** wieden, verwijderen, schoffelen **2** wieden *(alleen fig);* zuiveren: *the manager ~ed out the most troublesome employees* de manager zette de lastigste werknemers aan de kant

weedkiller onkruidverdelger

weedy [wie:die] **1** vol onkruid **2** slungelig

week [wie:k] week, werkweek: *a ~ (on) Sunday, Sunday ~* zondag over een week; *yesterday ~* gisteren een week geleden; *most people work a 38-hour ~* de meeste mensen hebben een 38-urige werkweek || ~ *in, ~ out* week in, week uit, wekenlang

weekday doordeweekse dag, werkdag, weekdag

weekend weekend, weekeinde

[1]**weekly** [wie:klie] *zn* weekblad

[2]**weekly** [wie:klie] *bn* wekelijks: *she earns £150 ~* zij verdient 150 pond in de week

weeny [wie:nie] heel klein, piepklein

[1]**weep** [wie:p] *zn* huilbui: *let them have their ~* laat ze maar (uit)huilen

[2]**weep** [wie:p] *intr (wept, wept)* wenen, huilen: *~ for* (of: *with) joy* van vreugde schreien; *no-one will ~ over his resignation* niemand zal een traan laten om zijn vertrek

[3]**weep** [wie:p] *tr (wept, wept)* **1** storten; schreien

(tranen) **2** huilen, schreien: ~ *oneself to sleep* zichzelf in slaap huilen

weeping [wie:ping] met hangende takken, treur-: ~ *willow* treurwilg

weepy [wie:pie] **1** huilerig, snotterig **2** sentimenteel

wee(-wee) [wie:(wie:)] plasje: *do (a)* ~, *have a* ~ een plasje plegen

[1]**weigh** [wee] *intr* drukken, een last zijn: *his unemployment ~s (up)on him* hij gaat gebukt onder zijn werkloosheid || ~ *in with* aan komen zetten met, te berde brengen

[2]**weigh** [wee] *tr, intr* **1** wegen: *it ~s four kilos* het weegt vier kilo; *the greengrocer ~ed a bag of potatoes* de groenteman woog een zak aardappelen; ~ *in* (laten) wegen, zich laten wegen; ~ *out* afwegen **2** overwegen, afwegen: ~ *one's words* zijn woorden wegen; ~ *up: a)* wikken en wegen; *b)* schatten; *c)* zich een mening vormen over; ~ *up the situation* de situatie opnemen **3** lichten *(anker, schip)* || ~ *down* beladen, *(fig)* deprimeren; *his marriage problems ~ him down* hij gaat gebukt onder zijn huwelijksproblemen

weighbridge weegbrug

weigh-in gewichtscontrole *(van bokser voor wedstrijd; van jockey na race);* wegen na de wedren

[1]**weight** [weet] *zn* **1** gewicht *(voor weegschaal);* gewichtsklasse, zwaarte: *~s and measures* maten en gewichten; *lose* ~ afvallen, vermageren; *put on* ~ aankomen, zwaarder worden; *over* ~ te zwaar; *under* ~ te licht **2** gewicht, zwaar voorwerp **3** (zware) last; *(fig)* druk; belasting: *his departure is a ~ off my mind* zijn vertrek is een pak van mijn hart **4** belang, invloed: *worth one's ~ in gold* zijn gewicht in goud waard **5** grootste deel, hoofddeel, grootste nadruk: *the ~ of evidence is against them* het grootste gedeelte van het bewijsmateriaal spreekt in hun nadeel || *carry* ~ gewicht in de schaal leggen, van belang zijn; *give ~ to* versterken, extra bewijs leveren voor; *pull one's ~* *(fig)* (ieder) zijn steentje bijdragen; *throw one's ~ about* (of: *around*) zich laten gelden, gewichtig doen

[2]**weight** [weet] *tr* **1** verzwaren *(ook mbt stof)* **2** beladen *(ook fig);* gebukt doen gaan: *~ed down with many parcels* beladen met veel pakjes

weightlifter gewichtheffer

weight-watcher lijner, iem die goed op zijn lichaamsgewicht let

weighty [weetie] **1** zwaar **2** belangrijk, zwaarwegend **3** invloedrijk, gezaghebbend

weir [wieː] **1** (stuw)dam **2** (vis)weer

weird [wied] raar, gek, vreemd, eng

weirdo [wiedoo] *(mv: ~es)* rare (snuiter)

[1]**welcome** [welkem] *zn* **1** welkom, verwelkoming **2** onthaal: *they gave the speaker a hearty ~* zij heetten de spreker hartelijk welkom; *bid s.o. ~* iem welkom heten || *outstay one's ~* langer blijven dan men welkom is, blijven plakken

[2]**welcome** [welkem] *bn* **1** welkom, aangenaam: ~ *change* welkome verandering **2** *(ongev)* vrij: *you're ~ to the use of my books* je mag mijn boeken gerust gebruiken || *'thank you' - 'you're ~'* 'dank u' - 'geen dank'; ~ *home,* ~ *back* welkom thuis

[3]**welcome** [welkem] *tr* **1** verwelkomen, welkom heten **2** (gunstig) onthalen: *we'd ~ a change* we zouden een verandering toejuichen

[1]**weld** [weld] *zn* las(naad)

[2]**weld** [weld] *tr* **1** lassen **2** samenvoegen, aaneensmeden || *this iron ~s well* dit ijzer laat zich goed lassen

welfare [welfeː] **1** welzijn, welvaart, voorspoed **2** maatschappelijk werk, welzijnszorg **3** bijstand: *be on ~* van de bijstand leven

welfare state verzorgingsstaat, welvaartsstaat

welfare work maatschappelijk werk, welzijnszorg

[1]**well** [wel] *zn* **1** put, diepe ruimte, diepte, kuil **2** boorput, oliebron **3** koker, schacht

[2]**well** [wel] *bn (better, best)* **1** gezond, goed, beter, wel: *she's feeling ~ again* zij voelt zich weer goed **2** goed, in orde, naar wens: *all's ~ that ends ~* eind goed, al goed; ~ *enough* goed genoeg **3** raadzaam, wenselijk: *it would be (just) as ~ to confess your little accident* je kan het beste je ongelukje maar opbiechten || *all very ~ (, but)* alles goed en wel (maar), dat kan wel zijn (maar) *(maar); she's ~ in with my boss* zij staat in een goed blaadje bij mijn baas

[3]**well** [wel] *intr* vloeien, (op)wellen

[4]**well** [wel] *bw (better, best)* **1** op de juiste manier, goed, naar wens: *behave ~* zich goed gedragen **2** zorgvuldig, grondig, door en door: ~ *cooked* goed gaar **3** ver, ruim, zeer, een eind: ~ *in advance* ruim van tevoren; *the exhibition was ~ worth visiting* de tentoonstelling was een bezoek meer dan waard **4** gunstig, vriendelijk, goedkeurend: *treat s.o. ~* iem vriendelijk behandelen **5** redelijkerwijze, met recht: *I cannot very ~ refuse to help him* ik kan moeilijk weigeren om hem te helpen **6** verstandig || *be ~ off: a)* er warmpjes bijzitten; *b)* geluk hebben; ~ *and truly* helemaal; *be ~ out of it* er goed van af komen *(mbt iets vervelends); as ~* ook, evenzeer, net zo lief (*of:* goed); *as ~ as* zowel ... als, en, niet alleen ... maar ook; *in theory as ~ as in practice* zowel in theorie als in de praktijk; *wish s.o. ~* iem succes toewensen; *leave* (of: *let*) ~ *alone* laat maar zo, het is wel goed zo

[5]**well** [wel] *tw* **1** zo, nou, wel: ~, *what a surprise* zó, wat een verrassing **2** nou ja, goed dan; jawel *(maar): ~, if she loves the boy* nou ja, als ze van de jongen houdt **3** goed, nu || *oh ~, you can't win them all* nou ja, je kan niet altijd winnen; ~ *then?* wel?, nu?

we'll [wie:l] *samentr van we shall, we will*

well-advised verstandig, raadzaam

well-appointed goed ingericht, goed voorzien

well-being welzijn, gezondheid, weldadig gevoel
well-bred welopgevoed, beschaafd, welgemanierd
well-disposed *(met towards)* welwillend (jegens), vriendelijk (tegen), gunstig gezind
well-fed 1 goed gevoed 2 weldoorvoed, dik, gezet
well-heeled rijk, vermogend
wellie [wellie] rubberlaars
well-informed 1 goed op de hoogte, onderlegd 2 goed ingelicht, welingelicht
wellington [wellingten] rubberlaars, kaplaars
well-known bekend, overal bekend
well-meaning goedbedoeld, welgemeend
well-nigh bijna, vrijwel: *it's ~ impossible* het is vrijwel onmogelijk
well off rijk, welgesteld: *you don't know when you're ~* je hebt geen idee hoe goed je 't hebt
well-oiled dronken, in de olie
well-preserved goed geconserveerd *(van ouder iem): grandfather looks ~ at 93* grootvader ziet er nog goed uit op zijn 93e
well-read [welred] belezen
wellspring (onuitputtelijke) bron
well-timed op het juiste moment (gedaan, gezegd, komend)
well-to-do rijk, bemiddeld
well-tried beproefd
well-worn afgezaagd, cliché(matig), alledaags
welsh [welsj] zijn woord niet houden, verplichtingen niet nakomen: *~ on debts* schulden niet (af)betalen
[1]**Welsh** [welsj] *zn* bewoners van Wales
[2]**Welsh** [welsj] *bn* Wels, van Wales, in het Wels || *~ rabbit, ~ rarebit* toast met gesmolten kaas
welsher [welsje] bedrieger; oplichter *(van bookmaker)*
Welshman [welsjmen] bewoner van Wales
[1]**welter** [welte] *zn* mengelmoes, enorm aantal, enorme hoeveelheid
[2]**welter** [welte] *intr* zich rollen; zich wentelen *(ook fig)*
welterweight (bokser uit het) weltergewicht
went [went] *ovt van* go
wept [wept] *ovt en volt dw van* weep
were [we:] *ovt van* be
we're [wie] *samentr van we are*
weren't [we:nt] *samentr van were not*
[1]**west** [west] *zn* het westen: *the West* het westelijk gedeelte
[2]**west** [west] *bn* westelijk, west(en)-: *~ wind* westenwind
[3]**west** [west] *bw* in, uit, naar het westen, ten westen
westbound in westelijke richting (gaand, reizend)
West Country het zuidwesten van Engeland
[1]**westerly** [westelie] *zn* westenwind
[2]**westerly** [westelie] *bn* westelijk
[1]**western** [westen] *zn* western, wildwestfilm, wildwestroman
[2]**western** [westen] *bn* westelijk, west(en)-
westerner [westene] westerling
westward(s) [westwed] westwaarts, westelijk
[1]**wet** [wet] *zn* 1 nat weer, regen 2 nattigheid, vocht, vochtigheid 3 sukkel, doetje
[2]**wet** [wet] *bn* 1 nat, vochtig: *~ paint* nat, pas geverfd; *~ through, wringing ~* kletsnat, helemaal doorweekt 2 regenachtig, nat 3 *(inform)* slap, sullig, sloom || *~ blanket: a)* domper, koude douche; *b)* spelbreker; *~ dream* natte droom; *he is still ~ behind the ears* hij is nog niet droog achter de oren
[3]**wet** [wet] *tr (ook wet, wet)* 1 nat maken, bevochtigen 2 plassen in *(bed e.d.): ~ the bed* bedwateren; *he has ~ his pants again* hij heeft weer in zijn broek geplast
wetting [wetting] het nat (gemaakt) worden: *get a ~* een bui op zijn kop krijgen
we've [wie:v] *samentr van we have*
[1]**whack** [wek] *zn* 1 klap, mep, dreun 2 (aan)deel, portie 3 poging: *let me have a ~ at it* laat mij het eens proberen
[2]**whack** [wek] *tr* een mep geven, een dreun verkopen
whacked [wekt] doodmoe, uitgeteld, kapot
whacking [weking] *(inform)* enorm, kolossaal
whale [weel] walvis || *a ~ of a time* een reusachtige tijd; *they had a ~ of a time* ze hebben een geweldige lol gehad
whalebone balein
whaling [weeling] walvisvangst
wham [wem] klap, slag, dreun || *~!* knal!, boem!
wharf [wo:f] *(mv: ook wharves)* kade, aanlegsteiger
wharves [wo:vz] *mv van* wharf
what [wot] 1 wat: *~'s the English for 'gezellig'?* wat is 'gezellig' in het Engels?; *no matter ~* hoe dan ook; *~ do you call that?* hoe heet dat?; *books, clothes, records and ~ have you* boeken, kleren, platen en wat nog allemaal; *~ of it?* en wat (zou dat) dan nog?; *~ about an ice-cream?* wat zou je denken van een ijsje?; *~ did he do that for?* waarom deed hij dat?; *~ if I die?* stel dat ik doodga, wat dan? 2 wat, dat(gene) wat, hetgeen: *~'s more* bovendien, erger nog; *say ~ you will* wat je ook zegt 3 welke, wat voor, welke (ook), die, dat: *~ work we did was worthwhile* het beetje werk dat we deden was de moeite waard; *~ books do you read?* wat voor boeken lees je? 4 *(in uitroepen)* wat (voor), welk (een): *~ a delicious meal!* wat een lekkere maaltijd! || *and ~ not* en wat al niet, enzovoorts enzovoorts; *so ~?* nou en?, wat dan nog?
whatchamecallit [wotsjemekollit] hoe-heet-het-ook-alweer, dingetje
whatever 1 alles wat, wat ook: *I'll stay ~ happens* ik blijf, wat er ook gebeurt 2 om het even wat (welke), wat (welke) dan ook: *have you found your scarf or ~* heb je je sjaal of wat je ook kwijt was gevonden; *any colour ~* om het even welke kleur

3 *(geplaatst na het naamwoord; in vraag of ontkenning)* helemaal, totaal, überhaupt: *no-one ~* helemaal niemand **4** wat (toch): *~ happened?* wat is er in 's hemelsnaam gebeurd?; *~ for?* waarom toch?

whatnot [wotnot] wat al niet, noem maar op: *she bought books, records and ~* ze kocht boeken, platen en noem maar op

whatsisname [wotshizneem] hoe-heet-ie-ook-alweer, dinges

wheat [wie:t] tarwe || *separate the ~ from the chaff* het kaf van het koren scheiden

wheaten [wie:tn] tarwe-: *~ products* tarweproducten

wheatmeal tarwemeel, volkoren tarwemeel

¹wheedle [wie:dl] *intr* flikflooien, vleien

²wheedle [wie:dl] *tr* **1** (met *into*) met gevlei overhalen (tot) **2** (met *out of*) aftroggelen, afvleien: *~ a promise out of s.o.* iem zover krijgen dat hij een belofte doet

¹wheel [wie:l] *zn* **1** wiel, rad, draaischijf **2** stuur, stuurrad, stuurwiel, roer: *at* (of: *behind*) *the ~* aan het roer, achter het stuur, *(fig)* aan de leiding **3** auto, kar: *on ~s* per auto, met de wagen || *there are ~s within ~s* het zit zeer ingewikkeld in elkaar

²wheel [wie:l] *intr* **1** rollen, rijden **2** (ook met *(a)round, about)* zich omkeren, zich omdraaien, van richting veranderen **3** cirkelen; in rondjes vliegen *(van vogels)* || *~ing and dealing* ritselen, gesjacher, gemarchandeer

³wheel [wie:l] *tr* duwen, trekken *(iets op wieltjes);* (ver)rijden, rollen: *they ~ed the patient back to his room* ze reden de patiënt terug naar zijn kamer

wheelbarrow kruiwagen

wheelchair rolstoel

wheelhouse stuurhut, stuurhuis

¹wheeze [wie:z] *zn* **1** gepiep *(van ademhaling)* **2** grap, geintje **3** plannetje, idee

²wheeze [wie:z] *intr* **1** piepen, fluiten(d ademhalen) **2** hijgen, puffen

whelp [welp] jong, puppy, welp

¹when [wen] *bw* **1** *(vragend)* wanneer: *~ will I see you?* wanneer zie ik je weer? **2** wanneer, waarop, dat: *the day ~ I went to Paris* de dag waarop ik naar Parijs ging || *(bij 't inschenken) say ~* zeg maar ho; *since ~ has he been here?* sinds wanneer is hij al hier?

²when [wen] *vw* **1** toen: *she came ~ he called* ze kwam toen hij riep; *~ I was a little girl* toen ik een klein meisje was **2** als, wanneer: *he laughs ~ you tickle him* hij lacht (telkens) als je hem kietelt **3** als (het zo is dat): *why use gas ~ it can explode?* waarom gas gebruiken als (je weet dat) het kan ontploffen? **4** hoewel, terwijl, ondanks (het feit) dat: *the part was plastic ~ it ought to have been made of leather* het onderdeel was van plastic hoewel het van leer had moeten zijn

whenever **1** telkens wanneer, wanneer ook, om het even wanneer: *~ we meet he turns away* iedere keer als wij elkaar tegenkomen, draait hij zich om **2** wanneer (toch, in 's hemelsnaam): *~ did I say that?* wanneer in 's hemelsnaam heb ik dat gezegd?

where [weə] **1** *(vragend)* waar; waar(heen, -in, -op) *(ook fig)*: *~ are you going?* waar ga je naartoe? **2** (al)waar, waarheen: *Rome, ~ once Caesar reigned* Rome, alwaar eens Caesar heerste **3** daar waar, in die omstandigheden waar, waarbij: *nothing has changed ~ Rita is concerned* er is niets veranderd wat Rita betreft **4** terwijl, daar waar: *~ she was shy her brother was talkative* terwijl zij verlegen was, was haar broer spraakzaam

whereabouts [weərəbauts] verblijfplaats, plaats waar iem (iets) zich bevindt

whereas [weərez] hoewel, daar waar, terwijl

whereof waarvan: *the things ~ he spoke* de dingen waarover hij sprak

whereupon waarna, waarop: *he emptied his glass, ~ he left* hij dronk zijn glas leeg, waarna hij vertrok

wherever [weərevvə] **1** waar (toch, in 's hemelsnaam): *~ can John be?* waar kan John toch zijn? **2** waar ook, overal waar: *I'll think of you ~ you go* ik zal aan je denken waar je ook naartoe gaat

wherewithal middelen, (benodigde) geld: *I don't have the ~* ik heb er geen geld voor

whet [wet] wetten, slijpen, (aan)scherpen

whether [weðə] **1** of: *she wondered ~ he would be in* ze vroeg zich af of hij thuis zou zijn; *he wasn't sure ~ to buy it* hij wist niet of hij het wel zou kopen **2** (met *or*) of(wel), zij het, hetzij: *~ he is ill or not I shall tell him* of hij nu ziek is of niet, ik zal het hem zeggen

whetstone wetsteen, slijpsteen

which [witsj] **1** welk(e): *~ colour do you prefer?* welke kleur vind je het mooist? **2** welke (ervan), wie, wat: *he could not tell ~ was ~* hij kon ze niet uit elkaar houden **3** die, dat, welke, wat: *the clothes ~ you ordered* de kleren die je besteld hebt **4** wat, hetgeen, (iets) wat: *he said they were spying on him, ~ is sheer nonsense* hij zei dat ze hem bespioneerden, wat klinkklare onzin is

whichever om het even welk(e), welk(e) ook, die(gene) die: *~ way you do it* hoe je het ook doet

¹whiff [wif] *zn* **1** vleug *(van geur)*; zweem; flard *(van rook)*; zuchtje *(van lucht, wind)*; spoor *(ook fig)* **2** teug, het opsnuiven, het inademen **3** sigaartje

²whiff [wif] *intr* (onaangenaam) ruiken, rieken

¹while [wajl] *zn* tijd(je), poos(je): *a good ~* geruime tijd; *worth ~* de moeite waard; *they will make it worth your ~* je zult er geen spijt van hebben; *(every) once in a ~* af en toe, een enkele keer; *we haven't seen her for a long ~* wij hebben haar lang niet gezien; *(for) a ~* een tijdje, een ogenblik

²while [wajl] *vw* **1** terwijl, zolang als: *~ I cook the meal you can clear up* terwijl ik het eten maak kun jij opruimen **2** *(tegenstelling)* terwijl, hoewel, daar waar: *~ she has the talent she does not have*

the perseverance hoewel ze het talent heeft, zet ze niet door

whilst [wajlst] *zie* ²while

whim [wim] gril, opwelling, bevlieging

¹**whimper** [wimpe] *zn* zacht gejank, gejammer: *without a ~* zonder een kik te geven

²**whimper** [wimpe] *intr* janken, jammeren

whimsical [wimzikl] grillig, eigenaardig, fantastisch

whimsicality [wimzikelittie] **1** gril, kuur **2** grilligheid

whimsy [wimzie] **1** gril, kuur, opwelling **2** eigenaardigheid

¹**whine** [wajn] *zn* gejammer, gejengel

²**whine** [wajn] *intr* **1** janken, jengelen **2** zeuren, zaniken

whinge [windzj] mopperen, klagen, zeuren

¹**whinny** [winnie] *zn* hinnikend geluid, gehinnik

²**whinny** [winnie] *intr* hinniken

¹**whip** [wip] *zn* zweep, karwats, gesel

²**whip** [wip] *ww* **1** snel bewegen, snellen, schieten: *she ~ped off her coat* zij gooide haar jas uit; *~ up: a)* snel oppakken; *b)* snel in elkaar draaien (*of:* flansen); *he ~ped round the corner* hij schoot de hoek om **2** overhands naaien **3** zwepen *(ook fig);* (met de zweep) slaan, ranselen: *the rain ~ped the windows* de regen striemde tegen de ramen **4** kloppen *(slagroom enz.);* stijf slaan: *~ped cream* slagroom **5** verslaan, kloppen, in de pan hakken

whip hand: *have (got) the ~ of* (of: *over*) de overhand hebben over

whiplash injury zweepslagtrauma

whipping [wipping] pak slaag, aframmeling

whippy [wippie] veerkrachtig, buigzaam

whip-round inzameling: *have a ~* de pet laten rondgaan

¹**whirl** [we:l] *zn* **1** werveling, draaikolk **2** verwarring, roes: *my thoughts are in a ~* het duizelt mij **3** drukte, gewoel, maalstroom: *a ~ of activity* koortsachtige bedrijvigheid **4** poging: *give it a ~* probeer het eens een keer

²**whirl** [we:l] *intr* **1** tollen, rondtuimelen: *my head ~s* het duizelt mij **2** stormen, snellen, stuiven

³**whirl** [we:l] *tr, intr* ronddraaien, wervelen, (doen) dwarrelen: *he ~ed round* hij draaide zich vliegensvlug om

whirligig [we:likik] **1** tol *(speelgoed);* molentje **2** draaimolen, carrousel

whirlpool **1** draaikolk **2** wervelbad, bubbelbad

¹**whirlwind** *zn* wervelwind, windhoos

²**whirlwind** *bn* bliksem-, zeer snel: *a ~ campaign* een bliksemcampagne

¹**whirr** [we:] *zn* gegons, gezoem, gesnor

²**whirr** [we:] *intr* gonzen, zoemen, snorren

¹**whisk** [wisk] *zn* **1** kwast, plumeau, borstel **2** garde, (eier)klopper

²**whisk** [wisk] *tr* **1** zwaaien, zwiepen **2** (ook met *up*) (op)kloppen, stijf slaan

whisk away **1** wegvegen, wegslaan **2** snel wegvoeren, snel weghalen: *the children were whisked off to bed* de kinderen werden snel in bed gestopt

whisker [wiske] **1** snorhaar; snorharen *(van kat enz.)* **2** *~s* bakkebaard(en) || *win by a ~* met een neuslengte winnen

whiskey [wiskie] *(Am, Ier)* (glas) whisky

whisky [wiskie] (glas) whisky

¹**whisper** [wispe] *zn* **1** gefluister; geruis *(van wind): in a ~, in ~s* fluisterend **2** gerucht, insinuatie **3** het fluisteren, fluistering

²**whisper** [wispe] *ww* fluisteren, ruisen, roddelen

¹**whistle** [wisl] *zn* **1** fluit, fluitje **2** gefluit, fluitend geluid || *wet one's ~* de keel smeren *(met drank); blow the ~ on sth.: a)* een boekje opendoen over iets; *b)* een eind maken aan

²**whistle** [wisl] *ww* fluiten, een fluitsignaal geven || *~ up* in elkaar flansen, uit het niets tevoorschijn roepen

whit [wit] grein, sikkepit: *not a ~* geen zier, geen steek

¹**white** [wajt] *zn* **1** wit *(ook schaakspel, damspel);* het witte **2** oogwit **3** blanke

²**white** [wajt] *bn* **1** wit, bleek, blank: *~ Christmas* witte kerst; *~ coffee* koffie met melk; *~ as a sheet* lijkbleek, wit als een doek; *~ tie: a)* wit strikje *(van rokkostuum); b)* rokkostuum **2** blank *(van mens)* || *~ ant* termiet; *~ elephant: a)* witte olifant; *b)* kostbaar maar nutteloos bezit (*of:* geschenk); *c)* weggegooid geld; *~ ensign* Britse marinevlag; *show the ~ feather* zich lafhartig gedragen; *~ hope* iem van wie men grote verwachtingen heeft; *~ lie* leugentje om bestwil; *White Paper* witboek; *~ spirit* terpentine; *bleed s.o. ~* iem uitkleden, iem het vel over de oren halen

white-collar witte boorden-, hoofd-: *~ job* kantoorbaan; *~ staff* administratief personeel

Whitehall [wajtho:l] Whitehall; *(fig)* de (Britse) regering; Londen

white-hot witheet, witgloeiend

White House [wajt haus] Witte Huis; *(fig)* Amerikaanse president

¹**whiten** [wajtn] *intr* wit worden, opbleken

²**whiten** [wajtn] *tr* witten, bleken

¹**whitewash** *zn* **1** witkalk, witsel **2** vergoelijking, dekmantel

²**whitewash** *tr* **1** witten **2** vergoelijken **3** witwassen

whither [wiðe] **1** *(vragend)* waarheen, waarnaartoe **2** naar daar waar, naar ergens waar: *he knew ~ she had gone* hij wist waar zij heengegaan was

Whit Monday [witmundee] pinkstermaandag, tweede pinksterdag

Whitsun [witsn] Pinksteren

Whit Sunday pinksterzondag

whittle [witl] *(met away, down)* (af)snijden *(hout);* snippers afsnijden van, besnoeien; *(fig)* reduceren; beknibbelen

¹**whiz(z)** [wiz] *zn (mv: whizzes)* gefluit, het zoeven, gesuis

²**whiz(z)** [wiz] *intr* zoeven, fluiten, suizen: *they*

~*ed past* zij zoefden voorbij

whiz(z)kid briljant jongmens, genie, wonder

who [hoe:] **1** die, wie: *anyone ~ disagrees* wie niet akkoord gaat **2** om het even wie, wie dan ook **3** wie: *~ cares* wat maakt het uit; *~ knows what he'll do next* wie weet wat hij nog zal doen

whodun(n)it [hoe:dunnit] detective(roman), detectivefilm

whoever **1** wie (toch): *~ can that be?* wie kan dat toch zijn? **2** om het even wie, wie (dan) ook, al wie: *~ you meet, don't speak to them* wie je ook tegenkomt, spreek hen niet aan

[1]**whole** [hool] *zn* geheel, totaal: *on the ~* alles bij elkaar, in het algemeen; *the ~ of Boston* heel Boston

[2]**whole** [hool] *bn* **1** (ge)heel, totaal, volledig: *~ number* heel getal; *swallow sth. ~* iets in zijn geheel doorslikken, *(fig)* iets voor zoete koek aannemen **2** geheel, gaaf, gezond || *go (the) ~ hog* tot het einde toe doorgaan, geen half werk doen; *a ~ lot of people* een heleboel mensen; *(Am) the ~ shebang* het hele zootje

[3]**whole** [hool] *bw* totaal, geheel: *a ~ new life* een totaal nieuw leven

wholehearted hartgrondig

[1]**wholesale** [hoolseel] *zn* groothandel

[2]**wholesale** [hoolseel] *bn* **1** in het groot, groothandel-, grossiers-: *sell ~* in het groot verkopen **2** massaal, op grote schaal: *~ slaughter* massamoord

wholesaler [hoolseelə] groothandelaar, grossier

wholesome [hoolsəm] **1** gezond, heilzaam **2** nuttig *(advies)*

wholewheat volkoren

who'll [hoe:l] *samentr van who will*

wholly [hoolie] geheel, volledig, totaal

whom [hoe:m] **1** wie: *tell ~ you like* zeg het aan wie je wil **2** die, wie: *your father is a man for ~ I have immense respect* jouw vader is iemand voor wie ik enorm veel respect heb

[1]**whoop** [woe:p] *zn* uitroep; kreet *(van vreugde)*

[2]**whoop** [woe:p] *ww* schreeuwen, roepen; een kreet slaken *(van vreugde)* || *~ it up* uitbundig feestvieren

whoopee [woepie:]: *make ~* keet maken, aan de zwier gaan

whooping cough [hoe:ping kof] kinkhoest

[1]**whoosh** [woe:sj] *zn* gesuis, geruis, gesis

[2]**whoosh** [woe:sj] *intr* suizen, ruisen, sissen

whop [woop] afranselen, slaan; *(fig)* verslaan

whopper [woppə] **1** kanjer **2** grove leugen

whopping [wopping] *(inform)* kolossaal, geweldig: *a ~ (great) lie* een kolossale leugen

whore [ho:] *(inform)* hoer

whorehouse bordeel

whorl [wo:l] **1** krans *(van bladeren rond stam)* **2** spiraal *(van schelp, vingerafdruk)*

who's [hoe:z] *samentr van who is, who has, who does*

whose [hoe:z] van wie, wat, welke, waarvan, wiens, wier: *~ cap is this?* wiens pet is dit?, wie zijn pet is dit?; *a writer ~ books are all bestsellers* een schrijver wiens boeken allemaal bestsellers zijn; *children ~ parents work at home* kinderen wier, van wie de ouders thuis werken

[1]**why** [waj] *bw* waarom, om welke reden: *~ not ask him?* waarom vraag je het (hem) niet gewoon? || *the ~s and wherefores* het hoe en waarom

[2]**why** [waj] *tw (bij verrassing)* wel allemachtig: *~, if it isn't Mr Smith* wie we daar hebben! Meneer Smith! || *~, a child could answer that* nou zeg, een kind zou dat weten

wick [wik] wiek, pit; kousje *(van lamp);* katoen || *get on s.o.'s ~* iem op de zenuwen werken

wicked [wikkid] **1** slecht, verdorven, zondig: *~ prices* schandelijk hoge prijzen **2** kwaadaardig; gemeen *(tong)* **3** schadelijk; kwalijk *(hoest);* gevaarlijk *(storm);* streng *(winter)*

wicker [wikkə] vlechtwerk

wicket [wikkit] deurtje, hekje || *(fig) bat* (of: *be*) *on a sticky ~* zich in een moeilijk parket bevinden

[1]**wide** [wajd] *bn* **1** wijd, breed **2** ruim, uitgestrekt, veelomvattend; rijk *(ervaring);* algemeen *(kennis): he has ~ interests* hij heeft een brede interesse **3** wijd open *(ogen): keep your eyes ~* houd je ogen wijd open **4** ernaast, mis; ver naast *(schot, gissing): ~ of the mark* compleet ernaast, irrelevant; *the dart went ~ of the target* het pijltje ging ver naast het doel || *~ boy* gladde jongen; *give s.o. (sth.) a ~ berth* iem (iets) uit de weg blijven

[2]**wide** [wajd] *bw* **1** wijd, breed **2** helemaal, volledig

wide-angle groothoek-

widely [wajdlie] **1** wijd (uiteen), ver uit elkaar **2** breed, over een groot gebied; *(ook fig)* op vele gebieden: *~ known* wijd en zijd bekend **3** sterk, heel, erg: *differ ~* sterk verschillen

widen [wajdn] breder worden, maken

wide-ranging breed opgezet, van grote omvang

[1]**widow** [widdoo] *zn* weduwe

[2]**widow** [widdoo] *tr* tot weduwe (weduwnaar) maken: *her ~ed father* haar vader, die weduwnaar is

widower [widdooə] weduwnaar

width [witθ] breedte

wield [wie:ld] **1** uitoefenen; bezitten *(macht, invloed)* **2** hanteren; gebruiken *(gereedschap)*

wife [wajf] *(mv: wives)* vrouw, echtgenote: *(inform) the ~* vrouwlief, mijn vrouw

wig [wik̂] pruik

[1]**wiggle** [wik̂l] *zn* gewiebel

[2]**wiggle** [wik̂l] *intr* **1** wiebelen **2** wriemelen, kronkelen

[3]**wiggle** [wik̂l] *tr* doen wiebelen, op en neer bewegen, heen en weer bewegen: *~ one's toes* zijn tenen bewegen

[1]**wild** [wajld] *zn* **1** woestenij, wildernis: *(out) in the ~s* in de wildernis **2** (vrije) natuur, natuurlijke staat: *in the ~* in het wild

[2]**wild** [wajld] *bn* **1** wild, ongetemd: *~ flower* wilde bloem **2** barbaars, onbeschaafd: *the Wild West* het wilde westen; *run ~* verwilderen *(van tuin bijv.)*

3 onbeheerst, losbandig **4** stormachtig; guur *(van weer, zee)* **5** woest; onherbergzaam *(van streek)* **6** dol, waanzinnig: *the ~est nonsense* je reinste onzin **7** woest, woedend: *~ with anger* razend van woede **8** wanordelijk; verward *(van haar)* **9** fantastisch *(van idee)*; buitensporig: *the ~est dreams* de stoutste dromen **10** roekeloos, gewaagd **11** woest, enthousiast: *she's ~ about him* ze is weg van hem || *a ~ guess* een gok in het wilde weg; *~ horses wouldn't drag it from me!* voor geen geld ter wereld vertel ik het; *~ camping* vrij kamperen
wild card jokerteken
[1]**wildcat** *zn* **1** wilde kat, boskat **2** heethoofd; kat *(vrouw)*
[2]**wildcat** *bn* **1** onsolide *(bank, firma)*; (financieel) onbetrouwbaar **2** wild; onofficieel *(van staking)*
wilderness [wildenes] wildernis *(ook fig)*
wildfire [wajldfajje]: *spread like ~* als een lopend vuurtje (rondgaan)
wildfowl wild gevogelte *(waterwild)*
wild-goose chase dwaze onderneming: *be on a ~* met een dwaze onderneming bezig zijn; *send s.o. on a ~* iem misleiden
wile [wajl] list, (sluwe) streek
wilful [wilfoel] **1** koppig, eigenzinnig **2** opzettelijk, expres: *~ murder* moord met voorbedachten rade
wiliness [wajlienes] sluwheid
[1]**will** [wil] *zn* **1** testament: *his last ~ (and testament)* zijn laatste wilsbeschikking; *she has a ~ of her own* ze heeft een eigen willetje; *he did it of his own free ~* hij deed het uit vrije wil **2** wil, wilskracht, wens, verlangen: *good* (of: *ill*) *~* goede (*of:* slechte) wil || *at ~* naar goeddunken; *with a ~* vastberaden, enthousiast
[2]**will** [wil] *ww (would)* **1** willen, wensen, verlangen: *God ~ing* als God het wil; *whether she ~ or no* of ze wil of niet **2** willen, zullen: *(nadrukkelijk) I said I would do it and I ~* ik heb gezegd dat ik het zou doen en ik zal het ook doen; *~ you hurry up, please?* wil je opschieten, alsjeblieft?; *that ~ be John* dat zal John wel zijn; *I ~ lend you a hand* ik zal je een handje helpen **3** *(gewoonte, herhaling)* plegen, kunnen: *accidents ~ happen* ongelukken zijn niet te vermijden **4** kunnen, in staat zijn te: *this ~ do* zo is het genoeg **5** zullen, moeten: *you ~ do as I say* je zult doen wat ik zeg
willies [williez] kriebels, de zenuwen: *give s.o. the ~* iem op de zenuwen werken
willing [willing] gewillig, bereid(willig): *~ workers* werkwilligen; *I am ~ to admit that …* ik geef grif toe dat …
willow [willoo] wilg
willowy [willooie] slank, soepel, elegant
will power wilskracht: *by sheer ~* door louter wilskracht
willy-nilly [willienillie] goedschiks of kwaadschiks: *~, he was sent to Spain for a year* hij werd voor een jaar naar Spanje gestuurd, of hij nu wilde of niet
wilt [wilt] **1** (doen) verwelken, (doen) verdorren **2** hangerig worden, lusteloos worden
wily [wajlie] sluw, listig, slim
wimp [wimp] sul, doetje
[1]**win** [win] *zn* overwinning
[2]**win** [win] *intr (won, won)* zegevieren, de overwinning behalen, (het) winnen: *~ hands down* op zijn gemak winnen; *~ out* (of: *through*) zich erdoorheen slaan, het (uiteindelijk) winnen
[3]**win** [win] *tr (won, won)* **1** winnen *(wedstrijd, prijs enz.)*: *you can't ~ 'em all* je kunt niet altijd winnen **2** verkrijgen, verwerven; behalen *(zege, roem, eer)*; winnen *(vriendschap, vertrouwen)*; ontginnen *(mijn, ader)*; winnen *(erts, olie)*: *~ back* terugwinnen **3** overreden, overhalen: *~ s.o. over* iem overhalen
[1]**wince** [wins] *zn* huivering *(van pijn, angst)*
[2]**wince** [wins] *intr* huiveren; ineenkrimpen *(van pijn enz.)*; terugdeinzen: *~ at s.o.'s words* van iemands woorden huiveren
[1]**winch** [wintsj] *zn* windas, lier
[2]**winch** [wintsj] *ww* opwinden met een windas
[1]**wind** [wind] *zn* **1** wind, luchtstroom, tocht, rukwind: *(fig) take the ~ from* (of: *out of*) *s.o.'s sails* iem de wind uit de zeilen nemen; *fair ~* gunstige wind **2** windstreek, windrichting **3** adem(haling), lucht: *get back* (of: *recover*) *one's ~* (weer) op adem komen **4** (buik)wind, darmgassen: *break ~* een wind laten **5** *~s* blazers(sectie) || *get ~ of sth.* ergens lucht van krijgen; *(see) how the ~ blows* (of: *lies*) (kijken) uit welke hoek de wind waait; *(inform) get* (of: *have*) *the ~ up* hem knijpen, in de rats zitten; *(inform) put the ~ up* de stuipen op het lijf jagen; *(sail) near the ~* scherp (bij de wind) (zeilen), *(fig)* de grens van het toelaatbare (raken); *there's sth. in the ~* er is iets aan de hand; *second ~* het weer op adem komen, (nieuwe) energie (voor tweede krachtsinspanning)
[2]**wind** [wajnd] *intr (wound, wound)* **1** kronkelen, zich slingeren: *the river ~s through the landscape* de rivier kronkelt door het landschap **2** spiralen, zich draaien: *~ing staircase* (of: *stairs*) wenteltrap
[3]**wind** [wind] *tr* buiten adem brengen; naar adem laten snakken *(door een stomp)*
[4]**wind** [wajnd] *tr (wound, wound)* **1** winden, wikkelen, (op)rollen: *~ back* terugspoelen; *~ in* binnenhalen, inhalen *(van vis(lijn))* **2** omwinden, omwikkelen **3** opwinden: *~ one's watch* zijn horloge opwinden
[5]**wind** [wajnd] *tr, intr (wound, wound)* winden, spoelen, draaien || *~ on (a film)* (een filmpje) doorspoelen
windbag [windbeǩ] *(inform)* kletsmajoor
windbreak beschutting (tegen de wind)
windchill gevoelstemperatuur, windverkilling
[1]**wind down** [wajnd daun] *intr* zich ontspannen, uitrusten
[2]**wind down** [wajnd daun] *tr* **1** omlaagdraaien: *~ a car window* een portierraampje naar beneden

draaien **2** terugschroeven, verminderen
windfall 1 afgewaaide vrucht **2** meevaller, mazzeltje, erfenisje
wind farm windmolenpark
winding-up [wajndingup] liquidatie, opheffing
wind instrument blaasinstrument
windmill [windmil] **1** windmolen, windturbine **2** (speelgoed)molentje || *fight* (of: *tilt*) *at ~s* tegen windmolens vechten
window [windoo] **1** raam, venster, ruit **2** etalage
window dressing 1 het etaleren, etalage **2** etalage(-inrichting), etalagemateriaal
window-pane (venster)ruit
window-shop etalages kijken: *go ~ping* etalages gaan kijken
windowsill vensterbank, raamkozijn
windpipe luchtpijp
windscreen voorruit *(van auto)*
windshield 1 windscherm *(van motor, scooter)* **2** *(Am)* voorruit *(van auto)*
windshield wiper *(Am)* ruitenwisser
windsock windzak *(op vliegveld)*
windsurfing windsurfen
windswept 1 winderig, door de wind geteisterd **2** verwaaid, verfomfaaid
[1]**wind up** [wajnd up] *intr* **1** eindigen (als), terechtkomen (in), worden (tot): *he'll ~ in prison* hij belandt nog eens in de gevangenis **2** sluiten, zich opheffen
[2]**wind up** [wajnd up] *tr* **1** opwinden; opdraaien *(van veermechanisme): ~ an alarm* een wekker opwinden **2** omhoogdraaien, ophalen, ophijsen **3** opwinden, opzwepen: *get wound up* opgewonden raken
[3]**wind up** [wajnd up] *tr, intr* besluiten, beëindigen, afronden: *~ a conversation* (of: *project*) een gesprek (*of:* project) beëindigen; *winding up* tot besluit, samenvattend
[1]**windward** [windwed] *zn* loef(zijde)
[2]**windward** [windwed] *bn* **1** loef-, wind-: *~ side* loefzijde, windzijde **2** windwaarts, tegen de wind (in)
[3]**windward** [windwed] *bw* windwaarts, tegen de wind in
windy [windie] **1** winderig, open, onbeschut **2** winderig, opgeblazen; gezwollen *(van woorden e.d.)* **3** bang
wine [wajn] wijn
[1]**wing** [wing] *zn* **1** vleugel: *(fig) spread* (of: *stretch*) *one's ~s* op eigen benen gaan staan; *(fig) take under one's ~s* onder zijn vleugels nemen **2** *(bouwk)* vleugel, zijstuk **3** *(mil)* vleugel, flank **4** *(pol; fig)* (partij)vleugel **5** *(voetbal, rugby; fig)* vleugel(speler) **6** *~s* coulisse: *in the ~s* achter de schermen || *clip s.o.'s ~s* iem kortwieken; *on the ~* in de vlucht
[2]**wing** [wing] *tr* **1** van vleugels voorzien; *(fig)* vleugels geven; voortjagen **2** vleugellam maken, aan de vleugel verwonden
[3]**wing** [wing] *tr, intr* vliegen, (als) op vleugels gaan
winger [winge] *(voetbal, rugby)* vleugelspeler, buitenspeler
wingspan vleugelspanning; *(luchtv)* spanwijdte
[1]**wink** [wingk] *zn* **1** knipperbeweging *(met de ogen)*; knipoog(je): *give s.o. a ~* iem een knipoog geven **2** ogenblik *(mbt slaap): not get a ~ (of sleep), not sleep a ~* geen oog dichtdoen || *tip s.o. the ~* iem een hint geven; *forty ~s* dutje
[2]**wink** [wingk] *intr* **1** knipperen (met) (de ogen), knipogen: *~ at s.o.* iem een knipoog geven **2** twinkelen
winker [wingke] richtingaanwijzer, knipperlicht
winkle out lospeuteren, uitpersen: *winkle information out of s.o.* informatie van iem lospeuteren
winner [winne] **1** winnaar **2** (kas)succes: *be onto a ~* een lot uit de loterij hebben
winning [winning] **1** winnend, zegevierend **2** innemend; aantrekkelijk *(glimlach enz.)*
winnow [winnoo] **1** wannen, van kaf ontdoen: *~ the chaff (from the grain)* het kaf (uit het koren) wannen **2** (uit)ziften, schiften
wino [wajnoo] *(mv: ook ~es)* zuiplap, dronkenlap
winsome [winsem] aantrekkelijk, charmant
winter [winte] winter: *in ~* 's winters, in de winter; *last* (of: *this*) *~* afgelopen (*of:* komende) winter
winter sports [winte spo:ts] wintersporten
wintry winters, winter-, guur
[1]**wipe** [wajp] *zn* veeg: *give sth. a ~* iets even afvegen
[2]**wipe** [wajp] *tr* **1** (af)vegen, (weg)wrijven, (uit)wissen: *~ one's feet* (of: *shoes*) zijn voeten vegen; *~ away* wegvegen, wrijven; *~ down, give a wipe-down* afnemen *(met natte doek); please ~ that grin off your face* haal die grijns van je gezicht **2** (af)drogen, droog wrijven: *~ one's hands* zijn handen afdrogen
wipe off 1 afvegen, wegvegen, uitwissen **2** tenietdoen *(schuld e.d.)*
wipe out 1 uitvegen, uitdrogen, (van binnen) schoonmaken **2** vereffenen, uitwissen **3** wegvagen, met de grond gelijk maken, uitroeien, vernietigen **4** uitvegen, wegvegen, uitwissen
wipe up 1 afdrogen: *help to ~ (the dishes)* helpen met afdrogen **2** opnemen, opdweilen
[1]**wire** [wajje] *zn* **1** metaalkabel, telefoon-, telegraafkabel, telefoonlijn **2** *(Am)* telegram: *by ~* telegrafisch, per telegram **3** metaaldraad: *barbed ~* prikkeldraad
[2]**wire** [wajje] *intr (Am)* telegraferen: *~ (to) s.o.* iem een telegram sturen
[3]**wire** [wajje] *tr* **1** met een draad vastmaken **2** bedraden
wired [wajje:d] **1** (met draad) verstevigd *(van kleding)* **2** op het alarmsysteem aangesloten **3** voorzien van afluisterapparatuur
[1]**wireless** [wajjeles] *zn* **1** radiotelefonie **2** radio: *on* (of: *over*) *the ~* op (*of:* via) de radio
[2]**wireless** [wajjeles] *bn* draadloos, radio-
wiretapping het afluisteren
wiring [wajjering] bedrading

wiry [wajjerie] **1** draad-, als draad **2** taai, buigzaam als draad; weerbarstig *(haar)* **3** pezig
wisdom [wizdem] wijsheid
wisdom tooth verstandskies
wise [wajz] wijs, verstandig || *it is easy to be ~ after the event* achteraf is het (altijd) makkelijk praten; *be ~ to sth.* iets in de gaten hebben; *without anyone's being the ~r* onopgemerkt, zonder dat er een haan naar kraait; *come away none the ~r* (of: *not much ~r*) niets (*of:* weinig) wijzer zijn geworden
[1]**wisecrack** *zn* grappige opmerking
[2]**wisecrack** *intr* een grappige opmerking maken
wiseguy wijsneus, betweter
wisely [wajzlie] wijselijk: *he ~ kept his mouth shut* hij hield wijselijk zijn mond
[1]**wise up** *intr (Am)* in de gaten krijgen, doorkrijgen: *~ to what is going on* in de smiezen krijgen wat er gaande is
[2]**wise up** *tr (Am)* uit de droom helpen: *get wised up* uit de droom geholpen worden
[1]**wish** [wisj] *zn* **1** verlangen, behoefte, zin **2** wens: *best* (of: *good*) *~es* beste wensen; *express a ~ to* de wens te kennen geven te; *make a ~* een wens doen
[2]**wish** [wisj] *ww* **1** wensen, willen, verlangen: *what more can you ~ for?* wat wil je nog meer? **2** (toe)wensen: *~ s.o. well* iem het beste wensen || *~ away* wegwensen, wensen dat iets niet bestond; *I wouldn't ~ that on my worst enemy* dat zou ik mijn ergste vijand nog niet toewensen
wishful [wisjfoel] wensend, verlangend: *~ thinking* wishful thinking, *(ongev)* vrome wens, ijdele hoop
wishy-washy [wisjiewosjie] **1** waterig, slap, dun **2** krachteloos, slap, armzalig
wisp [wisp] **1** bosje, bundeltje: *~ of hay* bosje hooi **2** pluimpje, plukje: *~ of hair* plukje haar, piek **3** sliert, kringel, (rook)pluim(pje): *~s of music* flarden muziek
wistful [wistfoel] **1** weemoedig, droefgeestig **2** smachtend
[1]**wit** [wit] *zn* **1** gevat iem **2** scherpzinnigheid **3** geestigheid **4** *~s* verstand, benul, intelligentie: *have enough ~* (of: *have the ~(s)*) *to say no* zo verstandig zijn nee te zeggen || *at one's ~s' end* ten einde raad; *have* (of: *keep*) *one's ~s about one* alert zijn, bijdehand (*of:* pienter) zijn; *live by* (of: *on*) *one's ~s* op ongeregelde manier aan de kost komen
[2]**wit** [wit] *intr: to ~* te weten, namelijk, dat wil zeggen
witch [witsj] heks
witchcraft tove(na)rij, hekserij
witch doctor medicijnman
witchery [witsjerie] **1** betovering, bekoring, charme **2** tovenarij
with [wið] **1** met: *a conversation ~ Jill* een gesprek met Jill; *compared ~ Mary* vergeleken bij Mary; *angry ~ Sheila* kwaad op Sheila **2** *(richting)* mee met, overeenkomstig (met): *it changes ~ the seasons* het verandert met de seizoenen; *sail ~ the wind* met de wind zeilen; *come ~ me* kom met mij mee **3** *(begeleiding, samenhang, kenmerk)* (samen) met, bij, inclusief, hebbende: *she can sing ~ the best of them* ze kan zingen als de beste; *I like it ~ sauce* ik eet het graag met saus; *what is ~ him?* wat is er met hem (aan de hand)?; *spring is ~ us* het is lente; *it's all right ~ me* ik vind het goed, mij is het om het even **4** *(plaats; ook fig)* bij, toevertrouwd aan: *she stayed ~ her aunt* ze logeerde bij haar tante **5** *(tegenstelling)* niettegenstaande, ondanks: *a nice girl, ~ all her faults* een leuk meisje, ondanks haar gebreken **6** *(middel of oorzaak)* met, met behulp van, door middel van: *they woke her ~ their noise* zij maakten haar wakker met hun lawaai; *pleased ~ the results* tevreden over de resultaten; *filled ~ water* vol water; *sick ~ worry* ziek van de zorgen **7** *(tijd)* bij, tegelijkertijd met, samen met: *~ his death all changed* met zijn dood veranderde alles; *he arrived ~ Mary* hij kwam tegelijkertijd met Mary aan; *she's not ~ it: a)* ze heeft geen benul; *b)* ze is hopeloos ouderwets || *I'm ~ you there* dat ben ik met je eens; *away* (of: *down*) *~ him!* weg met hem!; *it's all over ~ him* het is met hem afgelopen; *what's up ~ him?* wat heeft hij?
[1]**withdraw** [wiðdro:] *intr (withdrew, withdrawn)* **1** uit de weg gaan, opzijgaan **2** zich terugtrekken: *the army withdrew* het leger trok terug **3** zich onttrekken aan, niet deelnemen
[2]**withdraw** [wiðdro:] *tr (withdrew, withdrawn)* **1** terugtrekken: *~ one's hand* zijn hand terugtrekken **2** onttrekken aan, niet laten deelnemen: *~ a team from a tournament* een ploeg uit een toernooi terugtrekken **3** terugnemen *(opmerking, belofte);* herroepen: *~ an offer* (of: *a promise*) op een aanbod (*of:* belofte) terugkomen **4** opnemen *(van bankrekening): ~ a hundred pounds* honderd pond opnemen
withdrawal [wiðdro:el] **1** terugtrekking, terugtocht, het (zich) terugtrekken **2** intrekking *(bijv. van belofte)* **3** opname *(van bankrekening)* **4** ontwenning *(van verslavend middel)*
[1]**withdrawn** [wiðdro:n] *bn* **1** teruggetrokken, op zichzelf (levend) **2** (kop)schuw, bescheiden, verlegen
[2]**withdrawn** [wiðdro:n] *volt dw van* withdraw
withdrew [wiðdroe:] *ovt van* withdraw
[1]**wither** [wiðe] *intr* **1** verwelken, verdorren: *~ed leaves* dorre bla(de)ren **2** vergaan: *my hopes ~ed (away)* mijn hoop vervloog
[2]**wither** [wiðe] *tr* **1** doen verwelken, doen vergaan **2** vernietigen, wegvagen
withheld [wiðheld] *ovt en volt dw van* withhold
withhold [wiθhhoold] *(withheld, withheld)* onthouden, niet geven, toestaan, inhouden: *~ one's consent* zijn toestemming weigeren
within [wiðin] *(plaats)* binnen in, in: *~ the organization* binnen de organisatie; *he came to ~ five feet from the goal* hij kwam tot op anderhal-

ve meter van het doel; *he returned ~ an hour* hij kwam binnen het uur terug || *inquire ~* informeer binnen

without [wiðaut] zonder: *she left ~ a word* zij vertrok zonder een woord te zeggen; *it goes ~ saying* het spreekt vanzelf || *he had to do ~* hij moest het zonder stellen

withstand [wiθstend] *(withstood, withstood)* **1** weerstaan, het hoofd bieden: *~ an attack* een aanval weerstaan **2** bestand zijn tegen, opgewassen zijn tegen: *~ wind and weather* bestand zijn tegen weer en wind

withstood [wiðstoed] *ovt en volt dw van* withstand

[1]**witness** [witnis] *zn* **1** (oog)getuige, medeondertekenaar **2** getuigenis, getuigenverklaring, (ken)teken, bewijs: *bear* (of: *give*) *~ (on behalf of s.o.)* getuigen (ten gunste van iem) || *bear ~ of* (of: *to*) staven, bewijzen

[2]**witness** [witnis] *intr* getuigen, als getuige verklaren: *~ against s.o.* getuigen tegen iem

[3]**witness** [witnis] *tr* **1** getuige zijn van, bij: *~ an accident* getuige zijn van een ongeluk; *~ a signature* (als getuige) medeondertekenen **2** getuigen van, een teken zijn van

witness box getuigenbank

witter on [witter on] kletsen, wauwelen

witticism [wittissizm] geestige opmerking

witty [wittie] geestig

wives [wajvz] *mv van* wife

[1]**wizard** [wizzed] *zn* **1** tovenaar: *he's a ~ with a microwave oven* hij kan toveren met een magnetron **2** genie

[2]**wizard** [wizzed] *bn* waanzinnig, te gek, eindeloos

wizened [wizzend] verschrompeld, gerimpeld, verweerd

wk *afk van week*

[1]**wobble** [wobl] *zn* **1** schommeling, afwijking **2** beving, trilling

[2]**wobble** [wobl] *intr* waggelen, wankelen

[3]**wobble** [wobl] *tr, intr* wiebelen (met): *don't ~ your chair* zit niet met je stoel te wiebelen

wobbly [woblie] wankel, onvast, wiebelig

woe [woo] **1** ramp(spoed), narigheid, ellende **2** smart, wee: *tale of ~* smartelijk verhaal

woeful [woofoel] smartelijk, verdrietig

woke [wook] *ovt, volt dw van* wake

woken [wooken] *volt dw van* wake

[1]**wolf** [woelf] *zn (mv: wolves)* **1** wolf **2** versierder || *keep the ~ from the door* (nog) brood op de plank hebben; *~ in sheep's clothing* wolf in schaapskleren; *cry ~ (too often)* (te vaak) (lichtvaardig) loos alarm slaan

[2]**wolf** [woelf] *tr (ook met down)* (op)schrokken; naar binnen schrokken *(eten)*

wolf cub wolfsjong, wolfje

wolves [woelvz] *mv van* wolf

woman [woemen] *(mv: women)* **1** vrouw, vrouwspersoon, de vrouw, het vrouwelijke geslacht **2** werkster, (dienst)meid **3** maîtresse **4** vrouw, echtgenote

womanhood [woemenhoed] **1** vrouwelijkheid, het vrouw-zijn **2** de vrouwen, het vrouwelijk geslacht

womanish [woemenisj] **1** vrouwelijk, vrouw(en)- **2** *(min)* verwijfd

womanizer [woemenajze] rokkenjager, versierder

womanly [woemenlie] vrouwelijk

womb [woe:m] baarmoeder; *(ook fig)* schoot

women [wimmin] *mv van* woman

won [wun] *ovt en volt dw van* win

[1]**wonder** [wunde] *zn* **1** wonder, volmaakt voorwerp **2** wonder, mirakel: *(fig) do* (of: *work*) *~s* wonderen doen; *~s never cease* de wonderen zijn de wereld nog niet uit **3** verwondering, verbazing, bewondering || *it is little* (of: *no*) *~ that* het is geen wonder dat

[2]**wonder** [wunde] *intr* **1** (met *at*) verbaasd staan (van), verrast zijn, zich verbazen, (vreemd) opkijken: *I don't ~ at her hesitation* haar aarzeling verbaast me niet; *I shouldn't ~ if* het zou me niet verbazen als **2** benieuwd zijn, zich iets afvragen: *I ~ who will win* ik ben benieuwd wie er gaat winnen; *I ~ whether she noticed* ik vraag me af of ze het gemerkt heeft **3** iets betwijfelen, zich iets afvragen: *Is that so? I ~* O ja? Ik betwijfel het (ten zeerste), ik moet het nog zien

wonderful [wundefoel] schitterend, geweldig, fantastisch

wonderland sprookjesland, wonderschoon gebied

wondrous [wundres] wonder(baarlijk): *~ tales* wondere vertellingen

wonky [wongkie] krakkemikkig, wankel; *(fig)* slap

won't [woont] *samentr van will not*

woo [woe:] **1** dingen naar (de gunst van), voor zich trachten te winnen: *~ the voters* dingen naar de gunst van de kiezers **2** het hof maken, dingen naar de hand van

[1]**wood** [woed] *zn* **1** hout: *I haven't had the flu this winter yet, touch ~* ik heb deze winter nog geen griep gehad, laat ik het afkloppen **2** bos: *a walk in the ~s* een wandeling in het bos || *he can't see the ~ for the trees* hij ziet door de bomen het bos niet meer; *out of the ~(s)* in veilige haven, buiten gevaar, uit de problemen

[2]**wood** [woed] *bn* houten

woodcarving houtsnijwerk

woodcraft houtsnijkunst, houtbewerking

woodcut **1** houtsnede **2** hout(snede)blok

woodcutter houthakker

wooded [woedid] bebost, bosrijk

wooden [woedn] **1** houten: *~ horse* houten paard, paard van Troje; *~ shoe* klomp **2** houterig, stijf, harkerig

wooden-headed dom, stom

woodlouse pissebed
woodman [woedmen] **1** houtvester, boswachter **2** houthakker
woodpecker specht
woodsman [woedzmen] **1** houtvester, boswachter **2** houthakker
woodwinds hout *(houten blaasinstrumenten in orkest)*
woodwork 1 houtbewerking, timmermanskunst **2** houtwerk || *crawl (come) out of the ~* plotseling tevoorschijn komen
woof [woef] **1** woef(geluid), waf, geblaf **2** inslag *(van weefsel)*
woofer [woe:fe] woofer, lagetonenluidspreker
[1]**wool** [woel] *zn* wol || *pull the ~ over s.o.'s eyes* iem zand in de ogen strooien
[2]**wool** [woel] *bn* wollen, van wol
[1]**wool-gathering** *zn* verstrooidheid, afwezigheid
[2]**wool-gathering** *bn* verstrooid, afwezig, aan het dagdromen
woollen [woelen] wollen, van wol
[1]**woolly** [woelie] *zn* wolletje, trui, wollen kledingstuk, ondergoed
[2]**woolly** [woelie] *bn* **1** wollen, wollig, van wol **2** onduidelijk, vaag, wollig, warrig
woozy [woe:zie] wazig, licht in het hoofd
[1]**word** [we:d] *zn* **1** woord, (gesproken) uiting: *~s* tekst, woorden *(van liedje); have a ~ in s.o.'s ear* iem iets toefluisteren; *by ~ of mouth* mondeling; *put ~s in(to) s.o.'s mouth* iem woorden in de mond leggen; *right from the ~ go* vanaf het begin; *~s fail me* woorden schieten mij tekort; *say the ~* een seintje geven; *take s.o. at his ~* iem aan zijn woord houden; *~ for ~* woord voor woord, woordelijk; *in other ~s* met andere woorden; *put into ~s* onder woorden brengen; *have a ~ with s.o.* iem (even) spreken; *have ~s with s.o.* woorden hebben met iem **2** (ere)woord, belofte: *he is as good as his ~* wat hij belooft doet hij; *I give you my ~ for it* ik verzeker het je op mijn erewoord; *keep one's ~* (zijn) woord houden; *take s.o.'s ~ for it* iem op zijn woord geloven **3** (wacht)woord, bevel: *his ~ is law* zijn wil is wet **4** nieuws, bericht, boodschap: *the ~ got round that* het bericht deed de ronde dat; *send ~ of* berichten || *eat one's ~s* zijn woorden inslikken, iets terugnemen; *I could not get a ~ in edgeways* ik kon er geen speld tussen krijgen; *weigh one's ~s* zijn woorden wegen
[2]**word** [we:d] *tr* verwoorden, onder woorden brengen: *I received a carefully ~ed letter* ik kreeg een brief die in zorgvuldige bewoordingen gesteld was
wordplay woord(en)spel, woordspelingen
word processor tekstverwerker
word wrap woordomslag, automatische tekstoverloop naar volgende regel op scherm
wore [wo:] *ovt van* wear
[1]**work** [we:k] *zn* **1** werk(stuk), arbeid: *a ~ of art* een kunstwerk; *have one's ~ cut out (for one)* ergens de handen aan vol hebben; *set to ~* aan het werk gaan; *set about one's ~ in the wrong way* verkeerd te werk gaan; *at ~* aan het werk, op het werk; *men at ~* werk in uitvoering; *out of ~* werkloos **2** borduur-, hand-, naaldwerk **3** *~s* oeuvre, werken, verzameld werk: *Joyce's collected ~s* de verzamelde werken van Joyce **4** *~s* mechanisme *(van klok enz.)* **5** *~s* zooi, bups, mikmak **6** *~s* fabriek, bedrijf, werkplaats || *give s.o. the ~s: a)* iem flink onder handen nemen; *b)* iem om zeep helpen; *(inform) gum up the ~s* de boel in de war sturen; *shoot the ~s* alles op alles zetten, alles riskeren
[2]**work** [we:k] *intr* **1** werken, functioneren: *the scheme didn't ~* het plan werkte niet; *~ away* (druk) aan het werk zijn; *~ at* werken aan, zijn best doen op; *it ~s by electricity* het loopt op elektriciteit; *~ on* werken aan iets, bezig zijn met iets; *~ to* werken volgens **2** gisten, werken **3** raken *(in een toestand): the boy's socks ~ed down* de sokken van de jongen zakten af; *~ round to* toewerken naar, aansturen op
[3]**work** [we:k] *tr* **1** verrichten, tot stand brengen, bewerkstelligen: *~ miracles* (of: *wonders*) wonderen verrichten **2** laten werken, aan het werk hebben: *~ s.o. hard* iem hard laten werken **3** in werking zetten, aanzetten, bedienen, bewerken, in bedrijf houden: *~ a mine* een mijn exploiteren **4** zich banen *(een weg door iets): ~ one's way to the top* zich naar de top werken **5** bewerken, kneden, werken met: *~ clay* kleien, boetseren
workable [we:kebl] **1** bedrijfsklaar, gebruiksklaar, bruikbaar **2** uitvoerbaar, haalbaar, werkbaar
workaholic [we:kehollik] werkverslaafde, workaholic
workbench werkbank
workbook 1 werkboek(je) **2** handleiding, instructieboekje
worker [we:ke] werker, arbeider, werknemer
workhorse werkpaard *(ook fig);* werkezel
work in 1 insteken **2** verwerken: *try to ~ some more details* probeer nog een paar bijzonderheden op te nemen || *~ with* (kunnen) samenwerken met
working [we:king] werkend, werk-: *the ~ class* de arbeidersklasse; *~ man* arbeider; *~ mother* buitenshuis werkende moeder
working knowledge praktijkkennis, praktische beheersing: *~ of German* voldoende beheersing van het Duits
working week werkweek
workload werk, werklast, werkbelasting
workman [we:kmen] werkman, arbeider
workmanship [we:kmensjip] **1** vakmanschap, vakkundigheid **2** (hand)werk, afwerking
work off wegwerken: *~ steam* stoom afblazen
workout training
[1]**work out** *intr* **1** zich ontwikkelen, verlopen, (gunstig) uitvallen **2** oplosbaar zijn, uitkomen **3** trai-

nen || ~ *at* (of: *to*) uitkomen op, bedragen
[2]**work out** *tr* **1** uitwerken; opstellen *(plan enz.)* **2** uitrekenen, uitwerken, berekenen, uitzoeken: *work things out* de dingen op een rijtje zetten; *try if you can work it out for yourself* probeer eens of je er zelf achter kunt komen **3** hoogte krijgen van, doorgronden, doorzien
workplace werk, werkplek: *at* (of: *in*) *the* ~ op het werk
work placement stage: *do a ~ at a department store* stage lopen bij een warenhuis
workshop **1** werkplaats, atelier **2** workshop **3** werkgroep
workstation **1** werkplek **2** werkstation
worktop werkblad, aanrecht
work-to-rule stiptheidsactie
[1]**work up** *intr (*met *to)* toewerken (naar)
[2]**work up** *tr* **1** opbouwen, uitbouwen **2** stimuleren: *~ an appetite* zich inspannen zodat men honger krijgt **3** woedend (nerveus) maken: *don't get worked up* maak je niet druk **4** opwerken, omhoogwerken: *work one's way up from* zich omhoogwerken vanuit **5** (om)vormen: *he's working up his notes into a book* hij is bezig zijn aantekeningenmateriaal uit te werken tot een boek || *work s.o.* (of: *oneself*) *up* iem (*of:* zichzelf) opjuinen
world [we:ld] wereld; *(fig)* hoop; boel, menigte: *make a ~ of difference* een hoop verschil uitmaken; *it will do you a ~ of good* daar zul je reuze van opknappen; *come into the ~* geboren worden; *all the ~ knows, the whole ~ knows* de hele wereld weet het; *why in the ~ did you do this?* waarom heb je dat in 's hemelsnaam gedaan?; *out of this ~: a)* niet van deze wereld; *b)* te gek; *the other ~* het hiernamaals; *the Third World* de derde wereld || *I'd give the ~ to ...* ik zou er alles (ter wereld) voor over hebben om ...; *think the ~ of s.o.* een zeer hoge dunk van iem hebben, iem op handen dragen; *they are ~s apart* ze verschillen als dag en nacht; *not for (all) the ~* voor geen goud; *it is for all the ~ like* (of: *as if*) het lijkt sprekend op
world-beater superkampioen
World Cup wereldbeker, wereldkampioenschap(pen) *(voetbal)*
worldly [we:ldlie] werelds, aards, wereldwijs: *~ wisdom* wereldwijsheid; *~ goods* wereldse goederen
worldly-wise wereldwijs
world record wereldrecord
world war wereldoorlog
worldwide wereldwijd, over de hele wereld
[1]**worm** [we:m] *zn* **1** worm, hazelworm **2** schroefdraad
[2]**worm** [we:m] *tr* **1** ontwormen *(hond, kat enz.)* **2** wurmen: *~ one's way into* zich weten in te dringen in **3** ontfutselen, ontlokken: *~ a secret out of s.o.* iem een geheim ontfutselen
worn [wo:n] *volt dw van* wear
worn-out **1** afgedragen, (tot op de draad) versleten **2** uitgeput, doodop, bekaf
worried [wurried] bezorgd, ongerust: *a ~ look* een zorgelijk gezicht
worrisome [wurriesəm] **1** zorgwekkend, onrustbarend **2** zorgelijk, tobberig
[1]**worry** [wurrie] *zn* **1** (voorwerp van) zorg **2** zorgenkind, bron van zorgen **3** (be)zorg(dheid), ongerustheid
[2]**worry** [wurrie] *intr (*met *about, over)* zich zorgen maken (over): *I should ~* (zal) mij een zorg (zijn) || *not to ~!* maak je geen zorgen!; *~ at: a)* zich het hoofd breken over *(probleem); b)* aandringen bij *(iem)*
[3]**worry** [wurrie] *tr* lastigvallen, hinderen, storen: *the rain doesn't ~ him* de regen deert hem niet; *oh, that doesn't ~ me* o, daar zit ik niet (zo) mee, daar geef ik niks om; *you'll ~ yourself to death* je maakt je veel te druk
worrying [wurrie·ing] zorgwekkend, zorgelijk
[1]**worse** [we:s] *zn* iets slechters, slechtere dingen: *a change for the ~* een verandering ten kwade, een verslechtering
[2]**worse** [we:s] *bn, bw (vergr trap van bad)* **1** slechter, erger, minder (goed): *to make things ~* tot overmaat van ramp; *~ still* erger nog **2** zieker, zwakker: *today mother was much ~ than yesterday* vandaag was moeder zieker dan gisteren || *the ~ for drink* (of: *liquor*) aangeschoten; *he is none the ~ for* hij is niet minder geworden van, hij heeft niet geleden onder; *I like him none the ~ for it* ik mag hem er niet minder om
worsen [we:sn] verergeren, verslechteren, bemoeilijken
[1]**worship** [we:sjip] *zn* **1** verering, aanbidding **2** eredienst, godsdienst(oefening) || *Your Worship* Edelachtbare
[2]**worship** [we:sjip] *intr* **1** naar de kerk gaan **2** van eerbied vervuld zijn, in aanbidding verzonken zijn
[3]**worship** [we:sjip] *tr (ook fig)* aanbidden, vereren
worshipper [we:sjippə] **1** kerkganger, gelovige **2** aanbidder, vereerder
worst [we:st] **1** slechtst, ergst: *come off ~* aan het kortste eind trekken **2** ziekst, zwakst || *if the ~ comes to the ~* in het ergste geval; *so you want to fight, OK, we'll fight. Do your ~!* dus jij wil vechten, goed, dan vechten we. Kom maar op!; *at (the) ~* in het ergste geval
[1]**worth** [we:θ] *zn* **1** waarde, kwaliteit: *of great ~* van grote waarde **2** markt-, tegenwaarde: *I want a dollar's ~ of apples* mag ik voor een dollar appels?
[2]**worth** [we:θ] *bn* waard: *land ~ 100,000 dollars* land met een waarde van 100.000 dollar; *it is ~ (one's) while* het is de moeite waard; *~ seeing* bezienswaardig; *for what it's ~* voor wat het waard is; *it's ~ it* het is de moeite waard || *for all one is ~* uit alle macht
worthwhile de moeite waard, waardevol, nuttig

worthy [we:θie] **1** waardig, waardevol **2** waard: *in clothes ~ of the occasion* in bij de gelegenheid passende kleding; *he isn't ~ of her* hij is haar niet waard **3** *(vaak iron)* achtenswaardig, braaf

would [woed] *(ovt van will)* **1** willen, zullen, wensen: *he ~ not hear of it* hij wilde er niet van horen; *I wish he ~ leave me alone* ik wilde dat hij me met rust liet; *I ~ like to show you this* ik zou je dit graag laten zien; *he ~ sooner die than surrender* hij zou liever sterven dan zich overgeven **2** gewoonlijk, steeds, altijd: *we ~ walk to school together* we liepen gewoonlijk samen naar school **3** zou(den): *I ~ try it anyway (if I were you)* ik zou het toch maar proberen (als ik jou was); *he was writing the book that ~ bring him fame* hij was het boek aan het schrijven dat hem beroemd zou maken **4** *(veronderstelling)* moeten, zullen, zou(den), moest(en): *he ~ be in bed by now* hij zal nu wel in bed liggen; *~ you please shut the door?* wil je de deur sluiten alsjeblieft? **5** *(twijfel of onzekerheid)* zou kunnen: *we ~ suggest the following* we zouden het volgende willen voorstellen

would-be **1** *(min)* zogenaamd **2** toekomstig, potentieel, mogelijk: *a ~ buyer* een mogelijke koper, een gegadigde

wouldn't *samentr van would not*

[1]**wound** [woe:nd] *zn* wond, verwonding; *(fig)* belediging || *lick one's ~s* zijn wonden likken *(na de nederlaag)*

[2]**wound** [woe:nd] *tr* (ver)wonden; *(fig)* grieven; krenken: *when he suddenly left her, she felt ~ed and betrayed* toen hij plotseling bij haar wegging, voelde ze zich gekwetst en verraden

[3]**wound** [waund] *ovt en volt dw van* wind

wove [woov] *ovt van* weave

woven [wooven] *volt dw van* weave

wow [wau] **1** klapper, groot succes, sensatie **2** wow *(van muziekinstallatie)*

wrack [rek] verwoesting, verval, ruïne

wraith [reeθ] (geest)verschijning, schim, spook, spookgestalte

[1]**wrangle** [rengkl] *zn* ruzie

[2]**wrangle** [rengkl] *intr* ruzie maken, ruziën: *~ with s.o. about* (of: *over*) *sth.* met iem om (*of:* over) iets ruziën

[1]**wrap** [rep] *zn* **1** omslag(doek), omgeslagen kledingstuk, sjaal, stola **2** (reis)deken || *take the ~s off* onthullen; *under ~s* geheim

[2]**wrap** [rep] *intr* zich wikkelen

[3]**wrap** [rep] *tr* **1** inpakken, verpakken **2** wikkelen, omslaan, vouwen **3** (om)hullen, bedekken: *~ped in mist* in nevelen gehuld

wrapper [repe] **1** (stof)omslag, kaft **2** adresband(je) **3** papiertje, pakpapier, wikkel

[1]**wrap up** *intr* **1** zich (warm) (aan)kleden **2** zijn mond houden: *~!* kop dicht!

[2]**wrap up** *tr* **1** verpakken, inpakken **2** warm aankleden, (goed, stevig) inpakken **3** afwikkelen, afronden, sluiten: *~ a deal* een overeenkomst sluiten || *be wrapped up in* opgaan in; *wrap it up!* hou op!

wrathful [roθfoel] woedend

wreak [rie:k] **1** uitstorten: *~ vengeance (up)on* wraak nemen op **2** veroorzaken, aanrichten

wreath [rie:θ] (rouw)krans, (ere)krans

[1]**wreathe** [rie:ð] *intr* kringelen, kronkelen

[2]**wreathe** [rie:ð] *tr* **1** omkransen, om(k)ringen, omhullen: *~d in* om(k)ringd door, gehuld in; *(fig) a face ~ in smiles* een in glimlachen gehuld gelaat **2** (om)wikkelen, (om)strengelen **3** (be)kransen, met een krans tooien

[1]**wreck** [rek] *zn* **1** wrak *(ook fig)*; ruïne **2** schipbreuk *(ook fig)*; ondergang, vernietiging

[2]**wreck** [rek] *tr* **1** schipbreuk doen lijden, doen stranden, aan de grond doen lopen; *(fig)* doen mislukken *(plan e.d.)*: *the ship was ~ed on the rocks* het schip liep op de rotsen **2** ruïneren, verwoesten, te gronde richten

wreckage [rekkidzj] wrakgoed, wrakstukken, brokstukken, restanten

wrecker [rekke] **1** berger, bergingsmaatschappij **2** *(Am)* sloper, sloopbedrijf **3** *(Am)* takelwagen

wren [ren] winterkoninkje

[1]**wrench** [rentsj] *zn* **1** ruk, draai **2** verrekking, verstuiking **3** moersleutel

[2]**wrench** [rentsj] *tr* **1** (los)wringen, (los)wrikken, een ruk geven aan: *~ open* openwrikken, openrukken; *~ away* (of: *off*) losrukken, wegrukken, loswrikken **2** verzwikken, verstuiken **3** vertekenen; verdraaien *(feiten e.d.)*

wrest [rest] **1** (los)rukken, (los)wringen, (los)wrikken: *(fig) ~ a confession from s.o.* een bekentenis uit iem persen **2** zich meester maken van, zich toe-eigenen **3** verdraaien; geweld aandoen *(betekenis, feiten)*

wrestle [resl] worstelen (met, tegen) *(ook fig)*: *~ with problems* met problemen kampen

wretch [retsj] **1** stakker, zielenpoot **2** ellendeling, klier **3** schurk, boef, schooier

wretched [retsjid] **1** beklagenswaardig, zielig, droevig **2** ellendig, ongelukkig **3** verachtelijk, laag **4** waardeloos, beroerd, rot-

[1]**wriggle** [rikl] *zn* kronkelbeweging, gekronkel, gewriemel

[2]**wriggle** [rikl] *intr* kronkelen, wriemelen; *(fig)* zich in allerlei bochten wringen: *~ out of sth.* ergens onderuit proberen te komen

[3]**wriggle** [rikl] *tr* **1** wriemelen met, wriemelend heen en weer bewegen **2** kronkelend afleggen

wring [ring] *(wrung, wrung)* **1** omdraaien: *~ a hen's neck* een kip de nek omdraaien **2** (uit)wringen, (uit)persen, samenknijpen: *~ s.o.'s hand* iem stevig de hand drukken **3** afpersen, afdwingen: *~ a confession from* (of: *out of*) *s.o.* iem een bekentenis afdwingen

[1]**wrinkle** [ringkl] *zn* **1** rimpel, plooi, kreuk **2** foefje, kunstje **3** tip, idee

[2]**wrinkle** [ringkl] *ww* rimpelen, rimpels (doen) krijgen, kreuke(le)n

wrist [rist] **1** pols(gewricht) **2** pols(stuk) *(van kleding);* manchet
wristband **1** horlogebandje, pols(arm)band **2** manchet
wristlet [ristlit] **1** horlogeband(je) **2** polsband(je) *(bij sport)* **3** armband(je)
wristwatch polshorloge
writ [rit] **1** bevelschrift, dwangbevel, gerechtelijk schrijven: *serve a ~ on* een dagvaarding betekenen aan **2** de Schrift *(Bijbel)*
write [rajt] *(wrote, written)* schrijven, (weg)schrijven: *~ a cheque* een cheque uitschrijven; *~ back* terugschrijven, antwoorden; *~ about* (of: *on*) *a subject* over een onderwerp schrijven; *~ away for* over de post bestellen || *nothing to ~ home about* niet(s) om over naar huis te schrijven; *envy was written all over his face* de jaloezie stond hem op het gezicht te lezen
write down **1** neerschrijven, opschrijven, op papier vastleggen **2** beschrijven, uitmaken voor, beschouwen (als): *write s.o. down a bore* (of: *as*) *a bore* iem uitmaken voor een vervelende vent
[1]**write in** *intr* schrijven, schriftelijk verzoeken: *~ for a free catalogue* schrijven om een gratis catalogus
[2]**write in** *tr* bijschrijven, invoegen, toevoegen, inlassen
[1]**write off** *intr* schrijven, over de post bestellen: *~ for sth., ~ to order sth.* schrijven om iets te bestellen
[2]**write off** *tr* **1** afschrijven *(ook fig);* afvoeren: *~ losses* (of: *a car*) verliezen (*of:* een auto) afschrijven **2** (op)schrijven, in elkaar draaien
write-off **1** afschrijving **2** total loss; weggooier *(fig)*
write out **1** uitschrijven, voluit schrijven **2** schrijven; uitschrijven *(cheque e.d.)* **3** schrappen; uitschrijven *(rol in tv-serie): her part was written out* haar rol werd geschrapt
writer [rajtə] schrijver, schrijfster, auteur: *the (present) ~* ondergetekende
write up **1** bijwerken *(dagboek)* **2** uitwerken, uitschrijven
writhe [rajð] wringen, kronkelen, (ineen)krimpen: *~ with pain* kronkelen van de pijn
writing [rajting] **1** schrijven: *in ~* schriftelijk **2** (hand)schrift **3** schrift, schriftuur: *put sth. down in ~* iets op schrift stellen **4** *~s* werken, geschriften || *the ~ on the wall* het teken aan de wand
writing pad schrijfblok, blocnote
written [ritn] *volt dw van* write
wrong [rong] *zn* **1** kwaad, onrecht: *right and ~* juist en onjuist **2** misstand, wantoestand **3** onrechtmatige daad || *be in the ~: a)* het mis hebben; *b)* de schuldige zijn, het gedaan hebben
wrong [rong] *bn* **1** verkeerd, fout, onjuist: *~ number* verkeerd verbonden; *(the) ~ way round* achterstevoren, de verkeerde kant op; *go down the ~ way* in het verkeerde keelgat schieten *(van eten)* **2** slecht, verkeerd, niet goed: *you're ~ to do this, it's ~ of you to do this* u doet hier verkeerd aan **3** in de verkeerde richting, de verkeerde kant op || *get hold of the ~ end of the stick* het bij het verkeerde eind hebben; *come to the ~ shop* aan het verkeerde adres (gekomen) zijn; *get on the ~ side of s.o.* iemands sympathie verliezen; *on the ~ side of sixty* de zestig gepasseerd; *(Am) the ~ side of the tracks* de achterbuurten, de zelfkant; *bark up the ~ tree* op het verkeerde spoor zijn, aan het verkeerde adres zijn; *you're ~* je hebt ongelijk, je vergist je
[3]**wrong** [rong] *tr* **1** onrecht doen, onrechtvaardig behandelen, onredelijk zijn tegen: *~ a person* iem tekortdoen **2** onbillijk beoordelen
wrongdoing [rongdoe:ing] **1** wandaad, overtreding **2** wangedrag, misdadigheid
wrongful [rongfoel] **1** onterecht, onbillijk **2** onrechtmatig, onwettig
wrong-headed **1** dwars(liggerig), eigenwijs **2** foutief, verkeerd
wrote [root] *ovt van* write
wrought-up gespannen, nerveus, opgewonden
wrung [rung] *ovt en volt dw van* wring
wry [raj] **1** (ver)zuur(d), wrang: *~ mouth* zuinig mondje **2** (licht) ironisch, spottend, droog; laconiek *(van humor): ~ smile* spottend lachje
wt *afk van weight* gewicht

xenophobia [zennefoobie] xenofobie, vreemdelingenhaat, vreemdelingenangst
XL *afk van extra large* XL; extra groot *(in kleding)*
Xmas [krismes] kerst, Kerstmis
[1]**X-ray** *zn* **1** röntgenstraal **2** röntgenfoto
[2]**X-ray** *tr* **1** doorlichten *(ook fig)* **2** bestralen
xylophone [zajlefoon] xylofoon

y

yacht [jot] jacht *(schip)*
yachting [jotting] (wedstrijd)zeilen
yahoo [ja:hoe:] varken, schoft
yak [jek] jak, knorbuffel
yammer [jeme] **1** jammeren **2** kakelen
[1]**yank** [jengk] *zn* ruk, sjor
[2]**yank** [jengk] *tr* een ruk geven aan, trekken
Yank(ee) [jengkie] *(Am)* yank(ee); *(hist)* noorderling
yard [ja:d] **1** Engelse el *(91,4 cm)*: *by the* ~ per yard, *(fig)* ellenlang **2** *(scheepv)* ra **3** (omheind) terrein, binnenplaats, erf **4** *(Am)* plaatsje, (achter)tuin, gazon || *the Yard* Scotland Yard
yardstick meetlat; *(fig)* maatstaf
yarn [ja:n] **1** lang verhaal, (langdradig) verhaal **2** garen, draad || *spin a* ~ een lang verhaal vertellen
[1]**yawn** [jo:n] *zn* geeuw, gaap
[2]**yawn** [jo:n] *intr* geeuwen; gapen *(ook fig)*; wijd geopend zijn: ~*ing hole* gapend gat
yd(s) *afk van yard(s)*
[1]**ye** [jie:] *pers vnw* gij, u, jullie, jij
[2]**ye** [jie:] *lw* de: *ye olde Spanish Inn* de oude Spaanse herberg
yea [jee] **1** stem vóór: ~*s and nays* stemmen vóór en tegen **2** voorstemmer
year [jie] **1** jaar: *a* ~ *from today* vandaag over een jaar; *all the* ~ *round* het hele jaar door; *for many* ~*s* sinds jaar en dag; *over the* ~*s* met de jaren **2** lange tijd; *(fig)* eeuw **3** ~*s* jaren, leeftijd **4** ~*s* eeuwigheid *(alleen fig)*; eeuwen: *it has been* ~*s* het is eeuwen geleden
yearling [jieling] eenjarig dier, eenjarig renpaard
yearly [jielie] jaarlijks, elk jaar: *a* ~ *income* een jaarinkomen
yearn [je:n] smachten, verlangen: ~ *after* (of: *for*) smachten naar
yeast [jie:st] gist; *(fig)* desem
[1]**yell** [jel] *zn* gil, kreet, schreeuw, aanmoedigingskreet
[2]**yell** [jel] *ww* gillen, schreeuwen: ~ *one's head off* tekeergaan, tieren
[1]**yellow** [jelloo] *zn* **1** geel **2** eigeel, dooier
[2]**yellow** [jelloo] *bn* **1** geel(achtig) **2** laf || *(voetbal) show s.o. a* ~ *card* iem een gele kaart geven; ~ *pages* gouden gids
[1]**yelp** [jelp] *zn* **1** gekef **2** gejank **3** gil
[2]**yelp** [jelp] *intr* **1** keffen **2** janken **3** gillen
yen [jen] **1** yen *(Japanse munt)* **2** verlangen
yeoman [joomen] kleine landeigenaar
yep [jep] *(Am; inform)* ja
[1]**yes** [jes] *zn* ja: *say* ~ ja zeggen, het jawoord geven
[2]**yes** [jes] *bw* ja; jawel *(na ontkennende zin)*
yesterday [jestedee] gisteren: ~*'s weather was terrible* het weer van gisteren was afgrijselijk; *the day before* ~ eergisteren || *I saw him* ~ *week* ik heb hem gisteren een week geleden gezien
[1]**yet** [jet] *bw* **1** nog, tot nu toe, nog altijd: *she has* ~ *to ring up* ze heeft nog steeds niet opgebeld; *as* ~ tot nu toe **2** *(in vragende zinnen)* al **3** opnieuw, nog: ~ *again* nog een keer **4** toch nog, uiteindelijk: *he'll beat you* ~ hij zal jou nog wel verslaan **5** toch: *and* ~ *she refused* en toch weigerde zij (het)
[2]**yet** [jet] *vw* maar (toch), doch: *strange* ~ *true* raar maar waar
yew [joe:] taxus(boom), taxushout
Yid [jid] *(min)* Jood, jid
Yiddish [jiddisj] Jiddisch
[1]**yield** [jie:ld] *zn* opbrengst, productie, oogst, rendement
[2]**yield** [jie:ld] *intr* **1** opbrengst hebben; vrucht dragen *(van boom)* **2** zich overgeven *(aan de vijand)* **3** toegeven, wijken: ~ *to temptation* voor de verleiding bezwijken **4** voorrang verlenen
[3]**yield** [jie:ld] *tr* **1** voortbrengen *(vruchten; ook fig: winst, resultaten)*; opleveren, opbrengen **2** overgeven, opgeven, afstaan: ~ *(up) one's position to the enemy* zijn positie aan de vijand overgeven **3** toegeven
yielding [jie:lding] **1** meegevend, buigzaam **2** meegaand
yobbo [jobboo] vandaal
yodel [joodl] jodelen
yoga [jook̂e] yoga
yogurt [jok̂et] yoghurt
[1]**yoke** [jook] *zn* **1** juk *(ook fig)*; heerschappij, slavernij: *throw off the* ~ zich van het juk bevrijden **2** koppel, span, paar **3** draagjuk **4** verbintenis; juk *(van huwelijk)*
[2]**yoke** [jook] *tr* **1** onder het juk brengen, inspannen, voorspannen **2** koppelen, verbinden: ~*d in marriage* in de echt verbonden
yokel [jookl] boerenkinkel
yolk [jook] dooier
yonder [jonde] ginds, daar ginder
yore [jo:]: *of* ~ (van) vroeger, uit het verleden
you [joe] **1** jij, jou, je; *(form)* u: *I saw* ~ *chasing her* ik heb gezien hoe je haar achterna zat; *Mrs Walters to* ~ voor jou ben ik mevr. Walters **2** jullie, u: *what are* ~ *two up to?* wat voeren jullie twee uit? **3** je, men: ~ *can't always get what* ~ *want* je kunt niet altijd krijgen wat je wilt; *that's fame for* ~ dat noem ik nou nog eens beroemd zijn
you'd [joe:d] *samentr van you had, you would*
you'll [joe:l] *samentr van you will, you shall*

[1]**young** [jung] *zn* **1** de jongelui, de jeugd **2** jongen *(van dier)*

[2]**young** [jung] *bn* **1** jong, pasgeboren, klein, nieuw, vers, fris: ~ *child* klein kind, kindje; *a ~ family* een gezin met kleine kinderen **2** vroeg, net begonnen: *the day* (of: *night*) *is (still)* ~ het is nog vroeg **3** junior, jong(er)e: *the ~er Smith, Smith the ~er* de jongere Smith **4** jeugdig: *one's ~ day(s)* iemands jonge jaren || ~ *blood* nieuw, vers bloed, nieuwe ideeën; *Young Turk* revolutionair, rebel; ~ *turk* wildebras

youngster [jungste] **1** jongmens **2** jochie, kereltje

your [jo:] **1** jouw, jullie, uw, van jou, jullie: *this is ~ day* dit is jullie grote dag; *I was surprised at ~ leaving so hastily* ik was verbaasd dat je zo haastig vertrok **2** zo'n (fameuze), een: *so this is ~ Hyde Park!* dit is dus dat (beroemde) Hyde Park van jullie!

you're [jo:] *samentr van you are*

yours [jo:z] van jou, van jullie, de, het jouwe, de, het uwe: *take what is ~* neem wat van jou is; *a friend of ~* een vriend van jou || *sincerely ~* met vriendelijke groeten

yourself [jeself] **1** je, zich: *you are not ~* je bent niet in je gewone doen; *then you came to ~* toen kwam je bij **2** je zelf, zelf: *it's easier to do it ~* het is gemakkelijker om het zelf te doen; *you ~ told me* je hebt het me zelf gezegd

yourselves [jeselvz] **1** zich, jullie: *you ought to be ashamed of ~* jullie zouden je moeten schamen **2** zelf: *finish it ~* maak het zelf af

youth [joe:θ] **1** jeugd, jonge jaren **2** jongeman, jongen **3** tiener: *~s* jongelui

youthful [joe:θfoel] jeugdig, jong, jeugd-

youth hostel jeugdherberg

you've [joe:v] *samentr van you have*

[1]**yowl** [jaul] *zn* gejank *(van dieren)*

[2]**yowl** [jaul] *ww* janken *(van dieren)*

yu(c)k [juk] bah, gadsie

yucky [jukkie] smerig

[1]**Yugoslav** [joe:k̂oosla:v] *zn* Joegoslaaf

[2]**Yugoslav** [joe:k̂oosla:v] *bn* Joegoslavisch, van Joegoslavië

Yugoslavia [joe:k̂oosla:vie] Joegoslavië

yuletide kersttijd

Yuletide Kerstmis, kerst

yummy [jummie] **1** lekker, heerlijk **2** prachtig *(bijv. van kleuren)*

yuppie [juppie] *afk van young urban professional* yup(pie)

Z

z [zed] z, Z
[1]**zany** [zeenie] *zn* idioot, halvegare
[2]**zany** [zeenie] *bn* **1** grappig, zot, leuk **2** idioot, krankzinnig, absurd
[1]**zap** [zep] *zn* pit, pep || *~!* zoef!, flits!, wam!
[2]**zap** [zep] *intr (inform)* **1** snel gaan, zoeven, racen: *he was ~ping off in his car to London* hij scheurde weg in zijn wagen naar Londen **2** zappen; kanaalzwemmen *(tv)*
[3]**zap** [zep] *tr* raken, treffen
zeal [zie:l] ijver, geestdrift: *show ~ for sth.* voor iets enthousiast zijn
zealot [zellet] fanatiekeling
zealous [zelles] **1** ijverig, vurig, enthousiast **2** verlangend, gretig
zebra [zie:bre] zebra: *~ crossing* zebra(pad)
zenith [zenniθ] toppunt, top, piek
[1]**zero** [zieroo] *intr* het vizier instellen, scherpstellen: *~ in on: a)* het vuur richten op; *b)* zijn aandacht richten op *(probleem); c)* inhaken op *(bijv. op nieuwe markt)*
[2]**zero** [zieroo] *telw* nul, nulpunt, laagste punt, beginpunt: *his chances of recovery were ~* hij had geen enkele kans op herstel
zest [zest] **1** iets extra's, jeu, pit: *give* (of: *add*) *~ to* meer smaak geven aan, wat meer pit geven **2** animo, enthousiasme: *~ for life* levenslust, levensvreugde
zillion [zillien] eindeloos groot getal
Zimmer frame [zimmefreem] looprek(je), rollator
zinc [zingk] zink
[1]**zip** [zip] *zn* **1** snerpend geluid; gescheur *(van kleding)* **2** rits(sluiting) **3** pit, fut: *she's still full of ~* zij zit nog vol energie
[2]**zip** [zip] *intr* **1** zoeven, scheuren: *bullets ~ped over them* kogels floten over hen heen **2** snel gaan: *~ by* voorbijsnellen **3** vast-, los-, ingeritst worden
[3]**zip** [zip] *tr* ritsen: *~ up* dichtritsen
Zip code *(Am)* postcode
zipper [zippe] rits(sluiting)
zippy [zippie] energiek, levendig, vitaal
zodiac [zoodie·ek] dierenriem
zombie [zombie] levenloos iem, robot, automaat, zoutzak
zone [zoon] **1** streek, gebied, terrein, zone **2** luchtstreek **3** ring, kring, streep **4** *(Am)* post-, telefoon-, treindistrict
zoo [zoe:] *verk van zoological garden* dierentuin
zoological [zooelodzjikl] zoölogisch, dierkundig
zoologist [zoe:olledzjist] zoöloog, dierkundige
zoology [zoe:olledzjie] **1** dierkunde, zoölogie **2** dierenleven, fauna; dierenwereld *(in bepaalde streek)*
[1]**zoom** [zoe:m] *zn* **1** gezoem **2** *(foto)* zoom
[2]**zoom** [zoe:m] *intr* **1** zoemen, snorren **2** snel stijgen *(ook fig)*; de hoogte in schieten **3** *(inform)* zoeven, hard rijden **4** *(foto)* zoomen: *~ in (on)* inzoomen (op); *~ out* uitzoomen
zoom lens zoomlens, zoomobjectief
zucchini [zoekienie] *(Am)* courgette